셀파

해 법 수 학

sherpa

셀파

해 법 수 학

book.chunjae.co.kr

도움을 주신 선생님

김문선 서울대 수학과 졸 / (전) 종로학원 강사
김태형 서울대 수학과 졸 / (전) 종로학원 강사
김영곤 고려대 금속공학과 졸 / (전) 종로학원 강사
명백훈 서울대 수학과 졸 / (전) 종로학원 강사
손영표 서울대 재료학과 졸 / (전) 종로학원 강사
정두영 서울대 수학과 졸 / (전) 애드쿨학원 강사

자기주도 학습 *sherpa*

책머리에···

수학은 누구나 잘 할 수 있습니다.
셀파 해법수학과 함께 하는 여러분은 목표를 꼭 이룰 것입니다.

'어떻게 하면 지긋지긋한 수학을 쉽고 재미있게 공부할 수 있을까?'
하고 고민해본 경험은 누구에게나 한 번쯤은 있을 것입니다.
수학은 모든 학문의 바탕이 되는 과목입니다.
또한 대학입시에서도 매우 중요한 역할을 합니다.
그러나 안타깝게도 많은 학생들이 수학을 포기하는 것이 우리 현실입니다.

수학을 잘 하기 위해서는 무엇보다 수학과 친해져야 합니다.
그러기 위해서는 쉬운 문제부터 시작하여
기본 원리를 확실하게 터득해야 합니다.

이에 여러분 모두가 수학을 잘할 수 있기를 바라는 마음으로
셀파 해법수학을 만들었습니다.
수학을 쉽게 익힐 수 있는 셀파 해법수학 개념 기본서는
여러분의 수학 실력을 한 단계 더 높이는 데 도움을 줄 것입니다.

수학을 공부하다 보면
도대체 이 문제를 어떻게 푸는 걸까?
하며 힘들어 할 때가 생길 것입니다.
이렇게 도움이 필요한 순간마다 셀파 해법수학을 펼쳐 보십시오.
셀파 해법수학은 여러분의 수학 공부 도우미가 될 것입니다.

셀파 해법수학과 함께 하는 여러분의 성공을 기원합니다.

崔 容準

구성과 특징

기본 개념을 확인하고 가자!

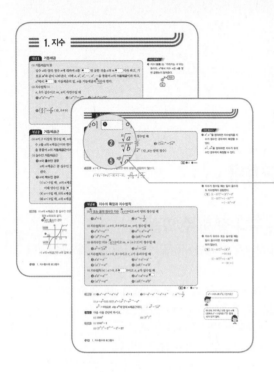

:: 개념 정리

그 단원에서 다루는 개념을 가장 쉽고 정확하게 이해할 수 있도록 꼼꼼하고 상세하게 개념을 정리했습니다.

꼭 알아야 할 개념과 함께 보기 를 제시하여 개념이 문제 해결 과정에서 어떻게 이용되는지 알 수 있도록 하였습니다.

또한 부족한 개념은 개념 플러스 에서 정리하여 학습의 공백이 없도록 구성하였습니다.

● 빈칸 채우기를 통해 그냥 지나치기 쉬운 개념 정리 부분을 다시 한 번 짚고 넘어갈 수 있습니다.

:: 개념 익히기

새로 배우는 개념을 좀 더 편리하게 학습할 수 있도록 다양한 형식의 가장 쉬운 문제를 제시하였습니다.

이 부분의 문제만 풀더라도 개념의 형성이 가능하도록 하였습니다.

같은 개념의 다른 문제를 한번 더 풀어봄으로써 기초를 확실히 다질 수 있도록 하였습니다.

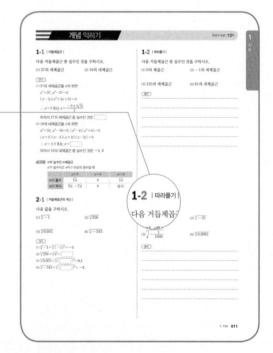

해법을 통해 문제 해결 방법을 익히자!

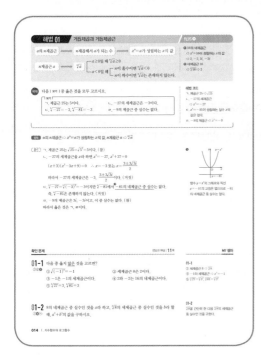

:: 셀파 해법

각 단원에서 꼭 알아야 하는 대표적인 유형을 뽑아 그 해결 방법을 제시하였습니다. 더 필요한 내용 또는 참고할 내용은 PLUS⊕ 을 통해 반복함으로써 기억에 도움이 될 수 있도록 하였으며, 예제를 해결하는 데 꼭 필요한 개념을 해법 코드와 셀파로 정리하였습니다.

꼭 알아야 할 필수 유형만 뽑은 셀파 해법

틀렸던 문제 유형이라면 확실하게 이해할 수 있도록 도와줍니다. 또 복습할 때는 개념 설명만 따로 공부할 수 있습니다.

:: 확인 문제

예제에서 익힌 문제 해결 방법을 반복 학습할 수 있도록 예제와 닮은꼴 문제를 제시하였습니다.

확인 문제에서 처음 다루는 내용이나 문제 해결에 필요한 내용은 **MY 셀파** 에서 도움말을 제공하여 어려움 없이 문제를 풀 수 있도록 하였습니다.

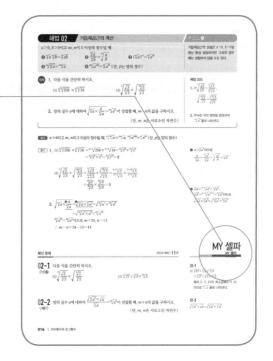

개념 기본서 셀파 해법수학
구성과 특징

특별한 강의 셀파 특강

∷ 셀파 특강

고등학교 수학에서 꼭 알아야 하지만 개념 정리에서 조금 부족하게 다룬 내용은 대화 형식 또는 집중 탐구 형식으로 셀파 특강을 통해 충분히 학습할 수 있도록 하였습니다.

또 중요한 내용은 확인 체크 01 를 통해 다시 한 번 강조 하였습니다.

선생님이 바로 옆에서 가르쳐주는 것처럼 친절한 설명!

∷ 집중 연습

반복해서 풀어보고 확실히 익혀두어야 할 기본 문제는 집중 연습 코너를 두어 충분히 연습할 수 있도록 하였습니다. 문제를 풀면서 자연스럽게 공식을 외울 수 있고 실수하기 쉬운 계산 연습도 동시에 할 수 있습니다.

기본을 다지고 실력을 기르는 연습문제

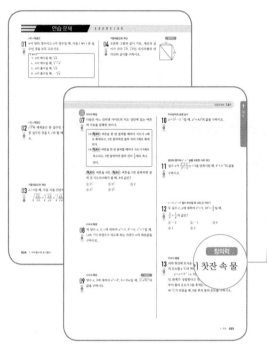

:: 연습 문제

대부분의 책에서 연습 문제는 본문과 조금 동떨어진 어려운 내용을 다뤄 실제로는 효과적인 학습이 이뤄지지 않습니다. 그러나 셀파 해법수학의 연습 문제에서 제시하는 문제는 앞에서 다룬 내용을 바탕으로 하고 있습니다. 기본을 강화하는 데 도움이 되는 내용과 학교 시험에서 자주 나오는 내용뿐 아니라 실력을 한 단계 높일 수 있는 문제로 알차게 구성하였습니다.

● 창의력 문제, 여러 개념의 통합형 문제, 서술형 문제를 통해 실력을 한층 높일 수 있도록 하였습니다.

:: [별책] 정답과 해설

이해하기 쉽도록 과정을 자세하게 설명하였습니다.
또한 자기 주도 학습에 도움이 되도록 간단한 보충 설명에는 LECTURE 를
깊이 있는 설명이 필요한 부분에 셀파 세미나 를 제시하였습니다.

같은 개념의 다른 문제를 한번 더 풀어봄으로써 기초를 확실히 다질 수 있도록 하였습니다.

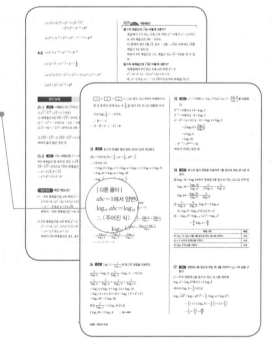

셀파 특강 | 차례

집중 연습 차례

1

지수

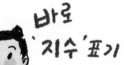

1. 지수

개념 1 거듭제곱

(1) 거듭제곱의 뜻

실수 a와 양의 정수 n에 대하여 a를 **①**[　] 번 곱한 것을 a의 n **②**[　] 이라 하고, 기호로 a^n과 같이 나타낸다. 이때 $a, a^2, a^3, \cdots, a^n, \cdots$을 통틀어 a의 **거듭제곱**이라 하고, a^n에서 **③**[　]를 거듭제곱의 밑, n을 거듭제곱의 지수라 한다.

(2) 지수법칙 (1)

a, b가 실수이고 m, n이 자연수일 때

❶ $a^m a^n = a^{m+n}$　　　　**❷** $(a^m)^n = a^{mn}$　　**❸** $(ab)^n = a^n b^n$

❹ $\left(\dfrac{a}{b}\right)^n = \dfrac{a^n}{b^n}$ (단, $b \neq 0$)　　　**❺** $a^m \div a^n = \begin{cases} a^{m-n} & (m > n) \\ 1 & (m = n) \\ \dfrac{1}{a^{n-m}} & (m < n) \end{cases}$ (단, $a \neq 0$)

㉠ 지수(指數)는 '가리키는 수'라는 뜻이다. a^n에서 지수 n은 a를 몇 번 곱했는지 알려준다.

㉡ $x^n = a$의 한 근이 $\sqrt[n]{a}$이므로 $(\sqrt[n]{a})^n = a$이다.

[답] **①** n　**②** 제곱　**③** a

개념 2 거듭제곱근

(1) n이 2 이상의 정수일 때, n제곱하여 실수 **①**[　]가 되는 수, 즉 $x^n = a$를 만족시키는 수 x를 a의 n제곱근이라 한다. 이때 a의 제곱근, 세제곱근, 네제곱근, $\cdots$, n제곱근, $\cdots$을 통틀어 a의 **거듭제곱근**이라 한다.

(2) 실수인 거듭제곱근

❶ n이 홀수인 경우

a의 n제곱근 중 실수인 것은 오직 **②**[　]뿐이고, 이것을 기호로 $\sqrt[n]{a}$와 같이 나타낸다.

❷ n이 짝수인 경우

(i) $a > 0$일 때, a의 n제곱근 중 실수인 것은 양수, 음수의 두 개가 있다. 이때 양수인 것을 **③**[　], 음수인 것을 $-\sqrt[n]{a}$로 나타낸다.

(ii) $a = 0$일 때, 0의 n제곱근은 0 하나뿐이고, $\sqrt[n]{0} = 0$이다.

(iii) $a < 0$일 때, a의 n제곱근 중 실수인 것은 없다.

㉢ n이 홀수일 때, $(-x)^n = -x^n$이므로 $y = x^n$의 그래프는 원점에 대하여 대칭이다.
또 $y = x^n$의 그래프는 n의 값에 따라 폭의 차이만 있을 뿐 그 개형은 같은 꼴이다.

㉣ a가 음수이면 $\sqrt[n]{a}$도 음수이다.
$a < 0$일 때, $y = x^n$의 그래프와 직선 $y = a$의 교점의 x좌표를 $-\sqrt[n]{a}$로 나타내지 않도록 주의한다.
n이 홀수일 때, $\sqrt[n]{a}$와 a의 부호는 같다.

[답] **①** a　**②** 하나　**③** $\sqrt[n]{a}$

해설 (2) a의 n제곱근 중 실수인 것은 방정식 $x^n = a$의 실근이므로 함수 $y = x^n$의 그래프와 직선 $y = a$의 교점의 x좌표와 같다.

❶ n이 홀수인 경우

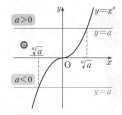

❷ n이 짝수인 경우

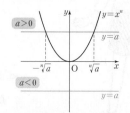

➪ a의 n제곱근은 a의 값에 관계없이 항상 1개이다.　➪ a의 n제곱근은 $a > 0$이면 2개, $a < 0$이면 없다.

1-1 | 거듭제곱근 |

다음 거듭제곱근 중 실수인 것을 구하시오.

(1) 27의 세제곱근   (2) 16의 네제곱근

연구

(1) 27의 세제곱근을 x라 하면

$x^3 = 27$, $x^3 - 27 = 0$

$(x-3)(x^2 + 3x + 9) = 0$

$\therefore x = 3$ 또는 $x = \dfrac{-3 \pm 3\sqrt{3}i}{2}$

따라서 27의 세제곱근 중 실수인 것은 ☐

(2) 16의 네제곱근을 x라 하면

$x^4 = 16$, $x^4 - 16 = 0$, $(x^2 - 4)(x^2 + 4) = 0$

$(x+2)(x-2)(x+2i)(x-2i) = 0$

$\therefore x = \pm 2$ 또는 $x = $ ☐

따라서 16의 네제곱근 중 실수인 것은 **−2, 2**

참고 ‌ a의 실수인 n제곱근

a가 실수이고 n이 2 이상의 정수일 때

	$a > 0$	$a = 0$	$a < 0$
n이 홀수	$\sqrt[n]{a}$	0	$\sqrt[n]{a}$
n이 짝수	$\sqrt[n]{a}$, $-\sqrt[n]{a}$	0	없다.

2-1 | 거듭제곱근의 계산 |

다음 값을 구하시오.

(1) $\sqrt[3]{-1}$ (2) $\sqrt[4]{256}$

(3) $\sqrt[3]{0.001}$ (4) $\sqrt[5]{-243}$

연구

(1) $\sqrt[3]{-1} = \sqrt[3]{(-1)^3} = \mathbf{-1}$

(2) $\sqrt[4]{256} = \sqrt[4]{4^4} = $ ☐

(3) $\sqrt[3]{0.001} = \sqrt[3]{(\boxed{})^3} = \mathbf{0.1}$

(4) $\sqrt[5]{-243} = \sqrt[5]{(\boxed{})^5} = \mathbf{-3}$

1-2 | 따라풀기 |

다음 거듭제곱근 중 실수인 것을 구하시오.

(1) 0의 제곱근   (2) −1의 세제곱근

(3) 125의 세제곱근   (4) 81의 네제곱근

풀이

2-2 | 따라풀기 |

다음 값을 구하시오.

(1) $\sqrt[3]{27}$ (2) $\sqrt[5]{-32}$

(3) $\sqrt[3]{-\dfrac{1}{1000}}$ (4) $\sqrt[4]{0.0081}$

풀이

개념 3 거듭제곱근의 성질

$a>0$, $b>0$이고 m, n이 $\boxed{0}$ 이상의 정수일 때

❶ $\sqrt[n]{a}\,\sqrt[n]{b}=\sqrt[n]{ab}$ 　　❷ $\dfrac{\sqrt[n]{a}}{\sqrt[n]{b}}=\sqrt[n]{\dfrac{a}{b}}$ 　　❸ $(\sqrt[n]{a})^m=\sqrt[n]{a^m}$

❹ $\sqrt[m]{\sqrt[n]{a}}=\boxed{❷}\sqrt{a}$ 　　❺ $\sqrt[np]{a^{mp}}=\sqrt[n]{a^m}$ （단, p는 양의 정수）

참고 $\sqrt[m]{\sqrt[n]{a}}=\sqrt[mn]{a}=\sqrt[n]{\sqrt[m]{a}}$

답 ❶ 2 ❷ mn

주의 $a>0$, $b>0$인 조건이 없으면 위의 성질이 성립하지 않는다.

$$\sqrt{-3}\,\sqrt{-3}\neq\sqrt{(-3)\times(-3)},\quad \dfrac{\sqrt{3}}{\sqrt{-3}}\neq\sqrt{\dfrac{3}{-3}}$$

개념 플러스

㉠ a^0, a^{-n}을 정의하면 지수법칙을 지수가 정수인 경우까지 확장할 수 있다.
$a^{\frac{1}{n}}$, $a^{\frac{m}{n}}$을 정의하면 지수가 유리수인 경우까지 확장할 수 있다.

㉡ 지수가 정수일 때는 밑이 음수라도 지수법칙이 성립한다.
예 $\{(-2)^2\}^3=(2^2)^3=2^6$
$\{(-2)^2\}^3=(-2)^{2\times3}$
$\quad=(-2)^6=2^6$

개념 4 지수의 확장과 지수법칙

(1) ㉠0 또는 음의 정수인 지수 : ㉡$a\neq0$이고 n이 양의 정수일 때

❶ $a^0=1$ 　　❷ $a^{-n}=\dfrac{1}{a^n}$

(2) 지수법칙 (2) : $a\neq0$, $b\neq0$이고 m, n이 정수일 때

❶ $a^m a^n=a^{m+n}$ 　　❷ $a^m\div a^n=a^{m-n}$

❸ $(a^m)^n=a^{mn}$ 　　❹ $(ab)^n=a^n b^n$

(3) 유리수인 지수 : ㉢$a>0$이고 m, n $(n\geq2)$이 정수일 때

❶ $a^{\frac{m}{n}}=\sqrt[n]{a^m}$ 　　❷ $a^{\frac{1}{n}}=\sqrt[n]{a}$

(4) 지수법칙 (3) : $a>0$, $b>0$이고 r, s가 유리수일 때

❶ $a^r a^s=a^{r+s}$ 　　❷ $a^r\div a^s=a^{r-s}$

❸ $(a^r)^s=a^{rs}$ 　　❹ $(ab)^r=a^r b^r$

(5) 지수법칙 (4) : $a>0$, $b\boxed{0}$0이고 x, y가 실수일 때

❶ $a^x a^y=a^{x+y}$ 　　❷ $a^x\div a^y=a^{\boxed{❷}}$

❸ $(a^x)^y=a^{xy}$ 　　❹ $(ab)^x=a^x b^x$

답 ❶ > ❷ $x-y$

㉢ 지수가 유리수 또는 실수일 때는 밑이 음수이면 지수법칙이 성립하지 않는다.
예 $\{(-3)^2\}^{\frac{1}{2}}=(3^2)^{\frac{1}{2}}$
$\quad=3\,(\bigcirc)$
$\{(-3)^2\}^{\frac{1}{2}}=(-3)^{2\times\frac{1}{2}}$
$\quad=-3\,(\times)$

해설 (1) ❶ $a^n=a^{n+0}=a^n\times a^0$ 　 ∴ $a^0=1$ 　　❷ $1=a^0=a^{n-n}=a^n\times a^{-n}$ 　 ∴ $a^{-n}=\dfrac{1}{a^n}$

(3) $x=a^{\frac{m}{n}}$이라 하면 $x^n=(a^{\frac{m}{n}})^n=a^{\frac{m}{n}\times n}=a^m$

$a^{\frac{m}{n}}>0$이므로 x는 a^m의 양의 n제곱근이다. 　 ∴ $a^{\frac{m}{n}}=\sqrt[n]{a^m}$

보기 다음 식을 간단히 하시오.

(1) 1000^0 　　　　　　　　　　　(2) $(3^{\sqrt{3}})^{\sqrt{3}}$

연구 (1) $1000^0=\mathbf{1}$

(2) $(3^{\sqrt{3}})^{\sqrt{3}}=3^{\sqrt{3}\times\sqrt{3}}=3^3=\mathbf{27}$

$a^0=1$이니까 0^0도 1인가요?

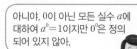
아니야. 0이 아닌 모든 실수 a에 대하여 $a^0=1$이지만 0^0은 정의되어 있지 않아.

3-1 | 거듭제곱근의 성질 |

다음 식을 간단히 하시오.

(1) $\sqrt[3]{25} \times \sqrt[3]{5}$

(2) $\dfrac{\sqrt[4]{64}}{\sqrt[4]{4}}$

(3) $(\sqrt{3})^6$

(4) $\sqrt{\sqrt{81}}$

연구

(1) $\sqrt[3]{25} \times \sqrt[3]{5} = \sqrt[3]{25 \times 5} = \sqrt[3]{\boxed{}^3} = \mathbf{5}$

(2) $\dfrac{\sqrt[4]{64}}{\sqrt[4]{4}} = \sqrt[4]{\dfrac{64}{4}} = \sqrt[4]{16} = \sqrt[4]{2^4} = \mathbf{2}$

(3) $(\sqrt{3})^6 = \sqrt[2]{3^6} = \sqrt[2]{3^{2\times3}} = \boxed{}^3 = \mathbf{27}$

(4) $\sqrt{\sqrt{81}} = \sqrt[2]{\sqrt[2]{81}} = \sqrt[4]{81} = \sqrt[4]{3^4} = \mathbf{3}$

거듭제곱근의 성질을 이용하려면 근호 안의 식 또는 수가 양수여야 해. $\sqrt{-1}\sqrt{-1} \neq \sqrt{(-1)\times(-1)}$ 처럼 근호 안이 음수이면 거듭제곱근의 성질이 성립하지 않아!

3-2 | 따라풀기 |

다음 식을 간단히 하시오.

(1) $\sqrt[4]{3} \times \sqrt[4]{27}$

(2) $\dfrac{\sqrt[3]{3}}{\sqrt[3]{24}}$

(3) $(\sqrt[3]{5})^6$

(4) $\sqrt{\sqrt[3]{8^2}}$

풀이

4-1 | 지수법칙 |

다음 식을 간단히 하시오.

(1) $5^3 \times 5^2 \div 5^4$

(2) $\left(2^{\frac{4}{5}}\right)^{\frac{5}{2}}$

(3) $\left(2^{\frac{1}{5}} \times 2^{\frac{3}{2}}\right)^{10}$

(4) $3^{3\sqrt{2}} \div 3^{-\sqrt{2}} \div 3^{2\sqrt{2}}$

연구

(1) $5^3 \times 5^2 \div 5^4 = 5^{3+2-4} = \mathbf{5}$

(2) $\left(2^{\frac{4}{5}}\right)^{\frac{5}{2}} = 2^{\frac{4}{5} \times \frac{5}{2}} = 2^2 = \boxed{}$

(3) $\left(2^{\frac{1}{5}} \times 2^{\frac{3}{2}}\right)^{10} = 2^{\frac{1}{5} \times 10} \times 2^{\frac{3}{2} \times \boxed{}}$

$\qquad = 2^2 \times 2^{15} = 2^{2+15} = \mathbf{2^{17}}$

(4) $3^{3\sqrt{2}} \div 3^{-\sqrt{2}} \div 3^{2\sqrt{2}} = 3^{3\sqrt{2}-(-\sqrt{2})-2\sqrt{2}} = \mathbf{3^{2\sqrt{2}}}$

4-2 | 따라풀기 |

다음 식을 간단히 하시오.

(1) $2^{\sqrt{2}} \times 2^{-2\sqrt{2}}$

(2) $\left(4^{-2}\right)^{\frac{1}{2}}$

(3) $\left(7^{\frac{2}{3}} \times 7^{\frac{3}{2}}\right)^6$

(4) $5^{\frac{3}{2}} \div 5^{\frac{3}{4}}$

풀이

해법 01 · 거듭제곱과 거듭제곱근

PLUS ➕

a의 n제곱근 ⟶ n제곱해서 a가 되는 수 ⟶ $x^n=a$가 성립하는 x의 값

n제곱근 a ⟶ $\sqrt[n]{a}$ ┌ $a \geq 0$일 때 $\sqrt[n]{a} \geq 0$
└ $a < 0$일 때 ┌ n이 홀수이면 $\sqrt[n]{a} < 0$
└ n이 짝수이면 $\sqrt[n]{a}$는 존재하지 않는다.

❶ 16의 네제곱근
⇨ $x^4=16$이 성립하는 x의 값
⇨ $2, -2, 2i, -2i$
❷ 네제곱근 16
⇨ $\sqrt[4]{16}$ ⇨ 2

예제 다음 | 보기 | 중 옳은 것을 모두 고르시오.

> **보기**
> ㄱ. 제곱근 25는 5이다.
> ㄴ. -27의 세제곱근은 -3이다.
> ㄷ. $\sqrt[3]{-27}=-3$, $\sqrt[4]{-81}=-3$
> ㄹ. -9의 제곱근 중 실수는 없다.

해법 코드
ㄱ. 제곱근 25 ⇨ $\sqrt{25}$
ㄴ. -27의 세제곱근
⇨ $x^3=-27$
ㄷ. $x^4=-81$이 성립하는 실수 x의 값은 없다.
ㄹ. -9의 제곱근 ⇨ $x^2=-9$

셀파 a의 n제곱근 ⇨ $x^n=a$가 성립하는 x의 값, n제곱근 a ⇨ $\sqrt[n]{a}$

풀이 ㄱ. 제곱근 25는 $\sqrt{25}=\sqrt{5^2}=5$이다. (참)
ㄴ. -27의 세제곱근을 x라 하면 $x^3=-27$, $x^3+27=0$
$(x+3)(x^2-3x+9)=0$ ∴ $x=-3$ 또는 $x=\dfrac{3\pm3\sqrt{3}i}{2}$
따라서 -27의 세제곱근은 -3, $\dfrac{3\pm3\sqrt{3}i}{2}$이다. (거짓)
ㄷ. $\sqrt[3]{-27}=\sqrt[3]{(-3)^3}=-3$이지만 $\sqrt[4]{-81}$에서 -81의 네제곱근 중 실수는 없다.
즉, $\sqrt[4]{-81}$은 존재하지 않는다. (거짓)
ㄹ. -9의 제곱근은 $3i$, $-3i$이고, 이 중 실수는 없다. (참)
따라서 옳은 것은 ㄱ, ㄹ이다.

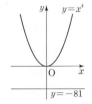

함수 $y=x^4$의 그래프와 직선 $y=-81$의 교점은 없으므로 -81의 네제곱근 중 실수는 없다.

확인 문제

정답과 해설 | **11** 쪽

MY 셀파

01-1 다음 중 옳지 <u>않은</u> 것을 고르면?
(상)(중)(하)
① $\sqrt{(-1)^2}=-1$
② 세제곱근 8은 2이다.
③ -1은 -1의 세제곱근이다.
④ 2와 -2는 16의 네제곱근이다.
⑤ $\sqrt[3]{27}=3$, $\sqrt[4]{81}=3$

01-1
② 세제곱근 8 ⇨ $\sqrt[3]{8}$
③ -1의 세제곱근 ⇨ $x^3=-1$
⑤ $\sqrt[3]{27}=\sqrt[3]{3^3}$, $\sqrt[4]{81}=\sqrt[4]{3^4}$

01-2 9의 네제곱근 중 실수인 것을 a라 하고, $\sqrt[3]{8}$의 세제곱근 중 실수인 것을 b라 할
(상)(중)(하) 때, a^2+b^3의 값을 구하시오.

01-2
$\sqrt[3]{8}$을 간단히 한 다음 $\sqrt[3]{8}$의 세제곱근 중 실수인 것을 구한다.

셀파 특강 01   'a의 n제곱근'과 'n제곱근 a'

Q 'a의 n제곱근'과 'n제곱근 a'는 서로 같은 말인가요?

A 서로 비슷해 보이지. 그렇지만 순서가 다른데, 뭔가 차이가 있겠지? 일단 예를 하나 들어서 그 차이를 생각하는 것이 이해가 쉽겠다. 가장 간단한 $2^2=4$를 이용해 보자.

Q '4의 제곱근은 2'라는 것과 '제곱근 4는 2'라는 것이잖아요. 하지만 차이를 모르겠어요. 똑같아 보이는데요.

A 똑같아 보이지만 '4의 제곱근은 2'라는 것은 거짓이고, '제곱근 4는 2'라는 것은 참이야. 제곱해서 4가 되는 수는 2 말고 다른 수가 또 있지.

Q -2도 제곱하면 4가 돼요.

A 제곱해서 4가 되는 수는 2와 -2로 두 개지? 그러니까 '4의 제곱근은 2와 -2'라고 해야지. '4의 제곱근은 2'라고 하면 거짓이라는 거야. 이제 그 차이를 이해할 수 있겠니?

Q 그러면 어떤 수의 제곱근은 항상 2개이고, 세제곱근은 3개, 네제곱근은 4개, … 이렇게 되는 건가요?

A 그렇지. 복소수의 범위에서 0이 아닌 어떤 실수의 n제곱근은 항상 n개가 존재해.

㉠ a의 n제곱근 $\Rightarrow x^n=a$
  예 8의 세제곱근은 $2, -1\pm\sqrt{3}i$

㉡ n제곱근 $a \Rightarrow \sqrt[n]{a}$
  예 세제곱근 8은 $\sqrt[3]{8}=2$

㉢ 세제곱해서 1이 되는 수는 $x^3=1$에서
$$(x-1)(x^2+x+1)=0$$
$$\therefore x=1 \text{ 또는 } x=\frac{-1\pm\sqrt{3}i}{2}$$
즉, 1의 세제곱근은 1과 $\dfrac{-1\pm\sqrt{3}i}{2}$로 3개이다.

이와 같이 복소수의 범위에서는 0이 아닌 어떤 실수의 n제곱근은 항상 n개이다.
그러나 실수의 범위로 정하면 세제곱해서 1이 되는 수는 1뿐인 것처럼 어떤 수의 n제곱근이 n개가 아닌 경우가 있다.

> 제곱근을 구할 때는 특별한 조건이 주어지지 않으면 복소수의 범위에서 구해.

확인 체크 01   정답과 해설 | **11**쪽

다음을 구하시오.

(1) -8의 세제곱근   (2) 1의 네제곱근

$a>0$, $b>0$이고 m, n이 2 이상의 정수일 때

❶ $\sqrt[n]{a}\sqrt[n]{b}=\sqrt[n]{ab}$ 　　❷ $\dfrac{\sqrt[n]{a}}{\sqrt[n]{b}}=\sqrt[n]{\dfrac{a}{b}}$ 　　❸ $(\sqrt[n]{a})^m=\sqrt[n]{a^m}$

❹ $\sqrt[m]{\sqrt[n]{a}}=\sqrt[mn]{a}$ 　　❺ $\sqrt[np]{a^{mp}}=\sqrt[n]{a^m}$ (단, p는 양의 정수)

> 거듭제곱근의 성질은 $a>0$, $b>0$일 때는 항상 성립하지만 그외의 경우에는 성립하지 않을 수도 있다.

예제 **1.** 다음 식을 간단히 하시오.

(1) $\sqrt[4]{\sqrt[3]{256}}\times\sqrt[3]{\sqrt[4]{16}}$

(2) $\sqrt[5]{\dfrac{\sqrt{3}}{\sqrt[4]{3}}}\times\sqrt{\dfrac{\sqrt[10]{3}}{\sqrt[5]{3}}}$

2. 양의 실수 a에 대하여 $\sqrt{\sqrt[3]{a}\times\dfrac{a}{\sqrt[4]{a}}}=\sqrt[m]{a^n}$ 이 성립할 때, $m-n$의 값을 구하시오.

(단, m, n은 서로소인 자연수)

해법 코드

1. (2) $\sqrt[5]{\dfrac{\sqrt{3}}{\sqrt[4]{3}}}=\dfrac{\sqrt[5]{\sqrt{3}}}{\sqrt[5]{\sqrt[4]{3}}}$,

$\sqrt{\dfrac{\sqrt[10]{3}}{\sqrt[5]{3}}}=\dfrac{\sqrt{\sqrt[10]{3}}}{\sqrt{\sqrt[5]{3}}}$

2. 주어진 식의 좌변을 정리하여 $\sqrt[m]{a^n}$ 꼴로 나타낸다.

셀파 $a>0$이고 m, n이 2 이상의 정수일 때, $\sqrt[m]{\sqrt[n]{a}}=\sqrt[mn]{a}$, $\sqrt[np]{a^{mp}}=\sqrt[n]{a^m}$ (단, p는 양의 정수)

풀이 **1.** (1) $\sqrt[4]{\sqrt[3]{256}}\times\sqrt[3]{\sqrt[4]{16}}=\sqrt[4\times3]{256}\times\sqrt[3\times4]{16}=\sqrt[12]{2^8}\times\sqrt[12]{2^4}$
$=\sqrt[12]{2^8\times2^4}=\sqrt[12]{2^{12}}=\mathbf{2}$

(2) $\sqrt[5]{\dfrac{\sqrt{3}}{\sqrt[4]{3}}}\times\sqrt{\dfrac{\sqrt[10]{3}}{\sqrt[5]{3}}}=\dfrac{\sqrt[5]{\sqrt{3}}}{\sqrt[5]{\sqrt[4]{3}}}\times\dfrac{\sqrt{\sqrt[10]{3}}}{\sqrt{\sqrt[5]{3}}}=\dfrac{\sqrt[5\times2]{3}}{\sqrt[5\times4]{3}}\times\dfrac{\sqrt[2\times10]{3}}{\sqrt[2\times5]{3}}$
$=\dfrac{\sqrt[10]{3}}{\sqrt[20]{3}}\times\dfrac{\sqrt[20]{3}}{\sqrt[10]{3}}=\mathbf{1}$

2. $\sqrt{\sqrt[3]{a}\times\overset{❶}{\dfrac{a}{\sqrt[4]{a}}}}\overset{❷}{=}\sqrt{\sqrt[3]{a}\times\sqrt[4]{a^3}}=\sqrt{\sqrt[12]{a^4}\times\sqrt[12]{a^9}}$
$=\sqrt{\sqrt[12]{a^4\times a^9}}=\sqrt[24]{a^{13}}$

$\sqrt[24]{a^{13}}=\sqrt[m]{a^n}$이므로 $m=24$, $n=13$

$\therefore m-n=24-13=\mathbf{11}$

❶ $a=\sqrt[4]{a^4}$이므로
$\dfrac{a}{\sqrt[4]{a}}=\dfrac{\sqrt[4]{a^4}}{\sqrt[4]{a}}=\sqrt[4]{\dfrac{a^4}{a}}=\sqrt[4]{a^3}$

❷ $\sqrt[3]{a}=\sqrt[3\times4]{a^4}=\sqrt[12]{a^4}$,
$\sqrt[4]{a^3}=\sqrt[4\times3]{a^{3\times3}}=\sqrt[12]{a^9}$이므로
$\sqrt[3]{a}\times\sqrt[4]{a^3}=\sqrt{\sqrt[12]{a^4}\times\sqrt[12]{a^9}}$

확인 문제 　　　　　　　　　　　　　정답과 해설 | **11**쪽 　　　　　**MY 셀파**

02-1 (상 중 **하**) 다음 식을 간단히 하시오.

(1) $\sqrt[4]{\dfrac{\sqrt{2}}{\sqrt[3]{2}}}\times\sqrt{\dfrac{\sqrt[6]{2}}{\sqrt[8]{2}}}$

(2) $\sqrt[5]{27}\div\sqrt[3]{3}\times\sqrt[15]{3}$

02-1
(2) $\sqrt[5]{27}\div\sqrt[3]{3}\times\sqrt[15]{3}$
$=\sqrt[5]{3^3}\div\sqrt[3]{3}\times\sqrt[15]{3}$
에서 5, 3, 15의 최소공배수가 15
이므로 $\sqrt[15]{\triangle}$ 꼴로 나타낸다.

02-2 (상 중 **하**) 양의 실수 a에 대하여 $\dfrac{\sqrt{\sqrt[4]{a^3}\times\sqrt{a}}}{\sqrt[4]{a}}=\sqrt[m]{a^n}$이 성립할 때, $m+n$의 값을 구하시오.

(단, m, n은 서로소인 자연수)

02-2
$\sqrt{\sqrt[4]{a^3}\times\sqrt{a}}=\sqrt{\sqrt[4]{a^3}\times\sqrt[4]{a^2}}$

거듭제곱근으로 주어진 두 수 $\sqrt[m]{a}$, $\sqrt[n]{b}$의 대소 비교

①　두 수 m, n의 최소공배수를 이용하여 두 수를 바꾼다.

　　$\sqrt[m]{a} \Rightarrow \sqrt[mn]{a^n}$, $\sqrt[n]{b} \Rightarrow \sqrt[mn]{b^m}$ (단, m, n은 서로소인 자연수)

②　a^n과 b^m의 크기를 비교한다.

③　$\sqrt[m]{a}$와 $\sqrt[n]{b}$의 크기를 비교한다.

$$\sqrt[m]{a} \Rightarrow \sqrt[mn]{a^n}$$
$$\sqrt[n]{b} \Rightarrow \sqrt[mn]{b^m}$$

예제 　다음 수의 대소를 비교하시오.

(1) $\sqrt{3}$, $\sqrt[3]{4}$, $\sqrt[4]{7}$ 　　　　　　　　(2) $\sqrt{27}$, $\sqrt[3]{9}$, $\sqrt[4]{3}$, $\sqrt[6]{243}$

해법 코드

(2) $\sqrt{27}$, $\sqrt[3]{9}$, $\sqrt[4]{3}$, $\sqrt[6]{243}$에서 2, 3, 4, 6의 최소공배수는 12이다.

셀파 　$a>0$, $b>0$이고 n이 2 이상의 정수일 때 $a>b \Longleftrightarrow \sqrt[n]{a}>\sqrt[n]{b}$

풀이 (1) $\sqrt{3}$, $\sqrt[3]{4}$, $\sqrt[4]{7}$에서 2, 3, 4의 최소공배수는 12이므로

　　$\sqrt{3}=\sqrt[2\times6]{3^6}=\sqrt[12]{3^6}$, $\sqrt[3]{4}=\sqrt[3\times4]{4^4}=\sqrt[12]{4^4}$, $\sqrt[4]{7}=\sqrt[4\times3]{7^3}=\sqrt[12]{7^3}$

　　이때 $\sqrt[12]{3^6}$, $\sqrt[12]{4^4}$, $\sqrt[12]{7^3}$에서 $3^6>7^3>4^4$이므로

　　$\sqrt[12]{3^6}>\sqrt[12]{7^3}>\sqrt[12]{4^4}$

　　$\therefore \sqrt{3}>\sqrt[4]{7}>\sqrt[3]{4}$

● m, n이 서로소인 자연수일 때, $\sqrt[m]{a}$, $\sqrt[n]{b}$의 크기는 m과 n의 최소공배수 mn으로 바꿔서 비교한다.
$\sqrt[mn]{a^n}$, $\sqrt[mn]{b^m}$
이때 $a^n>b^m$이면 $\sqrt[mn]{a^n}>\sqrt[mn]{b^m}$
$\therefore \sqrt[m]{a}>\sqrt[n]{b}$

(2) $\sqrt{27}$, $\sqrt[3]{9}$, $\sqrt[4]{3}$, $\sqrt[6]{243}$에서 2, 3, 4, 6의 최소공배수는 12이므로

　　$\sqrt{27}=\sqrt{3^3}=\sqrt[2\times6]{3^{3\times6}}=\sqrt[12]{3^{18}}$,

　　$\sqrt[3]{9}=\sqrt[3]{3^2}=\sqrt[3\times4]{3^{2\times4}}=\sqrt[12]{3^8}$,

　　$\sqrt[4]{3}=\sqrt[4\times3]{3^3}=\sqrt[12]{3^3}$,

　　$\sqrt[6]{243}=\sqrt[6]{3^5}=\sqrt[6\times2]{3^{5\times2}}=\sqrt[12]{3^{10}}$

　　이때 $\sqrt[12]{3^{18}}$, $\sqrt[12]{3^8}$, $\sqrt[12]{3^3}$, $\sqrt[12]{3^{10}}$에서 $3^{18}>3^{10}>3^8>3^3$이므로

　　$\sqrt[12]{3^{18}}>\sqrt[12]{3^{10}}>\sqrt[12]{3^8}>\sqrt[12]{3^3}$

　　$\therefore \sqrt{27}>\sqrt[6]{243}>\sqrt[3]{9}>\sqrt[4]{3}$

● $3^6=729$, $4^4=256$, $7^3=343$ 이므로 $3^6>7^3>4^4$

확인 문제 　　　　　　　　　　　　　　정답과 해설 | **12**쪽 　　　　　　MY 셀파

03-1 다음 수의 대소를 비교하시오.

(상)(중)(하) 　(1) $\sqrt[6]{16}$, $\sqrt[5]{8}$, $\sqrt[4]{4}$ 　　　　　　(2) $\sqrt{2}$, $\sqrt[3]{3}$, $\sqrt[4]{5}$, $\sqrt[6]{7}$

03-1

(1) $\sqrt[6]{16}$, $\sqrt[5]{8}$, $\sqrt[4]{4}$에서 16, 8, 4는 모두 2의 거듭제곱이다.

(2) $\sqrt{2}$, $\sqrt[3]{3}$, $\sqrt[4]{5}$, $\sqrt[6]{7}$에서 2, 3, 4, 6의 최소공배수는 12이다.

해법 04   지수의 확장

PLUS ⊕

$a>0$, $b>0$이고 x, y가 실수일 때

❶ $a^x a^y = a^{x+y}$ ❷ $a^x \div a^y = a^{x-y}$

❸ $(a^x)^y = a^{xy}$ ❹ $(ab)^x = a^x b^x$

지수가 실수이면 밑이 양수일 때만 지수법칙이 성립한다.

예제 **1.** 다음 식의 값을 구하시오.

(1) $\{(-3)^2\}^{\frac{3}{2}}$ (2) $\left\{\left(\dfrac{1}{25}\right)^{-\frac{5}{8}}\right\}^{\frac{4}{5}}$

2. 다음 식의 값을 구하시오.

(1) $\left\{\left(\dfrac{25}{4}\right)^{\frac{5}{6}}\right\}^{\frac{3}{5}} \times \left\{\left(\dfrac{1}{2}\right)^{\frac{5}{4}}\right\}^{-\frac{8}{5}}$ (2) $1024^{\frac{1}{4}} \div 8^{\frac{1}{6}}$

해법 코드

1. $(a^m)^n = a^{mn}$, $a^{-1} = \dfrac{1}{a}$

2. (2) $1024^{\frac{1}{4}} = (2^{10})^{\frac{1}{4}} = 2^{\frac{5}{2}}$
$8^{\frac{1}{6}} = (2^3)^{\frac{1}{6}} = 2^{\frac{1}{2}}$

셀파 지수가 실수인 경우 ⇨ 밑을 양수로 만든 다음 지수법칙을 이용한다.

풀이 **1.** (1) $\underset{\textcircled{つ}}{\underline{\{(-3)^2\}}}^{\frac{3}{2}} = 9^{\frac{3}{2}} = (3^2)^{\frac{3}{2}} = 3^{2 \times \frac{3}{2}} = 3^3 = \mathbf{27}$

    (2) $\left\{\left(\dfrac{1}{25}\right)^{-\frac{5}{8}}\right\}^{\frac{4}{5}} = \left(\dfrac{1}{25}\right)^{-\frac{5}{8} \times \frac{4}{5}} = \left(\dfrac{1}{25}\right)^{-\frac{1}{2}} = \left(\dfrac{1}{5}\right)^{2 \times \left(-\frac{1}{2}\right)} = \left(\dfrac{1}{5}\right)^{-1} = \mathbf{5}$

2. (1) $\left\{\left(\dfrac{25}{4}\right)^{\frac{5}{6}}\right\}^{\frac{3}{5}} \times \left\{\left(\dfrac{1}{2}\right)^{\frac{5}{4}}\right\}^{-\frac{8}{5}} = \left(\dfrac{5}{2}\right)^{2 \times \frac{5}{6} \times \frac{3}{5}} \times \left(\dfrac{1}{2}\right)^{\frac{5}{4} \times \left(-\frac{8}{5}\right)} = \dfrac{5}{2} \times \left(\dfrac{1}{2}\right)^{-2}$

                         $= \dfrac{5}{2} \times (2^{-1})^{-2} = \dfrac{5}{2} \times 2^2 = \mathbf{10}$

    (2) $1024^{\frac{1}{4}} \div 8^{\frac{1}{6}} = 2^{\frac{10}{4}} \div 2^{\frac{3}{6}} = 2^{\frac{5}{2}} \div 2^{\frac{1}{2}} = 2^{\frac{5}{2} - \frac{1}{2}} = 2^2 = \mathbf{4}$

つ 지수가 실수이면 밑이 음수일 때 지수법칙이 성립하지 않으므로
$\{(-3)^2\}^{\frac{3}{2}} = (-3)^{2 \times \frac{3}{2}} = (-3)^3$
으로 계산하지 않도록 한다.

확인 문제   정답과 해설 | **12**쪽

MY 셀파

04-1

다음 식의 값을 구하시오.

(1) $\left(\dfrac{2}{5}\right)^0 + \left\{\left(\dfrac{125}{8}\right)^{\frac{1}{2}}\right\}^{\frac{4}{3}}$ (2) $32^{-\frac{1}{5}} + 25^{-\frac{1}{2}}$

(3) $(4^{\sqrt{3}})^{\sqrt{12}}$ (4) $9^{-\frac{3}{2}} \times 8^{\frac{1}{3}} \div 81^{-\frac{3}{2}}$

04-1
밑이 양수이므로 지수법칙을 이용할 수 있다. 이때 $a \neq 0$, n이 양의 정수이면 $a^{-n} = \dfrac{1}{a^n}$을 이용한다.

04-2

a, b가 양수일 때, 다음 식을 간단히 하시오.

(1) $a^{\frac{2}{3}} \times a^{\frac{1}{6}} \div a^{\frac{1}{3}}$ (2) $(ab^5)^{\frac{1}{6}} \div (ab)^{\frac{1}{2}} \times (ab^2)^{\frac{1}{3}}$

04-2
(2) $(ab)^x = a^x b^x$으로 변형한 다음 지수법칙을 이용한다.

해법 05 　거듭제곱근을 유리수인 지수로 나타내기　／ PLUS ⊕

$a>0$이고 m, n $(n \geq 2)$이 정수일 때, 다음을 이용하여 거듭제곱근을 유리수인 지수로 변형한 다음 지수법칙을 이용한다.

❶ $\sqrt[n]{a^m}=a^{\frac{m}{n}}$　　　　　　　❷ $\sqrt[n]{a}=a^{\frac{1}{n}}$

$a>0$, $a \neq 1$일 때
$$\overbrace{\sqrt{\sqrt{\sqrt{\cdots\sqrt{a}}}}}^{n개}=a^{\left(\frac{1}{2}\right)^n}$$

해법 코드
$a>0$, $b>0$일 때
$\sqrt{ab}=\sqrt{a}\times\sqrt{b}$이므로
b 대신 $\sqrt{a}$를 대입하면
$\sqrt{a\sqrt{a}}=\sqrt{a}\times\sqrt{\sqrt{a}}$

 예제 $a>0$, $a \neq 1$일 때, 다음 식을 간단히 하여 a^r 꼴로 나타내시오. (단, r는 유리수)

(1) $\sqrt{a\sqrt{a\sqrt{a}}}$　　　　　　　　　　(2) $\sqrt[3]{a\sqrt[3]{a\sqrt[3]{a}}}$

셀파 $\sqrt[n]{a^m}=a^{\frac{m}{n}}$을 이용하여 거듭제곱 꼴로 변형한 다음 지수법칙을 이용한다.

풀이

(1) $\sqrt{a\sqrt{a\sqrt{a}}}=\{a\times(a\times a^{\frac{1}{2}})^{\frac{1}{2}}\}^{\frac{1}{2}}$
$=\{a\times(a^{\frac{3}{2}})^{\frac{1}{2}}\}^{\frac{1}{2}}=(a\times a^{\frac{3}{4}})^{\frac{1}{2}}$
$=(a^{\frac{7}{4}})^{\frac{1}{2}}=\boldsymbol{a^{\frac{7}{8}}}$

(2) $\sqrt[3]{a\sqrt[3]{a\sqrt[3]{a}}}=\{a\times(a\times a^{\frac{1}{3}})^{\frac{1}{3}}\}^{\frac{1}{3}}$
$=\{a\times(a^{\frac{4}{3}})^{\frac{1}{3}}\}^{\frac{1}{3}}=(a\times a^{\frac{4}{9}})^{\frac{1}{3}}$
$=(a^{\frac{13}{9}})^{\frac{1}{3}}=\boldsymbol{a^{\frac{13}{27}}}$

❼ $\sqrt{a\sqrt{a}}=\sqrt{a}\times\sqrt{\sqrt{a}}$
$\sqrt{a\sqrt{a\sqrt{a}}}=\sqrt{a}\times\sqrt{\sqrt{a}}\times\sqrt{\sqrt{\sqrt{a}}}$
$=\sqrt{a}\times\sqrt{\sqrt{a}}\times\sqrt{\sqrt{\sqrt{a}}}$

❿ $\sqrt[m]{\sqrt[n]{a}}=\sqrt[mn]{a}$, $\sqrt{a}=\sqrt[2]{a}$이므로
$\sqrt{\sqrt{a}}=\sqrt[2]{\sqrt[2]{a}}=\sqrt[2\times2]{a}=\sqrt[4]{a}$

다른 풀이

(1) $\sqrt{a\sqrt{a\sqrt{a}}}^{❼}=\sqrt{a}\times\sqrt[4]{a}^{❿}\times\sqrt[8]{a}=\sqrt[8]{a^4}\times\sqrt[8]{a^2}\times\sqrt[8]{a}$
$=\sqrt[8]{a^4\times a^2\times a}=\sqrt[8]{a^7}=a^{\frac{7}{8}}$

(2) $\sqrt[3]{a\sqrt[3]{a\sqrt[3]{a}}}=\sqrt[3]{a}\times\sqrt[9]{a}\times\sqrt[27]{a}=\sqrt[27]{a^9}\times\sqrt[27]{a^3}\times\sqrt[27]{a}$
$=\sqrt[27]{a^9\times a^3\times a}=\sqrt[27]{a^{13}}=a^{\frac{13}{27}}$

확인 문제　　　　　　　　　　　　　　　　　　　정답과 해설 | **12**쪽　　　　　　　　　**MY 셀파**

05-1 $a>0$, $a \neq 1$일 때, 다음 식을 만족시키는 상수 k의 값을 구하시오.

(1) $\sqrt{\sqrt[4]{a^3}}=\sqrt[3]{\sqrt[4]{a^k}}$　　　　　(2) $\sqrt{\sqrt{\sqrt{\sqrt{a}}}}\times\sqrt[4]{\sqrt[4]{\sqrt[4]{a}}}=a^k$

05-1
(1) $\sqrt{\sqrt[4]{a^3}}=\sqrt[2]{\sqrt[4]{a^3}}=\sqrt[2\times4]{a^3}$
$=\sqrt[8]{a^3}=a^{\frac{3}{8}}$

05-2 $a>0$, $a \neq 1$일 때, 다음 식을 간단히 하여 a^r 꼴로 나타내시오. (단, r는 유리수)

(1) $\sqrt{a\sqrt{a^4\times\sqrt{a^8}}}$　　　　　(2) $\sqrt[4]{a\sqrt[3]{a^2\times\sqrt{a}}}$

05-2
(1) $\sqrt{a^4\times\sqrt{a^8}}=\sqrt{a^4\times a^{\frac{8}{2}}}=(a^4\times a^4)^{\frac{1}{2}}$
$=(a^8)^{\frac{1}{2}}=a^4$

지수를 포함한 식은 곱셈 공식 또는 곱셈 공식의 변형을 이용하여 식의 값을 구한다.

❶ $(a+b)(a-b)=a^2-b^2$

❷ $(a+b)^2=a^2+2ab+b^2$, $(a-b)^2=a^2-2ab+b^2$

❸ $(a+b)^3=a^3+3a^2b+3ab^2+b^3$, $(a-b)^3=a^3-3a^2b+3ab^2-b^3$

❹ $(a+b)(a^2-ab+b^2)=a^3+b^3$, $(a-b)(a^2+ab+b^2)=a^3-b^3$

❶ $a^2+b^2=(a+b)^2-2ab$
$\quad=(a-b)^2+2ab$

❷ a^3+b^3
$\quad=(a+b)^3-3ab(a+b)$

❸ a^3-b^3
$\quad=(a-b)^3+3ab(a-b)$

(예제) **1.** 다음 식을 간단히 하시오. (단, $a>0$, $b>0$)

(1) $(a^{\frac{1}{2}}+a^{-\frac{1}{2}})(a^{\frac{1}{2}}-a^{-\frac{1}{2}})(a+a^{-1})$

(2) $(a^{\frac{1}{6}}+b^{-\frac{1}{6}})(a^{\frac{1}{6}}-b^{-\frac{1}{6}})(a^{\frac{2}{3}}+a^{\frac{1}{3}}b^{-\frac{1}{3}}+b^{-\frac{2}{3}})$

2. $a^{\frac{1}{2}}+a^{-\frac{1}{2}}=3$일 때, 다음 식의 값을 구하시오. (단, $a>0$)

(1) $a+a^{-1}$ (2) $a^{\frac{3}{2}}+a^{-\frac{3}{2}}$

해법 코드

1. (1) $(a+b)(a-b)=a^2-b^2$

(2) $(a-b)(a^2+ab+b^2)$
$\quad=a^3-b^3$

2. $a^{\frac{1}{2}}+a^{-\frac{1}{2}}=3$에서

(1) 양변을 제곱한다.
(2) 양변을 세제곱한다.

(셀파) $a^{\frac{1}{2}}\pm a^{-\frac{1}{2}}=k$, $a\pm a^{-1}=m$ 꼴의 식 ⇨ 양변을 제곱한다.

(풀이) **1.** (1) (주어진 식) $=\{(a^{\frac{1}{2}})^2-(a^{-\frac{1}{2}})^2\}(a+a^{-1})$
$\qquad\qquad\quad=(a-a^{-1})(a+a^{-1})=\boldsymbol{a^2-a^{-2}}$

(2) (주어진 식) $=\{(a^{\frac{1}{6}})^2-(b^{-\frac{1}{6}})^2\}(a^{\frac{2}{3}}+a^{\frac{1}{3}}b^{-\frac{1}{3}}+b^{-\frac{2}{3}})$
$\qquad\qquad\quad=\underline{(a^{\frac{1}{3}}-b^{-\frac{1}{3}})(a^{\frac{2}{3}}+a^{\frac{1}{3}}b^{-\frac{1}{3}}+b^{-\frac{2}{3}})}$
$\qquad\qquad\quad=(a^{\frac{1}{3}})^3-(b^{-\frac{1}{3}})^3=\boldsymbol{a-b^{-1}}$

ⓐ 치환해서 생각하면 식의 모양을 파악하기가 쉽다.
$a^{\frac{1}{3}}=A$, $b^{-\frac{1}{3}}=B$로 놓으면
(밑줄친 식)
$=(A-B)(A^2+AB+B^2)$
$=A^3-B^3$

2. (1) ⓑ$\underline{a^{\frac{1}{2}}+a^{-\frac{1}{2}}=3}$의 양변을 제곱하면 $a+2+a^{-1}=9$ $\quad\therefore\ \boldsymbol{a+a^{-1}=7}$

(2) $a^{\frac{1}{2}}+a^{-\frac{1}{2}}=3$의 양변을 세제곱하면 $a^{\frac{3}{2}}+a^{-\frac{3}{2}}+3a^{\frac{1}{2}}a^{-\frac{1}{2}}(a^{\frac{1}{2}}+a^{-\frac{1}{2}})=27$
$\qquad\therefore\ a^{\frac{3}{2}}+a^{-\frac{3}{2}}=27-3(a^{\frac{1}{2}}+a^{-\frac{1}{2}})=27-3\times3=\boldsymbol{18}$

ⓑ $(a^{\frac{1}{2}})^2+2a^{\frac{1}{2}}a^{-\frac{1}{2}}+(a^{-\frac{1}{2}})^2=9$
이때 $a^{\frac{1}{2}}a^{-\frac{1}{2}}=a^{\frac{1}{2}-\frac{1}{2}}=a^0=1$
이므로
$(a^{\frac{1}{2}}+a^{-\frac{1}{2}})^2=a+2+a^{-1}=9$

확인 문제   정답과 해설 | **12**쪽   MY 셀파

06-1 $a+a^{-1}=5$일 때, 다음 식의 값을 구하시오. (단, $a>0$)
(상)(중)(하)

(1) a^2+a^{-2} (2) a^3+a^{-3} (3) $a^{\frac{1}{2}}+a^{-\frac{1}{2}}$

06-1
(3) $(a^{\frac{1}{2}}+a^{-\frac{1}{2}})^2=a+a^{-1}+2$

06-2 $a^{\frac{2}{3}}+a^{-\frac{2}{3}}=2$일 때, $a+a^{-1}$의 값을 구하시오. (단, $a>0$)
(상)(중)(하)

06-2
$a^{\frac{2}{3}}+a^{-\frac{2}{3}}=(a^{\frac{1}{3}}+a^{-\frac{1}{3}})^2-2$

해법 07 분모와 분자에 a^x, a^{-x} 꼴을 포함한 식의 계산

(1) $a>0$, $b>0$이고 x, y가 실수일 때

❶ $a^x a^y = a^{x+y}$　　　　❷ $a^x \div a^y = a^{x-y}$

❸ $(a^x)^y = a^{xy}$　　　　❹ $(ab)^x = a^x b^x$

(2) 분모, 분자에 a^x, a^{-x} 등이 포함된 식의 값은 분모, 분자에 각각 a^x 또는 a^{-x} 등을 적절히 곱하여 a^{2x} 꼴이 나타나도록 식을 변형한다.

> 분모, 분자에 같은 값을 곱하면 식의 값이 변하지 않으므로 a^{2x} 꼴이 나오도록 분모, 분자에 적당한 값을 곱한다. 이때 $aa^{-1}=1$, $a^x a^{-x}=1$이다.

예제 **1.** $a^2 = \dfrac{1}{2}$일 때, 다음 식의 값을 구하시오. (단, $a>0$)

(1) $\dfrac{a-a^{-1}}{a+a^{-1}}$ 　　　　　 (2) $\dfrac{a^3+a^{-3}}{a-a^{-1}}$

2. $a^{2x}=3$일 때, $\dfrac{a^{3x}+a^{-3x}}{a^x-a^{-x}}$의 값을 구하시오. (단, $a>0$)

해법 코드

1. (2) $a^2 = \dfrac{1}{2}$이므로

$$a^{-2} = (a^2)^{-1} = \left(\dfrac{1}{2}\right)^{-1} = 2$$

2. $a^{2x}=3$을 이용할 수 있도록 분모, 분자에 각각 a^x을 곱한다.

셀파 a^{2x}의 값을 알 때, 주어진 식을 a^{2x}이 포함된 식으로 변형한다.

풀이 **1.** 주어진 식의 분모, 분자에 각각 a를 곱하면

(1) $\dfrac{a-a^{-1}}{a+a^{-1}} = \dfrac{a(a-a^{-1})}{a(a+a^{-1})} = \dfrac{a^2-1}{a^2+1} = \dfrac{\frac{1}{2}-1}{\frac{1}{2}+1} = \boldsymbol{-\dfrac{1}{3}}$

(2) $\dfrac{a^3+a^{-3}}{a-a^{-1}} = \dfrac{a(a^3+a^{-3})}{a(a-a^{-1})} = \dfrac{a^4+a^{-2}}{a^2-1} = \dfrac{\left(\frac{1}{2}\right)^2+2}{\frac{1}{2}-1} = \boldsymbol{-\dfrac{9}{2}}$

2. 주어진 식의 분모, 분자에 각각 a^x을 곱하면

$$\dfrac{a^{3x}+a^{-3x}}{a^x-a^{-x}} = \dfrac{a^x(a^{3x}+a^{-3x})}{a^x(a^x-a^{-x})} = \dfrac{a^{4x}+a^{-2x}}{a^{2x}-1} = \dfrac{9+\frac{1}{3}}{3-1} = \dfrac{\frac{28}{3}}{2} = \boldsymbol{\dfrac{14}{3}}$$

다른 풀이

2. 주어진 식의 분모, 분자에 각각 a^{3x}을 곱하면

$$\dfrac{a^{3x}(a^{3x}+a^{-3x})}{a^{3x}(a^x-a^{-x})}$$
$$= \dfrac{a^{6x}+1}{a^{4x}-a^{2x}}$$
$$= \dfrac{3^3+1}{3^2-3} = \dfrac{14}{3}$$

확인 문제

정답과 해설 | **13**쪽

MY 셀파

07-1 $a^{2x}=\sqrt{2}$일 때, 다음 식의 값을 구하시오. (단, $a>0$)
상 **중** 하

(1) $\left(\dfrac{1}{a^3}\right)^{4x}$ 　　　　　 (2) $\dfrac{a^x-a^{-x}}{a^x+a^{-x}}$

07-1

(1) $\left(\dfrac{1}{a^3}\right)^{4x} = \dfrac{1}{a^{12x}} = \dfrac{1}{(a^{2x})^6}$

07-2 $4^x=2$일 때, $\dfrac{2^{3x}-2^{-x}}{2^x-2^{-3x}}$의 값을 구하시오.
상 **중** 하

07-2

주어진 식의 분모, 분자에 각각 2^x을 곱한다.

❶ 곱셈 공식을 이용하여 전개하기

   분수 지수를 포함한 식이라도 곱셈 공식을 이용할 수 있는 꼴이면 다항식과 마찬가지로 전개한다.

   예를 들어 $(a+a^{-1})^2$에서 $a=A$, $a^{-1}=B$로 생각하고 곱셈 공식 $(A+B)^2=A^2+2AB+B^2$을 이용한다.

❷ 곱셈 공식을 이용하여 식의 값 구하기

   $a^{\frac{1}{2}}\pm a^{-\frac{1}{2}}=k$, $a^{\frac{1}{3}}\pm a^{-\frac{1}{3}}=m$ 꼴의 식이 주어지면 각각 양변을 제곱, 세제곱한 다음 곱셈 공식의 변형을 이용한다.

❸ 식을 변형하기

   a^{2x}의 값이 주어지면 구하는 식의 분모, 분자에 a^x, a^{-x} 등 적당한 값을 곱해 a^{2x}이 포함된 식으로 변형한다.

---

01 다음 식을 간단히 하시오. (단, $a>0$, $b>0$)

   (1) $(a^{\frac{1}{2}}+a^{-\frac{1}{2}})^2-(a^{\frac{1}{2}}-a^{-\frac{1}{2}})^2$

   (2) $(a^{\frac{1}{4}}-b^{\frac{1}{4}})(a^{\frac{1}{4}}+b^{\frac{1}{4}})(a^{\frac{1}{2}}+b^{\frac{1}{2}})$

   (3) $(a^{\frac{1}{3}}+a^{-\frac{2}{3}})^3+(a^{\frac{1}{3}}-a^{-\frac{2}{3}})^3$

02 $x^{\frac{1}{2}}+x^{-\frac{1}{2}}=4$일 때, 다음 식의 값을 구하시오.

                                     (단, $x>0$)

   (1) $x+x^{-1}$

   (2) $x^{\frac{3}{2}}+x^{-\frac{3}{2}}$

   (3) x^2+x^{-2}

03 $a^{2x}=2$일 때, 다음 식의 값을 구하시오. (단, $a>0$)

   (1) $\dfrac{a^x+a^{-x}}{a^x-a^{-x}}$

   (2) $\dfrac{a^{3x}+a^{-3x}}{a^x+a^{-x}}$

   (3) $\dfrac{a^{3x}+a^{-x}}{a^x+a^{-3x}}$

04 $4^x=3$일 때, 다음 식의 값을 구하시오.

   (1) $\dfrac{2^x-2^{-x}}{2^x+2^{-x}}$

   (2) $\dfrac{8^x+8^{-x}}{2^x+2^{-x}}$

다음 식의 값을 구하시오.

(1) $24^x=8$, $6^y=16$일 때, $\dfrac{3}{x}-\dfrac{4}{y}$

(2) $2^x=3^y=6^z$일 때, $\dfrac{1}{x}+\dfrac{1}{y}-\dfrac{1}{z}$ (단, $xyz\neq 0$)

Q 이런 문제 너무 막막해요. 어떻게 해야 x, y, z의 값을 구할 수 있을까요?

A (1)을 보면 $8(=2^3)$과 $16(=2^4)$이 2의 거듭제곱이고, 구하는 식의 값에 x의 역수와 y의 역수가 있으니까 다음과 같이 $\dfrac{3}{x}-\dfrac{4}{y}$를 얻을 수 있는 꼴로 주어진 식을 변형해 보자.

> $24^x=8$, $6^y=16$의 양변을 각각 $\dfrac{1}{x}$제곱, $\dfrac{1}{y}$제곱하면
>
> $(24^x)^{\frac{1}{x}}=8^{\frac{1}{x}}$, 즉 $24=8^{\frac{1}{x}}$이고, $(6^y)^{\frac{1}{y}}=16^{\frac{1}{y}}$, 즉 $6=16^{\frac{1}{y}}$
>
> $8=2^3$이므로 $24=8^{\frac{1}{x}}=2^{\frac{3}{x}}$ ......㉠
>
> 또 $16=2^4$이므로 $6=16^{\frac{1}{y}}=2^{\frac{4}{y}}$ ......㉡
>
> ㉠÷㉡에서 $24\div 6=2^{\frac{3}{x}}\div 2^{\frac{4}{y}}$
>
> $4=2^{\frac{3}{x}-\frac{4}{y}}$ $\therefore \dfrac{3}{x}-\dfrac{4}{y}=2$

Q 밑을 2로 바꾸니까 문제가 풀리네요! 그런데 (2)는 2^x, 3^y, 6^z의 값이 주어지지 않았어요.

A $2^x=3^y=6^z=k$ ($k>0$, $k\neq 1$)로 놓으면 돼. 이때 식을 세 개로 나누면 $2^x=k$, $3^y=k$, $6^z=k$야. 이제 위에서 구한 순서대로 풀어 봐.

Q 세 식의 양변을 각각 $\dfrac{1}{x}$제곱, $\dfrac{1}{y}$제곱, $\dfrac{1}{z}$제곱하면 $2=k^{\frac{1}{x}}$, $3=k^{\frac{1}{y}}$, $6=k^{\frac{1}{z}}$이에요. 여기서 밑은 k로 모두 같으니깐 O.K!

식을 정리하면 $2\times 3\div 6 = k^{\frac{1}{x}}\times k^{\frac{1}{y}}\div k^{\frac{1}{z}}$, $1=k^0=k^{\frac{1}{x}+\frac{1}{y}-\frac{1}{z}}$

$\therefore \dfrac{1}{x}+\dfrac{1}{y}-\dfrac{1}{z}=0$

확인 체크 02 정답과 해설 | **14**쪽

다음 물음에 답하시오.

(1) $100^x=25$, $4^y=5$일 때, $\dfrac{2}{x}-\dfrac{1}{y}$의 값을 구하시오.

(2) $4^x=3^y=6^z=k$, $\dfrac{1}{x}+\dfrac{1}{y}-\dfrac{1}{z}=1$일 때, k의 값을 구하시오. (단, $xyz\neq 0$)

㉠ 구하는 값 $\dfrac{3}{x}-\dfrac{4}{y}$가 나타날 수 있는 경우를 생각한다.

$2^{\frac{3}{x}}\div 2^{\frac{4}{y}}=2^{\frac{3}{x}-\frac{4}{y}}$에서 $\dfrac{3}{x}-\dfrac{4}{y}$의 값을 얻을 수 있으므로 ㉠÷㉡을 한 것이다.

㉡ x, y, z가 실수이면 $2^x>0$, $3^y>0$, $6^z>0$이므로 $2^x=3^y=6^z=k$로 놓을 때, $k>0$이 된다.

또 $x\neq 0$, $y\neq 0$, $z\neq 0$이므로 $k\neq 1$이다.

따라서 $k^{\frac{1}{x}}$, $k^{\frac{1}{y}}$, $k^{\frac{1}{z}}$은 모두 1이 아닌 양수이다.

㉢ $\dfrac{1}{x}+\dfrac{1}{y}-\dfrac{1}{z}$의 값을 얻기 위해 $k^{\frac{1}{x}}\times k^{\frac{1}{y}}\div k^{\frac{1}{z}}$과 같은 계산이 필요하다.

> $a^x=k$이면 양변을 $\dfrac{1}{x}$제곱해서 $(a^x)^{\frac{1}{x}}=k^{\frac{1}{x}}$ $\Rightarrow$ $a=k^{\frac{1}{x}}$ 을 이용하면 되는구나.

(1) $100^x=25$, $4^y=5$의 양변을 각각 $\dfrac{1}{x}$제곱, $\dfrac{1}{y}$제곱한다.

(2) $4^x=k$, $3^y=k$, $6^z=k$의 양변을 각각 $\dfrac{1}{x}$제곱, $\dfrac{1}{y}$제곱, $\dfrac{1}{z}$제곱한다.

a의 n제곱근

01 n이 양의 정수이고 a가 양수일 때, 다음 | 보기 | 중 실수인 것을 모두 고르시오.

> 보기
> ㄱ. n이 짝수일 때, $\sqrt[n]{a}$
> ㄴ. n이 짝수일 때, $\sqrt[n]{-a}$
> ㄷ. n이 홀수일 때, $\sqrt[n]{a}$
> ㄹ. n이 홀수일 때, $-\sqrt[n]{a}$

a의 n제곱근

02 $\sqrt{3^6}$의 세제곱근 중 실수인 것을 a, $\sqrt[3]{256}$의 네제곱근 중 실수인 것을 b, c라 할 때, $a+b+c$의 값을 구하시오.

거듭제곱근의 계산

03 $a>0$일 때, 다음 식을 간단히 하시오.

$$\sqrt{\dfrac{\sqrt[3]{a}}{\sqrt[5]{a}}} \times \sqrt[3]{\dfrac{\sqrt[5]{a}}{\sqrt{a}}} \times \sqrt[5]{\dfrac{\sqrt{a}}{\sqrt[3]{a}}}$$

거듭제곱근의 계산   〔창의력〕

04 오른쪽 그림과 같이 가로, 세로의 길이가 각각 $\sqrt[4]{9}$, $\sqrt[3]{8}$인 직사각형의 대각선의 길이를 구하시오.

거듭제곱근의 대소 비교

05 세 양수 a, b, c에 대하여 $3^a=5$, $7^b=29$, $8^c=27$일 때 a, b, c의 대소 관계를 바르게 나타낸 것은?

① $a<c<b$ ② $b<a<c$ ③ $b<c<a$
④ $c<a<b$ ⑤ $c<b<a$

거듭제곱근을 유리수인 지수로 나타내기

06 $a>1$일 때, 등식 $\sqrt[12]{a^{5k}}=\sqrt{a\sqrt[3]{a^2 \times \sqrt[4]{a^5}}}$을 만족시키는 상수 k의 값은?

① $\dfrac{3}{2}$ ② $\dfrac{5}{2}$ ③ $\dfrac{7}{2}$
④ $\dfrac{5}{4}$ ⑤ $\dfrac{7}{4}$

코딩 유형 지수의 확장

07 다음은 어느 인터넷 사이트의 지도 상단에 있는 버튼의 기능을 설명한 것이다.

> (가) $\bigoplus$확대 버튼을 한 번 클릭할 때마다 지도가 a배로 확대되고, 3번 클릭하면 클릭 전의 2배로 확대된다.
>
> (나) $\bigominus$축소 버튼을 한 번 클릭할 때마다 지도가 b배로 축소되고, 3번 클릭하면 클릭 전의 $\frac{1}{2}$배로 축소된다.

$\bigoplus$확대 버튼을 4번, $\bigominus$축소 버튼을 2번 클릭하면 클릭 전 지도의 k배가 될 때, k의 값은?

① $2^{\frac{1}{3}}$ ② $2^{\frac{2}{3}}$ ③ 2

④ $2^{\frac{4}{3}}$ ⑤ $2^{\frac{5}{3}}$

지수의 확장

08 세 양수 a, b, c에 대하여 $a^4=5$, $b^5=6$, $c^6=7$일 때, $(abc)^n$이 자연수가 되도록 하는 자연수 n의 최솟값을 구하시오.

지수의 확장   **서술형**

09 양수 a, b에 대하여 $a^b=b^a$, $b=25a$일 때, $\sqrt[3]{(a^2b)^4}$의 값을 구하시오.

지수법칙과 곱셈 공식

10 $x=3^{\frac{1}{4}}-3^{-\frac{1}{4}}$일 때, x^4+4x^2의 값을 구하시오.

분모와 분자에 a^x, a^{-x} 꼴을 포함한 식의 계산

11 실수 x가 $\dfrac{2^x+2^{-x}}{2^x-2^{-x}}=3$을 만족시킬 때, 4^x+4^{-x}의 값을 구하시오.

$a^x=k$, $a^x=b^y$ 꼴이 주어질 때 식의 값 구하기

12 두 실수 x, y에 대하여 $2^x=9$, $18^y=\dfrac{1}{3}$일 때, $\dfrac{2}{x}+\dfrac{1}{y}$의 값은?

① -2 ② -1 ③ 0

④ 1 ⑤ 2

지수의 활용   **창의력**

13 어떤 찻잔에 뜨거운 물을 부은 지 t분 후 이 찻잔 속 물의 온도를 $y\,°C$라 하면

$$y=a\times b^{-t}\ (a,\ b\text{는 상수})$$

인 관계가 성립한다고 한다. 이 찻잔에 뜨거운 물을 부어 물의 온도가 3분 후에는 $50\,°C$, 6분 후에는 $40\,°C$가 되었을 때, 9분 후의 물의 온도를 구하시오.

2

로그

로그가 필요해요

스~읍

사...사장님!

지수와 로그는
불가분의 관계.
로그를 알면
지수를 알 수 있지.

$$2^{가} = 247$$
$$\rightarrow 가 = \log_2 247$$

박~수!!

그래도 이건
안될 것 같은데...

2. 로그

개념 1 로그의 정의

(1) $a>0$, $a\neq1$일 때, 임의의 양수 N에 대하여 $a^x=N$을 만족시키는 실수 x는 오직 한 개 존재하며, 이 실수 x를 $\log_a N$과 같이 나타낸다.

진수
$$\log_a N$$
밑

$$a^x=\boxed{\textbf{0}} \iff x=\log_a N$$

이때 x는 a를 **밑**으로 하는 N의 **로그**라 하며, N을 $\log_a N$의 **진수**라 한다.

(2) $\log_a N$이 정의되기 위한 조건

  ❶ 밑의 조건 : 밑은 $\boxed{\textbf{❷}}$ 이 아닌 양수이어야 한다. $\Rightarrow$ $a>0$, $a\neq1$

  ❷ 진수의 조건: 진수는 양수이어야 한다. $\Rightarrow$ $N>0$

답 **❶** N **❷** 1

개념 2 로그의 성질

$a>0$, $a\neq1$이고 $M>0$, $N>0$일 때

❶ $\log_a 1=0$, $\log_a a=\boxed{\textbf{0}}$ **❷** $\log_a MN=\log_a M+\log_a N$

❸ $\log_a \dfrac{M}{N}=\log_a \boxed{\textbf{❷}}-\log_a N$ **❹** $\log_a M^k=k\log_a M$ (단, k는 실수)

답 **❶** 1 **❷** M

[보기] 로그의 성질을 이용하여 다음을 $\log_3 2$를 사용하여 나타내시오.

  (1) $\log_3 6$ (2) $\log_3 \dfrac{3}{2}$ (3) $\log_3 16$

[연구] (1) $\log_3 6=\log_3(2\times3)=\log_3 2+\log_3 3=\boldsymbol{\log_3 2+1}$

    (2) $\log_3 \dfrac{3}{2}=\log_3 3-\log_3 2=\boldsymbol{1-\log_3 2}$

    (3) $\log_3 16=\log_3 2^4=\boldsymbol{4\log_3 2}$

개념 3 로그의 밑의 변환

$a>0$, $a\neq1$, $b>0$, $c>0$, $c\neq1$일 때

❶ $\log_a b=\dfrac{\log_c b}{\log_c a}$ **❷** $\log_a b=\dfrac{1}{\log_b \boxed{\textbf{0}}}$ (단, $b\neq1$)

[참고]

$a>0$, $a\neq1$, $b>0$일 때

❶ $a^{\log_a b}=\boxed{\textbf{❷}}$ **❷** $a^{\log_c b}=b^{\log_c a}$ (단, $c>0$, $c\neq\boxed{\textbf{❸}}$)

❸ $\log_{a^m} b^n=\dfrac{n}{m}\log_a b$ (단, m, n은 실수, $m\neq0$)

답 **❶** a **❷** b **❸** 1

㉠ 영국의 수학자 네이피어 (Napier, J)가 고안한 로그 (log)는 로가리듬(logarithm) 을 줄여 부른 것으로 logos(논리)와 arithmos(수)를 합성한 말이다.

㉡ 지수 a^x에서 x가 실수이면 $a>0$일 때만 지수법칙이 성립한다. 즉, $\log_a N$에서도 $a>0$일 때만 정의할 수 있다.
  $\Rightarrow \log_0 2 \ (\times)$, $\log_{-2} 3 \ (\times)$

㉢ $a=1$이면 x의 값에 관계없이 $1^x=1$이고, $1^x=1$이 되는 x의 값은 무수히 많다. 즉, $\log_1 1$은 무수히 많으므로 한 가지 값으로 정의할 수 없다.
  $\Rightarrow \log_1 x \ (\times)$

㉣ 실수 x의 값에 관계없이 $a>0$이면 a^x은 항상 양수이다. 이때 $a^x=N>0$에서 진수는 항상 양수이다.
  $\Rightarrow \log_2 0 \ (\times)$, $\log_3 -1(\times)$

1-1 | 로그의 정의 |

다음 등식에서 $a^x=N$ 꼴로 나타낸 것은 로그를 사용하여 나타내고, 로그를 사용하여 나타낸 것은 $a^x=N$ 꼴로 나타내시오.

(1) $5^3=125$　　　　　(2) $10^{-2}=0.01$

(3) $\log_3 81=4$　　　　(4) $\log_7 \dfrac{1}{49}=-2$

연구

(1) $5^3=125$에서 $\boxed{}=\log_5 125$

(2) $10^{-2}=0.01$에서 $-2=\log_{10} 0.01$

(3) $\log_3 81=4$에서 $3^4=\boxed{}$

(4) $\log_7 \dfrac{1}{49}=-2$에서 $7^{-2}=\dfrac{1}{49}$

1-2 | 따라풀기 |

다음 등식에서 $a^x=N$ 꼴로 나타낸 것은 로그를 사용하여 나타내고, 로그를 사용하여 나타낸 것은 $a^x=N$ 꼴로 나타내시오.

(1) $8^2=64$　　　　　(2) $6^{-2}=\dfrac{1}{36}$

(3) $\log_8 4=\dfrac{2}{3}$　　　　(4) $\log_{\frac{1}{2}} 2=-1$

풀이

2-1 | 로그의 성질 |

다음 식을 간단히 하시오.

(1) $\log_2 \dfrac{4}{3}+\log_2 \dfrac{3}{8}$　　　(2) $\log_3 36-\log_3 4$

(3) $\dfrac{\log_7 9}{\log_7 3}$　　　　(4) $\log_5 100 \cdot \log_{10} 25$

연구

(1) $\log_2 \dfrac{4}{3}+\log_2 \dfrac{3}{8}=\log_2 \left(\dfrac{4}{3}\times\dfrac{3}{8}\right)=\log_2 \dfrac{1}{2}$
$=\log_2 2^{-1}=-\log_2 2=\boxed{}$

(2) $\log_3 36-\log_3 4=\log_3 \dfrac{36}{4}=\log_3 9$
$=\log_3 3^2=\boxed{}\ \log_3 3=\boxed{}$

(3) $\dfrac{\log_7 9}{\log_7 3}=\log_3 9=\log_3 3^2=2\log_3 3=\mathbf{2}$

(4) $\log_5 100 \cdot \log_{10} 25=\dfrac{\log_{10} 100}{\log_{10} 5}\cdot\log_{10} 25$
$=\dfrac{\log_{10} 10^2}{\log_{10} 5}\cdot\log_{10} 5^2$
$=\dfrac{2\log_{10} 10}{\log_{10} 5}\cdot 2\log_{10} 5=\mathbf{4}$

2-2 | 따라풀기 |

다음 식을 간단히 하시오.

(1) $\log_2 \dfrac{2}{3}+\log_2 6$　　　(2) $\log_5 4-\log_5 20$

(3) $\log_{27} 9$　　　　(4) $\log_2 3 \cdot \log_3 8$

풀이

개념 4 상용로그와 상용로그표

(1) 10을 밑으로 하는 로그를 **상용로그**라 하고, 양수 N의 상용로그 $\log_{10} N$은 보통 밑 **❶** 을 생략하여 기호로 $\log N$과 같이 나타낸다.

[예] $\log_{10} 100 = \log 100 = \log 10^2 = 2\log 10 =$ **❷**

(2) 상용로그표를 이용한 상용로그의 값

상용로그표는 0.01의 간격으로 1.00부터 9.99까지의 수에 대한 상용로그의 값을 반올림하여 소수점 아래 넷째 자리까지 나타낸 것이다.

수	0	1	2	3
1.0	.0000	.0043	.0086	.0128
1.1	.0414	.0453	.0492	.0531
⋮	⋮	⋮	⋮	⋮
3.5	.5441	.5453	.5465	.5478
3.6	.5563	.5575	.5587	.5599

[예] $\log 3.52$의 값은 3.5의 행과 2의 열이 만나는 곳에 있는 수이다. 즉, $\log 3.52 = 0.5465$

[답] ❶ 10 ❷ 2

개념 플러스

▶ 상용로그표에 있는 상용로그의 값은 반올림하여 구한 것이지만 보통 등호(=)를 사용하여 나타낸다.

⊙ 임의의 양수 N을
$a \times 10^n$ $(1 \le a < 10, n$은 정수$)$
꼴로 나타내면
$\log N = \log(a \times 10^n)$
$\qquad = n + \log a$
이므로 $\log a = \alpha$라 하면
$\log N = n + \alpha$

개념 5 상용로그의 정수 부분과 소수 부분

임의의 양수 N에 대하여 상용로그는

$$\underset{\underset{\log N의 \ 소수\ 부분}{\uparrow}}{\overset{\overset{\log N의\ 정수\ 부분}{\downarrow}}{\log N = n + \alpha}} \ (n은\ ❶\ ,\ 0 \le \alpha < 1)$$

와 같이 나타낼 수 있다.

[답] ❶ 정수

ⓑ $N \ge 1$일 때, N의 정수 부분이 n자리이면 $10^{n-1} \le N < 10^n$이므로
$n-1 \le \log N < n$
따라서 $\log N$의 정수 부분은 $n-1$이다.

[보기] 다음 상용로그의 정수 부분과 소수 부분을 구하시오.

(1) $\log A = 2.3570$ (2) $\log B = -1.6492$

[연구] (1) $\log A = 2.3570 = 2 + 0.3570$이므로 **정수 부분은 2, 소수 부분은 0.3570**

(2) $\log B = -1.6492 = -1 - 0.6492 = (-1-1) + (1-0.6492) = -2 + 0.3508$

이므로 **정수 부분은 -2, 소수 부분은 0.3508**

[주의] (2) 상용로그의 소수 부분을 -0.6492라 하지 않도록 주의한다.

개념 6 상용로그의 성질

(1) 정수 부분의 성질

❶ 정수 부분이 n자리인 양수의 상용로그의 정수 부분은 **❶** 이다.

❷ 소수점 아래 n째 자리에서 처음으로 0이 아닌 숫자가 나타나는 양수의 상용로그의 정수 부분은 $-n$이다.

(2) 소수 부분의 성질

숫자의 배열이 같고 소수점의 위치만 다른 수들의 상용로그의 **❷** 은 모두 같다.

[답] ❶ $n-1$ ❷ 소수 부분

ⓒ 상용로그표에서
$\log 3.53 = 0.5478$이므로
$\log 35.3 = \log(10 \times 3.53)$
$\qquad = \log 10 + \log 3.53$
$\qquad = 1 + 0.5478$
$\log 353 = \log(10^2 \times 3.53)$
$\qquad = \log 10^2 + \log 3.53$
$\qquad = 2 + 0.5478$
$\log 0.353 = \log(10^{-1} \times 3.53)$
$\qquad = \log 10^{-1} + \log 3.53$
$\qquad = -1 + 0.5478$
$\log 0.0353 = \log(10^{-2} \times 3.53)$
$\qquad = \log 10^{-2} + \log 3.53$
$\qquad = -2 + 0.5478$

3-1 | 상용로그의 계산 |

다음 상용로그의 값을 구하시오.

(1) $\log 0.001$

(2) $\log \sqrt[5]{1000}$

(3) $\log 100\sqrt{10}$

(4) $\log \sqrt{\dfrac{1}{100}}$

연구

(1) $\log 0.001 = \log 10^{-3} = \boxed{} \log 10 = -3$

(2) $\log \sqrt[5]{1000} = \log 1000^{\frac{1}{5}} = \log (10^3)^{\frac{1}{5}}$
$= \log 10^{\frac{3}{5}} = \dfrac{3}{5} \log 10 = \dfrac{3}{5}$

(3) $\log 100\sqrt{10} = \log (10^2 \times 10^{\frac{1}{2}}) = \log 10^{\frac{5}{2}}$
$= \dfrac{5}{2} \log 10 = \dfrac{5}{2}$

(4) $\log \sqrt{\dfrac{1}{100}} = \log \left(\dfrac{1}{100}\right)^{\frac{1}{2}} = \log (10^{-2})^{\frac{1}{2}}$
$= \log 10^{\boxed{}} = -\log 10 = \boxed{}$

3-2 | 따라풀기 |

다음 상용로그의 값을 구하시오.

(1) $\log 100$

(2) $\log 0.01$

(3) $\log \sqrt{10}$

(4) $\log \sqrt[3]{\dfrac{1}{100}}$

풀이

4-1 | 상용로그의 정수 부분과 소수 부분 |

$\log 3.54 = 0.5490$을 이용하여 다음 상용로그의 정수 부분과 소수 부분을 구하시오.

(1) $\log 3540$

(2) $\log 0.0354$

연구

(1) $\log 3540 = \log (3.54 \times 10^3)$
$= \log 3.54 + \log 10^3$
$= \boxed{} + 0.5490$

따라서 **정수 부분은 3, 소수 부분은 0.5490**

(2) $\log 0.0354 = \log (3.54 \times 10^{-2})$
$= \log 3.54 + \log 10^{-2}$
$= -2 + 0.5490$

따라서 **정수 부분은 $\boxed{}$, 소수 부분은 0.5490**

4-2 | 따라풀기 |

$\log 2.16 = 0.3345$, $\log 6.52 = 0.8142$를 이용하여 다음 상용로그의 정수 부분과 소수 부분을 구하시오.

(1) $\log 216$

(2) $\log 0.00216$

(3) $\log 65.2$

(4) $\log 65200$

풀이

$\log_a N$이 정의되기 위해서는 밑 조건과 진수 조건이
모두 성립해야 한다.
❶ 밑 조건 : 밑은 1이 아닌 양수이어야 한다.
❷ 진수 조건 : 진수는 양수이어야 한다.

밑과 진수에 미지수 x가 포함된 로
그의 값이 정의되기 위한 조건을 구
할 때는 로그의 밑 조건과 진수 조건
을 적용하여 x에 대한 부등식을 세
운다.

예제　**1.** 다음 식의 값이 정의되기 위한 실수 x의 값의 범위를 구하시오.

(1) $\log_2 (x^2-x-6)$ 　　　　　(2) $\log_{x-3} (x^2-2x-24)$

2. 모든 실수 x에 대하여 $\log_{k-1} (x^2+2kx+3k)$의 값이 정의되기 위한 실수 k의
값의 범위를 구하시오.

해법 코드
1. 밑 조건과 진수 조건을 모두 만
족시켜야 한다.

2. 모든 실수 x에 대하여
$x^2+2kx+3k>0$
⇨ (판별식)<0

셀파 $\log_a N$이 정의되기 위한 조건 ⇨ $a>0, a\neq1, N>0$

풀이　**1.** (1) (진수)>0에서 $x^2-x-6>0$, $(x+2)(x-3)>0$
　　　∴ $x<-2$ 또는 $x>3$
　(2) 밑 조건에서 $x-3>0$, $x-3\neq1$, 즉 $x>3$, $x\neq4$이므로
　　　$3<x<4$ 또는 $x>4$　　……㉠
　　　(진수)>0에서 $x^2-2x-24>0$, $(x+4)(x-6)>0$
　　　∴ $x<-4$ 또는 $x>6$　　……㉡
　　　㉠, ㉡의 공통 범위를 구하면 $x>6$

2. 밑 조건에서 $k-1>0$, $k-1\neq1$, 즉 $k>1$, $k\neq2$이므로
　$1<k<2$ 또는 $k>2$　　……㉠
　(진수)>0에서 모든 실수 x에 대하여 $x^2+2kx+3k>0$이어야 한다.
　이때 이차방정식 $x^2+2kx+3k=0$의 판별식을 D라 하면
　$\dfrac{D}{4}=k^2-3k<0$, $k(k-3)<0$
　∴ $0<k<3$　　……㉡
　㉠, ㉡의 공통 범위를 구하면 $1<k<2$ 또는 $2<k<3$

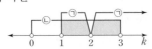

참고
모든 실수 x에 대하여 x에 대한
이차부등식 $ax^2+bx+c>0$이 성립
하려면 $a>0$, $D<0$

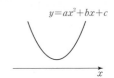

❶ 이차항의 계수가 양수이므로 판별
식 $D<0$이면 모든 실수 x에 대하
여 항상 $x^2+2kx+3k>0$이 된다.

확인 문제 　　　　　정답과 해설 | **18**쪽

01-1 다음 식의 값이 정의되기 위한 실수 x의 값의 범위를 구하시오.
상중하
　(1) $\log_3 (x^2-3x-10)$ 　　　　　(2) $\log_{x-3} (-x^2+9x-18)$

01-2 모든 실수 x에 대하여 $\log_2 (x^2-2kx+5)$의 값이 정의되기 위한 정수 k의 개수
상중하
　를 구하시오.

MY 셀파

01-1
(밑)>0, (밑)$\neq1$, (진수)>0을 만
족시키는 x의 값의 범위를 구한다.

01-2
모든 실수 x에 대하여
$x^2-2kx+5>0$이 성립할 조건을 구
한다.

$a>0$, $a\neq1$이고 $M>0$, $N>0$일 때, 다음과 같은 <u>로그의 성질</u>이 성립한다.

❶ $\log_a 1=0$, $\log_a a=1$ ❷ $\log_a MN=\log_a M+\log_a N$

❸ $\log_a \dfrac{M}{N}=\log_a M-\log_a N$ ❹ $\log_a M^k=k\log_a M$ (단, k는 실수)

---

❶ $a^0=1$이므로 <u>로그의 정의</u>에서 $0=\log_a 1$ ∴ $\boldsymbol{\log_a 1=0}$

   $a^1=a$이므로 로그의 정의에서 $1=\log_a a$ ∴ $\boldsymbol{\log_a a=1}$

   [예] $\log_2 1=0$, $\log_{10} 1=0$, $\log_3 3=1$, $\log_5 5=1$

❷ $\log_a M=x$, $\log_a N=y$라 하면 $M=a^x$, $N=a^y$이므로

   $MN=a^x a^y=a^{x+y}$

   이때 로그의 정의에서 $\log_a MN=x+y$이므로

   x 대신 $\log_a M$, y 대신 $\log_a N$을 대입하면

   $\boldsymbol{\log_a MN=\log_a M+\log_a N}$ > 로그 1개에서 진수의 곱셈은 로그 2개의 덧셈으로 바꿀 수 있어.

   [예] $\log_2 10=\log_2 (2\times5)=\log_2 2+\log_2 5=1+\log_2 5$

❸ $\log_a M=x$, $\log_a N=y$라 하면 $M=a^x$, $N=a^y$이므로

   $\dfrac{M}{N}=\dfrac{a^x}{a^y}=a^{x-y}$

   이때 로그의 정의에서 $\log_a \dfrac{M}{N}=x-y$이므로

   x 대신 $\log_a M$, y 대신 $\log_a N$을 대입하면

   $\boldsymbol{\log_a \dfrac{M}{N}=\log_a M-\log_a N}$ > 로그 1개에서 진수의 나눗셈은 로그 2개의 뺄셈으로 바꿀 수 있어.

   [예] $\log_3 \dfrac{3}{5}=\log_3 3-\log_3 5=1-\log_3 5$

❹ $\log_a M=x$라 하면 $M=a^x$이므로 $M^k=(a^x)^k=a^{xk}$

   이때 로그의 정의에서 $\log_a M^k=kx$이므로

   x 대신 $\log_a M$을 대입하면

   $\boldsymbol{\log_a M^k=k\log_a M}$

   [예] $\log_5 125=\log_5 5^3=3\log_5 5=3$

㉠ 로그의 성질을 증명하는 과정은 앞에서 다룬 지수법칙을 이용한다.

▶ **지수법칙**

   $a>0$, $b>0$이고 x, y가 실수일 때

❶ $a^x a^y=a^{x+y}$

❷ $a^x \div a^y=a^{x-y}$

❸ $(a^x)^y=a^{xy}$

❹ $(ab)^x=a^x b^x$

㉡ $a^x=N$을 로그로 바꿔 나타낼 때

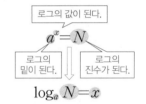

로그의 값이 된다.
$a^x=N$
로그의 밑이 된다.   로그의 진수가 된다.
$\log_a N=x$

로그의 성질은 매우 중요하니까 헷갈리지 않도록 확실하게 기억해야 해. 증명 과정을 한 번쯤 따라해 보면 도움이 될 거야.

PLUS ⊕

밑이 같은 로그의 계산은 다음 로그의 기본 성질을 이용하여 진수를 간단히 한다.

$a>0$, $a\neq1$이고 $M>0$, $N>0$일 때

❶ $\log_a 1=0$, $\log_a a=1$

❷ $k\log_a M=\log_a M^k$ (단, k는 실수)

❸ $\log_a M+\log_a N=\log_a MN$

❹ $\log_a M-\log_a N=\log_a \dfrac{M}{N}$

$\log_1 1=0\,(\times)$, $\log_a 0=1\,(\times)$

$\log_a x\cdot\log_a y$
$=\log_a (x+y)\,(\times)$

$\dfrac{\log_a x}{\log_a y}=\log_a x-\log_a y\,(\times)$

$(\log_a x)^n=n\log_a x\,(\times)$

해법 코드

1. $\log_a x+\log_a y-\log_a z$

$=\log_a \dfrac{xy}{z}$

2. $\log_a \dfrac{n+1}{n}+\log_a \dfrac{n+2}{n+1}$

$=\log_a \left(\dfrac{\cancel{n+1}}{n}\times\dfrac{n+2}{\cancel{n+1}}\right)$

$=\log_a \dfrac{n+2}{n}$

[예제] **1.** 다음 식을 간단히 하시오.

(1) $\log_3 18+\log_3 6-\log_3 4$
　　　(2) $\log_2 \dfrac{2}{9}+4\log_2 \sqrt{12}$

2. 다음 식을 간단히 하시오.

$\log_{10}\left(1+\dfrac{1}{2}\right)+\log_{10}\left(1+\dfrac{1}{3}\right)+\log_{10}\left(1+\dfrac{1}{4}\right)+\cdots+\log_{10}\left(1+\dfrac{1}{199}\right)$

[셀파] $\log_a x+\log_a y+\log_a z=\log_a xyz$, $\log_a a^m=m$

[풀이] **1.** (1) (주어진 식)$=\log_3 (18\times6\div4)=\log_3 27$

$\qquad\qquad\qquad=\log_3 3^3=3\log_3 3=\mathbf{3}$

(2) (주어진 식)$=\log_2 \dfrac{2}{9}+\log_2 (\sqrt{12})^4=\log_2 \left(\dfrac{2}{9}\times144\right)$

$\qquad\qquad\qquad=\log_2 32=\log_2 2^5=5\log_2 2=\mathbf{5}$

2. ⊙(주어진 식)$=\log_{10} \dfrac{3}{2}+\log_{10} \dfrac{4}{3}+\log_{10} \dfrac{5}{4}+\cdots+\log_{10} \dfrac{200}{199}$

$\qquad\qquad=\log_{10}\left(\dfrac{3}{2}\times\dfrac{4}{3}\times\dfrac{5}{4}\times\cdots\times\dfrac{200}{199}\right)$

$\qquad\qquad=\log_{10} 100=\log_{10} 10^2=2\log_{10} 10=\mathbf{2}$

[참고]

로그의 식 정리 순서

① $k\log_a x=\log_a x^k$으로 고치기

② 밑이 같은지 확인하기

③ 하나의 진수로 나타내 정리하기

⊙ $1+\dfrac{1}{2}\Rightarrow\dfrac{3}{2}$, $1+\dfrac{1}{3}\Rightarrow\dfrac{4}{3}$, $\cdots$,

$1+\dfrac{1}{199}\Rightarrow\dfrac{200}{199}$

으로 변형하여 나타낸다.

확인 문제　　　　　　　　　　　　　　　　정답과 해설 | **19**쪽

 02-1 다음 식을 간단히 하시오.
(상)(중)(하)

(1) $\log_2 \dfrac{\sqrt{3}}{2}-\dfrac{1}{2}\log_2 3$
　　(2) $\log_3 \dfrac{9}{5}+2\log_3 \sqrt{5}-\dfrac{1}{2}\log_3 \dfrac{1}{9}$

02-2 다음 식을 간단히 하시오.
(상)(중)(하)

$\log_{10}\left(1-\dfrac{1}{2}\right)+\log_{10}\left(1-\dfrac{1}{3}\right)+\log_{10}\left(1-\dfrac{1}{4}\right)+\cdots+\log_{10}\left(1-\dfrac{1}{100}\right)$

MY 셀파

02-1

$k\log_a x$ 꼴은 $\log_a x^k$ 꼴로 고쳐서 계산한다.

02-2

주어진 식의 각 항을 $\log_{10} \dfrac{n-1}{n}$ 꼴로 나타낸다.

$a>0$, $a \neq 1$, $b>0$, $c>0$, $c \neq 1$일 때, 다음 공식이 성립한다.

❶ $\log_a b = \dfrac{\log_c b}{\log_c a}$

❷ $\log_a b = \dfrac{1}{\log_b a}$ (단, $b \neq 1$)

❸ $a^{\log_a b} = b$

❹ $a^{\log_c b} = b^{\log_c a}$

❺ $\log_{a^m} b^n = \dfrac{n}{m} \log_a b$ (단, $m \neq 0$)

---

❶ $\log_a b = x$로 놓으면 $a^x = b$

양변에 c를 밑으로 하는 로그를 취하면

$\log_c a^x = \log_c b$, $x \log_c a = \log_c b$ $\therefore x = \dfrac{\log_c b}{\log_c a}$

따라서 $\log_a b = \dfrac{\log_c b}{\log_c a}$

[예] $\log_{27} 9 = \dfrac{\log_3 9}{\log_3 27} = \dfrac{\log_3 3^2}{\log_3 3^3} = \dfrac{2 \log_3 3}{3 \log_3 3} = \dfrac{2}{3}$

❷ $\log_a b = x$로 놓으면 $a^x = b$

양변에 b를 밑으로 하는 로그를 취하면

$\log_b a^x = \log_b b$, $x \log_b a = 1$ $\therefore x = \dfrac{1}{\log_b a}$

따라서 $\log_a b = \dfrac{1}{\log_b a}$

[예] $\log_2 3 = \dfrac{1}{\log_3 2}$

❸ $a^{\log_a b} = x$로 놓고 양변에 a를 밑으로 하는 로그를 취하면

$\log_a a^{\log_a b} = \log_a x$에서 $\underline{\log_a b \cdot \log_a a} = \log_a x$

$\log_a b = \log_a x$ $\therefore x = b$

따라서 $a^{\log_a b} = b$

[예] $4^{\log_2 3} = 2^{2 \log_2 3} = 2^{\log_2 3^2} = 3^2 = 9$

❹ $a^{\log_c b} = x$로 놓고 양변에 c를 밑으로 하는 로그를 취하면

$\log_c a^{\log_c b} = \log_c x$에서 $\log_c b \cdot \log_c a = \log_c x$

또 $\underline{\log_c a \cdot \log_c b} = \log_c x$에서 $\log_c b^{\log_c a} = \log_c x$ $\therefore x = b^{\log_c a}$

따라서 $a^{\log_c b} = b^{\log_c a}$

[예] $16^{\log_4 3} = 3^{\log_4 16} = 3^{2 \log_4 4} = 3^2 = 9$

❺ 로그의 밑 변환 공식 **❶**에 의하여

$\underline{\log_{a^m} b^n} = \dfrac{\log_a b^n}{\log_a a^m} = \dfrac{n \log_a b}{m \log_a a} = \dfrac{n}{m} \log_a b$

[예] $\log_4 8 = \log_{2^2} 2^3 = \dfrac{3}{2} \log_2 2 = \dfrac{3}{2}$

▶ 로그의 정의를 다음과 같이 이해할 수 있다.

$a^x = b$에서 양변에 a를 밑으로 하는 로그를 취하면

$$\log_a a^x = \log_a b$$

$$\Downarrow$$

$$x = \log_a b$$

또 $x = \log_a b$에서 양변에 a를 밑으로 하는 지수를 만들면

$$a^x = a^{\log_a b}$$

$$\Downarrow$$

$$a^x = b$$

ㄱ $\log_a a = 1$이므로

$\log_a b \cdot \log_a a = \log_a b \cdot 1$
　　　　　　$= \log_a b$

ㄴ $\log_c a \cdot \log_c b$에서 $\log_c a = k$로 놓으면

$\log_c a \cdot \log_c b = k \log_c b$
　　　　　　　$= \log_c b^k$
　　　　　　　$= \log_c b^{\log_c a}$

ㄷ a를 밑으로 하는 로그로 변환하면

$\log_{a^m} b^n = \dfrac{\log_a b^n}{\log_a a^m}$

(1) $a>0$, $a \neq 1$이고 $M>0$, $N>0$일 때

  ❶ $\log_a 1=0$, $\log_a a=1$

  ❷ $\log_a MN=\log_a M+\log_a N$

  ❸ $\log_a \dfrac{M}{N}=\log_a M-\log_a N$

  ❹ $\log_a M^k=k \log_a M$ (단, k는 실수)

(2) $a>0$, $a \neq 1$, $b>0$, $b \neq 1$, $c>0$, $c \neq 1$일 때

  ❶ $\log_a b=\dfrac{\log_c b}{\log_c a}$

  ❷ $\log_a b=\dfrac{1}{\log_b a}$

01 다음 식을 간단히 하시오.

(1) $\log_5 5+\log_5 1$

(2) $\log_2 \dfrac{2}{3}+\log_2 \dfrac{3}{16}$

(3) $\log_{10} \sqrt{5}+\dfrac{1}{2} \log_{10} 2$

(4) $\log_2 6-\log_2 \dfrac{3}{2}$

(5) $\log_3 30+\log_3 9-\log_3 10$

(6) $\log_2 \sqrt{6}-\log_2 \sqrt{3}+\dfrac{1}{2} \log_2 8$

02 다음 식을 간단히 하시오.

(1) $\log_{125} 25$

(2) $\log_8 \dfrac{1}{4}$

(3) $\log_2 3 \cdot \log_3 16$

(4) $\log_4 27 \cdot \log_5 8 \cdot \log_9 25$

(5) $(\log_7 16 \cdot \log_3 7-\log_3 2)\log_2 3$

(6) $3^{\log_2 9 \cdot \log_5 0.2 \cdot \log_9 4}$

해법 03 로그의 밑의 변환

$a>0,\ a\neq1,\ b>0$일 때

❶ $\log_a b=\dfrac{\log_c b}{\log_c a}$ (단, $c>0,\ c\neq1$)

❷ $\log_a b=\dfrac{1}{\log_b a}$ (단, $b\neq1$)

> 로그의 덧셈이나 뺄셈은 밑이 같아야 계산할 수 있으므로 밑을 원하는 수로 자유롭게 바꿀 수 있어야 한다.

예제 다음 식을 간단히 하시오.

(1) $\log_3 \sqrt{8}\cdot\log_2 9$

(2) $(\log_2 3+\log_4 9)(\log_3 4+\log_9 2)$

해법 코드
같은 수를 밑으로 하는 로그로 주어진 식을 변형한다.

셀파 로그의 밑이 같지 않을 때는 먼저 밑을 같게 한다.

풀이 주어진 식을 10을 밑으로 하는 로그로 바꾸면

(1) $\log_3 \sqrt{8}\cdot\log_2 9=\dfrac{\log_{10}\sqrt{8}}{\log_{10}3}\times\dfrac{\log_{10}9}{\log_{10}2}=\dfrac{3\log_{10}2}{2\log_{10}3}\times\dfrac{2\log_{10}3}{\log_{10}2}=3$

(2) $(\log_2 3+\log_4 9)(\log_3 4+\log_9 2)$

$=\left(\dfrac{\log_{10}3}{\log_{10}2}+\dfrac{2\log_{10}3}{2\log_{10}2}\right)\left(\dfrac{2\log_{10}2}{\log_{10}3}+\dfrac{\log_{10}2}{2\log_{10}3}\right)$

$=\dfrac{2\log_{10}3}{\log_{10}2}\times\dfrac{5\log_{10}2}{2\log_{10}3}=5$

다른 풀이 (1) $\log_3 \sqrt{8}=\dfrac{1}{2}\log_3 8=\dfrac{3}{2}\log_3 2,\ \log_2 9=\log_2 3^2=2\log_2 3$

∴ (주어진 식)$=\dfrac{3}{2}\log_3 2\times2\log_2 3=3$

(2) $\log_2 3+\log_4 9=\log_2 3+\log_{2^2}3^2=\log_2 3+\dfrac{2}{2}\log_2 3=2\log_2 3$

$\log_3 4+\log_9 2=\log_3 2^2+\log_{3^2}2=2\log_3 2+\dfrac{1}{2}\log_3 2=\dfrac{5}{2}\log_3 2$

∴ (주어진 식)$=2\log_2 3\times\dfrac{5}{2}\log_3 2=5$

ⓐ $\log_{10}\sqrt{8}=\dfrac{1}{2}\log_{10}8=\dfrac{1}{2}\log_{10}2^3=\dfrac{3}{2}\log_{10}2$

ⓑ $\log_4 9=\dfrac{\log_{10}9}{\log_{10}4}=\dfrac{2\log_{10}3}{2\log_{10}2}$

ⓒ $\log_a b=\dfrac{1}{\log_b a}$에서 $\log_a b\times\log_b a=1$이므로 $\log_3 2\times\log_2 3=1$

확인 문제

정답과 해설 20쪽

MY 셀파

03-1 다음 식을 간단히 하시오.

(1) $\log_{\sqrt{2}}3\cdot\log_9 5\cdot\log_{\sqrt5}8$

(2) $(\log_7 16\cdot\log_3 7-\log_3 2)\log_2 3$

03-1 10을 밑으로 하는 로그로 바꾼다.

03-2 1보다 큰 세 실수 $a,\ b,\ c$에 대하여 $\log_a c:\log_b c=3:1$일 때, $\log_a b+\log_b a$의 값을 구하시오.

03-2 $3\log_b c=\log_a c$에서 c를 밑으로 하는 로그로 바꾼다.

$a>0$, $a\neq1$, $b>0$일 때
❶ $a^{\log_a b}=b$
❷ $a^{\log_c b}=b^{\log_c a}$ (단, $c>0$, $c\neq1$)

$$a^{\log_c b}=b^{\log_c a}$$
a, b를 서로 바꾼다.

$a^x=b \Longleftrightarrow x=\log_a b$이므로
$a^x=b$에 $x=\log_a b$를 대입하면
$a^{\log_a b}=b$가 성립한다.

예제 **1.** 다음 식을 간단히 하시오.

(1) $\left(\log_4 12-\log_4 \dfrac{3}{2}+\log_3 9\sqrt{3}\right)^{\log_2 5}$ (2) $3^{\log_3 20+\log_3 4-\log_3 10}$

2. $\log_3 12$의 정수 부분을 a, 소수 부분을 b라 할 때, $3(2^a+3^b)$의 값을 구하시오.

해법 코드
1. 로그의 성질을 이용하여 먼저 밑
   또는 지수 부분을 간단히 한다.

2. $\log_3 9=2$, $\log_3 27=3$이므로
   $\log_3 12$는 2와 3 사이의 값이다.

셀파 $a^{\log_c b}=b^{\log_c a}$에서 $c=a$이면 $a^{\log_a b}=b$이다.

풀이 **1.** (1) $\log_4 12-\log_4 \dfrac{3}{2}=\log_4\left(12\div\dfrac{3}{2}\right)=\log_4\left(12\times\dfrac{2}{3}\right)=\log_4 8=\log_{2^2} 2^3=\dfrac{3}{2}$

$\log_3 9\sqrt{3}=\log_3(3^2\times3^{\frac{1}{2}})=\log_3 3^{\frac{5}{2}}=\dfrac{5}{2}$

∴ (주어진 식)$=\left(\dfrac{3}{2}+\dfrac{5}{2}\right)^{\log_2 5}$$=4^{\log_2 5}=2^{2\log_2 5}=2^{\log_2 5^2}=5^2=$**25**

⊙ $4^{\log_2 5}$에서 4와 5를 서로 바꾸면
$4^{\log_2 5}=5^{\log_2 4}=5^{2\log_2 2}$
$\qquad\qquad=5^2=25$
와 같이 풀 수도 있다.

(2) $\log_3 20+\log_3 4-\log_3 10=\log_3 \dfrac{20\times4}{10}=\log_3 8$

∴ (주어진 식)$=3^{\log_3 8}=$**8**

2. $\log_3 9<\log_3 12<\log_3 27$에서 $2<\log_3 12<3$이므로
$\log_3 12=2.\times\times\times$　∴ $a=2$
이때 $\underline{b=\log_3 12-2}=\log_3 12-\log_3 9=\log_3 \dfrac{12}{9}=\log_3 \dfrac{4}{3}$

∴ $3(2^a+3^b)=3(2^2+3^{\log_3 \frac{4}{3}})=3\left(4+\dfrac{4}{3}\right)=$**16**

🄱 $\log_3 12$의 정수 부분은 2이므로
$\log_3 12=2+$(소수 부분)이다.
이때 (소수 부분)$=\log_3 12-2$

확인 문제　　　　　　　　　　　　　　　　정답과 해설 | **20**쪽　　　　　　　　　　**MY 셀파**

04-1 다음 식의 값을 구하시오.
(상)(중)(하)

(1) $2^{\log_2 5\cdot\log_5 3}$ (2) $5^{3\log_5 2-2\log_5 \sqrt{5}+\log_5 4}$

04-1
(1) $\dfrac{\log_c b}{\log_c a}=\log_a b$
(2) $\log_a M^k=k\log_a M$
　　　　　　　(단, k는 실수)

04-2 $\log_2 5$의 정수 부분을 a, 소수 부분을 b라 할 때, $a+2^b$의 값을 구하시오.
(상)(중)(하)

04-2
$\log_2 4<\log_2 5<\log_2 80$이므로
$\log_2 5=2.\times\times\times$이다.

로그에서 진수가 복잡한 수일 경우 진수를 거듭제곱 꼴로 소인수분해한다.

$$\log_a (2^p \times 5^q) = \log_a 2^p + \log_a 5^q = p \log_a 2 + q \log_a 5 = p \log_a 2 + q \log_a \frac{10}{2}$$

$$= p \log_a 2 + q(\log_a 10 - \log_a 2)$$

$$= (p-q)\log_a 2 + q \log_a 10$$

특히 $5 = \dfrac{10}{2}$으로 나타내는 것을 기억해!

조건에서 주어진 밑과 구하는 식의 밑이 다른 경우는 밑의 변환을 이용하여 조건의 밑으로 나타낸다.

(예제)

1. $\log_a 2 = x$, $\log_a 3 = y$, $\log_a 10 = z$일 때, 다음 식을 x, y, z로 나타내시오.

(1) $\log_a 45$ (2) $\log_5 108$

2. $2^a = 3$, $2^b = 5$일 때, $\log_{90} 675$를 a, b로 나타내시오.

해법 코드

1. (2) $108 = 2^2 \times 3^3$

2. $675 = 3^3 \times 5^2$, $90 = 2 \times 3^2 \times 5$

(셀파) $\log_a MN = \log_a M + \log_a N$, $\log_a \dfrac{M}{N} = \log_a M - \log_a N$

(풀이)

1. (1) $\log_a 45 = \log_a (3^2 \times 5) = \log_a 3^2 + \overset{❶}{\underline{\log_a 5}}$

$$= 2 \log_a 3 + \log_a 10 - \log_a 2 = \boldsymbol{2y + z - x}$$

(2) $\log_5 108 = \log_5 (2^2 \times 3^3) = \dfrac{\log_a (2^2 \times 3^3)}{\log_a 5} = \dfrac{\log_a 2^2 + \log_a 3^3}{\log_a 5}$

$$= \dfrac{2 \log_a 2 + 3 \log_a 3}{\log_a 10 - \log_a 2} = \boldsymbol{\dfrac{2x + 3y}{z - x}}$$

2. $2^a = 3$에서 $a = \log_2 3$, $2^b = 5$에서 $b = \log_2 5$

$\overset{❷}{\underline{\log_{90} 675}}$를 2를 밑으로 하는 로그로 바꾸면

$$\log_{90} 675 = \dfrac{\log_2 675}{\log_2 90} = \dfrac{\log_2 (3^3 \times 5^2)}{\log_2 (2 \times 3^2 \times 5)} = \dfrac{\log_2 3^3 + \log_2 5^2}{\log_2 2 + \log_2 3^2 + \log_2 5}$$

$$= \dfrac{3 \log_2 3 + 2 \log_2 5}{1 + 2 \log_2 3 + \log_2 5} = \boldsymbol{\dfrac{3a + 2b}{1 + 2a + b}}$$

❶ $\log_a 2 = x$, $\log_a 10 = z$를 활용하기 위해

$$\log_a 5 = \log_a \frac{10}{2}$$

$$= \log_a 10 - \log_a 2$$

로 변형하여 나타낸다.

❷ a, b 모두 2를 밑으로 하는 로그로 나타내었으므로 $\log_{90} 675$도 2를 밑으로 하는 로그로 바꾼다.

확인 문제   정답과 해설 | **21**쪽   **MY 셀파**

05-1
(상)(중)(하)

$\log_2 3 = a$, $\log_3 5 = b$일 때, 다음 식을 a, b로 나타내시오.

(1) $\log_3 60$ (2) $\log_{120} 150$

05-1

$\log_2 3 = a$에서 $\log_3 2 = \dfrac{1}{a}$이다.

05-2
(상)(중)(하)

$2^a = 3$, $2^b = 5$일 때, $\log_{200} 270$을 a, b로 나타내시오.

05-2

$\log_{200} 270$을 2를 밑으로 하는 로그로 바꾼다.

❶ $a^x=b^y=k$ 꼴이 주어지면
  ⇨ 로그의 정의를 이용하여 x, y를 로그로 나타낸 다음 밑의 변환을 이용한다.

❷ $a^x=b^y=c^z$ 꼴이 주어지면
  ⇨ $a^x=b^y=c^z=k$로 놓고 로그의 정의를 이용한다.

$a^x=k$에서 $x=\log_a k$
$b^y=k$에서 $y=\log_b k$

예제 다음 식의 값을 구하시오.

(1) $24^x=8$, $6^y=16$일 때, $\dfrac{3}{x}-\dfrac{4}{y}$

(2) $2^x=3^y=6^z$일 때, $\dfrac{1}{x}+\dfrac{1}{y}-\dfrac{1}{z}$ (단, $xyz\neq 0$)

해법 코드
(1) $x=\log_{24} 8=\log_{24} 2^3$
    $y=\log_6 16=\log_6 2^4$
(2) $2^x=3^y=6^z=k$ ($k>0$, $k\neq 1$)
    로 놓는다.

셀파 $a^x=b \iff x=\log_a b$

풀이 (1) $24^x=8$에서 $x=\log_{24} 8=\log_{24} 2^3=3\log_{24} 2$

∴ $\dfrac{3}{x}=\dfrac{1}{\log_{24} 2}=\log_2 24$

$6^y=16$에서 $y=\log_6 16=\log_6 2^4=4\log_6 2$

∴ $\dfrac{4}{y}=\dfrac{1}{\log_6 2}=\log_2 6$

∴ $\dfrac{3}{x}-\dfrac{4}{y}=\log_2 24-\log_2 6=\log_2 \dfrac{24}{6}=\log_2 4=\mathbf{2}$
                                   └ $\log_2 2^2=2\log_2 2$

다른 풀이
(1) $24^x=8$에서 $24=8^{\frac{1}{x}}=2^{\frac{3}{x}}$
    $6^y=16$에서 $6=16^{\frac{1}{y}}=2^{\frac{4}{y}}$
    두 식을 변끼리 나누면
    $24\div 6=2^{\frac{3}{x}}\div 2^{\frac{4}{y}}$
    $4=2^2=2^{\frac{3}{x}-\frac{4}{y}}$
    ∴ $\dfrac{3}{x}-\dfrac{4}{y}=2$

(2) $2^x=3^y=6^z=k$ ($k>0$, $k\neq 1$)로 놓으면 $2^x=k$, $3^y=k$, $6^z=k$

$2^x=k$에서 $x=\log_2 k$ ∴ $\dfrac{1}{x}=\dfrac{1}{\log_2 k}=\log_k 2$

$3^y=k$에서 $y=\log_3 k$ ∴ $\dfrac{1}{y}=\dfrac{1}{\log_3 k}=\log_k 3$

$6^z=k$에서 $z=\log_6 k$ ∴ $\dfrac{1}{z}=\dfrac{1}{\log_6 k}=\log_k 6$

∴ $\dfrac{1}{x}+\dfrac{1}{y}-\dfrac{1}{z}=\log_k 2+\log_k 3-\log_k 6=\log_k \dfrac{2\times 3}{6}=\log_k 1=\mathbf{0}$

❶ $xyz\neq 0$에서 $x\neq 0$이고 $y\neq 0$이고 $z\neq 0$이므로 $2^x=3^y=6^z\neq 1$
    ∴ $k\neq 1$

확인 문제   정답과 해설 | **21**쪽   MY 셀파

06-1 다음 식의 값을 구하시오.

(1) $7^x=9$, $21^y=27$일 때, $\dfrac{2}{x}-\dfrac{3}{y}$

(2) $3^x=5^y=15$일 때, $\dfrac{1}{x}+\dfrac{1}{y}$

06-1
(1) $7^x=9$에서 $x=\log_7 9$
    $21^y=27$에서 $y=\log_{21} 27$
(2) $3^x=15$에서 $x=\log_3 15$
    $5^y=15$에서 $y=\log_5 15$

이차방정식 $ax^2+bx+c=0$의 두 근이 $\log_{10}\alpha$, $\log_{10}\beta$일 때, 이차방정식의 근과 계수의 관계에서

$$\log_{10}\alpha+\log_{10}\beta=-\frac{b}{a} \iff \log_{10}\alpha\beta=-\frac{b}{a} \iff \alpha\beta=10^{-\frac{b}{a}}$$

> 이차방정식 $ax^2+bx+c=0$의 두 근이 α, β일 때
> $$\alpha+\beta=-\frac{b}{a}, \ \alpha\beta=\frac{c}{a}$$

예제 1. 이차방정식 $x^2-4x+2=0$의 두 근이 $\log_{10}\alpha$, $\log_{10}\beta$일 때, $\log_\alpha\beta+\log_\beta\alpha$의 값을 구하시오.

2. 이차방정식 $x^2-8x+2=0$의 두 근을 α, β라 하고 $\log_{\alpha\beta}(\beta-\alpha)=k$라 할 때, 2^k의 값을 구하시오. (단, $\alpha<\beta$)

> **해법 코드**
> 1. 근과 계수의 관계에서
> $$\log_{10}\alpha+\log_{10}\beta=4$$
> $$\log_{10}\alpha\cdot\log_{10}\beta=2$$
>
> 2. $\alpha+\beta=8$, $\alpha\beta=2$를 이용한다.

셀파 이차방정식 $px^2+qx+r=0$의 두 근이 $\log_a\alpha$, $\log_a\beta$

$\Rightarrow \log_a\alpha+\log_a\beta=\log_a\alpha\beta=-\dfrac{q}{p} \Rightarrow \alpha\beta=a^{-\frac{q}{p}}$

풀이 1. 이차방정식 $x^2-4x+2=0$의 두 근이 $\log_{10}\alpha$, $\log_{10}\beta$이므로 근과 계수의 관계에서

$\log_{10}\alpha+\log_{10}\beta=4$, $\log_{10}\alpha\cdot\log_{10}\beta=2$

$$\therefore \underline{\log_\alpha\beta+\log_\beta\alpha}=\frac{\log_{10}\beta}{\log_{10}\alpha}+\frac{\log_{10}\alpha}{\log_{10}\beta}=\frac{(\log_{10}\alpha)^2+(\log_{10}\beta)^2}{\log_{10}\alpha\cdot\log_{10}\beta}$$

$$=\frac{(\log_{10}\alpha+\log_{10}\beta)^2-2\log_{10}\alpha\cdot\log_{10}\beta}{\log_{10}\alpha\cdot\log_{10}\beta}$$

$$=\frac{4^2-2\times2}{2}=\frac{12}{2}=6$$

2. 이차방정식 $x^2-8x+2=0$의 두 근이 α, β이므로 근과 계수의 관계에서

$\alpha+\beta=8$, $\alpha\beta=2$

이때 $(\alpha-\beta)^2=(\alpha+\beta)^2-4\alpha\beta=8^2-4\times2=56$이므로

$\therefore \beta-\alpha=2\sqrt{14} \ (\because \alpha<\beta)$

따라서 $\log_{\alpha\beta}(\beta-\alpha)=\log_2 2\sqrt{14}$이므로 $k=\log_2 2\sqrt{14}$

$\therefore 2^k=2\sqrt{14}$

> ⓐ 두 근이 모두 밑이 10인 로그이므로 $\log_\alpha\beta$, $\log_\beta\alpha$를 각각 10을 밑으로 하는 로그로 바꾼다.

> ⓑ 곱셈 공식의 변형
> $$A^2+B^2=(A+B)^2-2AB$$
> 를 이용한다.
> 이때 $A=\log_{10}\alpha$, $B=\log_{10}\beta$로 생각한다.

확인 문제 　　　　　　　　　　　정답과 해설 | **21**쪽 　　　　　　　**MY 셀파**

07-1 이차방정식 $x^2-5x+2=0$의 두 근을 α, β라 할 때, $\log_2\dfrac{1}{\alpha}+\log_2\dfrac{1}{\beta}$의 값을 구하시오.
(상)(중)(하)

> **07-1**
> $\alpha\beta=2$를 이용한다.

07-2 이차방정식 $x^2-7x+2=0$의 두 근을 α, β라 할 때,
(상)(중)(하) $\log_{\alpha\beta}\left(\alpha+\dfrac{1}{\beta}+1\right)+\log_{\alpha\beta}\left(\beta+\dfrac{1}{\alpha}+1\right)$의 값을 구하시오.

> **07-2**
> $\alpha+\beta=7$, $\alpha\beta=2$를 이용한다.

해법 08 상용로그의 값

PLUS ⊕

❶ $N=10^n$ (n은 0이 아닌 정수) 꼴이면 $\log N = n$이다.
❷ $N = a \times 10^n$ 꼴이면 $\log N = n + \log a$이다.
❸ $N = a^l \times b^m \times 10^n$ 꼴이면 $\log N = n + l \log a + m \log b$이다.

❷에서
$\log N = \log (a \times 10^n)$
$\quad\quad = \log a + \log 10^n$
$\quad\quad = n + \log a$

예제 오른쪽 상용로그표를 이용하여 다음 값을 구하시오.

(1) $\log 11$

(2) $\log 12.2$

(3) $\log \sqrt[3]{11400}$

(4) $\log 0.00131$

수	0	1	2	3	4
1.0	.000	.004	.008	.012	.017
1.1	.041	.045	.049	.053	.056
1.2	.079	.082	.086	.089	.093
1.3	.113	.117	.120	.123	.127

해법 코드
(1) $\log 11 = \log (1.1 \times 10)$
(2) $\log 12.2 = \log (1.22 \times 10)$
(3) $\log \sqrt[3]{11400} = \dfrac{1}{3} \log 11400$
$\quad\quad\quad\quad = \dfrac{1}{3} \log (1.14 \times 10^4)$
(4) $\log 0.00131 = \log (1.31 \times 10^{-3})$

셀파 $\log MN = \log M + \log N$, $\log M^k = k \log M$ (단, k는 실수)

풀이 (1) $\log 11 = \log (1.1 \times 10) = \log 1.1 + \log 10 = 1 + \underline{\log 1.1}^{㉠}$
$\quad\quad\quad = 1 + 0.041 = \mathbf{1.041}$

㉠ 주어진 상용로그표에서
$\log 1.1$을 찾으면
$\log 1.1 = 0.041$

(2) $\log 12.2 = \log (1.22 \times 10) = \log 1.22 + \log 10 = 1 + \underline{\log 1.22}^{㉡}$
$\quad\quad\quad = 1 + 0.086 = \mathbf{1.086}$

(3) $\log \sqrt[3]{11400} = \dfrac{1}{3} \log 11400 = \dfrac{1}{3} \log (1.14 \times 10^4)$
$\quad\quad\quad = \dfrac{1}{3} (4 + \log 1.14) = \dfrac{1}{3} (4 + 0.056) = \mathbf{1.352}$

㉡ 주어진 상용로그표에서
$\log 1.22$를 찾으면
$\log 1.22 = 0.086$

(4) $\log 0.00131 = \log (1.31 \times 10^{-3}) = -3 + \log 1.31$
$\quad\quad\quad = -3 + 0.117 = \mathbf{-2.883}$

확인 문제

정답과 해설 | 22쪽

MY 셀파

08-1 **예제**의 상용로그표를 이용하여 다음 값을 구하시오.

(1) $\log 1130$　　　　　　(2) $\log 0.124$

08-1
(1) $\log 1.13 = 0.053$
(2) $\log 1.24 = 0.093$

08-2 $\log 2 = 0.3010$, $\log 3 = 0.4771$일 때, 다음 값을 구하시오.

(1) $\log 2.4$　　　　　　(2) $\log \dfrac{5}{8}$

(3) $\log \dfrac{\sqrt{2}}{3}$　　　　　　(4) $\log \sqrt[3]{18}$

08-2
로그의 진수를 소인수분해 등을 이용하여 2와 3의 거듭제곱으로 나타낸다.

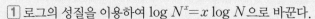

해법 09 상용로그의 정수 부분과 소수 부분 / PLUS ⊕

$N=a\times10^n$ ($1\le a<10$, n은 정수)일 때, $\log N^x$의 정수 부분과 소수 부분은 다음과 같이 구한다.

1 로그의 성질을 이용하여 $\log N^x=x\log N$으로 바꾼다.

2 $\log N=n+\alpha$를 대입하여 $x\log N=x(n+\alpha)=xn+x\alpha$의 값을 구한다.

3 **2**에서 구한 값을 (정수 부분)+(소수 부분)으로 나타낸다.

> $0\le$(소수 부분)<1이어야 하므로 소수 부분이 음수이면 정수 부분에서 1을 빼고 소수 부분에 1을 더하여 양수로 만든다.

 1. $\log A=-1.7$일 때, 다음 수의 정수 부분과 소수 부분을 구하시오.

    (1) $\log A^4$ (2) $\log \dfrac{1}{A^2}$

해법 코드

1. (1) $\log A^4=4\log A$

    (2) $\log \dfrac{1}{A^2}=-2\log A$

2. $\log 500$의 정수 부분을 n, 소수 부분을 α라 할 때, 10^n+10^α의 값을 구하시오.

2. $\log 500=\log(5\times100)$
$=2+\log 5$

셀파 $\log N=n+\alpha$ (n은 정수, $0\le\alpha<1$)일 때, n은 정수 부분이고, α는 소수 부분이다.

풀이 **1.** (1) $\log A^4=4\log A=4\times(-1.7)=-6.8$
                        $=\underline{-6-0.8}=-7+0.2$
          ∴ **정수 부분 : −7, 소수 부분 : 0.2**

> ⓐ $0\le$(소수 부분)<1이므로
> $-6-0.8$
> $=(-6-1)+(1-0.8)$

    (2) $\log \dfrac{1}{A^2}=\log A^{-2}=-2\log A=-2\times(-1.7)=3.4$
        ∴ **정수 부분 : 3, 소수 부분 : 0.4**

2. $\log 100<\log 500<\log 1000$에서 $2<\log 500<3$이므로
    $\underline{\log 500=2.\times\times\times}$ ∴ $n=2$
    $\alpha=\log 500-2=\log 500-\log 100=\log\dfrac{500}{100}=\log 5$
    ∴ $10^n+10^\alpha=10^2+10^{\log 5}=100+5=\mathbf{105}$

> ⓑ $\log 500=n+\alpha$에서 $n=2$이므로
> $\alpha=\log 500-2$

확인 문제   정답과 해설 | **22**쪽   MY 셀파

09-1 $\log A=-2.4$일 때, 다음 수의 정수 부분과 소수 부분을 구하시오.
    (상)(중)(하)
    (1) $\log A^3$ (2) $\log \dfrac{1}{A}$

09-1
(1) $\log A^3=3\log A$
(2) $\log \dfrac{1}{A}=-\log A$

09-2 $\log 0.004$의 정수 부분을 n, 소수 부분을 α라 할 때, $n+10^\alpha$의 값을 구하시오.
    (상)(중)(하)

09-2
$\log 0.004=\log(4\times10^{-3})$

$=-3+\log 4$

A 다음은 로그의 성질을 이용해서 전개한 거야. 같은 색으로 칠한 수를 유념해서 보렴.

> 상용로그표에서 $\log 2.56 = 0.4082$이므로
> $\log 25.6 = \log (2.56 \times 10^1) = \log 2.56 + \log 10^1 = 0.4082 + 1$
> $\log 256 = \log (2.56 \times 10^2) = \log 2.56 + \log 10^2 = 0.4082 + 2$
> $\log 0.256 = \log (2.56 \times 10^{-1}) = \log 2.56 + \log 10^{-1} = 0.4082 + (-1)$
> $\log 0.0256 = \log (2.56 \times 10^{-2}) = \log 2.56 + \log 10^{-2} = 0.4082 + (-2)$

25.6은 정수 부분이 두 자리 수이고 $\log 25.6$의 정수 부분이 1이야. 256은 정수 부분이 세 자리 수이고 $\log 256$의 정수 부분이 2지. 그럼 정수 부분이 n자리인 수의 상용로그의 정수 부분은 뭘까?

Q 정수 부분이 n자리인 수의 상용로그의 정수 부분은 $n-1$이에요.

A 그렇지. 또 0.256은 소수점 아래 첫째 자리에서 처음으로 0이 아닌 숫자가 나타나고 $\log 0.256$의 정수 부분이 -1이야.

Q 0.0256은 소수점 아래 둘째 자리에서 처음으로 0이 아닌 숫자가 나타나니까 $\log 0.0256$의 정수 부분이 -2이군요.

A 그래서 소수점 아래 n째 자리에서 처음으로 0이 아닌 숫자가 나오면 그 수의 상용로그의 정수 부분은 $-n$이야. 이번엔 소수 부분을 봐. $\log 2.56$, $\log 25.6$, $\log 256$, $\log 0.256$, $\log 0.0256$의 소수 부분은 모두 0.4082로 똑같아.

> **상용로그의 정수 부분과 소수 부분의 성질**
> ❶ 정수 부분이 n자리인 수의 상용로그의 정수 부분은 $n-1$이다.
> ❷ 소수점 아래 n째 자리에서 처음으로 0이 아닌 숫자가 나타나는 수의 상용로그의 정수 부분은 $-n$이다.
> ❸ 숫자의 배열이 같고, 소수점의 위치만 다른 수들의 상용로그의 소수 부분은 모두 같다.

ⓐ 2.56 : 정수 부분이 한 자리 수
⇨ $\log 2.56$의 정수 부분 ⓪
25.6 : 정수 부분이 두 자리 수
⇨ $\log 25.6$의 정수 부분 ①
256 : 정수 부분이 세 자리 수
⇨ $\log 256$의 정수 부분 ②

ⓑ 0.256 : 소수점 아래 첫째 자리에서 처음으로 0이 아닌 수가 나타난다.
⇨ $\log 0.256$의 정수 부분 -1
0.0256 : 소수점 아래 둘째 자리에서 처음으로 0이 아닌 수가 나타난다.
⇨ $\log 0.0256$의 정수 부분 -2

ⓒ

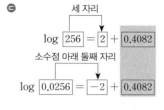

확인 체크 01 정답과 해설 | **22**쪽

$\log 7.52 = 0.8762$임을 이용하여 다음 식을 만족시키는 x, y의 값을 구하시오.

(1) $\log x = 3.8762$ (2) $\log y = -2.1238$

❶ 진수 A의 정수 부분이 n자리 수이면 $\log A$의 정수 부분은 $n-1$이다.

$$\log A = (n-1) + 0.\times\times\times$$
$$\Rightarrow A = \underbrace{\square\square\cdots\square\square}_{n\,\text{자리}}.\square\square\cdots$$

❶ $\log A = (n-1) + \alpha \ (0 \le \alpha < 1)$
이므로
$$n-1 \le \log A < n$$
$$\therefore 10^{n-1} \le A < 10^n$$

❷ 진수 B가 소수점 아래 n째 자리에서 처음으로 0이 아닌 숫자가 나타나면 $\log B$의 정수 부분은 $-n$이다.

$$\log B = -n + 0.\times\times\times$$
$$\Rightarrow B = 0.00\cdots0\underset{\uparrow}{\bigstar\bigstar\bigstar}\cdots$$
$$\text{소수점 아래 } n \text{째 자리}$$

❷ $\log B = -n + \alpha \ (0 \le \alpha < 1)$
이므로
$$-n \le \log B < -n+1$$
$$\therefore 10^{-n} \le B < 10^{-n+1}$$

예제 1. $\log 2 = 0.3010$, $\log 3 = 0.4771$임을 이용하여 72^{10}이 몇 자리 정수인지 구하시오.

2. $\left(\dfrac{1}{6}\right)^n$이 소수점 아래 10째 자리에서 처음으로 0이 아닌 숫자가 나타날 때, 자연수 n의 값을 구하시오. (단, $\log 2 = 0.3010$, $\log 3 = 0.4771$로 계산한다.)

해법 코드

1. $\log 72^{10}$의 정수 부분이 n이면 72^{10}은 $(n+1)$자리 정수이다.

2. $\log \left(\dfrac{1}{6}\right)^n = -10 + \alpha$
(단, $0 \le \alpha < 1$)

셀파 로그의 성질을 이용하여 주어진 수의 상용로그의 값을 구한다.

풀이 1. $\log 72^{10} = 10 \log 72 = 10 \log (2^3 \times 3^2) = 10(3 \log 2 + 2 \log 3)$
$$= 10(3 \times 0.3010 + 2 \times 0.4771)$$
$$= 10 \times 1.8572 = 18.572$$
따라서 $\log 72^{10}$의 정수 부분이 18이므로 72^{10}은 **19자리 정수**

❶ $\left(\dfrac{1}{6}\right)^n = (6^{-1})^n = 6^{-n}$
$$\therefore \log \left(\dfrac{1}{6}\right)^n = \log 6^{-n}$$
$$= -n \log 6$$

2. $\log \left(\dfrac{1}{6}\right)^n$의 정수 부분은 -10이므로 $-10 \overset{\text{❶}}{\le} \log \left(\dfrac{1}{6}\right)^n < -9$
$$-10 \le -n \log 6 < -9 \quad \therefore 9 < n \log 6 \le 10$$
이때 $\log 6 = \log 2 + \log 3 = 0.3010 + 0.4771 = 0.7781$이므로
$\underset{\text{❷}}{9 < 0.7781n \le 10} \quad \therefore 11.\times\times\times < n \le 12.\times\times\times$
따라서 구하는 자연수 n의 값은 **12**

❷ $9 < 0.7781n \le 10$에서
$$\dfrac{9}{0.7781} < n \le \dfrac{10}{0.7781}$$

확인 문제

정답과 해설 | 23쪽

MY 셀파

10-1 $\log 3 = 0.4771$임을 이용하여 3^{22}은 몇 자리 정수인지 구하시오.

10-1
$\log 3^{22} = 22 \log 3$

10-2 a가 자연수이고 a^{10}이 25자리 정수일 때, $\dfrac{1}{a}$은 소수점 아래 몇 째 자리에서 처음으로 0이 아닌 숫자가 나타나는지 구하시오.

10-2
a^{10}이 25자리 정수이므로
$\log a^{10} = 24.\times\times\times$ 이다.

로그가 정의되기 위한 조건

01 모든 실수 x에 대하여 $\log(x^2-2ax+a+2)$가 정의
되기 위한 실수 a의 값의 범위를 구하시오.

로그의 성질

02 다음과 같이 $\boxed{\rightarrow}$, $\boxed{\downarrow}$, ☆, ♤를 정의한다.

> $\boxed{\rightarrow}$: 오른쪽으로 한 칸 이동한다.
>
> $\boxed{\downarrow}$: 아래쪽으로 한 칸 이동한다.
>
> ☆ : $\boxed{\rightarrow}$를 하고, 그 칸의 수를 밑이 2인 로그로 변환한다.
>
> ♤ : $\boxed{\downarrow}$를 하고, 그 칸의 수를 밑이 3인 로그로 변환한다.

아래 표에서 2로부터 출발하여

$\boxed{\rightarrow} \Rightarrow \boxed{\rightarrow} \Rightarrow$ ☆로 만든 수를 A,

$\boxed{\rightarrow} \Rightarrow \boxed{\downarrow} \Rightarrow \boxed{\downarrow} \Rightarrow$ ♤로 만든 수를 B

라 할 때, $A-B$의 값을 구하시오.

2	4	8	16	32
$\dfrac{1}{2}$	$\dfrac{1}{4}$	$\dfrac{1}{8}$	$\dfrac{1}{16}$	$\dfrac{1}{32}$
3	9	27	81	243
$\dfrac{1}{3}$	$\dfrac{1}{9}$	$\dfrac{1}{27}$	$\dfrac{1}{81}$	$\dfrac{1}{243}$

로그의 성질

03 1이 아닌 양수 a, b, c에 대하여 $abc=1$일 때,
$\log_a b + \log_b a + \log_b c + \log_c b + \log_c a + \log_a c$
의 값을 구하시오.

로그의 밑의 변환

04 1이 아닌 양수 x에 대하여 등식
$$\frac{1}{\log_3 x} + \frac{1}{\log_4 x} + \frac{1}{\log_{12} x} + \frac{1}{\log_{25} x} = \frac{2}{\log_k x}$$
가 성립할 때, 양수 k의 값을 구하시오.

로그의 밑의 변환

05 두 실수 a, b가 $3^{a+b}=4$, $2^{a-b}=5$를 만족시킬 때, $3^{a^2-b^2}$
의 값은?

① 21   ② 22   ③ 23

④ 24   ⑤ 25

로그의 밑의 변환 서술형

06 $\log_{a^3} 16 = \log_b 64$일 때, $\log_{ab} b^2$의 값을 구하시오.

로그의 성질의 활용

07 1이 아닌 두 양수 a, b에 대하여 $a^5=b^3$일 때,
$\log_a \sqrt{ab^2}$의 값을 구하시오.

$a^x=b^y=k$ 꼴이 주어진 로그의 변형

08 a, b, c가 0이 아닌 실수이고
$$\frac{3}{a}+\frac{4}{b}=\frac{12}{c}, \quad 16^a=27^b=x^c$$
이 성립할 때, 양수 x의 값은?

① 6 　　　　② 7 　　　　③ 8
④ 9 　　　　⑤ 10

이차방정식과 로그

09 이차방정식 $x^2-4x+1=0$의 한 근이 $\log_a b$일 때,
$$(\log ab)^2=k \log a \times \log b$$
를 만족시키는 상수 k의 값을 구하시오.

상용로그의 정수 부분

10 자연수 n에 대하여 $\log n$의 정수 부분을 $f(n)$이라 할 때, $f(1)+f(2)+f(3)+ \cdots +f(100)$의 값을 구하시오.

자릿수와 상용로그

11 자연수 N에 대하여 N^{30}이 49자리 정수일 때, N^{12}은 몇 자리 정수인지 구하시오.

로그의 실생활 문제　　　　창의력

12 어느 지역에서 1년 동안 발생하는 규모 M 이상인 지진의 평균 발생 횟수를 N이라고 하면
$$\log N=a-0.9M \ (a는 \ 양의 \ 상수)$$
인 관계가 있다고 한다. 이 지역에서 규모 4 이상인 지진이 1년에 평균 64번 발생할 때, 규모 x 이상인 지진은 1년에 평균 한 번 발생한다. x의 값을 구하시오.
（단, $\log 2=0.3$으로 계산한다.）

로그의 실생활 문제　　　　창의 · 융합

13 철수는 마라톤 대회에 출전하기 위해 매주 일요일마다 달리기를 하기로 하였다. 첫 번째 일요일에 5 km를 달리고, 달리는 거리를 매주 일주일 전보다 10 % 씩 늘려 나갈 계획이다. 이때 하루 동안 달리는 거리가 처음으로 20 km 이상이 되는 날은 몇 번째 일요일인가?
（단, $\log 2=0.3010$, $\log 1.1=0.0414$로 계산한다.）

① 14 　　　　② 16 　　　　③ 18
④ 20 　　　　⑤ 22

2

로
그

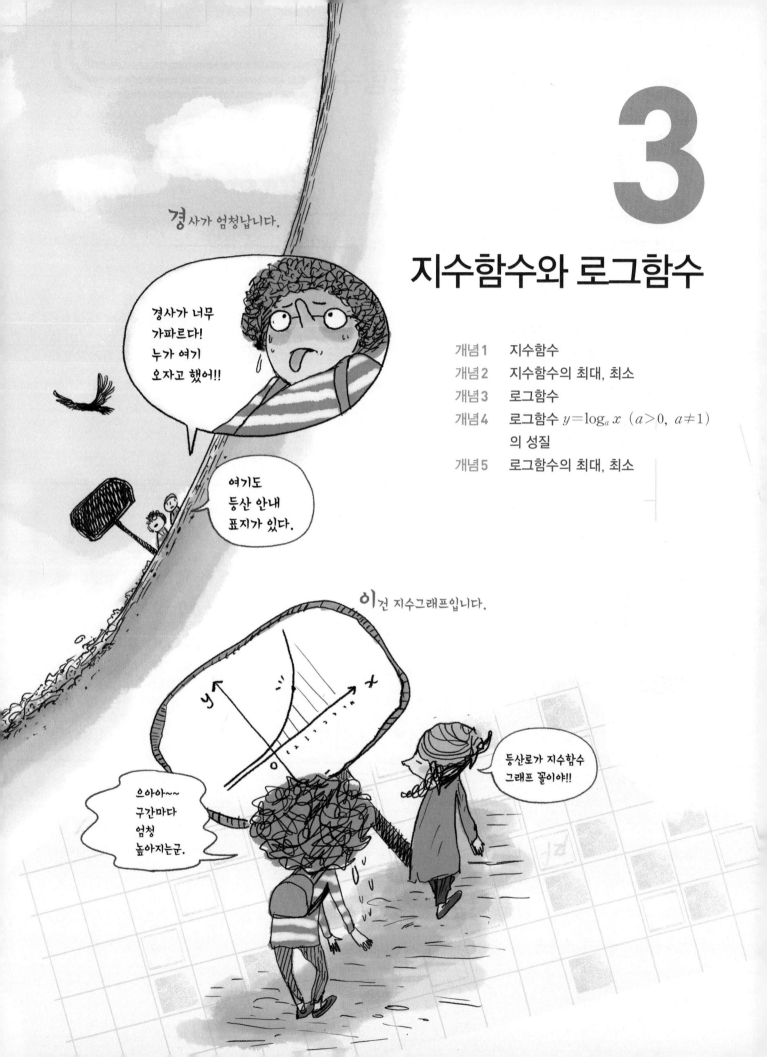

3

지수함수와 로그함수

3. 지수함수와 로그함수

개념 1　지수함수

(1) 임의의 실수 x에 대하여 a^x의 값이 하나로 정해지는 함수 $y=a^x\,(a>0,\ a\neq1)$을 a를
❶　　　으로 하는 **지수함수**라 한다.　예 $y=2^x,\ y=\left(\dfrac{1}{3}\right)^x$

(2) 지수함수 $y=a^x\,(a>0,\ a\neq1)$의 성질

　❶ 정의역은 실수 전체의 집합이고, 치역은 양의 실수 전체의 집합이다.

　❷ $a>1$일 때, x의 값이 증가하면 y의 값도 증가한다.

　　$0<a<1$일 때, x의 값이 증가하면 y의 값은 **❷**　　　한다.

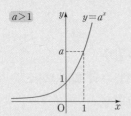
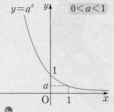

　❸ 그래프는 점 $(0,\ $ **❸** $)$을 지나고, x축을 <u>점근선</u>으로 갖는다.

답 ❶ 밑　❷ 감소　❸ 1

개념 플러스

㉠ 함수 $y=a^x$에서 $a=1$이면 모든 실수 x에 대하여 $y=1^x=1$, 즉 상수함수가 되므로 $a=1$인 경우는 생각하지 않는다.

㉡ 곡선 위의 점이 어떤 직선에 한없이 가까워지지만 서로 만나지 않을 때, 그 직선을 점근선이라 한다.

보기 다음 지수함수의 그래프를 그리시오.

(1) $y=2^x$ 　　　　　　　　　　(2) $y=\left(\dfrac{1}{2}\right)^x$

연구 (1) 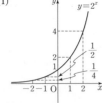 　　(2)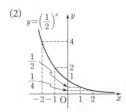

지수함수 $y=\left(\dfrac{1}{2}\right)^x$의 그래프는 함수 $y=2^x$의 그래프를 y축에 대하여 대칭이동한 거야.

개념 2　지수함수의 최대, 최소

(1) 지수함수 $y=a^x$의 최대, 최소

　❶ $a>1$이면 x가 최대일 때 최댓값, x가 최소일 때 **❶**　　　을 갖는다.

　❷ $0<a<1$이면 x가 최대일 때 최솟값, x가 최소일 때 **❷**　　　을 갖는다.

(2) a^x 꼴이 반복되는 함수의 최대, 최소

　$a^x=t\ \underline{(t>0)}$로 치환한 다음 t의 값의 범위에서 최대, 최소를 구한다.

답 ❶ 최솟값　❷ 최댓값

▶ 지수함수 $y=a^{f(x)}$의 최대, 최소
❶ $a>1$이면 $f(x)$가 최대일 때 최댓값, $f(x)$가 최소일 때 최솟값을 갖는다.
❷ $0<a<1$이면 $f(x)$가 최대일 때 최솟값, $f(x)$가 최소일 때 최댓값을 갖는다.

㉢ $a^x>0$이므로 $a^x=t$로 치환할 때, $t>0$임에 주의한다.

보기 정의역이 $\{x\,|\,-2\le x\le1\}$인 다음 함수의 최댓값과 최솟값을 구하시오.

(1) $y=2^x$ 　　　　　　　　　　(2) $y=\left(\dfrac{1}{2}\right)^x$

연구 (1) (밑)$=2>1$이므로 $x=1$일 때 **최댓값 2**, $x=-2$일 때 **최솟값** $\dfrac{1}{4}$

　　(2) $0<$ (밑)$=\dfrac{1}{2}<1$이므로 $x=-2$일 때 **최댓값 4**, $x=1$일 때 **최솟값** $\dfrac{1}{2}$

050　I. 지수함수와 로그함수

1-1 | 지수함수의 그래프 |

다음 지수함수의 그래프를 그리시오.

(1) $y=3^x$　　　　　(2) $y=\left(\dfrac{1}{3}\right)^x$

연구

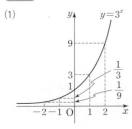　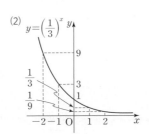

1-2 | 따라풀기 |

다음 지수함수의 그래프를 그리시오.

(1) $y=\left(\dfrac{3}{2}\right)^x$　　　　　(2) $y=\left(\dfrac{2}{3}\right)^x$

풀이

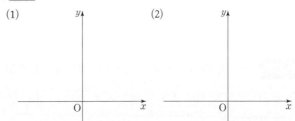

2-1 | 지수함수의 최대, 최소 |

정의역이 $\{x\,|\,-2\le x\le 3\}$인 다음 함수의 최댓값과 최솟값을 구하시오.

(1) $y=3^x$　　　　　(2) $y=\left(\dfrac{1}{3}\right)^x$

연구

(1) (밑)$=3>1$이므로 그래프는 오른쪽 그림과 같다.

　$x=3$일 때 **최댓값** ⬚ ,

　$x=-2$일 때 **최솟값** $\dfrac{1}{9}$

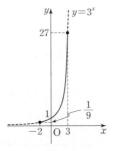

(2) $0<$ (밑)$=\dfrac{1}{3}<1$이므로 그래프는 오른쪽 그림과 같다.

　$x=-2$일 때 **최댓값** 9,

　$x=$ ⬚ 일 때 **최솟값** $\dfrac{1}{27}$

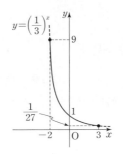

2-2 | 따라풀기 |

정의역이 $\{x\,|\,-1\le x\le 2\}$인 다음 함수의 최댓값과 최솟값을 구하시오.

(1) $y=4^x$　　　　　(2) $y=\left(\dfrac{1}{4}\right)^x$

풀이

개념3   로그함수

지수함수 $y=a^x$ $(a>0, a\neq1)$은 실수 전체의 집합에서 양의 실수 전체의 집합으로의 일대일대응이므로 역함수가 존재한다.

지수함수[ⓐ] $y=a^x$의 **❶** $y=\log_a x$ $(a>0, a\neq1)$를 a를 밑으로 하는 **로그함수**라 한다.

답 ❶ 역함수

개념4   로그함수 $y=\log_a x$ $(a>0, a\neq1)$의 성질

❶ 정의역은 양의 실수 전체의 집합이고, [ⓑ]치역은 실수 전체의 집합이다. ↝ $\{x|x>0\}$

❷ $a>1$일 때, x의 값이 증가하면 y의 값도 **❶** 한다.

　 $0<a<1$일 때, x의 값이 증가하면 y의 값은 감소한다.

❸ 그래프는 점 $(1, 0)$을 지나고, **❷** 축을 점근선으로 갖는다.

❹ 지수함수 $y=a^x$의 그래프와 [ⓒ]직선 $y=x$에 대하여 대칭이다.

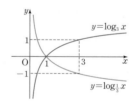

답 ❶ 증가 **❷** y

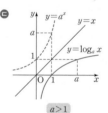
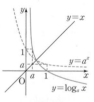
[보기] 로그함수 $y=\log_3 x$와 $y=\log_{\frac{1}{3}} x$의 그래프를 그리시오.

[연구] 로그함수 $y=\log_3 x$와 $y=\log_{\frac{1}{3}} x$의 그래프는[ⓓ] 오른쪽 그림과 같다.

이때 두 함수의 그래프는 x축에 대하여 대칭이다.

개념5   로그함수의 최대, 최소

(1) 로그함수 $f(x)=\log_a x$의 최대, 최소

　❶ $a>$ **❶** 이면 x가 최대일 때 최댓값, x가 최소일 때 최솟값을 갖는다.

　❷ $0<a<1$이면 x가 최대일 때 최솟값, x가 최소일 때 **❷** 을 갖는다.

(2) $\log_a x$ 꼴이 반복되는 함수의 최대, 최소

　$\log_a x=t$로 치환한 다음 t의 값의 범위 내에서 최대, 최소를 구한다.

답 ❶ 1 **❷** 최댓값

[보기] 정의역이 $\{x|0\leq x\leq6\}$인 함수 $y=\log_2 (x+2)$의 최댓값과 최솟값을 구하시오.

[연구] (밑)$=2>1$이므로

　　　$x=6$일 때 **최댓값** $\log_2 8=3$,

　　　$x=0$일 때 **최솟값** $\log_2 2=1$

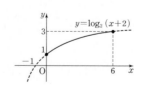

3-1 | 로그함수의 그래프 |

지수함수 $y=2^x$, $y=\left(\dfrac{1}{2}\right)^x$의 그래프를 이용하여 다음 로그함수의 그래프를 그리시오.

(1) $y=\log_2 x$ (2) $y=\log_{\frac{1}{2}} x$

연구

(1) 로그함수 $y=\log_2 x$는 지수함수 $y=2^x$의 역수이다.

따라서 $y=\log_2 x$의 그래프는 오른쪽 그림과 같이 $y=2^x$의 그래프를 직선 $y=\boxed{}$에 대하여 대칭이동한 것이다.

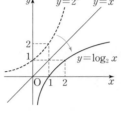

(2) 로그함수 $y=\log_{\frac{1}{2}} x$는 지수함수 $y=\left(\dfrac{1}{2}\right)^x$의 역수이다.

따라서 $y=\log_{\frac{1}{2}} x$의 그래프는 오른쪽 그림과 같이 $y=\left(\dfrac{1}{2}\right)^x$의 그래프를 직선 $y=x$에 대하여 대칭이동한 것이다.

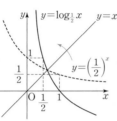

3-2 | 따라풀기 |

지수함수 $y=3^x$, $y=\left(\dfrac{1}{3}\right)^x$의 그래프를 이용하여 다음 로그함수의 그래프를 그리시오.

(1) $y=\log_3 x$ (2) $y=\log_{\frac{1}{3}} x$

풀이

(1)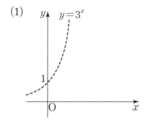

(2)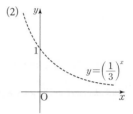

4-1 | 로그함수의 최대, 최소 |

정의역이 $\{x \,|\, 2 \le x \le 8\}$인 다음 함수의 최댓값과 최솟값을 구하시오.

(1) $y=\log_2 x$ (2) $y=\log_{\frac{1}{2}} x$

연구

(1) (밑)$=2>1$이므로

그래프는 오른쪽 그림과 같다.

$x=\boxed{}$일 때 **최댓값 3**,

$x=\boxed{}$일 때 **최솟값 1**

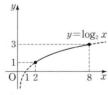

(2) $0<$(밑)$=\dfrac{1}{2}<1$이므로

그래프는 오른쪽 그림과 같다.

$x=2$일 때 **최댓값** $\boxed{}$,

$x=8$일 때 **최솟값** -3

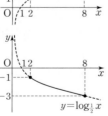

4-2 | 따라풀기 |

다음 함수의 최댓값과 최솟값을 구하시오.

(1) 정의역이 $\left\{x \,\middle|\, \dfrac{1}{27} \le x \le 3\right\}$인 함수 $y=\log_3 x$

(2) 정의역이 $\{x \,|\, 2 \le x \le 16\}$인 함수 $y=\log_{\frac{1}{4}} 2x$

풀이

지수함수 $y=a^x$ $(a>0, a\ne1)$ 의 성질은 다음과 같다.

❶ 정의역은 실수 전체의 집합이고, 치역은 양의 실수 전체의 집합이다.

❷ 그래프의 점근선은 x축 (직선 $y=0$)이다.

❸ a의 값에 관계없이 항상 점 $(0, 1)$을 지난다.

❹ $a>1$일 때, $x_1<x_2\Longleftrightarrow a^{x_1}<a^{x_2}$,

　$0<a<1$일 때, $x_1<x_2\Longleftrightarrow a^{x_1}>a^{x_2}$

지수함수 $y=a^x$은 일대일함수이다.
즉, $x_1\ne x_2$이면 $a^{x_1}\ne a^{x_2}$

예제 지수함수 $y=a^x$ $(a>0, a\ne1)$에 대한 | 보기 |의 설명 중 옳은 것을 모두 고르시오.

┌ 보기 ┐
ㄱ. $x_1<x_2$이면 $a^{x_1}<a^{x_2}$이다.
ㄴ. 이 함수의 그래프가 점 $\left(-2, \dfrac{1}{3}\right)$을 지나면 x의 값이 증가하면 y의 값도 증가한다.
ㄷ. $a^{x_1}=a^{x_2}$이면 $x_1=x_2$이다.

해법 코드
ㄱ. $a>1$, $0<a<1$의 두 경우로 나누어 $y=a^x$의 그래프를 그린다.
ㄴ. $y=a^x$에 점 $\left(-2, \dfrac{1}{3}\right)$을 대입하여 a의 값을 구한다.

셀파 $y=a^x$은 $a>1$일 때, x의 값이 증가하면 y의 값도 증가하고, $0<a<1$일 때, x의 값이 증가하면 y의 값은 감소한다.

풀이 ㄱ. $a>1$일 때 $x_1<x_2$이면 $a^{x_1}<a^{x_2}$이고, $0<a<1$일 때 $x_1<x_2$이면 $a^{x_1}>a^{x_2}$이다. (거짓)

ㄴ. 점 $\left(-2, \dfrac{1}{3}\right)$을 지나므로 $\dfrac{1}{3}=a^{-2}=\dfrac{1}{a^2}$에서

$a^2=3$ ∴ $a=\sqrt{3}$ (∵ ㉠ $a>0$)

$y=(\sqrt{3})^x$에서 (밑)$=\sqrt{3}>1$이므로 x의 값이 증가하면 y의 값도 증가한다. (참)

ㄷ. $y=a^x$은 일대일함수이므로 '$x_1\ne x_2$이면 $a^{x_1}\ne a^{x_2}$이다.' 가 참이다.
따라서 ㉡ 대우인 '$a^{x_1}=a^{x_2}$이면 $x_1=x_2$이다.'도 참이다. (참)

따라서 보기의 설명 중 옳은 것은 ㄴ, ㄷ이다.

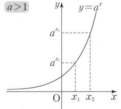

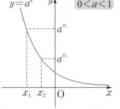

㉠ 밑은 언제나 1이 아닌 양수이다.

㉡ 명제 $p\longrightarrow q$ 에 대하여 대우는 $\sim q\longrightarrow\sim p$ 이다. 이때 명제가 참이면 대우도 참이다.

확인 문제 정답과 해설 | **27**쪽 MY 셀파

01-1 지수함수 $y=\left(\dfrac{1}{2}\right)^x$에 대한 | 보기 |의 설명 중 옳은 것을 모두 고르시오.
(상)(중)(하)

┌ 보기 ┐
ㄱ. 치역은 양의 실수 전체의 집합이다.
ㄴ. 그래프는 점 $(1, 0)$을 지난다.
ㄷ. x의 값이 증가하면 y의 값도 증가한다.

01-1
$0<$ (밑)$=\dfrac{1}{2}<1$이므로 지수함수 $y=\left(\dfrac{1}{2}\right)^x$은 x의 값이 증가하면 y의 값은 감소한다.

지수함수 $f(x)=a^{p(x)}$ $(a>0,\ a\neq1)$의 함숫값은 다음과 같이 구한다.

❶ 함숫값 $f(\alpha)$ ⇨ x 대신 α를 대입 ⇨ $f(\alpha)=a^{p(\alpha)}$

❷ 함수 $f(x)$의 역함수가 $g(x)$일 때 $g(a)=b$ ⇨ $f(b)=a$

지수함수의 함숫값을 구할 때는 지수법칙을 이용한다.

예제 　**1.** 함수 $f(x)=3^{ax+b}$에 대하여 $f(1)=9$, $f(-1)=81$일 때, $f(5)$의 값을 구하시오. (단, a, b는 상수)

2. 함수 $f(x)=2^x$의 역함수를 $g(x)$라 할 때, $g\left(\dfrac{1}{2}\right)g(8)$의 값을 구하시오.

해법 코드

1. $f(1)=3^{a+b}=9$,
$\quad f(-1)=3^{-a+b}=81$

2. $g\left(\dfrac{1}{2}\right)=k$, $g(8)=l$로 놓는다.

셀파 지수함수 $f(x)=a^{p(x)}$ $(a>0,\ a\neq1)$일 때 ⇨ 함숫값 $f(\alpha)=a^{p(\alpha)}$

풀이 **1.** $f(1)=9$에서 $3^{a+b}=9=3^2$ ∴ $a+b=2$ ······ ㉠

$f(-1)=81$에서 $3^{-a+b}=81=3^4$ ∴ $-a+b=4$ ······ ㉡

㉠, ㉡을 연립하여 풀면 $a=-1$, $b=3$

따라서 $f(x)=3^{-x+3}$이므로

$f(5)=3^{-2}=\dfrac{1}{3^2}=\dfrac{1}{9}$

2. ㉠ $g\left(\dfrac{1}{2}\right)=k$로 놓으면 역함수의 성질에서 $f(k)=\dfrac{1}{2}$

$f(k)=2^k=\dfrac{1}{2}=2^{-1}$이므로 $k=-1$ ∴ $g\left(\dfrac{1}{2}\right)=-1$

또 $g(8)=l$로 놓으면 역함수의 성질에서 $f(l)=8$

$f(l)=2^l=8=2^3$이므로 $l=3$ ∴ $g(8)=3$

∴ $g\left(\dfrac{1}{2}\right)g(8)=(-1)\times3=\mathbf{-3}$

➊ 두 함수 f, g가 서로 역함수일 때
$f(a)=b \Longleftrightarrow g(b)=a$
따라서 $g\left(\dfrac{1}{2}\right)=k$이면
$f(k)=\dfrac{1}{2}$이다.

다른 풀이

2. $g(x)$는 $f(x)=2^x$의 역함수이므로 $g(x)=\log_2 x$

이때 $g\left(\dfrac{1}{2}\right)=\log_2\dfrac{1}{2}=-1$,

$g(8)=\log_2 8=3$이므로

$g\left(\dfrac{1}{2}\right)g(8)=(-1)\times3=-3$

확인 문제　　　　　　　　　　정답과 해설 | **27**쪽　　　　　　　　　**MY 셀파**

02-1 함수 $f(x)=5^{ax+b}$에 대하여 $f(1)=2$, $f(2)=4$일 때, $f(3)$의 값을 구하시오.
(상)(중)(하)　　　　　　　　　　　　　　　　　　(단, a, b는 상수)

02-1
$f(1)=5^{a+b}=2$
$f(2)=5^{2a+b}=4$

02-2 함수 $f(x)=a^x$ $(a>0,\ a\neq1)$의 역함수가 $g(x)$이고 $f(2)=9$일 때,
(상)(중)(하)　$g(3)+g(27)$의 값을 구하시오.

02-2
$g(3)=k$로 놓으면 $f(k)=3$이다.

오른쪽 그림과 같은 지수함수 $y=2^x$의 그래프를 이용
하여 다음 함수의 그래프를 그리시오.

(1) $y=2^{x-1}$　　　　　　　(2) $y=2^x-3$

(3) $y=-2^x$　　　　　　　　(4) $y=2^{-x}$

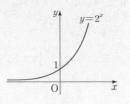

지수함수 $y=a^x\ (a>0,\ a\neq1)$의 그래프를 평행이동, 대칭이동한 그래프의 식은 다음
과 같다.

x축의 방향으로 m만큼, y축의 방향으로 n만큼 평행이동	$y-n=a^{x-m}$ $\quad\therefore y=a^{x-m}+n$
x축에 대하여 대칭이동	$-y=a^x$ $\quad\therefore y=-a^x$
y축에 대하여 대칭이동	$y=a^{-x}$ $\quad\therefore y=\left(\dfrac{1}{a}\right)^x$
원점에 대하여 대칭이동	$-y=a^{-x}$ $\quad\therefore y=-\left(\dfrac{1}{a}\right)^x$

(1) $y=2^{x-1}$의 그래프는 $y=2^x$의 그래프를 x축의 방향으로 1만큼 평행이동한 것이
　므로 [그림 1]과 같다.

(2) $y=2^x-3$의 그래프는 $y=2^x$의 그래프를 y축의 방향으로 -3만큼 평행이동한
　것이므로 [그림 2]와 같다.

(3) $y=-2^x$의 그래프는 $y=2^x$의 그래프를 x축에 대하여 대칭이동한 것이므로
　[그림 3]과 같다.

(4) $y=2^{-x}$의 그래프는 $y=2^x$의 그래프를 y축에 대하여 대칭이동한 것이므로
　[그림 4]와 같다.

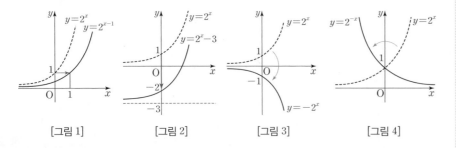

[그림 1]　　　　　[그림 2]　　　　　[그림 3]　　　　　[그림 4]

ⓛ 지수함수 $y=\left(\dfrac{1}{2}\right)^x$의 그래프를 이용하여 다음 함수의 그래프를 그리시오.

(1) $y=\left(\dfrac{1}{2}\right)^{x+1}$　　　　　　　(2) $y=\left(\dfrac{1}{2}\right)^x+1$

(3) $y=-\left(\dfrac{1}{2}\right)^x$　　　　　　　(4) $y=\left(\dfrac{1}{2}\right)^{-x}$

▶ 그래프의 평행이동과 대칭이동

❶ x축의 방향으로 m만큼, y축의
　방향으로 n만큼 평행이동
　⇨ x 대신 $x-m$을 대입,
　　　y 대신 $y-n$을 대입

❷ x축에 대하여 대칭이동
　⇨ y 대신 $-y$를 대입

❸ y축에 대하여 대칭이동
　⇨ x 대신 $-x$를 대입

❹ 원점에 대하여 대칭이동
　⇨ x 대신 $-x$를 대입,
　　　y 대신 $-y$를 대입

ⓐ $y=2^x$에 x 대신 $-x$를 대입하면
　$y=2^{-x}$

ⓑ $y=\left(\dfrac{1}{2}\right)^x$의 그래프를
　(1) x축의 방향으로 -1만큼 평행
　　이동
　(2) y축의 방향으로 1만큼 평행이
　　동
　(3) x축에 대하여 대칭이동
　(4) y축에 대하여 대칭이동

> (1) 지수함수 $y=a^{x-m}+n$ $(a>0, a\neq1)$의 그래프는
>   ❶ $y=a^x$의 그래프를 x축의 방향으로 m만큼, y축의 방향으로 n만큼 평행이동한 것이다.
>   ❷ 점근선의 방정식은 직선 $y=n$이다.
>   ❸ 정의역은 실수 전체의 집합이고, 치역은 $\{y | y>n\}$이다.
>
> (2) $y=f(|x|)$의 그래프는 $y=f(x)$ $(x\geq0)$의 그래프와 이 그래프를 y축에 대하여 대칭이동한 것을 함께 나타낸 그래프이다.

01 다음 함수의 그래프를 그리고, 점근선의 방정식과 치역을 구하시오.

(1) $y=2^{x+1}-3$

(2) $y=3^{x-2}+2$

(3) $y=\left(\dfrac{1}{2}\right)^{x+1}-1$

(4) $y=\left(\dfrac{1}{3}\right)^{x-1}+2$

02 다음 함수의 그래프를 그리고, 치역을 구하시오.

(1) $y=-\left(\dfrac{1}{3}\right)^{x}$

(2) $y=2^{|x|}$

(3) $y=\left(\dfrac{1}{3}\right)^{|x|}$

(4) $y=-3^{|x|}$

지수함수 $y=a^x$ $(a>0, a\neq1)$의 그래프를

❶ x축의 방향으로 m만큼, y축의 방향으로 n만큼 평행이동 ⇨ $y=a^{x-m}+n$

❷ x축에 대하여 대칭이동 ⇨ $y=-a^x$

❸ y축에 대하여 대칭이동 ⇨ $y=a^{-x}=\left(\dfrac{1}{a}\right)^x$

❹ 원점에 대하여 대칭이동 ⇨ $y=-a^{-x}=-\left(\dfrac{1}{a}\right)^x$

$y=a^{x-m}+n$의 그래프와 $y=-a^{-x}$의 그래프는 평행이동과 대칭이동을 하면 서로 겹쳐질 수 있다.
즉, 두 지수함수의 그래프가 서로 겹쳐지려면 밑이 같아야 한다.

예제 다음 | 보기 |의 함수 중 그 그래프를 평행이동 또는 대칭이동했을 때, 지수함수 $y=2^x$의 그래프와 겹쳐지지 <u>않는</u> 것을 모두 고르시오.

> | 보기 |
> ㄱ. $y=2^{x-1}+2$　　　ㄴ. $y=|2^x|-3$　　　ㄷ. $y=-2\times2^x$
> ㄹ. $y=2^{2x}+1$　　　ㅁ. $y=\left(\dfrac{1}{2}\right)^x$

해법 코드
지수법칙을 이용하여 주어진 각 함수를 간단히 정리한다. 이때 지수함수 $y=2^x$의 그래프를 평행이동 또는 대칭이동한 그래프는 지수함수 $y=2^x$의 그래프와 겹쳐진다.

셀파 평행이동에 의하여 $y=a^x$ ⇨ $y=a^{x-m}+n$ 꼴로 바뀐다.
대칭이동에 의하여 $y=a^x$ ⇨ x 또는 y의 부호가 바뀐다.

풀이 ㄱ. 함수 $y=2^{x-1}+2$의 그래프는 함수 $y=2^x$의 그래프를 x축의 방향으로 1만큼, y축의 방향으로 2만큼 평행이동한 것이다.

ㄴ. $2^x>0$에서 $|2^x|=2^x$이므로 함수 $y=|2^x|-3$, 즉 $y=2^x-3$의 그래프는 함수 $y=2^x$의 그래프를 y축의 방향으로 -3만큼 평행이동한 것이다.

ㄷ. $-2\times2^x=\underline{-2^{x+1}}$이므로 함수 $y=-2\times2^x$의 그래프는 함수 $y=2^x$의 그래프를 x축의 방향으로 -1만큼 평행이동한 다음 x축에 대하여 대칭이동한 것이다.

ㄹ. 함수 $y=2^{2x}+1$, 즉 $\underline{y=4^x+1}$의 그래프는 평행이동과 대칭이동에 의하여 함수 $y=2^x$의 그래프와 겹쳐지지 않는다.

ㅁ. $\left(\dfrac{1}{2}\right)^x=(2^{-1})^x=2^{-x}$이므로 함수 $y=\left(\dfrac{1}{2}\right)^x$, 즉 $y=2^{-x}$의 그래프는 함수 $y=2^x$의 그래프를 y축에 대하여 대칭이동한 것이다.

따라서 함수 $y=2^x$의 그래프와 겹쳐지지 않는 것은 ㄷ이다.

❸ $y=2^x$과 $y=-2^{x+1}$을 비교하면
(i) 지수 x가 $x+1$로 바뀌었다.
⇨ x축의 방향으로 -1만큼 평행이동
(ii) $y=-2^{x+1}$은 $-y=2^{x+1}$과 같으므로 y의 부호가 바뀌었다.
⇨ x축에 대하여 대칭이동

❹ $y=2^x$과 $y=4^x+1$의 그래프는 두 함수의 밑이 다르므로 그래프의 모양이 다르다.

확인 문제　　　　　정답과 해설 | **29**쪽　　　　　**MY 셀파**

03-1 함수 $y=3^x$의 그래프를 $f:(x,y)\longrightarrow(x+p,y+q)$에 의하여 평행이동하면
(상·중·하)　함수 $y=\dfrac{3^x}{9}-1$의 그래프와 겹쳐질 때, 상수 p,q의 값을 구하시오.

03-1
$f:(x,y)\longrightarrow(x+p,y+q)$는 좌표평면 위의 한 점 (x,y)를 x축의 방향으로 p만큼, y축의 방향으로 q만큼 평행이동한 것이다.

지수함수 $y=a^x$ $(a>0, a \neq 1)$에 대하여

❶ $a>1$일 때, $x_1 < x_2 \iff a^{x_1} < a^{x_2}$ ⇨ 지수가 큰 수가 크다.

❷ $0<a<1$일 때, $x_1 < x_2 \iff a^{x_1} > a^{x_2}$ ⇨ 지수가 작은 수가 크다.

두 수 $3^{\sqrt{3}}$, 3^2의 대소를 비교할 때, $y=3^x$은 x의 값의 증가하면 y의 값도 증가하므로 $m<n$이면 $3^m<3^n$이다. 즉, $\sqrt{3}<2$이므로 $3^{\sqrt{3}}<3^2$

예제   지수함수의 성질을 이용하여 다음 세 수의 크기를 비교하시오.

(1) $\left(\dfrac{1}{2}\right)^{-\frac{4}{5}}$, $4^{\frac{1}{3}}$, $\sqrt[4]{8}$ (2) $\left(\dfrac{10}{3}\right)^{\frac{1}{2}}$, $\sqrt[3]{0.09}$, $\sqrt[4]{0.3^5}$

해법 코드

(1) 세 수를 밑이 2인 거듭제곱 꼴로 나타낸다.

(2) 세 수를 밑이 0.3인 거듭제곱 꼴로 나타낸다.

셀파 $a>1$일 때, $p<q<r \iff a^p<a^q<a^r$

$0<a<1$일 때, $p<q<r \iff a^p>a^q>a^r$

풀이 (1) $\dfrac{1}{2}=2^{-1}$, $4=2^2$, $8=2^3$이므로

세 수 $\left(\dfrac{1}{2}\right)^{-\frac{4}{5}}$, $4^{\frac{1}{3}}$, $\sqrt[4]{8}$을 밑이 2인 거듭제곱 꼴로 나타내면

$\left(\dfrac{1}{2}\right)^{-\frac{4}{5}} \overset{\text{ⓐ}}{=} (2^{-1})^{-\frac{4}{5}}=2^{\frac{4}{5}}$, $4^{\frac{1}{3}}=(2^2)^{\frac{1}{3}}=2^{\frac{2}{3}}$, $\sqrt[4]{8}\overset{\text{ⓑ}}{=}\sqrt[4]{2^3}=2^{\frac{3}{4}}$

이때 $y=2^x$에서 (밑)$=2>1$이고 $\dfrac{2}{3}<\dfrac{3}{4}<\dfrac{4}{5}$이므로 $2^{\frac{2}{3}}<2^{\frac{3}{4}}<2^{\frac{4}{5}}$

∴ $4^{\frac{1}{3}}<\sqrt[4]{8}<\left(\dfrac{1}{2}\right)^{-\frac{4}{5}}$

ⓐ 지수법칙 $(a^x)^y=a^{xy}$에서
$(2^{-1})^{-\frac{4}{5}}=2^{(-1)\times\left(-\frac{4}{5}\right)}=2^{\frac{4}{5}}$

ⓑ 거듭제곱근의 성질 $\sqrt[m]{a^n}=a^{\frac{n}{m}}$에서
$\sqrt[4]{2^3}=2^{\frac{3}{4}}$

(2) $\dfrac{10}{3}=\left(\dfrac{3}{10}\right)^{-1}=0.3^{-1}$, $0.09=0.3^2$이므로

세 수 $\left(\dfrac{10}{3}\right)^{\frac{1}{2}}$, $\sqrt[3]{0.09}$, $\sqrt[4]{0.3^5}$을 밑이 0.3인 거듭제곱 꼴로 나타내면

$\left(\dfrac{10}{3}\right)^{\frac{1}{2}}=(0.3^{-1})^{\frac{1}{2}}=(0.3)^{-\frac{1}{2}}$, $\sqrt[3]{0.09}=\sqrt[3]{0.3^2}=(0.3)^{\frac{2}{3}}$, $\sqrt[4]{0.3^5}=(0.3)^{\frac{5}{4}}$

이때 $y=0.3^x$에서 $0<$(밑)$=0.3<1$이고 $-\dfrac{1}{2}<\dfrac{2}{3}<\dfrac{5}{4}$이므로

$(0.3)^{\frac{5}{4}}<(0.3)^{\frac{2}{3}}<(0.3)^{-\frac{1}{2}}$

∴ $\sqrt[4]{0.3^5}<\sqrt[3]{0.09}<\left(\dfrac{10}{3}\right)^{\frac{1}{2}}$

$y=a^x$에서 $a>1$이면 부등호 방향 그대로, $0<a<1$이면 부등호 방향 반대로~

3 지수함수와 로그함수

확인 문제   정답과 해설 **29**쪽   **MY 셀파**

04-1 지수함수의 성질을 이용하여 다음 세 수의 크기를 비교하시오.

(상)(중)(하)   (1) $\sqrt[3]{9}$, $\sqrt[5]{27}$, $\sqrt[8]{243}$ (2) $\sqrt{0.5}$, $\sqrt[3]{0.25}$, $\sqrt[5]{0.125}$

04-1

(1) 세 수를 밑이 3인 거듭제곱 꼴로 나타낸다.

(2) 세 수를 밑이 0.5인 거듭제곱 꼴로 나타낸다.

정의역이 $\{x \mid m \leq x \leq n\}$인 지수함수 $y = a^{f(x)}$에 대하여
$\alpha \leq f(x) \leq \beta$이면 지수함수 $y = a^{f(x)}$의 최대, 최소는 다음과 같다.

❶ $a > 1$일 때 ⇨ 최댓값 a^{β}, 최솟값 a^{α}

❷ $0 < a < 1$일 때 ⇨ 최댓값 a^{α}, 최솟값 a^{β}

$m \leq x \leq n$에서 지수함수 $y = a^x$의 최대, 최소
❶ $a > 1$일 때
최댓값 a^n, 최솟값 a^m
❷ $0 < a < 1$일 때
최댓값 a^m, 최솟값 a^n

예제 다음 함수의 최댓값과 최솟값을 구하시오.

(1) 정의역이 $\{x \mid -1 \leq x \leq 2\}$인 함수 $y = 2^x \times 3^{-x}$

(2) 정의역이 $\{x \mid 0 \leq x \leq 3\}$인 함수 $y = 2^{x^2 - 2x - 1}$

해법 코드

(1) $2^x \times 3^{-x} = \left(\dfrac{2}{3}\right)^x$

(2) $0 \leq x \leq 3$일 때
$f(x) = x^2 - 2x - 1$의 값의 범위
를 구한다.

셀파 범위가 주어진 최댓값, 최솟값 문제 ⇨ 그래프를 이용하면 편리하다.

풀이 (1) 함수 $y = 2^x \times 3^{-x} = 2^x \times \left(\dfrac{1}{3}\right)^x = \left(\dfrac{2}{3}\right)^x$의 그래프는

오른쪽 그림과 같다.

$x = -1$일 때 **최댓값** $\dfrac{3}{2}$,

$x = 2$일 때 **최솟값** $\dfrac{4}{9}$

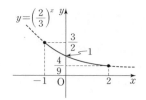

(2) $y = 2^{x^2 - 2x - 1}$에서 $f(x) = x^2 - 2x - 1$이라 하면
$f(x) \overset{\text{㉠}}{=} (x-1)^2 - 2$
$0 \leq x \leq 3$일 때, $-2 \leq f(x) \leq 2$이므로 함수
$y = 2^{f(x)}$의 그래프는 오른쪽 그림과 같다.
$f(x) = 2$일 때 **최댓값 4**,
$f(x) = -2$일 때 **최솟값** $\dfrac{1}{4}$

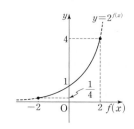

㉠ 꼭짓점의 x좌표 1은 정의역
$0 \leq x \leq 3$에 포함되고, $y = f(x)$의
그래프는 다음 그림과 같으므로
$-2 \leq f(x) \leq 2$

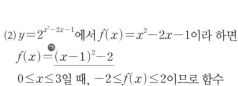

확인 문제   정답과 해설 | **29**쪽   MY 셀파

05-1 정의역이 $\{x \mid -1 \leq x \leq 2\}$인 함수 $y = 4^x \times 3^{-x+1}$의 최댓값과 최솟값을 구하시오.
(상)(중)(하)

05-1
주어진 함수를 $y = pa^x$ 꼴로 바꾼다.

05-2 정의역이 $\{x \mid -1 \leq x \leq 1\}$인 함수 $y = \left(\dfrac{1}{3}\right)^{-x^2 - 2x + 3}$의 최댓값과 최솟값을 구하시오.
(상)(중)(하)

05-2
$-1 \leq x \leq 1$일 때
$f(x) = -x^2 - 2x + 3$의 값의 범위를 구한다.

함수 $y=a^{x^2+2x-2}$의 최솟값이 $\frac{1}{8}$일 때, a의 값을 구하시오. (단, $a>0$, $a\neq 1$)

Q 지수함수의 최댓값과 최솟값을 구하는 문제는 밑의 값을 확인해야 하잖아요.
그런데 위의 문제는 밑의 값을 모르는데 최댓값과 최솟값을 구하래요.

A 어디 보자. 이건 밑의 값 대신에 최솟값을 주었잖아.

Q 그래도 x의 값의 범위도 주어져 있지 않고…, 어떻게 풀어야 할지 잘 모르겠어요.

A 먼저 주어진 함수에서 알 수 있는 것은 무엇일까?

Q 지수가 x에 대한 이차함수이고 이차항의 계수가 양수이므로 지수의 최솟값을 구할
수 있어요. $x^2+2x-2=(x+1)^2-3$에서 지수의 최솟값이 -3이네요.
　　　　　　　　　　→ 지수 x^2+2x-2의 최댓값은
　　　　　　　　　　　구할 수 없다.

A 맞아. 이제 지수의 최솟값은 -3이고, 주어진 함수는 최솟값 $\frac{1}{8}$을 갖는다는 것을
이용해서 a를 추정해 볼까?
a는 지수함수의 밑이니까 $a>1$ 또는 $0<a<1$이지.
주어진 함수는 $a>1$이면 지수가 최소일 때 최솟값을 가질 것이고, $0<a<1$이면 지
수가 최소일 때 최댓값을 가질 거야.

Q 이 문제는 x의 값의 범위가 주어지지 않고 함수의 최솟값이 주어져 있어요. 또 지수
가 갖는 최솟값은 아는데, 최댓값은 몰라요. 따라서 $a>1$이어야 해요. 그럼
$a^{-3}=\frac{1}{8}=2^{-3}$에서 $a=2$가 되네요.

A 그래, 밑이 주어지고 지수를 구하는 문제나 지수가 주어지고 밑을 구하는 문제는 똑
같이 푼다고 생각하면 돼.

확인 체크 02　　　　　　　　　　　　　　　　　정답과 해설 | **29**쪽

다음을 만족시키는 a의 값을 구하시오. (단, $a>0$, $a\neq 1$)
(1) 함수 $y=a^{-x^2+2x+1}$의 최댓값이 9이다.

(2) 함수 $y=a^{x^2-2x+3}$의 최댓값이 $\frac{1}{4}$이다.

● 밑의 값을 모른다는 것은 밑 a가 $a>1$인지 $0<a<1$인지 주어져 있지 않다는 뜻이다.

● x의 값의 범위가 주어지지 않은 경우는 실수 전체의 범위에서 생각한다.

● $x^2+2x-2=t\ (t\geq -3)$로 놓으면 다음과 같이 그래프를 그려 생각할 수 있다.

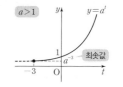

$a>1$일 때, $t=-3$에서 최솟값을 갖고, 최댓값은 구할 수 없다.

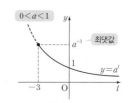

$0<a<1$일 때, $t=-3$에서 최댓값을 갖고, 최솟값은 구할 수 없다.

● 지수 부분이 최댓값을 갖는지 최솟값을 갖는지 확인하여 $a>1$인지 $0<a<1$인지 정한다.

a^x 꼴이 반복해서 나타나는 함수의 최댓값, 최솟값을 구할 때는 $a^x=t$로 치환한 다음 치환한 t의 값의 범위 내에서 주어진 함수의 최댓값, 최솟값을 구한다.

참고 a^x의 값은 항상 0보다 크므로 $a^x=t$로 치환할 때, $t>0$이다.

지수함수를 치환할 때, 다음을 이용한다.
$4^x=(2^2)^x=(2^x)^2$,
$\left(\dfrac{1}{4}\right)^x=\left\{\left(\dfrac{1}{2}\right)^2\right\}^x=\left\{\left(\dfrac{1}{2}\right)^x\right\}^2,\cdots$

예제 1. 정의역이 $\{x\,|\,1\le x\le 2\}$인 함수 $y=4^x-2^{x+1}-3$의 최댓값과 최솟값을 구하시오.

해법 코드
1. $2^x=t$ $(t>0)$로 치환한다.

2. 정의역이 $\{x\,|\,-1\le x\le 1\}$인 함수 $y=9^{-x}-2\times 3^{-x}+k$의 최솟값이 2일 때, y의 최댓값을 구하시오. (단, k는 상수)

2. $3^{-x}=t$ $(t>0)$로 치환한다.

셀파 a^x 꼴이 반복되는 함수 ⇨ $a^x=t$ $(t>0)$로 치환한다.

풀이 1. $y=4^x-2^{x+1}-3=(2^x)^2-2\times 2^x-3$에서
$2^x=t$ $(t>0)$로 치환하면
$y=t^2-2t-3=(t-1)^2-4$
이때 $1\le x\le 2$에서 $2^1\le 2^x\le 2^2$ ∴ $2\le t\le 4$
❶ $2\le t\le 4$에서 함수 $y=(t-1)^2-4$는
$t=4$일 때 **최댓값 5**, $t=2$일 때 **최솟값 −3**

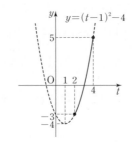

2. $y=9^{-x}-2\times 3^{-x}+k=(3^{-x})^2-2\times 3^{-x}+k$에서
$3^{-x}=t$ $(t>0)$로 치환하면
$y=t^2-2t+k=(t-1)^2+k-1$
이때 $-1\le x\le 1$에서
❷ $\left(\dfrac{1}{3}\right)^1\le\left(\dfrac{1}{3}\right)^x\le\left(\dfrac{1}{3}\right)^{-1}$ ∴ $\dfrac{1}{3}\le t\le 3$
❸ $\dfrac{1}{3}\le t\le 3$에서 함수 $y=(t-1)^2+k-1$은
$t=1$일 때 최솟값을 가지므로 $k-1=2$ ∴ $k=3$
따라서 구하는 y의 최댓값은 $t=3$일 때 $k+3=$**6**

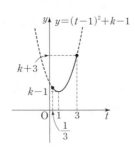

❶ t의 값의 범위가 $2\le t\le 4$이므로 꼭짓점의 t의 좌표 1은 주어진 범위에 속하지 않는다.

❷ $y=\left(\dfrac{1}{3}\right)^x$은 $0<$ (밑) $=\dfrac{1}{3}<1$
이므로 $-1\le x\le 1$에서
$\left(\dfrac{1}{3}\right)^1\le\left(\dfrac{1}{3}\right)^x\le\left(\dfrac{1}{3}\right)^{-1}$

❸ 꼭짓점의 t의 좌표 1은 주어진 범위에 속하므로 이때의 y좌표 $k-1$이 최솟값이 된다.

확인 문제
정답과 해설 | 30쪽
MY 셀파

06-1 정의역이 $\{x\,|\,0\le x\le 2\}$인 함수 $y=2^{2x}-2^{x+1}$의 최댓값과 최솟값을 구하시오.
상·중·하

06-1
$2^x=t$ $(t>0)$로 치환한다.

06-2 정의역이 $\{x\,|\,-2\le x\le 0\}$인 함수 $y=9^x+2\times 3^x-1$의 최댓값과 최솟값을 구하시오.
상·중·하

06-2
$3^x=t$ $(t>0)$로 치환한다.

로그함수 $y=\log_a x\,(a>0,\ a\neq1)$의 성질은 다음과 같다.

❶ 정의역은 양의 실수 전체의 집합이고, 치역은 실수 전체의 집합이다.

❷ 그래프의 점근선은 y축 (직선 $x=0$)이다.

❸ a의 값에 관계없이 항상 점 $(1,\,0)$을 지난다.

❹ $a>1$일 때, $x_1<x_2\Longleftrightarrow\log_a x_1<\log_a x_2$,
$0<a<1$일 때, $x_1<x_2\Longleftrightarrow\log_a x_1>\log_a x_2$

함수 $y=\log_a x$는 $x_1\neq x_2$이면 $\log_a x_1\neq\log_a x_2$이므로 일대일함수이다.

(예제) 로그함수 $y=\log_a x\,(a>0,\ a\neq1)$에 대한 | 보기 |의 설명 중 옳은 것을 모두 고르시오.

> | 보기 |
> ㄱ. $x_1<x_2$이면 $\log_a x_1<\log_a x_2$이다.
> ㄴ. 이 함수의 그래프가 점 $(4,\,2)$를 지나면 x의 값이 증가하면 y의 값도 증가한다.
> ㄷ. 그래프는 $y=\log_{\frac1a} x$의 그래프와 y축에 대하여 대칭이다.

해법 코드
$a>1,\ 0<a<1$의 두 경우로 나누어 $y=\log_a x$의 그래프를 그린다.

(셀파) $y=\log_a x$는 $a>1$일 때 x의 값이 증가하면 y의 값도 증가하고, $0<a<1$일 때 x의 값이 증가하면 y의 값은 감소한다.

(풀이) ㄱ. $a>1$일 때 $x_1<x_2$이면 $\log_a x_1<\log_a x_2$이고,
$0<a<1$일 때 $x_1<x_2$이면 $\log_a x_1>\log_a x_2$이다.
(거짓)

ㄴ. 점 $(4,\,2)$를 지나므로 $2=\log_a 4$에서
ⓐ 로그의 정의에 의해 $a^2=4$
$\therefore a=2\ (\because a>0)$
따라서 $y=\log_2 x$는 (밑)$=2>1$이므로 x의 값이 증가하면 y의 값도 증가한다. (참)

ㄷ. $\log_{\frac1a} x=-\log_a x$이므로 $y=\log_a x$의 그래프와 $y=\log_{\frac1a} x$의 그래프는 x축에 대하여 대칭이다.
(거짓)

따라서 보기의 설명 중 옳은 것은 ㄴ이다.

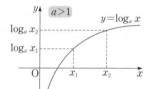

ⓐ $\log_a m=b\Rightarrow a^b=m$

ⓑ 로그함수 $y=\log_a x$에서 밑은 항상 1이 아닌 양수이다. 즉, $0<a<1$ 또는 $a>1$이다.

ⓒ $y=f(x)$의 그래프와 $y=-f(x)$의 그래프는 x축에 대하여 대칭이다.

확인 문제

정답과 해설 | **30**쪽

MY 셀파

07-1 다음 | 보기 |의 설명 중 옳은 것을 모두 고르시오.
(상)(중)(하)

> | 보기 |
> ㄱ. 로그함수 $y=\log_2 (x^2+1)$의 정의역은 양의 실수 전체의 집합이다.
> ㄴ. $x_1<x_2$이면 $\log_{\frac12} x_1<\log_{\frac12} x_2$이다.
> ㄷ. $f(x)=\log_a x\,(a>0,\ a\neq1)$일 때, $f(x_1)=f(x_2)$이면 $x_1=x_2$이다.

07-1
ㄱ. 로그함수에서 (진수)>0이다.
ㄷ. 지수함수와 마찬가지로 로그함수도 일대일함수이다.

오른쪽 그림과 같은 로그함수 $y=\log_2 x$의 그래프를 이용하여 다음 함수의 그래프를 그리시오.

(1) $y=\log_2 (x-1)$　　　(2) $y=\log_2 x+1$

(3) $y=-\log_2 x$　　　(4) $y=\log_2 (-x)$

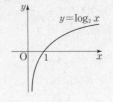

🅐 로그함수 $y=\log_a x\ (a>0,$ $a\neq 1)$의 그래프를 평행이동, 대칭이동한 그래프의 식은 지수함수 $y=a^x\ (a>0, a\neq 1)$의 그래프를 평행이동, 대칭이동한 그래프의 식을 구하는 방법과 같다.

🅐 로그함수 $y=\log_a x\ (a>0,\ a\neq 1)$의 그래프를 평행이동, 대칭이동한 그래프의 식은 다음과 같다.

x축의 방향으로 m만큼, y축의 방향으로 n만큼 평행이동	$y-n=\log_a (x-m)$　∴ $y=\log_a (x-m)+n$
x축에 대하여 대칭이동	$-y=\log_a x$　∴ 🅑 $\underline{y=-\log_a x}$
y축에 대하여 대칭이동	$y=\log_a (-x)$
원점에 대하여 대칭이동	$-y=\log_a (-x)$　∴ $y=-\log_a (-x)$

🅑 $\log_{\frac{1}{a}} x=\log_{a^{-1}} x=-\log_a x$이므로 두 함수 $y=\log_a x$와 $y=\log_{\frac{1}{a}} x$의 그래프도 x축에 대하여 대칭이다.

(1) $y=\log_2 (x-1)$의 그래프는 $y=\log_2 x$의 그래프를 x축의 방향으로 1만큼 평행이동한 것이므로 [그림1]과 같다.

(2) $y=\log_2 x+1$의 그래프는 $y=\log_2 x$의 그래프를 y축의 방향으로 1만큼 평행이동한 것이므로 [그림 2]와 같다.

(3) $y=-\log_2 x$의 그래프는 $y=\log_2 x$의 그래프를 x축에 대하여 대칭이동한 것이므로 [그림 3]과 같다.

(4) 🅒 $y=\log_2 (-x)$의 그래프는 $y=\log_2 x$의 그래프를 y축에 대하여 대칭이동한 것이므로 [그림 4]와 같다.

🅒 $y=\log_2 x$에 x 대신 $-x$를 대입하면 $y=\log_2 (-x)$

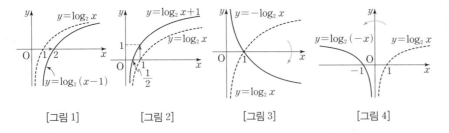

[그림 1]　　　[그림 2]　　　[그림 3]　　　[그림 4]

확인 체크 03　　　　　　　　　　　　　정답과 해설 | **30**쪽

로그함수 $y=\log_3 x$의 그래프를 이용하여 다음 함수의 그래프를 그리시오.

(1) $y=\log_3 (x+1)$　　　　(2) $y=\log_3 9x$

(3) $y=\log_3 \dfrac{1}{x}$　　　　(4) $y=\log_3 (-x)$

🅓 $y=\log_3 x$의 그래프를
(1) x축의 방향으로 -1만큼 평행이동
(2) y축의 방향으로 2만큼 평행이동
(3) x축에 대하여 대칭이동
(4) y축에 대하여 대칭이동

(1) 로그함수 $y=\log_a (x-m)+n$의 그래프는

　❶ $y=\log_a x$의 그래프를 x축의 방향으로 m만큼, y축의 방향으로 n만큼 평행이동한 것이다.

　❷ 점근선의 방정식은 직선 $x=m$이다.

　❸ 정의역은 $\{x \mid x>m\}$이고, 치역은 실수 전체의 집합이다.

(2) 로그함수 $y=-\log_a x$의 그래프는 $y=\log_a x$의 그래프를 x축에 대하여 대칭이동한 것이다.

(3) 로그함수 $y=\log_a (-x)$의 그래프는 $y=\log_a x$의 그래프를 y축에 대하여 대칭이동한 것이다.

01 다음 함수의 그래프를 그리고, 정의역과 점근선의 방정식을 구하시오.

(1) $y=\log_3 (x-1)+2$

(2) $y=\log_{\frac{1}{2}} 8x$

(3) $y=\log_{\frac{1}{3}} (x+1)$

(4) $y=\log_2 4(x-1)$

02 다음 함수의 그래프를 그리고, 정의역과 점근선의 방정식을 구하시오.

(1) $y=\log_4 \dfrac{1}{x}$

(2) $y=\log_4 (-x-2)$

(3) $y=\log_{\frac{1}{2}} (-x+3)$

(4) $y=\log_2 (-x)+1$

로그함수 $y=\log_a x\ (a>0,\ a\neq 1)$의 그래프를
❶ x축의 방향으로 m만큼, y축의 방향으로 n만큼 평행이동 ⇨ $y=\log_a (x-m)+n$
❷ x축에 대하여 대칭이동　　　⇨ $-y=\log_a x$　∴ $y=-\log_a x$
❸ y축에 대하여 대칭이동　　　⇨ $y=\log_a (-x)$
❹ 원점에 대하여 대칭이동　　　⇨ $-y=\log_a (-x)$　∴ $y=-\log_a (-x)$
❺ 직선 $y=x$에 대하여 대칭이동 ⇨ $x=\log_a y$　∴ $y=a^x$

❷ x축에 대하여 대칭이동
　⇨ y 대신 $-y$ 대입
❸ y축에 대하여 대칭이동
　⇨ x 대신 $-x$ 대입
❹ 원점에 대하여 대칭이동
　⇨ x 대신 $-x$, y 대신 $-y$ 대입
❺ 직선 $y=x$에 대하여 대칭이동
　⇨ x 대신 y, y 대신 x 대입

예제 1. 함수 $y=\log_2 x$의 그래프가 평행이동 $f:(x,\ y)\longrightarrow(x+m,\ y+n)$에 의하여 함수 $y=\log_2 (4x-12)$의 그래프로 옮겨질 때, 상수 $m,\ n$의 값을 구하시오.

2. 함수 $y=\log_2 4x$의 그래프를 y축의 방향으로 -3만큼 평행이동한 다음 x축에 대하여 대칭이동한 그래프의 식이 $y=\log_2 \dfrac{a}{x}$일 때, 상수 a의 값을 구하시오.

해법 코드

1. $y=\log_2 (x-m)+n$ 꼴로 나타낸다.

2. $y=\log_2 4x$에 y 대신 $y+3$을 대입한 다음 y 대신 $-y$를 대입한다.

셀파 $y=\log_a (x-m)+n$의 정의역은 $\{x\,|\,x>m\}$, 점근선의 방정식은 $x=m$이다.

풀이 1. $y=\log_2 (4x-12)\underset{❶}{=}\log_2 4(x-3)=\log_2 4+\log_2 (x-3)=\log_2 (x-3)+2$
따라서 함수 $y=\log_2 (4x-12)$의 그래프는 함수 $y=\log_2 x$의 그래프를 x축의 방향으로 3만큼, y축의 방향으로 2만큼 평행이동한 것이다.
∴ $m=3,\ n=2$

❶ 로그의 성질에서
$\log_a MN=\log_a M+\log_a N$

2. $y=\log_2 4x \xrightarrow{\ \ y축의\ 방향으로\ -3만큼\ 평행이동\ \ } y+3=\log_2 4x$　∴ $y=\log_2 4x-3$
$y=\log_2 4x-3 \xrightarrow{\ \ x축에\ 대하여\ 대칭이동\ \ } -y=\log_2 4x-3$　∴ $y=-\log_2 4x+3$
이때 $y=-\log_2 4x+3\underset{❷}{=}-\log_2 4x+\log_2 8=\log_2 \dfrac{8}{4x}=\log_2 \dfrac{2}{x}$이므로
$\log_2 \dfrac{a}{x}=\log_2 \dfrac{2}{x}$　∴ $a=2$

❷ $3=\log_2 2^3=\log_2 8$이고
$\log A-\log B=\log \dfrac{A}{B}$에서
$\log_2 8-\log_2 4x=\log_2 \dfrac{8}{4x}$

확인 문제　　　　　　　　　　　　　　　　　정답과 해설 | **32**쪽　　　　　　　　MY 셀파

08-1 함수 $y=\log x$의 그래프가 평행이동 $f:(x,\ y)\longrightarrow(x+a,\ y+b)$에 의하여
상●중●하 함수 $y=\log (10x-5)-2$의 그래프로 옮겨질 때, 상수 $a,\ b$의 값을 구하시오.

08-1
$f:(x,\ y)\longrightarrow(x+a,\ y+b)$는 x축의 방향으로 a만큼, y축의 방향으로 b만큼 평행이동한 것이다.

08-2 함수 $y=\log_2 x$의 그래프를 y축의 방향으로 3만큼 평행이동한 다음 x축에 대하
상●중●하 여 대칭이동한 그래프의 식이 $y=\log_{\frac{1}{2}} ax$일 때, 상수 a의 값을 구하시오.

08-2
$y=\log_2 x$에 y 대신 $y-3$을 대입한 다음 y 대신 $-y$를 대입한다.

A   로그함수 $y=\log_a x^2$과 $y=2\log_a x$는 같은 함수일까?

Q   당연하죠. <u>로그의 성질</u>에 따라 $\log_a x^2=2\log_a x$이지요.

A   물론 로그의 성질에 의하면 $\log_a x^2=2\log_a x$가 성립하지. 그런데 진수 조건을 생각해 보면 $y=\log_a x^2$에는 x가 양수, 음수 모두 가능하지만 $y=2\log_a x$에서는 x가 양수만 가능해.

Q   어! 양쪽 <u>함수에서 진수 조건</u>이 다르네요. 그러면 $\log_a x^2=2\log_a x$는 성립하지 않나요?

A   그건 아니고, $x>0$이라는 조건에서만 같은 거지. 로그함수 $y=\log_a x^2$의 정의역은 $x^2>0$에서 $x\neq0$인 실수 전체의 집합이고, 로그함수 $y=2\log_a x$의 정의역은 $x>0$으로 양의 실수의 집합이야. 즉, 두 함수는 정의역이 다르지.
다음과 같이 <u>두 함수의 그래프</u>를 그려 보면 더 쉽게 알 수 있을 거야.

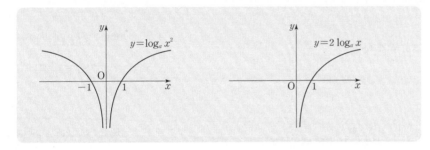

Q   그래프가 다르니 두 함수가 다르다는 걸 바로 알 수 있네요.

A   결국 로그함수 $y=\log_a x^2$은 $\underline{y=2\log_a |x|}$와 같아. 그렇다면 로그함수 $y=\log_a x^3$과 $y=3\log_a x$는 같은 함수일까? 아니면 다른 함수일까?

Q   음, $x^3>0$이면 $x>0$에서 로그함수 $y=\log_a x^3$과 $y=3\log_a x$는 함수의 식과 밑, 정의역이 같으므로 서로 같은 함수네요.

A   맞아, 이처럼 자연수 n에 대하여 n이 짝수일 때는 로그함수 $y=\log_a x^n$과 $y=n\log_a x$의 정의역이 다르므로 두 함수는 다른 함수이지만 n이 홀수일 때는 두 함수는 서로 같은 함수가 돼!

ά $a>0$, $a\neq1$이고 $M>0$일 때
$$\log_a M^k=k\log_a M$$
(단, k는 실수)

ὲ 로그함수는 밑이 1이 아닌 양수이고, 진수가 양수일 때, 정의된다. $y=\log_a x^2$과 $y=2\log_a x$를 비교하면 밑은 a로 같으므로 결국 진수 $x^2>0$, $x>0$인 경우를 따져야 한다.

έ $\log_a x^2=\log_a(-x)^2$이므로 함수 $y=\log_a x^2$의 그래프는 y축에 대하여 대칭이다.

ὴ $y=\log_a x^2$과 같이 $y=2\log_a |x|$는 $x<0$일 때도 정의된다. 이때 $x<0$일 때의 그래프는 $y=2\log_a x$의 그래프를 y축에 대하여 대칭이동하여 그리면 된다. 따라서 $y=2\log_a |x|$의 그래프는 $y=\log_a x^2$의 그래프와 같다.

ή n이 홀수일 때, 로그함수 $y=\log_a x^n$과 $y=n\log_a x$의 정의역은 모두 $x>0$인 실수 전체의 집합이다. 따라서 두 함수는 서로 같으며 그래프도 같다.

로그함수 $y=\log_a x$ $(a>1, a\neq 1)$에 대하여

❶ $a>1$일 때, $x_1<x_2$ $\iff$ $\log_a x_1<\log_a x_2$ ⇨ 진수가 큰 수가 크다.

❷ $0<a<1$일 때, $x_1<x_2 \iff \log_a x_1>\log_a x_2$ ⇨ 진수가 작은 수가 크다.

두 수 $\log_{\frac{1}{2}} 2$, $\log_{\frac{1}{4}} 4$의 대소를 비교할 때, $y=\log_{\frac{1}{2}} x$는 x의 값이 증가하면 y의 값은 감소하므로 $m<n$이면 $\log_{\frac{1}{2}} m>\log_{\frac{1}{2}} n$이다. 즉, $2<4$이므로 $\log_{\frac{1}{2}} 2>\log_{\frac{1}{2}} 4$

예제 로그함수의 성질을 이용하여 다음 세 수의 크기를 비교하시오.

(1) $\log_2 5$, $\log_4 15$, $\log_2 \sqrt{20}$ (2) -1, $\log_{\frac{1}{5}} 12$, $\log_{\frac{1}{25}} 81$

해법 코드

(1) 밑이 2인 로그로 같게 한다.

(2) 밑이 $\frac{1}{5}$인 로그로 같게 한다.

셀파 $a>1$일 때, $A<B \iff \log_a A<\log_a B$

$0<a<1$일 때, $A<B \iff \log_a A>\log_a B$

풀이 (1) 주어진 세 수를 밑이 2인 로그로 같게 하면

$$\log_4 15=\log_{2^2} 15=\frac{1}{2}\log_2 15=\log_2 \sqrt{15}$$

이때 $y=\log_2 x$에서 (밑)$=2>1$이고 $\underline{\sqrt{15}<\sqrt{20}<5}$이므로

$$\log_2 \sqrt{15}<\log_2 \sqrt{20}<\log_2 5$$

$$\therefore \log_4 15<\log_2 \sqrt{20}<\log_2 5$$

(2) 주어진 세 수를 밑이 $\frac{1}{5}$인 로그로 같게 하면

$$-1\overset{ⓛ}{=}-\log_{\frac{1}{5}}\frac{1}{5}=\log_{\frac{1}{5}} 5,$$

$$\log_{\frac{1}{25}} 81=\log_{\left(\frac{1}{5}\right)^2} 9^2=\log_{\frac{1}{5}} 9$$

이때 $y=\log_{\frac{1}{5}} x$에서 $0<$(밑)$=\frac{1}{5}<1$이고 $\underline{5<9<12}$이므로

$$\log_{\frac{1}{5}} 12<\log_{\frac{1}{5}} 9<\log_{\frac{1}{5}} 5$$

$$\therefore \log_{\frac{1}{5}} 12<\log_{\frac{1}{25}} 81<-1$$

ⓐ $\sqrt{15}<\sqrt{20}<5$에서 각 변에 밑이 2인 로그를 취하면 $\log_2 \sqrt{15}<\log_2 \sqrt{20}<\log_2 5$ 이때 (밑)>1이므로 부등호 방향이 그대로이다.

ⓛ $a^{-1}=\frac{1}{a}$, $\left(\frac{1}{a}\right)^{-1}=a$이므로 $-\log_{\frac{1}{5}}\frac{1}{5}=\log_{\frac{1}{5}}\left(\frac{1}{5}\right)^{-1}=\log_{\frac{1}{5}} 5$

ⓒ $5<9<12$에서 각 변에 밑이 $\frac{1}{5}$인 로그를 취하면 $\log_{\frac{1}{5}} 5>\log_{\frac{1}{5}} 9>\log_{\frac{1}{5}} 12$ 이때 $0<$(밑)<1이므로 부등호 방향이 바뀐다.

확인 문제   정답과 해설 | **32**쪽   MY 셀파

09-1 로그함수의 성질을 이용하여 다음 세 수의 크기를 비교하시오.
(상 중 하)

(1) 3, $\log_3 8$, $\log_9 16$ (2) $2\log_{\frac{1}{2}} 3$, $\log_{\frac{1}{4}}\frac{1}{16}$, $\log_2 7$

09-1

(1) 밑이 3인 로그로 같게 한다.

(2) 밑이 $\frac{1}{2}$인 로그로 같게 한다.

지수함수, 로그함수의 역함수는 다음과 같은 순서로 구한다.

	$y=a^{x-m}+n$의 역함수	$y=\log_a (x-m)+n$의 역함수
① 역함수의 정의역 구하기	함수의 치역은 $\{y\|y>n\}$ ➡ 역함수의 정의역은 $\{x\|x>n\}$	함수의 치역은 실수 전체 집합 ➡ 역함수의 정의역은 실수 전체 집합
② $x=g(y)$ 꼴로 나타내기	$a^{x-m}=y-n$, $x-m=\log_a (y-n)$ $\therefore x=\log_a (y-n)+m$	$\log_a (x-m)=y-n$, $x-m=a^{y-n}$ $\therefore x=a^{y-n}+m$
③ x와 y를 서로 바꿔 역함수 구하기	$y=\log_a (x-n)+m$ (단, $x>n$)	$y=a^{x-n}+m$

함수 $y=f(x)$의 역함수 구하기
주어진 함수가 일대일 대응이면
① 원래 함수의 치역을 이용하여 역함수의 정의역을 구한다.
② 주어진 함수를 $x=g(y)$ 꼴로 나타낸다.
③ x와 y를 서로 바꾸어 역함수 $y=g(x)$를 구한다.

> 참고 로그함수 $y=\log_a x$ $(a>0, a\neq1)$의 정의역 $\{x\|x>0\}$은 생략할 수 있다.

예제 다음 함수의 역함수를 구하시오.

    (1) $y=3^{x-1}+2$ (2) $y=\log_2 (x-3)-1$

해법 코드
역함수를 구하는 방법을 이용한다.

셀파 지수함수 $y=a^x$의 역함수는 로그함수 $y=\log_a x$이다.

 풀이 (1) 함수 $y=3^{x-1}+2$의 정의역은 실수 전체의 집합이고, 치역은 $\{y\|y>2\}$이다.

    $y=3^{x-1}+2$에서 $\underline{y-2=3^{x-1}}$

    로그의 정의에 의해 $x-1=\log_3 (y-2)$

    x와 y를 서로 바꾸면 $y-1=\log_3 (x-2)$ (단, $x>2$)

    따라서 구하는 역함수는 $\boldsymbol{y=\log_3 (x-2)+1}$

    (2) 함수 $y=\log_2 (x-3)-1$의 정의역은 $\{x\|x>3\}$, 치역은 실수 전체의 집합이다.

    $y=\log_2 (x-3)-1$에서 $y+1=\log_2 (x-3)$

    로그의 정의에 의해 $x-3=2^{y+1}$

    x와 y를 서로 바꾸면 $y-3=2^{x+1}$

    따라서 구하는 역함수는 $\boldsymbol{y=2^{x+1}+3}$

● 로그의 정의에서
$y=\log_a x \iff a^y=x$이므로
$y-2=3^{x-1}$
$\iff x-1=\log_3 (y-2)$

일대일함수에서 공역을 치역과 같게 놓으면 일대일 대응이 되어 역함수가 존재해.

> 참고 (1) 역함수 $y=\log_3 (x-2)+1$의 정의역은 $\{x\|x>2\}$이고, 치역은 실수 전체의 집합이다.
> 진수 조건에서 $x>2$이므로 정의역을 생략해도 된다.
> (2) 역함수 $y=2^{x+1}+3$의 정의역은 실수 전체의 집합이고, 치역은 $\{y\|y>3\}$이다.

3 지수함수와 로그함수

확인 문제 정답과 해설 | **32**쪽

10-1 다음 함수의 역함수를 구하시오.

    (1) $y=2^{x-3}-3$ (2) $y=2+\log_2 (x-3)$

MY 셀파

10-1
로그의 정의를 이용한다.

지수함수 $y=a^x$과 로그함수 $y=\log_a x$는 서로 역함수이므로
두 함수의 그래프는 직선 $y=x$에 대하여 대칭이다.
따라서 점 (p, q)가 함수 $y=a^x$의 그래프 위의 점이면
점 (q, p)는 함수 $y=\log_a x$의 그래프 위의 점이다.

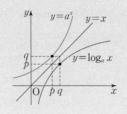

$g(x)=f^{-1}(x)$
$\iff (f \circ g)(x)=x$
$\iff$ 두 함수 $y=f(x)$, $y=g(x)$의
　그래프는 직선 $y=x$에 대하여
　대칭이다.

(예제) 다음 물음에 답하시오. (단, 점선은
x축 또는 y축에 평행하다.)

(1) [그림 1]을 이용하여 $\log_3 bcd$의
값을 구하시오.

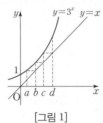
[그림 1]

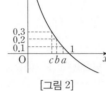
[그림 2]

(2) [그림 2]를 이용하여 $\log_4 a^8 b^3 c^2$의
값을 구하시오.

해법 코드

(1) 직선 $y=x$ 위의 점은 x좌표와 y
좌표가 같으므로 $x=a$, $x=b$,
$x=c$일 때, $y=3^x$의 그래프 위
의 점의 좌표는 각각 (a, b),
(b, c), (c, d)이다.

(2) $\log_{\frac12} a=0.1$, $\log_{\frac12} b=0.2$,
$\log_{\frac12} c=0.3$

(셀파) 함수 $y=a^x$의 역함수는 $y=\log_a x$이다.

(풀이) (1) 함수 $y=3^x$의 그래프는 세 점 (a, b), (b, c), (c, d)를
지난다.
이때 함수 $y=\log_3 x$의 그래프는 함수 $y=3^x$의 그래프와
직선 $y=x$에 대하여 대칭이므로 세 점 (b, a), (c, b),
(d, c)를 지난다.
즉, $\log_3 b=a$, $\log_3 c=b$, $\log_3 d=c$이므로
$\log_3 bcd=\log_3 b+\log_3 c+\log_3 d=\boldsymbol{a+b+c}$

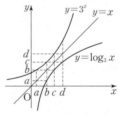

(2) 함수 $y=\log_{\frac12} x$의 그래프에서 $\log_{\frac12} a=0.1$, $\log_{\frac12} b=0.2$, $\log_{\frac12} c=0.3$
이때 로그의 정의에 의해 $a=\left(\dfrac12\right)^{0.1}$, $b=\left(\dfrac12\right)^{0.2}$, $c=\left(\dfrac12\right)^{0.3}$이므로

$\log_4 a^8 b^3 c^2 = \log_4\left[\left\{\left(\dfrac12\right)^{0.1}\right\}^8 \left\{\left(\dfrac12\right)^{0.2}\right\}^3 \left\{\left(\dfrac12\right)^{0.3}\right\}^2\right]$
$= \log_4 \left(\dfrac12\right)^2 = \log_4 \dfrac14 = \boldsymbol{-1}$

다른 풀이

(1) 함수 $y=3^x$의 그래프가 세 점
(a, b), (b, c), (c, d)를 지나므로
$b=3^a$, $c=3^b$, $d=3^c$
각 식의 양변에 밑이 3인 로그를 취
하면
$\log_3 b=a$, $\log_3 c=b$, $\log_3 d=c$
$\therefore \log_3 bcd$
$=\log_3 b+\log_3 c+\log_3 d$
$=a+b+c$

ⓐ $\left(\dfrac12\right)^{0.8}\left(\dfrac12\right)^{0.6}\left(\dfrac12\right)^{0.6}$
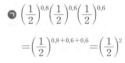
$=\left(\dfrac12\right)^{0.8+0.6+0.6}=\left(\dfrac12\right)^2$

확인 문제　　　　　　　　　　　　　　　정답과 해설 | **32**쪽　　　　　　**MY 셀파**

11-1
(상)(중)(하)
오른쪽 그림은 함수 $y=\log_2 x$와 함수 $y=2^x$의 그래프
이다. 점 A는 함수 $y=2^x$의 그래프가 y축과 만나는 점
일 때, 점 F의 좌표를 구하시오.
(단, $\overline{AB}$, $\overline{CD}$, $\overline{EF}$는 x축에 평행하다.)

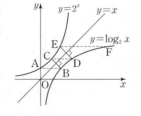

11-1
함수 $y=2^x$과 $y=\log_2 x$의 그래프는
직선 $y=x$에 대하여 대칭이다.

정의역이 $\{x \mid m \leq x \leq n\}$인 로그함수 $y = \log_a f(x)$에 대하여
$\alpha \leq f(x) \leq \beta$이면 로그함수 $y = \log_a f(x)$의 최대, 최소는 다음과 같다.

❶ $a > 1$일 때 ⇨ 최댓값 $\log_a \beta$, 최솟값 $\log_a \alpha$
❷ $0 < a < 1$일 때 ⇨ 최댓값 $\log_a \alpha$, 최솟값 $\log_a \beta$

$m \leq x \leq n$에서 로그함수 $y = \log_a x$의 최대, 최소
❶ $a > 1$일 때
　최댓값 $\log_a n$, 최솟값 $\log_a m$
❷ $0 < a < 1$일 때
　최댓값 $\log_a m$, 최솟값 $\log_a n$

예제 **1.** 정의역이 $\{x \mid 0 \leq x \leq 6\}$인 함수 $y = \log_3 (x+3) + 2$의 최댓값과 최솟값을 구하시오.

2. 함수 $y = \log_2 (x-1) + \log_2 (3-x)$의 최댓값을 구하시오.

해법 코드
1. 함수 $y = \log_a x$는 주어진 구간의 양 끝에서 최댓값 또는 최솟값을 갖는다.
2. 진수 조건을 구한다.

셀파 (밑) > 1이면 진수가 최대일 때 최댓값, 진수가 최소일 때 최솟값을 갖는다.

풀이 **1.** 로그함수 $y = \log_3 (x+3) + 2$에서 (밑) $= 3 > 1$이므로
　　$x = 6$일 때 **최댓값** $\log_3 9 + 2 = 2 + 2 = \mathbf{4}$,
　　$x = 0$일 때 **최솟값** $\log_3 3 + 2 = 1 + 2 = \mathbf{3}$

ㄱ 함수 $y = \log_3 (x+3) + 2$의 그래프는 $y = \log_3 x$의 그래프를 x축의 방향으로 -3만큼, y축의 방향으로 2만큼 평행이동한 것이다.

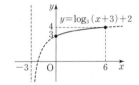

2. 진수 조건에서 $x - 1 > 0$, $3 - x > 0$ ∴ $1 < x < 3$
　　$y = \log_2 (x-1) + \log_2 (3-x)$
　　$= \log_2 (x-1)(3-x)$
　　$= \log_2 (-x^2 + 4x - 3)$
　　$f(x) = -x^2 + 4x - 3$이라 하면 $f(x) = -(x-2)^2 + 1$
　　오른쪽 그림에서 $1 < x < 3$일 때, $x = 2$에서 최댓값 1을 갖는다.
　　주어진 함수는 (밑) $= 2 > 1$이므로 진수가 최대일 때, 최댓값을 갖는다.
　　따라서 구하는 최댓값은 $\log_2 1 = \mathbf{0}$

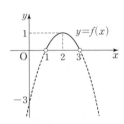

ㄴ 로그의 성질에서
$\log_a M + \log_a N = \log_a MN$

3 지수함수와 로그함수

확인 문제　　　　　　　　　　　정답과 해설 | **33**쪽　　　　　　　　　　**MY 셀파**

12-1 정의역이 $\{x \mid -2 \leq x \leq 1\}$인 함수 $y = \log_{\frac{1}{2}} (x+3) + k$의 최댓값이 1일 때, 최솟값을 구하시오. (단, k는 상수)

12-1
$0 < $ (밑) $ < 1$이므로 $x = -2$일 때, 최댓값을 갖는다.

12-2 정의역이 $\{x \mid -2 \leq x \leq 2\}$인 함수 $y = \log_{\frac{1}{10}} (-x^2 + 2x + 9)$의 최댓값과 최솟값을 구하시오.

12-2
$f(x) = -x^2 + 2x + 9$로 놓는다.

$\log_a x$ 꼴이 반복해서 나타나는 함수의 최댓값, 최솟값을 구할 때는 $\log_a x = t$로 치환한 다음 치환한 t의 값의 범위 내에서 주어진 함수의 최댓값과 최솟값을 구한다.

$m \leq x \leq n$일 때, $a > 1$이면
$\log_a m \leq \log_a x \leq \log_a n$

예제

1. 정의역이 $\{x \mid 1 \leq x \leq 16\}$인 함수 $y = (\log_2 x)^2 - \log_2 x^2 - 3$의 최댓값과 최솟값을 구하시오.

해법 코드
1. $\log_2 x = t$로 치환한다.
이때 $\log_2 1 \leq t \leq \log_2 16$

2. 정의역이 $\{x \mid 1 \leq x \leq 27\}$인 함수 $y = \left(\log_3 \dfrac{x}{9}\right)\left(\log_3 \dfrac{3}{x}\right)$의 최댓값과 최솟값을 구하시오.

2. $\log_3 x = t$로 치환한다.
이때 $\log_3 1 \leq t \leq \log_3 27$

셀파 $\log_a x$ 꼴이 반복되는 함수 ➪ $\log_a x = t$로 치환한다.

풀이 **1.** $y = (\log_2 x)^2 - \log_2 x^2 - 3 = (\log_2 x)^2 - 2\log_2 x - 3$
$\log_2 x = t$로 치환하면
$y = t^2 - 2t - 3 = (t-1)^2 - 4$
이때 $1 \leq x \leq 16$에서 $0 \leq t \leq 4$
함수 $y = t^2 - 2t - 3$의 그래프는 오른쪽 그림과 같으므로
$\underline{t=4}$일 때 **최댓값 5**, $t=1$일 때 **최솟값 -4**

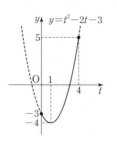

㉠ $\log_2 x = t$에서
$\log_2 x = 4$ ∴ $x = 2^4 = 16$
따라서 $x = 16$일 때, 최댓값 5를 갖는다.

2.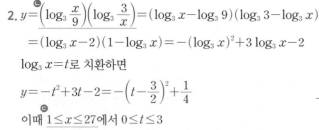
$y = \left(\log_3 \dfrac{x}{9}\right)\left(\log_3 \dfrac{3}{x}\right) = (\log_3 x - \log_3 9)(\log_3 3 - \log_3 x)$
$\quad = (\log_3 x - 2)(1 - \log_3 x) = -(\log_3 x)^2 + 3\log_3 x - 2$
$\log_3 x = t$로 치환하면
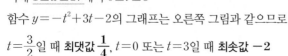
$y = -t^2 + 3t - 2 = -\left(t - \dfrac{3}{2}\right)^2 + \dfrac{1}{4}$
이때 $1 \leq x \leq 27$에서 $0 \leq t \leq 3$
함수 $y = -t^2 + 3t - 2$의 그래프는 오른쪽 그림과 같으므로
$t = \dfrac{3}{2}$일 때 **최댓값 $\dfrac{1}{4}$**, $t=0$ 또는 $t=3$일 때 **최솟값 -2**

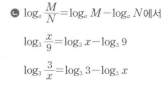
㉡ $\log_a \dfrac{M}{N} = \log_a M - \log_a N$에서
$\log_3 \dfrac{x}{9} = \log_3 x - \log_3 9$
$\log_3 \dfrac{3}{x} = \log_3 3 - \log_3 x$

㉢ $1 \leq x \leq 27$에서
$\log_3 1 \leq \log_3 x \leq \log_3 27$
∴ $0 \leq t \leq 3$

확인 문제   정답과 해설 | **33**쪽   **MY 셀파**

13-1 정의역이 $\{x \mid 1 \leq x \leq 8\}$인 함수 $y = \left(\log_{\frac{1}{2}} x\right)^2 + 2\log_{\frac{1}{2}} x + 3$의 최댓값과 최솟값을 구하시오.
(상)(중)(하)

13-1
$\log_{\frac{1}{2}} x = t$로 치환한다.
이때 $\log_{\frac{1}{2}} 8 \leq t \leq \log_{\frac{1}{2}} 1$

13-2 정의역이 $\{x \mid 1 \leq x \leq 25\}$인 함수 $y = (\log_5 5x)\left(\log_5 \dfrac{25}{x}\right)$의 최댓값과 최솟값을 구하시오.
(상)(중)(하)

13-2
$\log_5 x = t$로 치환한다.
이때 $\log_5 1 \leq t \leq \log_5 25$

두 수의 합 또는 곱이 주어진 문제는 (산술평균)≥(기하평균)을 이용한다.

$x>0, y>0$일 때 $\dfrac{x+y}{2}\geq\sqrt{xy}$ (단, 등호는 $x=y$일 때 성립)

> (산술평균)≥(기하평균)에서 등호는 두 수가 같을 때 성립한다.
> 또 두 수의 곱이 일정하면 두 수가 같을 때 합은 최소가 된다.

예제 **1.** x, y가 실수일 때, 함수 $y=5^{x-2}+\dfrac{1}{5^x}$의 최솟값을 구하시오.

2. 두 양수 x, y에 대하여 다음 물음에 답하시오.

(1) $x+y=10$일 때, $\log_5 x+\log_5 y$의 최댓값을 구하시오.

(2) $\log x+\log y=1$일 때, $x+10y$의 최솟값을 구하시오.

해법 코드

1. $5^{x-2}+\dfrac{1}{5^x}=\dfrac{5^x}{25}+\dfrac{1}{5^x}$

2. $x+y\geq 2\sqrt{xy}$

셀파 양수인 두 수의 합이 일정하면 ⇨ 두 수가 같을 때 두 수의 곱이 최대

풀이 **1.** $y=5^{x-2}+\dfrac{1}{5^x}=\dfrac{1}{25}\times 5^x+\dfrac{1}{5^x}\geq 2\sqrt{\dfrac{1}{25}\times 5^x\times\dfrac{1}{5^x}}=2\times\dfrac{1}{5}=\dfrac{2}{5}$

$$\left(\text{단, 등호는 } 5^{x-2}=\dfrac{1}{5^x}, \text{ 즉 } x=1\text{일 때 성립}\right)$$

따라서 구하는 최솟값은 $\dfrac{2}{5}$

2. (1) 두 수 x, y가 모두 양수이므로 (산술평균)≥(기하평균)에서

$x+y\geq 2\sqrt{xy}, 10\geq 2\sqrt{xy}$ ∴ $xy\leq 25$ (단, 등호는 $x=y$일 때 성립)

이때 로그의 성질에서

$\log_5 x+\log_5 y=\log_5 xy\leq\log_5 25=\log_5 5^2=2$

$$\left(\text{단, 등호는 } x=y, \text{ 즉 } \underline{x=5, y=5}\text{일 때 성립}\right)$$

따라서 구하는 최댓값은 **2**

(2) $\log x+\log y=1$에서 $\log xy=1$ ∴ $xy=10$

$x+10y\geq 2\sqrt{x\times 10y}=2\sqrt{10xy}=2\sqrt{10\times 10}=20$

$$\left(\text{단, 등호는 } x=10y, \text{ 즉 } \underline{x=10, y=1}\text{일 때 성립}\right)$$

따라서 구하는 최솟값은 **20**

● $x=y$를 $x+y=10$에 대입하면
$x=5, y=5$

● $x=10y$를 $xy=10$에 대입하면
$10y^2=10, y^2=1$
∴ $y=1 (∵ y>0)$
따라서 $x=10, y=1$

3
지수함수와 로그함수

확인 문제　　　　　　　　　　　　　　　정답과 해설 | **33**쪽　　　　　　　　　**MY 셀파**

14-1 x, y가 실수이고, $x+2y=4$일 때, 3^x+9^y의 최솟값을 구하시오.
(상 **중** 하)

14-1
$3^x>0, 9^y>0$이므로
$3^x+9^y\geq 2\sqrt{3^x\times 9^y}$

14-2 두 양수 x, y에 대하여 $x+y=18$일 때, $\log_{\frac{1}{3}} x+\log_{\frac{1}{3}} y$의 최솟값을 구하시오.
(상 **중** 하)

14-2
$x>0, y>0$이므로 $x+y\geq 2\sqrt{xy}$

지수함수와 그 그래프

01 지수함수 $y=3^x$의 그래프에 대한 | 보기 |의 설명 중 옳
(상) (중) (하) 은 것을 모두 고르시오.

┌─ 보기 ┐
ㄱ. 점 $(0, 1)$을 지난다.
ㄴ. 점근선은 y축이다.
ㄷ. x의 값이 증가하면 y의 값은 감소한다.
ㄹ. 제2, 4사분면을 지난다.
ㅁ. 치역은 실수 전체의 집합이다.
└────────────────────┘

지수함수의 함숫값

02 지수함수 $f(x)=a^x$의 그래프
(상) (중) (하) 가 오른쪽 그림과 같다.
$f(b)=3, f(c)=6$일 때,
$f\left(\dfrac{b+c}{2}\right)$의 값은?

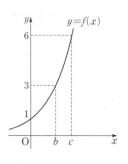

① 4 ② $\sqrt{17}$
③ $3\sqrt{2}$ ④ $\sqrt{19}$
⑤ $2\sqrt{5}$

지수함수의 그래프의 평행이동, 대칭이동

03 지수함수 $y=a^x$의 그래프를 y축에 대하여 대칭이동한
(상) (중) (하) 다음 x축의 방향으로 3만큼, y축의 방향으로 2만큼
평행이동한 그래프가 점 $(1, 4)$를 지날 때, 양수 a의
값을 구하시오.

지수함수의 그래프의 평행이동, 대칭이동

04 점근선의 방정식이 $y=2$인
(상) (중) (하) 지수함수 $y=2^{2x+a}+b$의 그
래프를 y축에 대하여 대칭이
동한 함수 $y=f(x)$의 그래
프가 오른쪽 그림과 같다. 함
수 $y=f(x)$의 그래프가 점
$(-1, 10)$을 지날 때, 두 상
수 a, b에 대하여 $a+b$의 값은?

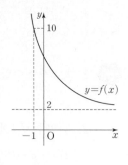

① $\dfrac{5}{2}$ ② 3 ③ $\dfrac{7}{2}$
④ 4 ⑤ $\dfrac{9}{2}$

지수함수의 최대, 최소 (1) 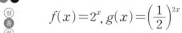 서술형

05 정의역이 $\{x|-1\leq x\leq 3\}$인 두 함수
(상) (중) (하) $$f(x)=2^x, g(x)=\left(\dfrac{1}{2}\right)^{2x}$$
의 최댓값을 각각 a, b라 할 때, ab의 값을 구하시오.

지수함수의 최대, 최소 (2)

06 정의역이 $\{x|-1\leq x\leq 2\}$인 함수
(상) (중) (하) $$y=2^{-2x}-2^{-x+1}+k$$
의 최댓값과 최솟값의 합이 7일 때, 상수 k의 값을 구
하시오.

로그함수와 그 그래프

07 로그함수 $y=\log_3 \dfrac{1}{x}$의 그래프에 대한 | 보기 |의 설명 중 옳은 것을 모두 고르시오.

_{(상)(중)(하)}

> **보기**
> ㄱ. $y=-\log_3 x$의 그래프와 일치한다.
> ㄴ. 점 $(3, 1)$을 지난다.
> ㄷ. 점근선은 y축이다.
> ㄹ. 치역은 양의 실수 전체의 집합이다.
> ㅁ. x의 값이 증가하면 y의 값도 증가한다.

로그함수의 그래프의 평행이동

08 다음 | 보기 |의 함수의 그래프 중 함수 $y=\log_5 x$의 그 래프를 평행이동하여 겹쳐질 수 있는 것을 모두 고르 시오.

_{(상)(중)(하)}

> **보기**
> ㄱ. $y=\log_5 (5x+15)$
> ㄴ. $y=\log_5 (2x+1)$
> ㄷ. $y=\log_5 \left(\dfrac{1}{5}x-1\right)$
> ㄹ. $y=\log_{\frac{1}{5}} 5x$

로그함수의 성질을 이용한 대소 비교

09 세 수 A, B, C가

_{(상)(중)(하)}

$$A=\log_{\frac{1}{2}} 3,\ B=\log_{\frac{1}{4}} 5,\ C=\log_2 \dfrac{1}{5}$$

일 때, 다음 중 옳은 것은?

① $A<B<C$ ② $A<C<B$
③ $B<A<C$ ④ $B<C<A$
⑤ $C<A<B$

지수함수, 로그함수의 역함수

10 함수 $f(x)=\log_3 x$에 대하여 $(f \circ g)(x)=x$, $g(\alpha)=\dfrac{1}{3}$, $g(\beta)=\dfrac{1}{5}$일 때, $g(\alpha+\beta)$의 값을 구하려 고 한다. 윤지와 기호의 방법으로 각각 구하시오.

_{(상)(중)(하)}

윤지
$g(x)$는 $f(x)=\log_3 x$의 역함수이므로 $g(x)=3^x$임을 이용 할래.

기호
$g(x)$가 $f(x)$의 역함수이니까 $f\left(\dfrac{1}{3}\right)=\alpha$, $f\left(\dfrac{1}{5}\right)=\beta$가 돼. 난 이걸 이용할래.

로그함수의 최대, 최소 (1)

11 함수 $y=\log_4 x+\log_4 (64-x)$는 $x=t$일 때, 최댓값 M을 갖는다. 이때 tM의 값을 구하시오.

_{(상)(중)(하)}

산술평균, 기하평균을 이용한 최대, 최소

12 $x>1$, $y>1$일 때, $\log_{x^2} y+\log_y x^{18}$의 최솟값을 구하 시오.

_{(상)(중)(하)}

4

지수함수와
로그함수의 활용

기압을 나타내는 단위

hPa 헥토파스칼

(기압) $P = 1000 \times 2^{\frac{h}{2}}$

기압을 나타낼 때도
지수가 쓰이는구나.

2500m인
이곳의 기압이
500√2 hPa 이래.

해발 5000m인 곳은
기압이 어떻게 될까?

너 혼자 가봐~

4. 지수함수와 로그함수의 활용

개념 1 지수방정식

(1) 지수에 미지수를 포함하는 방정식을 **지수방정식**이라 한다.

(2) 지수방정식의 풀이

 ❶ᵀ 밑이 같은 경우

  ⇨ $a^{f(x)}=a^{g(x)} \ (a>0,\ a\neq1)\Longleftrightarrow f(x)$ ❶⬚ $g(x)$

 ❷ a^x 꼴이 반복되는 경우

  ⇨ $a^x=t \ (t>0)$로 치환하여 ❷⬚ 에 대한 방정식을 푼다.

 참고 지수방정식에서 밑을 같게 할 수 없을 때는 양변에 로그를 취하여 푼다.

  $a^{f(x)}=b^{g(x)}(a>0,\ a\neq1,\ b>0,\ b\neq1,\ a\neq b)$ ⇨ $\log a^{f(x)}=\log b^{g(x)}$를 푼다.

답 ❶ = ❷ t

개념 플러스

⬛ 밑이 같은 지수방정식을 풀 때는 다음 성질을 이용한다.
 $a>0,\ a\neq1$일 때
 $a^{x_1}=a^{x_2}\Longleftrightarrow x_1=x_2$

보기 다음 방정식을 푸시오.

 (1) $2^x=8$ (2) $4^x-2^x-2=0$

연구 (1) $8=2^3$이므로 $2^x=2^3$ ∴ $x=3$

 (2) $4^x-2^x-2=0$에서 $4^x=(2^x)^2$이므로 $2^x=t \ (t>0)$로 치환하면

  $t^2-t-2=0,\ (t+1)(t-2)=0$ ∴ $t=2 \ (∵ t>0)$

  $2^x=2=2^1$이므로 $x=1$

▶ 이차방정식
 $ax^2+bx+c=0 \ (a>0)$
 이 서로 다른 두 실근 $\alpha,\ \beta \ (\alpha<\beta)$
 를 가질 때 이차부등식의 해
 ❶ $a(x-\alpha)(x-\beta)>0$
  $\Longleftrightarrow x<\alpha$ 또는 $x>\beta$
 ❷ $a(x-\alpha)(x-\beta)<0$
  $\Longleftrightarrow \alpha<x<\beta$
 ❸ $a(x-\alpha)(x-\beta)\geq0$
  $\Longleftrightarrow x\leq\alpha$ 또는 $x\geq\beta$
 ❹ $a(x-\alpha)(x-\beta)\leq0$
  $\Longleftrightarrow \alpha\leq x\leq\beta$

개념 2 지수부등식

(1) 지수에 미지수를 포함하는 부등식을 **지수부등식**이라 한다.

(2) 지수부등식의 풀이

 ❶ᴸ 밑이 같은 경우

  (i) $a>1$일 때, $a^{f(x)}<a^{g(x)}\Longleftrightarrow f(x)$ ❶⬚ $g(x)$ ⇨ 부등호 방향이 그대로이다.

  (ii) $0<a<$ ❷⬚ 일 때, $a^{f(x)}<a^{g(x)}\Longleftrightarrow f(x)>g(x)$ ⇨ 부등호 방향이 바뀐다.

 ❷ a^x 꼴이 반복되는 경우

  ⇨ $a^x=t \ (t>0)$로 ❸⬚ 하여 t에 대한 부등식을 푼다.

답 ❶ < ❷ 1 ❸ 치환

ᴸ 밑이 같은 지수부등식을 풀 때는 다음 성질을 이용한다.
 (i) $a>1$일 때
  $a^{x_1}<a^{x_2}\Longleftrightarrow x_1<x_2$
 (ii) $0<a<1$일 때
  $a^{x_1}<a^{x_2}\Longleftrightarrow x_1>x_2$

보기 다음 부등식을 푸시오.

 (1) $2^x>8$ (2) $\left(\dfrac{1}{2}\right)^x\leq\dfrac{1}{4}$ (3) $4^x-2\times2^x-8<0$

연구 (1) $8=2^3$이므로 $2^x>2^3$이고, 이때 (밑)>1이므로 $x>3$

 (2) $\dfrac{1}{4}=\left(\dfrac{1}{2}\right)^2$이므로 $\left(\dfrac{1}{2}\right)^x\leq\left(\dfrac{1}{2}\right)^2$이고, 이때 $0<$(밑)<1이므로 $x\geq2$
  └➔ 부등호 방향이 바뀐다.

 (3) $4^x=(2^x)^2$이므로 $2^x=t \ (t>0)$로 치환하면

  $t^2-2t-8<0,\ (t+2)(t-4)<0$ ∴ $0<t<4 \ (∵ t>0)$
  ᶜ $2^x<2^2$에서 (밑)>1이므로 $x<2$

ᶜ t 대신 2^x을 $0<t<4$에 대입하면 $0<2^x<4$에서 $2^x>0$은 항상 성립하므로 $2^x<4$만 생각한다.

개념 익히기

1-1 | 지수방정식 |

다음 방정식을 푸시오.

(1) $2^{5-x}=2^{x-1}$

(2) $\left(\dfrac{3}{2}\right)^{x^2}=\left(\dfrac{3}{2}\right)^{4x-3}$

(3) $2^x=\dfrac{1}{8}$

(4) $\left(\dfrac{1}{2}\right)^{x+1}=128$

연구

(1) $5-x=x-1,\ 2x=6$ $\quad\therefore \boldsymbol{x=3}$

(2) $x^2=4x-3,\ x^2-4x+3=0$

$(x-1)(x-3)=0$

$\therefore x=\boxed{}$ 또는 $x=\boldsymbol{3}$

(3) $2^x=\dfrac{1}{8}$에서 $2^x=\left(\dfrac{1}{2}\right)^3=2^{-3}$ $\quad\therefore \boldsymbol{x=-3}$

(4) $\left(\dfrac{1}{2}\right)^{x+1}=128$에서 $2^{-x-1}=2^7$

$-x-1=7$ $\quad\therefore x=\boxed{}$

1-2 | 따라풀기 |

다음 방정식을 푸시오.

(1) $3^{2x}=\dfrac{1}{81}$

(2) $\left(\dfrac{1}{4}\right)^{-x}=\dfrac{1}{64}$

(3) $3^{x-1}=9^{4x+3}$

(4) $\left(\dfrac{1}{2}\right)^{x^2}=2^{-3x+2}$

풀이

_____

_____

_____

_____

_____

2-1 | 지수부등식 |

다음 부등식을 푸시오.

(1) $2^{3-x}<4$

(2) $\left(\dfrac{5}{4}\right)^{x-1}\le\left(\dfrac{5}{4}\right)^5$

(3) $\left(\dfrac{1}{3}\right)^{x+1}<\dfrac{1}{81}$

(4) $\left(\dfrac{3}{2}\right)^{2x}\ge\dfrac{16}{81}$

연구

(1) $2^{3-x}<4$에서 $2^{3-x}<2^2$

이때 (밑)$>$1이므로 $3-x<2$ $\quad\therefore x\boxed{}\boldsymbol{1}$

(2) (밑)$>$1이므로 $x-1\le5$ $\quad\therefore \boldsymbol{x\le6}$

(3) $\left(\dfrac{1}{3}\right)^{x+1}<\dfrac{1}{81}$에서 $\left(\dfrac{1}{3}\right)^{x+1}<\left(\dfrac{1}{3}\right)^4$

이때 $0<$(밑)$<$1이므로

$x+1>4$ $\quad\therefore \boldsymbol{x>3}$

(4) $\left(\dfrac{3}{2}\right)^{2x}\ge\dfrac{16}{81}$에서 $\left(\dfrac{3}{2}\right)^{2x}\ge\left(\dfrac{3}{2}\right)^{-4}$

이때 (밑)$>$1이므로

$2x\ge\boxed{}$ $\quad\therefore \boldsymbol{x\ge-2}$

2-2 | 따라풀기 |

다음 부등식을 푸시오.

(1) $\left(\dfrac{1}{3}\right)^{x+2}>\dfrac{1}{27}$

(2) $\left(\dfrac{8}{9}\right)^x\ge\dfrac{9}{8}$

(3) $2^{-x}>\dfrac{1}{64}$

(4) $\left(\dfrac{1}{4}\right)^{x+2}\le2^{3x+1}$

풀이

_____

_____

_____

_____

_____

_____

4

지수함수와 로그함수의 활용

개념3 로그방정식

(1) 로그의 진수에 미지수를 포함하는 방정식을 **로그방정식**이라 한다.

(2) 로그방정식의 풀이

❶ 로그의 정의를 이용하는 경우 : $\log_a f(x) = b\ (a>0,\ a\neq 1) \Rightarrow f(x) = $ **❶**⬚

❷ 밑이 같은 경우

$\log_a f(x) = \log_a g(x)\ (a>0,\ a\neq 1) \Rightarrow f(x)$ **❷**⬚ $g(x),\ \underset{\text{ⓛ}}{f(x)>0,\ g(x)>0}$

❸ 밑이 다른 경우

로그의 성질 또는 밑의 변환을 이용하여 밑을 같게 한 다음 방정식을 푼다.

❹ $\log_a x$ 꼴이 반복되는 경우 : $\log_a x = t$로 치환하여 t에 대한 방정식을 푼다.

답 ❶ a^b ❷ =

개념 플러스

㉠ 밑이 같은 로그방정식을 풀 때는 다음 성질을 이용한다.
$a>0,\ a\neq 1$이고,
$x_1>0,\ x_2>0$일 때
$\log_a x_1 = \log_a x_2 \Longleftrightarrow x_1 = x_2$

ⓛ 두 진수 조건 $f(x)>0,\ g(x)>0$ 이 동시에 성립해야 한다.

보기 다음 방정식을 푸시오.

(1) $\log_2 x = 4$ (2) $\log_3 (4x-2) = \log_3 (x+7)$

연구 (1) 로그의 정의에 따라 $x = 2^4$ ∴ $\boldsymbol{x=16}$

(2) (진수)>0에서 $4x-2>0$, $x+7>0$이므로 $x>\dfrac{1}{2}$

로그함수의 성질에 따라 $4x-2=x+7$이므로 $x=3$

이때 $x=3$은 진수 조건 $x>\dfrac{1}{2}$을 만족시키므로 주어진 방정식의 해이다.

∴ $\boldsymbol{x=3}$

로그가 정의되려면
(진수)>0, (밑)>0, (밑)$\neq 1$
이 성립해야 해!

개념4 로그부등식

(1) 로그의 진수에 미지수를 포함하는 부등식을 **로그부등식**이라 한다.

(2) 로그부등식의 풀이

❶ $\underset{\text{ⓒ}}{\text{밑이 같은 경우}}$

$\log_a f(x) > \log_a g(x)$ 꼴일 때, 진수 조건에서 $f(x)>0,\ g(x)>0$이고

(ⅰ) $a>1$일 때, 부등식 $f(x)$ **❶**⬚ $g(x)$를 푼다. ⇨ 부등호 방향이 그대로이다.

(ⅱ) $0<a<1$일 때, 부등식 $f(x)$ **❷**⬚ $g(x)$를 푼다. ⇨ 부등호 방향이 바뀐다.

❷ 밑이 다른 경우

로그의 성질 또는 밑의 변환을 이용하여 밑을 같게 한 다음 부등식을 푼다.

❸ $\log_a x$ 꼴이 반복되는 경우 : $\log_a x = t$로 치환하여 t에 대한 부등식을 푼다.

답 ❶ > ❷ <

ⓒ 밑이 같은 로그부등식을 풀 때는 다음 성질을 이용한다.
$x_1>0,\ x_2>0$이면
(ⅰ) $a>1$일 때
$\log_a x_1 < \log_a x_2 \Longleftrightarrow x_1 < x_2$
(ⅱ) $0<a<1$일 때
$\log_a x_1 < \log_a x_2 \Longleftrightarrow x_1 > x_2$

보기 부등식 $\log_2 x > \log_2 4$를 푸시오.

연구 (진수)>0에서 $x>0$ ······㉠

(밑)>1이므로 $x>4$ ······㉡

㉠, ㉡의 공통 범위를 구하면 $\boldsymbol{x>4}$

3-1 | 로그방정식 |

다음 방정식을 푸시오.

(1) $\log_2 (x-1) = 3$

(2) $1 + \log_2 x = \log_2 (3x-5)$

연구

(1) (진수) >0에서 $x-1>0$이므로 $x>1$

로그의 정의에 따라

$x-1 = \boxed{}$ 이므로 $x=9$

이때 $x=9$는 진수 조건 $x>1$을 만족시키므로 주어진 방정식의

해이다.

$\therefore x=9$

(2) (진수) >0에서 $x>0$, $3x-5>0$이므로 $x>\dfrac{5}{3}$

$1+\log_2 x = \log_2 2 + \log_2 x = \log_2 2x$에서

로그함수의 성질에 따라

$2x = 3x-5$이므로 $x = \boxed{}$

이때 $x=5$는 진수 조건 $x>\dfrac{5}{3}$를 만족시키므로 주어진 방정식의

해이다.

$\therefore x=5$

3-2 | 따라풀기 |

다음 방정식을 푸시오.

(1) $\log_{\frac{1}{3}} (x+1) = -1$

(2) $\log_2 (x^2-4) = \log_2 (-4x+1)$

풀이

4-1 | 로그부등식 |

다음 부등식을 푸시오.

(1) $\log_2 (x-1) < \log_2 3$ (2) $\log_{\frac{1}{3}} x \geq \log_{\frac{1}{3}} 2$

연구

(1) (진수) >0에서 $x-1>0$ $\therefore x>1$ $\cdots\cdots$ ㉠

(밑) >1이므로 부등호 방향이 그대로이다.

즉, $\log_2 (x-1) < \log_2 3 \Longleftrightarrow x-1<3$, $x<\boxed{}$ $\cdots\cdots$ ㉡

㉠, ㉡의 공통 범위를 구하면 $1<x<4$

(2) (진수) >0에서 $x>0$ $\cdots\cdots$ ㉠

$0<$ (밑) <1이므로 부등호 방향이 바뀐다.

즉, $\log_{\frac{1}{3}} x \geq \log_{\frac{1}{3}} 2 \Longleftrightarrow x \boxed{} 2$ $\cdots\cdots$ ㉡

㉠, ㉡의 공통 범위를 구하면 $0<x\leq2$

4-2 | 따라풀기 |

다음 부등식을 푸시오.

(1) $\log_3 (1-x) \geq \log_3 2$ (2) $\log_{\frac{1}{2}} x < \log_{\frac{1}{2}} 3$

풀이

❶ 밑이 같은 경우

$a^{f(x)}=a^{g(x)}\ (a>0)\Longleftrightarrow a=1$ 또는 $f(x)=g(x)$

❷ 지수가 같은 경우

$a^{f(x)}=b^{f(x)}\ (a>0,\,b>0,\,a\neq1,\,b\neq1)\Longleftrightarrow f(x)=0$ 또는 $a=b$

> $a^{f(x)}=a^{g(x)}$일 때, 보통 지수가 같은 것만 생각하는데 밑이 미지수로 주어져 있으면 그 값이 1인 경우도 생각해야 한다.

예제 1. 다음 방정식을 푸시오.

(1) $9^x=27^{2x-4}$

(2) $\left(\dfrac{4}{5}\right)^{x^2}=\left(\dfrac{5}{4}\right)^{-2x-3}$

2. 방정식 $x^{x^2+x}=x^{6(x-1)}$을 푸시오. (단, $x>0$)

해법 코드

1. (2) $\dfrac{5}{4}=\left(\dfrac{4}{5}\right)^{-1}$

2. 밑이 1일 때와 지수가 같을 때로 나누어 푼다.

셀파 $a^{f(x)}=a^{g(x)}\ (a>0,\,a\neq1)\Longleftrightarrow f(x)=g(x)$

풀이 1. (1) ❶ $9^x=27^{2x-4}$에서 $3^{2x}=3^{3(2x-4)}$

이때 양변의 밑이 같으므로 $2x=3(2x-4)$에서

$2x=6x-12,\ 4x=12$　　∴ $x=3$

❶ $9=3^2$, $27=3^3$이므로 양변의 밑을 3으로 같게 할 수 있다.

(2) ❷ $\left(\dfrac{5}{4}\right)^{-2x-3}=\left(\dfrac{4}{5}\right)^{2x+3}$이므로 $\left(\dfrac{4}{5}\right)^{x^2}=\left(\dfrac{4}{5}\right)^{2x+3}$

이때 양변의 밑이 같으므로 $x^2=2x+3$에서

$x^2-2x-3=0,\ (x+1)(x-3)=0$

∴ $x=-1$ 또는 $x=3$

❷ $\left(\dfrac{5}{4}\right)^{-2x-3}=\left\{\left(\dfrac{4}{5}\right)^{-1}\right\}^{-2x-3}$
$=\left(\dfrac{4}{5}\right)^{2x+3}$

2. (ⅰ) 밑이 1인 경우 : $x=1$일 때, $1^2=1^0=1$로 성립한다.

(ⅱ) 지수가 같은 경우 : $x^2+x=6(x-1)$에서

$x^2-5x+6=0,\ (x-2)(x-3)=0$　　∴ $x=2$ 또는 $x=3$

(ⅰ), (ⅱ)에서 $x=1$ 또는 $x=2$ 또는 $x=3$

❸ 밑이 양수인 조건을 만족시키는지 확인한다. $x=1$, $x=2$, $x=3$은 모두 $x>0$이므로 조건을 만족시킨다.

확인 문제　　　　　　　　　　　　　정답과 해설 | **37**쪽

MY 셀파

01-1 다음 방정식을 푸시오.
(상)(중)(하)

(1) $4^x-2\sqrt{2}=0$

(2) $\left(\dfrac{2}{3}\right)^{-3x+4}=\left(\dfrac{9}{4}\right)^x$

(3) $\dfrac{3^{x^2+1}}{3^{x-1}}=81$

01-1

(2) $\left(\dfrac{9}{4}\right)^x=\left(\dfrac{3}{2}\right)^{2x}=\left(\dfrac{2}{3}\right)^{-2x}$

01-2 방정식 $(x+2)^{3-2x}=(x+2)^{x^2}$을 푸시오. (단, $x>-2$)
(상)(중)(하)

01-2

밑이 같은 경우에는 지수가 같거나 밑이 1이어야 한다.

a^x꼴이 반복되는 지수방정식
1 $a^x=t$ $(t>0)$로 치환한 다음 t에 대한 방정식의 해를 구한다.
2 1에서 구한 t의 값에 대하여 $a^x=t$에서 x의 값을 구한다.

a^x꼴을 포함한 식에서 $a^x=t$로 치환하면 $a^x>0$이므로 새로운 변수 t의 값의 범위는 $t>0$이다.

 1. 다음 방정식을 푸시오.

(1) $4^x-3\times2^{x+1}-16=0$

(2) $\left(\dfrac{1}{4}\right)^x-\left(\dfrac{1}{2}\right)^{x-1}-8=0$

해법 코드
1. (1) $2^x=t$로 치환한다.
(2) $\left(\dfrac{1}{2}\right)^x=t$로 치환한다.

2. 방정식 $2^x+2^{5-x}=33$의 모든 실근의 합을 구하시오.

2. $2^x=t$로 치환한다.

셀파 a^x꼴이 반복될 때는 $a^x=t$ $(t>0)$로 치환한다.

풀이 **1.** (1) $4^x-3\times2^{x+1}-16=0$에서 $(2^x)^2-6\times2^x-16=0$

$2^x=t$ $(t>0)$로 치환하면

$t^2-6t-16=0$, $(t+2)(t-8)=0$ ∴ $t=8$ $(∵ t>0)$

따라서 $2^x=8=2^3$이므로 $x=3$

(2) $\left(\dfrac{1}{4}\right)^x-\left(\dfrac{1}{2}\right)^{x-1}-8=0$에서 $\left\{\left(\dfrac{1}{2}\right)^x\right\}^2-2\times\left(\dfrac{1}{2}\right)^x-8=0$

$\left(\dfrac{1}{2}\right)^x=t$ $(t>0)$로 치환하면

$t^2-2t-8=0$, $(t+2)(t-4)=0$ ∴ $t=4$ $(∵ t>0)$

따라서 $\left(\dfrac{1}{2}\right)^x=4$에서 $2^{-x}=2^2$ ∴ $x=-2$

ⓐ 치환하면 치환한 문자의 새로운 범위가 생긴다. 이 경우 치환한 문자 t의 값의 범위는 $t>0$이므로 $t=-2$는 해가 될 수 없다.

ⓑ $\left(\dfrac{1}{2}\right)^{x-1}=\left(\dfrac{1}{2}\right)^x\times\left(\dfrac{1}{2}\right)^{-1}$
$=2\times\left(\dfrac{1}{2}\right)^x$

2. $2^x+2^{5-x}=33$에서 $2^x+\dfrac{32}{2^x}=33$

$2^x=t$ $(t>0)$로 치환하면 $t+\dfrac{32}{t}=33$, $t^2-33t+32=0$

$(t-1)(t-32)=0$ ∴ $t=1$ 또는 $t=32$

$t=1$일 때 $2^x=1$에서 $x=0$, $t=32$일 때, $2^x=32$에서 $x=5$

따라서 모든 실근의 합은 **5**

ⓒ $2^x=32=2^5$이므로 $x=5$

확인 문제 정답과 해설 | **38**쪽

MY 셀파

02-1 다음 방정식을 푸시오.

(1) $4^x-5\times2^{x-1}+1=0$

(2) $2^x+2^{2-x}-5=0$

02-1
$2^x=t$로 치환한다.

02-2 방정식 $27^x-3\times9^x-3^x+3=0$의 모든 실근의 합을 구하시오.
상 **중** 하

02-2
$3^x=t$로 치환한다.

4 지수함수와 로그함수의 활용

해법 03 　지수방정식의 활용

PLUS ⊕

방정식 $a^{2x}+pa^x+q=0$ $(a>0,\ a\neq1)$의 두 근이 α, β일 때, $a^x=t$ $(t>0)$로 치환한 이차방정식 $t^2+pt+q=0$의 두 근은 a^α, a^β이다.

　예 　방정식 $5^{2x}-3\times5^x-8=0$의 두 근이 α, β이면 $5^x=t$로 치환한 이차방정식 $t^2-3t-8=0$의 두 근은 5^α, 5^β이다.

> 이차방정식의 두 근 α, β가 모두 양수이면
> ⇨ $D\geq0$, $\alpha+\beta>0$, $\alpha\beta>0$

예제

1. 방정식 $4^x-2^{x+3}+8=0$의 두 근을 α, β라 할 때, $\alpha+\beta$의 값을 구하시오.

2. 방정식 $4^x-2^{x+1}=k$가 서로 다른 두 실근을 가지도록 하는 실수 k의 값의 범위를 구하시오.

해법 코드

2. $2^x=t$로 놓으면
$2^x>0$, 즉 $t>0$이므로 t로 치환한 방정식은 서로 다른 두 양의 실근을 갖는다.

셀파 $f(a^x)=0$의 근이 α일 때, $a^x=t$ $(t>0)$로 치환한 $f(t)=0$의 근 ⇨ $t=a^\alpha$

풀이 **1.** $4^x-2^{x+3}+8=0$에서 $(2^x)^2-8\times2^x+8=0$
$2^x=t$ $(t>0)$로 치환하면 $t^2-8t+8=0$ ……㉠
주어진 방정식의 두 근이 α, β이므로 방정식 ㉠의 두 근은 2^α, 2^β이다.
따라서 이차방정식의 근과 계수의 관계에서
$2^\alpha\times2^\beta=8$이므로 $2^{\alpha+\beta}=2^3$ ∴ $\boldsymbol{\alpha+\beta=3}$

2. $4^x-2^{x+1}=k$에서 $(2^x)^2-2\times2^x-k=0$
$2^x=t$ $(t>0)$로 치환하면 $t^2-2t-k=0$ ……㉠
주어진 방정식이 서로 다른 두 실근을 가지려면 방정식 ㉠이 서로 다른 두 양의 실근을 가져야 한다.
방정식 ㉠의 두 실근을 α, β, 판별식을 D라 하면
(i) $\dfrac{D}{4}=1+k>0$ ∴ $k>-1$
(ii) $\alpha+\beta=2>0$
(iii) $\alpha\beta=-k>0$ ∴ $k<0$
(i), (ii), (iii)에서 $\boldsymbol{-1<k<0}$

❶ 방정식 ㉠을 근의 공식을 이용해 풀면 $t=4\pm2\sqrt{2}$, 즉 $2^x=4\pm2\sqrt{2}$ 이므로 주어진 방정식의 두 근을 직접 구하기가 어렵다.

다른 풀이

2. 방정식 ㉠이 서로 다른 두 양의 실근을 가지려면 함수
$y=t^2-2t$ $(t>0)$
의 그래프와 직선 $y=k$의 교점이 2개이어야 하므로 다음 그림에서
$-1<k<0$

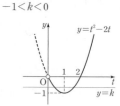

확인 문제 　　　　　　　　　　　　　　　　　정답과 해설 | **38**쪽

03-1 방정식 $4^x-3\times2^{x+2}+8=0$의 두 근을 α, β라 할 때, $\alpha+\beta$의 값을 구하시오.
(상)(중)(하)

03-2 방정식 $9^x=4\times3^x+k$가 서로 다른 두 실근을 가지도록 하는 실수 k의 값의 범위를 구하시오.
(상)(중)(하)

MY 셀파

03-1
$2^x=t$로 치환한 이차방정식에서 근과 계수의 관계를 이용한다.

03-2
$3^x=t$로 치환한 이차방정식이 서로 다른 두 양의 실근을 가질 조건을 구한다.

이 단원에서는 $a^x = t$로 치환해서 해결하는 유형의 문제가 자주 등장한다. 지금까지 다룬 문제와 해결 방법을 다시 정리해 보자.

❶ a^x을 직접 다루는 것이 불편하기 때문에 치환해서 생각한다.

1 지수함수의 최댓값 또는 최솟값 구하기

> $1 \le x \le 2$일 때, 함수 $y = 4^x - 2^{x+1} - 3$의 최댓값과 최솟값을 구하시오.

해결 정의역이 $m \le x \le n$일 때, 함수 $y = pa^{2x} + qa^x + r$에서 $a^x = t \ (t > 0)$로 치환하면

❶ $a > 1$일 때, $a^m \le t \le a^n$에서 y의 최댓값과 최솟값을 구한다.

❷ $0 < a < 1$일 때, $a^n \le t \le a^m$에서 y의 최댓값과 최솟값을 구한다.

※ 이때 t의 값은 답을 구하는 중간 과정일 뿐이다. 또 치환해서 새로 구한 t의 값의 범위는 $t > 0$인 조건을 당연히 만족시키므로 $t > 0$인 조건은 생각하지 않아도 된다.

풀이
$2^x = t \ (t > 0)$로 치환하면
$1 \le x \le 2$에서 $\therefore 2 \le t \le 4$
이때 t로 치환한 함수
$y = t^2 - 2t - 3 = (t - 1)^2 - 4$
의 그래프는 다음과 같다.

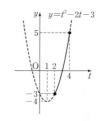

$t = 4$일 때 **최댓값 5**,
$t = 2$일 때 **최솟값 -3**

2 지수방정식

> 방정식 $4^x - 3 \times 2^{x+1} - 16 = 0$을 푸시오.

해결 $a > 0$, $a \ne 1$일 때, 지수방정식 $a^{2x} + pa^x + q = 0$에서 $a^x = t \ (t > 0)$로 치환하여 $t > 0$인 조건에서 t에 대한 방정식의 해를 구하고, 이렇게 구한 해를 다시 a^x으로 놓고 x의 값을 구한다.

※ t에 대한 방정식을 풀어 구한 해가 치환해서 구한 새로운 범위인 $t > 0$인 조건을 만족시키는지 확인해야 하므로 반드시 $t > 0$인 조건을 생각한다.

풀이
$2^x = t \ (t > 0)$로 치환하여 주어진 방정식을 t에 대한 방정식으로 나타내면
$4^x - 3 \times 2^{x+1} - 16 = 0$에서
$t^2 - 6t - 16 = 0$
$(t + 2)(t - 8) = 0$에서 $t > 0$이므로
$t = 8$만 해가 된다.
이때 x에 대한 방정식이므로 x의 값을 구해야 한다.
$2^x = 8 = 2^3$에서 $x = 3$

3 지수방정식의 활용

> 방정식 $4^x - 2^{x+2} + 2 = 0$의 두 근을 α, β라 할 때, $\alpha + \beta$의 값을 구하시오.

해결 $a > 0$, $a \ne 1$일 때 지수방정식 $a^{2x} + pa^x + q = 0$의 두 근이 α, β이면 $a^x = t \ (t > 0)$로 치환한 방정식 $t^2 + pt + q = 0$의 두 근은 a^α, a^β이다.

※ $a^{2x} + pa^x + q = 0$의 근이 α, β ⇨ $a^{2\alpha} + pa^\alpha + q = 0$ 또는 $a^{2\beta} + pa^\beta + q = 0$
따라서 t에 대한 방정식 $t^2 + pt + q = 0$에서 t 대신 a^α, a^β을 대입하면 방정식을 만족시키므로 $t^2 + pt + q = 0$의 두 근은 a^α, a^β이다.
이때 주어진 문제를 해결하는 도구로 근과 계수의 관계를 사용하는 경우가 많다.

풀이
지수방정식 $4^x - 2^{x+2} + 2 = 0$의 두 근이 α, β이면 $2^x = t \ (t > 0)$로 치환한 방정식 $t^2 - 4t + 2 = 0$의 두 근은 2^α, 2^β이다.
이때 근과 계수의 관계에서
$2^\alpha \times 2^\beta = 2$이므로 $2^{\alpha + \beta} = 2$
$\therefore \alpha + \beta = 1$

4 지수함수와 로그함수의 활용

밑이 같은 지수부등식 $a^{f(x)} < a^{g(x)}$ 에서
❶ $a > 1$일 때, 부등호 방향이 그대로이다. ⇨ $a^{f(x)} < a^{g(x)} \iff f(x) < g(x)$
❷ $0 < a < 1$일 때, 부등호 방향이 바뀐다. ⇨ $a^{f(x)} < a^{g(x)} \iff f(x) > g(x)$

지수부등식에서 밑에 미지수가 포함되어 있으면 $0 < (밑) < 1$, $(밑) = 1$, $(밑) > 1$인 경우로 나누어서 생각한다.

 예제 **1.** 다음 부등식을 푸시오.

(1) $2^{3x+1} \le \left(\dfrac{1}{2}\right)^{x-1}$　　　　　　(2) $3^{x+3} \ge 9^{x^2+x}$

2. 부등식 $x^{2x} \le x^{5x-6}$을 푸시오. (단, $x > 0$)

해법 코드
1. (1) 밑을 2로 같게 한다.
　　(2) 밑을 3으로 같게 한다.

2. $0 < x < 1$, $x = 1$, $x > 1$일 때로 나누어 푼다.

셀파 $a^{f(x)} < a^{g(x)}$에서 $a > 1$ ⇨ 부등호 방향 그대로, $0 < a < 1$ ⇨ 부등호 방향 반대로

풀이 **1.** (1) $\left(\dfrac{1}{2}\right)^{x-1} = (2^{-1})^{x-1} = 2^{-x+1}$이므로 $2^{3x+1} \le 2^{-x+1}$

이때 $(밑) > 1$이므로 $3x+1 \le -x+1$, $4x \le 0$
$\therefore x \le 0$

(2) $9^{x^2+x} = (3^2)^{x^2+x} = 3^{2(x^2+x)} = 3^{2x^2+2x}$이므로 $3^{x+3} \ge 3^{2x^2+2x}$

이때 $(밑) > 1$이므로
$x+3 \ge 2x^2+2x$, $2x^2+x-3 \le 0$, $(2x+3)(x-1) \le 0$
$\therefore -\dfrac{3}{2} \le x \le 1$

2. (i) $0 < x < 1$일 때, $0 < (밑) < 1$이므로 $2x \ge 5x-6$에서 $x \le 2$ ⑦ $\therefore 0 < x < 1$
(ii) $x = 1$일 때, $1^2 \le 1^{-1} = 1$이므로 부등식이 성립한다.
(iii) $x > 1$일 때, $(밑) > 1$이므로 $2x \le 5x-6$에서 $x \ge 2$ $\therefore x \ge 2$
(i), (ii), (iii)에서 $0 < x \le 1$ 또는 $x \ge 2$

다른 풀이
1. (1) $2^{3x+1} = \left(\dfrac{1}{2}\right)^{-3x-1}$이므로

$\left(\dfrac{1}{2}\right)^{-3x-1} \le \left(\dfrac{1}{2}\right)^{x-1}$

이때 $0 < (밑) < 1$이므로
$-3x-1 \ge x-1$　$\therefore x \le 0$

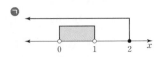

확인 문제　　　　정답과 해설 **38**쪽

MY 셀파

 04-1 다음 부등식을 푸시오.
(상)(중)(하)

(1) $\left(\dfrac{1}{4}\right)^{x(x-1)} > \left(\dfrac{1}{8}\right)^{2-x}$　　　　(2) $\left(\dfrac{1}{9}\right)^{x^2} < 3^{2x} < \sqrt{3}$

04-1
(1) 밑을 $\dfrac{1}{2}$로 같게 한다.
(2) 밑을 3으로 같게 한다.

04-2 부등식 $x^{2x^2} \le x^{7x-3}$을 푸시오. (단, $x > 0$)
(상)(중)(하)

04-2
$0 < x < 1$, $x = 1$, $x > 1$일 때로 나누어 푼다.

a^x 꼴이 반복되는 지수부등식

1 $a^x=t$ $(t>0)$로 치환한 다음 t에 대한 부등식의 해를 구한다.

2 1에서 구한 t의 값의 범위에서 $a^x=t$를 만족시키는 x의 값의 범위를 구한다.

$ax^2+bx+c=0$ $(a>0)$의 서로 다른 두 실근이 α, β $(\alpha<\beta)$일 때
❶ $a(x-\alpha)(x-\beta)>0$
$\iff x<\alpha$ 또는 $x>\beta$
❷ $a(x-\alpha)(x-\beta)<0$
$\iff \alpha<x<\beta$

예제 다음 부등식을 푸시오.

(1) $2^{2(x+1)}-33\times 2^x+8<0$

(2) $\left(\dfrac{1}{3}\right)^{2x}+\left(\dfrac{1}{3}\right)^{x+2}>\left(\dfrac{1}{3}\right)^{x-2}+1$

해법 코드

(1) $2^x=t$ $(t>0)$로 치환한다.

(2) $\left(\dfrac{1}{3}\right)^x=t$ $(t>0)$로 치환한다.

셀파 a^x 꼴이 반복될 때는 $a^x=t$ $(t>0)$로 치환한다.

풀이 (1) ➊ $2^{2(x+1)}=2^{2x+2}=2^2\times 2^{2x}=4\times(2^x)^2$이므로 $4\times(2^x)^2-33\times 2^x+8<0$

$2^x=t$ $(t>0)$로 치환하면

$4t^2-33t+8<0$, $(4t-1)(t-8)<0$ $\therefore \dfrac{1}{4}<t<8$

즉, $\dfrac{1}{4}<2^x<8$에서 $2^{-2}<2^x<2^3$

이때 (밑)>1이므로 $-2<x<3$

➊ $2^{2(x+1)}\neq 2^2\times 2^{x+1}$임에 주의한다.

(2) $\left(\dfrac{1}{3}\right)^{x+2}=\dfrac{1}{9}\times\left(\dfrac{1}{3}\right)^x$, ➋ $\left(\dfrac{1}{3}\right)^{x-2}=9\times\left(\dfrac{1}{3}\right)^x$이므로

$\left\{\left(\dfrac{1}{3}\right)^x\right\}^2+\dfrac{1}{9}\times\left(\dfrac{1}{3}\right)^x>9\times\left(\dfrac{1}{3}\right)^x+1$

$\left(\dfrac{1}{3}\right)^x=t$ $(t>0)$로 치환하면 $t^2+\dfrac{1}{9}t>9t+1$

$9t^2-80t-9>0$, ➌ $(9t+1)(t-9)>0$ $\therefore t>9$ $(\because t>0)$

즉, $\left(\dfrac{1}{3}\right)^x>9$에서 $\left(\dfrac{1}{3}\right)^x>\left(\dfrac{1}{3}\right)^{-2}$

이때 $0<$(밑)<1이므로 $x<-2$

➋ $\left(\dfrac{1}{3}\right)^{x-2}=\left(\dfrac{1}{3}\right)^x\left(\dfrac{1}{3}\right)^{-2}$
$=9\times\left(\dfrac{1}{3}\right)^x$

➌ $t>0$이므로 $9t+1>0$이다.

확인 문제 정답과 해설 | **39**쪽 | MY 셀파

05-1 다음 부등식을 푸시오.
(상 **중** 하)

(1) $\left(\dfrac{1}{4}\right)^x+\left(\dfrac{1}{2}\right)^{x-1}-3<0$

(2) $2^{x+2}+2^{3-x}<18$

05-1
(2) $2^x=t$로 치환하면 $2^{-x}=\dfrac{1}{t}$이다.

05-2 부등식 $9^x-30\times 3^x+81<0$을 만족시키는 정수 x의 개수를 구하시오.
(상 **중** 하)

05-2
$3^x=t$ $(t>0)$로 치환하고 t에 대한 이차부등식의 해를 구한다.

4
지수함수와 로그함수의 활용

어떤 감기약 주사제 성분은 처음 투여량 A_0와 투여한 지 t시간 후 이 성분의 체내 잔존량 A 사이에 다음과 같은 관계가 있다고 한다.

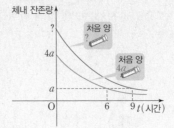

$$A = A_0 \left(\frac{1}{3}\right)^{kt} \text{ (단, } k\text{는 비례상수)}$$

이 성분은 체내 잔존량이 a 이상일 때 효과가 있으며, 처음 투여량이 $4a$일 때 약효는 6시간 동안 지속된다. 환자에게 9시간 동안 약효가 지속되도록 하기 위해서는 처음 투여량을 얼마로 해야 하는지 구하시오.

Q 일단 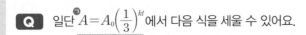 $A = A_0 \left(\frac{1}{3}\right)^{kt}$에서 다음 식을 세울 수 있어요.

> 처음 투여량이 $4a$일 때, 약효는 6시간 지속된다.
> $\Rightarrow A_0 = 4a,\ A = a,\ t = 6$
> $\Rightarrow a = 4a\left(\frac{1}{3}\right)^{k \times 6},\ \frac{1}{4} = \left(\frac{1}{3}\right)^{6k}$ ……㉠

A 잘했어. 이제 해당하는 변수를 찾아서 제 위치에 대입하기만 하면 되지. 9시간 동안 약효가 지속되는 상황을 식에 대입해 볼까?

Q

> 9시간 동안 약효가 지속된다.
> $\Rightarrow A = a,\ t = 9$
> $\Rightarrow a = A_0\left(\frac{1}{3}\right)^{9k},\ \frac{a}{A_0} = \left(\frac{1}{3}\right)^{9k}$ ……㉡

A 그래. 이제 두 식 ㉠, ㉡을 연립하면 되겠지?

$$\frac{1}{64} = \left(\frac{a}{A_0}\right)^2 \text{에서 } \frac{a}{A_0} = \frac{1}{8} \quad \therefore A_0 = 8a$$

Q $A_0 = 8a$이니까 처음 투여량은 $8a$가 되어야겠네요.

확인 체크 01 정답과 해설 | **39**쪽

어떤 세균 A는 한 시간에 두 배씩 증가하고, 세균 B는 한 시간에 4배씩 증가한다고 한다. 두 상자에 각각 세균 A를 1마리, 세균 B를 2마리 넣고 시간이 경과한 후 열어 보았더니 두 상자의 세균 수의 합은 36마리 이상이었다고 한다. 최소 몇 시간이 경과한 것인지 구하시오.(단, 이 기간 동안 죽는 세균은 없다.)

지수와 로그의 실생활 활용 문제는 수능에도 자주 나오니까 잘 익혀둬!

❶ 처음 양을 a, 한 시간에 일정한 비율 p로 그 양이 변화할 때, x시간 후의 양을 y라 하면
$\Rightarrow y = a \times p^x$

❷ ㉠에서 $\frac{1}{4} = \left(\frac{1}{3}\right)^{6k}$의 양변을 세제곱하면
$\frac{1}{64} = \left(\frac{1}{3}\right)^{18k}$
㉡에서 $\frac{a}{A_0} = \left(\frac{1}{3}\right)^{9k}$의 양변을 제곱하면
$\left(\frac{a}{A_0}\right)^2 = \left(\frac{1}{3}\right)^{18k}$

❸ x시간이 경과한 후 세균 A는 2^x마리, 세균 B는 2×4^x마리가 된다.

밑을 같게 할 수 있는 로그방정식은 로그의 성질이나 밑의 변환을 이용한다.

$\log_a f(x) = \log_a g(x)$ (단, $a > 0$, $a \neq 1$)

$\Longleftrightarrow f(x) = g(x)$, $f(x) > 0$, $g(x) > 0$

밑이 다른 로그방정식을 풀 때도 로그의 진수는 양수이고, 밑은 1이 아닌 양수라는 조건에 주의해야 한다.

예제 다음 방정식을 푸시오.

(1) $\log_3 x + \log_3 (x-8) = 2$

(2) $\log_2 (x+1) = 1 + \log_4 (x+4)$

해법 코드

(2) 밑이 2, 2^2이므로 밑이 2인 로그로 같게 한다.

셀파 밑이 a, a^2 꼴인 로그방정식 ⇨ 밑이 a인 로그로 같게 만든다.

풀이 (1) (진수)>0에서 $x > 0$, $x - 8 > 0$이므로 $x > 8$ ······㉠

$\underset{❶}{\log_3 x + \log_3 (x-8)} = 2$에서 $\log_3 x(x-8) = 2$

$\underset{❷}{로그의 \ 정의}$에 따라 $x(x-8) = 3^2$, $x^2 - 8x - 9 = 0$

$(x+1)(x-9) = 0$ ∴ $x = -1$ 또는 $x = 9$

㉠에서 $x > 8$이므로 구하는 해는 $\boldsymbol{x = 9}$

(2) (진수)>0에서 $x+1 > 0$, $x+4 > 0$이므로 $x > -1$ ······㉠

$\log_4 (x+4) = \underset{❸}{\log_{2^2} (x+4)} = \frac{1}{2} \log_2 (x+4)$, $1 = \log_2 2$이므로

$\log_2 (x+1) = 1 + \log_4 (x+4)$에서

$\log_2 (x+1) = \log_2 2 + \frac{1}{2} \log_2 (x+4)$

$2 \log_2 (x+1) = \log_2 4 + \log_2 (x+4)$

$\log_2 (x+1)^2 = \log_2 4(x+4)$

로그의 밑이 같으므로 $(x+1)^2 = 4(x+4)$, $x^2 - 2x - 15 = 0$

$(x+3)(x-5) = 0$ ∴ $x = -3$ 또는 $x = 5$

㉠에서 $x > -1$이므로 구하는 해는 $\boldsymbol{x = 5}$

❶ $\log_a M + \log_a N = \log_a MN$을 이용한다.

❷ $a > 0$, $a \neq 1$일 때 $\log_a f(x) = b$이면 $f(x) = a^b$

❸ 밑을 2로 같게 하기 위해 $\log_{a^n} b = \frac{1}{m} \log_a b$를 이용한다.

확인 문제

정답과 해설 | **39**쪽

MY 셀파

06-1 다음 방정식을 푸시오.

(1) $\log_3 (x+4) + \log_3 (x-4) = 2$

(2) $\log (x+12) - \log x = \log (x+2)$

06-1

(2) 밑 10이 생략된 상용로그이다.

06-2 다음 방정식을 푸시오.

(1) $\log_{\frac{1}{2}} (x-2) = \log_{\frac{1}{4}} (2x-1)$

(2) $\log_3 (x-3) = \log_9 (x+7) + 1$

06-2

(1) 밑이 $\frac{1}{2}$인 로그로 같게 한다.

(2) 밑이 3인 로그로 같게 한다.

주어진 식에서 로그의 성질을 이용하여 로그의 밑을 같게 한다.

이때 $\log_a x$ 꼴이 반복되는 경우에는 $\log_a x = t$로 치환하여 t에 대한 방정식을 푼다.

이때 $t = \alpha$가 치환한 방정식의 근이면 $\Rightarrow \log_a x = \alpha$에서 $x = a^\alpha$이 구하는 근이다.

치환한 문자 t에 대한 방정식을 풀어 구한 근을 답으로 생각하지 않도록 주의한다.

예제 다음 방정식을 푸시오.

(1) $(\log_3 x)^2 = \log_3 27x^2$

(2) $3 \log_x 2 + \log_2 x = 4$

해법 코드

(1) $\log_3 27x^2 = \log_3 27 + \log_3 x^2$

(2) $\log_x 2 = \dfrac{1}{\log_2 x}$

셀파 $\log_a x = t$로 치환하여 t에 대한 방정식으로 바꾼다.

풀이 (1) (진수)>0에서 $x>0$, $27x^2>0$이므로 $x>0$ ······㉠

$\log_3 27x^2 = \log_3 27 + \log_3 x^2 = 3 + 2\log_3 x$이므로

$(\log_3 x)^2 = \log_3 27x^2$에서

$(\log_3 x)^2 = 2\log_3 x + 3$ ∴ $(\log_3 x)^2 - 2\log_3 x - 3 = 0$

$\log_3 x = t$로 치환하면

$t^2 - 2t - 3 = 0$, $(t+1)(t-3) = 0$ ∴ $t = -1$ 또는 $t = 3$

$t = -1$일 때, $\log_3 x = -1$에서 $x = 3^{-1} = \dfrac{1}{3}$

$t = 3$일 때, $\log_3 x = 3$에서 $x = 3^3 = 27$

㉠에서 $x>0$이므로 구하는 해는 $x = \dfrac{1}{3}$ 또는 $x = 27$

로그함수

$y = \log_a x \ (a>0, \ a \neq 1)$

의 치역은 실수 전체의 집합이므로 $\log_a x = t$로 치환하면 t는 어떤 실수이든지 가능해.

(2) 진수와 밑 조건에서 $x>0$, $x \neq 1$이므로 $0<x<1$ 또는 $x>1$ ······㉠

$\underline{3\log_x 2} + \log_2 x = 4$에서 $\dfrac{3}{\log_2 x} + \log_2 x = 4$

$\log_2 x = t$로 치환하면 $\dfrac{3}{t} + t = 4$

$t^2 - 4t + 3 = 0$, $(t-1)(t-3) = 0$ ∴ $t = 1$ 또는 $t = 3$

$t = 1$일 때, $\log_2 x = 1$에서 $x = 2^1 = 2$

$t = 3$일 때, $\log_2 x = 3$에서 $x = 2^3 = 8$

㉠에서 $0<x<1$ 또는 $x>1$이므로 구하는 해는 $x = 2$ 또는 $x = 8$

● 밑에 x가 있는 경우 밑의 변환

$\log_x a = \dfrac{1}{\log_a x}$을 이용하면

$\log_x 2 = \dfrac{1}{\log_2 x}$

확인 문제 | 정답과 해설 | **40**쪽 | MY 셀파

07-1 다음 방정식을 푸시오.

(상)(중)(하)

(1) $(\log_2 2x)\left(\log_2 \dfrac{x}{2}\right) = 3$

(2) $\log_3 x = 2\log_x 3 + 1$

07-1

(1) $\log_2 x = t$로 치환한다.

(2) $\log_3 x = t$로 치환한다.

방정식 $p(\log_a x)^2 + q \log_a x + r = 0$ $(a > 0,\ a \neq 1)$의 두 근을 $\alpha,\ \beta$라 하면 $\log_a x = t$로 치환한 이차방정식 $pt^2 + qt + r = 0$의 두 근은 $\log_a \alpha,\ \log_a \beta$이다.

방정식
$p(\log_a x)^2 + q \log_a x + r = 0$
의 두 근을 $\alpha,\ \beta$라 하면
$\Rightarrow \log_a \alpha + \log_a \beta = -\dfrac{q}{p}$
$\log_a \alpha\beta = -\dfrac{q}{p}$

[예] 방정식 $2(\log_2 x)^2 - 3 \log_2 x + 1 = 0$의 두 근이 $\alpha,\ \beta$이면 $\log_2 x = t$로 치환한 이차방정식 $2t^2 - 3t + 1 = 0$의 두 근은 $\log_2 \alpha,\ \log_2 \beta$이다.

[예제] 다음 방정식의 두 근을 $\alpha,\ \beta$라 할 때, $\alpha\beta$의 값을 구하시오.

(1) $(\log x)^2 - \log x^4 - 2 = 0$ 　　　　(2) $(\log_2 4x)^2 - 3 \log_2 4x^2 = 0$

해법 코드
(2) $\log_2 4x = 2 + \log_2 x$
$\log_2 4x^2 = 2 + 2 \log_2 x$

[셀파] $p(\log x)^2 + q \log x + r = 0$의 두 근이 $\alpha,\ \beta$
$\Rightarrow pt^2 + qt + r = 0$의 두 근은 $\log \alpha,\ \log \beta$

[풀이] (1) 주어진 방정식을 정리하면
$(\log x)^2 - 4 \log x - 2 = 0$ 　　　⋯⋯㉠
$\log x = t$로 치환하면 $t^2 - 4t - 2 = 0$ 　　⋯⋯㉡
방정식 ㉠의 두 근이 $\alpha,\ \beta$이므로 방정식 ㉡의 두 근은 $\log \alpha,\ \log \beta$이다.
따라서 이차방정식의 근과 계수의 관계에서 $\log \alpha + \log \beta = 4$이므로
$\log \alpha\beta = 4$ 　 ∴ $\alpha\beta = 10^4 = \mathbf{10000}$

🅐 이차방정식 $ax^2 + bx + c = 0$의 두 근을 $\alpha,\ \beta$라 할 때
$\alpha + \beta = -\dfrac{b}{a},\ \alpha\beta = \dfrac{c}{a}$

(2) 주어진 방정식을 정리하면
$(\log_2 4 + \log_2 x)^2 - 3(\log_2 4 + \log_2 x^2) = 0$
$(2 + \log_2 x)^2 - 3(2 + 2 \log_2 x) = 0$
$4 + 4 \log_2 x + (\log_2 x)^2 - 6 - 6 \log_2 x = 0$
∴ $(\log_2 x)^2 - 2 \log_2 x - 2 = 0$ 　　⋯⋯㉠
$\log_2 x = t$로 치환하면 $t^2 - 2t - 2 = 0$ 　　⋯⋯㉡
방정식 ㉠의 두 근이 $\alpha,\ \beta$이므로 방정식 ㉡의 두 근은 $\log_2 \alpha,\ \log_2 \beta$이다.
따라서 이차방정식의 근과 계수의 관계에서 $\log_2 \alpha + \log_2 \beta = 2$이므로
$\log_2 \alpha\beta = 2$ 　 ∴ $\alpha\beta = 2^2 = \mathbf{4}$

🅑 $t^2 - 2t - 2 = 0$에서 $t = 1 \pm \sqrt{3}$
즉, $\log_2 x = 1 \pm \sqrt{3}$에서 $x = 2^{1 \pm \sqrt{3}}$
이므로 구하는 두 근의 곱은
$2^{1+\sqrt{3}} \times 2^{1-\sqrt{3}} = 2^{(1+\sqrt{3})+(1-\sqrt{3})}$
$= 2^2 = 4$
이와 같이 x의 값을 직접 구해 두 근의 곱을 구할 수도 있지만 식이 복잡하므로 이차방정식의 근과 계수의 관계를 이용한다.

4 지수함수와 로그함수의 활용

확인 문제 　　　　　　　　정답과 해설 | **41**쪽 　　　　　　　　**MY 셀파**

08-1 (상)(중)(하) 방정식 $\log_2 x - \log_4 x = 2 \log_2 x \log_4 x$의 두 근을 $\alpha,\ \beta$라 할 때, $\alpha\beta$의 값을 구하시오.

08-1
밑이 2인 로그로 같게 한 다음 $\log_2 x = t$로 치환한다.

08-2 (상)(중)(하) 방정식 $(\log_{\frac{1}{2}} x)^2 + k \log_{\frac{1}{2}} x - 1 = 0$의 두 근의 곱이 4일 때, 상수 k의 값을 구하시오.

08-2
$\log_{\frac{1}{2}} x = t$로 치환한다.

지수에 로그를 포함하는 로그방정식은 지수에 있는 로그와 밑이 같은 로그를 양변에 취한다. 방정식 $x^{\log_a x}=k$에서 양변에 밑이 a인 로그를 취하면

$$\log_a x^{\log_a x}=\log_a k \Rightarrow \log_a x \log_a x=\log_a k \Rightarrow (\log_a x)^2=\log_a k$$

밑과 지수에 미지수 x를 동시에 포함하고 있는 경우에도 양변에 로그를 취한다.

(예제) 다음 방정식을 푸시오.

$(1)\ 2^{\log 2x}=5^{\log 5x}$

$(2)\ x^{\log_2 x}=8x^2$

해법 코드
(1) 양변에 상용로그를 취한다.
(2) 양변에 밑이 2인 로그를 취한다.

(셀파) $f(x), g(x)$가 밑이 c인 로그일 때, 방정식 $a^{f(x)}=b^{g(x)}$ 꼴
⇒ 양변에 밑이 c인 로그를 취하면 $f(x)\log_c a=g(x)\log_c b$

(풀이) (1) ⓐ$2^{\log 2x}=5^{\log 5x}$의 양변에 상용로그를 취하면

$\log 2^{\log 2x}=\log 5^{\log 5x}$, $\log 2x \log 2=\log 5x \log 5$

$(\log 2+\log x)\log 2=(\log 5+\log x)\log 5$

$(\log 2)^2+\log x \log 2=(\log 5)^2+\log x \log 5$

ⓑ$(\log 2-\log 5)\log x=(\log 5)^2-(\log 2)^2$

$\log x=-(\log 5+\log 2)=-\log 10=\log 10^{-1}$ $\therefore x=\dfrac{1}{10}$

이때 ⓒ진수 조건 $x>0$에서 구하는 해는 $x=\dfrac{1}{10}$

(2) $x^{\log_2 x}=8x^2$의 양변에 밑이 2인 로그를 취하면

$\log_2 x^{\log_2 x}=\log_2 8x^2$, $\log_2 x \log_2 x=\log_2 8+\log_2 x^2$

$(\log_2 x)^2-2\log_2 x-3=0$

$\log_2 x=t$로 치환하면

$t^2-2t-3=0$, $(t+1)(t-3)=0$ $\therefore t=-1$ 또는 $t=3$

$t=-1$일 때, $\log_2 x=-1$에서 $x=2^{-1}=\dfrac{1}{2}$

$t=3$일 때, $\log_2 x=3$에서 $x=2^3=8$

이때 진수 조건 $x>0$에서 구하는 해는 $x=\dfrac{1}{2}$ 또는 $x=8$

ⓐ 양변의 지수 $\log 2x$, $\log 5x$가 모두 상용로그이므로 양변에 상용로그를 취한다.

ⓑ $\log x$
$=\dfrac{(\log 5)^2-(\log 2)^2}{\log 2-\log 5}$
$=\dfrac{(\log 5+\log 2)(\log 5-\log 2)}{-(\log 5-\log 2)}$
$=-(\log 5+\log 2)$

ⓒ $\log 2x$, $\log 5x$에서 진수 $2x$, $5x$는 양수이어야 하므로 $x>0$이다.

확인 문제

정답과 해설 | **41**쪽

MY 셀파

09-1 다음 방정식을 푸시오.
(상)(중)(하)

$(1)\ x^{1-\log x}=\dfrac{x^2}{100}$

$(2)\ x^{\log_3 x}=9x$

09-1
(1) 양변에 상용로그를 취한다.
(2) 양변에 밑이 3인 로그를 취한다.

로그부등식 $\log_a f(x) < \log_a g(x)$ $(a>0, a \neq 1)$의 풀이

❶ $a>1$일 때, $0< f(x)<g(x)$

❷ $0<a<1$일 때, $f(x)>g(x)>0$

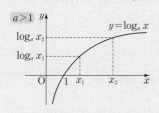

$x_1<x_2$일 때, $\log_a x_1 < \log_a x_2$

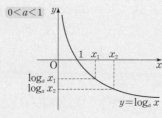

$x_1<x_2$일 때, $\log_a x_1 > \log_a x_2$

로그부등식을 풀 때

❶ 진수가 양수인지 확인한다.

❷ 밑이 1보다 큰지, 작은지 확인한다. 밑이 0과 1 사이의 수인 경우에는 진수에 대한 부등호 방향이 바뀐다는 점을 주의한다.

(예제) 다음 부등식을 푸시오.

(1) $\log_6 (x+2) + \log_6 x < \log_6 (x+6)$

(2) $\log_{\frac{1}{3}} (x+1) - \log_{\frac{1}{3}} (1-x) - 1 < 0$

해법 코드

$\log_a f(x) < \log_a g(x)$ 꼴로 변형하여 진수끼리 비교한다.

(셀파) (밑)$>1 \Rightarrow$ 진수에 대한 부등호 방향은 그대로이다.

$0<$(밑)$<1 \Rightarrow$ 진수에 대한 부등호 방향은 바뀐다.

(풀이) (1) (진수)>0에서 $x+2>0$, $x>0$, $x+6>0$이므로 $x>0$ ······㉠

주어진 부등식에서 $\log_6 x(x+2) < \log_6 (x+6)$

(밑)>1이므로 $x(x+2) < x+6$, $x^2+x-6<0$

(부등호 방향이 그대로이다.)

$(x+3)(x-2)<0$ $\therefore -3<x<2$ ······㉡

㉠, ㉡의 공통 범위를 구하면 $\boldsymbol{0<x<2}$

❶ 진수 조건과 진수를 비교하여 얻은 x의 값의 범위에서 공통 부분을 구한다.

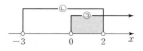

(2) (진수)>0에서 $x+1>0$, $1-x>0$이므로 $-1<x<1$ ······㉠

주어진 부등식에서 $\log_{\frac{1}{3}} (x+1) < \log_{\frac{1}{3}} (1-x) + 1 = \log_{\frac{1}{3}} \frac{1}{3}(1-x)$

$0<$(밑)<1이므로 $x+1 > \frac{1}{3}(1-x)$, $3x+3>1-x$

(부등호 방향이 바뀐다.)

$4x>-2$ $\therefore x>-\frac{1}{2}$ ······㉡

㉠, ㉡의 공통 범위를 구하면 $\boldsymbol{-\frac{1}{2}<x<1}$

❷ $\log_{\frac{1}{3}} (1-x)+1$

$=\log_{\frac{1}{3}} (1-x) + \log_{\frac{1}{3}} \frac{1}{3}$

$=\log_{\frac{1}{3}} \frac{1}{3}(1-x)$

4
지수함수와 로그함수의 활용

확인 문제

정답과 해설 | **41**쪽

MY 셀파

10-1 다음 부등식을 푸시오.
(상)(중)(하)

(1) $\log_2 (3-x) < \log_2 x+1$

(2) $\log_{\frac{1}{4}} (x-1) \geq \log_{\frac{1}{4}} (4x-2) - \log_{\frac{1}{4}} (x+2)$

10-1

(1) $\log_2 x+1 = \log_2 2x$

(2) $\log_{\frac{1}{4}} (x-1) + \log_{\frac{1}{4}} (x+2)$

$\geq \log_{\frac{1}{4}} (4x-2)$

$\log_a x$ 꼴이 반복되는 로그부등식은 로그방정식과 마찬가지 방법으로 $\log_a x = t$로 치환하여 t에 대한 부등식을 푼다.

⇨ $\alpha < t < \beta$에서 $\alpha < \log_a x < \beta$를 구한 다음 로그부등식의 성질을 이용하여 x의 값의 범위를 구한다.

> $\log_a x = t$로 치환하여 t에 대한 부등식을 푼 다음 다시 x의 값의 범위를 구하는 것을 잊지 않도록 주의한다.

예제 다음 부등식을 푸시오.

  (1) $(\log_2 x)^2 - 3\log_2 x + 2 < 0$ (2) $\log_{\frac{1}{2}} x^2 + \left(\log_{\frac{1}{2}} x\right)^2 \leq 3$

해법 코드
(1) $\log_2 x = t$로 치환한다.
(2) $\log_{\frac{1}{2}} x = t$로 치환한다.

셀파 $\log_a x = t$로 치환하여 t에 대한 부등식으로 고친다.

풀이 (1) (진수) > 0에서 $x > 0$ ……㉠

주어진 부등식에서 $\log_2 x = t$로 치환하면

$t^2 - 3t + 2 < 0$, $(t-1)(t-2) < 0$ ∴ $1 < t < 2$

즉, $1 < \log_2 x < 2$에서 $\log_2 2 < \log_2 x < \log_2 2^2$

이때 (밑) > 1이므로 $2 < x < 4$ ……㉡
                └→ 부등호 방향이 그대로이다.

㉠, ㉡의 공통 범위를 구하면 **$2 < x < 4$**

(2) (진수) > 0에서 $x^2 > 0$, $x > 0$이므로 $x > 0$ ……㉠

주어진 부등식에서 $\left(\log_{\frac{1}{2}} x\right)^2 + 2\log_{\frac{1}{2}} x - 3 \leq 0$

$\log_{\frac{1}{2}} x = t$로 치환하면

$t^2 + 2t - 3 \leq 0$, $(t+3)(t-1) \leq 0$ ∴ $-3 \leq t \leq 1$

즉, $-3 \leq \log_{\frac{1}{2}} x \leq 1$에서 $\log_{\frac{1}{2}} \left(\frac{1}{2}\right)^{-3} \leq \log_{\frac{1}{2}} x \leq \log_{\frac{1}{2}} \left(\frac{1}{2}\right)^1$

∴ $\log_{\frac{1}{2}} 8 \leq \log_{\frac{1}{2}} x \leq \log_{\frac{1}{2}} \frac{1}{2}$

이때 $0 < ($밑$) < 1$이므로 $\dfrac{1}{2} \leq x \leq 8$ ……㉡
               └→ 부등호 방향이 바뀐다.

㉠, ㉡의 공통 범위를 구하면 **$\dfrac{1}{2} \leq x \leq 8$**

> t로 치환한 부등식에서 t의 값의 범위를 구한 다음 그 범위를 이용하여 x의 값의 범위를 구해야 해!

● 로그에서의 치환은 지수에서의 치환과 다르게 t의 값의 범위에서 $t > 0$을 생각하지 않아도 된다.

확인 문제   정답과 해설 | **42**쪽   **MY 셀파**

11-1 다음 부등식을 푸시오.

  (1) $(\log_3 x)^2 - 8 < \log_3 x^2$ (2) $\left(\log_{\frac{1}{3}} x\right)^2 - \log_{\frac{1}{3}} x - 12 > 0$

11-1
(1) $\log_3 x = t$로 치환한다.
(2) $\log_{\frac{1}{3}} x = t$로 치환한다.

모든 실수 x에 대하여 부등식 $x^2-2(\log_3 a)x+\log_3 9a>0$이 항상 성립하도록 하는 실수 a의 값의 범위를 구하시오.

> ▶ **이차부등식이 항상 성립할 조건**
> 이차식 ax^2+bx+c가 모든 실수 x에 대하여
> ❶ $ax^2+bx+c>0$이면
> $\Rightarrow a>0, D<0$
> ❷ $ax^2+bx+c\geq0$이면
> $\Rightarrow a>0, D\leq0$
> ❸ $ax^2+bx+c<0$이면
> $\Rightarrow a<0, D<0$
> ❹ $ax^2+bx+c\leq0$이면
> $\Rightarrow a<0, D\leq0$

Q '모든 실수 x'라는 표현과 x에 대한 이차부등식이 주어져 있네요. 이차의 절대부등식 문제인데, 계수에 $\log_3 a$가 있어서 복잡해 보여요. 특별한 방법이라도 있나요?

A 계수에 로그가 있다고 해서 풀이 방법이 달라질 이유는 없지. 모든 실수 x에 대해 이차부등식 $ax^2+bx+c>0$이 성립할 조건은 뭐지?

Q '이차'라고 말씀하셨으므로 $a=0$일 때는 따로 안 따져도 될 것 같고 그래프를 그려 보면 $a>0, D<0$임을 알 수 있어요.

A 맞아. 이제 계산해 보렴.

Q 이차방정식 $\underset{\text{㉠}}{\underline{x^2-2(\log_3 a)x+\log_3 9a}}=0$의 판별식을 D라 하면 $\dfrac{D}{4}<0$에서 $(\log_3 a)^2-\underset{\text{㉡}}{\underline{\log_3 9a}}<0$, $(\log_3 a)^2-(2+\log_3 a)<0$ $(\log_3 a)^2-\log_3 a-2<0$이 나와요.

A 이제 $\log_3 a=t$로 치환하면 $t^2-t-2<0$, 즉 $(t+1)(t-2)<0$에서 $-1<t<2$가 나오겠지? 이를 다시 $\log_3 a$에 대한 표현으로 바꾸면 $-1<\log_3 a<2$가 되는데 이 부등식을 풀어 봐.

> ㉠ 함수
> $y=x^2-2(\log_3 a)x+\log_3 9a$
> 의 그래프가 x축과 만나지 않아야 하므로 판별식 $D<0$이다.
>
>

Q $3^{-1}<a<3^2$에서 $\dfrac{1}{3}<a<9$이네요.

A 잘했어, 로그의 밑 3이 1보다 크므로 부등호의 방향이 그대로야. 또 로그의 진수 조건도 같이 따져서 답을 구해 보자.

> ㉡ $\log_3 9a=\log_3 9+\log_3 a$
> $=\log_3 3^2+\log_3 a$
> $=2+\log_3 a$

Q $\log_3 a$, $\log_3 9a$에서 진수는 양수이어야 하므로 $a>0$이에요. 따라서 구하는 실수 a의 값의 범위는 $\dfrac{1}{3}<a<9$가 돼요.

확인 체크 02 정답과 해설 **42**쪽

(1) 모든 실수 x에 대하여 부등식 $\underset{\text{㉢}}{\underline{x^2-(\log_2 a)x+\log_2 a\geq0}}$이 항상 성립하도록 하는 실수 a의 값의 범위를 구하시오.

(2) 모든 실수 x에 대하여 부등식 $x^2-2(1+\log_2 k)x+1-(\log_2 k)^2>0$이 항상 성립하도록 하는 실수 k의 값의 범위를 구하시오.

> ㉢ 이차부등식 $ax^2+bx+c\geq0$이 모든 실수 x에 대하여 항상 성립할 조건은 $a>0, D\leq0$이다.

지수에 로그를 포함하는 로그부등식은 지수에 있는 로그와 밑이 같은 로그를 양변에 취한다. $x^{\log_a x} \geq k$에서 양변에 밑이 a인 로그를 취하면

❶ $a > 1$일 때, $\log_a x^{\log_a x} \geq \log_a k$ ⇨ $(\log_a x)^2 \geq \log_a k$

❷ $0 < a < 1$일 때, $\log_a x^{\log_a x} \leq \log_a k$ ⇨ $(\log_a x)^2 \leq \log_a k$

식을 변형한 다음 밑의 값의 범위에 따라 진수의 부등호 방향을 결정한다.

예제 다음 부등식을 푸시오.

(1) $x^{\log_2 x} < \dfrac{1}{4} x^3$

(2) $x^{\log x} > \dfrac{1000}{x^2}$

해법 코드
(1) 양변에 밑이 2인 로그를 취한다.
(2) 양변에 상용로그를 취한다.

셀파 로그부등식에서 (밑) > 1이면 ⇨ 진수에 대한 부등호 방향이 그대로이다.

풀이 (1) (진수) > 0에서 $x > 0$ ······㉠

주어진 부등식의 양변에 밑이 2인 로그를 취하면

$\log_2 x^{\log_2 x} < \overset{❶}{\log_2} \dfrac{1}{4} x^3$, $(\log_2 x)^2 < -2 + 3\log_2 x$

$\log_2 x = t$로 치환하면

$t^2 - 3t + 2 < 0$, $(t-1)(t-2) < 0$ ∴ $1 < t < 2$

즉, $1 < \log_2 x < 2$에서 (밑) > 1이므로 $2 < x < 4$ ······㉡
└ 부등호 방향은 그대로이다.

㉠, ㉡의 공통 범위를 구하면 **$2 < x < 4$**

❶ 지수 $\log_2 x$에서 로그의 밑이 2이므로 주어진 부등식에 로그를 취할 때는 밑이 2인 로그를 취한다.

❷ $\log_2 \dfrac{1}{4} x^3 = \log_2 \dfrac{1}{4} + \log_2 x^3$
$= \log_2 2^{-2} + 3\log_2 x$
$= -2 + 3\log_2 x$

(2) (진수) > 0에서 $x > 0$ ······㉠

주어진 부등식의 양변에 상용로그를 취하면

$\log x^{\log x} > \overset{❸}{\log} \dfrac{1000}{x^2}$, $(\log x)^2 > 3 - 2\log x$

$\log x = t$로 치환하면

$t^2 + 2t - 3 > 0$, $(t+3)(t-1) > 0$ ∴ $t < -3$ 또는 $t > 1$

즉, $\log x < -3$ 또는 $\log x > 1$에서 (밑) > 1이므로

$x < \dfrac{1}{1000}$ 또는 $x > 10$ ······㉡

㉠, ㉡의 공통 범위를 구하면 **$0 < x < \dfrac{1}{1000}$ 또는 $x > 10$**

❸ $\log \dfrac{1000}{x^2} = \log 1000 - \log x^2$
$= \log 10^3 - \log x^2$
$= 3 - 2\log x$

확인 문제 | 정답과 해설 | **43**쪽 | **MY 셀파**

12-1 부등식 $x^{\log_3 x} < 27x^2$을 푸시오.
(상)(중)(하)

12-1
양변에 밑이 3인 로그를 취한다.

12-2 모든 양수 x에 대하여 부등식 $x^{3-\log_2 x} < (2x)^k$이 성립하기 위한 실수 k의 값의 범위를 구하시오.
(상)(중)(하)

12-2
양변에 밑이 2인 로그를 취한다.

어느 박테리아의 배증시간은 냉장 보관할 경우 12시간이라 한다. 냉장 보관된 이 박테리아의 수가 최초 박테리아 수의 20,000배 이상이 되는 것은 며칠 후부터인지 구하시오. (단, $\log 2 = 0.3$으로 계산한다.)

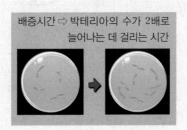

배증시간 ⇨ 박테리아의 수가 2배로 늘어나는 데 걸리는 시간

Q 최초 박테리아 수를 x로 놓고 시작해야겠죠?

A x로 놓아도 좋고, a로 놓아도 좋고 원하는 대로 놓으렴. 다만 문제에서 12'시간'마다 두 배가 된다고 했는데, 물어본 것은 '며칠'이므로 단위를 맞춰야겠지?

Q '일' 단위로 통일하면 $\frac{1}{2}$일마다 박테리아 수가 두 배로 늘어난다고 생각할 수 있네요. 최초 박테리아 수를 a라 하면 $\frac{1}{2}$일 동안 2배로 늘어나므로 1일 동안에는 4배로 늘어나고,

경과 일수	1일 후	2일 후	3일 후	⋯	n일 후
박테리아 수	$4a$	$4a \times 4$	$4a \times 4 \times 4$	⋯	$a \times 4^n$

이렇게 되는 거 맞죠?
n일 후 박테리아 수가 $20000a$가 되어야 하므로 $a \times 4^n = 20000a$를 풀면 되겠네요.

A 정확하게는 '20000배 이상'이라고 했으니 부등식 $a \times 4^n \geq 20000a$를 풀어야 해.

Q 양변을 a로 나눈 다음 양변에 상용로그를 취하면 $\log 4^n \geq \log 20000$,
$2n \log 2 \geq \log 20000$, $n \geq \dfrac{\log 2 + 4}{2 \log 2} = 7.166 \times \times \times$이므로 답은 **8일**이에요.

A 맞아. 이처럼 작은 값 또는 큰 값들을 그대로 다루기보다 로그를 이용하면 쉽게 계산할 수 있어.

확인 체크 03　　　　　　　　　　　　　정답과 해설 | **43**쪽

수면 아래의 빛의 밝기는 물이 ⓐ 1 m씩 깊어짐에 따라 20 %씩 감소한다고 한다. 수면 아래의 빛의 밝기가 수면 위의 빛의 밝기의 $\frac{1}{2}$이 되는 순간 물의 깊이를 구하시오.
(단, $\log 2 = 0.3$으로 계산한다.)

▶ **자연 현상에서 로그를 활용하는 경우**

❶ 수소 이온 농도
산성도나 염기도를 알려 주는 수소 이온 농도는 그 값이 너무 작아서 10^{-x}으로 표현되기 때문에 사용하기 불편하다.
따라서 간단하게 나타내기 위해 수소 이온량 $[H^+]$의 역수에 상용로그를 취한 값을 수소 이온 농도 지수 pH로 사용한다.

$$pH = \log \frac{1}{[H^+]}$$
$$= -\log [H^+]$$

❷ 리히터 규모와 로그
지진의 세기를 나타낼 경우 리히터가 개발한 '규모'를 사용한다.

$$\log E = 11.8 + 1.5M$$

이 식에서 E는 지진파 에너지이고, M은 규모를 나타낸다.

❸ 소리의 세기
소음의 정도는 표준음(I_0)과 어떤 음(I)의 세기를 비교하여 측정한다.

$$(\text{소음의 세기}) = 10 \log \frac{I}{I_0}$$

ⓐ 수면 위의 빛의 밝기를 a라 하면 물이 n m 깊어질 때, 빛의 밝기는 $a(0.8)^n$이다.

밑이 같은 지수방정식

01 방정식 $\dfrac{16^x}{2}=2^{x+3}$ 을 만족시키는 x의 값은?

(상)(중)(하)

① $\dfrac{1}{3}$　　　② $\dfrac{2}{3}$　　　③ 1

④ $\dfrac{4}{3}$　　　⑤ $\dfrac{5}{3}$

밑이 같은 지수방정식

02 연립방정식 $\begin{cases} 2^x-2^y=4 \\ 2^{x+y}=32 \end{cases}$ 를 푸시오.

(상)(중)(하)

$2^x=X$, $2^y=Y$로 치환하여 X, Y에 대한 연립방정식을 풀어 봐.

치환을 이용한 지수방정식

03 x에 대한 방정식 $a^{2x}-a^x=2\,(a>0,\ a\neq1)$의 해가 $\dfrac{1}{7}$일 때, 상수 a의 값을 구하시오.

(상)(중)(하)

지수방정식의 활용

04 방정식 $9^x-11\times3^x+28=0$의 두 근을 α, β라 할 때, $9^\alpha+9^\beta$의 값은?

(상)(중)(하)

① 59　　　② 61　　　③ 63

④ 65　　　⑤ 67

밑이 같은 지수부등식

05 부등식 $\left(\dfrac{1}{2}\right)^{x+1}\leq\left(\dfrac{1}{2}\right)^{2x}\leq2^{-x^2}$ 을 만족시키는 실수 x의 최댓값은?

(상)(중)(하)

① 1　　　② 2　　　③ 3

④ 4　　　⑤ 5

치환을 이용한 지수부등식　　　〔서술형〕

06 함수 $f(x)=x^2-x-4$에 대하여 부등식 $4^{f(x)}-2^{1+f(x)}<8$을 만족시키는 정수 x의 개수를 구하시오.

(상)(중)(하)

밑이 같은 로그방정식

07 방정식 $\log_2(3x^2+7x)=1+\log_2(x+1)$을 푸시오.

(상)(중)(하)

치환을 이용한 로그방정식

08 x에 대한 이차방정식
(상)(중)(하)

$$(\log k^5+6)x^2-2(\log k+2)x+1=0$$

이 중근을 가질 때, 상수 k의 값을 구하시오.

치환을 이용한 로그방정식

09 연립방정식 $\begin{cases} \log_2 x+\log_2 y=2 \\ \log_2 x \log_2 y=-3 \end{cases}$ 이 성립하는 양수
(상)(중)(하)

x,y의 값을 구하시오.

로그방정식의 활용

10 방정식 $\left(\log_3 \dfrac{x}{3}\right)^2-20\log_9 x+26=0$의 두 근을 α,
(상)(중)(하)

β라 할 때, $\alpha\beta$의 값을 구하시오.

밑이 같은 로그부등식 　　　　　　　　　　　[융합형]

11 부등식 $0\le\log_2{(\log_3 x)}\le1$을 만족시키는 정수 x의
(상)(중)(하)

개수를 구하시오.

밑이 같은 로그부등식

12 부등식 $\log_2{(x-1)}<2\log_4{(7-x)}$의 해가
(상)(중)(하)

$\alpha<x<\beta$일 때, $\alpha^2+\beta^2$의 값을 구하시오.

치환을 이용한 로그부등식

13 부등식 $(\log_3 x)(\log_3 3x)\le20$이 성립하는 자연수 x
(상)(중)(하)

의 최댓값을 구하시오.

로그방정식의 실생활 활용 　　　　　　　　[창의 · 융합]

14 다음은 1998년부터 2018년 현재까지 20년 동안 A도
(상)(중)(하)

시의 인구 증가를 조사하여 나타낸 자료이다.

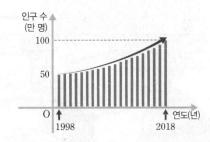

A도시의 인구가 매년 일정한 비율로 증가한다고 할
때, A도시의 인구가 현재 인구의 3배가 되는 것은 몇
년 후인지 구하시오.

(단, $\log 2=0.3$, $\log 3=0.48$로 계산한다.)

4
―
지수함수와 로그함수의 활용

도시에서 가장 높은 곳
성곽에 올라갔다.

헥 헥 힘드네~

도시 전체를 표시한 안내지도가 있습니다.
지도에서 가고 싶은 곳을 찾아봅니다.

이 지도의 시초선은 현위치와
등대 사이의 직선거리입니다.
동경으로 주요건물의 위치를
확인하세요.

시초선? 동경?

얼
싸
안
고

5

삼각함수

삼각함수를 이용한 지도였습니다.

5. 삼각함수

개념 1 일반각

(1) **시초선과 동경**

점 O를 중심으로 반직선 OP가 회전하여 ∠XOP를
결정할 때, 반직선 OX를 **시초선**, 반직선 OP를 **동경**이
라 한다.

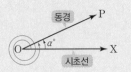

(2) **일반각**

시초선 OX와 동경 OP가 나타내는 ∠XOP의 크기 중에서 하나를 $a°$라 할 때, 동
경 OP가 나타내는 일반각의 크기는

$$360° \times n + ❶\boxed{} \ (단, n은 정수)$$

(3) **사분면의 각**

좌표평면 위의 원점 O에서 x축의 양의 방향을
❷$\boxed{}$으로 잡았을 때, 동경 OP가 제1사분면, 제2사
분면, 제3사분면, 제4사분면에 있으면 동경 OP가 나
타내는 각을 각각 제1사분면의 각, 제2사분면의 각,
제3사분면의 각, 제4사분면의 각이라 한다.

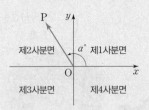

참고 동경 OP가 좌표축 위에 있을 때, 그 각은 어느 사분면에도 속하지 않는다.

답 ❶ $a°$ ❷ 시초선

개념 플러스

㉠ 시초선에서 시초란 처음 시(始),
처음 초(初)로, 처음에 있는 선이
라는 뜻이다.

㉡ 동경이란 움직일 동(動), 길 경
(徑)이다. 이때 길을 반직선으로
생각하면 동경은 움직이는 반직
선이라는 뜻이다.

㉢ 보통 $a°$는 $0° \leq a° < 360°$인 것을
택한다.

개념 2 호도법

(1) **호도법**

$\dfrac{180°}{\pi}$를 **1라디안(radian)**이라 하고, 이것을 단위로 각의 크기를 나타내는 방법

(2) **육십분법과 호도법 사이의 관계**

❶ 1라디안 $= \dfrac{180°}{\pi}$ ❷ $1° = \dfrac{❶\boxed{}}{180}$ 라디안

예 $90° = 90 \times \dfrac{\pi}{180} = \dfrac{\pi}{2}$ 라디안, $\dfrac{\pi}{6}$ 라디안 $= \dfrac{\pi}{6} \times \dfrac{180°}{\pi} = ❷\boxed{}$

답 ❶ π ❷ 30°

㉣ 호도법에서 호도란 활 호(弧), 법
도 도(度)로, 호의 길이를 이용해
각의 크기를 나타내는 방법을 뜻
한다.
호도법을 사용할 때는 흔히 단위
명 라디안은 생략한다. 예를 들어
π 라디안은 π로, 1라디안은 1로
나타낸다.

개념 3 부채꼴의 호의 길이와 넓이

반지름의 길이가 r, ❶$\boxed{}$의 크기가 θ(라디안)인 부채꼴의
호의 길이를 l, 넓이를 S라 하면

❶ $l = r\theta$ ❷ $S = \dfrac{1}{2}r^2\theta = \dfrac{1}{2}r ❷\boxed{}$

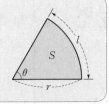

답 ❶ 중심각 ❷ l

㉤ 1라디안은 호의 길이가 반지름의
길이와 같은 부채꼴의 중심각의
크기이다.

1-1 | 시초선과 동경 |

크기가 다음과 같은 각을 나타내는 시초선 OX와 동경 OP 를 그리시오.

(1) $420°$
(2) $-660°$

연구

(1) $420° = 360° + \boxed{}$

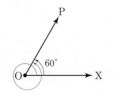

(2) $-660° = 360° \times (\boxed{}) + 60°$

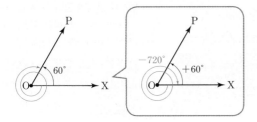

1-2 | 따라풀기 |

크기가 다음과 같은 각을 나타내는 시초선 OX와 동경 OP 를 그리시오.

(1) $110°$
(2) $-140°$

(3) $750°$
(4) $-520°$

2-1 | 육십분법과 호도법 |

다음에서 육십분법으로 나타낸 각은 호도법으로, 호도법으로 나타낸 각은 육십분법으로 나타내시오.

(1) $30°$
(2) $330°$

(3) $\dfrac{\pi}{4}$
(4) $\dfrac{2}{3}\pi$

연구

(1) $30° = 30 \times \dfrac{\boxed{}}{180} = \dfrac{\pi}{6}$

(2) $330° = 330 \times \dfrac{\pi}{180} = \dfrac{\mathbf{11}}{\mathbf{6}}\pi$

(3) $\dfrac{\pi}{4} = \dfrac{\pi}{4} \times \dfrac{180°}{\pi} = \boxed{}$

(4) $\dfrac{2}{3}\pi = \dfrac{2}{3}\pi \times \dfrac{180°}{\pi} = \mathbf{120^o}$

2-2 | 따라풀기 |

다음에서 육십분법으로 나타낸 각은 호도법으로, 호도법으로 나타낸 각은 육십분법으로 나타내시오.

(1) $60°$
(2) $300°$

(3) $\dfrac{4}{5}\pi$
(4) $-\dfrac{3}{4}\pi$

풀이

개념 4 삼각함수의 정의

오른쪽 그림과 같이 $\overline{OP}=r$인 점 $P(x, y)$에 대하여
동경 OP가 **❶** 의 양의 방향과 이루는 일반각의
크기를 θ라 할 때

$$\sin\theta=\frac{y}{r},\ \cos\theta=\frac{x}{r},\ \tan\theta=\frac{y}{x}\ (x\neq 0)$$

이때 이 함수를 차례로 **사인함수, 코사인함수, 탄젠트함수**라
한다. 이와 같이 정의한 함수들을 θ에 대한 **삼각함수**라 한다.

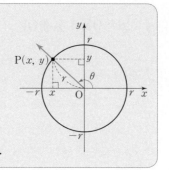

[답] ❶ x축

㉠ 그림에서 $\cos\theta=\frac{x}{r}$, $\sin\theta=\frac{y}{r}$
이므로 $x=r\cos\theta$, $y=r\sin\theta$
이다. 즉, 점 P의 좌표는
$(r\cos\theta, r\sin\theta)$이다.
특히 점 P가 단위원 위의 점일 때
점 P의 좌표는 $(\cos\theta, \sin\theta)$이
다. 이때 원점을 중심으로 하고 반
지름의 길이가 1인 원을 단위원이
라 한다.

개념 5 삼각함수의 값의 부호

㉡ 사분면에 대한 삼각함수의 값의 부호는

❶ θ가 제1사분면의 각 ⇨ 모두 **❶**

❷ θ가 제2사분면의 각 ⇨ $\sin\theta$만 양

❸ θ가 제3사분면의 각 ⇨ $\tan\theta$만 양

❹ θ가 제4사분면의 각 ⇨ $\cos\theta$만 양

각 사분면에서
양의 값을 가지
는 삼각함수를
'얼싸안고'로
기억하자!

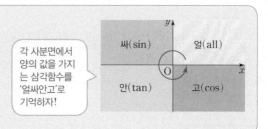
싸(sin)　　얼(all)
안(tan)　　고(cos)

[답] ❶ 양

㉡ 사분면에 대한 삼각함수의 값의
부호는 동경과 원이 만나는 점의
x좌표와 y좌표에 따라 결정된다.
따라서 표로 나타내면 다음과 같다.

삼각함수 θ의 위치	$\sin\theta$	$\cos\theta$	$\tan\theta$
제1사분면	+	+	+
제2사분면	+	−	−
제3사분면	−	−	+
제4사분면	−	+	−

해설

❶ 제1사분면 $(x>0, y>0)$	**❷ 제2사분면** $(x<0, y>0)$	**❸ 제3사분면** $(x<0, y<0)$	**❹ 제4사분면** $(x>0, y<0)$

▶ 각 사분면에서 좌표의 부호

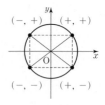
$(-, +)$　　$(+, +)$
$(-, -)$　　$(+, -)$

개념 6 삼각함수 사이의 관계

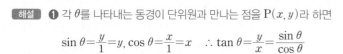
❶ $\tan\theta=\dfrac{\sin\theta}{\cos\theta}$　　**❷** $\sin^2\theta+\cos^2\theta=$ **❶**

[답] ❶ 1

해설 ❶ 각 θ를 나타내는 동경이 단위원과 만나는 점을 $P(x, y)$라 하면

$$\sin\theta=\frac{y}{1}=y,\ \cos\theta=\frac{x}{1}=x\quad\therefore\ \tan\theta=\frac{y}{x}=\frac{\sin\theta}{\cos\theta}$$

❷ 점 $P(x, y)$는 단위원 위의 점이므로 $x^2+y^2=1$이다.

$x=\cos\theta$, $y=\sin\theta$이므로 $\cos^2\theta+\sin^2\theta=1$

$$\therefore\ \sin^2\theta+\cos^2\theta=1$$

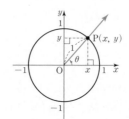

㉢ $\sin^2\theta$, $\cos^2\theta$, $\tan^2\theta$는 각각
$(\sin\theta)^2$, $(\cos\theta)^2$, $(\tan\theta)^2$
을 뜻한다.

3-1 | 삼각함수의 값의 부호 |

다음 각 θ에 대하여 $\sin \theta$, $\cos \theta$, $\tan \theta$의 값의 부호를 말하시오.

(1) $\dfrac{\pi}{3}$　　　　　　　　　(2) $\dfrac{7}{6}\pi$

연구

(1) $\dfrac{\pi}{3}$는 제1사분면의 각이므로

$\sin \dfrac{\pi}{3} > 0$, $\cos \dfrac{\pi}{3} > 0$, $\tan \dfrac{\pi}{3} \boxed{} 0$

(2) $\dfrac{7}{6}\pi$는 제3사분면의 각이므로

$\sin \theta < 0$, $\cos \theta \boxed{} 0$, $\tan \theta > 0$

3-2 | 따라풀기 |

다음 각 θ에 대하여 $\sin \theta$, $\cos \theta$, $\tan \theta$의 값의 부호를 말하시오.

(1) $\dfrac{4}{5}\pi$　　　　　　　　　(2) $\dfrac{5}{3}\pi$

풀이

4-1 | 삼각함수 사이의 관계 |

다음 값을 구하시오.

(1) $\sin \theta = -\dfrac{4}{5}$, $\cos \theta = -\dfrac{3}{5}$일 때, $\tan \theta$

(2) $\sin \theta = \dfrac{\sqrt{3}}{2}$, $\tan \theta = \sqrt{3}$일 때, $\cos \theta$

연구

(1) $\tan \theta = \dfrac{\sin \theta}{\boxed{}} = \dfrac{-\dfrac{4}{5}}{-\dfrac{3}{5}} = \dfrac{4}{3}$

(2) $\tan \theta = \dfrac{\sin \theta}{\cos \theta}$에서

$\cos \theta = \dfrac{\sin \theta}{\tan \theta} = \dfrac{\dfrac{\sqrt{3}}{2}}{\boxed{}} = \dfrac{1}{2}$

4-2 | 따라풀기 |

다음 값을 구하시오.

(1) $\sin \theta = -\dfrac{\sqrt{5}}{3}$, $\cos \theta = \dfrac{2}{3}$일 때, $\tan \theta$

(2) $\cos \theta = -\dfrac{3}{4}$, $\tan \theta = \dfrac{\sqrt{7}}{3}$일 때, $\sin \theta$

풀이

5

삼각함수

A 오른쪽 그림처럼 두 반직선 OX, OP에 따라 결정되는 도형을 각(여기서는 ∠XOP)이라 하지. 이때 반직선 OP가 반직선 OX에서 시작하여 점 O를 중심으로 회전한 양을 <u>∠XOP의 크기</u>ⓐ라 해. 또 고정된 반직선 OX를 ∠XOP의 시초선, 움직이는 반직선 OP를 ∠XOP의 동경이라 하지. 동경 OP의 회전 방향이 시계 반대 방향이면 양의 방향이므로 <u>양의 부호 +</u>ⓑ를, 시계 방향이면 음의 방향이므로 <u>음의 부호 −</u>ⓒ를 붙여서 나타내.

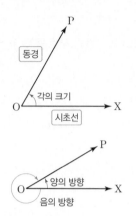

Q 그러면 동경 OP의 위치가 정해졌다면 동경 OP가 나타내는 각의 크기도 하나로 정해지겠네요?

A 몇 바퀴 돌아 같은 자리에 온다고 생각해 봐. 그럼 동경 OP의 위치가 정해지더라도 동경 OP가 나타내는 각의 크기는 다음과 같이 여러 가지 경우를 생각할 수 있어.

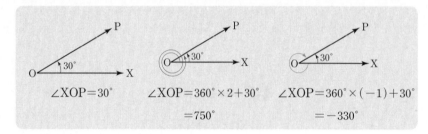

Q 아, 하나로 정해지는 게 아니네요.

A 위 그림에서 ∠XOP의 크기는 $360° \times n + 30°$ (n은 정수) ……㉠ 꼴로 나타낼 수 있어. 이때 ㉠을 $30°$의 동경이 나타내는 일반각이라 하지.

> 동경 OP가 시초선 OX와 이루는 각의 크기 중에서 하나를 $a°$라 할 때, 동경 OP가 나타내는 일반각 ∠XOP의 크기는
> $$∠XOP = 360° \times n + a° \ (단, n은 정수)$$

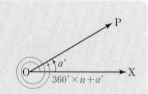

ⓐ ∠XOP의 크기는 동경 OP가 회전한 양이므로 동경 OP가 나타내는 각의 크기라 한다.

ⓑ 양의 부호 +는 보통 생략한다.
[예]
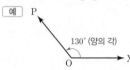
∠XOP에서 동경 OP가 회전한 방향은 양의 방향이고, 회전한 양은 130°이므로 ∠XOP=130°이다.

ⓒ 동경 OP가 음의 방향으로 회전하여 생기는 각의 크기는 음의 부호 −를 붙여 나타낸다.
[예]
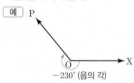
∠XOP에서 동경 OP가 회전한 방향은 음의 방향이고, 회전한 양은 230°이므로 ∠XOP=−230°이다.

확인 체크 01 정답과 해설 | **47**쪽

다음 각의 동경이 나타내는 일반각 $θ$ⓓ를 구하시오.

(1) $70°$ (2) $-480°$

ⓓ $a°$는 보통 $0° \le a° < 360°$의 범위에서 선택한다.

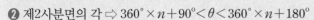

해법 01 | 사분면의 각

PLUS ⊕

θ는 라디안, n은 정수일 때, 각 θ를 나타내는 동경이 존재하는 사분면에 따라 θ의 값의 범위를 다음과 같이 나타낸다.

❶ 제1사분면의 각 $\Rightarrow 360° \times n < \theta < 360° \times n + 90°$

❷ 제2사분면의 각 $\Rightarrow 360° \times n + 90° < \theta < 360° \times n + 180°$

❸ 제3사분면의 각 $\Rightarrow 360° \times n + 180° < \theta < 360° \times n + 270°$

❹ 제4사분면의 각 $\Rightarrow 360° \times n + 270° < \theta < 360° \times n + 360°$

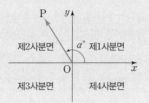

각의 크기가 달라도 동경의 위치는 같을 수 있다.
예를 들어 각 θ가 제1사분면의 각이라 하면 보통 $0° < \theta < 90°$의 범위로 생각하기 쉽다.
그러나 정수 n에 대하여 $360° \times n < \theta < 360° \times n + 90°$의 범위에 있는 각은 모두 제1사분면의 각이다.

예제 각 θ가 제3사분면의 각일 때, 각 $\dfrac{\theta}{2}$를 나타내는 동경이 존재하는 사분면을 모두 구하시오.

해법 코드
정수 n에 대하여
$360° \times n + 180° < \theta < 360° \times n + 270°$

셀파 주어진 θ의 값의 범위에서 $\dfrac{\theta}{2}$의 값의 범위를 찾는다.

풀이 각 θ가 제3사분면의 각이므로

$360° \times n + 180° < \theta < 360° \times n + 270°$ (단, n은 정수)

$\therefore \underline{180° \times n + 90° < \dfrac{\theta}{2} < 180° \times n + 135°}$ ㉠

(i) $n = 2k$ (k는 정수)일 때

$360° \times k + 90° < \dfrac{\theta}{2} < 360° \times k + 135°$

따라서 각 $\dfrac{\theta}{2}$는 제2사분면의 각이다.

(ii) $n = 2k + 1$ (k는 정수)일 때

$360° \times k + 270° < \dfrac{\theta}{2} < 360° \times k + 315°$

따라서 각 $\dfrac{\theta}{2}$는 제4사분면의 각이다.

(i), (ii)에서 각 $\dfrac{\theta}{2}$를 나타내는 동경이 존재하는 사분면은

제2사분면, 제4사분면

㉠ $n = 0$일 때, $90° < \dfrac{\theta}{2} < 135°$

$\Rightarrow$ 제2사분면의 각

$n = 1$일 때, $270° < \dfrac{\theta}{2} < 315°$

$\Rightarrow$ 제4사분면의 각

$n = 2$일 때, $90° < \dfrac{\theta}{2} < 135°$

$\Rightarrow$ 제2사분면의 각

$n = 3$일 때, $270° < \dfrac{\theta}{2} < 315°$

$\Rightarrow$ 제4사분면의 각

$\vdots$

과 같이 제2사분면과 제4사분면의 각이 계속해서 반복된다.

확인 문제

정답과 해설 | **47**쪽

MY 셀파

01-1 각 2θ가 제4사분면의 각일 때, 각 θ를 나타내는 동경이 존재하는 사분면을 모두 구하시오.
(상)(중)(하)

01-1
정수 n에 대하여
$360° \times n + 270° < 2\theta < 360° \times n + 360°$

01-2 각 θ가 제3사분면의 각일 때, 각 $\dfrac{\theta}{3}$를 나타내는 동경이 존재하는 사분면을 모두 구하시오.
(상)(중)(하)

01-2
정수 n에 대하여
$360° \times n + 180° < \theta < 360° \times n + 270°$

5
삼각함수

두 동경이 나타내는 각의 크기가 각각 α, β일 때, 두 동경의 위치 관계는 다음과 같다.

(단, n은 정수)

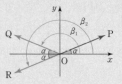

두 동경의 위치 관계	일치한다.	일직선 위에 있고 방향이 반대이다.	x축에 대하여 대칭이다.	y축에 대하여 대칭이다.
α, β의 관계식	$\beta-\alpha=360°\times n$	$\beta-\alpha=360°\times n+180°$	$\alpha+\beta=360°\times n$	$\alpha+\beta=360°\times n+180°$
두 동경의 위치 관계에 따른 그래프	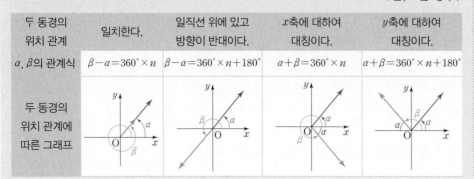			

❶ 두 동경 OP와 OQ가 y축에 대하여 대칭이면 $\alpha+\beta_1=180°$

❷ 두 동경 OP와 OR가 일직선 위에 있고 방향이 반대이면 $\beta_2-\alpha=180°$

예제　$0°<\theta<270°$이고 두 각 θ와 5θ를 나타내는 두 동경이 일치할 때, 각 θ의 크기를 구하시오.

해법 코드
정수 n에 대하여
$5\theta-\theta=360°\times n$

셀파　두 각의 동경이 일치하면 ⇨ 두 각의 차는 항상 $360°$의 정수배이다.

풀이　두 각 θ와 5θ를 나타내는 두 동경이 일치하므로
　ㄱ $5\theta-\theta=360°\times n$ (단, n은 정수)
　$4\theta=360°\times n$　　∴ $\theta=90°\times n$　　……㉠
　$0°<\theta<270°$이므로
　$0°<90°\times n<270°$　　∴ $0<n<3$
　이때 n은 정수이므로 $n=1$ 또는 $n=2$　　……㉡
　㉡을 ㉠에 대입하면
　$\theta=90°$ 또는 $\theta=180°$

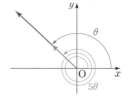

ㄱ θ, $360°\times1+\theta$, $360°\times2+\theta$, $360°\times3+\theta$, $\cdots$는 모두 다른 각이지만 동경의 위치는 모두 같다.
이때 θ를 α, 5θ를 β로 생각하면 두 각의 차 $\beta-\alpha$는 항상 $360°$의 정수배이다.
즉, $5\theta-\theta=360°\times n$ (n은 정수)으로 나타낼 수 있다.

다른 풀이　$5\theta-\theta=360°\times n$ (n은 정수)에서 $4\theta=360°\times n$　　……㉠
　$0°<\theta<270°$이므로 $0°<4\theta<1080°$　　……㉡
　㉠, ㉡에서 $4\theta=360°$ 또는 $4\theta=720°$
　∴ $\theta=90°$ 또는 $\theta=180°$

확인 문제　　　　　　　　　　　　　　　정답과 해설 | **48**쪽　　　　　　　**MY 셀파**

02-1 다음 조건을 만족시키는 각 θ의 크기를 구하시오.
(상)(중)(하)

(1) $90°<\theta<180°$이고 두 각 θ와 5θ를 나타내는 두 동경이 일직선 위에 있고 방향이 반대이다.

(2) $180°<\theta<360°$이고 두 각 θ와 4θ를 나타내는 두 동경이 x축에 대하여 대칭이다.

02-1
(1) 정수 n에 대하여
　$5\theta-\theta=360°\times n+180°$
(2) 정수 n에 대하여
　$4\theta+\theta=360°\times n$

1 호도법

오른쪽 그림과 같이 반지름의 길이가 r인 원 O에서 길이가 r인 호 AB에 대한 중심각의 크기를 $a°$라 하면 호의 길이는 중심각의 크기에 비례하므로

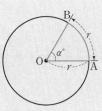

$$r : 2\pi r = a° : 360° \quad \therefore a° = \frac{180°}{\pi}$$

따라서 중심각의 크기 $a°$는 원의 반지름의 길이 r의 값에 관계없이 항상 일정하다.

이 일정한 각의 크기 $\dfrac{180°}{\pi}$를 1라디안(radian)이라 하고, 라디안으로 각의 크기를 나타내는 방법을 호도법이라 한다.

[예] 반지름의 길이가 1인 원에서

❶ 호 AB의 길이가 l이면 ∠AOB의 크기는 l라디안이다.

❷ 반원의 호의 길이는 π이므로 반원의 중심각의 크기는 호도법으로 π라디안이다.

이때 반원의 중심각의 크기는 육십분법으로 $180°$이므로 $180° = \pi$ 라디안이다.

2 육십분법과 호도법 사이의 관계

$180° = \pi$라디안인 관계를 이용하면 육십분법은 호도법으로, 호도법은 육십분법으로 나타낼 수 있다.

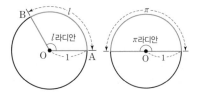

❶ 육십분법을 호도법으로 나타내면 ⇨ (육십분법) $\times \dfrac{\pi}{180} =$ (호도법)

❷ 호도법을 육십분법으로 나타내면 ⇨ (호도법) $\times \dfrac{180°}{\pi} =$ (육십분법)

따라서 다음과 같은 표를 얻을 수 있다.

육십분법	$0°$	$30°$	$45°$	$60°$	$90°$	$180°$	$270°$	$360°$
호도법	0	$\dfrac{\pi}{6}$	$\dfrac{\pi}{4}$	$\dfrac{\pi}{3}$	$\dfrac{\pi}{2}$	π	$\dfrac{3}{2}\pi$	2π

⊙ radian은 radius(반지름)와 angle(각도)의 합성어이다.

ⓛ 단위명 라디안을 생략하고 쓴다면 호도법으로 구한 각의 크기는 $\dfrac{\pi}{3}, \dfrac{\pi}{2}, 1, \cdots$과 같이 수로 나타낸다.

ⓒ 반지름의 길이가 1인 원에서 호의 길이가 1일 때, 그 호에 대한 중심각의 크기는 1라디안이다. 따라서 호 AB의 길이가 l이면 중심각의 크기는 호의 길이에 비례하므로 ∠AOB의 크기는 l라디안이다.

ⓔ 1라디안 $= \dfrac{180°}{\pi}$의 양변에 π를 곱하면 π라디안 $= 180°$이다. 이때 단위명 라디안을 생략하면 $180° = \pi$

ⓜ 육십분법과 호도법 사이의 관계가 기억나지 않으면 다음과 같이 비례식을 이용한다.
❶ $180° : \pi = 1° : x$에서
   $180° \times x = 1° \times \pi$
   $\therefore x = \dfrac{\pi}{180}$
❷ $180° : \pi = x : 1$에서
   $\pi \times x = 180° \times 1$
   $\therefore x = \dfrac{180°}{\pi}$

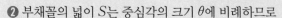

해법 03 　부채꼴의 호의 길이와 넓이

PLUS ➕

❶ 반지름의 길이가 r인 원에서 길이가 l인 호에 대한 중심각의 크기를 θ라 하면 호의 길이는 중심각의 크기 θ에 비례하므로

$$l : 2\pi r = \theta : 2\pi \quad \therefore l = \frac{2\pi r \times \theta}{2\pi} = r\theta$$

❷ 부채꼴의 넓이 S는 중심각의 크기 θ에 비례하므로

$$S : \pi r^2 = \theta : 2\pi \quad \therefore S = \frac{\pi r^2 \times \theta}{2\pi} = \frac{1}{2} r^2 \theta = \frac{1}{2} rl$$

$\underset{r\theta = l}{\underbrace{\phantom{\frac{1}{2}r^2\theta}}}$

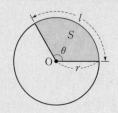

중학교에서 배운 육십분법을 이용하여 호의 길이와 부채꼴의 넓이를 구할 수 있지만 호도법으로 계산하면 더 편하다.
특별한 언급이 없으면 부채꼴의 중심각의 크기 θ는 호도법의 각으로 나타낸 것이다.

(예제) 1. 중심각의 크기가 2(라디안)이고 넓이가 36인 부채꼴의 호의 길이를 구하시오.

2. 둘레의 길이가 12인 부채꼴 중에서 넓이가 최대인 부채꼴의 반지름의 길이를 구하시오.

해법 코드
2. 반지름의 길이를 r, 호의 길이를 l로 놓으면 $2r + l = 12$에서 $l = 12 - 2r$이다.

(셀파) 반지름의 길이 r, 중심각의 크기 θ, 호의 길이 l인 부채꼴의 넓이를 S라 하면

$\Rightarrow l = r\theta$, $S = \frac{1}{2} r^2 \theta = \frac{1}{2} rl$

(풀이) 부채꼴의 반지름의 길이를 r, 호의 길이를 l이라 하면

1. 부채꼴의 넓이가 36이므로

$\frac{1}{2} \times r^2 \times 2 = 36 \quad \therefore r = 6 \ (\because r > 0)$

$\therefore l = 6 \times 2 = \mathbf{12}$

2. 부채꼴의 둘레의 길이가 12이므로

$2r + l = 12$에서 $l = 12 - 2r$

이때 부채꼴의 넓이를 S라 하면

$S = \frac{1}{2} rl = \frac{1}{2} r(12 - 2r) = -r^2 + 6r = -(r-3)^2 + 9$

$r = 3$일 때, S는 최댓값 9를 가지므로 구하는 반지름의 길이는 **3**

 참고

호 : 원 위의 두 점 A와 B는 원을 두 부분으로 나누며 그 각각을 호 AB라 한다. 기호 $\overarc{AB}$는 보통 짧은 쪽의 호를 나타낸다.
부채꼴 : 원에서 두 반지름 OA, OB와 호 AB로 이루어진 도형
중심각 : 원에서 두 반지름 OA, OB가 이루는 각

확인 문제 정답과 해설 | **48**쪽

MY 셀파

03-1 반지름의 길이가 8이고 중심각의 크기가 $\frac{1}{2}$인 부채꼴의 호의 길이와 넓이를 구하시오.
(상)(중)(하)

03-1

$l = r\theta$, $S = \frac{1}{2} r^2 \theta = \frac{1}{2} rl$

03-2 반지름의 길이가 r인 원의 넓이와 반지름의 길이가 $3r$이고 호의 길이가 4π인 부채꼴의 넓이가 서로 같을 때, r의 값을 구하시오.
(상)(중)(하)

03-2
반지름의 길이가 $3r$, 호의 길이가 4π인 부채꼴의 넓이는

$S = \frac{1}{2} \times 3r \times 4\pi = 6\pi r$

A 중학교에서 배운 삼각비 내용을 확인해 보자. 삼각비를 뭐라고 정의했지?

Q ∠B＝90°인 직각삼각형 ABC에서 ∠A＝θ라 할 때

$$\sin\theta=\frac{a}{b},\ \cos\theta=\frac{c}{b},\ \tan\theta=\frac{a}{c}$$

이때 $\sin\theta$, $\cos\theta$, $\tan\theta$를 통틀어 θ의 삼각비라 해요.

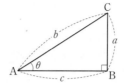

A 맞아. 예를 들어 오른쪽 그림의 △ABC에서 $\overline{AC}=5$
이므로 θ에 대한 삼각비의 값은

$$\sin\theta=\frac{3}{5},\ \cos\theta=\frac{4}{5},\ \tan\theta=\frac{3}{4}$$이야.

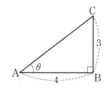

Q θ가 0°에서 90°까지 변할 때 $\sin\theta$, $\cos\theta$, $\tan\theta$의 값은 어떻게 구하나요?

A 삼각함수표를 이용해야지. 그런데 30°, 45°, 60°에 대한 삼각비의 값은 삼각함수표를 보지 않고서도 다음과 같은 삼각형에서 쉽게 구할 수 있어.

특수각에 대한 삼각비의 값

θ	$0°(=0)$	$30°\left(=\dfrac{\pi}{6}\right)$	$45°\left(=\dfrac{\pi}{4}\right)$	$60°\left(=\dfrac{\pi}{3}\right)$	$90°\left(=\dfrac{\pi}{2}\right)$
$\sin\theta$	0	$\dfrac{1}{2}$	$\dfrac{\sqrt{2}}{2}$	$\dfrac{\sqrt{3}}{2}$	1
$\cos\theta$	1	$\dfrac{\sqrt{3}}{2}$	$\dfrac{\sqrt{2}}{2}$	$\dfrac{1}{2}$	0
$\tan\theta$	0	$\dfrac{\sqrt{3}}{3}$	1	$\sqrt{3}$	

▶ 0°와 90°의 사인, 코사인, 탄젠트 값

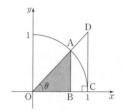

직각삼각형 AOB에서
$\overline{OA}=1$이므로
$$\sin\theta=\frac{\overline{AB}}{1}=\overline{AB}$$
$$\cos\theta=\frac{\overline{OB}}{1}=\overline{OB}$$
이때 θ가 0°에 가까워지면
$\overline{AB}$는 0, $\overline{OB}$는 1에 가까워진다.
또 θ가 90°에 가까워지면
$\overline{AB}$는 1, $\overline{OB}$는 0에 가까워진다.
따라서 다음과 같이 정한다.
$\sin 0°=0$, $\sin 90°=1$
$\cos 0°=1$, $\cos 90°=0$
한편 직각삼각형 DOC에서
$\overline{OC}=1$이므로
$$\tan\theta=\frac{\overline{CD}}{1}=\overline{CD}$$
이때 θ가 0°에 가까워지면 $\overline{CD}$는 0에 가까워지므로 $\tan 0°=0$으로 정하고, θ가 90°에 가까워지면 $\overline{CD}$가 한없이 커지므로 $\tan 90°$의 값은 정할 수 없다.

확인 체크 02 ㅤㅤㅤㅤㅤ 정답과 해설 | **48**쪽

오른쪽 그림과 같은 △ABC에서 $\overline{AC}=8$, ⓐ∠A＝30°,
∠B＝90°일 때, $\overline{AB}$, $\overline{BC}$의 길이를 구하시오.

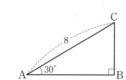

ⓐ $\sin 30°=\dfrac{\overline{BC}}{\overline{AC}}=\dfrac{\overline{BC}}{8}$

$\cos 30°=\dfrac{\overline{AB}}{\overline{AC}}=\dfrac{\overline{AB}}{8}$

오른쪽 그림에서 $\dfrac{y}{r}$, $\dfrac{x}{r}$, $\dfrac{y}{x}$ $(x\neq0)$의 값은 r의 값에 관계없

이 θ의 값에 따라 각각 하나로 정해진다. 즉,

$$\theta \longrightarrow \frac{y}{r}, \quad \theta \longrightarrow \frac{x}{r}, \quad \theta \longrightarrow \frac{y}{x}\ (x\neq0)$$

와 같은 대응은 각각 θ에 대한 함수이다.

이 함수를 차례로 θ에 대한 사인함수, 코사인함수, 탄젠트함

수라 하고, 이와 같이 정의된 $\sin\theta$, $\cos\theta$, $\tan\theta$를 통틀어 θ의 삼각함수라 한다.

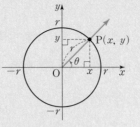

x축의 양의 방향을 시초선으로 잡았을 때, 일반각 θ를 나타내는 동경과 원점 O를 중심으로 하고 반지름의 길이가 r인 원의 교점이 P(x, y)이다.

 1. 원점 O와 점 P$(-3, 4)$를 지나는 동경 OP가 나타내는 각을 θ라 할 때, $\sin\theta$, $\cos\theta$, $\tan\theta$의 값을 구하시오.

2. 각 θ가 제3사분면의 각이고 $\tan\theta=\dfrac{5}{12}$일 때, $\sin\theta$, $\cos\theta$의 값을 구하시오.

해법 코드

직각삼각형에서 두 변의 길이가 주어졌을 때, 피타고라스 정리를 이용하여 나머지 한 변의 길이를 구한다.

셀파 $\sin\theta=\dfrac{y}{r}$, $\cos\theta=\dfrac{x}{r}$, $\tan\theta=\dfrac{y}{x}$ $(x\neq0)$

풀이 **1.** $\overline{\text{OP}}=\sqrt{(-3)^2+4^2}=\sqrt{25}=5$

$x=-3$, $y=4$, $r=5$이므로

삼각함수의 정의에 의해

$$\sin\theta=\frac{y}{r}=\frac{4}{5},\ \cos\theta=\frac{x}{r}=-\frac{3}{5},$$

$$\tan\theta=\frac{y}{x}=-\frac{4}{3}$$

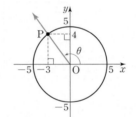

🅐 두 점 A(x_1, y_1), B(x_2, y_2)를 이은 선분 AB의 길이는
$\overline{\text{AB}}=\sqrt{(x_2-x_1)^2+(y_2-y_1)^2}$
특히 원점 O에 대하여
$\overline{\text{OA}}=\sqrt{x_1^2+y_1^2}$

2. 각 θ가 🅑 제3사분면의 각이므로 P$(-12, -5)$

$\overline{\text{OP}}=\sqrt{(-12)^2+(-5)^2}=\sqrt{169}=13$

$x=-12$, $y=-5$, $r=13$이므로

삼각함수의 정의에 의해

$$\sin\theta=\frac{y}{r}=-\frac{5}{13},\ \cos\theta=\frac{x}{r}=-\frac{12}{13}$$

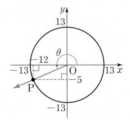

🅑 각 θ가 제3사분면의 각이므로 각 θ를 나타내는 동경과 원과의 교점 P의 x좌표, y좌표의 부호는 모두 음수이다.

확인 문제

정답과 해설 | **48**쪽

MY 셀파

04-1 원점 O와 점 P$(5, -12)$를 지나는 동경 OP가 나타내는 각을 θ라 할 때, $\sin\theta$, $\cos\theta$, $\tan\theta$의 값을 구하시오.
(상)(중)(하)

04-1
$\overline{\text{OP}}=\sqrt{5^2+(-12)^2}=13$

04-2 각 θ가 제2사분면의 각이고 $\tan\theta=-\dfrac{3}{4}$일 때, $\sin\theta$, $\cos\theta$의 값을 구하시오.
(상)(중)(하)

04-2
각 θ가 제2사분면의 각이면
$\sin\theta>0$, $\cos\theta<0$, $\tan\theta<0$

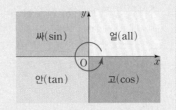

PLUS ➕

사분면에 대한 삼각함수의 값의 부호는 다음과 같다.

① θ가 제1사분면의 각 ⇨ 모두 양

② θ가 제2사분면의 각 ⇨ $\sin\theta$만 양

③ θ가 제3사분면의 각 ⇨ $\tan\theta$만 양

④ θ가 제4사분면의 각 ⇨ $\cos\theta$만 양

점 $P(x, y)$에 대하여

① $y > 0$이면 점 P는 제1사분면 또는 제2사분면 위의 점이다.

② $x > 0$이면 점 P는 제1사분면 또는 제4사분면 위의 점이다.

③ $xy > 0$이면 점 P는 제1사분면 또는 제3사분면 위의 점이다.

예제 다음을 만족시키는 각 θ는 제몇 사분면의 각인지 말하시오.

(1) $\sin\theta > 0$, $\tan\theta < 0$

(2) $\sin\theta\cos\theta > 0$, $\cos\theta\tan\theta < 0$

해법 코드

(2) $\sin\theta\cos\theta > 0$에서 $\sin\theta$와 $\cos\theta$의 부호는 서로 같고, $\cos\theta\tan\theta < 0$에서 $\cos\theta$와 $\tan\theta$의 부호는 서로 다르다.

셀파 얼(**all**), 싸(**sin**), 안(**tan**), 고(**cos**)를 기억하자.

풀이

(1) (i) $\sin\theta > 0$에서 각 θ는 제1사분면의 각 또는 제2사분면의 각

(ii) $\tan\theta < 0$에서 각 θ는 제2사분면의 각 또는 제4사분면의 각

(i), (ii)를 모두 만족시키는 각 θ는 **제2사분면의 각**

(2) (i) $\sin\theta\cos\theta > 0$에서 $\sin\theta > 0$, $\cos\theta > 0$ 또는 $\sin\theta < 0$, $\cos\theta < 0$이다.

$\sin\theta > 0$, $\cos\theta > 0$일 때, 각 θ는 제1사분면의 각

$\sin\theta < 0$, $\cos\theta < 0$일 때, 각 θ는 제3사분면의 각

(ii) $\underset{\textcircled{\scriptsize ㉠}}{\cos\theta\tan\theta < 0}$에서 $\cos\theta > 0$, $\tan\theta < 0$ 또는 $\cos\theta < 0$, $\tan\theta > 0$이다.

$\cos\theta > 0$, $\tan\theta < 0$일 때, 각 θ는 제4사분면의 각

$\cos\theta < 0$, $\tan\theta > 0$일 때, 각 θ는 제3사분면의 각

(i), (ii)를 모두 만족시키는 각 θ는 **제3사분면의 각**

㉠ $\cos\theta\tan\theta < 0$에서

$\cos\theta\tan\theta = \cos\theta \times \dfrac{\sin\theta}{\cos\theta}$
$= \sin\theta < 0$

따라서 θ는 제3사분면 또는 제4사분면의 각이다.

확인 문제   정답과 해설 | **48**쪽   **MY 셀파**

05-1 상중하 $\sin\theta\cos\theta < 0$이고 $\cos\theta\tan\theta > 0$일 때, 각 θ는 제몇 사분면의 각인지 말하시오.

05-1
$\sin\theta\cos\theta < 0$에서 $\sin\theta$와 $\cos\theta$의 부호는 서로 다르다.

05-2 상중하 $\sin\theta\cos\theta > 0$이고 $\sin\theta = -\dfrac{3}{5}$일 때, $\cos\theta$의 값을 구하시오.

05-2
$\sin\theta\cos\theta > 0$에서 $\sin\theta$와 $\cos\theta$의 부호는 서로 같다.

5 — 삼각함수

해법 06 　삼각함수 사이의 관계

$\sin\theta$, $\cos\theta$, $\tan\theta$의 값 중 어느 하나를 알고 나머지 삼각함수의 값을 구할 때는 삼각함수 사이의 관계식을 이용한다.

❶ $\tan\theta = \dfrac{\sin\theta}{\cos\theta}$　　　　　　❷ $\sin^2\theta + \cos^2\theta = 1$

❷에서
$\sin^2\theta = 1 - \cos^2\theta$
$\cos^2\theta = 1 - \sin^2\theta$

(예제) 1. 각 θ가 제2사분면의 각이고 $\cos\theta = -\dfrac{12}{13}$일 때, $\tan\theta$의 값을 구하시오.

해법 코드
1. $\sin^2\theta + \cos^2\theta = 1$을 이용한다.

2. 각 θ가 제4사분면의 각이고 $\dfrac{1}{1+\cos\theta} + \dfrac{1}{1-\cos\theta} = \dfrac{5}{2}$일 때, $\tan\theta$의 값을 구하시오.

2. $\dfrac{1}{1+\cos\theta} + \dfrac{1}{1-\cos\theta}$을 통분하여 계산한다.

(셀파) $\sin^2\theta + \cos^2\theta = 1$, $\tan\theta = \dfrac{\sin\theta}{\cos\theta}$를 이용한다.

(풀이) 1. $\sin^2\theta = 1 - \cos^2\theta = 1 - \left(-\dfrac{12}{13}\right)^2 = \dfrac{25}{169}$

각 θ가 제2사분면의 각이므로 $\sin\theta = \dfrac{5}{13}$ ($\because \sin\theta > 0$)

$\therefore \tan\theta = \dfrac{\sin\theta}{\cos\theta} = \dfrac{\dfrac{5}{13}}{-\dfrac{12}{13}} = -\dfrac{5}{12}$

2. $\dfrac{1}{1+\cos\theta} + \dfrac{1}{1-\cos\theta} = \dfrac{1-\cos\theta+1+\cos\theta}{1-\cos^2\theta} = \dfrac{2}{\sin^2\theta}$

$\dfrac{2}{\sin^2\theta} = \dfrac{5}{2}$에서 $5\sin^2\theta = 4$　　$\therefore \sin^2\theta = \dfrac{4}{5}$

이때 $\cos^2\theta = 1 - \sin^2\theta = 1 - \dfrac{4}{5} = \dfrac{1}{5}$이므로

$\tan^2\theta = \dfrac{\sin^2\theta}{\cos^2\theta} = \dfrac{\dfrac{4}{5}}{\dfrac{1}{5}} = 4$

그런데 각 θ가 제4사분면의 각이므로 $\tan\theta < 0$　$\therefore \tan\theta = -2$

(다른 풀이)

1. 각 θ가 제2사분면의 각이고 $\cos\theta = -\dfrac{12}{13}$이므로

$\tan\theta = \dfrac{5}{-12} = -\dfrac{5}{12}$

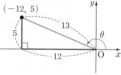

2. 각 θ가 제4사분면의 각이므로

$\sin^2\theta = \dfrac{4}{5}$에서 $\sin\theta = -\dfrac{2}{\sqrt{5}}$

$\cos^2\theta = \dfrac{1}{5}$에서 $\cos\theta = \dfrac{1}{\sqrt{5}}$

$\therefore \tan\theta = \dfrac{-\dfrac{2}{\sqrt{5}}}{\dfrac{1}{\sqrt{5}}} = -2$

확인 문제　　　　　　　　　　　　　　　　　정답과 해설 | **49**쪽　　　　　　　　　　　　**MY 셀파**

06-1 (상)(중)(하) 각 θ가 제4사분면의 각이고 $\dfrac{1-\sin\theta}{1+\sin\theta} = 3$일 때, $\cos\theta$의 값을 구하시오.

06-1
$1-\sin\theta = 3 + 3\sin\theta$이므로
$\sin\theta = -\dfrac{1}{2}$

06-2 (상)(중)(하) $0 < \theta < \dfrac{\pi}{2}$이고 $\dfrac{\cos\theta}{1+\sin\theta} + \dfrac{1+\sin\theta}{\cos\theta} = 4$일 때, $\sin\theta$의 값을 구하시오.

06-2
$\dfrac{\cos\theta}{1+\sin\theta} + \dfrac{1+\sin\theta}{\cos\theta}$를 통분하여 계산한다.

❶ $\tan \theta$가 포함되어 있는 식은 $\tan \theta = \dfrac{\sin \theta}{\cos \theta}$를 이용한다.

❷ $\sin^2 \theta + \cos^2 \theta = 1$, $\sin^2 \theta = 1 - \cos^2 \theta$, $\cos^2 \theta = 1 - \sin^2 \theta$를 이용한다.

이때 $\sin \theta$, $\cos \theta$를 문자로 생각하여 식의 계산과 같이 통분, 약분, 인수분해 등을 한다.

$\sin \theta$, $\cos \theta$, $\tan \theta$가 함께 있는 식에서는 $\tan \theta$를 없앨 수 있고 $\sin^2 \theta$, $\cos^2 \theta$가 있는 식은 $\sin^2 \theta + \cos^2 \theta = 1$을 이용하여 $\sin^2 \theta$와 $\cos^2 \theta$ 중 하나를 없앨 수 있다.

예제 다음 식을 간단히 하시오.

(1) $(\sin \theta + \cos \theta)^2 + (\sin \theta - \cos \theta)^2$

(2) $\cos \theta \left(\dfrac{1}{\cos \theta} + \dfrac{\sin \theta}{\tan \theta} \right) - \sin \theta \left(\dfrac{1}{\sin \theta} - \cos \theta \tan \theta \right)$

해법 코드

(2) $\dfrac{\sin \theta}{\tan \theta} = \cos \theta$

　 $\cos \theta \tan \theta = \sin \theta$

를 이용한다.

셀파 $\tan \theta$가 포함된 식은 $\sin \theta$, $\cos \theta$에 대한 식으로 바꾸어 정리한다.

풀이 (1) (주어진 식)

$= (\sin^2 \theta + 2 \sin \theta \cos \theta + \cos^2 \theta) + (\sin^2 \theta - 2 \sin \theta \cos \theta + \cos^2 \theta)$

$= (\sin^2 \theta + \cos^2 \theta) + (\sin^2 \theta + \cos^2 \theta)$

$= \underset{\text{❼}}{2(\sin^2 \theta + \cos^2 \theta)} = 2$

❼ $\sin^2 \theta + \cos^2 \theta = 1$이므로
$2(\sin^2 \theta + \cos^2 \theta)$
$= 2 \times 1 = 2$

(2) $\dfrac{\sin \theta}{\tan \theta} = \dfrac{\sin \theta}{\dfrac{\sin \theta}{\cos \theta}} = \cos \theta$, $\cos \theta \tan \theta = \cos \theta \times \dfrac{\sin \theta}{\cos \theta} = \sin \theta$이므로

(주어진 식)

$= \cos \theta \left(\dfrac{1}{\cos \theta} + \cos \theta \right) - \sin \theta \left(\dfrac{1}{\sin \theta} - \sin \theta \right)$

$= 1 + \cos^2 \theta - 1 + \sin^2 \theta$

$= \sin^2 \theta + \cos^2 \theta = 1$

$\tan \theta = \dfrac{\sin \theta}{\cos \theta}$야.

확인 문제　　　　　　　　정답과 해설 | **49**쪽　　　　　　　**MY 셀파**

07-1 다음 식을 간단히 하시오.

(1) $\tan^2 \theta (1 - \sin^2 \theta)$

(2) $\left(\dfrac{1}{\cos \theta} + 1 \right) \left(\dfrac{1}{\sin \theta} + 1 \right) \left(\dfrac{1}{\cos \theta} - 1 \right) \left(\dfrac{1}{\sin \theta} - 1 \right)$

07-1

(1) $1 - \sin^2 \theta = \cos^2 \theta$를 이용한다.

(2) $(a+b)(a-b) = a^2 - b^2$을 이용하여 식을 전개한 다음 삼각함수 사이의 관계를 이용한다.

5

삼각함수

삼각함수로 표현된 식의 값

곱셈 공식의 변형 또는 인수분해 공식을 이용하여 계산한다.

❶ $\sin^2\theta + \cos^2\theta = (\sin\theta + \cos\theta)^2 - 2\sin\theta\cos\theta$

❷ $\sin^3\theta + \cos^3\theta = (\sin\theta + \cos\theta)^3 - 3\sin\theta\cos\theta(\sin\theta + \cos\theta)$
$= (\sin\theta + \cos\theta)(\sin^2\theta - \sin\theta\cos\theta + \cos^2\theta)$

$a^2 + b^2 = (a+b)^2 - 2ab$
$a^3 + b^3 = (a+b)^3 - 3ab(a+b)$
$= (a+b)(a^2 - ab + b^2)$
여기서 a 대신 $\sin\theta$, b 대신 $\cos\theta$ 를 대입한다.

예제 **1.** $\sin\theta + \cos\theta = \dfrac{1}{3}$일 때, 다음 식의 값을 구하시오.

(1) $\sin\theta\cos\theta$ (2) $\sin^3\theta + \cos^3\theta$

2. $\sin\theta - \cos\theta = \dfrac{\sqrt{3}}{2}$일 때, $\tan\theta + \dfrac{1}{\tan\theta}$의 값을 구하시오.

해법 코드

1. $\sin\theta + \cos\theta = \dfrac{1}{3}$의 양변을 제곱한다.

2. $\tan\theta + \dfrac{1}{\tan\theta}$을 $\sin\theta$, $\cos\theta$에 대한 식으로 바꾼다.

셀파 $\sin\theta \pm \cos\theta$의 값이 주어지면 양변을 제곱하여 $\sin\theta\cos\theta$의 값을 구한다.

풀이 **1.** (1) $\overset{❶}{\underline{\sin\theta + \cos\theta = \dfrac{1}{3}}}$의 양변을 제곱하면 $1 + 2\sin\theta\cos\theta = \dfrac{1}{9}$

$2\sin\theta\cos\theta = -\dfrac{8}{9}$ $\therefore \sin\theta\cos\theta = -\dfrac{4}{9}$

(2) $\sin^3\theta + \cos^3\theta = (\sin\theta + \cos\theta)(\sin^2\theta - \sin\theta\cos\theta + \cos^2\theta)$
$= (\sin\theta + \cos\theta)(1 - \sin\theta\cos\theta)$
$= \dfrac{1}{3} \times \left(1 + \dfrac{4}{9}\right) = \dfrac{13}{27}$

2. $\sin\theta - \cos\theta = \dfrac{\sqrt{3}}{2}$의 양변을 제곱하면 $1 - 2\sin\theta\cos\theta = \dfrac{3}{4}$

$2\sin\theta\cos\theta = \dfrac{1}{4}$ $\therefore \sin\theta\cos\theta = \dfrac{1}{8}$

$\therefore \tan\theta + \dfrac{1}{\tan\theta} = \dfrac{\sin\theta}{\cos\theta} + \dfrac{\cos\theta}{\sin\theta} = \dfrac{\sin^2\theta + \cos^2\theta}{\sin\theta\cos\theta} = \dfrac{1}{\dfrac{1}{8}} = 8$

❶ $\sin^2\theta + \cos^2\theta + 2\sin\theta\cos\theta$
$= \dfrac{1}{9}$
$\sin^2\theta + \cos^2\theta = 1$이므로
$1 + 2\sin\theta\cos\theta = \dfrac{1}{9}$

다른 풀이

1. (2) $\sin^3\theta + \cos^3\theta$
$= (\sin\theta + \cos\theta)^3$
$\quad - 3\sin\theta\cos\theta(\sin\theta + \cos\theta)$
$= \left(\dfrac{1}{3}\right)^3 - 3 \times \left(-\dfrac{4}{9}\right) \times \dfrac{1}{3}$
$= \dfrac{1}{27} + \dfrac{4}{9} = \dfrac{13}{27}$

확인 문제   정답과 해설 | **49**쪽   **MY 셀파**

08-1 $\sin\theta + \cos\theta = \dfrac{\sqrt{2}}{2}$일 때, 다음 식의 값을 구하시오.
(상)(중)(하)

(1) $\sin\theta\cos\theta$ (2) $|\sin\theta - \cos\theta|$

08-1
(2) $\sin\theta\cos\theta$의 값을 먼저 구한 후 $(\sin\theta - \cos\theta)^2$의 값을 구한다.

08-2 각 θ가 제3사분면의 각이고 $\tan\theta + \dfrac{1}{\tan\theta} = 4$일 때, $\sin\theta + \cos\theta$의 값을 구하시오.
(상)(중)(하)

08-2
$\tan\theta$를 $\sin\theta$, $\cos\theta$에 대한 식으로 바꾸어 정리한다.

x에 대한 이차방정식 $ax^2+bx+c=0$의 두 근이 $\sin\theta$, $\cos\theta$이면

$$\sin\theta+\cos\theta=-\frac{b}{a},\ \sin\theta\cos\theta=\frac{c}{a}$$

> 이차방정식의 두 근이 주어진 경우 근과 계수의 관계를 이용하면 문제를 좀 더 쉽게 풀 수 있다.

예제 이차방정식 $2x^2+x+k=0$의 두 근이 $\sin\theta$, $\cos\theta$일 때, 다음 물음에 답하시오.

(1) 상수 k의 값을 구하시오.

(2) $\dfrac{1}{\sin^2\theta}+\dfrac{1}{\cos^2\theta}$의 값을 구하시오.

> **해법 코드**
> 근과 계수의 관계에서
> $\sin\theta+\cos\theta=-\dfrac{1}{2}$,
> $\sin\theta\cos\theta=\dfrac{k}{2}$

셀파 이차방정식의 근과 계수의 관계에서 $\sin\theta+\cos\theta$, $\sin\theta\cos\theta$의 값을 구한다.

풀이 (1) 이차방정식 $2x^2+x+k=0$의 두 근이 $\sin\theta$, $\cos\theta$이므로

이차방정식의 근과 계수의 관계에서

ⓐ $\sin\theta+\cos\theta=-\dfrac{1}{2}$ ……㉠, $\sin\theta\cos\theta=\dfrac{k}{2}$ ……㉡

㉠의 양변을 제곱하면

$$\sin^2\theta+\cos^2\theta+2\sin\theta\cos\theta=\frac{1}{4},\ 1+2\sin\theta\cos\theta=\frac{1}{4}$$

이 식에 ㉡을 대입하면

$$1+2\times\frac{k}{2}=\frac{1}{4} \quad \therefore \bm{k=-\frac{3}{4}}$$

(2) $\sin\theta\cos\theta=-\dfrac{3}{8}$이므로

$$\begin{aligned}\frac{1}{\sin^2\theta}+\frac{1}{\cos^2\theta}&=\frac{\cos^2\theta+\sin^2\theta}{\sin^2\theta\cos^2\theta}\\&=\frac{1}{(\sin\theta\cos\theta)^2}=\bm{\frac{64}{9}}\end{aligned}$$

> ⓐ $\sin\theta+\cos\theta=k$ 꼴이 주어지면 양변을 제곱하여 $\sin\theta\cos\theta$의 값을 구한다.

> ⓑ $\sin\theta\cos\theta=-\dfrac{3}{8}$이므로
> $$\frac{1}{(\sin\theta\cos\theta)^2}=\frac{1}{\left(-\dfrac{3}{8}\right)^2}$$
> $$=\frac{64}{9}$$

확인 문제   정답과 해설 **50**쪽   MY 셀파

09-1 (상 중 하) 이차방정식 $3x^2-x+k=0$의 두 근이 $\sin\theta$, $\cos\theta$이고 $\sin\theta>\cos\theta$일 때, $\sin^2\theta-\cos^2\theta$의 값을 구하시오. (단, k는 상수)

> **09-1**
> $\sin^2\theta-\cos^2\theta$
> $=(\sin\theta+\cos\theta)(\sin\theta-\cos\theta)$

09-2 (상 중 하) 삼차방정식 $2x^3-3x^2+(k+1)x-k=0$의 세 근이 1, $\sin\theta$, $\cos\theta$일 때, $\sin^3\theta+\cos^3\theta$의 값을 구하시오. (단, k는 상수)

> **09-2**
> $x=1$이 근이므로 조립제법을 이용하여 인수분해한다.

동경이 존재하는 사분면

01 다음 각이 나타내는 동경 중 나머지 넷과 다른 사분면에 존재하는 것은?

(상)(중)(하)

① $\dfrac{19}{6}\pi$　　　② $\dfrac{14}{3}\pi$　　　③ $-\dfrac{5}{4}\pi$

④ $1230°$　　　⑤ $-585°$

두 동경의 위치 관계

02 각 θ를 나타내는 동경과 각 3θ를 나타내는 동경이 y축에 대하여 대칭일 때, 모든 각 θ의 값의 합은?

(상)(중)(하)

（단, $0 \le \theta < 2\pi$）

① 2π　　　② 3π　　　③ 4π

④ 5π　　　⑤ 6π

부채꼴의 호의 길이와 넓이

03 오른쪽 그림은 길이가 40 cm인 어느 자동차의 와이퍼가 $\dfrac{3}{5}\pi$만큼 회전한

(상)(중)(하)

창의 · 융합

모양을 나타낸 것이다. 이 와이퍼에서 유리창을 닦는 고무판의 길이가 30 cm일 때, 이 와이퍼의 고무판이 $\dfrac{3}{5}\pi$만큼 회전하면서 닦는 부분의 넓이를 구하시오.

삼각함수의 정의

04 원점 O와 점 $P(\sqrt{3},\ -1)$을 지나는 동경 OP가 나타내는 각을 θ라 할 때, $\sin\theta \tan\theta$의 값을 구하시오.

(상)(중)(하)

삼각함수의 정의

05 오른쪽 그림과 같이 원점을 중심으로 하고 반지름의 길이가 1인 원과 직선 $y=\dfrac{\sqrt{3}}{2}$이 두 점 P, Q에서 만난다고 한다. 동경 OP 가 나타내는 각을 θ_1, 동경 OQ가 나타내는 각을 θ_2라 할 때, $\theta_2-\theta_1$의 값을 구하시오.

(상)(중)(하)

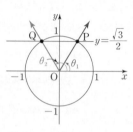

（단, $0<\theta_1<\dfrac{\pi}{2}<\theta_2<\pi$）

삼각함수의 값의 부호

06 각 θ가 제4사분면의 각일 때, 다음 식을 간단히 하시오.

(상)(중)(하)

$$\sqrt{\sin^2\theta}+\sqrt{(\sin\theta-\cos\theta)^2}+|2-\cos\theta|$$

삼각함수 사이의 관계

07 $0 < \theta < \pi$이고 $\cos \theta = -\dfrac{1}{3}$일 때, $\sin \theta + \tan \theta$의 값을 구하시오.

상 중 하

삼각함수 사이의 관계

08 $0 < \sin \theta < \cos \theta$일 때,
$\sqrt{1 + 2\sin \theta \cos \theta} + \sqrt{1 - 2\sin \theta \cos \theta}$
를 간단히 하시오.

상 중 하

삼각함수 사이의 관계 〔융합형〕

09 $\sqrt{\sin x} \times \sqrt{\cos x} = -\sqrt{\sin x \cos x}$이고
$\sin x = -\dfrac{\sqrt{15}}{5}$일 때, $\cos x$의 값을 구하시오.

상 중 하

삼각함수 사이의 관계를 이용하여 식 간단히 하기

10 다음 식을 간단히 하시오.

상 중 하
$$\left(\sin \theta + \frac{1}{\sin \theta}\right)^2 + \left(\cos \theta + \frac{1}{\cos \theta}\right)^2 \\ - \left(\tan \theta - \frac{1}{\tan \theta}\right)^2$$

삼각함수로 표현된 식의 값

11 $0 < \theta < \pi$에서 $\sin \theta + \cos \theta = \dfrac{\sqrt{5}}{3}$일 때,

상 중 하
$\sin \theta - \cos \theta$의 값은?

① $-\dfrac{\sqrt{13}}{3}$ ② $-\dfrac{\sqrt{13}}{9}$ ③ 1

④ $\dfrac{\sqrt{13}}{9}$ ⑤ $\dfrac{\sqrt{13}}{3}$

삼각함수로 표현된 식의 값

12 $\sin \theta + \cos \theta = \dfrac{1}{3}$일 때,

상 중 하
$\dfrac{16}{\cos \theta}\left(\tan \theta + \dfrac{1}{\tan^2 \theta}\right)$의 값은?

① 37   ② 39   ③ 41
④ 43   ⑤ 45

삼각함수와 이차방정식 〔서술형〕

13 $\sin \theta + \cos \theta = \sqrt{2}$일 때, $\sin \theta$, $\cos \theta$의 값을 구하시오.

상 중 하

롤러코스터를 타러갑니다.

이 롤러코스트는 사용자가
직접 코스를 조작할 수 있대.

엄청 재밌겠네.

코스 선택은 삼각함수를 이용합니다.

제 1코스는 원점을 지나는
sin그래프로 결정하고 $y = \sin x$

제 2코스는 cos그래프 $y = \cos x$

하이라이트는
tan그래프다!

출 발~

틱틱틱

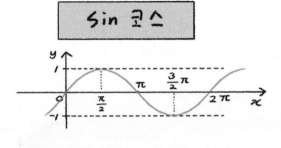

sin 코스

cos 코스

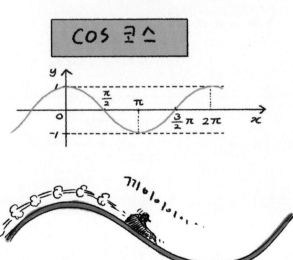

6

삼각함수의 그래프

tan 코스

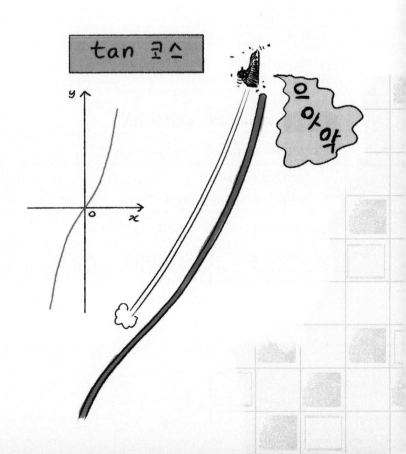

6. 삼각함수의 그래프

개념 1 주기함수

상수함수가 아닌 함수에서 ❶ [   ]에 속하는 모든 x에 대하여

$$\overset{㉠}{f(x+p)=f(x)}$$

를 만족시키는 0이 아닌 상수 p가 존재할 때, 함수 f를 **주기함수**라 하고 p의 값 중에서 최소인 ❷ [   ]를 함수 f의 **주기**라 한다.

답 ❶ 정의역 ❷ 양수

개념 플러스

㉠ $f(x+2)=f(x)$
  $f(x+4)=f(x)$
  $f(x+6)=f(x)$
  ⋮
인 함수 f에서
$f(x+p)=f(x)$를 만족시키는 최소인 양수 p는 2이다.
따라서 함수 f의 주기는 2이다.

▶ 주기

$y=\sin kx$의 주기 ⇨ $\dfrac{2\pi}{|k|}$

$y=\cos kx$의 주기 ⇨ $\dfrac{2\pi}{|k|}$

$y=\tan kx$의 주기 ⇨ $\dfrac{\pi}{|k|}$

개념 2 $y=\sin x$의 그래프와 성질

❶ 정의역은 실수 전체의 집합이고,
  치역은 $\{y|-1\leq y\leq$ ❶ [   ] $\}$이다.

❷ 그래프는 원점에 대하여 대칭이다.
  즉, $\overset{㉡}{\sin(-x)=-\sin x}$이다.

❸ 주기가 ❷ [   ]인 주기함수이다.
  즉, $\sin(x+2n\pi)=\sin x$ (n은 정수)이다.

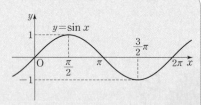

답 ❶ 1 ❷ 2π

㉡ $y=\sin x$의 그래프
  $\sin(-x)=-\sin x$이므로 원점에 대하여 대칭이다.

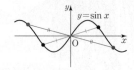

개념 3 $y=\cos x$의 그래프와 성질

❶ 정의역은 실수 전체의 집합이고,
  치역은 $\{y|$ ❶ [   ] $\leq y\leq 1\}$이다.

❷ 그래프는 ❷ [   ]에 대하여 대칭이다.
  즉, $\overset{㉢}{\cos(-x)=\cos x}$

❸ 주기가 2π인 주기함수이다.
  즉, $\cos(x+2n\pi)=\cos x$ (n은 정수)이다.

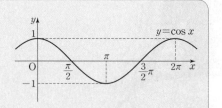

답 ❶ -1 ❷ y축

㉢ $y=\cos x$의 그래프
  $\cos(-x)=\cos x$이므로 y축에 대하여 대칭이다.

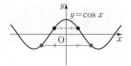

개념 4 $y=\tan x$의 그래프와 성질

❶ 정의역은 $x=n\pi+\dfrac{\pi}{2}$ (n은 정수)를 제외한
  실수 전체의 집합이고,
  치역은 실수 전체의 집합이다.

❷ 점근선은 직선 $x=n\pi+\dfrac{\pi}{2}$ (n은 정수)이다.

❸ 그래프는 ❶ [   ]에 대하여 대칭이다.
  즉, $\overset{㉣}{\tan(-x)=-\tan x}$이다.

❹ 주기가 ❷ [   ]인 주기함수이다.
  즉, $\tan(x+n\pi)=\tan x$ (n은 정수)이다.

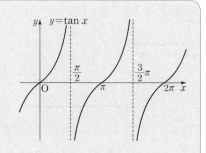

답 ❶ 원점 ❷ π

㉣ $y=\tan x$의 그래프
  $\tan(-x)=-\tan x$이므로 원점에 대하여 대칭이다.

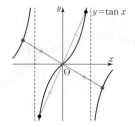

개념 익히기

1-1 | 삼각함수의 그래프 |

오른쪽 그림은 $0 \le x \le \pi$에서
함수 $y = \sin x$의 그래프이다.
다음 물음에 답하시오.

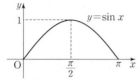

(1) $y = \sin x$의 그래프는 원점
에 대하여 대칭임을 이용하여 $-\pi \le x \le 0$에서의 그래프
를 그리시오.

(2) $y = \sin x$는 주기가 2π인 주기함수임을 이용하여
$\pi \le x \le 3\pi$에서의 그래프를 그리시오.

연구

(1)

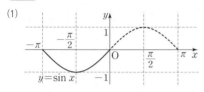

(2)

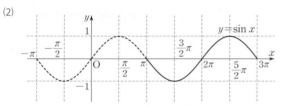

1-2 | 따라풀기 |

오른쪽 그림은 $0 \le x < \dfrac{\pi}{2}$에서
함수 $y = \tan x$의 그래프이다.
다음 물음에 답하시오.

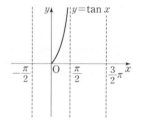

(1) $y = \tan x$의 그래프는 원점
에 대하여 대칭임을 이용하여
$-\dfrac{\pi}{2} < x \le 0$에서의 그래프를 그리시오.

(2) $y = \tan x$는 주기가 π인 주기함수임을 이용하여
$\dfrac{\pi}{2} < x < \dfrac{3}{2}\pi$에서의 그래프를 그리시오.

2-1 | 삼각함수의 그래프의 평행이동 |

오른쪽 그림과 같은 함수
$y = \sin x$의 그래프를 이용하
여 함수 $y = \sin\left(x + \dfrac{\pi}{2}\right)$의
그래프를 그리시오.

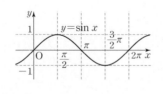

연구

$y = \sin\left(x + \dfrac{\pi}{2}\right)$의 그래프는 $y = \sin x$의 그래프를 x축의 방향으로

□ 만큼 평행이동시킨 그래프이므로 다음 그림과 같다.

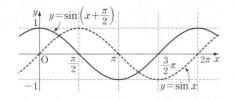

2-2 | 따라풀기 |

다음 그림과 같은 함수 $y = \cos x$의 그래프를 이용하여 함수
$y = 2\cos\left(x - \dfrac{\pi}{2}\right)$의 그래프를 그리시오.

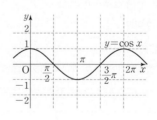

개념5 삼각함수의 성질

(1) $2n\pi+x$ (n은 정수)의 삼각함수

$\sin(2n\pi+x)=\sin x$　　$\cos(2n\pi+x)=\cos x$　　$\tan(2n\pi+x)=\tan x$

(2) $-x$의 삼각함수

$\sin(-x)=$❶　　$\cos(-x)=\cos x$　　$\tan(-x)=-\tan x$

(3) $\pi\pm x$의 삼각함수

$\sin(\pi+x)=-\sin x$　　$\cos(\pi+x)=-\cos x$　　$\tan(\pi+x)=\tan x$

$\sin(\pi-x)=\sin x$　　$\cos(\pi-x)=-\cos x$　　$\tan(\pi-x)=-\tan x$

(4) $\dfrac{\pi}{2}\pm x$의 삼각함수

$\sin\left(\dfrac{\pi}{2}+x\right)=\cos x$　　$\cos\left(\dfrac{\pi}{2}+x\right)=-\sin x$　　$\tan\left(\dfrac{\pi}{2}+x\right)=-\dfrac{1}{\tan x}$

$\sin\left(\dfrac{\pi}{2}-x\right)=$❷　　$\cos\left(\dfrac{\pi}{2}-x\right)=\sin x$　　$\tan\left(\dfrac{\pi}{2}-x\right)=\dfrac{1}{\tan x}$

답 ❶ $-\sin x$ ❷ $\cos x$

개념 플러스

▶ $0\le x\le\dfrac{\pi}{2}$에서 특수각의 삼각함수의 값

x	0	$\dfrac{\pi}{6}$	$\dfrac{\pi}{4}$	$\dfrac{\pi}{3}$	$\dfrac{\pi}{2}$
$\sin x$	0	$\dfrac{1}{2}$	$\dfrac{\sqrt2}{2}$	$\dfrac{\sqrt3}{2}$	1
$\cos x$	1	$\dfrac{\sqrt3}{2}$	$\dfrac{\sqrt2}{2}$	$\dfrac{1}{2}$	0
$\tan x$	0	$\dfrac{\sqrt3}{3}$	1	$\sqrt3$	

개념6 삼각함수가 포함된 방정식과 부등식

(1) 삼각함수가 포함된 방정식

$\sin x=1$, $\cos x=\dfrac{\sqrt2}{2}$와 같이 각의 크기가 미지수인 삼각함수가 포함된 방정식의 해는 다음과 같이 삼각함수의 그래프를 이용하여 구한다.

⓵ 방정식을 $\sin x=k$ (또는 $\cos x=k$, $\tan x=k$) 꼴로 나타낸다.

⓶ $y=\sin x$ (또는 $y=\cos x$, $y=\tan x$)의 그래프와 직선 $y=$❶ 를 그린다.

⓷ 오른쪽 그림에서 $\sin x=k$ $(0\le x\le\pi)$인 x의 값을 구하면 $x=\alpha$ 또는 $x=$❷ 이다.

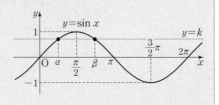

(2) 삼각함수가 포함된 부등식

삼각함수가 포함된 방정식을 푸는 것과 같이 삼각함수의 그래프를 그려 주어진 부등식이 성립하는 x의 값 또는 x의 값의 범위를 구한다.

답 ❶ k ❷ β

㉠ 방정식 $f(x)=g(x)$의 실근은 함수 $y=f(x)$와 $y=g(x)$의 그래프의 교점의 x좌표와 같다.

㉡ 직선 $y=\dfrac{\sqrt3}{2}$과 단위원의 교점을 P, Q라 하면 두 동경 OP, OQ가 나타내는 각이 구하는 해이다.

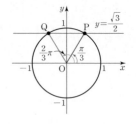

보기 방정식 $\sin x=\dfrac{\sqrt3}{2}$ $(0\le x<2\pi)$을 푸시오.

연구 구하는 해는 $y=\sin x$의 그래프와 직선 $y=\dfrac{\sqrt3}{2}$의 교점의 x좌표와 같으므로

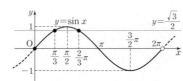

$x=\dfrac{\pi}{3}$ 또는 $x=\dfrac{2}{3}\pi$

3-1 | 삼각함수의 성질 |

다음 삼각함수의 값을 구하시오.

(1) $\sin \dfrac{4}{3}\pi$ (2) $\cos 120°$

연구

(1) $\sin \dfrac{4}{3}\pi = \sin\left(\pi + \dfrac{\pi}{3}\right) = -\sin\dfrac{\pi}{3} = -\dfrac{\sqrt{3}}{2}$

(2) $\cos 120° = \cos(90° + 30°) = -\sin\boxed{} = -\dfrac{1}{2}$

3-2 | 따라풀기 |

다음 삼각함수의 값을 구하시오.

(1) $\cos 420°$ (2) $\sin\left(-\dfrac{\pi}{6}\right)$

(3) $\tan\dfrac{3}{4}\pi$ (4) $\sin 120°$

풀이

4-1 | 삼각함수가 포함된 방정식과 부등식 |

다음 방정식 또는 부등식을 푸시오. (단, $0 \le x < 2\pi$)

(1) $\sin x = \dfrac{\sqrt{2}}{2}$ (2) $\cos x < \dfrac{\sqrt{2}}{2}$

연구

(1)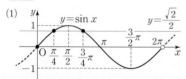

구하는 해는 두 그래프의 교점의 x좌표이므로

$x = \dfrac{\pi}{4}$ 또는 $x = \dfrac{\boxed{}}{4}\pi$

(2)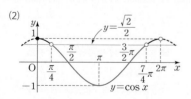

구하는 해는 $y = \cos x$의 그래프가 직선 $y = \dfrac{\sqrt{2}}{2}$보다 아래쪽에

있는 부분의 x의 값의 범위이므로

$\dfrac{\pi}{4} < x < \dfrac{\boxed{}}{4}\pi$

4-2 | 따라풀기 |

다음 방정식 또는 부등식을 푸시오. (단, $0 \le x < 2\pi$)

(1) $\sin x = \dfrac{1}{2}$ (2) $\cos x = -\dfrac{1}{2}$

(3) $\sin x \ge \dfrac{\sqrt{3}}{2}$ (4) $\cos x \le \dfrac{\sqrt{3}}{2}$

풀이

A 오른쪽 그림과 같이 좌표평면 위의 단위원과 각 θ를
나타내는 동경의 교점을 $\mathrm{P}(x,y)$라 하면
$\sin\theta=\dfrac{\overline{\mathrm{PH}}}{\overline{\mathrm{OP}}}=y$, $\cos\theta=\dfrac{\overline{\mathrm{OH}}}{\overline{\mathrm{OP}}}=x$야.
즉, θ의 값이 변할 때, $\sin\theta$의 값은 점 P의 y좌표로
정해지고, $\cos\theta$의 값은 점 P의 x좌표로 정해지지.
이러한 사실을 이용해서 삼각함수의 그래프를 그려
보자.

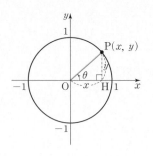

▶ 일반적으로
$y=\sin\theta, y=\cos\theta, y=\tan\theta$에
서 θ를 x로 바꾸어 $y=\sin x$,
$y=\cos x, y=\tan x$로 나타낸다.

㉠ θ의 값을 가로축에, 그에 대응하
는 $\sin\theta$의 값을 세로축에 나타낸
다.

Q $0\le\theta\le\pi$일 때, $\sin\theta$의 값을 표로 나타내면 다음과 같아요.

θ	0	$\dfrac{\pi}{6}$	$\dfrac{\pi}{4}$	$\dfrac{\pi}{3}$	$\dfrac{\pi}{2}$	$\dfrac{2}{3}\pi$	$\dfrac{3}{4}\pi$	$\dfrac{5}{6}\pi$	π
$\sin\theta$	0	$\dfrac{1}{2}$	$\dfrac{\sqrt{2}}{2}$	$\dfrac{\sqrt{3}}{2}$	1	$\dfrac{\sqrt{3}}{2}$	$\dfrac{\sqrt{2}}{2}$	$\dfrac{1}{2}$	0

또 이것을 <u>좌표평면 위에 나타내면</u> 다음 그림과 같이 그래프를 그릴 수 있어요.

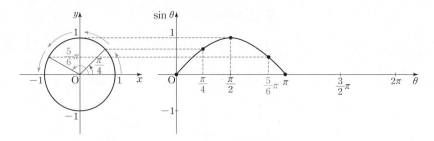

㉡ $\pi\le\theta\le2\pi$일 때

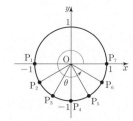

점 $\mathrm{P}_1, \mathrm{P}_2, \mathrm{P}_3, \mathrm{P}_4, \mathrm{P}_5, \mathrm{P}_6, \mathrm{P}_7$일 때
의 θ의 값과 y좌표의 값을 좌표평
면 위에 잡고 부드러운 곡선으로
연결하면 $\pi\le\theta\le2\pi$에서
$y=\sin\theta$의 그래프를 얻을 수 있
다.

A 잘했어. θ가 0보다 작을 때와 **㉡** π보다 커질 때도 같은 방법으로 그릴 수 있어. θ의 값
의 변화에 따른 $\sin\theta$의 값의 변화를 표로 나타내면 다음과 같아.

θ	0	$\cdots$	$\dfrac{\pi}{2}$	$\cdots$	π	$\cdots$	$\dfrac{3}{2}\pi$	$\cdots$	2π
$\sin\theta$	0	$\nearrow$	1	$\searrow$	0	$\searrow$	-1	$\nearrow$	0

이때 점 $(\theta, \sin\theta)$의 변화하는 모양을 좌표평면 위에 나타내면 **㉢** $y=\sin\theta$의 그래프
는 다음 그림과 같아.

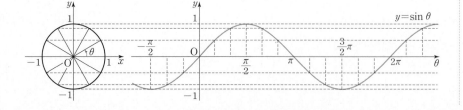

$\sin(\theta+p)=\sin\theta$가 성립하는 최
소인 양수 p는 2π이므로
함수 $y=\sin\theta$는 주기가
2π인 주기함수야.

㉣ $y=\sin\theta$의 정의역은 실수 전체
의 집합, 치역은 $\{y\,|\,-1\le y\le1\}$
이고, 그 그래프는 원점에 대하여
대칭이다.

Q $y=\sin\theta$의 그래프와 마찬가지로 $y=\cos\theta$의 그래프도 점 $(\theta,\cos\theta)$의 변화를 조사해서 그리면 되나요? θ의 값의 변화에 따른 $\cos\theta$의 값의 변화를 표로 나타내면 다음과 같아요.

θ	0	$\cdots$	$\dfrac{\pi}{2}$	$\cdots$	π	$\cdots$	$\dfrac{3}{2}\pi$	$\cdots$	2π
$\cos\theta$	1	$\searrow$	0	$\searrow$	-1	$\nearrow$	0	$\nearrow$	1

A 그렇지. 따라서 $y=\cos\theta$의 그래프는 다음 그림과 같아.

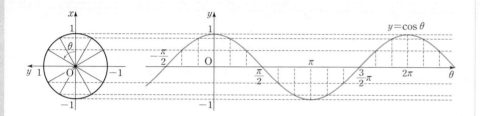

Q 이제 $y=\tan\theta$의 그래프만 남았네요?

A $y=\tan\theta$의 그래프는 <u>단위원</u>을 이용하여 그릴 수 있는데, 오른쪽 그림에서 알 수 있듯이 $\theta=n\pi+\dfrac{\pi}{2}$ (n은 정수)인 경우에 $\tan\theta$의 값이 정의되지 않으므로 직선 $\theta=n\pi+\dfrac{\pi}{2}$는 점근선이 돼.
또 $y=\tan\theta$의 주기가 π이므로 <u>그래프</u>는 다음 그림과 같아.

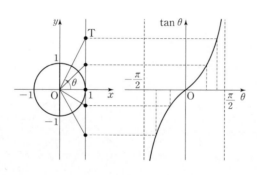

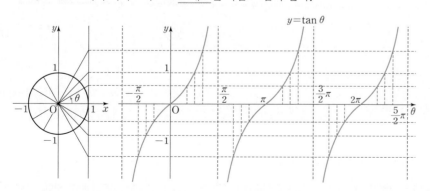

▶ $\sin\left(\theta+\dfrac{\pi}{2}\right)=\cos\theta$이므로 $y=\cos\theta$의 그래프는 $y=\sin\theta$의 그래프를 θ축의 방향으로 $-\dfrac{\pi}{2}$만큼 평행이동해도 된다.

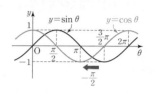

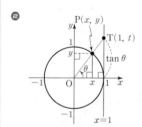
$\cos(\theta+2\pi)=\cos\theta$이므로 함수 $y=\cos\theta$는 주기가 2π인 주기함수야.

②
$\tan\theta=\dfrac{y}{x}=\dfrac{t}{1}=t$이므로 점 T의 y좌표와 $\tan\theta$의 값이 같다.

③ $\dfrac{\pi}{2}<\theta<\dfrac{3}{2}\pi$에서 $y=\tan\theta$의 그래프는 $-\dfrac{\pi}{2}<\theta<\dfrac{\pi}{2}$에서의 $y=\tan\theta$의 그래프를 θ축의 방향으로 π만큼 평행이동해서 그린다.

❶ $y=\sin x$, $y=\cos x$의 치역은 $\{y \mid -1 \le y \le 1\}$이고, 주기는 2π이다.

❷ $y=a \sin x \ (a>0)$의 그래프는 $y=\sin x$의 그래프를 y축의 방향으로 a배한 것이다.
$-a \le a \sin x \le a$이므로 치역은 $\{y \mid -a \le y \le a\}$이다.

❸ $y=\sin bx \ (b>0)$의 그래프는 $y=\sin x$의 그래프를 x축의 방향으로 $\dfrac{1}{b}$배한 것이다.

$\sin bx = \sin(bx+2\pi) = \sin b\left(x+\dfrac{2\pi}{b}\right)$이므로 주기는 $\dfrac{2\pi}{b}$이다.

> $y=\sin bx$의 그래프는 $y=\sin x$의 그래프를 x축의 방향으로 $\dfrac{1}{|b|}$배한 것이므로 주기는 $\dfrac{2\pi}{|b|}$이다.

예제 다음 함수의 치역과 주기를 구하고, 그 그래프를 그리시오.

(1) $y=\sin \dfrac{x}{2}$ 　　　　　　　　(2) $y=2 \sin 2x$

해법 코드
(2) $y=\sin x$의 그래프를 y축의 방향으로 2배, x축의 방향으로 $\dfrac{1}{2}$배한 것이다.

셀파 $y=a \sin bx$ ⇨ $y=\sin x$의 그래프를 x축, y축의 방향으로 각각 $\dfrac{1}{|b|}$배, $|a|$배

풀이 (1) $-1 \le \sin \dfrac{x}{2} \le 1$이므로 **치역은 $\{y \mid -1 \le y \le 1\}$**

$\sin \dfrac{x}{2} = \sin\left(\dfrac{x}{2}+2\pi\right) = \sin \dfrac{1}{2}(x+4\pi)$

이므로 <u>**주기는 4π**</u>

$y=\sin \dfrac{x}{2}$의 그래프는 $y=\sin x$의
그래프를 x축의 방향으로 2배한 것
이므로 오른쪽 그림과 같다.

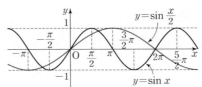

㉠ $y=\sin bx$에서
$b=\dfrac{1}{2}$이므로 주기는
$$\dfrac{2\pi}{|b|} = \dfrac{2\pi}{\left|\frac{1}{2}\right|} = 4\pi$$

(2) $-2 \le 2 \sin 2x \le 2$이므로 **치역은 $\{y \mid -2 \le y \le 2\}$**

$2 \sin 2x = 2 \sin(2x+2\pi) = 2 \sin 2(x+\pi)$

이므로 <u>**주기는 π**</u>

$y=2 \sin 2x$의 그래프는 $y=\sin x$
의 그래프를 x축의 방향으로 $\dfrac{1}{2}$배,
y축의 방향으로 2배한 것이므로 오른
쪽 그림과 같다.

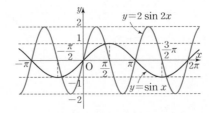

㉡ $y=\sin bx$에서
$b=2$이므로 주기는
$$\dfrac{2\pi}{|b|} = \dfrac{2\pi}{|2|} = \pi$$

확인 문제　　　　　　　　　　　　　　　　정답과 해설 | **55**쪽　　　　　　　　MY 셀파

01-1 다음 함수의 치역과 주기를 구하고, 그 그래프를 그리시오.
(상 중 하)

(1) $y=\dfrac{1}{2}\sin x$ 　　　(2) $y=\sin 3x$ 　　　(3) $y=\dfrac{1}{2}\sin 3x$

01-1
(1) $y=\sin x$의 그래프를 y축의 방향
으로 $\dfrac{1}{2}$배한 것이다.

01-2 다음 함수의 치역과 주기를 구하고, 그 그래프를 그리시오.
(상 중 하)

(1) $y=3\cos x$ 　　　(2) $y=\cos 2x$ 　　　(3) $y=3\cos 2x$

01-2
(1) $y=\cos x$의 그래프를 y축의 방향
으로 3배한 것이다.

해법 02 $y=a\tan bx$의 그래프

PLUS ⊕

$y=\tan bx$의 그래프는 $y=\tan x$의 그래프를 x축의 방향으로 $\dfrac{1}{|b|}$배한 것이므로 주기는 $\dfrac{\pi}{|b|}$이다.

❶ $y=\tan x$의 치역은 실수 전체의 집합이고, 주기는 π이다.

　또 점근선은 직선 $x=n\pi+\dfrac{\pi}{2}$ (n은 정수)이다.

❷ $y=a\tan x\ (a>0)$의 그래프는 $y=\tan x$의 그래프를 y축의 방향으로 a배한 것이다.
　이때 치역, 주기, 점근선은 모두 변하지 않는다.

❸ $y=\tan bx\ (b>0)$의 그래프는 $y=\tan x$의 그래프를 x축의 방향으로 $\dfrac{1}{b}$배한 것이다.

　이때 치역은 변하지 않고 주기는 $\dfrac{\pi}{b}$, 점근선은 직선 $x=\dfrac{1}{b}\left(n\pi+\dfrac{\pi}{2}\right)$ (n은 정수)이다.

예제 다음 함수의 주기와 점근선의 방정식을 구하고, 그 그래프를 그리시오.

　　(1) $y=\tan 2x$ 　　　　　　　　　(2) $y=-\tan\dfrac{x}{2}$

해법 코드
(2) $y=-\tan bx$의 그래프는 $y=\tan bx$의 그래프를 x축에 대하여 대칭이동한 것이다.

셀파 $y=a\tan bx$ ⇨ $y=\tan x$의 그래프를 x축, y축의 방향으로 각각 $\dfrac{1}{|b|}$배, $|a|$배

풀이 (1) $\tan 2x=\tan(2x+\pi)=\tan 2\left(x+\dfrac{\pi}{2}\right)$이므로 ^❶**주기는 $\dfrac{\pi}{2}$**

점근선의 방정식은

$x=\dfrac{1}{2}\left(n\pi+\dfrac{\pi}{2}\right)=\dfrac{n}{2}\pi+\dfrac{\pi}{4}$ (n은 정수)

$y=\tan 2x$의 그래프는 $y=\tan x$의 그래프를

x축의 방향으로 $\dfrac{1}{2}$배한 것이므로 오른쪽 그림
과 같다.

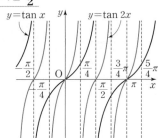

❶ $y=\tan bx$에서
$b=2$이므로 주기는

$\dfrac{\pi}{|b|}=\dfrac{\pi}{|2|}=\dfrac{\pi}{2}$

(2) $-\tan\dfrac{x}{2}=-\tan\left(\dfrac{x}{2}+\pi\right)=-\tan\dfrac{1}{2}(x+2\pi)$이므로 ^❷**주기는 2π**

점근선의 방정식은

$x=2\left(n\pi+\dfrac{\pi}{2}\right)=2n\pi+\pi$ (n은 정수)

$y=-\tan\dfrac{x}{2}$의 그래프는 $y=\tan x$의 그래프를

x축의 방향으로 2배한 다음 x축에 대하여 대칭
이동한 것이므로 오른쪽 그림과 같다.

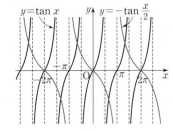

❷ $y=\tan bx$에서
$b=\dfrac{1}{2}$이므로 주기는

$\dfrac{\pi}{|b|}=\dfrac{\pi}{\left|\dfrac{1}{2}\right|}=2\pi$

확인 문제　　　　　　　　　　　　　　　　정답과 해설 **56**쪽

02-1 다음 함수의 주기와 점근선의 방정식을 구하고, 그 그래프를 그리시오.

　　(1) $y=\dfrac{1}{2}\tan x$ 　　　　　　　(2) $y=-\tan 2x$

MY 셀파

02-1
(1) y축의 방향으로 $\dfrac{1}{2}$배한 것이다.

(2) x축의 방향으로 $\dfrac{1}{2}$배한 것이다.

❶ $y=\sin(x-a)$의 그래프

⇨ $y=\sin x$의 그래프를 x축의 방향으로 a만큼 평행이동한 것이다.

❷ $y=\sin x+b$의 그래프

⇨ $y=\sin x$의 그래프를 y축의 방향으로 b만큼 평행이동한 것이다.

참고 $y=a\sin(bx+c)+d=a\sin b\left(x+\dfrac{c}{b}\right)+d$의 그래프는 $y=a\sin bx$의 그래프를 x축의 방향으로

$-\dfrac{c}{b}$만큼, y축의 방향으로 d만큼 평행이동한 것이다.

$y=\cos(x-a)$, $y=\cos x+b$의 그래프도 사인함수와 같은 원리로 생각한다.

도형의 평행이동과 원리는 같다.
즉, 방정식 $f(x, y)=0$이 나타내는
도형을 x축의 방향으로 a만큼, y축
의 방향으로 b만큼 평행이동한 도형
의 방정식은 $f(x-a, y-b)=0$이
다.

예제 다음 함수의 그래프를 그리고, 최댓값, 최솟값, 주기를 구하시오.

(1) $y=\sin\left(x+\dfrac{\pi}{3}\right)$ (2) $y=\sin x+1$

해법 코드

$y=\sin x$의 그래프를

(1) x축의 방향으로 $-\dfrac{\pi}{3}$만큼

(2) y축의 방향으로 1만큼

평행이동한 것이다.

셀파 $y=\sin x$의 그래프를 x축 또는 y축의 방향으로 평행이동한다.

풀이 (1) $y=\sin\left(x+\dfrac{\pi}{3}\right)$의 그래프는 $y=\sin x$의

그래프를 x축의 방향으로 $-\dfrac{\pi}{3}$만큼 평행

이동한 것이므로 오른쪽 그림과 같다.

최댓값 : 1, 최솟값 : -1, 주기 : 2π

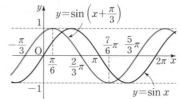

(2) $y=\sin x+1$의 그래프는 $y=\sin x$의 그래

프를 y축의 방향으로 1만큼 평행이동한 것이

므로 오른쪽 그림과 같다.

최댓값 : 2, 최솟값 : 0, 주기 : 2π

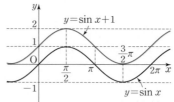

㉠ 그래프는 $-\dfrac{\pi}{3}\le x<\dfrac{5}{3}\pi$ 부분이

반복되므로 주기는

$\dfrac{5}{3}\pi-\left(-\dfrac{\pi}{3}\right)=2\pi$이다.

$y=\sin x$의 그래프를
평행이동하면
주기는 변하지 않아.

확인 문제 | 정답과 해설 | **56**쪽 | MY 셀파

03-1 다음 함수의 그래프를 그리고, 최댓값, 최솟값, 주기를 구하시오.

(상)(중)(하)

(1) $y=\sin\left(x+\dfrac{\pi}{2}\right)$ (2) $y=\cos(x-\pi)+1$

03-1

(2) $y=\cos x$의 그래프를 x축의 방향
으로 π만큼, y축의 방향으로 1만큼
평행이동한 것이다.

세 함수 $y=\cos x$, $y=2\cos x$, $y=\dfrac{1}{2}\cos x$의 그래프를 같은 좌표평면 위에 그리면 오른쪽 그림과 같이 주기는 모두 2π로 같고, 위 아래의 폭만 다르다.

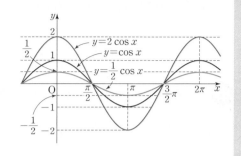

> 함수 $y=a\cos x$의 그래프는 함수 $y=\cos x$의 그래프를 y축의 방향으로 $|a|$배한 것이다.

한편 세 함수 $y=\cos x$, $y=\cos 2x$, $y=\cos\dfrac{x}{2}$의 그래프를 같은 좌표평면 위에 그리면 다음 그림과 같이 위 아래의 폭은 같지만 그 주기는 서로 다르다.

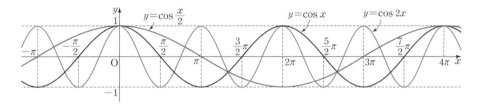

> 함수 $y=\cos bx$의 그래프는 함수 $y=\cos x$의 그래프를 x축의 방향으로 $\dfrac{1}{|b|}$배한 것이다.

> 함수 $y=a\cos(bx+c)+d$의 그래프는 함수 $y=a\cos bx$의 그래프를 x축의 방향으로 $-\dfrac{c}{b}$만큼, y축의 방향으로 d만큼 평행이동한 것이다.

일반적으로 함수 $y=a\cos(bx+c)+d$ $(b\ne0)$의 그래프의 최댓값, 최솟값, 주기는 다음과 같다.

$$\text{최댓값}:|a|+d,\quad \text{최솟값}:-|a|+d,\quad \text{주기}:\dfrac{2\pi}{|b|}$$

이것은 함수 $y=a\sin(bx+c)+d$ $(b\ne0)$의 경우에도 마찬가지로 적용된다.

확인 체크 01   정답과 해설 | **57**쪽

다음 함수의 최댓값, 최솟값, 주기를 구하시오.

(1) $y=2\sin\left(3x-\dfrac{\pi}{2}\right)$ (2) $y=-\dfrac{1}{2}\sin\left(\sqrt{2}x-\dfrac{\pi}{3}\right)+1$ (3) $y=2\cos\left(\dfrac{x}{2}+\dfrac{\pi}{2}\right)-3$

$y=a \sin(bx+c)+d$, $y=a \cos(bx+c)+d$에서
❶ a, d ⇨ 삼각함수의 최댓값, 최솟값 또는 함숫값을 이용하여 결정한다.
❷ b　 ⇨ 삼각함수의 주기를 이용하여 결정한다.
❸ c　 ⇨ 삼각함수의 평행이동 또는 함숫값을 이용하여 결정한다.

$y=a \sin(bx+c)+d$의 그래프는 $y=a \sin bx$의 그래프를 x축의 방향으로 $-\dfrac{c}{b}$만큼, y축의 방향으로 d만큼 평행이동한 것이다.

예제 1. 함수 $f(x)=a \sin\left(x+\dfrac{\pi}{6}\right)+b$의 최댓값이 4, $f\left(-\dfrac{\pi}{6}\right)=1$일 때, 상수 a, b의 값을 구하시오. (단, $a>0$, $b>0$)

2. 함수 $f(x)=a \cos bx+c$의 최댓값은 3, 주기는 6π이다. $f(\pi)=2$일 때, 상수 a, b, c의 값을 구하시오. (단, $a>0$, $b>0$)

해법 코드
1. $\sin\left(x+\dfrac{\pi}{6}\right)=1$일 때 함수 $f(x)$는 최댓값을 갖는다.

2. $\cos bx=1$일 때 함수 $f(x)$는 최댓값을 갖는다.

셀파 $y=a \sin(bx+c)+d$ ⇨ 최댓값은 $|a|+d$, 주기는 $\dfrac{2\pi}{|b|}$이다.

풀이 1. 함수 $f(x)$의 최댓값이 4이므로 $a+b=4$ ($\because a>0$)　　……㉠
　　$f\left(-\dfrac{\pi}{6}\right)=1$에서 $a \sin 0+b=1$이므로 $b=1$
　　$b=1$을 ㉠에 대입하면 $a=3$
　　$\therefore a=3$, $b=1$

㉠ $-1 \leq \cos bx \leq 1$에서
　$a>0$이므로 $-a \leq a \cos bx \leq a$
　$-a+c \leq a \cos bx+c \leq a+c$
　따라서 함수 $f(x)$의 최댓값은
　$a+c$, 최솟값은 $-a+c$이다.

2. 함수 $f(x)$의 주기가 6π이므로 $\dfrac{2\pi}{b}=6\pi$ ($\because b>0$)　$\therefore b=\dfrac{1}{3}$
　함수 $f(x)$의 최댓값이 3이므로 $a+c=3$ ($\because a>0$)　　……㉠
　$f(\pi)=2$에서 $a \cos\dfrac{\pi}{3}+c=2$, $\dfrac{a}{2}+c=2$
　$\therefore a+2c=4$　　……㉡
　㉠, ㉡을 연립하여 풀면 $a=2$, $c=1$
　$\therefore a=2$, $b=\dfrac{1}{3}$, $c=1$

㉡ $b=\dfrac{1}{3}$이므로
　$f(x)=a \cos\dfrac{x}{3}+c$
　$\therefore f(\pi)=a \cos\dfrac{\pi}{3}+c$

확인 문제　　　　　　　　　　　　　정답과 해설 | **57**쪽　　　　　　　　MY 셀파

04-1 다음 물음에 답하시오.
(1) 함수 $f(x)=a \sin\dfrac{x}{2}+b$의 최댓값이 4, 최솟값이 -2일 때, 상수 a, b의 값을 구하시오. (단, $a>0$)

(2) 함수 $f(x)=a \sin bx+c$의 최솟값이 -4, 주기는 π이다. $f\left(\dfrac{\pi}{4}\right)=2$일 때, 상수 a, b, c의 값을 구하시오. (단, $a>0$, $b>0$)

04-1
(1) $\sin\dfrac{x}{2}=1$일 때 최댓값을 갖고, $\sin\dfrac{x}{2}=-1$일 때 최솟값을 갖는다.
(2) 주기를 이용하여 b의 값을 구한다.

$y=a\sin(bx+c)+d$, $y=a\cos(bx+c)+d$에서

❶ 최댓값 : $|a|+d$, 최솟값 : $-|a|+d$, 주기 : $\dfrac{2\pi}{|b|}$

❷ $y=a\sin bx$, $y=a\cos bx$의 그래프를 x축의 방향으로 $-\dfrac{c}{b}$만큼, y축의 방향으로 d
만큼 평행이동한 것이다.

> $y=a\sin bx$, $y=a\cos bx$에서
> 최댓값은 $|a|$, 최솟값은 $-|a|$,
> 주기는 $\dfrac{2\pi}{|b|}$이다.

예제 함수 $y=a\sin(bx+c)$의 그래프가 오른쪽 그림과 같을 때, 상수 a, b, c의 값을 구하시오.
(단, $a>0$, $b>0$, $0<c<\pi$)

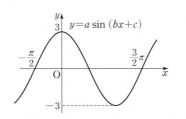

해법 코드
최댓값은, 3 최솟값은 -3,
주기는 $\dfrac{3}{2}\pi-\left(-\dfrac{\pi}{2}\right)=2\pi$이다.

셀파 $y=a\sin(bx+c)$ $(a>0, b>0)$의 최댓값은 a, 최솟값은 $-a$, 주기는 $\dfrac{2\pi}{b}$이다.

풀이 함수 $y=a\sin(bx+c)$의 그래프에서 최댓값은 3, 최솟값은 -3이다.

이때 $a>0$이므로 $a=3$

주기는 2π이므로 $\dfrac{2\pi}{b}=2\pi$ $(\because b>0)$ $\therefore b=1$

$\therefore y=3\sin(x+c)$ ……㉠

㉠의 그래프가 점 $(0, 3)$을 지나므로

$3=3\sin c$, $\sin c=1$

$0<c<\pi$이므로 $c=\dfrac{\pi}{2}$

$\therefore a=3, b=1, c=\dfrac{\pi}{2}$

> ➊ 그래프에서 함숫값이 0이면서 그래프가 같은 모양으로 증가하는 x의 값은 $x=-\dfrac{\pi}{2}$, $x=\dfrac{3}{2}\pi$이다.
> 따라서 $x=-\dfrac{\pi}{2}$일 때와 $x=\dfrac{3}{2}\pi$일 때, 같은 모양이 반복되므로 주기는
> $\dfrac{3}{2}\pi-\left(-\dfrac{\pi}{2}\right)=2\pi$
> 그래프에서 주기를 구하려면 같은 모양이 반복되는 부분을 주목한다.

확인 문제   정답과 해설 | **57**쪽   MY 셀파

05-1 다음 함수의 그래프에서 양수 a, b, c의 값을 구하시오.

(상 중 하)

(1) $y=a\sin bx+c$

(2) $y=a\cos(bx+c)$ (단, $0<c<\pi$)

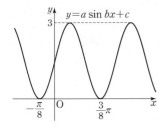

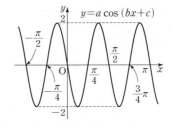

05-1
(1) 최댓값은 3, 최솟값은 0,
주기는 $\dfrac{3}{8}\pi-\left(-\dfrac{\pi}{8}\right)=\dfrac{\pi}{2}$이다.

(2) 최댓값은 2, 최솟값은 -2,
주기는 $\dfrac{\pi}{4}-\left(-\dfrac{\pi}{4}\right)=\dfrac{\pi}{2}$이다.

사인함수와 코사인함수가 포함된 이차식 꼴의 최댓값과 최솟값은 다음 순서로 구한다.

1　$\sin^2 x + \cos^2 x = 1$을 이용하여 한 종류의 삼각함수를 포함한 식으로 정리한다.

2　1의 식에서 $\sin x = t$ 또는 $\cos x = t$로 치환하여 t에 대한 이차함수 $y = at^2 + bt + c$ 를 얻는다. 이때 x의 값의 범위가 실수 전체이면 $-1 \le t \le 1$이다.

3　$y = at^2 + bt + c$의 최댓값과 최솟값은 제한된 t의 값의 범위에서 구한다.

x의 값의 범위가 실수 전체일 때, $-1 \le \sin x \le 1$, $-1 \le \cos x \le 1$ 이므로 $\sin x = t$ 또는 $\cos x = t$로 치환하면 $-1 \le t \le 1$이다.

예제 다음 함수의 최댓값과 최솟값을 구하시오.

(1) $y = -2\sin^2 x + 2\cos x + 3$

(2) $y = 2\cos^2 x + 6\sin x + 1$

해법 코드
(1) $\sin^2 x = 1 - \cos^2 x$이므로 $\cos x = t$로 치환한다.
(2) $\cos^2 x = 1 - \sin^2 x$이므로 $\sin x = t$로 치환한다.

셀파 $\sin^2 x + \cos^2 x = 1$을 이용하여 $\cos x$ (또는 $\sin x$)로 이루어진 식을 만든다.

풀이 (1) $y = -2\sin^2 x + 2\cos x + 3$

$\quad = -2(1 - \cos^2 x) + 2\cos x + 3$

$\quad = 2\cos^2 x + 2\cos x + 1$

이때 $\cos x = t$로 치환하면 $-1 \le t \le 1$이고,

$y = 2t^2 + 2t + 1 = ⓐ\,2\left(t + \dfrac{1}{2}\right)^2 + \dfrac{1}{2}$

이 함수의 그래프는 오른쪽 그림과 같으므로

$t = 1$일 때 **최댓값**은 **5**, $t = -\dfrac{1}{2}$일 때 **최솟값**은 $\dfrac{1}{2}$

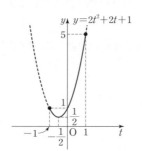

ⓐ $t = -\dfrac{1}{2}$은 정의역 $-1 \le t \le 1$에 포함된다.
따라서 최댓값과 최솟값은 $t = -1$, $t = 1$일 때의 함숫값과 꼭짓점의 y좌표 $\dfrac{1}{2}$을 비교한다.

(2) $y = 2\cos^2 x + 6\sin x + 1$

$\quad = 2(1 - \sin^2 x) + 6\sin x + 1$

$\quad = -2\sin^2 x + 6\sin x + 3$

이때 $\sin x = t$로 치환하면 $-1 \le t \le 1$이고,

$y = -2t^2 + 6t + 3 = ⓑ\,-2\left(t - \dfrac{3}{2}\right)^2 + \dfrac{15}{2}$

이 함수의 그래프는 오른쪽 그림과 같으므로

$t = 1$일 때 **최댓값**은 **7**, $t = -1$일 때 **최솟값**은 -5

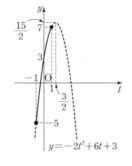

ⓑ $t = \dfrac{3}{2}$은 정의역 $-1 \le t \le 1$에 포함되지 않는다.
따라서 $t = -1$, $t = 1$일 때의 함숫값을 비교한다.

확인 문제　　　　　　　　정답과 해설 | **57**쪽　　　　　　　　　　MY 셀파

 06-1 다음 함수의 최댓값과 최솟값을 구하시오.
상 **중** 하

(1) $y = 2\sin^2 x - \sin x$

(2) $y = 3\cos^2 x - \sin^2 x - 4\cos x$

06-1
(1) $\sin x = t$로 치환한다.
(2) $\sin^2 x = 1 - \cos^2 x$이므로 $\cos x = t$로 치환한다.

Q 90°보다 큰 각의 삼각함수의 값을 구하는 게 어려워요.

① ② 단계에서는 예각으로 바꾸어 삼각함수의 값을 구하고, ③ 단계에서 부호를 결정하는 거야.

A 그럼 90° 이상인 각의 삼각함수를 90° 이하인 각의 삼각함수로 바꿔서 값을 알아내는 방법을 가르쳐줄게.

> ### $90° \times n \pm \theta$의 삼각함수의 값 구하기
> ① 모든 각을 $90° \times n \pm \theta$ (n은 정수) 꼴로 표현한다.
> ② n이 짝수일 때
> $\Rightarrow$ sin은 sin, cos은 cos, tan는 tan 그대로 둔다.
> n이 홀수일 때
> $\Rightarrow$ sin은 cos, cos은 sin, tan는 $\dfrac{1}{\tan}$로 바꾼다.
> ③ θ는 항상 예각으로 생각하고 $90° \times n \pm \theta$를 나타내는 동경이 존재하는 사분면에서의 삼각함수의 값이 양수이면 $+$, 음수이면 $-$를 붙인다.

예를 들어 $\sin 330°$의 값을 다음과 같이 구해.
① $330°$를 $90° \times n \pm \theta$ 꼴로 표현하면
  $\sin 330° = \sin(90° \times 3 + 60°)$
② $\sin(90° \times 3 + 60°)$에서 3이 홀수이므로 sin은 cos으로 바꾸고 $90° \times 3 + 60°$ 대신에 $60°$를 쓰면 $\cos 60°$가 돼.
③ $330°$는 제4사분면의 각이므로 sin은 부호가 음수야.
  따라서 $\sin 330° = -\cos 60° = -\dfrac{1}{2}$

▶ 부호를 결정할 때, θ를 예각으로 취급한다. 만약 θ가 음수이거나 $\dfrac{\pi}{2}$보다 크더라도 같은 값이 나온다.

Q 아하, 다른 삼각함수의 각을 변환할 때도 이런 식으로 하면 되겠네요.

▶ 호도법으로 주어진 각일 때는 $\dfrac{\pi}{2} \times n \pm \theta$ 꼴로 표현한 다음 n이 홀수인지 짝수인지 생각하면서 같은 방법으로 푼다.

예 $\cos(\pi - \theta) = \cos\left(\dfrac{\pi}{2} \times 2 - \theta\right)$
에서 $n=2$, 즉 짝수이므로 cos은 그대로이고 동경이 제2사분면에 있으므로 부호는 음수이다.

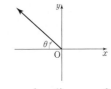

$\therefore \cos(\pi - \theta) = -\cos \theta$

확인 체크 02   정답과 해설 | **58**쪽

다음 삼각함수의 값을 구하시오.

(1) $\sin 240°$ (2) $\cos \dfrac{5}{6}\pi$ (3) $\tan 120°$

1 $2n\pi+x$의 삼각함수 (단, n은 정수)

> $\sin(2n\pi+x)=\sin x,\ \cos(2n\pi+x)=\cos x,\ \tan(2n\pi+x)=\tan x$

연구 함수 $y=\sin x,\ y=\cos x$의 주기는 2π이므로
$\sin x=\sin(2\pi+x)=\sin(4\pi+x)=\cdots$
$\cos x=\cos(2\pi+x)=\cos(4\pi+x)=\cdots$
$\therefore\ \sin(2n\pi+x)=\sin x,\ \cos(2n\pi+x)=\cos x$
함수 $y=\tan x$의 주기는 π이므로
$y=\tan x=\tan(\pi+x)=\tan(2\pi+x)=\cdots$
$\therefore\ \tan(2n\pi+x)=\tan x$

▶ 함수 f에 대하여 $f(x+p)=f(x)$를 만족시키는 0이 아닌 상수 p 중에서 최소인 양수를 함수 f의 주기라 한다.
즉, 함수 f가 주기가 p인 주기함수이면
$f(x)=f(x+p)=f(x+2p)$
$\qquad=f(x+3p)=\cdots$

2 $-x$의 삼각함수

> $\sin(-x)=-\sin x,\ \cos(-x)=\cos x,\ \tan(-x)=-\tan x$

연구 함수 $y=\sin x,\ y=\tan x$의 그래프는 원점에 대하여 대칭이므로
$\sin(-x)=-\sin x,\ \tan(-x)=-\tan x$
함수 $y=\cos x$의 그래프는 y축에 대하여 대칭이므로
$\cos(-x)=\cos x$

▶ 함수 f가 원점에 대하여 대칭이면
$f(x)=-f(-x)$
함수 f가 y축에 대하여 대칭이면
$f(x)=f(-x)$

3 $\pi\pm x$의 삼각함수

> $\sin(\pi+x)=-\sin x,\ \cos(\pi+x)=-\cos x,\ \tan(\pi+x)=\tan x$
> $\sin(\pi-x)=\sin x,\ \cos(\pi-x)=-\cos x,\ \tan(\pi-x)=-\tan x$

연구 두 함수 $y=\sin x,\ y=\cos x$의 그래프를 x축의 방향으로 $-\pi$만큼 평행이동하면 각각 $y=-\sin x,\ y=-\cos x$의 그래프와 일치한다.

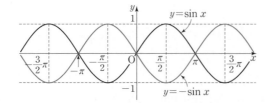

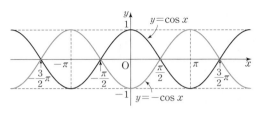

따라서 임의의 실수 x에 대하여

$\sin(\pi+x)=-\sin x$, $\cos(\pi+x)=-\cos x$

한편 함수 $y=\tan x$는 주기가 π이므로 임의의 실수 x에 대하여

$\tan(\pi+x)=\tan x$

$\sin(\pi+x)=-\sin x$,

$\cos(\pi+x)=-\cos x$,

$\tan(\pi+x)=\tan x$

에서 x 대신 $-x$를 대입하면

$\sin(\pi-x)=-\sin(-x)$
$\qquad=\sin x$

$\cos(\pi-x)=-\cos(-x)$
$\qquad=-\cos x$

$\tan(\pi-x)=\tan(-x)$
$\qquad=-\tan x$

4 $\dfrac{\pi}{2}\pm x$**의 삼각함수**

$$\sin\left(\frac{\pi}{2}+x\right)=\cos x,\ \cos\left(\frac{\pi}{2}+x\right)=-\sin x,\ \tan\left(\frac{\pi}{2}+x\right)=-\frac{1}{\tan x}$$

$$\sin\left(\frac{\pi}{2}-x\right)=\cos x,\ \cos\left(\frac{\pi}{2}-x\right)=\sin x,\ \tan\left(\frac{\pi}{2}-x\right)=\frac{1}{\tan x}$$

[연구] 함수 $y=\cos x$의 그래프를 x축의 방향으로 $\dfrac{\pi}{2}$만큼 평행이동하면

함수 $y=\sin x$의 그래프와 일치한다.

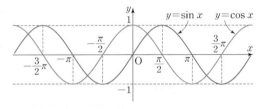

따라서 임의의 실수 x에 대하여

$\cos\left(x-\dfrac{\pi}{2}\right)=\sin x$ $\qquad\qquad\cdots\cdots$ ㉠

이때 ㉠의 양변에 x 대신 $\dfrac{\pi}{2}+x$를 대입하면

$\cos x=\sin\left(\dfrac{\pi}{2}+x\right)$ $\qquad\qquad\cdots\cdots$ ㉡

㉡의 양변에 x 대신 $\dfrac{\pi}{2}+x$를 대입하면

$\cos\left(\dfrac{\pi}{2}+x\right)=\sin(\pi+x)=-\sin x$ $\qquad\cdots\cdots$ ㉢

한편 $\tan x=\dfrac{\sin x}{\cos x}$이므로 ㉡, ㉢에서 다음이 성립함을 알 수 있다.

$\tan\left(\dfrac{\pi}{2}+x\right)=\dfrac{\sin\left(\dfrac{\pi}{2}+x\right)}{\cos\left(\dfrac{\pi}{2}+x\right)}=\dfrac{\cos x}{-\sin x}=-\dfrac{1}{\tan x}$

$\sin\left(\dfrac{\pi}{2}+x\right)=\cos x$,

$\cos\left(\dfrac{\pi}{2}+x\right)=-\sin x$,

$\tan\left(\dfrac{\pi}{2}+x\right)=-\dfrac{1}{\tan x}$

에서 x 대신 $-x$를 대입하면

$\sin\left(\dfrac{\pi}{2}-x\right)=\cos(-x)$
$\qquad=\cos x$

$\cos\left(\dfrac{\pi}{2}-x\right)=-\sin(-x)$
$\qquad=\sin x$

$\tan\left(\dfrac{\pi}{2}-x\right)=-\dfrac{1}{\tan(-x)}$
$\qquad=\dfrac{1}{\tan x}$

예각이 아닌 각의 삼각함수를 변환할 때는 다음을 이용한다. (단, n은 정수, 복부호 동순)

❶ $\sin(2n\pi+\theta)=\sin\theta$, $\cos(2n\pi+\theta)=\cos\theta$, $\tan(2n\pi+\theta)=\tan\theta$

❷ $\sin(-\theta)=-\sin\theta$, $\cos(-\theta)=\cos\theta$, $\tan(-\theta)=-\tan\theta$

❸ $\sin(\pi\pm\theta)=\mp\sin\theta$, $\cos(\pi\pm\theta)=-\cos\theta$, $\tan(\pi\pm\theta)=\pm\tan\theta$

❹ $\sin\left(\dfrac{\pi}{2}\pm\theta\right)=\cos\theta$, $\cos\left(\dfrac{\pi}{2}\pm\theta\right)=\mp\sin\theta$, $\tan\left(\dfrac{\pi}{2}\pm\theta\right)=\mp\dfrac{1}{\tan\theta}$

01 다음 삼각함수의 값을 구하시오.

(1) $\sin 750°$

(2) $\cos\dfrac{25}{4}\pi$

(3) $\sin\left(-\dfrac{\pi}{6}\right)$

(4) $\tan\left(-\dfrac{7}{3}\pi\right)$

02 다음 삼각함수의 값을 구하시오.

(1) $\sin\dfrac{7}{6}\pi$

(2) $\tan 225°$

(3) $\cos\dfrac{3}{4}\pi$

(4) $\tan 510°$

03 다음 등식이 성립하는 x의 값을 구하시오.

(단, $-90° < x° < 90°$)

(1) $\cos 38°=\sin x°$

(2) $\tan 72°=\dfrac{1}{\tan x°}$

(3) $\sin 115°=\cos x°$

04 다음 식의 값을 구하시오.

(1) $\sin(-60°)\cos 135°$

(2) $\cos 150°\tan 210°$

(3) $\sin 1380°\tan(-510°)$

(4) $\cos 480°\tan 945°$

예각이 아닌 각에 대한 삼각함수의 값을 구할 때는 각을

$$2\pi+\theta,\ 2\pi-\theta,\ \frac{\pi}{2}+\theta,\ \frac{\pi}{2}-\theta,\ \pi+\theta,\ \pi-\theta$$

꼴로 바꿔서 삼각함수의 성질을 이용한다.

[예] $\sin\dfrac{7\pi}{3}=\sin\left(2\pi+\dfrac{\pi}{3}\right)=\sin\dfrac{\pi}{3}=\dfrac{\sqrt{3}}{2}$,

$\cos\dfrac{5\pi}{6}=\cos\left(\pi-\dfrac{\pi}{6}\right)=-\cos\dfrac{\pi}{6}=-\dfrac{\sqrt{3}}{2}$

θ를 제1사분면의 각으로 생각하면

$\dfrac{\pi}{2}+\theta,\ \pi-\theta \Rightarrow$ 제2사분면의 각

$\pi+\theta \Rightarrow$ 제3사분면의 각

$-\theta \Rightarrow$ 제4사분면의 각

(예제) 다음 식의 값을 구하시오.

(1) $\tan\dfrac{9}{4}\pi-\sin\left(-\dfrac{\pi}{6}\right)+\cos\left(-\dfrac{\pi}{3}\right)$

(2) $\sin\left(\dfrac{\pi}{2}+\theta\right)+\cos(\pi-\theta)+\tan\theta\tan\left(\dfrac{\pi}{2}-\theta\right)$

해법 코드

(1) $\tan\dfrac{9}{4}\pi=\tan\left(2\pi+\dfrac{\pi}{4}\right)$

$=\tan\dfrac{\pi}{4}$

(2) $\sin\left(\dfrac{\pi}{2}\times n+\theta\right)$에서

n이 홀수이면 $\sin\Rightarrow\cos$

n이 짝수이면 $\sin\Rightarrow\sin$

(셀파) 제1사분면의 각이 아닌 삼각함수의 값은 삼각함수의 성질을 활용한다.

(풀이) (1) $\tan\dfrac{9}{4}\pi=\tan\left(2\pi+\dfrac{\pi}{4}\right)=\tan\dfrac{\pi}{4}=1$

$\underset{\text{ⓐ}}{\sin\left(-\dfrac{\pi}{6}\right)}=-\sin\dfrac{\pi}{6}=-\dfrac{1}{2},\ \underset{\text{ⓑ}}{\cos\left(-\dfrac{\pi}{3}\right)}=\cos\dfrac{\pi}{3}=\dfrac{1}{2}$

$\therefore$ (주어진 식)$=1-\left(-\dfrac{1}{2}\right)+\dfrac{1}{2}=\mathbf{2}$

(2) $\sin\left(\dfrac{\pi}{2}+\theta\right)=\cos\theta,\ \cos(\pi-\theta)=-\cos\theta,\ \tan\left(\dfrac{\pi}{2}-\theta\right)=\dfrac{1}{\tan\theta}$

$\therefore$ (주어진 식)$=\cos\theta-\cos\theta+\tan\theta\times\dfrac{1}{\tan\theta}=\mathbf{1}$

ⓐ $\sin(-\theta)=-\sin\theta$이므로

$\sin\left(-\dfrac{\pi}{6}\right)=-\sin\dfrac{\pi}{6}$

ⓑ $\cos(-\theta)=\cos\theta$이므로

$\cos\left(-\dfrac{\pi}{3}\right)=\cos\dfrac{\pi}{3}$

확인 문제   정답과 해설 | **58**쪽

07-1 다음 식의 값을 구하시오.
(상)(중)(하)

(1) $\tan\left(-\dfrac{\pi}{3}\right)+\cos\dfrac{11}{6}\pi+\sin\dfrac{7}{3}\pi$

(2) $\tan(\pi-\theta)\tan\left(\dfrac{\pi}{2}-\theta\right)$

(3) $\sin\left(\dfrac{\pi}{2}+\theta\right)+\sin(\pi+\theta)+\sin\left(\dfrac{3}{2}\pi+\theta\right)+\sin(2\pi+\theta)$

MY 셀파

07-1

(1) $\cos\dfrac{11}{6}\pi=\cos\left(2\pi-\dfrac{\pi}{6}\right)$

$=\cos\dfrac{\pi}{6}$

(3) $\sin\left(\dfrac{3}{2}\pi+\theta\right)=\sin\left(\dfrac{\pi}{2}\times3+\theta\right)$

$=-\cos\theta$

$A+B=\dfrac{\pi}{2}$ 일 때, $B=\dfrac{\pi}{2}-A$ 이므로

❶ $\sin^2 A+\sin^2 B=\sin^2 A+\sin^2\!\left(\dfrac{\pi}{2}-A\right)=\sin^2 A+\cos^2 A=1$

❷ $\tan A\times\tan B=\tan A\times\tan\!\left(\dfrac{\pi}{2}-A\right)=\tan A\times\dfrac{1}{\tan A}=1$

$\sin\!\left(\dfrac{\pi}{2}-\theta\right)=\cos\theta$

$\cos\!\left(\dfrac{\pi}{2}-\theta\right)=\sin\theta$

$\tan\!\left(\dfrac{\pi}{2}-\theta\right)=\dfrac{1}{\tan\theta}$

(예제) 다음 식의 값을 구하시오.

(1) $\sin^2 0°+\sin^2 1°+\sin^2 2°+\cdots+\sin^2 89°+\sin^2 90°$

(2) $\tan 5°\times\tan 10°\times\tan 15°\times\cdots\times\tan 80°\times\tan 85°$

해법 코드

(1) $\sin^2\theta+\sin^2(90°-\theta)$
$=\sin^2\theta+\cos^2\theta=1$

(셀파) 각의 크기의 합이 **90°**인 것끼리 짝을 지어 각을 변환시킨다.

(풀이) (1) $\sin^2 89°=\sin^2(90°-1°)=\cos^2 1°$, $\sin^2 88°=\sin^2(90°-2°)=\cos^2 2°$, $\cdots$,
　　$\sin^2 46°=\sin^2(90°-44°)=\cos^2 44°$이므로
　　(주어진 식)$=(\sin^2 0°+\sin^2 90°)+\underline{(\sin^2 1°+\sin^2 89°)}+(\sin^2 2°+\sin^2 88°)$
　　　　　　　　　　　　$+\cdots+(\sin^2 44°+\sin^2 46°)+\sin^2 45°$
　　　　　$=0+1+(\sin^2 1°+\cos^2 1°)+(\sin^2 2°+\cos^2 2°)$
　　　　　　　　　　　$+\cdots+(\sin^2 44°+\cos^2 44°)+\left(\dfrac{\sqrt{2}}{2}\right)^2$
　　　　　$=1+1\times44+\dfrac{1}{2}=\dfrac{\mathbf{91}}{\mathbf{2}}$

❶ $\alpha+\beta=90°$일 때
$\sin^2\alpha+\sin^2\beta$
$=\sin^2\alpha+\sin^2(90°-\alpha)$
$=\sin^2\alpha+\cos^2\alpha$
$=1$

(2) $\tan 85°=\tan(90°-5°)=\dfrac{1}{\tan 5°}$, $\tan 80°=\tan(90°-10°)=\dfrac{1}{\tan 10°}$, $\cdots$,
　　$\tan 50°=\tan(90°-40°)=\dfrac{1}{\tan 40°}$이므로
　　(주어진 식)
　　$=\underline{(\tan 5°\times\tan 85°)}\times(\tan 10°\times\tan 80°)\times\cdots\times(\tan 40°\times\tan 50°)\times\tan 45°$
　　$=\left(\tan 5°\times\dfrac{1}{\tan 5°}\right)\times\left(\tan 10°\times\dfrac{1}{\tan 10°}\right)\times\cdots\times\left(\tan 40°\times\dfrac{1}{\tan 40°}\right)\times\tan 45°$
　　$=\underline{1\times1\times\cdots\times1\times1}=\mathbf{1}$

❷ $\alpha+\beta=90°$일 때
$\tan\alpha\times\tan\beta$
$=\tan\alpha\times\tan(90°-\alpha)$
$=\tan\alpha\times\dfrac{1}{\tan\alpha}$
$=1$

❸ $\tan 5°$, $\tan 10°$, $\tan 15°$, $\cdots$
$\tan 45°$의 개수는 9이므로 1이
9개이다.

확인 문제　　　　　　　　　　　정답과 해설 | **59**쪽　　　　　　　　　　MY 셀파

08-1 다음 식의 값을 구하시오.

(1) $\cos^2 5°+\cos^2 10°+\cos^2 15°+\cdots+\cos^2 80°+\cos^2 85°$

(2) $\tan 1°\times\tan 2°\times\tan 3°\times\cdots\times\tan 88°\times\tan 89°$

08-1

(1) $\cos(90°-\theta)=\sin\theta$

(2) $\tan(90°-\theta)=\dfrac{1}{\tan\theta}$

해법 09 일차식 꼴의 삼각함수가 포함된 방정식

PLUS ⊕

❶ $\sin x = k$ (k는 상수)와 같은 기본형 문제가 아닌 경우에는 치환을 생각한다.

❷ $\sin x$, $\cos x$를 모두 포함한 방정식은 양변을 $\cos x$로 나누어 $\tan x$가 포함된 방정식으로 변형한다.

❸ 절댓값 기호가 있는 삼각함수를 포함한 방정식은 절댓값 기호가 있는 삼각함수의 그래프를 그리지 말고 먼저 절댓값 기호를 없앤 방정식을 푼다.

그래프를 그리지 않더라도 방정식을 풀 수 있지만 잘못하면 답을 놓칠 수 있으므로 그래프를 그려서 방정식이 성립하는 x의 값을 확인한다.

예제 $0 \le x < 2\pi$일 때, 다음 방정식을 푸시오.

(1) $\sin\left(x - \dfrac{\pi}{3}\right) = \dfrac{\sqrt{3}}{2}$

(2) $|2\sin x - 1| = 2$

해법 코드

(2) $\sin x$의 값의 범위에 따라 경우를 나누어 절댓값 기호를 없앤다.

셀파 방정식을 $\sin x = k$ (k는 상수)와 같은 기본형으로 변형한다.

풀이 (1) ⓐ $x - \dfrac{\pi}{3} = t$로 치환하면 $0 \le x < 2\pi$에서 $-\dfrac{\pi}{3} \le t < \dfrac{5}{3}\pi$

ⓑ $\sin t = \dfrac{\sqrt{3}}{2}$에서 $t = \dfrac{\pi}{3}$ 또는 $t = \dfrac{2}{3}\pi$

(i) $t = \dfrac{\pi}{3}$일 때, $x - \dfrac{\pi}{3} = \dfrac{\pi}{3}$ $\therefore x = \dfrac{2}{3}\pi$

(ii) $t = \dfrac{2}{3}\pi$일 때, $x - \dfrac{\pi}{3} = \dfrac{2}{3}\pi$ $\therefore x = \pi$

(i), (ii)에서 구하는 해는 $x = \dfrac{2}{3}\pi$ 또는 $x = \pi$

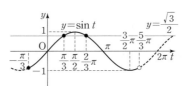

ⓐ 치환할 때는 t의 값의 범위가 새로 생긴다는 점에 주의한다.
$0 \le x < 2\pi$에서
$-\dfrac{\pi}{3} \le x - \dfrac{\pi}{3} < 2\pi - \dfrac{\pi}{3}$

ⓑ $-\dfrac{\pi}{3} \le t < \dfrac{5}{3}\pi$에서 $y = \sin t$의 그래프와 직선 $y = \dfrac{\sqrt{3}}{2}$의 교점의 t좌표를 구한다.

(2) (i) $\sin x \ge \dfrac{1}{2}$일 때, $2\sin x - 1 = 2$ $\therefore \sin x = \dfrac{3}{2}$ ······㉠

그런데 $-1 \le \sin x \le 1$이므로 ㉠이 성립하는 x의 값은 없다.

(ii) $\sin x < \dfrac{1}{2}$일 때, $-(2\sin x - 1) = 2$

ⓒ $\therefore \sin x = -\dfrac{1}{2}$

$\therefore x = \dfrac{7}{6}\pi$ 또는 $x = \dfrac{11}{6}\pi$

(i), (ii)에서 구하는 해는 $x = \dfrac{7}{6}\pi$ 또는 $x = \dfrac{11}{6}\pi$

ⓒ $0 \le x < 2\pi$에서 $y = \sin x$의 그래프와 직선 $y = -\dfrac{1}{2}$의 교점의 x좌표를 구한다.

확인 문제

정답과 해설 | **59**쪽

MY 셀파

09-1 (상)(중)(하) $0 \le x < 2\pi$일 때, 다음 방정식을 푸시오.

(1) $2\sin x + \sqrt{2} = 0$

(2) $2\cos\left(\dfrac{x}{2} - \dfrac{\pi}{3}\right) = 1$

09-1
(2) $\dfrac{x}{2} - \dfrac{\pi}{3} = t$로 치환한다.

09-2 (상)(중)(하) $-\pi \le x < \pi$일 때, 방정식 $\cos x = \sqrt{3}\sin x$를 푸시오.

09-2
$\cos x \ne 0$이므로 방정식의 양변을 $\cos x$로 나누면 $1 = \sqrt{3}\tan x$이다.

1 $\sin^2 x = 1 - \cos^2 x$ 또는 $\cos^2 x = 1 - \sin^2 x$를 이용하여 한 종류의 삼각함수만 포함된 방정식으로 바꾼다.

2 인수분해 등을 이용하여 이차방정식을 푼다.

$a \sin x = b \cos x + c$ 꼴의 방정식은 $\sin^2 x + \cos^2 x = 1$과 연립하여 푼다.

예제 **1.** $0 \le x < 2\pi$일 때, 방정식 $2 \sin^2 x - \cos x = 1$을 푸시오.

 2. $0 \le x \le \dfrac{\pi}{2}$일 때, 방정식 $\sin x = 1 + 2 \cos x$를 푸시오.

해법 코드

1. $\sin^2 x = 1 - \cos^2 x$를 이용하여 $\cos x$로 이루어진 식을 만든다.

2. 주어진 식을 $\sin^2 x + \cos^2 x = 1$에 대입한다.

셀파 $\sin^2 x + \cos^2 x = 1$을 이용한다.

풀이 **1.** $2 \sin^2 x - \cos x = 1$에서 $\sin^2 x = 1 - \cos^2 x$이므로

$2(1 - \cos^2 x) - \cos x = 1$, $2 \cos^2 x + \cos x - 1 = 0$

$(2 \cos x - 1)(\cos x + 1) = 0$

$\therefore \cos x = \dfrac{1}{2}$ 또는 $\cos x = -1$

(ⅰ) $\cos x = \dfrac{1}{2}$일 때, $x = \dfrac{\pi}{3}$ 또는 $x = \dfrac{5}{3}\pi$

(ⅱ) $\cos x = -1$일 때, $x = \pi$

(ⅰ), (ⅱ)에서 구하는 해는

$x = \dfrac{\pi}{3}$ 또는 $x = \pi$ 또는 $x = \dfrac{5}{3}\pi$

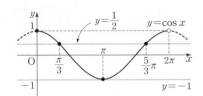

다른 풀이

2. $\sin x = 1 + 2 \cos x$의 양변을 제곱하면

$\sin^2 x = 1 + 4 \cos x + 4 \cos^2 x$

$\sin^2 x = 1 - \cos^2 x$이므로

$1 - \cos^2 x = 1 + 4 \cos x + 4 \cos^2 x$

$5 \cos^2 x + 4 \cos x = 0$

$\cos x (5 \cos x + 4) = 0$

$0 \le x \le \dfrac{\pi}{2}$에서

$5 \cos x + 4 \ne 0$이므로 $\cos x = 0$

$\therefore x = \dfrac{\pi}{2}$

2. $\sin^2 x + \cos^2 x = 1$에 $\sin x = 1 + 2 \cos x$를 대입하면

$(1 + 2 \cos x)^2 + \cos^2 x = 1$, $1 + 4 \cos x + 4 \cos^2 x + \cos^2 x = 1$

$5 \cos^2 x + 4 \cos x = 0$, $\cos x (5 \cos x + 4) = 0$

$\therefore \cos x = 0$ 또는 $\cos x = -\dfrac{4}{5}$

그런데 $0 \le x \le \dfrac{\pi}{2}$에서 $0 \le \cos x \le 1$이므로 $\cos x = 0$ $\therefore x = \dfrac{\pi}{2}$

확인 문제 정답과 해설 | **60**쪽 **MY 셀파**

10-1 $0 \le x \le \pi$일 때, 방정식 $\cos^2 x + \sin x \cos x - 1 = 0$을 푸시오.
(상)(중)(하)

10-1

$\cos^2 x = 1 - \sin^2 x$를 이용한다.

10-2 방정식 $4 \cos^2 x - 4 \sin x = k$가 실근을 가질 때, 실수 k의 값의 범위를 구하시오.
(상)(중)(하)

10-2

$\sin x = t$로 치환한 $y = -4t^2 - 4t + 4$의 그래프와 직선 $y = k$에서 생각한다.

해법 11 일차식 꼴의 삼각함수가 포함된 부등식 / PLUS ⊕

❶ $\sin x > k$ (또는 $\cos x > k$, $\tan x > k$) 꼴의 부등식

⇨ 함수 $y = \sin x$ (또는 $y = \cos x$, $y = \tan x$)의 그래프가 직선 $y = k$보다 위쪽에 있는 x의 값의 범위를 구한다.

❷ $\sin x < k$ (또는 $\cos x < k$, $\tan x < k$) 꼴의 부등식

⇨ 함수 $y = \sin x$ (또는 $y = \cos x$, $y = \tan x$)의 그래프가 직선 $y = k$보다 아래쪽에 있는 x의 값의 범위를 구한다.

$f(x) > g(x)$를 풀 때, $y = f(x)$의 그래프와 $y = g(x)$의 그래프를 한 좌표평면 위에 나타낸 다음 $f(x) > g(x)$를 만족시키는 x의 값의 범위를 구한다.

예제 $0 \le x < 2\pi$일 때, 다음 부등식을 푸시오.

(1) $\sin\left(x - \dfrac{\pi}{3}\right) \ge \dfrac{1}{2}$

(2) $|\cos x| \le \dfrac{1}{2}$

해법 코드

(2) $|\cos x| \le \dfrac{1}{2}$

⇨ $-\dfrac{1}{2} \le \cos x \le \dfrac{1}{2}$

셀파 그래프를 그린 다음 부등식이 성립하는 영역을 나타낸다.

풀이 (1) $x - \dfrac{\pi}{3} = t$로 치환하면 $\underline{0 \le x < 2\pi}$에서 $-\dfrac{\pi}{3} \le t < \dfrac{5}{3}\pi$ ❶

오른쪽 그림에서 $\sin t \ge \dfrac{1}{2}$이 성립하는

t의 값의 범위는 $\dfrac{\pi}{6} \le t \le \dfrac{5}{6}\pi$

$t = x - \dfrac{\pi}{3}$이므로 $\dfrac{\pi}{6} \le x - \dfrac{\pi}{3} \le \dfrac{5}{6}\pi$

$\therefore \dfrac{\pi}{2} \le x \le \dfrac{7}{6}\pi$

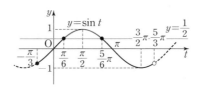

❶ $-\dfrac{\pi}{3} \le x - \dfrac{\pi}{3} < 2\pi - \dfrac{\pi}{3}$

이므로 $-\dfrac{\pi}{3} \le t < \dfrac{5}{3}\pi$

(2) $\underline{|\cos x| \le \dfrac{1}{2}}$에서 $-\dfrac{1}{2} \le \cos x \le \dfrac{1}{2}$ ❷

따라서 오른쪽 그림에서 주어진 부등식이 성립하는 x의 값의 범위는

$\dfrac{\pi}{3} \le x \le \dfrac{2}{3}\pi$ 또는 $\dfrac{4}{3}\pi \le x \le \dfrac{5}{3}\pi$

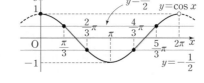

❷ $|x| < a \ (a > 0)$
$\Longleftrightarrow -a < x < a$
$|x| > a \ (a > 0)$
$\Longleftrightarrow x > a$ 또는 $x < -a$

확인 문제 정답과 해설 | **61**쪽

11-1 $0 \le x < 2\pi$일 때, 다음 부등식을 푸시오.

(1) $0 < \sin x \le \dfrac{\sqrt{2}}{2}$

(2) $2\cos x + \sqrt{3} \le 0$

11-2 $0 \le x < \pi$일 때, 다음 부등식을 푸시오.

(1) $\cos\left(x - \dfrac{\pi}{3}\right) \ge \dfrac{1}{2}$

(2) $|\tan x| < 1$

MY 셀파

11-1

(2) $\cos x \le -\dfrac{\sqrt{3}}{2}$을 만족시키는 x의 값의 범위를 구한다.

11-2

(1) $x - \dfrac{\pi}{3} = t$로 치환한다.

(2) $|\tan x| < 1$

⇨ $-1 < \tan x < 1$

방정식과 마찬가지로 $\sin^2 x + \cos^2 x = 1$을 이용하여 한 종류의 삼각함수가 포함된 부등식으로 바꾼다.

이때 부등식을 푼 결과가 다음과 같은 꼴이 되도록 한다. (단, $\alpha < \beta$)

❶ $\alpha < \sin x < \beta$ 또는 ($\sin x < \alpha$ 또는 $\sin x > \beta$)

❷ $\alpha < \cos x < \beta$ 또는 ($\cos x < \alpha$ 또는 $\cos x > \beta$)

참고 주어진 부등식이 등호를 포함하고 있으면 부등식을 푼 결과에서도 등호를 포함한 부등호를 사용한다.

❶ 이차항에 $\sin x$, 일차항에 $\cos x$ 가 있는 경우 $\sin^2 x = 1 - \cos^2 x$ 를 이용한다.

❷ 이차항에 $\cos x$, 일차항에 $\sin x$ 가 있는 경우 $\cos^2 x = 1 - \sin^2 x$ 를 이용한다.

예제 $0 \leq x < 2\pi$일 때, 다음 부등식을 푸시오.

(1) $2\sin^2 x + \cos x - 2 > 0$ (2) $5\sin x + 2\cos^2 x < 4$

해법 코드
(1) $\sin^2 x = 1 - \cos^2 x$를 대입한다.
(2) $\cos^2 x = 1 - \sin^2 x$를 대입한다.

셀파 $\sin^2 x + \cos^2 x = 1$을 이용하여 삼각함수를 정리한다.

풀이 (1) $\sin^2 x = 1 - \cos^2 x$이므로 $2(1 - \cos^2 x) + \cos x - 2 > 0$

$2\cos^2 x - \cos x < 0$, $\cos x(2\cos x - 1) < 0$

$\therefore 0 < \cos x < \dfrac{1}{2}$

따라서 ㉠ 오른쪽 그림에서

$\dfrac{\pi}{3} < x < \dfrac{\pi}{2}$ 또는 $\dfrac{3}{2}\pi < x < \dfrac{5}{3}\pi$

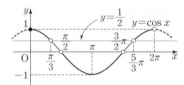

㉠ $y = \cos x$의 그래프와 직선 $y = \dfrac{1}{2}$의 교점의 x좌표를 구하면 $x = \dfrac{\pi}{3}$ 또는 $x = \dfrac{5}{3}\pi$

(2) $\cos^2 x = 1 - \sin^2 x$이므로 $5\sin x + 2(1 - \sin^2 x) < 4$

$2\sin^2 x - 5\sin x + 2 > 0$, ㉡ $(2\sin x - 1)(\sin x - 2) > 0$

$\therefore \sin x < \dfrac{1}{2}$

따라서 오른쪽 그림에서

$0 \leq x < \dfrac{\pi}{6}$ 또는 $\dfrac{5}{6}\pi < x < 2\pi$

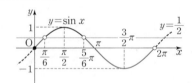

㉡ $-1 \leq \sin x \leq 1$이므로 $\sin x - 2 < 0$이 항상 성립한다.
따라서 $2\sin x - 1 < 0$에서 $2\sin x < 1$ $\therefore \sin x < \dfrac{1}{2}$

확인 문제

정답과 해설 | **61**쪽

MY 셀파

12-1
(상)(중)(하)
$0 \leq x < 2\pi$일 때, 다음 부등식을 푸시오.

(1) $2\cos^2 x - 3\sin x < 0$ (2) $\sin^2 x \geq 1 - \cos x$

12-1
(1) $\cos^2 x = 1 - \sin^2 x$를 대입한다.
(2) $\sin^2 x = 1 - \cos^2 x$를 대입한다.

12-2
(상)(중)(하)
모든 실수 x에 대하여 이차부등식 $x^2 - 2x\cos\theta - \dfrac{3}{2}\sin\theta > 0$이 항상 성립하도록 하는 θ의 값의 범위를 구하시오. (단, $0 \leq \theta < 2\pi$)

12-2
이차방정식
$x^2 - 2x\cos\theta - \dfrac{3}{2}\sin\theta = 0$
의 판별식을 구한다.

01 다음 함수의 치역과 주기를 구하고, 그 그래프를 그리시오.

(1) $y=\dfrac{1}{3}\sin x$ (2) $y=2\cos x$

02 함수 $y=\tan\dfrac{x}{3}$의 주기와 점근선의 방정식을 구하고, 그 그래프를 그리시오.

03 함수 $y=\sin\left(\dfrac{x}{2}-\dfrac{\pi}{6}\right)+6$의 그래프는 함수 $y=\sin\dfrac{x}{2}$의 그래프를 x축의 방향으로 a만큼, y축의 방향으로 b만큼 평행이동한 것일 때, 상수 a, b의 값을 구하시오. (단, $0\le a<2\pi$)

04 두 함수 $y=\sin ax+2$와 $y=\tan\dfrac{x}{4a}$의 주기가 서로 같을 때, 양수 a의 값은?

① $\dfrac{1}{2}$ ② $\dfrac{\sqrt{2}}{2}$ ③ 1

④ $\sqrt{2}$ ⑤ 2

05 함수 $y=a\sin\dfrac{\pi}{2b}x$의 최댓값이 2, 주기는 2일 때, 두 양수 a, b에 대하여 $a+b$의 값은?

① 2 ② $\dfrac{17}{8}$ ③ $\dfrac{9}{4}$

④ $\dfrac{19}{8}$ ⑤ $\dfrac{5}{2}$

06 함수 $f(x)=a\cos bx+c$의 최댓값이 6, 주기는 4π이다. $f\left(\dfrac{2}{3}\pi\right)=4$일 때, 상수 a, b, c의 값을 구하시오.

(단, $a>0$, $b>0$)

  서술형

07 함수 $y=a\sin(bx+c)+1$의 그래프가 다음 그림과 같을 때, 상수 a, b, c에 대하여 abc의 값을 구하시오.

(단, $a>0$, $b>0$, $0<c<\pi$)

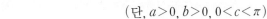
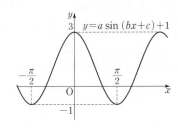

이차식 꼴의 삼각함수의 최대, 최소

08 $0 \leq x \leq \pi$일 때, 함수 $y = \sin^2 x - 2\cos x + 1$은 $x = \alpha$에서 최댓값 β를 갖는다. 이때 $\alpha\beta$의 값은?

① -3π ② $-\pi$ ③ 0

④ π ⑤ 3π

삼각함수의 대칭성   `창의·융합`

09 다음 그림과 같이 두 함수 $y = \sin x$, $y = \cos x$의 그래프가 $0 \leq x < 2\pi$에서 직선 $y = k$와 만나는 점의 x좌표를 차례로 a, b, c, d라 할 때, $\sin \dfrac{a+b+c+d}{4}$의 값을 구하시오. (단, $-1 < k < 0$)

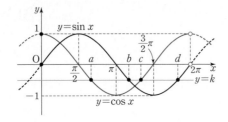

삼각함수의 그래프의 평행이동과 대칭이동   `융합형`

10 다음 함수 중 함수 $y = \sin \dfrac{x}{2}$의 그래프를 x축의 방향으로 π만큼 평행이동한 다음 원점에 대하여 대칭이동한 그래프와 겹쳐지는 것은?

① $y = \sin \dfrac{x}{2}$ ② $y = -\sin \dfrac{x}{2}$

③ $y = \cos \dfrac{x}{2}$ ④ $y = -\cos \dfrac{x}{2}$

⑤ $y = 2\sin \pi x$

삼각함수의 각의 성질을 이용한 삼각함수의 최대, 최소

11 $0 \leq \theta < 2\pi$일 때, 함수

$$y = \cos^2\left(\theta + \frac{\pi}{2}\right) - 5\cos^2 \theta + 4\sin(\pi - \theta)$$

의 최댓값과 최솟값을 구하시오.

삼각함수의 각의 변환

12 다음 식의 값을 구하시오.

(1) $(\sin 110° - \sin 160°)^2 + (\cos 70° + \sin 70°)^2$

(2) $\sin 31° + \sin 71° + \sin 150° + \sin 211° + \sin 251°$

삼각함수의 각의 변환

13 $2\tan \theta = \cos \theta$일 때, $\cos\left(\dfrac{3}{2}\pi - \theta\right)$의 값을 구하시오.

삼각함수의 각의 변환

14 A, B, C가 다음과 같을 때, $A + B + C$의 값을 구하시오.

$$A = \cos(\pi - \theta) + \sin\left(\frac{\pi}{2} - \theta\right),$$

$$B = \sin\left(\theta - \frac{\pi}{2}\right) - \cos(\pi + \theta),$$

$$C = \sin^2\left(\theta + \frac{\pi}{6}\right) + \sin^2\left(\theta - \frac{\pi}{3}\right)$$

삼각함수의 각의 변환

15 각 θ가 제1사분면의 각이고 $\sin\theta = \dfrac{4}{5}$일 때,

(상)(중)(하)

$$5\left\{\sin\left(\dfrac{\pi}{2}+\theta\right) - \cos\left(\dfrac{3}{2}\pi+\theta\right)\right\}$$

의 값을 구하시오.

삼각함수의 각의 변환 창의력

16 어떤 건물의 난방기에는 자동 온도 조절 장치가 있어

(상)(중)(하) 서 실내 온도가 2시간 주기로 변한다. 이 난방기의 온도를 $B(℃)$로 설정하였을 때, 가동한 지 t분 후의 실내 온도는 $T(℃)$가 되어 다음 식이 성립한다고 한다.

$$T = B - \dfrac{k}{6}\cos\dfrac{\pi}{60}t \quad (B, k는\ 양의\ 상수)$$

이 난방기를 가동한 지 20분 후의 실내 온도가 $18℃$이고, 40분 후의 실내 온도가 $20℃$일 때, k의 값은?

① 11   ② 12   ③ 13

④ 14   ⑤ 15

일차식 꼴의 삼각함수가 포함된 방정식

17 $0 < x < 2\pi$에서 두 함수

(상)(중)(하)

$$y = \cos x,\ y = \cos(\pi+x)+k$$

의 그래프가 한 점에서 만날 때, 상수 k의 값은?

① -2 ② -1 ③ 0

④ 1 ⑤ 2

이차식 꼴의 삼각함수가 포함된 방정식

18 $0 < x < 2\pi$일 때, 방정식 $\cos^2 x - \sin x = 1$의 모든

(상)(중)(하) 실근의 합은 $\dfrac{q}{p}\pi$이다. $p+q$의 값을 구하시오.

(단, p, q는 서로소인 자연수)

이차식 꼴의 삼각함수가 포함된 방정식

19 x에 대한 이차함수 $y = \dfrac{1}{2}x^2 + 2x\cos\theta + 1 - \sin\theta$의

(상)(중)(하) 그래프가 x축에 접할 때, $\sin\theta$의 값을 구하시오.

(단, $0 \le \theta < \pi$)

일차식 꼴의 삼각함수가 포함된 부등식

20 부등식 $\cos x \le -\dfrac{\sqrt{2}}{2}$의 해가 $\theta_1 \le x \le \theta_2$일 때,

(상)(중)(하) $\sin(\theta_2 - \theta_1)$의 값을 구하시오. (단, $0 \le x < 2\pi$)

이차식 꼴의 삼각함수가 포함된 부등식

21 모든 실수 x에 대하여 이차부등식

(상)(중)(하)

$$x^2 + 2x(\cos\theta+1) + \cos^2\theta > 0$$

이 항상 성립할 때, θ의 값의 범위를 구하시오.

(단, $0 \le \theta < 2\pi$)

7

사인법칙과
코사인법칙

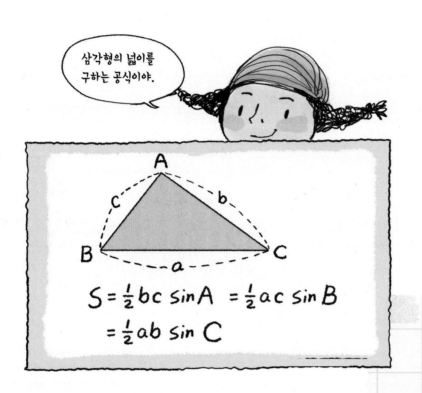

7. 사인법칙과 코사인법칙

개념 1 사인법칙

(1) 오른쪽 그림과 같은 삼각형 ABC에서 $\angle$A, $\angle$B, $\angle$C의
크기를 각각 A, B, C라 하고, 꼭짓점 A, B, C와 마주 보는
변 BC, CA, AB의 길이를 각각 a, b, c로 나타내기로 한다.

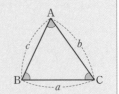

(2) 사인법칙

삼각형 ABC의 외접원의 반지름의 길이를 R라 하면

$$\frac{a}{\sin A} = \frac{b}{\sin B} = \frac{\boxed{❶}}{\sin C} = 2R$$

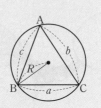

참고 사인법칙의 변형

❶ $a = 2R \sin A$, $b = 2R \sin B$, $c = 2R \sin C$

❷ $\sin A = \dfrac{a}{2R}$, $\sin B = \dfrac{b}{2R}$, $\sin C = \dfrac{c}{2R}$

❸ $a : b : c = \sin A : \boxed{❷} : \sin C$

답 ❶ c ❷ $\sin B$

보기 오른쪽 그림과 같이 반지름의 길이가 $\sqrt{2}$인 원에 내접하는
삼각형 ABC에서 $A = 30°$일 때, 변 BC의 길이를 구하시오.

연구 삼각형 ABC의 외접원의 반지름의 길이를 R라 하면

$$\frac{\overline{BC}}{\sin A} = 2R \text{에서} \quad \frac{\overline{BC}}{\sin 30°} = 2\sqrt{2}$$

$$\therefore \overline{BC} = 2\sqrt{2} \sin 30° = 2\sqrt{2} \times \frac{1}{2} = \sqrt{2}$$

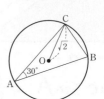

개념 2 코사인법칙

삼각형 ABC에서

$$a^2 = b^2 + c^2 - 2bc \cos A \quad \Rightarrow \quad \cos A = \frac{b^2 + c^2 - a^2}{2bc}$$

$$b^2 = c^2 + a^2 - 2ca \cos B \quad \Rightarrow \quad \cos B = \frac{c^2 + a^2 - b^2}{2ca}$$

$$c^2 = a^2 + b^2 - 2ab \cos C \quad \Rightarrow \quad \boxed{❶} = \frac{a^2 + b^2 - c^2}{2ab}$$

참고 코사인법칙은 두 변의 길이와 그 끼인각의 크기를 알 때 또는 세 변의 길이를 알 때 사용한다.

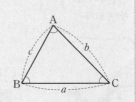

답 ❶ $\cos C$

보기 삼각형 ABC에서 $b = 6$, $c = 4$, $A = 60°$일 때, a의 값을 구하시오.

연구 $a^2 = b^2 + c^2 - 2bc \cos A$에서 $a^2 = 6^2 + 4^2 - 2 \times 6 \times 4 \times \cos 60° = 28$

$$\therefore a = \sqrt{28} = 2\sqrt{7}$$

└ a는 변의 길이이므로 양수이다.

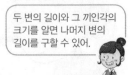

개념 익히기

1-1 | 사인법칙 |

다음 □ 안에 알맞은 것을 써넣으시오.

(1)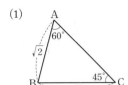

$$\frac{\sqrt{3}}{\boxed{}} = \frac{\sqrt{2}}{\sin 45°}$$

(2)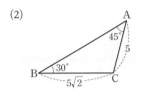

$$\frac{5\sqrt{2}}{\sin 45°} = \frac{\boxed{}}{\sin 30°}$$

연구

(1) $\dfrac{\overline{BC}}{\sin A} = \dfrac{\overline{AB}}{\sin C}$ 에서 $\dfrac{\sqrt{3}}{\boxed{}} = \dfrac{\sqrt{2}}{\sin 45°}$

(2) $\dfrac{\overline{BC}}{\sin A} = \dfrac{\overline{AC}}{\sin B}$ 에서 $\dfrac{5\sqrt{2}}{\sin 45°} = \dfrac{\boxed{}}{\sin 30°}$

1-2 | 따라풀기 |

다음 □ 안에 알맞은 것을 써넣으시오.

(1)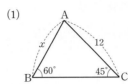

$$\frac{12}{\sin 60°} = \frac{x}{\sin 45°}$$
$$\therefore x = \boxed{}$$

(2)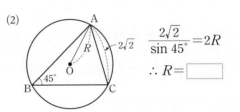

$$\frac{2\sqrt{2}}{\sin 45°} = 2R$$
$$\therefore R = \boxed{}$$

2-1 | 코사인법칙 |

다음 □ 안에 알맞은 것을 써넣으시오.

(1)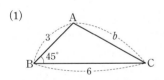

$$b^2 = 3^2 + 6^2 - 2 \times 3 \times 6 \times \boxed{}$$

(2)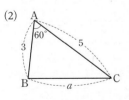

$$a^2 = 5^2 + 3^2 - 2 \times 5 \times 3 \times \boxed{}$$

연구

(1) $b^2 = c^2 + a^2 - 2ca \cos B$ 에서 $b^2 = 3^2 + 6^2 - 2 \times 3 \times 6 \times \boxed{}$

(2) $a^2 = b^2 + c^2 - 2bc \cos A$ 에서 $a^2 = 5^2 + 3^2 - 2 \times 5 \times 3 \times \boxed{}$

2-2 | 따라풀기 |

다음 □ 안에 알맞은 것을 써넣으시오.

(1)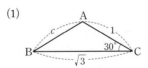

$$c^2 = (\sqrt{3})^2 + 1^2 - 2 \times \sqrt{3} \times 1 \times \boxed{}$$

(2)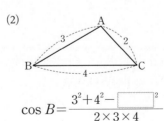

$$\cos B = \frac{3^2 + 4^2 - \boxed{}^2}{2 \times 3 \times 4}$$

개념 3 삼각형의 넓이

개념 플러스

삼각형 ABC의 넓이를 S라 하면

❶ 두 변의 길이와 그 끼인각의 크기를 알 때

$$S=\frac{1}{2}ab\sin C=\frac{1}{2}bc\sin A=\frac{1}{2}ca\sin B$$

❷ 세 변의 길이 a, b, c를 알 때

$$S=\sqrt{s(s-a)(s-b)(s-c)}\ (단, 2s=a+b+c)$$

❸ 외접원의 반지름의 길이 R를 알 때, $S=\dfrac{abc}{\boxed{\ ❶\ }}$

❹ 내접원의 반지름의 길이 r를 알 때, $S=rs$ (단, $2s=a+b+c$)

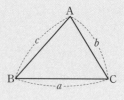

답 ❶ $4R$

㉠

$h=a\sin\theta$이므로

$$S=\frac{1}{2}bh=\frac{1}{2}ab\sin\theta$$

보기 오른쪽 그림과 같이 $a=24$, $c=26$, $B=150°$인
삼각형 ABC의 넓이 S를 구하시오.

연구 $S=\dfrac{1}{2}ca\sin B=\dfrac{1}{2}\times 26\times 24\times\sin 150°$

이때 $\sin 150°=\sin(180°-30°)=\sin 30°=\dfrac{1}{2}$이므로

$S=\dfrac{1}{2}\times 26\times 24\times\dfrac{1}{2}=\mathbf{156}$

㉡ 헤론(Heron)의 공식이라 한다.
세 변의 길이가 자연수일 때는 이
공식을 이용하는 것이 편리하다.

㉢ $\dfrac{c}{\sin C}=2R$에서 $\sin C=\dfrac{c}{2R}$

$\therefore S=\dfrac{1}{2}ab\sin C$

$=\dfrac{1}{2}ab\times\dfrac{c}{2R}=\dfrac{abc}{4R}$

개념 4 사각형의 넓이

(1) 평행사변형의 넓이

이웃하는 두 변의 길이가 a, b이고 그 끼인각의 크기가
$\boxed{\ ❶\ }$인 평행사변형 ABCD의 넓이를 S라 하면

$$S=ab\sin\theta$$

(2) 사각형의 넓이

두 대각선의 길이가 p, q이고 두 $\boxed{\ ❷\ }$이 이루는 각의 크기가 θ인 사각형 ABCD의 넓이를 S라 하면

$$S=\frac{1}{2}pq\sin\theta$$

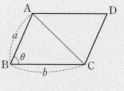

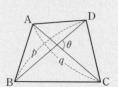

답 ❶ θ ❷ 대각선

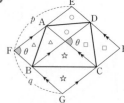

㉣

사각형 ABCD의 넓이 S는 평행
사변형 EFGH의 넓이의 $\dfrac{1}{2}$이다.

이때 $\overline{EF}=\overline{BD}=p$,
$\overline{FG}=\overline{AC}=q$, $F=\theta$이므로

$S=\dfrac{1}{2}($사각형 EFGH의 넓이$)$

$=\dfrac{1}{2}pq\sin\theta$

보기 오른쪽 그림과 같이 이웃하는 두 변의 길이가 $\sqrt{3}$, 4
이고 그 끼인각의 크기가 $60°$인 평행사변형의 넓이
S를 구하시오.

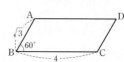

연구 $S=\sqrt{3}\times 4\times\sin 60°=\sqrt{3}\times 4\times\dfrac{\sqrt{3}}{2}=\mathbf{6}$

개념 익히기

3-1 | 삼각형의 넓이 |

다음 그림과 같은 삼각형 ABC의 넓이를 구하시오.

(1)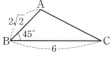

(2)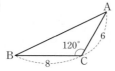

연구

삼각형 ABC의 넓이를 S라 하면

(1) $S = \dfrac{1}{2} \times \overline{AB} \times \overline{BC} \times \sin 45°$

$= \dfrac{1}{2} \times 2\sqrt{2} \times 6 \times \dfrac{\sqrt{2}}{2} = \boxed{}$

(2) $S = \dfrac{1}{2} \times \overline{BC} \times \overline{CA} \times \sin \boxed{}$

$= \dfrac{1}{2} \times 8 \times 6 \times \dfrac{\sqrt{3}}{2} = \mathbf{12\sqrt{3}}$

3-2 | 따라풀기 |

다음 그림과 같은 삼각형 ABC의 넓이를 구하시오.

(1)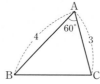

(2)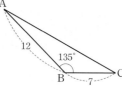

풀이

4-1 | 사각형의 넓이 |

다음 그림과 같은 사각형 ABCD의 넓이를 구하시오.

(단, (1)의 사각형은 평행사변형이다.)

(1)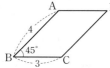

(2)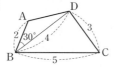

연구

사각형 ABCD의 넓이를 S라 하면

(1) $S = \overline{AB} \times \overline{BC} \times \sin 45°$

$= 4 \times \boxed{} \times \dfrac{\sqrt{2}}{2} = \mathbf{6\sqrt{2}}$

(2) 삼각형 ABD의 넓이를 S_1이라 하면

$S_1 = \dfrac{1}{2} \times 2 \times 4 \times \sin 30° = \dfrac{1}{2} \times 2 \times 4 \times \dfrac{1}{2} = 2$

삼각형 BCD의 넓이를 S_2라 하면

$s = \dfrac{3+4+5}{2} = \boxed{}$ 이므로

$S_2 = \sqrt{6(6-3)(6-4)(6-5)} = 6$

$\therefore S = S_1 + S_2 = 2 + 6 = \mathbf{8}$

4-2 | 따라풀기 |

다음 그림과 같은 사각형 ABCD의 넓이를 구하시오.

(단, (1)의 사각형은 평행사변형이다.)

(1)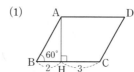

(2)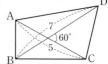

풀이

삼각형의 세 변의 길이와 세 각의 크기에 대한 사인함숫값 사이의 관계를 사인법칙이라 한다.

> 삼각형 ABC의 외접원의 반지름의 길이를 R라 하면
> $$\frac{a}{\sin A}=\frac{b}{\sin B}=\frac{c}{\sin C}=2R$$

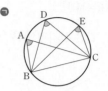

위의 그림에서 호 BC에 대한 원주각의 크기는 모두 같으므로
$$A=D=E$$

증명 삼각형 ABC의 외접원의 중심을 O, 외접원의 반지름의 길이를 R라 할 때, 사인법칙은 ∠A의 크기에 따라 다음과 같이 세 경우로 나누어 구할 수 있다.

(i) $A<90°$일 때

선분 BO의 연장선이 외접원과 만나는 점을 A′이라 할 때, 선분 BA′은 외접원의 지름이다.

즉, $\overline{BA'}=2R$

또 A와 A'은 호 BC에 대한 원주각의 크기이므로 $A=A'$이고, 선분 BA′이 외접원의 지름이므로 ∠A′CB=90°이다.

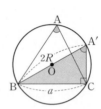

$\therefore \sin A=\sin A'=\dfrac{\overline{BC}}{\overline{BA'}}=\dfrac{a}{2R}$ $\therefore \dfrac{a}{\sin A}=2R$

$\overset{\frown}{A'B}$의 중심각의 크기는 $180°$이고, 호에 대한 원주각의 크기는 중심각의 크기의 $\dfrac{1}{2}$이다. 이때 ∠A′CB는 $\overset{\frown}{A'B}$의 원주각이므로
$$\angle A'CB=180°\times\frac{1}{2}=90°$$

(ii) $A=90°$일 때

$\sin A=\sin 90°=1$이고 $a=2R$이므로

$$\frac{a}{\sin A}=\frac{2R}{1}=2R \qquad \therefore \frac{a}{\sin A}=2R$$

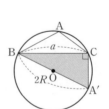

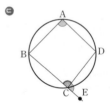

원에 내접하는 사각형 ABCD에 대하여
$$A+C=180°, \ A=\angle DCE$$

(iii) $A>90°$일 때

선분 BO의 연장선이 외접원과 만나는 점을 A′이라 할 때, 선분 BA′은 외접원의 지름이다.

즉, $\overline{BA'}=2R$

또 사각형 ABA′C가 외접원에 내접하므로 대각의 크기의 합은 180°이다.

즉, $A+A'=180°$이므로 $A=180°-A'$

이때 선분 BA′이 외접원의 지름이므로 ∠A′CB=90°이다.

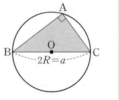

$\therefore \sin A=\sin(180°-A')=\sin A'=\dfrac{\overline{BC}}{\overline{BA'}}=\dfrac{a}{2R}$ $\therefore \dfrac{a}{\sin A}=2R$

(i), (ii), (iii)에서 ∠A의 크기에 관계없이 $\dfrac{a}{\sin A}=2R$가 성립함을 알 수 있다.

같은 방법으로 $\dfrac{b}{\sin B}=2R$, $\dfrac{c}{\sin C}=2R$도 증명할 수 있다.

▶ 삼각형의 세 꼭짓점을 지나는 원이 삼각형의 외접원이다. 이때 외접원의 중심이 바로 삼각형의 외심이 된다.
모든 삼각형에는 외접원이 반드시 존재하므로 모든 삼각형에서 사인법칙을 이용할 수 있다.

삼각형 ABC의 외접원의 반지름의 길이를 R라 하면

$$\frac{a}{\sin A}=\frac{b}{\sin B}=\frac{c}{\sin C}=2R$$

❶ a, A, R 중 두 값이 주어진 경우 ⇨ $\dfrac{a}{\sin A}=2R$를 이용한다.

❷ a, b, A, B 중 세 값이 주어진 경우 ⇨ $\dfrac{a}{\sin A}=\dfrac{b}{\sin B}$를 이용한다.

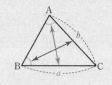

$$\frac{a}{\sin A}=\frac{b}{\sin B}$$

예제 오른쪽 그림과 같은 삼각형 ABC에서 $a=2$, $b=2\sqrt{3}$, $B=120°$일 때, 다음 물음에 답하시오.

(1) A의 크기를 구하시오.

(2) 삼각형 ABC의 외접원의 반지름의 길이를 구하시오.

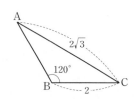

해법 코드
(2) 외접원의 반지름의 길이를 R라 하면
$$\frac{\overline{AC}}{\sin B}=2R$$

셀파 $\dfrac{a}{\sin A}=\dfrac{b}{\sin B}=\dfrac{c}{\sin C}=2R$ (단, R는 외접원의 반지름의 길이)

풀이 (1) 사인법칙에서 $\dfrac{2}{\sin A}=\dfrac{2\sqrt{3}}{\sin 120°}$이므로 $2\sqrt{3}\sin A=2\sin 120°$

$$\sin A=\frac{2\sin 120°}{2\sqrt{3}}=\frac{2\times\dfrac{\sqrt{3}}{2}}{2\sqrt{3}}=\frac{1}{2}$$

∴ $A=30°$ 또는 $A=150°$

이때 $B=120°$이므로 $A=30°$

ⓐ $A=150°$이면
$A+B=270°$가 되어 삼각형이 이루어지지 않는다.

(2) 삼각형 ABC의 외접원의 반지름의 길이를 R라 하면 사인법칙에서

$$\frac{2\sqrt{3}}{\sin 120°}=2R \qquad ∴ R=\frac{2\sqrt{3}}{2\sin 120°}=\frac{2\sqrt{3}}{2\times\dfrac{\sqrt{3}}{2}}=2$$

ⓑ $\dfrac{b}{\sin B}=2R$에서
$$\frac{2\sqrt{3}}{\sin 120°}=2R$$

확인 문제

정답과 해설 | **68**쪽

MY 셀파

01-1 다음 물음에 답하시오.

상·중·하
(1) 삼각형 ABC에서 $A=45°$, $a=4\sqrt{2}$일 때, 외접원의 반지름의 길이를 구하시오.

(2) 삼각형 ABC에서 $b=10$, $A=60°$, $C=75°$일 때, a의 값을 구하시오.

01-1
(2) $A+B+C=180°$이고 $A=60°$, $C=75°$이므로 B의 크기를 구할 수 있다.

01-2 반지름의 길이가 6인 원에 내접하는 삼각형 ABC의 둘레의 길이가 15일 때,

상·중·하
$\sin A+\sin B+\sin C$의 값을 구하시오.

01-2
$\dfrac{a}{\sin A}=2R$에서 $\sin A=\dfrac{a}{2R}$

사인법칙 $\dfrac{a}{\sin A}=\dfrac{b}{\sin B}=\dfrac{c}{\sin C}=2R$ 에서

❶ $a=2R\sin A$, $b=2R\sin B$, $c=2R\sin C$

❷ $a:b:c=2R\sin A:2R\sin B:2R\sin C$

　　　　$=\sin A:\sin B:\sin C$

삼각형 ABC에서
세 변의 길이의 비 $a:b:c$와
세 각의 크기의 비 $A:B:C$
는 같지 않음에 주의한다. 즉,
$a:b:c\ne A:B:C$

예제 **1.** 삼각형 ABC에서 $a-4b+c=0$, $2a-3b-c=0$일 때, $\sin A:\sin B:\sin C$ 를 구하시오.

2. 삼각형 ABC에서 $\dfrac{b+c}{3}=\dfrac{c+a}{4}=\dfrac{a+b}{3}$ 일 때, $\sin A:\sin B:\sin C$를 구하시오.

해법 코드

1. a, b, c 각각을 a, b, c 중 어느 한 문자로 나타낸다.

2. a, b, c 각각을 다른 문자 k로 나타낸다.

셀파 $a:b:c=\sin A:\sin B:\sin C$

풀이 **1.** $\underset{\text{ⓐ}}{a-4b+c=0}$ ······㉠, $2a-3b-c=0$ ······㉡이라 하면

㉠+㉡에서 $3a-7b=0$ $\therefore b=\dfrac{3}{7}a$

이것을 ㉠에 대입하면 $a-\dfrac{12}{7}a+c=0$ $\therefore c=\dfrac{5}{7}a$

$\therefore \sin A:\sin B:\sin C=a:b:c=a:\dfrac{3}{7}a:\dfrac{5}{7}a=$ **7 : 3 : 5**

ⓐ 미지수가 세 개이고, 식이 두 개이 므로 $a:b:c$를 구할 수 있다.

2. $\dfrac{b+c}{3}=\dfrac{c+a}{4}=\dfrac{a+b}{3}=k\ (k>0)$로 놓으면

$b+c=3k$ ······㉠, $c+a=4k$ ······㉡, $a+b=3k$ ······㉢

$\underset{\text{ⓑ}}{}$㉠+㉡+㉢에서 $2(a+b+c)=10k$ $\therefore a+b+c=5k$ ······㉣

㉣에 각각 ㉠, ㉡, ㉢을 대입하면 $a=2k$, $b=k$, $c=2k$

$\therefore \sin A:\sin B:\sin C=a:b:c=2k:k:2k=$ **2 : 1 : 2**

ⓑ
$$\begin{array}{r} b+c=3k \\ a\quad+c=4k \\ +)\ a+b\quad=3k \\ \hline 2(a+b+c)=10k \end{array}$$

확인 문제　　　　　　　　　　　　　　　정답과 해설 | **68**쪽　　　　　　　　　　　**MY 셀파**

02-1 삼각형 ABC에서 $A:B:C=4:1:1$일 때, $a:b:c$를 구하시오.
(상)(중)(하)

02-1
$A+B+C=180°$에서
$A=180°\times\dfrac{4}{6}=120°$

02-2 삼각형 ABC의 둘레의 길이가 28이고 $\dfrac{\sin A}{5}=\dfrac{\sin B}{3}=\dfrac{\sin C}{6}$일 때, a, b, c 의 값을 구하시오.
(상)(중)(하)

02-2
$a:b:c$
$=\sin A:\sin B:\sin C$

삼각형 ABC의 외접원의 반지름의 길이를 R라 하면

$$\sin A = \frac{a}{2R}, \sin B = \frac{b}{2R}, \sin C = \frac{c}{2R}$$

$a^2 + b^2 = c^2$이면 삼각형 ABC는 $C = 90°$인 직각삼각형이다.

예제 삼각형 ABC에서 다음 등식이 성립할 때, 이 삼각형은 어떤 삼각형인지 말하시오.

(1) $a \sin A = b \sin B + c \sin C$

(2) $\sin^2 A + \sin^2 B = 2 \sin A \sin(A+C)$

해법 코드

$\dfrac{a}{\sin A} = \dfrac{b}{\sin B} = \dfrac{c}{\sin C} = 2R$

에서 $\sin A = \dfrac{a}{2R}$, $\sin B = \dfrac{b}{2R}$,

$\sin C = \dfrac{c}{2R}$

셀파 사인법칙을 이용하여 삼각형의 세 변의 길이 사이의 관계식을 구한다.

풀이 삼각형 ABC의 외접원의 반지름의 길이를 R라 하면 사인법칙에서

$$\sin A = \frac{a}{2R}, \sin B = \frac{b}{2R}, \sin C = \frac{c}{2R} \quad \cdots\cdots \text{㉠}$$

(1) ㉠을 $a \sin A = b \sin B + c \sin C$에 대입하면

$$a \times \frac{a}{2R} = b \times \frac{b}{2R} + c \times \frac{c}{2R}$$

이 등식의 양변에 $2R$를 곱하면 $a^2 = b^2 + c^2$

따라서 삼각형 ABC는 **$A = 90°$인 직각삼각형**

(2) $A + C = 180° - B$이므로 $\sin(A+C) = \sin(180° - B) = \sin B$

즉, 주어진 식은 $\sin^2 A + \sin^2 B = 2 \sin A \sin B \quad \cdots\cdots \text{㉡}$

㉠을 ㉡에 대입하면 $\left(\dfrac{a}{2R}\right)^2 + \left(\dfrac{b}{2R}\right)^2 = 2 \times \dfrac{a}{2R} \times \dfrac{b}{2R}$

이 등식의 양변에 $4R^2$을 곱하면 $a^2 + b^2 = 2ab$, $(a-b)^2 = 0$ $\therefore a = b$

따라서 삼각형 ABC는 **$a = b$인 이등변삼각형**

❶ $A + B + C = 180°$이므로
$A + C = 180° - B$

다른 풀이

(2) $\sin^2 A + \sin^2 B = 2 \sin A \sin B$

에서

$(\sin A - \sin B)^2 = 0$이므로

$\sin A = \sin B$

$\dfrac{a}{2R} = \dfrac{b}{2R}$ $\therefore a = b$

따라서 삼각형 ABC는 $a = b$인 이등변삼각형이다.

확인 문제

정답과 해설 | **68**쪽

MY 셀파

03-1 삼각형 ABC에서 다음 등식이 성립할 때, 이 삼각형은 어떤 삼각형인지 말하시오.
(상)(중)(하)

(1) $\sin^2 A = \sin^2 B + \sin^2 C$

(2) $a \sin A = b \sin B = c \sin C$

03-1

$\sin A = \dfrac{a}{2R}$, $\sin B = \dfrac{b}{2R}$,

$\sin C = \dfrac{c}{2R}$를 이용한다.

03-2 x에 대한 이차방정식 $x^2 - 2x \sin C + \sin^2 A + \sin^2 B = 0$이 중근을 가질 때,
(상)(중)(하) 이 삼각형은 어떤 삼각형인지 말하시오.

03-2

이차방정식이 중근을 가지므로 판별식 D는 $D = 0$이다.

삼각형의 세 변의 길이와 세 각의 크기에 대한 코사인함숫값 사이의 관계를 코사인법칙이라 한다.

> ⓐ 삼각형 ABC에서
> $$a^2=b^2+c^2-2bc\cos A$$
> $$b^2=c^2+a^2-2ca\cos B$$
> $$c^2=a^2+b^2-2ab\cos C$$

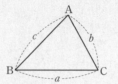

증명   삼각형 ABC의 꼭짓점 A에서 밑변 BC 또는 그 연장선 위에 내린 수선의 발을 H라 하면 변 BC의 길이를 ∠C의 크기에 따라 다음과 같이 세 경우로 나누어 구할 수 있다.

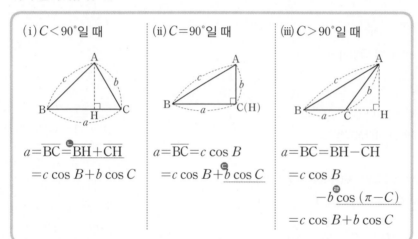

(i) $C<90°$일 때	(ii) $C=90°$일 때	(iii) $C>90°$일 때
$a=\overline{BC}=\overline{BH}+\overline{CH}$ $=c\cos B+b\cos C$	$a=\overline{BC}=c\cos B$ $=c\cos B+b\cos C$	$a=\overline{BC}=\overline{BH}-\overline{CH}$ $=c\cos B$ $\quad -b\cos(\pi-C)$ $=c\cos B+b\cos C$

(i), (ii), (iii)에서 ∠C의 크기에 관계없이 $a=b\cos C+c\cos B$가 성립함을 알 수 있다.
같은 방법으로 $b=c\cos A+a\cos C$, $c=a\cos B+b\cos A$도 증명할 수 있다.

$$a=b\cos C+c\cos B \xrightarrow{\times a} a^2=ab\cos C+ac\cos B \quad\cdots\cdots\text{㉠}$$
$$b=c\cos A+a\cos C \xrightarrow{\times b} b^2=bc\cos A+ab\cos C \quad\cdots\cdots\text{㉡}$$
$$c=a\cos B+b\cos A \xrightarrow{\times c} c^2=ac\cos B+bc\cos A \quad\cdots\cdots\text{㉢}$$

㉠−㉡−㉢에서
$$a^2-b^2-c^2=(ab\cos C+ac\cos B)-(bc\cos A+ab\cos C)$$
$$-(ac\cos B+bc\cos A)$$
$$a^2-b^2-c^2=-2bc\cos A \qquad \therefore a^2=b^2+c^2-2bc\cos A$$
같은 방법으로 $b^2=c^2+a^2-2ca\cos B$, $c^2=a^2+b^2-2ab\cos C$도 증명할 수 있다.

오른쪽 주석

ⓐ 이때 다음 식이 성립한다.
$$\cos A=\frac{b^2+c^2-a^2}{2bc}$$
$$\cos B=\frac{c^2+a^2-b^2}{2ca}$$
$$\cos C=\frac{a^2+b^2-c^2}{2ab}$$

ⓑ 직각삼각형 ABH에서
$$\cos B=\frac{\overline{BH}}{\overline{AB}}=\frac{\overline{BH}}{c}$$
$$\therefore \overline{BH}=c\cos B$$
직각삼각형 AHC에서
$$\cos C=\frac{\overline{CH}}{\overline{AC}}=\frac{\overline{CH}}{b}$$
$$\therefore \overline{CH}=b\cos C$$

ⓒ $C=90°$일 때,
$\cos C=\cos 90°=0$이므로
$c\cos B=c\cos B+b\cos C$

ⓓ $\cos(\pi-C)=-\cos C$

ⓔ 꼭짓점 B에서 변 AC 또는 그 연장선에 내린 수선의 발을 H라 하고 코사인함수의 정의를 이용하면
$b=c\cos A+a\cos C$
를 얻을 수 있다.

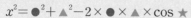

삼각형에서 두 변의 길이(●와 ▲)와 그 끼인각의 크기(★)가 주어진 경우에 나머지 한 변의 길이(x)를 구할 때는 코사인법칙을 이용한다.

$$x^2 = ●^2 + ▲^2 - 2 \times ● \times ▲ \times \cos ★$$

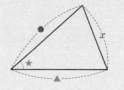

문제에 따라서는 코사인법칙에 값을 바로 대입하여 해결할 수도 있지만 대부분의 경우 문제의 숨은 뜻에서 두 변의 길이와 그 끼인각의 크기를 찾아내야 한다.

예제 **1.** 오른쪽 그림과 같은 삼각형 ABC에서 $a=2$, $b=\sqrt{10}$, $c=\sqrt{2}$일 때, B의 크기를 구하시오.

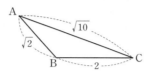

해법 코드

1. 코사인법칙을 이용하여 $\cos B$의 값을 구한다.

2. 오른쪽 그림과 같은 평행사변형 ABCD에서 $\overline{AB}=3$, $\overline{BC}=6$, $\angle ABC=60°$일 때, 두 대각선 AC, BD의 길이를 구하시오.

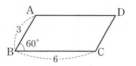

2. 평행사변형에서 이웃하는 두 각의 크기의 합은 $180°$이다.

셀파 삼각형 ABC에서 $b^2 = c^2 + a^2 - 2ca \cos B$

풀이 **1.** $\cos B = \dfrac{(\sqrt{2})^2 + 2^2 - (\sqrt{10})^2}{2 \times \sqrt{2} \times 2} = \dfrac{-4}{4\sqrt{2}} = -\dfrac{\sqrt{2}}{2}$

$\therefore \boldsymbol{B = 135°}$ $(\because 0° < B < 180°)$

2. (i) $\overline{AC}^2 = 3^2 + 6^2 - 2 \times 3 \times 6 \times \cos 60° = 27$

$\therefore \overline{AC} = \sqrt{27} = \boldsymbol{3\sqrt{3}}$ $(\because \overline{AC} > 0)$

(ii) $A = 180° - 60° = 120°$이므로 $\overline{BD}^2 = 3^2 + 6^2 - 2 \times 3 \times 6 \times \cos 120° = 63$

$\therefore \overline{BD} = \sqrt{63} = \boldsymbol{3\sqrt{7}}$ $(\because \overline{BD} > 0)$

$\overline{AB} /\!/ \overline{DC}$, $\overline{AD} /\!/ \overline{BC}$일 때, 동위각의 크기가 서로 같고 엇각의 크기가 서로 같다.

따라서 평행사변형에서 이웃하는 두 각의 크기의 합은

$● + ★ = 180°$

확인 문제 정답과 해설 | **69**쪽

MY 셀파

04-1 삼각형 ABC에서 $b=6$, $c=6$, $A=120°$일 때, a의 값을 구하시오.
(상)(중)(하)

04-1
코사인법칙을 이용하여 a^2의 값을 구한다.

04-2 오른쪽 그림과 같이 중심각의 크기가 $60°$이고 호의 길이가 2π인 부채꼴 OAB가 있다. 이 부채꼴에서 선분 OB의 삼등분점 중 O에 가까운 점을 P라 할 때, 선분 AP의 길이를 구하시오.
(상)(중)(하)

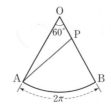

04-2
부채꼴의 호의 길이 $l = r\theta$를 이용하여 반지름의 길이 $\overline{OA}$를 구한 다음 삼각형 OAP에서 코사인법칙을 이용한다.

삼각형에서 세 변의 길이가 주어지면 코사인법칙

$$\cos A = \frac{b^2+c^2-a^2}{2bc}, \ \cos B = \frac{c^2+a^2-b^2}{2ca}, \ \cos C = \frac{a^2+b^2-c^2}{2ab}$$

을 이용하여 각의 크기를 구한다.

이때 특수각이면 각의 크기를 구할 수 있지만 그 외에는 코사인 값만 구할 수 있다.

코사인법칙은 삼각형의 세 변의 길이가 주어졌을 때, 특정 각에 대한 코사인 값은 물론 사인 값을 구할 때도 이용한다.

예제 **1.** 삼각형 ABC에서 $a:b:c=4:5:7$일 때, $\cos C$의 값을 구하시오.

2. 오른쪽 그림과 같이 삼각형 ABC의 변 BC 위에 점 D를 잡을 때, 선분 AD의 길이를 구하시오.

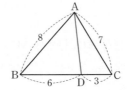

해법 코드

1. 삼각형의 세 변의 길이의 비가 주어질 때도 코사인법칙을 이용한다.

2. 삼각형 ABC에서 $\cos B$의 값을 구한다.

셀파 세 변의 길이 또는 길이의 비가 주어질 때, $\cos A$, $\cos B$, $\cos C$의 값을 구할 수 있다.

풀이 **1.** $a:b:c=4:5:7$에서 $a=4k$, $b=5k$, $c=7k$ ($k>0$)로 놓으면

$$\overset{ⓐ}{\cos C} = \frac{(4k)^2+(5k)^2-(7k)^2}{2\times 4k \times 5k} = \frac{-8k^2}{40k^2} = -\frac{1}{5}$$

2. 삼각형 ABC에서 $\overset{ⓑ}{\cos B} = \frac{8^2+9^2-7^2}{2\times 8 \times 9} = \frac{2}{3}$

삼각형 ABD에서

$$\overline{AD}^2 = \overline{AB}^2 + \overline{BD}^2 - 2\times\overline{AB}\times\overline{BD}\cos B = 8^2+6^2-2\times 8\times 6\times\frac{2}{3} = 36$$

$\therefore \overline{AD}=6$ ($\because \overline{AD}>0$)

ⓐ 코사인법칙
$c^2=a^2+b^2-2ab\cos C$에서
$$\cos C = \frac{a^2+b^2-c^2}{2ab}$$

ⓑ 코사인법칙
$b^2=c^2+a^2-2ca\cos B$에서
$$\cos B = \frac{c^2+a^2-b^2}{2ca}$$

확인 문제 정답과 해설 | **69**쪽 MY 셀파

05-1 다음 물음에 답하시오.
(상◉하)
(1) 삼각형 ABC에서 $a=4$, $b=5$, $c=6$일 때, $\sin A$의 값을 구하시오.

(2) 삼각형 ABC에서 $(a+b+c)(a+b-c)=ab$일 때, C의 크기를 구하시오.

05-1
(2) $(a+b+c)(a+b-c)$
$=(a+b)^2-c^2$
$=a^2+2ab+b^2-c^2$

05-2 오른쪽 그림과 같은 정사각형 ABCD에서 변 AD의 중
(상◉하) 점을 E, 변 CD의 중점을 F, $\angle EBF=\theta$라 할 때, $\sin\theta$의 값을 구하시오.

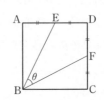

05-2
정사각형 ABCD의 한 변의 길이를 $2a$로 놓으면
$\overline{AE}=\overline{ED}=\overline{DF}=\overline{FC}=a$

> **❶ 사인법칙**
> 삼각형 ABC의 외접원의 반지름의 길이를 R라 하면
> $$\frac{a}{\sin A} = \frac{b}{\sin B} = \frac{c}{\sin C} = 2R$$
> **❷ 코사인법칙**
> $a^2 = b^2 + c^2 - 2bc \cos A$
> $b^2 = c^2 + a^2 - 2ca \cos B$
> $c^2 = a^2 + b^2 - 2ab \cos C$

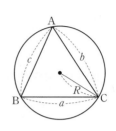

01 삼각형 ABC에서 다음을 구하시오.

(1) $a = 3$, $A = 120°$, $B = 30°$일 때, b의 값

(2) $A = 60°$, $B = 75°$, $c = 8\sqrt{2}$일 때, a의 값

(3) $a = 2$, $c = 2\sqrt{2}$, $C = 135°$일 때, A의 크기

(4) $a = \sqrt{3}$, $b = 3$, $A = 30°$일 때, B의 크기

02 삼각형 ABC의 외접원의 반지름의 길이를 R라 할 때, 다음을 구하시오.

(1) $A = 30°$, $a = 3$일 때, R의 값

(2) $c = 20$, $A = 45°$, $B = 105°$일 때, R의 값

03 삼각형 ABC에서 다음을 구하시오.

(1) $b = 2$, $c = 4$, $A = 120°$일 때, a의 값

(2) $a = 5\sqrt{3}$, $c = 4\sqrt{3}$, $B = 60°$일 때, b의 값

(3) $a = 7$, $b = 3$, $C = 60°$일 때, c의 값

04 삼각형 ABC에서 다음을 구하시오.

(1) $a = 6$, $b = 7$, $c = 8$일 때, $\cos A$의 값

(2) $a = 1$, $b = \sqrt{7}$, $c = 3$일 때, B의 크기

(3) $a = 5$, $b = 3$, $c = 7$일 때, C의 크기

7 사인법칙과 코사인법칙

삼각형 ABC의 외접원의 반지름의 길이를 R라 하면

❶ $\sin A = \dfrac{a}{2R}$, $\sin B = \dfrac{b}{2R}$, $\sin C = \dfrac{c}{2R}$

❷ $\cos A = \dfrac{b^2+c^2-a^2}{2bc}$, $\cos B = \dfrac{c^2+a^2-b^2}{2ca}$, $\cos C = \dfrac{a^2+b^2-c^2}{2ab}$

삼각형의 모양은 삼각형의 세 변의 길이 사이의 관계로부터 결정된다.

예제 삼각형 ABC에서 다음 등식이 성립할 때, 이 삼각형은 어떤 삼각형인지 말하시오.

(1) $\sin A = 2 \sin C \cos B$

(2) $a \cos A + b \cos B = c \cos C$

해법 코드
사인법칙과 코사인법칙을 이용하여 세 변의 길이 a, b, c에 대한 식으로 정리한다.

셀파 사인법칙과 코사인법칙을 이용하여 삼각형의 세 변의 길이 사이의 관계식을 구한다.

풀이 (1) 삼각형 ABC의 외접원의 반지름의 길이를 R라 하면

$$\frac{a}{2R} = 2 \times \frac{c}{2R} \times \frac{c^2+a^2-b^2}{2ca}$$

이 식의 양변에 $2Ra$를 곱하면 $a^2 = c^2 + a^2 - b^2$

<u>$b^2 - c^2 = 0$</u> ❸ ∴ $b = c$ ($\because b > 0$, $c > 0$)

따라서 삼각형 ABC는 **$b=c$인 이등변삼각형**

❸ $b^2 - c^2 = 0$에서
$(b+c)(b-c) = 0$
이때 $b > 0$, $c > 0$이므로
$b + c > 0$이다.
따라서 $b - c = 0$, 즉 $b = c$

(2) $a \times \dfrac{b^2+c^2-a^2}{2bc} + b \times \dfrac{c^2+a^2-b^2}{2ca} = c \times \dfrac{a^2+b^2-c^2}{2ab}$

이 식의 양변에 $2abc$를 곱하면

$a^2(b^2+c^2-a^2) + b^2(c^2+a^2-b^2) = c^2(a^2+b^2-c^2)$

$a^2b^2 + a^2c^2 - a^4 + b^2c^2 + a^2b^2 - b^4 = a^2c^2 + b^2c^2 - c^4$

<u>$a^4 - 2a^2b^2 + b^4 - c^4 = 0$</u> ❹, $(a^2-b^2-c^2)(a^2-b^2+c^2) = 0$

∴ $a^2 = b^2 + c^2$ 또는 $b^2 = a^2 + c^2$

따라서 삼각형 ABC는 **$A=90°$ 또는 $B=90°$인 직각삼각형**

❹ $a^4 - 2a^2b^2 + b^4 - c^4$
$= (a^2-b^2)^2 - c^4$
$= (a^2-b^2)^2 - (c^2)^2$
$= (a^2-b^2-c^2)(a^2-b^2+c^2)$

확인 문제　　　　　정답과 해설 | **70**쪽　　　　　MY 셀파

06-1 삼각형 ABC에서 다음 등식이 성립할 때, 이 삼각형은 어떤 삼각형인지 말하시오.

(상)(중)(하)

(1) $c = 2a \cos B$

(2) $\tan A \sin^2 B = \tan B \sin^2 A$

(3) $b \sin(90°-C) = c \sin(90°-B)$

06-1

(2) $\tan A = \dfrac{\sin A}{\cos A}$

(3) $\sin(90°-C) = \cos C$
$\sin(90°-B) = \cos B$

❶ 삼각형의 최대각과 최소각은 세 변의 길이의 크기를 비교하여 찾는다.
이때 최대변의 대각이 최대각, 최소변의 대각이 최소각이다.
❷ 세 변의 길이를 알 때, 최대각과 최소각의 크기는 코사인법칙의 변형을 이용하여 구한다.

삼각형 ABC에서 가장 긴 변이 최대변, 가장 짧은 변이 최소변이다.

예제   **1.** 삼각형 ABC에서 $a=\sqrt{2}$, $b=2$, $c=\sqrt{3}+1$일 때, 최소각의 크기를 구하시오.

해법 코드
1. a가 최소변의 길이이므로 A의 크기가 최소각의 크기이다.
2. 사인법칙을 이용하여 a, b, c의 비를 구한다.

  2. 삼각형 ABC에서 $\dfrac{\sin A}{2}=\dfrac{\sin B}{\sqrt{3}}=\sin C$일 때, 최대각의 크기를 구하시오.

셀파 최대각 ⇨ 최대변의 대각, 최소각 ⇨ 최소변의 대각

풀이 **1.** a가 최소변의 길이이므로 A의 크기가 최소각의 크기이다.
코사인법칙에서
$$\cos A=\frac{b^2+c^2-a^2}{2bc}=\frac{2^2+(\sqrt{3}+1)^2-(\sqrt{2})^2}{2\times2\times(\sqrt{3}+1)}=\frac{2\sqrt{3}(\sqrt{3}+1)}{4(\sqrt{3}+1)}=\frac{\sqrt{3}}{2}$$
이때 $0°<A<180°$이므로 $A=30°$
따라서 최소각의 크기는 **30°**

ⓐ $a=\sqrt{2}$, $b=2$, $c=\sqrt{3}+1$에서 $\sqrt{4}=2>\sqrt{2}$, $\sqrt{3}+1>\sqrt{2}$이므로 a, b, c 중 a의 값이 가장 작다.

2. $\dfrac{\sin A}{2}=\dfrac{\sin B}{\sqrt{3}}=\sin C$에서 $\sin A:\sin B:\sin C=2:\sqrt{3}:1$
사인법칙에서 $a:b:c=\sin A:\sin B:\sin C$이므로
$a=2k$, $b=\sqrt{3}k$, $c=k$ $(k>0)$로 놓으면
a가 최대변의 길이이므로 A의 크기가 최대각의 크기이다.
코사인법칙에서
$$\cos A=\frac{b^2+c^2-a^2}{2bc}=\frac{(\sqrt{3}k)^2+k^2-(2k)^2}{2\times\sqrt{3}k\times k}=0$$
이때 $0°<A<180°$이므로 $A=90°$
따라서 최대각의 크기는 **90°**

ⓑ 코사인 값의 부호는 제1사분면에서는 양, 제2사분면에서는 음이므로 A의 크기는 제1사분면의 각의 크기이다.

확인 문제   정답과 해설 | **71**쪽   **MY 셀파**

07-1 (상)(중)(하) 삼각형 ABC에서 $a=2\sqrt{3}$, $b=2\sqrt{2}$, $c=\sqrt{6}+\sqrt{2}$일 때, 최소각의 크기를 구하시오.

07-1
b가 최소변의 길이이므로 B의 크기가 최소각의 크기이다.

07-2 (상)(중)(하) 삼각형 ABC에서 $\dfrac{\sin A}{7}=\dfrac{\sin B}{8}=\dfrac{\sin C}{13}$일 때, 최대각의 크기를 구하시오.

07-2
먼저 $a:b:c$를 구한다.

1 두 변의 길이와 그 끼인각의 크기가 주어진 경우

> 삼각형 ABC의 넓이를 S라 하면
>
> $$S=\frac{1}{2}ab\sin C=\frac{1}{2}bc\sin A=\frac{1}{2}ca\sin B$$

증명 삼각형 ABC의 꼭짓점 A에서 변 BC 또는 그 연장선에 내린 수선의 발을 H라 하면 선분 AH의 길이를 ∠B의 크기에 따라 다음과 같이 세 경우로 나누어 구할 수 있다.

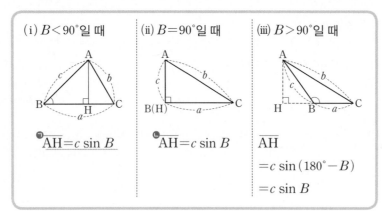

(i) $B<90°$일 때
ⓐ$\overline{AH}=c\sin B$

(ii) $B=90°$일 때
ⓑ$\overline{AH}=c\sin B$

(iii) $B>90°$일 때
$\overline{AH}$
$=c\sin(180°-B)$
$=c\sin B$

(i), (ii), (iii)에서 ∠B의 크기에 관계없이 $\overline{AH}=c\sin B$가 성립하므로 삼각형 ABC의 넓이를 S라 하면 $S=\frac{1}{2}\times\overline{BC}\times\overline{AH}=\frac{1}{2}ca\sin B$

같은 방법으로 $S=\frac{1}{2}ab\sin C$, $S=\frac{1}{2}bc\sin A$도 증명할 수 있다.

2 세 변의 길이가 주어진 경우

> 세 변의 길이가 a, b, c인 삼각형 ABC의 넓이를 S라 하면
>
> $$S=\sqrt{s(s-a)(s-b)(s-c)} \ \ (단, 2s=a+b+c)$$

증명 $S=\frac{1}{2}bc\sin A=\frac{1}{2}bc$ⓒ$\sqrt{1-\cos^2 A}$

$=\frac{1}{2}bc\sqrt{\left(1+\dfrac{b^2+c^2-a^2}{2bc}\right)\left(1-\dfrac{b^2+c^2-a^2}{2bc}\right)}$

$=\frac{1}{2}bc\sqrt{\dfrac{(2bc+b^2+c^2-a^2)(2bc-b^2-c^2+a^2)}{(2bc)^2}}$

$=\dfrac{bc}{4bc}\sqrt{\{(b+c)^2-a^2\}\{a^2-(b-c)^2\}}$

$=\frac{1}{4}\sqrt{(a+b+c)(-a+b+c)(a+b-c)(a-b+c)}$

이때 ⓓ$2s=a+b+c$로 놓으면 $S=\sqrt{s(s-a)(s-b)(s-c)}$

ⓐ 직각삼각형 ABH에서
$\sin B=\dfrac{\overline{AH}}{\overline{AB}}=\dfrac{\overline{AH}}{c}$
$\therefore \overline{AH}=c\sin B$

ⓑ $\sin B=\sin 90°=1$이므로
$\overline{AH}=c=c\sin 90°=c\sin B$

ⓒ $1-\cos^2 A$
$=(1+\cos A)(1-\cos A)$
이고
$\cos A=\dfrac{b^2+c^2-a^2}{2bc}$
이다.

ⓓ $a+b+c=2s$이므로
$-a+b+c=2(s-a)$
$a+b-c=2(s-c)$
$a-b+c=2(s-b)$
따라서
$S=\frac{1}{4}\sqrt{2^4 s(s-a)(s-b)(s-c)}$
$=\sqrt{s(s-a)(s-b)(s-c)}$

3 외접원의 반지름의 길이 R가 주어진 경우

> 세 변의 길이가 a, b, c인 삼각형 ABC의 외접원의 반지름의 길이를 R라
> 할 때, 삼각형 ABC의 넓이 S는
> **❶** $S = \dfrac{abc}{4R}$
> **❷** $S = 2R^2 \sin A \sin B \sin C$

⊙ 사인법칙

$$\dfrac{a}{\sin A} = \dfrac{b}{\sin B} = \dfrac{c}{\sin C} = 2R$$

에서 $\sin A = \dfrac{a}{2R}$

증명 **❶** 사인법칙에 의해 $\sin A = \dfrac{a}{2R}$이므로

$$S = \dfrac{1}{2} bc \sin A = \dfrac{1}{2} bc \times \dfrac{a}{2R} = \dfrac{abc}{4R}$$

❷ 사인법칙에 의해 $b = 2R \sin B$, $c = 2R \sin C$이므로

$$S = \dfrac{1}{2} bc \sin A = \dfrac{1}{2} \times 2R \sin B \times 2R \sin C \times \sin A$$
$$= 2R^2 \sin A \sin B \sin C$$

⊙ 삼각형 ABC의 내접원의 중심을 I라 하면 점 I와 세 변 사이의 거리는 모두 내접원의 반지름의 길이 r와 같다.

4 내접원의 반지름의 길이 r가 주어진 경우

> 세 변의 길이가 a, b, c인 삼각형 ABC의 내접원의 반지름의 길이를 r라 할
> 때, 삼각형 ABC의 넓이 S는
> $S = rs$ (단, $2s = a+b+c$)

증명 오른쪽 그림과 같이 삼각형 ABC의 내접원의
중심을 I, 반지름의 길이를 r라 하면
$$S = \triangle IAB + \triangle IBC + \triangle ICA$$
$$= \dfrac{1}{2} cr + \dfrac{1}{2} ar + \dfrac{1}{2} br$$
$$= \dfrac{r}{2}(a+b+c) = rs$$

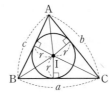

▶ **3** , **4** 의 공식은 삼각형의 넓이를 구할 때 이용하기보다는 외접원과 내접원의 반지름의 길이를 구할 때 주로 이용한다.

확인 체크 01

정답과 해설 | **71**쪽

다음 조건을 만족시키는 삼각형 ABC의 넓이 S를 구하시오.

(1) $a = 4$, $b = 7$, $C = 60°$　　　　　(2) $b = 2$, $c = 5$, $A = 150°$

삼각형 ABC의 넓이를 S라 하면

$$S = \frac{1}{2}ab\sin C = \frac{1}{2}bc\sin A = \frac{1}{2}ca\sin B$$

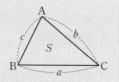

두 변의 길이와 그 끼인각이 아닌 다른 각의 크기가 주어지면 사인법칙이나 코사인법칙을 이용한다.

예제 오른쪽 그림과 같이 반지름의 길이가 10인 원 위의 세 점 A, B, C에 대하여 $\widehat{AB} : \widehat{BC} : \widehat{CA} = 4 : 3 : 5$일 때, 삼각형 ABC의 넓이를 구하시오.

해법 코드
$\triangle ABC$
$= \triangle AOB + \triangle BOC + \triangle COA$

셀파 두 변의 길이와 그 끼인각의 크기를 구한다.

풀이 $\widehat{AB} : \widehat{BC} : \widehat{CA} = 4 : 3 : 5$에서 ⊙ $\angle AOB : \angle BOC : \angle COA = 4 : 3 : 5$
따라서 ⊙ $\angle AOB = 120°$, $\angle BOC = 90°$, $\angle COA = 150°$
이때

$$\triangle AOB = \frac{1}{2} \times \overline{OA} \times \overline{OB} \times \sin 120° = \frac{1}{2} \times 10 \times 10 \times \frac{\sqrt{3}}{2} = 25\sqrt{3}$$

$$\triangle BOC = \frac{1}{2} \times \overline{OB} \times \overline{OC} \times \sin 90° = \frac{1}{2} \times 10 \times 10 \times 1 = 50$$

$$\triangle COA = \frac{1}{2} \times \overline{OC} \times \overline{OA} \times \sin 150° = \frac{1}{2} \times 10 \times 10 \times \frac{1}{2} = 25$$

$\therefore \triangle ABC = \triangle AOB + \triangle BOC + \triangle COA$
$\qquad = 25\sqrt{3} + 50 + 25 = \mathbf{75 + 25\sqrt{3}}$

⊙ $\angle AOB + \angle BOC + \angle COA$
$= 360°$
이므로
$\angle AOB = 360° \times \dfrac{4}{12} = 120°$
$\angle BOC = 360° \times \dfrac{3}{12} = 90°$
$\angle COA = 360° \times \dfrac{5}{12} = 150°$

⊙

확인 문제 정답과 해설 | **71**쪽

MY 셀파

08-1 삼각형 ABC의 넓이를 S라 할 때, 다음을 구하시오.
(상ㆍ중ㆍ하)
(1) $b = 2$, $c = 2\sqrt{3}$, $B = 30°$일 때, S의 값

(2) $a = 4$, $b = 6$, $S = 6\sqrt{3}$일 때, C의 크기 (단, $0° < C < 90°$)

08-1
(1) 사인법칙을 이용하여 C의 크기를 먼저 구한다.

08-2 오른쪽 그림은 세 변의 길이가 4, 5, 3인 직각삼각형 ABC에서 변 BC를 한 변으로 하는 정사각형 BDEC를 그린 것이다. 이때 삼각형 BDA의 넓이를 구하시오.
(상ㆍ중ㆍ하)

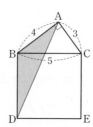

08-2
$\angle ABC = \theta$라 하면
$\angle ABD = 90° + \theta$이므로
$\sin(\angle ABD) = \sin(90° + \theta)$
$\qquad = \cos\theta$

삼각형 ABC의 넓이를 S라 하면

❶ 내접원의 반지름의 길이 r가 주어지면 ⇨ $S=\dfrac{r}{2}(a+b+c)$

❷ 외접원의 반지름의 길이 R가 주어지면 ⇨ $S=\dfrac{abc}{4R}$

❸ 세 변의 길이가 주어지면 ⇨ $S=\sqrt{s(s-a)(s-b)(s-c)}$ $\left(\text{단, }s=\dfrac{a+b+c}{2}\right)$

삼각형이 주어지면 외접원과 내접원이 반드시 존재한다.

❶, ❷에서 삼각형의 넓이를 알면 삼각형의 내접원의 반지름의 길이와 외접원의 반지름의 길이를 구할 수 있다.

❸을 헤론의 공식이라 한다.

 1. 반지름의 길이가 5인 원에 외접하는 삼각형의 넓이가 20일 때, 이 삼각형의 둘레의 길이를 구하시오.

2. 세 변의 길이가 다음과 같은 삼각형 ABC의 넓이 S를 구하시오.

(1) 2, 3, 3   (2) 5, 7, 8

해법 코드

1. 원에 외접하는 삼각형이 주어지면 삼각형에 내접하는 원을 생각한다.

2. 헤론의 공식을 이용하여 삼각형의 넓이를 구한다.

셀파 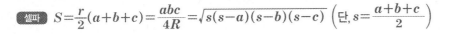 $S=\dfrac{r}{2}(a+b+c)=\dfrac{abc}{4R}=\sqrt{s(s-a)(s-b)(s-c)}$ $\left(\text{단, }s=\dfrac{a+b+c}{2}\right)$

풀이 **1.** ⑤ 삼각형의 내접원의 반지름의 길이가 5이므로 넓이를 S라 하면

$S=\dfrac{r}{2}(a+b+c)$에서 $20=\dfrac{5}{2}(a+b+c)$ ∴ $a+b+c=8$

따라서 삼각형의 둘레의 길이는 **8**

2. (1) 삼각형의 세 변의 길이가 2, 3, 3이므로 $s=\dfrac{2+3+3}{2}=4$

∴ $S=\sqrt{4(4-2)(4-3)(4-3)}=\sqrt{4\times2\times1\times1}=\mathbf{2\sqrt{2}}$

(2) 삼각형의 세 변의 길이가 5, 7, 8이므로 $s=\dfrac{5+7+8}{2}=10$

∴ $S=\sqrt{10(10-5)(10-7)(10-8)}=\sqrt{10\times5\times3\times2}=\mathbf{10\sqrt{3}}$

⑤ 주어진 삼각형을 그림으로 나타내면 다음과 같다.

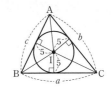

이때

$S=\dfrac{1}{2}(5a+5b+5c)$

$\quad=\dfrac{5}{2}(a+b+c)$

확인 문제   정답과 해설 | **71**쪽   **MY 셀파**

09-1 세 변의 길이가 4, 5, 7인 삼각형의 내접원의 반지름의 길이를 구하시오.
(상)(중)(하)

09-1
세 변의 길이를 이용하여 삼각형의 넓이를 구한다.

09-2 내접원의 반지름의 길이가 2, 외접원의 반지름의 길이가 8인 삼각형 ABC에서
(상)(중)(하) $\sin A+\sin B+\sin C=\dfrac{5}{4}$일 때, 삼각형 ABC의 넓이를 구하시오.

09-2
$\sin A+\sin B+\sin C$
$=\dfrac{1}{2R}(a+b+c)$

세 변의 길이가 13, 14, 15인 삼각형 ABC의 외접원의 반지름의 길이와 내접원의 반지름의 길이를 구하시오.

삼각형의 세 변의 길이가 주어지면 외접원의 반지름의 길이 R와 내접원의 반지름의 길이 r도 구할 수 있어.

Q 삼각형에서 세 변의 길이를 알면 그 삼각형의 넓이를 구할 수 있는 것 아닌가요?

A 삼각형의 넓이를 구할 수 있으면 외접원과 내접원의 반지름의 길이도 구할 수 있지 않을까?

Q 일단 넓이를 구해 볼게요.

삼각형 ABC의 세 변의 길이가 13, 14, 15이므로

$$s = \frac{13+14+15}{2} = 21$$

삼각형 ABC의 넓이를 S라 하면

$$S = \sqrt{21(21-13)(21-14)(21-15)} = \overset{⑦}{\sqrt{21 \times 8 \times 7 \times 6}} = 84$$

A 이때 삼각형 ABC의 외접원의 반지름의 길이를 R, 내접원의 반지름의 길이를 r라 하면

$$S = \frac{abc}{4R}$$ 에서 $84 = \frac{13 \times 14 \times 15}{4R}$, 즉 $R = \frac{65}{8}$ 이지.

⑦ $21 \times 8 \times 7 \times 6$
  $= 7 \times 3 \times 4 \times 2 \times 7 \times 3 \times 2$
  $= (7 \times 3 \times 4)^2 = 84^2$

Q 아하. 그럼 $S = \frac{r}{2}(a+b+c)$ 에서 $84 = 21r$, 즉 $r = \mathbf{4}$ 이에요.

A 넓이를 이용한 활용 문제를 더 풀어 볼까?

오른쪽 그림과 같은 삼각형 ABC에서 $A = 120°$, $\overline{\text{AB}} = 8$, $\overline{\text{AC}} = 6$이다. ∠A의 이등분선이 변 BC와 만나는 점을 D라 할 때, 선분 AD의 길이를 구하시오.

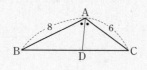

$\triangle \text{ABC} = \triangle \text{ABD} + \triangle \text{ADC}$를 이용해 봐.

Q $\overline{\text{AD}} = x$로 놓으면

$\triangle \text{ABC} = \triangle \text{ABD} + \triangle \text{ADC}$이므로

$$\overset{ⓛ}{12\sqrt{3} = 2\sqrt{3}x + \frac{3\sqrt{3}}{2}x}, \ \frac{7\sqrt{3}}{2}x = 12\sqrt{3} \qquad \therefore x = \frac{24}{7}$$

즉, 구하는 선분 AD의 길이는 $\dfrac{\mathbf{24}}{\mathbf{7}}$가 되네요.

ⓛ $\triangle \text{ABC} = \frac{1}{2} \times 8 \times 6 \times \sin 120°$
  $= 24 \times \frac{\sqrt{3}}{2} = 12\sqrt{3}$

$\triangle \text{ABD} = \frac{1}{2} \times 8 \times x \times \sin 60°$
  $= 4x \times \frac{\sqrt{3}}{2} = 2\sqrt{3}x$

$\triangle \text{ADC} = \frac{1}{2} \times x \times 6 \times \sin 60°$
  $= 3x \times \frac{\sqrt{3}}{2} = \frac{3\sqrt{3}}{2}x$

❶ 이웃하는 두 변의 길이가 a, b이고, 그 끼인각의 크기가 θ인 평행사변형의 넓이 S는 ⇨ $S=ab\sin\theta$

❷ 두 대각선의 길이가 p, q이고, 두 대각선이 이루는 각의 크기가 θ인 사각형의 넓이 S는 ⇨ $S=\dfrac{1}{2}pq\sin\theta$

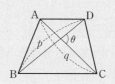

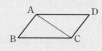

평행사변형 ABCD에서
□ABCD=2△ABC

예제 1. $\overline{AB}=4$, $\overline{BC}=5$, $C=120°$인 평행사변형 ABCD의 넓이를 구하시오.

2. 오른쪽 그림과 같이 두 대각선의 길이가 각각 6, 8이고, 두 대각선이 이루는 각의 크기가 θ인 사각형 ABCD에서 $\cos\theta=\dfrac{1}{4}$일 때, 사각형 ABCD의 넓이를 구하시오.

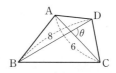

해법 코드

1. $B+C=180°$이므로 $B=60°$

2. $\sin^2\theta+\cos^2\theta=1$을 이용하여 $\sin\theta$의 값을 구한다.

셀파 길이가 p, q인 두 대각선이 이루는 각의 크기가 θ일 때, 사각형의 넓이 S는
⇨ $S=\dfrac{1}{2}pq\sin\theta$

풀이 1. $B=180°-C=180°-120°=60°$
따라서 평행사변형 ABCD의 넓이를 S라 하면
$S=\overline{AB}\times\overline{BC}\times\sin 60°=4\times5\times\dfrac{\sqrt{3}}{2}=\mathbf{10\sqrt{3}}$

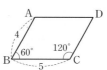

2. $\cos\theta=\dfrac{1}{4}$에서 $\sin^2\theta=1-\left(\dfrac{1}{4}\right)^2=\dfrac{15}{16}$ ∴ $\sin\theta=\dfrac{\sqrt{15}}{4}$ $(∵\ 0°<\theta<180°)$
따라서 ⬤사각형 ABCD의 넓이를 S라 하면
$S=\dfrac{1}{2}\times6\times8\times\sin\theta=\dfrac{1}{2}\times6\times8\times\dfrac{\sqrt{15}}{4}=\mathbf{6\sqrt{15}}$

⬤
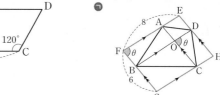

△AFB≡△BOA
△BGC≡△COB
△CHD≡△DOC
△DEA≡△AOD
따라서 사각형 ABCD의 넓이는 사각형 EFGH의 넓이의 $\dfrac{1}{2}$이다.

확인 문제

정답과 해설 | **72**쪽

MY 셀파

10-1 오른쪽 그림과 같이 $\overline{AB}=5$, $\overline{BC}=8$인 평행사변형 ABCD의 넓이가 20일 때, A의 크기를 구하시오. (단, $A>B$)

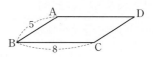

10-1
평행사변형 ABCD의 넓이는 삼각형 ABC의 넓이의 2배이다.

10-2 오른쪽 그림과 같이 한 대각선의 길이가 6이고 $\overline{AB}=\overline{CD}$이다. 두 대각선이 이루는 각의 크기가 60°인 사다리꼴 ABCD의 넓이를 구하시오.

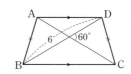

10-2
평행하지 않은 두 변의 길이가 같은 사다리꼴을 등변사다리꼴이라 하고, 등변사다리꼴의 두 대각선의 길이는 같다.

사인법칙

01 삼각형 ABC에서 $\overline{BC}=8$이고,
(상)(중)(하) $9\sin(B+C)\sin A=4$가 성립할 때, 삼각형 ABC
의 외접원의 반지름의 길이를 구하시오.

사인법칙의 변형

02 삼각형 ABC에서
(상)(중)(하)
$$(b+c):(c+a):(a+b)=4:5:6$$
일 때, $\dfrac{\sin^2 A}{\sin B \sin C}$의 값을 구하시오.

코사인법칙

03 오른쪽 그림과 같이 승희와 지영
(상)(중)(하) 이가 각각 자전거를 타고 O 지점
에서 동시에 출발하여 서로 $60°$
의 각을 이루면서 달려가고 있

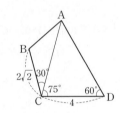

다. 승희는 분속 500 m로 달리고 지영이는 분속 800
m로 달릴 때, 10분 후 두 사람 사이의 거리를 구하시오.

코사인법칙　　　　　　　　　　　　　　　　　　　창의력

04 오른쪽 그림은 밑면의 반지름의
(상)(중)(하) 길이가 3이고, 모선의 길이가 9인
원뿔이다. 두 점 A, B는 원뿔에서
밑면인 원의 지름의 양 끝점일 때,
꼭짓점 A에서 출발하여 원뿔의
옆면을 따라 모선 OB 위의 점 P
에 이르는 최단 거리를 구하시오. (단, $\overline{OP}=6$)

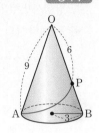

사인법칙과 코사인법칙

05 오른쪽 그림과 같은 사각형
(상)(중)(하) ABCD에서 $\overline{BC}=2\sqrt{2}$,
$\overline{CD}=4$, $\angle BCA=30°$,
$\angle ACD=75°$,
$\angle CDA=60°$일 때, 선분
AB의 길이를 구하시오.

코사인법칙의 변형

06 오른쪽 그림과 같은
(상)(중)(하) 삼각형 ABC에서
$\overline{AC}=\sqrt{7}$, $\overline{BD}=2$,
$\angle ABD=30°$,
$\angle ADC=60°$일 때, 선분 CD의 길이를 구하시오.

삼각형의 모양 결정

07 삼각형 ABC에서 등식

$$a^2 \cos A \sin B = b^2 \sin A \cos B$$

가 성립할 때, 이 삼각형은 어떤 삼각형인지 말하시오. (단, $a \neq b$)

삼각형의 넓이 (2)

10 오른쪽 그림과 같은 사각형 ABCD에서 $\overline{AB}=10$, $\overline{BC}=15$, $\overline{CD}=5$, $\overline{DA}=8$, $D=60°$일 때, 삼각형 ABC의 넓이를 구하시오.

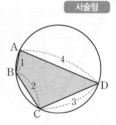

사인법칙과 코사인법칙

창의·융합

08 원 모양의 호수의 넓이를 구하기 위해 호수의 가장자리의 세 지점 A, B, C에서 거리와 각을 측정한 결과 $\overline{AB}=80$ m, $\overline{AC}=100$ m, $\angle CAB=60°$일 때, 이 호수의 넓이는?

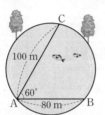

① 2400 πm^2 ② 2500 πm^2 ③ 2600 πm^2

④ 2700 πm^2 ⑤ 2800 πm^2

사각형의 넓이

서술형

11 오른쪽 그림과 같이 원에 내접하는 사각형 ABCD에서 $\overline{AB}=1$, $\overline{BC}=2$, $\overline{CD}=3$, $\overline{DA}=4$일 때, 사각형 ABCD의 넓이를 구하시오.

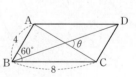

삼각형의 넓이 (1)

09 오른쪽 그림과 같이 넓이가 100인 삼각형에서 한 변의 길이는 10 % 줄이고 다른 한 변의 길이는 10 % 늘여서 새로운 삼각형을 만들었다. 새로운 삼각형의 넓이를 구하시오.

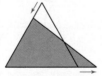

사각형의 넓이

12 오른쪽 그림과 같은 평행사변형 ABCD에서 $\overline{AB}=4$, $\overline{BC}=8$, $B=60°$일 때, 두 대각선 AC, BD가 이루는 예각 θ에 대하여 $\sin \theta$의 값을 구하시오.

8

등차수열

기둥에 새겨진 숫자는 등차수열이었습니다.

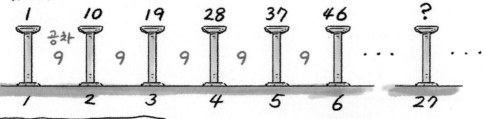

8. 등차수열

개념 1 수열의 뜻

(1) 차례로 늘어놓은 수의 열을 **수열**이라 하고, 수열을 이루고 있는 각각의 수를 그 수열의 **항**이라 한다. 이때 앞에서부터 차례로 제1항, 제2항, 제3항, $\cdots$, 제 n항, $\cdots$이라 한다.

(2) 일반적으로 수열을 나타낼 때는 각 항에 ❶ **(번호)** 를 붙여 $a_1, a_2, a_3, \cdots, a_n, \cdots$과 같이 나타낸다. 수열의 각 항은 그 항의 번호에 대응하여 정해지므로 수열은 자연수 전체의 집합 N에서 실수 전체의 집합 R로의 함수 $f : N \longrightarrow R$, $f(n)=a_n$으로 생각할 수 있다. 이때 제 n항 a_n을 그 수열의 **일반항**이라 한다.

답 ❶ 번호

[보기] 다음 수열의 제5항을 구하시오.

(1) $1, -1, 1, -1, \cdots$ 　　　　　 (2) $1, 4, 9, 16, \cdots$

[연구] (1) 첫째항과 제3항은 1, 제2항과 제4항은 -1이므로 주어진 수열은 홀수항이 1, 짝수항이 -1이다. 따라서 제5항은 홀수항이므로 **1**

(2) $1=1^2$, $4=2^2$, $9=3^2$, $16=4^2$이므로 주어진 수열은 1부터 시작하여 제곱수를 나열한 것이다. 따라서 제5항은 $5^2=$ **25**

개념 2 등차수열

(1) 등차수열의 뜻

❶ 수열의 첫째항에 차례로 일정한 수를 더하여 얻어지는 수열을 **등차수열**이라 하고, 더하는 일정한 수를 **공차**라 한다.

$$a_1, \quad a_2, \quad a_3, \quad a_4, \quad \cdots$$
$$+d \quad +d \quad +d \quad \Rightarrow \text{공차}$$

❷ 공차가 d인 등차수열 $\{a_n\}$에서 제 n항에 공차 d를 더하면 제 $(n+1)$항이 되므로
$$\Rightarrow a_{n+1}=a_n + \boxed{❶} \ (n=1, 2, 3, \cdots)$$

(2) 등차수열의 일반항

첫째항이 ❷, 공차가 d인 등차수열 $\{a_n\}$의 일반항을 a_n이라 하면
$$\Rightarrow a_n = a + (n-1)d \ (n=1, 2, 3, \cdots)$$

답 ❶ d ❷ a

[해설] (2) 첫째항이 a, 공차가 d인 등차수열의 일반항을 a_n이라 하면

$$a_1 = a \qquad\qquad\qquad \Rightarrow a_1 = a + 0 \cdot d$$
$$a_2 = a_1 + d = a + d \qquad\qquad \Rightarrow a_2 = a + 1 \cdot d$$
$$a_3 = a_2 + d = (a+d) + d = a + 2d \quad \Rightarrow a_3 = a + 2 \cdot d$$
$$a_4 = a_3 + d = (a+2d) + d = a + 3d \quad \Rightarrow a_4 = a + 3 \cdot d$$
$$\vdots$$
$$\therefore a_n = a + (n-1)d$$

등차수열에서 등차(等差)는 '차가 같다.'는 뜻이야.

일정한 규칙 없이 수를 나열한 것도 수열이지만 여기서는 규칙이 있는 수열만 다루기로 해.

㉠ 첫째항, 둘째항, 셋째항, $\cdots$, n째항, $\cdots$ 이라고도 한다.

㉡ 수열을 간단히 기호로 나타낼 때는 일반항 a_n을 사용하여 $\{a_n\}$으로 나타낸다. 이때 수열 $\{a_n\}$에서 $\{ \ \}$는 집합 기호가 아니다.

㉢ 수열 $\{a_n\}$의 제 n항 a_n이 n에 대한 식으로 주어지면 n에 1, 2, 3, $\cdots$을 차례로 대입하여 그 수열의 모든 항을 구할 수 있다.

㉣ 공차(公差 : '공통의 차'라는 뜻)는 영어로 common difference라 하고, 보통 d로 나타낸다.

개념 익히기

1-1 | 수열의 일반항 |

수열 $\{a_n\}$의 일반항이 다음과 같을 때, 첫째항부터 제4항까지 차례로 나열하시오.

(1) $a_n = 3^{n-1}$ (2) $a_n = \dfrac{1}{n(n+2)}$

연구

(1) $a_n = 3^{n-1}$에 $n=1, 2, 3, 4$를 대입하면

$a_1 = 3^{1-1} = 3^0 = 1$, $a_2 = 3^{2-1} = 3^1 = 3$

$a_3 = 3^{3-1} = 3^2 = \boxed{}$, $a_4 = 3^{4-1} = 3^3 = 27$

따라서 첫째항부터 제4항까지 차례로 나열하면

1, 3, 9, 27

(2) $a_n = \dfrac{1}{n(n+2)}$에 $n=1, 2, 3, 4$를 대입하면

$a_1 = \dfrac{1}{1(1+2)} = \dfrac{1}{3}$, $a_2 = \dfrac{1}{2(2+2)} = \dfrac{1}{\boxed{}}$

$a_3 = \dfrac{1}{3(3+2)} = \dfrac{1}{\boxed{}}$, $a_4 = \dfrac{1}{4(4+2)} = \dfrac{1}{24}$

따라서 첫째항부터 제4항까지 차례로 나열하면

$\dfrac{1}{3}, \dfrac{1}{8}, \dfrac{1}{15}, \dfrac{1}{24}$

1-2 | 따라풀기 |

수열 $\{a_n\}$의 일반항이 다음과 같을 때, 첫째항부터 제5항까지 차례로 나열하시오.

(1) $a_n = 2^{n-1}$ (2) $a_n = 3n - 2$

(3) $a_n = (n+1)^2$ (4) $a_n = \dfrac{n+1}{n}$

풀이

2-1 | 등차수열의 뜻 |

다음 수열이 등차수열을 이루도록 ☐ 안에 알맞은 수를 써넣으시오.

(1) 3, 9, 15, 21, ☐, ☐

(2) 11, 7, 3, ☐, ☐, -9

연구

(1) $9-3=6$, $15-9=6$, $21-15=6$이므로

주어진 수열은 공차가 ☐인 등차수열이다.

∴ 3, 9, 15, 21, ☐, ☐

(2) $7-11=-4$, $3-7=-4$이므로

주어진 수열은 공차가 ☐인 등차수열이다.

∴ 11, 7, 3, ☐, ☐, -9

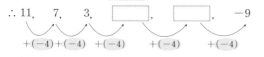

2-2 | 따라풀기 |

다음 수열이 등차수열을 이루도록 ☐ 안에 알맞은 수를 써넣으시오.

(1) 5, 8, 11, 14, ☐, ☐

(2) 25, ☐, 13, ☐, ☐, -5

풀이

개념 3 등차중항

세 수 a, b, c가 이 순서대로 등차수열을 이룰 때, b를 a와 **❶**□□ 의 **등차중항**이라 한다.

이때 $b-a=c-b$이므로 **❷** $b=\dfrac{a+c}{2}$가 성립한다.

답 ❶ c

개념 플러스

㉠ 세 수 a, b, c가 이 순서대로 등차
수열을 이룬다. ⇨ $b=\dfrac{a+c}{2}$

이때 $b=\dfrac{a+c}{2}$에서 b는 두 수 a와
c의 산술평균이다.

해설 세 수 a, b, c가 이 순서대로 등차수열을 이루면

$$b-a=d, c-b=d$$이므로 $b-a=c-b$, 즉 $2b=a+c$ $\therefore b=\dfrac{a+c}{2}$

개념 4 등차수열의 합

등차수열의 첫째항부터 제n항까지의 합을 **㉡** S_n이라 하면

❶ 첫째항이 **❶**□□ , 제n항이 l일 때, $S_n=\dfrac{n(a+l)}{2}$

❷ 첫째항이 a, 공차가 **❷**□□ 일 때, $S_n=\dfrac{n\{2a+(n-1)d\}}{2}$

답 ❶ a ❷ d

㉡ 수열 $\{a_n\}$에서 첫째항부터 제n항
까지의 합은 기호 S_n으로 나타낸
다. 즉,
$$S_n=a_1+a_2+\cdots+a_n$$

해설 **❶** 첫째항이 a, 공차가 d인 등차수열의 첫째항부터 제n항까지의 합을 S_n이라 하고, 제n항을 l이라
하면

$$S_n=a+(a+d)+(a+2d)+\cdots+(l-d)+l$$
$$+)\ S_n=l+(l-d)+(l-2d)+\cdots+(a+d)+a$$
$$2S_n=\underbrace{(a+l)+(a+l)+\cdots+(a+l)}_{n개}=n(a+l)\quad \therefore S_n=\dfrac{n(a+l)}{2}\ \ \cdots\cdots㉠$$

❷ 제n항인 l은 $l=a+(n-1)d$이고, 이것을 ㉠에 대입하면 $S_n=\dfrac{n\{2a+(n-1)d\}}{2}$

㉢

$a+l$	
a	l
$a+d$	$l-d$
$a+2d$	$l-2d$
⋮	
$l-2d$	$a+2d$
$l-d$	$a+d$
l	a

n

① S_n이 2개 ⇨ $2S_n$
② $a+l$이 n개 ⇨ $n(a+l)$
③ $2S_n=n(a+l)$
$\therefore S_n=\dfrac{n(a+l)}{2}$

개념 5 수열의 합과 일반항 사이의 관계

수열 $\{a_n\}$의 **❶**□□ 항부터 제n항까지의 합을 S_n이라 하면

❶ $a_1=S_1$ **❷** $a_n=S_n-S_{n-1}$ (단, $n\geq$ **❷**□)

답 ❶ 첫째 ❷ 2

$a_n=S_n-S_{n-1}$에서 구한
a_1이 S_1과 같을 때, 즉
$a_1=S_1$이면 $a_n=S_n-S_{n-1}$
은 $n=1$일 때도 성립해.

해설 수열 $\{a_n\}$의 첫째항부터 제n항까지의 합 S_n을 이용하여 일반항 a_n을 구하면

$$S_1=a_1 \Rightarrow a_1=S_1$$
$$S_2=a_1+a_2=S_1+a_2 \Rightarrow a_2=S_2-S_1$$
$$S_3=a_1+a_2+a_3=S_2+a_3 \Rightarrow a_3=S_3-S_2$$
$$S_4=a_1+a_2+a_3+a_4=S_3+a_4 \Rightarrow a_4=S_4-S_3$$
$$\vdots$$
$$S_n=a_1+a_2+\cdots+a_{n-1}+a_n=S_{n-1}+a_n \Rightarrow a_n=S_n-S_{n-1}$$

3-1 | 등차중항 |

다음 세 수가 이 순서대로 등차수열을 이룰 때, x의 값을 구하시오.

(1) $2, x, 14$

(2) $x, 4, 11$

(3) $x-1, x, 2x+3$

연구

(1) x는 2와 14의 등차중항이므로

$$x=\frac{2+14}{\boxed{}}=\boxed{}$$

(2) 4는 x와 11의 등차중항이므로

$$2\times\boxed{}=x+11 \quad\therefore x=\boxed{}$$

(3) x는 $x-1$과 $2x+3$의 등차중항이므로

$$2x=(x-1)+(2x+3), 2x=3x+2 \quad\therefore x=\boxed{}$$

3-2 | 따라풀기 |

다음 세 수가 이 순서대로 등차수열을 이룰 때, x의 값을 구하시오.

(1) $2, x, 16$

(2) $\dfrac{1}{2}, \dfrac{1}{4}, x$

(3) $x^2, x^2+x-2, 3x+2$

풀이

4-1 | 등차수열의 합 |

다음 수열의 첫째항부터 제10항까지의 합을 구하시오.

(1) 첫째항이 -3, 제10항이 17인 등차수열

(2) 첫째항이 2, 공차가 -2인 등차수열

연구

(1) 첫째항 $a=-3$, 끝항 $l=17$, 항수 $n=10$인 등차수열의 합은

$$\frac{10(-3+\boxed{})}{2}=\frac{10\times\boxed{}}{2}=\textbf{70}$$

(2) 첫째항 $a=2$, 공차 $d=-2$, 항수 $n=10$인 등차수열의 합은

$$\frac{10\{2\times2+(10-1)\times(\boxed{})\}}{2}=\frac{10\times(-14)}{2}$$

$$=\boxed{}$$

4-2 | 따라풀기 |

다음 수열의 첫째항부터 제20항까지의 합을 구하시오.

(1) 첫째항이 -5, 제20항이 40인 등차수열

(2) 첫째항이 15, 공차가 -1인 등차수열

풀이

일반적으로 수열을 나타낼 때는 문자에 번호를 붙여

$$a_1, a_2, a_3, \cdots, a_n, \cdots$$

과 같이 나타낸다. 이때 수열의 제n항 a_n을 이 수열의 일반항이라 하고 일반항이 a_n인 수열을 간단히 기호로 $\{a_n\}$과 같이 나타낸다.

수열의 각 항을 앞에서부터 차례로 첫째항, 둘째항, 셋째항, ⋯ 또는 제1항, 제2항, 제3항, ⋯이라 한다.

예제 다음 수열 $\{a_n\}$의 일반항을 추측해 보시오.

(1) $2, 4, 6, 8, 10, \cdots$

(2) $\dfrac{1}{2}, \dfrac{2}{3}, \dfrac{3}{4}, \dfrac{4}{5}, \dfrac{5}{6}, \cdots$

(3) $2^2-1, 3^2-2, 4^2-3, 5^2-4, 6^2-5, \cdots$

해법 코드
나열된 수들의 규칙을 찾아 수열의 제n항을 n에 대한 식으로 나타낸다.

셀파 수열의 일반항 ⇨ 나열된 수들의 규칙을 찾는다.

풀이 (1) $a_1=2=2\times\boxed{1}$, $a_2=4=2\times\boxed{2}$, $a_3=6=2\times\boxed{3}$,

$a_4=8=2\times\boxed{4}$, $a_5=10=2\times\boxed{5}$, $\cdots$

따라서 주어진 수열 $\{a_n\}$의 일반항은 $a_n=2n$

앞에서부터 차례로
$a_1, a_2, a_3, a_4, a_5, \cdots$
로 놓고 규칙을 찾아봐.

(2) $a_1=\dfrac{1}{2}=\dfrac{\boxed{1}}{1+1}$, $a_2=\dfrac{2}{3}=\dfrac{\boxed{2}}{2+1}$, $a_3=\dfrac{3}{4}=\dfrac{\boxed{3}}{3+1}$,

$a_4=\dfrac{4}{5}=\dfrac{\boxed{4}}{4+1}$, $a_5=\dfrac{5}{6}=\dfrac{\boxed{5}}{5+1}$, $\cdots$

따라서 주어진 수열 $\{a_n\}$의 일반항은 $a_n=\dfrac{n}{n+1}$

⬤ $n=1, 2, 3, 4, 5, \cdots$를 대입하면
$a_1=\dfrac{1}{2}, a_2=\dfrac{2}{3}, a_3=\dfrac{3}{4},$
$a_4=\dfrac{4}{5}, a_5=\dfrac{5}{6}, \cdots$

(3) $a_1=2^2-1=(\boxed{1}+1)^2-\boxed{1}$, $a_2=3^2-2=(\boxed{2}+1)^2-\boxed{2}$, $a_3=4^2-3=(\boxed{3}+1)^2-\boxed{3}$,

$a_4=5^2-4=(\boxed{4}+1)^2-\boxed{4}$, $a_5=6^2-5=(\boxed{5}+1)^2-\boxed{5}$, $\cdots$

따라서 주어진 수열 $\{a_n\}$의 일반항은 $a_n=(n+1)^2-n$

확인 문제　　　　　　　　　　　정답과 해설 | **76**쪽　　　　　　　**MY 셀파**

01-1 다음 수열 $\{a_n\}$의 일반항을 추측해 보시오.
(상)(중)(하)

(1) $-2, 4, -8, 16, -32, \cdots$

(2) $1, \dfrac{1}{3}, \dfrac{1}{5}, \dfrac{1}{7}, \dfrac{1}{9}, \cdots$

(3) $9, 99, 999, 9999, 99999, \cdots$

01-1

(3) $9=10-1$
$99=100-1$
$999=1000-1$
$9999=10000-1$
$\vdots$

첫째항이 a, 공차가 d인 등차수열 $\{a_n\}$의 일반항을 a_n이라 하면

$$a_n = a + (n-1)d \ (n=1, 2, 3, \cdots)$$

등차수열 문제가 주어지면 먼저 공차를 구할 수 있는지 생각한다.

참고 등차수열은 정의역이 자연수인 일차함수이다. 기울기와 직선이 지나는 한 점을 알면 일차함수의 그래프를 그릴 수 있는 것처럼 등차수열에서는 한 개의 항과 공차를 알면 일반항을 구할 수 있다.

예제 1. 다음과 같은 등차수열 $\{a_n\}$의 일반항을 구하시오.

    (1) 첫째항이 -21, 공차가 3   (2) 7, 5, 3, 1, $\cdots$

2. 등차수열 $\{a_n\}$에서 $a_3=21$, $a_{10}=63$일 때, a_{15}의 값을 구하시오.

해법 코드

1. (2) 첫째항 a와 공차 d를 구한다.

2. $a_n = a + (n-1)d$를 이용하여 a와 d에 대한 방정식으로 나타내고, 두 식을 연립하여 푼다.

셀파 첫째항이 a, 공차가 d인 등차수열 $\{a_n\}$의 일반항 ⇨ $a_n = a + (n-1)d$

풀이 1. (1) 첫째항 $a=-21$, 공차 $d=3$이므로

    $a_n = -21 + (n-1) \times 3$ ∴ $\boldsymbol{a_n = 3n - 24}$

  (2) 첫째항 $a=7$, 공차 $d=5-7=3-5=\cdots=-2$이므로

    $a_n = 7 + (n-1) \times (-2)$ ∴ $\boldsymbol{a_n = -2n + 9}$

2. 첫째항을 a, 공차를 d라 하면

    $a_3 = 21$에서 $a + 2d = 21$ $\cdots\cdots$ ㉠
    $a_{10} = 63$에서 $a + 9d = 63$ $\cdots\cdots$ ㉡

    ㉠, ㉡을 연립하여 풀면 $a=9$, $d=6$

    따라서 $a_n = 9 + (n-1) \times 6 = 6n + 3$이므로

    $a_{15} = 6 \times 15 + 3 = \boldsymbol{93}$

⬤ $a_n = a + (n-1)d$에서
    $a_3 = a + (3-1)d = a + 2d$
    $a_{10} = a + (10-1)d = a + 9d$

⬤ ㉡－㉠을 하면
    $7d = 42$에서 $d = 6$
    $d = 6$을 ㉠에 대입하면
    $a + 12 = 21$에서 $a = 9$

확인 문제   정답과 해설 | **76**쪽   MY 셀파

02-1 다음과 같은 등차수열 $\{a_n\}$에서 a_{10}의 값을 구하시오.

    (1) 1, 5, 9, 13, $\cdots$ (2) $\dfrac{1}{6}, \dfrac{1}{3}, \dfrac{1}{2}, \dfrac{2}{3}, \cdots$

02-1

첫째항 a와 공차 d를 찾은 다음 $a_n = a + (n-1)d$에 대입하여 일반항 a_n을 구한다.

02-2 등차수열 $\{a_n\}$에서 $a_2=8$이고 $a_4 : a_{10} = 3 : 8$일 때, a_{14}의 값을 구하시오.

02-2

$a_4 : a_{10} = 3 : 8$에서 $8a_4 = 3a_{10}$이다.

8 등차수열

❶ 등차수열 수열의 첫째항에 차례로 일정한 수를 더하여 얻어지는 수열

공차 더하는 일정한 수

❷ 등차수열의 일반항

첫째항이 a, 공차가 d인 등차수열 $\{a_n\}$의 일반항은 $a_n=a+(n-1)d$ $(n=1, 2, 3, \cdots)$

01 첫째항 a와 공차 d가 다음과 같은 등차수열 $\{a_n\}$의 일반항을 구하시오.

(1) $a=1, d=3$

(2) $a=10, d=-4$

(3) $a=-6, d=2$

(4) $a=-20, d=5$

(5) $a=14, d=-3$

02 다음 등차수열 $\{a_n\}$의 일반항을 구하시오.

(1) $2, 5, 8, 11, \cdots$

(2) $11, 15, 19, 23, \cdots$

(3) $-7, -3, 1, 5, \cdots$

(4) $20, 18, 16, 14, \cdots$

(5) $4, -1, -6, -11, \cdots$

03 다음을 만족시키는 등차수열 $\{a_n\}$의 첫째항 a와 공차 d를 구하시오.

(1) $a_3=5, a_4=3$

(2) $a_2=-2, a_4=4$

(3) $a_4=20, a_{10}=8$

(4) $a_5=-10, a_8=2$

(5) $a_5=9, a_{12}=23$

04 다음을 만족시키는 등차수열 $\{a_n\}$의 일반항을 구하시오.

(1) $a_1=8, \quad a_5=16$

(2) $a_2=-2, a_5=-11$

(3) $a_3=10, a_8=30$

(4) $a_4=3, a_{10}=-15$

(5) $a_5=-6, a_{12}=8$

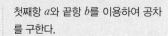
두 수 a, b 사이에 n개의 수를 넣어 만든 등차수열 a, x_1, x_2, x_3, $\cdots$, x_n, b에서
❶ a는 첫째항, b는 제$(n+2)$항이다.
❷ $b=a+(n+1)d$ (단, d는 공차)

첫째항 a와 끝항 b를 이용하여 공차를 구한다.

예제 두 수 2와 35 사이에 10개의 수 x_1, x_2, $\cdots$, x_{10}을 넣어 만든 수열

$$2,\ x_1,\ x_2,\ \cdots,\ x_{10},\ 35$$

가 이 순서대로 등차수열을 이룰 때, 다음 물음에 답하시오.

(1) 이 수열의 공차를 구하시오.

(2) x_5의 값을 구하시오.

해법 코드
두 수 2와 35 사이에 10개의 수를 넣어 수열을 만들면 2는 첫째항이고 35는 제12항이다.

셀파 두 수 사이에 수를 넣어 만든 등차수열 ⇨ 첫째항 2와 끝항 35를 이용하여 공차를 구한다.

풀이 (1) ㉠두 수 2와 35 사이에 10개의 수를 넣어 만든 등차수열 $\{a_n\}$에서
첫째항은 2, 제12항은 35이다.
공차를 d라 하면 $a_{12}=35$이므로
$2+11d=35$, $11d=33$ ∴ $d=3$
따라서 이 수열의 공차는 **3**

(2) 등차수열 $\{a_n\}$의 일반항을 구하면
$a_n=2+(n-1)\times3=3n-1$
x_5의 값은 수열 $\{a_n\}$의 제6항과 같으므로
$x_5=a_6=3\times6-1=\mathbf{17}$

㉠ $2,\ \underbrace{x_1,\ x_2,\ x_3,\ \cdots,\ x_{10}}_{10개},\ 35$
↓   ↓
1개   1개
위에서 항은 총 12개이다.
이때 35는 맨 마지막 항이므로 제12항이다.

두 수 a, b 사이에 n개의 수를 넣어 등차수열을 만들면 a는 첫째항이고, 맨 마지막 수 b는 제$(n+2)$항이 돼.

확인 문제   정답과 해설 | **78**쪽
      MY 셀파

03-1 두 수 4와 34 사이에 5개의 수 x_1, x_2, x_3, x_4, x_5를 넣어 만든 수열
(상)중(하)
$$4,\ x_1,\ x_2,\ x_3,\ x_4,\ x_5,\ 34$$
가 이 순서대로 등차수열을 이룰 때, 이 수열의 공차를 구하시오.

03-1
$4,\ x_1,\ x_2,\ x_3,\ x_4,\ x_5,\ 34$
에서 34는 제7항이다.

03-2 두 수 -5와 13 사이에 n개의 수를 넣어 만든 수열
(상)중(하)
$$-5,\ a_1,\ a_2,\ \cdots,\ a_n,\ 13$$
이 이 순서대로 공차가 3인 등차수열을 이룰 때, n의 값을 구하시오.

03-2
주어진 수열은 첫째항이 -5, 공차가 3이고 제$(n+2)$항이 13인 등차수열이다.

주어진 조건을 $a_n = a + (n-1)d$로 놓고 다음과 같이 구한다.

❶ 처음으로 양수가 되는 항 ⇨ $a_n > 0$인 자연수 n의 최솟값을 구한다.

❷ 처음으로 음수가 되는 항 ⇨ $a_n < 0$인 자연수 n의 최솟값을 구한다.

등차수열의 일반항 a_n을 구한 다음 문제의 조건에 맞는 부등식으로 나타낸다.

예제 등차수열 $\{a_n\}$에 대하여 다음 물음에 답하시오.

(1) $a_6 = -13$, $a_{23} = 38$일 때, 처음으로 양수가 되는 항은 제몇 항인지 구하시오.

(2) $a_{11} = 40$, $a_{21} = -20$일 때, 처음으로 50보다 작아지는 항은 제몇 항인지 구하시오.

해법 코드

(1) $a_n > 0$인 n의 최솟값을 구한다.

(2) $a_n < 50$인 n의 최솟값을 구한다.

셀파 등차수열에서 항의 부호가 바뀌는 경우 ⇨ $a_n = a + (n-1)d = 0$에서 생각한다.

풀이 등차수열 $\{a_n\}$의 첫째항을 a, 공차를 d라 하면

(1) $a_6 = -13$에서 $a + 5d = -13$ ……㉠

$a_{23} = 38$에서 $a + 22d = 38$ ……㉡

㉠, ㉡을 연립하여 풀면 ^ㄱ$a = -28$, $d = 3$

∴ $a_n = -28 + (n-1) \times 3 = 3n - 31$

처음으로 양수가 되려면 ^ㄴ$a_n > 0$에서

$3n - 31 > 0$, $3n > 31$ ∴ $n > \dfrac{31}{3} = 10.\times\times\times$

따라서 처음으로 양수가 되는 항은 **제11항**

(2) $a_{11} = 40$에서 $a + 10d = 40$ ……㉠

$a_{21} = -20$에서 $a + 20d = -20$ ……㉡

㉠, ㉡을 연립하여 풀면 $a = 100$, $d = -6$

∴ $a_n = 100 + (n-1) \times (-6) = -6n + 106$

처음으로 50보다 작아지려면 ^ㄷ$a_n < 50$에서

$-6n + 106 < 50$, $6n > 56$ ∴ $n > \dfrac{56}{6} = 9.\times\times\times$

따라서 처음으로 50보다 작아지는 항은 **제10항**

ㄱ $a < 0$, $d > 0$이므로 수열 $\{a_n\}$은 음수에서부터 점점 커지는 수열이다.

ㄴ $a = -28$, $d = 3$이므로 수열 $\{a_n\}$을 나열해 보면 -28, -25, -22, -19, -16, -13, -10, -7, -4, -1, 2, …에서 처음으로 $a_n > 0$이 되는 항은 제11항이라는 것을 알 수 있다.

ㄷ $a = 100$, $d = -6$이므로 수열 $\{a_n\}$을 나열해 보면 100, 94, 88, 82, 76, 70, 64, 58, 52, 46, …에서 처음으로 $a_n < 50$이 되는 항은 제10항이라는 것을 알 수 있다.

확인 문제　　　　　　　　　　　　　　　　정답과 해설 **78**쪽　　　　　　　MY 셀파

04-1 등차수열 $\{a_n\}$에 대하여 다음 물음에 답하시오.
(상)(중)(하)

(1) $a_{11} = 70$, $a_{26} = 25$일 때, 처음으로 음수가 되는 항은 제몇 항인지 구하시오.

(2) $a_{10} = 35$이고 $a_5 : a_{15} = 2 : 5$일 때, 처음으로 100보다 커지는 항은 제몇 항인지 구하시오.

04-1

(1) 첫째항이 a, 공차가 d인 등차수열 $\{a_n\}$에서 $a > 0$, $d < 0$이면 수열 $\{a_n\}$은 양수에서부터 점점 작아지는 수열이다.

세 수 a, b, c가 이 순서대로 등차수열을 이루면

$$b-a=c-b, \ \text{즉} \ b=\frac{a+c}{2}$$

이때 b를 a와 c의 등차중항이라 한다.

a, x, b가 이 순서대로 등차수열을
이룰 때
⇨ x는 a와 b의 등차중항
⇨ $x=\dfrac{a+b}{2}$

예제 **1.** 세 수 $a, a^2-2a, 3$이 이 순서대로 등차수열을 이룰 때, 모든 a의 값의 합을 구하시오.

2. 세 수 $x, 3, y$와 세 수 $x^2, 32, y^2$이 이 순서대로 등차수열을 이룰 때, xy의 값을 구하시오.

해법 코드

1. $2(a^2-2a)=a+3$

2. $2\times3=x+y$
$2\times32=x^2+y^2$

셀파 a, b, c가 이 순서대로 등차수열 ⇨ $2b=a+c$

풀이 **1.** 세 수 $a, a^2-2a, 3$이 이 순서대로 등차수열을 이루므로
$2(a^2-2a)=a+3, 2a^2-4a=a+3$
$\therefore \underline{2a^2-5a-3=0}$ ❶
따라서 이차방정식의 근과 계수의 관계에서 모든 a의 값의 합은 ❷
$-\dfrac{-5}{2}=\dfrac{5}{2}$

❶ $2a^2-5a-3=0$의 좌변을 인수분해하면
$(a-3)(2a+1)=0$
$\therefore a=3$ 또는 $a=-\dfrac{1}{2}$

2. 세 수 $x, 3, y$가 이 순서대로 등차수열을 이루므로
$2\times3=x+y$ $\therefore x+y=6$ ……㉠
세 수 $x^2, 32, y^2$이 이 순서대로 등차수열을 이루므로
$2\times32=x^2+y^2$ $\therefore x^2+y^2=64$ ……㉡
㉡의 좌변을 변형하면 $(x+y)^2-2xy=64$
㉠을 대입하면 $6^2-2xy=64, 2xy=-28$ $\therefore xy=-14$

❷ 이차방정식
$ax^2+bx+c=0$에서
(두 근의 합)$=-\dfrac{b}{a}$
(두 근의 곱)$=\dfrac{c}{a}$

확인 문제 정답과 해설 | **78**쪽

MY 셀파

05-1 네 수 $x, -1, y, 5$가 이 순서대로 등차수열을 이룰 때, x, y의 값을 구하시오.
⟨상⟩⟨중⟩⟨하⟩

05-1
$x, -1, y$와 $-1, y, 5$에서 각각 등차중항을 이용한다.

05-2 다항식 $f(x)=x^2+kx-1$을 일차식 $x+1, x+2, x+5$로 나누었을 때의 나머지가 이 순서대로 등차수열을 이룰 때, 상수 k의 값을 구하시오.
⟨상⟩⟨중⟩⟨하⟩

05-2
다항식 $f(x)$를 일차식 $x-a$로 나누었을 때의 나머지는 $f(a)$이다.

❶ 세 수가 등차수열을 이룰 때

⇨ 세 수를 $a-d$, a, $a+d$로 놓고 식을 세운다.

❷ 네 수가 등차수열을 이룰 때

⇨ 네 수를 $a-3d$, $a-d$, $a+d$, $a+3d$로 놓고 식을 세운다.

> 등차수열을 이루는 세 수를 a, $a+d$, $a+2d$로 놓고 계산해도 답을 얻을 수 있다.

예제 등차수열을 이루는 세 수가 있다. 세 수의 합이 9이고 제곱의 합이 35일 때, 이 세 수를 구하시오.

> **해법 코드**
> 등차수열을 이루는 세 수를 $a-d$, a, $a+d$로 놓는다.

셀파 등차수열을 이루는 세 수 ⇨ $a-d$, a, $a+d$

풀이 등차수열을 이루는 세 수를 $a-d$, a, $a+d$로 놓으면

세 수의 합이 9이므로

$(a-d)+a+(a+d)=9$, $3a=9$ ∴ $a=3$ ……㉠

세 수의 제곱의 합이 35이므로

$(a-d)^2+a^2+(a+d)^2=35$ ∴ $3a^2+2d^2=35$ ……㉡

㉠을 ㉡에 대입하면 $27+2d^2=35$, $d^2=4$

$d^2-4=0$, $(d+2)(d-2)=0$

∴ $d=-2$ 또는 $d=2$

(ⅰ) $a=3$, $d=-2$일 때, 세 수는 5, 3, 1

(ⅱ) $a=3$, $d=2$일 때, 세 수는 1, 3, 5

(ⅰ), (ⅱ)에서 구하는 세 수는 **1, 3, 5**

> **다른 풀이**
> 세 수를 a, $a+d$, $a+2d$로 놓으면
> 세 수의 합이 9이므로
> $3a+3d=9$, $a+d=3$ ……㉠
> 세 수의 제곱의 합이 35이므로
> $a^2+(a+d)^2+(a+2d)^2=35$
>   ……㉡
> ㉠, ㉡을 연립하여 풀면
> $a=1$, $d=2$ 또는 $a=5$, $d=-2$
> 따라서 구하는 세 수는 1, 3, 5

참고 등차수열을 이루는 세 수의 합에 대한 조건이 주어진 문제에서는 세 수를 $a-d$, a, $a+d$로 놓는 것이 편리한 것처럼 등차수열을 이루는 네 수의 합에 대한 조건이 주어진 문제에서는 네 수를 a, $a+d$, $a+2d$, $a+3d$로 놓는 것보다는 $a-3d$, $a-d$, $a+d$, $a+3d$로 놓는 것이 계산이 편하다.

한편 다섯 수가 등차수열을 이루면 다섯 수를 $a-2d$, $a-d$, a, $a+d$, $a+2d$로 놓는다.

> 등차수열을 이루는 수를 a와 d를 써서 나타낼 때는 $a-d$, a, $a+d$처럼 대칭형으로 놓는게 계산이 편해!

확인 문제   정답과 해설 | **79**쪽   MY 셀파

06-1 (상⬤중⬤하) 등차수열을 이루는 세 수가 있다. 세 수의 합이 18이고 곱이 162일 때, 이 세 수를 구하시오.

> **06-1**
> 등차수열을 이루는 세 수를 $a-d$, a, $a+d$로 놓는다.

06-2 (상⬤중⬤하) 삼차방정식 $x^3-6x^2+3x+k=0$의 세 실근이 등차수열을 이룰 때, 상수 k의 값을 구하시오.

> **06-2**
> 세 실근을 $a-d$, a, $a+d$로 놓고, 삼차방정식의 근과 계수의 관계를 이용한다.

등차수열의 첫째항부터 제n항까지의 합을 S_n이라 하면

❶ 첫째항 a와 제n항 l을 알 때 ⇨ $S_n = \dfrac{n(a+l)}{2}$

❷ 첫째항 a와 공차 d를 알 때 ⇨ $S_n = \dfrac{n\{2a+(n-1)d\}}{2}$

$S_n = \dfrac{n(a+a_n)}{2}$ 으로 생각해서 끝항 l을 알면 a_n 대신 l을 대입하고, 끝항 l을 모르면 a_n 대신 $a+(n-1)d$를 대입한다.

예제 1. 등차수열 $1, 4, 7, \cdots, 28$의 합을 구하시오.

2. 등차수열 $\{a_n\}$에서 $a_2=9$, $a_7=19$일 때, $a_1+a_2+a_3+\cdots+a_n=160$이 성립하는 자연수 n의 값을 구하시오.

해법 코드

1. 첫째항과 공차를 구한 다음 일반항을 구한다.

2. $a_2=9$, $a_7=19$에서 첫째항과 공차를 구한다.

셀파 $S_n = \dfrac{n\{2a+(n-1)d\}}{2}$에서 n은 항수, a는 첫째항, d는 공차이다.

풀이 1. 주어진 수열의 일반항을 a_n, 첫째항부터 제n항까지의 합을 S_n이라 하면
수열 $\{a_n\}$은 첫째항이 1, 공차가 3인 등차수열이므로
$a_n=1+(n-1)\times3=3n-2$
제n항을 28이라 하면 $3n-2=28$에서 $3n=30$ ∴ $n=10$
따라서 주어진 수열의 합은
$S_{10}=\dfrac{10(1+28)}{2}=\dfrac{10\times29}{2}=\mathbf{145}$

❶ $a=1$, $d=3$, $n=10$이므로
$S_n=\dfrac{n\{2a+(n-1)d\}}{2}$에서
$S_{10}=\dfrac{10(2\times1+9\times3)}{2}=145$
와 같이 구해도 된다.

2. 등차수열 $\{a_n\}$의 첫째항을 a, 공차를 d라 하면
$a_2=9$에서 $a+d=9$ ……㉠, $a_7=19$에서 $a+6d=19$ ……㉡
㉠, ㉡을 연립하여 풀면 $a=7$, $d=2$
이때 $a_1+a_2+a_3+\cdots+a_n=160$에서 $\dfrac{n\{2\times7+(n-1)\times2\}}{2}=160$
$n(n+6)=160$, $n^2+6n-160=0$, $(n+16)(n-10)=0$
그런데 n은 자연수이므로 $\boldsymbol{n=10}$

등차수열에서 첫째항, 공차, 항수를 알면 합을 구할 수 있어.

확인 문제 　　　　　　　　　　　　　　　　　정답과 해설 | **79**쪽　　　　　　　　　　MY 셀파

07-1 등차수열 $30, 25, 20, \cdots, (-50)$의 합을 구하시오.
상 중 하

07-1
첫째항, 끝항, 항수를 구한다.

07-2 첫째항이 2인 등차수열 $\{a_n\}$에서 $a_1+a_2+a_3+\cdots+a_9=90$일 때, a_{10}의 값을 구하시오.
상 중 하

07-2
공차를 d라 하고 첫째항부터 제9항까지의 합 90에서 d의 값을 구한다.

8
등
차
수
열

❶ 첫째항이 a, 제n항이 l인 등차수열 $\{a_n\}$의 첫째항부터 제n항까지의 합을 S_n이라 하면

$$\Rightarrow S_n = \frac{n(a+l)}{2}$$

❷ 첫째항이 a, 공차가 d인 등차수열 $\{a_n\}$의 첫째항부터 제n항까지의 합을 S_n이라 하면

$$\Rightarrow S_n = \frac{n\{2a+(n-1)d\}}{2}$$

01 첫째항 a와 제n항 l이 다음과 같은 등차수열 $\{a_n\}$에서 첫째항부터 주어진 제n항까지의 합 S_n을 구하시오.

(1) $a=-1,\ l=9,\ n=5$

(2) $a=8,\ l=-7,\ n=8$

(3) $a=4,\ l=20,\ n=9$

(4) $a=3,\ l=15,\ n=10$

02 첫째항 a와 공차 d가 다음과 같은 등차수열 $\{a_n\}$에서 첫째항부터 제n항까지의 합 S_n을 구하시오.

(1) $a=1,\ d=2,\ n=10$

(2) $a=3,\ d=3,\ n=8$

(3) $a=10,\ d=-2,\ n=10$

(4) $a=-7,\ d=4,\ n=9$

03 등차수열 $\{a_n\}$의 첫째항 a와 첫째항부터 제n항까지의 합 S_n이 다음과 같이 주어질 때, 공차 d를 구하시오.

(1) $a=3,\ S_5=35$

(2) $a=1,\ S_{10}=145$

(3) $a=-10,\ S_8=32$

(4) $a=22,\ S_{20}=-130$

04 등차수열 $\{a_n\}$의 첫째항 a와 첫째항부터 제n항까지의 합을 S_n이라 할 때, 다음을 구하시오.

(1) $a=16,\ S_{13}=52$일 때, a_4

(2) $a=3,\ S_9=135$일 때, a_3

(3) $a=7,\ S_5=-5$일 때, a_9

(4) $a=-5,\ S_8=-96$일 때, a_{12}

첫째항이 a, 공차가 d인 등차수열의 첫째항부터 제n항까지의 합을 S_n이라 하면

❶ $S_n = \dfrac{n\{2a+(n-1)d\}}{2}$

❷ $S_{2n} = \dfrac{2n\{2a+(2n-1)d\}}{2}$

$a_{n+1}+a_{n+2}+a_{n+3}+\cdots+a_{2n}$
$=(a_1+a_2+a_3+\cdots+a_{2n})$
$\quad -(a_1+a_2+a_3+\cdots+a_n)$
$=S_{2n}-S_n$

예제 첫째항부터 제10항까지의 합이 120, 첫째항부터 제20항까지의 합이 440인 등차수열의 첫째항부터 제30항까지의 합을 구하시오.

해법 코드
$S_{10}=120$, $S_{20}=440$을 이용하여 첫째항과 공차를 구한다.

셀파 $S_n = \dfrac{n\{2a+(n-1)d\}}{2}$에서 n은 항수, a는 첫째항, d는 공차이다.

풀이 첫째항을 a, 공차를 d, 첫째항부터 제n항까지의 합을 S_n이라 하면

$S_{10}=120$에서

$S_{10} = \dfrac{10\{2a+(10-1)d\}}{2}=120$, $5(2a+9d)=120$

$\therefore 2a+9d=24$ 　　　$\cdots\cdots$ ㉠

$S_{20}=440$에서

$S_{20} = \dfrac{20\{2a+(20-1)d\}}{2}=440$, $10(2a+19d)=440$

$\therefore 2a+19d=44$ 　　　$\cdots\cdots$ ㉡

㉠, ㉡을 연립하여 풀면 $a=3$, $d=2$

따라서 첫째항부터 제30항까지의 합은

$S_{30} = \dfrac{30\{2a+(30-1)d\}}{2} = \dfrac{30(2\times3+29\times2)}{2} = \mathbf{960}$

참고
등차수열 $\{a_n\}$에서 첫째항부터 차례로 10개씩 합하여 수열을 만들어 보면
$a_1+a_2+\cdots+a_{10}=S_{10}=120$,
$a_{11}+a_{12}+\cdots+a_{20}$
$=S_{20}-S_{10}=440-120=320$,
$a_{21}+a_{22}+\cdots+a_{30}$
$=S_{30}-S_{20}=960-440=520$,
$\qquad\vdots$
이므로 120, 320, 520, $\cdots$은 첫째항이 120, 공차가 200인 등차수열을 이룬다.

8 등차수열

확인 문제　　　　　정답과 해설 | **81**쪽　　　　　MY 셀파

08-1 (상 중 하) 첫째항부터 제6항까지의 합이 33, 첫째항부터 제12항까지의 합이 174인 등차수열의 첫째항부터 제18항까지의 합을 구하시오.

08-1
$S_6=33$, $S_{12}=174$를 이용하여 첫째항과 공차를 구한다.

08-2 (상 중 하) 첫째항부터 제10항까지의 합이 50, 첫째항부터 제20항까지의 합이 300인 등차수열 $\{a_n\}$에서 $a_{15}+a_{16}+a_{17}+\cdots+a_{50}$의 값을 구하시오.

08-2
$a_{15}+a_{16}+a_{17}+\cdots+a_{50}$
$=S_{50}-S_{14}$

해법 09 　나머지가 같은 자연수의 합

PLUS ➕

① p의 배수는

➡ 첫째항이 p이고 공차가 p인 등차수열을 이루므로
$p+(n-1)p=pn$ $(n=1, 2, 3, \cdots)$ 꼴이다.

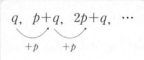

② p로 나눈 나머지가 q $(q<p)$인 자연수는

➡ 첫째항이 q이고 공차가 p인 등차수열을 이루므로
$q+(n-1)p=pn+(q-p)$ $(n=1, 2, 3, \cdots)$
꼴이다.

① 4의 배수는 4, 8, 12, …이고, 이는 첫째항이 4, 공차가 4인 등차수열을 이룬다.

② 3으로 나눈 나머지가 2인 자연수는 2, 5, 8, …이고, 이는 첫째항이 2, 공차가 3인 등차수열을 이룬다.

예제 **1.** 100 이하의 자연수 중에서 3의 배수의 합을 구하시오.

2. 100 이하의 자연수 중에서 4로 나눈 나머지가 3인 수의 합을 구하시오.

해법 코드

1. 3의 배수는 3, 6, 9, …

2. 4로 나눈 나머지가 3인 수는 3, 7, 11, …

셀파 조건을 만족시키는 자연수를 작은 것부터 차례로 나열하여 규칙을 찾는다.

풀이 **1.** 100 이하의 자연수 중에서 3의 배수는 3, 6, 9, $\cdots$, 99

이 수열은 첫째항이 3, 공차가 3인 등차수열이므로 99를 제n항이라 하면
$99=3+(n-1)\times3$, $3n=99$ ∴ $n=33$

따라서 구하는 합은 첫째항이 3, 끝항이 99, 항수가 33인 등차수열의 합이므로
$$\frac{33(3+99)}{2}=\mathbf{1683}$$

2. 100 이하의 자연수 중에서 4로 나눈 나머지가 3인 수는 3, 7, 11, $\cdots$, 99

이 수열은 첫째항이 3, 공차가 4인 등차수열이므로 99를 제n항이라 하면
$99=3+(n-1)\times4$, $4n-1=99$ ∴ $n=25$

따라서 구하는 합은 첫째항이 3, 끝항이 99, 항수가 25인 등차수열의 합이므로
$$\frac{25(3+99)}{2}=\mathbf{1275}$$

다른 풀이

1. 첫째항이 3, 공차가 3인 등차수열의 첫째항부터 제33항까지의 합은
$$\frac{33\{2\times3+(33-1)\times3\}}{2}$$
$$=1683$$

2. 첫째항이 3, 공차가 4인 등차수열의 첫째항부터 제25항까지의 합은
$$\frac{25\{2\times3+(25-1)\times4\}}{2}$$
$$=1275$$

확인 문제 　　정답과 해설 | **81**쪽

MY 셀파

09-1 100 이하의 자연수 중에서 7의 배수의 합을 구하시오.
(상)(중)(하)

09-1
7의 배수는 7, 14, 21, …

09-2 100보다 작은 자연수 중에서 5로 나눈 나머지가 4인 수의 합을 구하시오.
(상)(중)(하)

09-2
5로 나눈 나머지가 4인 수는 4, 9, 14, …

해법 10 ／ 등차수열의 합의 최대, 최소 PLUS ➕

등차수열 $\{a_n\}$의 첫째항부터 제n항까지의 합을 S_n이라 하면
❶ S_n의 최댓값
　첫째항이 양수, 공차가 음수인 경우 ⇨ 첫째항부터 마지막 양수가 나오는 항까지의 합
❷ S_n의 최솟값
　첫째항이 음수, 공차가 양수인 경우 ⇨ 첫째항부터 마지막 음수가 나오는 항까지의 합

등차수열의 합의 최솟값이 존재한다는 것은 음수인 항을 계속 더하면 합이 감소하다가 양수인 항이 나오면 항을 더할수록 합이 증가한다는 것을 의미한다.

예제 첫째항이 35, 공차가 -2인 등차수열에서 첫째항부터 제몇 항까지의 합이 최대가 되는지 구하고, 그때의 최댓값을 구하시오.

해법 코드
처음으로 $a_n < 0$인 n의 값을 구한다.

셀파 첫째항이 양수인 등차수열 $\{a_n\}$에서 S_n의 최댓값 ⇨ $a_n > 0$인 모든 항의 합

풀이 첫째항 35, 공차가 -2인 등차수열의 일반항을 a_n이라 하면
$$a_n = 35 + (n-1) \times (-2) = -2n + 37$$
이때 공차가 음수이므로 제n항에서 처음으로 음수가 나온다고 하면
㉠ $a_n < 0$에서 $-2n + 37 < 0$　∴ $n > \dfrac{37}{2} = 18.5$
따라서 제19항부터 음수이다.
즉, 제18항까지는 양수이므로 첫째항부터 **제18항**까지의 합이 최대가 된다.
따라서 구하는 최댓값은 $\dfrac{18\{2 \times 35 + (18-1) \times (-2)\}}{2} = \mathbf{324}$

㉠ $a_n < 0$을 만족시키는 자연수 n의 최솟값은 19이므로 등차수열 $\{a_n\}$은 첫째항부터 제18항까지는 양수이고 제19항부터는 음수이다.
이때 $a_{18} = 1$, $a_{19} = -1$
$a_1, a_2, a_3, \cdots, a_{18}, a_{19}, a_{20}, \cdots$
$\oplus \oplus \oplus \cdots \oplus \ominus \ominus$
제18항까지의 합이 최대

다른 풀이 첫째항부터 제n항까지의 합을 S_n이라 하면
$$S_n = \frac{n\{2 \times 35 + (n-1) \times (-2)\}}{2}$$
$$= \frac{n(-2n + 72)}{2} = -n^2 + 36n$$
$$= -(n-18)^2 + 324$$
따라서 $n = 18$, 즉 제18항까지의 합이 최대가 되고, 그때의 최댓값은 324이다.

등차수열의 합의 최대, 최소를 구할 때는 먼저 부호가 바뀌는 항을 찾아봐.

8 등차수열

확인 문제　　　　　　　　　　　　　　　　　　　　정답과 해설 | **82**쪽

MY 셀파

10-1 첫째항이 -21, 공차가 4인 등차수열에서 첫째항부터 제몇 항까지의 합이 최소가 되는지 구하시오.
(상)(중)(하)

10-1
처음으로 양수가 되는 항을 구한다.

10-2 등차수열 $\{a_n\}$의 첫째항부터 제n항까지의 합을 S_n이라 하자. $S_4 = 32$, $S_{10} = 20$일 때, S_n의 최댓값을 구하시오.
(상)(중)(하)

10-2
첫째항과 공차를 구하여 처음으로 $a_n < 0$인 n의 값을 구한다.

수열 $\{a_n\}$의 첫째항부터 제n항까지의 합을 S_n이라 하면

$$a_1 = S_1, \quad a_n = S_n - S_{n-1} \ (n \geq 2)$$

참고 $a_n = S_n - S_{n-1} \ (n \geq 2)$을 이용하여 구한 a_n이 $n=1$인 경우에도 성립하는지 반드시 확인해야 한다.
만약 a_n이 $n=1$인 경우에 성립하지 않으면 수열 $\{a_n\}$의 일반항은 $n \geq 2$일 경우에 성립하므로 $n=1$인 경우는 따로 써주어야 한다.

등차수열 $\{a_n\}$에서
상수 A, B, C에 대하여
$S_n = An^2 + Bn + C \ (A \neq 0)$일 때
(i) $C = 0$이면 수열 $\{a_n\}$은 첫째항부터 등차수열을 이룬다.
(ii) $C \neq 0$이면 수열 $\{a_n\}$은 제2항부터 등차수열을 이룬다.

예제 수열 $\{a_n\}$의 첫째항부터 제n항까지의 합 S_n이 다음과 같이 주어질 때, 일반항 a_n을 구하시오.

(1) $S_n = n^2 - 3n$ (2) $S_n = n^2 - 2n - 1$

해법 코드
(1) $S_n = n^2 - 3n$
   ⇨ 첫째항부터 등차수열
(2) $S_n = n^2 - 2n + 1$
   ⇨ 제2항부터 등차수열

셀파 $a_1 = S_1, \ a_n = S_n - S_{n-1} \ (n \geq 2)$

풀이 (1)(i) $n \geq 2$일 때
$$a_n = S_n - S_{n-1} = n^2 - 3n - \{(n-1)^2 - 3(n-1)\}$$
$$= n^2 - 3n - (n^2 - 5n + 4) = 2n - 4 \quad \cdots\cdots \text{㉠}$$

(ii) $n = 1$일 때
$$a_1 = S_1 = 1^2 - 3 \times 1 = -2$$
이때 $a_1 = -2$는 ㉠에 $n=1$을 대입한 값과 같다.
(i), (ii)에서 $\boxed{a_n = 2n - 4}$

(2)(i) $n \geq 2$일 때
$$a_n = S_n - S_{n-1} = n^2 - 2n - 1 - \{(n-1)^2 - 2(n-1) - 1\}$$
$$= n^2 - 2n - 1 - (n^2 - 4n + 2) = 2n - 3 \quad \cdots\cdots \text{㉠}$$

(ii) $n = 1$일 때
$$a_1 = S_1 = 1^2 - 2 \times 1 - 1 = -2$$
그런데 $a_1 = -2$는 ㉠에 $n=1$을 대입한 값 -1과 같지 않다.
(i), (ii)에서 $\boxed{a_1 = -2, \ a_n = 2n - 3 \ (n \geq 2)}$

ⓐ $a_n = 2n - 4 \ (n \geq 1)$이면 $n \geq 1$을 생략한다.

ⓑ $a_n = S_n - S_{n-1}$에서 구한 $a_n = 2n - 3$에 $n=1$을 대입해서 a_1을 구하지 않도록 주의한다. 즉, $a_1 = 2 - 3 = -1$이 아니고 $a_1 = S_1 = -2$이다.

ⓒ $a_1 = -2, a_2 = 1, a_3 = 3, a_4 = 5, \cdots$ 이므로 수열 $\{a_n\}$은 제2항부터 공차가 2인 등차수열을 이룬다.

확인 문제   정답과 해설 | **82**쪽   **MY 셀파**

11-1 수열 $\{a_n\}$의 첫째항부터 제n항까지의 합 S_n이 $S_n = 2n^2 - 5n + 1$일 때, $a_1 + a_{10}$ 의 값을 구하시오.
(상❹중하)

11-1
$a_n = S_n - S_{n-1} \ (n \geq 2)$을 이용하여 일반항을 구한다. 이때 $a_1 = S_1$임에 주의한다.

어느 행사장에 1번부터 100번까지의 번호를 가진 자원봉사자 100명이 있다. 2, 5, 8, 11, …의 번호를 가진 사람에게는 실내 정리를 배정하고, 3, 8, 13, 18, …의 번호를 가진 사람에게는 야외 정리를 배정하였다. 실내 정리와 야외 정리 모두를 배정받은 사람이 없도록 담당 구역 조정이 필요한 자원봉사자 수를 구하시오.

Q 실생활 문제만 나오면 식을 어떻게 세워야 할지 머리가 복잡해져요.

A 주어진 상황을 수학적인 용어로 정리하는 것만 잘하면 생각보다 어렵지 않아. 자, 이 문제에서 실내 정리와 야외 정리를 각각 배정받은 사람들의 번호를 몇 개씩 써 볼까?

> ❶ 실내 정리 : 2, 5, 8, 11, 14, 17, 20, 23, 26, 29, 32, 35, 38, …
> ❷ 야외 정리 : 3, 8, 13, 18, 23, 28, 33, 38, 43, 48, …

Q 음…. 실내 정리를 배정받은 사람의 번호는 첫째항이 2, 공차가 3인 등차수열을 이루고, 야외 정리를 배정받은 사람의 번호는 첫째항이 3, 공차가 5인 등차수열을 이뤄요.

A 그럼 ❸실내 정리와 야외 정리 모두를 배정받은 사람의 번호는 어때?

Q 8, 23, 38, … 이니까 첫째항이 8, 공차가 15인 등차수열을 이루네요.

A 맞아. 이때 실내 정리, 야외 정리를 배정받은 사람들의 번호를 각각 수열 $\{a_n\}$, $\{b_n\}$이라 하고 다음과 같이 정리해 보자.

> $+3$ $+3$ $+3$ $+3$ $+3$ ➡ 3씩 5번 증가=3×5=15 증가
> $\{a_n\}$: 2, 5, 8, 11, 14, 17, 20, 23, 26, 29, 32, 35, 38, …
> $\{b_n\}$: 3, 8, 13, 18, 23, 28, 33, 38, 43, 48, …
> $+5$ $+5$ $+5$ ➡ 5씩 3번 증가=5×3=15 증가

이처럼 수열 $\{a_n\}$은 항이 3씩 증가(공차가 3)하고, 수열 $\{b_n\}$은 항이 5씩 증가(공차가 5)하니까 두 수열 $\{a_n\}$, $\{b_n\}$에서 공통으로 나타나는 항은 3과 5의 최소공배수인 15씩 증가(공차가 15)하는 거야.

Q 아하! 그렇군요. 이제 답만 구하면 되겠네요. 일반항은 $8+(n-1) \times 15 = 15n-7$이므로 $1 \le 15n-7 \le 100$인 n을 구하면 ❹$8 \le 15n \le 107$
따라서 ❺$n=1, 2, \cdots, 7$이므로 구하는 자원봉사자 수는 **7**이에요.

---

❶ 2, 5, 8, 11, …
➡ 첫째항이 2, 공차가 3인 등차수열이다.

❷ 3, 8, 13, 18, …
➡ 첫째항이 3, 공차가 5인 등차수열이다.

❸ 실내 정리와 야외 정리 모두를 배정받은 사람의 번호는 두 등차수열에서 공통인 항이다.

> 두 등차수열에서 공통으로 나타나는 항은 다시 등차수열을 이뤄!

❹ $8 \le 15n \le 107$에서 $\frac{8}{15} \le n \le \frac{107}{15}$, 즉 $0.\times\times\times \le n \le 7.\times\times\times$
그런데 n은 자연수이므로 $n=1, 2, 3, \cdots, 7$

❺ $n=1, 2, 3, \cdots, 7$일 때 $15n-7$은 각각 8, 23, 38, 53, 68, 83, 98 즉, 담당 구역 조정이 필요한 사람은 8, 23, 38, 53, 68, 83, 98의 번호를 가진 7명이다.

수열의 일반항 창의력

01 다음 그림은 어느 해 10월의 달력이다. 그림과 같이 L
자 모양으로 세 수를 선택할 때, 다음 중 이들 세 수의
합이 될 수 있는 것은?

⟨10월⟩

일	월	화	수	목	금	토
			1	2	3	4
5	6	7	8	9	10	11
12	13	14	15	16	17	18
19	20	21	22	23	24	25
26	27	28	29	30	31	

① 22 ② 50 ③ 66
④ 74 ⑤ 83

등차수열의 일반항

02 일반항이 $a_n = kn + 4$인 등차수열 $\{a_n\}$의 공차가 -2
일 때, a_{10}의 값을 구하시오. (단, k는 상수)

등차수열의 일반항

03 첫째항이 7인 등차수열 $\{a_n\}$에서 제2항과 제7항은 절
댓값이 같고 부호가 서로 다를 때, 등차수열 $\{a_n\}$의
공차를 구하시오.

등차수열의 일반항

04 제2항이 5, 제10항이 -11인 등차수열 $\{a_n\}$에서
-31은 제몇 항인지 구하시오.

두 수 사이에 수를 넣어 만든 등차수열

05 17과 5 사이에 3개의 수를 넣어 이 5개의 수가 이 순
서대로 등차수열을 이루었다. 3개의 수를 a, b, c라 할
때, $a+b+c$의 값을 구하시오.

처음으로 양수 또는 음수가 되는 항

06 첫째항이 100, 공차가 -3인 등차수열 $\{a_n\}$에 대하여
처음으로 음수가 되는 항은?
① 제33항 ② 제34항 ③ 제35항
④ 제36항 ⑤ 제37항

등차중항

07 다섯 개의 자연수 x, 5, y, 11, z가 이 순서대로 등차수
열을 이룰 때, $x+y+z$의 값을 구하시오.

등차수열을 이루는 수 창의력

08 사탕 40개를 네 명의 학생에게 남김 없이 나누어 주려
고 한다. 학생들이 받은 사탕 수는 등차수열을 이루
고, 가장 많이 받은 학생의 사탕 수는 나머지 세 명이
받은 사탕을 합한 개수의 $\frac{2}{3}$일 때, 가장 적게 받은 학생
의 사탕 수를 구하시오.

등차수열의 합

09 공차가 $\frac{1}{2}$인 등차수열 $\{a_n\}$의 첫째항부터 제21항까
지의 합이 147일 때, 첫째항부터 제17항까지의 합을
구하시오.

등차수열의 합

10 10과 30 사이에 10개의 자연수 $a_1, a_2, \cdots, a_{10}$을 넣어
만든 수열이 이 순서대로 등차수열을 이룰 때,
$a_1+a_2+ \cdots +a_{10}$의 값을 구하시오.

부분합이 주어진 등차수열의 합 서술형

11 등차수열 $\{a_n\}$에서 $a_1+a_2+ \cdots +a_{10}=145$,
$a_{11}+a_{12}+ \cdots +a_{20}=445$일 때, 첫째항부터 제30항
까지의 합을 구하시오.

등차수열의 합의 최대, 최소

12 등차수열 $\{a_n\}$의 첫째항부터 제n항까지의 합을 S_n이
라 할 때, $a_1=15$, $S_4=48$이다. 이 등차수열에서 첫째
항부터 제몇 항까지의 합이 최대가 되는가?

① 제6항　　　② 제7항　　　③ 제8항

④ 제9항　　　⑤ 제10항

등차수열의 합과 일반항 사이의 관계

13 첫째항부터 제n항까지의 합 S_n이 $S_n=2n^2-25n$인
수열 $\{a_n\}$의 모든 음수항의 합을 구하시오.

등차수열의 합과 일반항 사이의 관계

14 첫째항부터 제n항까지의 합이 각각 n^2+kn ,
$2n^2-n$인 두 수열 $\{a_n\}$, $\{b_n\}$에 대하여 $a_5=b_5$일 때,
상수 k의 값을 구하시오.

8 등차수열

인간 탑쌓기는 스페인의 전통 축제입니다.

와, 아찔하다 특별한 비법이 있을까?

친절한 현지인이 가르쳐줍니다.

탑을 안전하게 세우려면 1명 당 3명이 받쳐줘야 해.

그렇다면 꼭대기에 1명, 그 아래는 3명, 또 그 아래는 9명, …

1

3

9

27

9

등비수열

일정한 패턴을 발견합니다.

어? 이건 등비수열로 나타낼 수 있겠는데?

$$a_n = ar^{n-1}$$

첫째항 a= 1,
공비 r= 3

5층탑만 세워도 엄청난 사람이 필요하겠네.

5층이라면 맨 아래층에는 무려 81명이 필요하지!

마을 사람 총출동

9. 등비수열

개념 1 **등비수열**

개념 플러스

(1) 등비수열의 뜻

❶ 수열의 첫째항에 차례로 일정한 수를 곱하여 얻어지는
수열을 **등비수열**이라 하고, 곱하는 일정한 수를 **공비**라
한다.

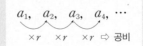

❷ 공비가 r인 등비수열 $\{a_n\}$에서 제n항에 공비 r를 곱하면 제$(n+1)$항이 되므로
$\Rightarrow a_{n+1}=\boxed{❶}\,a_n\ (n=1,\,2,\,3,\,\cdots)$

(2) 등비수열의 일반항

첫째항이 $\boxed{❷}$, 공비가 $r\ (r\neq0)$인 등비수열 $\{a_n\}$의 일반항을 a_n이라 하면
$\Rightarrow a_n=ar^{n-1}\ (n=1,\,2,\,3,\,\cdots)$

🔿 공비(公比 : '공통인 비'라는 뜻)
는 영어로 common ratio라 하
고, 보통 r로 나타낸다.

▶ $2,\ -4,\ 8,\ -16,\ \cdots$
$\ \ \times(-2)\ \times(-2)\ \times(-2)$

답 ❶ r ❷ a

해설 (2) 첫째항이 a, 공비가 r인 등비수열의 일반항을 a_n이라 하면

$a_1=a \qquad\qquad \Rightarrow a_1=ar^0$
$a_2=a_1\times r=ar \qquad \Rightarrow a_2=ar^1$
$a_3=a_2\times r=ar\times r=ar^2 \Rightarrow a_3=ar^2$
$a_4=a_3\times r=ar^2\times r=ar^3 \Rightarrow a_4=ar^3$
$\qquad\qquad\vdots$
$\therefore a_n=ar^{n-1}$

등비수열에서 등비(等比)는
'비가 같다.'는 뜻이야!

보기 다음 등비수열의 일반항 a_n을 구하시오.

(1) 첫째항 3, 공비 2

(2) 첫째항 4, 공비 $\dfrac{1}{2}$

연구 (1) $a_n=3\times2^{n-1}$

(2) $a_n=4\times\left(\dfrac{1}{2}\right)^{n-1}$

🔿 $a,\quad b,\quad c$
$\quad\ \dfrac{b}{a}\quad \dfrac{c}{b}$

개념 2 **등비중항**

0이 아닌 세 수 $a,\,b,\,c$가 이 순서대로 등비수열을 이룰 때, $\boxed{❶}$ 를 a와 c의 **등비중항**이
라 한다.

이때 $\dfrac{b}{a}=\dfrac{c}{b}$이므로 $b^2=ac$가 성립한다.

참고 두 양수 $a,\,b$의 등차중항을 $\dfrac{a+b}{2}$, 양의 등비중항을 $\sqrt{ab}$라 하면 $\dfrac{a+b}{2}\geq\sqrt{ab}$

(단, 등호는 $a=b$일 때 성립)

🔿 세 양수 $a,\,b,\,c$가 이 순서대로 등
비수열을 이룬다. $\Rightarrow b=\sqrt{ac}$
이때 $b=\sqrt{ac}$에서 b는 두 양수 a
와 c의 기하평균이다.

답 ❶ b

보기 세 수 3, b, 27이 이 순서대로 등비수열을 이룰 때, b의 값을 구하시오.

연구 b는 3과 27의 등비중항이므로 $b^2=3\times27=81$ $\therefore b=\pm9$

1-1 | 등비수열의 뜻 |

다음 수열이 등비수열을 이루도록 ☐ 안에 알맞은 수를 써넣으시오.

(1) $-1, 2, -4,$ ☐ $,$ ☐ $, 32$

(2) $81, 27, 9, 3,$ ☐ $,$ ☐

연구

(1) $\dfrac{2}{-1} = -2, \dfrac{-4}{2} = -2$이므로

주어진 수열은 공비가 ☐ 인 등비수열이다.

$$\therefore -1, \quad 2, \quad -4, \quad \boxed{}, \quad \boxed{}, \quad 32$$
$$\times(-2) \quad \times(-2) \quad \times(-2) \quad \times(-2) \quad \times(-2)$$

(2) $\dfrac{27}{81} = \dfrac{1}{3}, \dfrac{9}{27} = \dfrac{1}{3}, \dfrac{3}{9} = \dfrac{1}{3}$이므로

주어진 수열은 공비가 ☐ 인 등비수열이다.

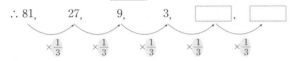

$$\therefore 81, \quad 27, \quad 9, \quad 3, \quad \boxed{}, \quad \boxed{}$$
$$\times\dfrac{1}{3} \quad \times\dfrac{1}{3} \quad \times\dfrac{1}{3} \quad \times\dfrac{1}{3} \quad \times\dfrac{1}{3}$$

1-2 | 따라풀기 |

다음 수열이 등비수열을 이루도록 ☐ 안에 알맞은 수를 써넣으시오.

(1) $1, 4, 16,$ ☐ $,$ ☐ $, 1024$

(2) $32,$ ☐ $, 8, -4, 2,$ ☐

풀이

2-1 | 등비중항 |

다음 세 수가 이 순서대로 등비수열을 이룰 때, x의 값을 구하시오.

(1) $2, x, 18$ (2) $x, \dfrac{1}{2}, \dfrac{1}{4}$

연구

(1) x는 2와 18의 등비중항이므로

$x^2 = 2 \times 18 =$ ☐

$\therefore x = -6$ 또는 $x =$ ☐

(2) $\dfrac{1}{2}$은 x와 $\dfrac{1}{4}$의 등비중항이므로

$\left(\dfrac{1}{2}\right)^2 = x \times \dfrac{1}{4},$ ☐ $= \dfrac{1}{4}x$

$\therefore x =$ ☐

2-2 | 따라풀기 |

다음 세 수가 이 순서대로 등비수열을 이룰 때, x의 값을 구하시오.

(1) $-1, x, -9$ (2) $-2, 8, x$

풀이

개념 3　등비수열의 합

첫째항이 a, 공비가 r ($r \neq 0$)인 등비수열의 첫째항부터 제 ❶ ☐ 항까지의 합을 S_n이라 하면

❶ $r \neq 1$일 때,　$^{❸}S_n = \dfrac{a(1-r^n)}{1-r} = \dfrac{a(r^n-1)}{r-1}$

❷ $r =$ ❷ ☐ 일 때, $S_n = na$

개념 플러스

❸ (i) $r < 1$이면
$$S_n = \dfrac{a(1-r^n)}{1-r}$$
(ii) $r > 1$이면
$$S_n = \dfrac{a(r^n-1)}{r-1}$$
을 이용하면 편리하다.

해설 첫째항이 a, 공비가 r인 등비수열의 첫째항부터 제n항까지의 합을 S_n이라 하면

❶ $r \neq 1$일 때

$$\begin{array}{r} S_n = a + ar + ar^2 + \cdots + ar^{n-1} \\ -)\quad rS_n = \quad\;\; ar + ar^2 + \cdots + ar^{n-1} + ar^n \\ \hline (1-r)S_n = a - ar^n = a(1-r^n) \end{array}$$

$$\therefore S_n = \dfrac{a(1-r^n)}{1-r}$$

❷ $r = 1$일 때, $S_n = \underbrace{a + a + \cdots + a}_{n\text{개}} = na$

❹ 원금과 이자의 합을 원리합계라 한다.

개념 4　원리합계

(1) 연이율 r의 복리로 원금 a원을 n년 동안 예금했을 때, ^{❹}원리합계 S는
  ⇨ $S =$ ❶ ☐ $(1+r)^n$

(2) 연이율 r의 복리로 매년 초에 일정한 금액 a원을 n년 동안 적립할 때, n년 말의 적립금의 원리합계 S는
  ⇨ $S = \dfrac{^{❺}a(1+r)\{(1+r)^n - 1\}}{❷ \boxed{}}$

❺ 첫째항이 $a(1+r)$, 공비가 $(1+r)$인 등비수열의 첫째항부터 제n항까지의 합과 같다.

해설 (2) 매년 초 적립한 a원에 대한 n년 말의 원리합계는 다음과 같다.

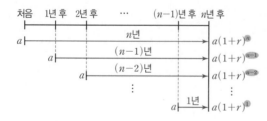

$$\begin{aligned} \therefore S &= a(1+r)^n + a(1+r)^{n-1} + \cdots + a(1+r)^2 + a(1+r) \\ &= a(1+r) + a(1+r)^2 + \cdots + a(1+r)^{n-1} + a(1+r)^n \\ &= \dfrac{a(1+r)\{(1+r)^n - 1\}}{(1+r)-1} = \dfrac{a(1+r)\{(1+r)^n - 1\}}{r} \end{aligned}$$

실제로 적금의 적립 총액 문제에서는 대부분이 매기간 초에 적립하는 경우로 나와.

3-1 | 등비수열의 합 |

다음 수열의 첫째항부터 제5항까지의 합을 구하시오.

(1) 첫째항이 2, 공비가 3인 등비수열

(2) 첫째항이 3, 공비가 $\dfrac{1}{2}$인 등비수열

연구

(1) 첫째항 $a=2$, 공비 $r=3$, 항수 $n=5$인 등비수열의 합은

$$\frac{2(3^5-1)}{\boxed{}-1}=3^{\boxed{}}-1=243-1=\boxed{}$$

(2) 첫째항 $a=3$, 공비 $r=\dfrac{1}{2}$, 항수 $n=5$인 등비수열의 합은

$$\frac{3\left\{1-\left(\dfrac{1}{2}\right)^5\right\}}{1-\dfrac{1}{2}}=6\left(1-\dfrac{1}{\boxed{}}\right)=\frac{\boxed{}}{16}$$

3-2 | 따라풀기 |

다음 수열의 첫째항부터 제5항까지의 합을 구하시오.

(1) 첫째항이 −3, 공비가 2인 등비수열

(2) 첫째항이 4, 공비가 $-\dfrac{1}{3}$인 등비수열

풀이

4-1 | 원리합계 |

100만 원을 다음의 이율과 기간 동안 예금할 때, 그 원리합계를 구하시오.

(1) 연이율 3 %의 복리로 5년 동안 예금

(단, $1.03^5=1.16$으로 계산한다.)

(2) 연이율 4 %의 복리로 6년 동안 예금

(단, $1.04^6=1.27$로 계산한다.)

연구

(1) 원금 $a=100$만 원, 연이율 $r=0.03$, 예금 기간 $n=5$이므로

원리합계 S는

$S=100(1+0.03)^5=100\times1.03^5$

$\quad=100\times\boxed{}=\boxed{}$(만 원)

(2) 원금 $a=100$만 원, 연이율 $r=0.04$, 예금 기간 $n=6$이므로

원리합계 S는

$S=100(1+0.04)^6=100\times1.04^{\boxed{}}$

$\quad=100\times\boxed{}=127$(만 원)

4-2 | 따라풀기 |

200만 원을 다음의 이율과 기간 동안 예금할 때, 그 원리합계를 구하시오.

(1) 연이율 3 %의 복리로 4년 동안 예금

(단, $1.03^4=1.13$으로 계산한다.)

(2) 연이율 5 %의 복리로 6년 동안 예금

(단, $1.05^6=1.34$로 계산한다.)

풀이

9 등비수열

첫째항이 a, 공비가 r ($r \neq 0$)인 등비수열의 일반항을 a_n이라 하면

$$a_1, \quad a_2, \quad a_3, \quad a_4, \quad \cdots, \quad a_n$$
$$\| \qquad \| \qquad \| \qquad \| \qquad \qquad \|$$
$$a \quad a \times r \quad a \times r^2 \quad a \times r^3 \quad \cdots \quad a \times r^{n-1}$$

$\underbrace{\quad}_{\times r} \underbrace{\quad}_{\times r} \underbrace{\quad}_{\times r}$

$$\frac{a_2}{a_1} = \frac{a \times r}{a} = r$$
$$\frac{a_3}{a_2} = \frac{a \times r^2}{a \times r} = r$$
$$\vdots$$
$$\frac{a_{n+1}}{a_n} = \frac{a \times r^n}{a \times r^{n-1}} = r$$

참고 $a_{n+1} = r a_n \Longleftrightarrow \dfrac{a_{n+1}}{a_n} = r$ $(n=1, 2, 3, \cdots)$

예제 **1.** 다음 등비수열 $\{a_n\}$의 일반항과 제10항을 구하시오.

(1) ㉠ $1, 2, 4, 8, \cdots$ (2) ㉡ $3, -9, 27, -81, \cdots$

2. 제2항이 16, 제5항이 128인 등비수열 $\{a_n\}$의 일반항을 구하시오.

해법 코드

1. 첫째항 a와 공비 r를 구한다.

2. $a_2 = ar = 16$, $a_5 = ar^4 = 128$

셀파 첫째항이 a, 공비가 r ($r \neq 0$)인 등비수열 $\{a_n\}$의 일반항 ⇨ $a_n = ar^{n-1}$

풀이 **1.** (1) 첫째항 $a=1$, 공비 $r=2$이므로 $\boldsymbol{a_n = 1 \times 2^{n-1} = 2^{n-1}}$
       따라서 제10항은 $\boldsymbol{a_{10} = 2^{10-1} = 2^9 = 512}$

(2) 첫째항 $a=3$, 공비 $r=-3$이므로 $\boldsymbol{a_n = 3 \times (-3)^{n-1}}$
       따라서 제10항은 $\boldsymbol{a_{10} = 3 \times (-3)^9 = -3^{10}}$

2. 등비수열 $\{a_n\}$의 첫째항을 a, 공비를 r라 하면
   $a_2 = 16$에서 $ar = 16$ $\cdots\cdots$㉠, $a_5 = 128$에서 $ar^4 = 128$ $\cdots\cdots$㉡
   ㉡을 ㉠으로 나누면 $r^3 = 8$ ∴ ㉢ $r = 2$ ($\because r$는 실수)
   $r = 2$를 ㉠에 대입하면 $2a = 16$ ∴ $a = 8$
   따라서 등비수열 $\{a_n\}$의 일반항은 $\boldsymbol{a_n = 8 \times 2^{n-1} = 2^{n+2}}$

㉠ $1, 2, 4, 8, \cdots$
     $\times 2 \ \times 2 \ \times 2$

㉡ $3, -9, 27, -81, \cdots$
     $\times(-3) \ \times(-3) \ \times(-3)$

㉢ 수열은 자연수 전체의 집합에서 실수 전체의 집합으로의 함수이므로 수열의 각 항은 실수이다.

확인 문제   정답과 해설 | **86**쪽   MY 셀파

01-1 상 중 하
다음 등비수열 $\{a_n\}$의 일반항과 제10항을 구하시오.

(1) $-1, 2, -4, 8, \cdots$ (2) $\dfrac{1}{16}, \dfrac{1}{8}, \dfrac{1}{4}, \dfrac{1}{2}, \cdots$

01-1

(1) $-1, \ 2, \ -4, \ 8, \cdots$
     $\times(-2) \times(-2) \times(-2)$

(2) $\dfrac{1}{16}, \ \dfrac{1}{8}, \ \dfrac{1}{4}, \ \dfrac{1}{2}, \cdots$
     $\times 2 \quad \times 2 \quad \times 2$

01-2 상 중 하
제3항이 -2, 제6항이 16인 등비수열 $\{a_n\}$의 제8항을 구하시오.

❶ 항 또는 항 사이의 관계가 주어진 등비수열
　 ⇨ 변끼리 나누어서 미지수의 수를 줄여 나간다.

❷ 처음으로 A보다 커지는 (또는 작아지는) 등비수열
　 ⇨ $ar^{n-1} > A$ (또는 $ar^{n-1} < A$)를 만족시키는 자연수 n의 최솟값을 구한다.

첫째항이 a, 공비가 r인 등비수열 $\{a_n\}$에서 $a_2 = ar$, $a_3 = ar^2$, $a_4 = ar^3$, $\cdots$, $a_n = ar^{n-1}$으로 나타낼 수 있다.

예제 1. 등비수열 $\{a_n\}$에서 $a_1 + a_3 = -20$, $a_2 + a_4 = 60$일 때, a_5의 값을 구하시오.

2. 첫째항이 5, 공비가 2인 등비수열 $\{a_n\}$에서 처음으로 500보다 커지는 항은 제 몇 항인지 구하시오.

해법 코드
1. 첫째항을 a, 공비를 r라 하면
$a + ar^2 = -20$,
$ar + ar^3 = 60$

2. $a_n = 5 \times 2^{n-1}$

셀파 첫째항이 a, 공비가 r $(r \neq 0)$인 등비수열 $\{a_n\}$의 일반항 ⇨ $a_n = ar^{n-1}$

풀이 1. 등비수열 $\{a_n\}$의 첫째항을 a, 공비를 r라 하면
$a_1 + a_3 = -20$에서 $a + ar^2 = -20$
$\therefore a(1 + r^2) = -20$ 　　　　······㉠
$a_2 + a_4 = 60$에서 $ar + ar^3 = 60$
$\therefore ar(1 + r^2) = 60$ 　　　　······㉡
㉡을 ㉠으로 나누면 $r = -3$
$r = -3$을 ㉠에 대입하면 $10a = -20$ 　 $\therefore a = -2$
따라서 $a_n = (-2) \times (-3)^{n-1}$이므로 $a_5 = (-2) \times (-3)^4 = \mathbf{-162}$

● $\dfrac{㉡}{㉠}$에서 $\dfrac{ar(1+r^2)}{a(1+r^2)} = \dfrac{60}{-20}$
$\therefore r = -3$

2. 첫째항 $a = 5$, 공비 $r = 2$이므로 $a_n = 5 \times 2^{n-1}$
처음으로 500보다 커지려면 $a_n > 500$에서
$5 \times 2^{n-1} > 500$, $2^{n-1} > 100$
이때 $2^6 = 64$, $2^7 = 128$이므로 $n - 1 \geq 7$ 　 $\therefore n \geq 8$
따라서 처음으로 500보다 커지는 항은 **제8항**

$2^{n-1} > 100$에서
$n = 7$일 때, $2^6 = 64$
$n = 8$일 때, $2^7 = 128$
이므로 $n = 8$에서 처음으로 500보다 커져.

확인 문제 　　　　　　　　　정답과 해설 **86**쪽 　　　　　 MY 셀파

02-1 등비수열 $\{a_n\}$에서 $a_1 + a_2 = 3$, $a_3 + a_4 = 12$일 때, $a_5 + a_6$의 값을 구하시오.
(상 **중** 하)

02-1
첫째항을 a, 공비를 r라 하면
$a + ar = 3$, $ar^2 + ar^3 = 12$

02-2 첫째항이 3, 공비가 $\dfrac{1}{2}$인 등비수열 $\{a_n\}$에서 처음으로 $\dfrac{1}{100}$보다 작아지는 항은 제몇 항인지 구하시오.
(상 **중** 하)

02-2
$a_n = 3 \times \left(\dfrac{1}{2}\right)^{n-1}$

9
등
비
수
열

① 등비수열   수열의 첫째항에 차례로 일정한 수를 곱하여 얻어지는 수열

공비   곱하는 일정한 수

② 등비수열의 일반항

첫째항이 a, 공비가 $r\,(r \neq 0)$인 등비수열 $\{a_n\}$의 일반항은 $a_n = ar^{n-1}\,(n = 1, 2, 3, \cdots)$

01 다음 등비수열 $\{a_n\}$의 일반항을 구하시오.

(1) $2, -6, 18, -54, \cdots$

(2) $4, 2, 1, \dfrac{1}{2}, \cdots$

(3) $4, 12, 36, 108, \cdots$

(4) $36, -12, 4, -\dfrac{4}{3}, \cdots$

(5) $3, 3^2, 3^3, 3^4, \cdots$

(6) $4^2, 4^3, 4^4, 4^5, \cdots$

(7) $\dfrac{1}{4}, \dfrac{1}{2}, 1, 2, \cdots$

(8) $-3, 9, -27, 81, \cdots$

02 다음을 만족시키는 등비수열 $\{a_n\}$의 첫째항 a와 공비 r를 구하시오.

(1) $a_1 = \dfrac{1}{3}, a_4 = \dfrac{64}{3}$

(2) $a_5 = 21, a_7 = 84$

(3) $a_3 = 6, a_6 = -162$

(4) $a_5 = 1, a_9 = \dfrac{1}{4}$

03 다음을 만족시키는 등비수열 $\{a_n\}$의 일반항을 구하시오.

(1) $a_1 = 3,\quad a_4 = -81$

(2) $a_3 = 2, a_6 = 16$

(3) $a_4 = 40, a_7 = 320$

(4) $a_2 = \dfrac{2}{3}, a_5 = \dfrac{16}{3}$

두 수 a, b 사이에 n개의 수를 넣어 만든 등비수열 a, x_1, x_2, x_3, $\cdots$, x_n, b에서

❶ a는 첫째항, b는 제$(n+2)$항이다.

❷ $b=ar^{n+1}$ (단, r는 공비)

첫째항 a와 끝항 b를 이용하여 공비를 구한다.

예제 두 수 2와 $\dfrac{1}{8}$ 사이에 3개의 양수 x, y, z를 넣어 만든 수열 2, x, y, z, $\dfrac{1}{8}$이 이 순서대로 등비수열을 이룰 때, 다음 물음에 답하시오.

(1) 이 수열의 공비를 구하시오.

(2) $x+y+z$의 값을 구하시오.

해법 코드

두 수 2와 $\dfrac{1}{8}$ 사이에 3개의 수를 넣어 수열을 만들면 첫째항은 2, 제5항은 $\dfrac{1}{8}$이다.

셀파 두 수 사이에 수를 넣어 만든 등비수열 ⇨ 첫째항 2와 끝항 $\dfrac{1}{8}$을 이용하여 공비를 구한다.

풀이 (1) 두 수 2와 $\dfrac{1}{8}$ 사이에 3개의 양수를 넣어 만든 등비수열 $\{a_n\}$에서

첫째항은 2, 제5항은 $\dfrac{1}{8}$이다.

공비를 ❶ $r\,(r>0)$라 하면 $a_5=\dfrac{1}{8}$이므로

$2\times r^4=\dfrac{1}{8}$, $r^4=\dfrac{1}{16}$ ∴ $r=\dfrac{1}{2}\,(\because r>0)$

따라서 이 수열의 공비는 $\dfrac{1}{2}$

❶ x, y, z는 양수이므로 공비를 r라 하면 $r>0$이다.

다른 풀이

(2) 공비를 r라 하면

2, $2r$, $2r^2$, $2r^3$, $2r^4$

$2r^4=\dfrac{1}{8}$이므로 $r^4=\dfrac{1}{16}$

∴ $r=\dfrac{1}{2}\,(\because r>0)$

$x=2r$, $y=2r^2$, $z=2r^3$

이므로 $x=1$, $y=\dfrac{1}{2}$, $z=\dfrac{1}{4}$

∴ $x+y+z=\dfrac{7}{4}$

(2) 등비수열 $\{a_n\}$의 일반항을 구하면 $a_n=2\times\left(\dfrac{1}{2}\right)^{n-1}$

x, y, z는 각각 등비수열 $\{a_n\}$의 제2항, 제3항, 제4항이므로

$x=a_2=2\times\dfrac{1}{2}=1$, $y=a_3=2\times\left(\dfrac{1}{2}\right)^2=\dfrac{1}{2}$, $z=a_4=2\times\left(\dfrac{1}{2}\right)^3=\dfrac{1}{4}$

∴ $x+y+z=1+\dfrac{1}{2}+\dfrac{1}{4}=\dfrac{7}{4}$

확인 문제　　　　　　　　　　　　　　　　정답과 해설 | **88**쪽　　　　　　　MY 셀파

03-1 두 수 2와 486 사이에 4개의 수 x_1, x_2, x_3, x_4를 넣어 만든 수열
(상)(중)(하)　　2, x_1, x_2, x_3, x_4, 486

이 이 순서대로 등비수열을 이룰 때, x_2+x_4의 값을 구하시오.

03-1

첫째항이 2, 제6항이 486이다.

03-2 두 수 54와 $\dfrac{2}{81}$ 사이에 n개의 수를 넣어 만든 수열 54, x_1, x_2, x_3, $\cdots$, x_n, $\dfrac{2}{81}$가
(상)(중)(하)　　이 순서대로 공비가 $\dfrac{1}{3}$인 등비수열을 이룰 때, n의 값을 구하시오.

03-2

첫째항이 54, 제$(n+2)$항이 $\dfrac{2}{81}$이다.

세 수 a, b, c가 이 순서대로 등비수열을 이루면

$$\frac{b}{a}=\frac{c}{b}\text{에서 } b^2=ac, \text{ 즉 } b=\pm\sqrt{ac}$$

이때 b를 a와 c의 등비중항이라 한다.

a, x, b가 이 순서대로 등비수열을 이룰 때
⇨ x는 a와 b의 등비중항
⇨ $x=\pm\sqrt{ab}$

예제 1. 세 수 $x, x+6, 4x$가 이 순서대로 등비수열을 이룰 때, 양수 x의 값을 구하시오.

2. 서로 다른 세 실수 a, b, c에 대하여 a, b, c는 이 순서대로 등차수열을 이루고, b, c, a는 이 순서대로 등비수열을 이룬다. 세 수 a, b, c의 곱이 8일 때, a, b, c의 값을 구하시오.

해법 코드
1. 세 수 $x, x+6, 4x$에서 등비중항을 이용한다.

2. 등차수열 a, b, c에서 등차중항을, 등비수열 b, c, a에서 등비중항을 이용한다.

셀파 세 수 a, b, c가 이 순서대로 등비수열 ⇨ $b^2=ac$

풀이 1. 세 수 $x, x+6, 4x$가 이 순서대로 등비수열을 이루므로
$(x+6)^2=x\times 4x, \ x^2-4x-12=0$
$(x+2)(x-6)=0 \quad \therefore \boldsymbol{x=6} \ (\because x>0)$

❶ $x^2+12x+36=4x^2$
$3x^2-12x-36=0$
$\therefore x^2-4x-12=0$

2. 세 수 a, b, c가 이 순서대로 등차수열을 이루므로 $2b=a+c$ ……㉠
세 수 b, c, a는 이 순서대로 등비수열을 이루므로 $c^2=ab$ ……㉡
세 수 a, b, c의 곱이 8이므로 $abc=8$ ……㉢
이때 ㉡을 ㉢에 대입하면 $c^3=8 \quad \therefore c=2 \ (\because c$는 실수$)$
$c=2$를 ㉠에 대입하면 $2b=a+2 \quad \therefore a=2b-2$ ……㉣
$c=2$를 ㉡에 대입하면 $ab=4$ ……㉤
❷ ㉣, ㉤을 연립하여 풀면 $a=-4, b=-1$
$\therefore \boldsymbol{a=-4, b=-1, c=2}$

❷ ㉣을 ㉤에 대입하면
$(2b-2)b=4$
$b^2-b-2=0, (b+1)(b-2)=0$
(i) $b=-1$일 때, $a=-4$
(ii) $b=2$일 때, $a=2$
그런데 $a\neq b$이므로
$a=-4, b=-1$

확인 문제 정답과 해설 | **88**쪽 **MY 셀파**

04-1
⊘⊘⊘ 세 수 $a, b, -3$은 이 순서대로 등차수열을 이루고, 세 수 $1, b, a$는 이 순서대로 등비수열을 이룰 때, 양수 a, b의 값을 구하시오.

04-1
등차중항과 등비중항을 이용한다.

04-2
⊘⊘⊘ 다항식 $f(x)=x^3-3x+k$를 일차식 $x+1, x, x-2$로 나누었을 때의 나머지가 이 순서대로 등비수열을 이룰 때, 상수 k의 값을 구하시오.

04-2
다항식 $f(x)$를 일차식 $x-a$로 나누었을 때의 나머지는 $f(a)$이다.

PLUS ⊕

세 수가 등비수열을 이룰 때, 세 수를 a, ar, ar^2으로 놓고 식을 세운다.
❶ 세 수의 합은 $a+ar+ar^2=a(1+r+r^2)$
❷ 세 수의 곱은 $a\times ar\times ar^2=(ar)^3$

등비수열을 이루는 세 수의 곱이 주어진 경우 세 수를 $\dfrac{a}{r}$, a, ar로 놓으면 세 수의 곱에서 r가 소거되어 a의 값을 쉽게 구할 수 있다.

예제 등비수열을 이루는 세 수가 있다. 세 수의 합이 14이고 곱이 64일 때, 이 세 수를 구하시오.

해법 코드
등비수열을 이루는 세 수를 a, ar, ar^2으로 놓는다.

셀파 등비수열을 이루는 세 수 ⇨ a, ar, ar^2

풀이 등비수열을 이루는 세 수를 a, ar, ar^2으로 놓으면
세 수의 합이 14이므로
$a+ar+ar^2=14$ ∴ $a(1+r+r^2)=14$ ……㉠
세 수의 곱이 64이므로
$a\times ar\times ar^2=64$, $(ar)^3=64$ ∴ $\underline{ar=4}$ (∵ ar는 실수) ……㉡
㉠을 ㉡으로 나누면 $\dfrac{1+r+r^2}{r}=\dfrac{7}{2}$
$2(1+r+r^2)=7r$, $2r^2-5r+2=0$
$(2r-1)(r-2)=0$ ∴ $r=\dfrac{1}{2}$ 또는 $r=2$

(i) $r=\dfrac{1}{2}$일 때, ㉡에서 $a=8$이므로
　세 수는 8, $8\times\dfrac{1}{2}=4$, $8\times\left(\dfrac{1}{2}\right)^2=2$
(ii) $r=2$일 때, ㉡에서 $a=2$이므로
　세 수는 2, $2\times2=4$, $2\times2^2=8$
(i), (ii)에서 구하는 세 수는 **2, 4, 8**

❶ $a=\dfrac{4}{r}$를 ㉠에 대입하여 풀어도 된다.
$\dfrac{4}{r}(1+r+r^2)=14$
$2(1+r+r^2)=7r$
∴ $2r^2-5r+2=0$

❷ $\dfrac{a(1+r+r^2)}{ar}=\dfrac{14}{4}$이므로
$\dfrac{1+r+r^2}{r}=\dfrac{7}{2}$

9 등비수열

확인 문제　　　　　　　　　　정답과 해설 **88**쪽

MY 셀파

05-1 등비수열을 이루는 세 수가 있다. 세 수의 합이 -7이고 곱이 27일 때, 이 세 수 중 가장 큰 수를 구하시오.

05-1
등비수열을 이루는 세 수를 a, ar, ar^2으로 놓는다.

05-2 삼차방정식 $x^3-kx^2+56x-64=0$의 세 실근이 등비수열을 이룰 때, 상수 k의 값을 구하시오.

05-2
세 실근을 a, ar, ar^2으로 놓고 삼차방정식의 근과 계수의 관계를 이용한다.

오른쪽 그림과 같이 한 변의 길이가 2인 정삼각형 모양의 종이 ABC가 있다. 첫 번째 시행에서 각 변의 중점을 이어서 만든 정삼각형 $A_1B_1C_1$을 오려서 버리고, 두 번째 시행에서는 첫 번째 시행의 결과로 남은 3개의 정삼각형에서 각 변의 중점을 이어서 만든 가운데 정삼각형을 오려서 버린다. 이와 같은 시행을 반복할 때, 10번째 시행 후 남은 종이의 넓이를 구하시오.

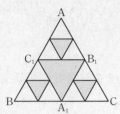

▶

삼각형 ABC에서 두 변 AB, AC의 중점을 각각 M, N이라 하면
❶ $\overline{MN} /\!/ \overline{BC}$
❷ $\overline{MN} = \dfrac{1}{2}\overline{BC}$

Ⓐ 도형 문제는 규칙을 찾아 식으로 정리하면 쉽게 해결할 수 있어. 보통 이런 문제에서는 매 단계마다 같은 규칙에 따라 도형이 일정하게 만들어지기 때문이야.

Ⓠ 여기서는 삼각형의 각 변의 중점을 이어서 다음 삼각형을 만드는 규칙이므로 주어진 정삼각형과 다음 정삼각형의 <u>한 변의 길이의 비가 2 : 1</u>이 되네요.

ⓐ 삼각형 $A_1B_1C_1$에서
$\overline{C_1B_1} = \dfrac{1}{2}\overline{BC}$,
$\overline{C_1A_1} = \dfrac{1}{2}\overline{AC}$,
$\overline{A_1B_1} = \dfrac{1}{2}\overline{BA}$이므로
삼각형 ABC와 삼각형 $A_1B_1C_1$의 닮음비는 $1 : \dfrac{1}{2}$, 즉 2 : 1이다.

Ⓐ 맞아. 이때 닮은 두 도형의 <u>ⓑ넓이의 비는 4 : 1</u>이 되지.
즉, 한 번의 시행 후 남은 도형의 넓이는 시행 전 넓이의 $\dfrac{3}{4}$이야.

Ⓠ 이제 풀 수 있겠어요. 정삼각형 ABC의 넓이는 $\dfrac{\sqrt{3}}{4} \times 2^2 = \sqrt{3}$이므로
첫 번째 시행 후 남은 종이의 넓이는 $\sqrt{3} \times \dfrac{3}{4}$
두 번째 시행 후 남은 종이의 넓이는 $\sqrt{3} \times \left(\dfrac{3}{4}\right)^2$
$\vdots$
10번째 시행 후 남은 종이의 넓이는 $\sqrt{3} \times \left(\dfrac{3}{4}\right)^{10}$

ⓑ 두 도형의 닮음비가 2 : 1이면 두 도형의 넓이의 비는 $2^2 : 1^2 = 4 : 1$이다.

ⓒ 한 변의 길이가 a인 정삼각형의 넓이 S는 $S = \dfrac{\sqrt{3}}{4}a^2$이다.

확인 체크 01 정답과 해설 | **89**쪽

오른쪽 그림과 같이 넓이가 100인 원이 있다. 그 안에 반지름의 길이가 처음 원의 $\dfrac{3}{4}$인 원을 그리고 다시 그 안에 반지름의 길이가 바로 바깥쪽 원의 $\dfrac{3}{4}$인 원을 그리는 방법으로 모두 10개의 원을 새로 그렸다. 이때 <u>맨 안쪽에 있는 원의 넓이</u>를 구하시오.
(단, 모든 원의 중심은 같다.)

ⓓ 처음 원의 반지름의 길이의 $\dfrac{3}{4}$인 원의 넓이를 a_1, 그 다음에 그린 원의 넓이를 a_2라 할 때, 구하는 원의 넓이는 a_{10}이다.

첫째항이 a, 공비가 r인 등비수열의 첫째항부터 제n항까지의 합을 S_n이라 하면

❶ $r \neq 1$일 때 $\Rightarrow S_n = \dfrac{a(1-r^n)}{1-r} = \dfrac{a(r^n-1)}{r-1}$

❷ $r = 1$일 때 $\Rightarrow S_n = na$

$$S_n = \begin{cases} \dfrac{a(1-r^n)}{1-r} & (r<1 \text{일 때}) \\ \dfrac{a(r^n-1)}{r-1} & (r>1 \text{일 때}) \end{cases}$$

로 사용하는 것이 편하다.

예제 **1.** 다음 등비수열의 첫째항부터 제5항까지의 합을 구하시오.

(1) $\overset{\text{㉠}}{2}$, 6, 18, 54, $\cdots$

(2) $\overset{\text{㉡}}{3}, \dfrac{3}{2}, \dfrac{3}{4}, \dfrac{3}{8}, \cdots$

2. 등비수열 1, 2, 4, 8, $\cdots$, 512의 합을 구하시오.

해법 코드

1. 첫째항과 공비를 구한다.

2. 첫째항, 공비, 항수를 구한다.

셀파 $r \neq 1$일 때, $S_n = \dfrac{a(1-r^n)}{1-r} = \dfrac{a(r^n-1)}{r-1}$

풀이 **1.** (1) $\overset{\text{㉠}}{}$ 첫째항이 2, 공비가 3인 등비수열의 첫째항부터 제5항까지의 합은

$$\frac{2(3^5-1)}{3-1} = 3^5 - 1 = \mathbf{242}$$

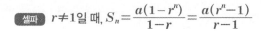

㉠ 2, 6, 18, 54, $\cdots$
   $\times 3$ $\times 3$ $\times 3$

(2) $\overset{\text{㉡}}{}$ 첫째항이 3, 공비가 $\dfrac{1}{2}$인 등비수열의 첫째항부터 제5항까지의 합은

$$\frac{3\left\{1-\left(\dfrac{1}{2}\right)^5\right\}}{1-\dfrac{1}{2}} = 6\left(1-\dfrac{1}{32}\right) = \mathbf{\dfrac{93}{16}}$$

㉡ 3, $\dfrac{3}{2}, \dfrac{3}{4}, \dfrac{3}{8}, \cdots$
   $\times \dfrac{1}{2}$ $\times \dfrac{1}{2}$ $\times \dfrac{1}{2}$

2. 주어진 수열의 일반항을 a_n, 첫째항부터 제n항까지의 합을 S_n이라 하면

수열 $\{a_n\}$은 첫째항이 1, 공비가 2인 등비수열이므로

$$a_n = 1 \times 2^{n-1} = 2^{n-1}$$

제n항을 512라 하면 $2^{n-1} = 512$에서 $n-1 = 9$ $\therefore n = 10$

따라서 주어진 수열의 합은

$$S_{10} = \frac{1 \times (2^{10}-1)}{2-1} = \mathbf{1023}$$

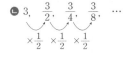

등비수열의 합을 구할 때 구한 값이 큰 수이면 지수를 포함하는 꼴로 나타낼 수도 있어!

9 등비수열

확인 문제   정답과 해설 **89**쪽   MY 셀파

06-1 다음 등비수열의 첫째항부터 제10항까지의 합을 구하시오.

(상)(중)(하)

(1) 1, -2, 4, -8, $\cdots$

(2) $\sqrt{2}-1, \sqrt{2}(\sqrt{2}-1), 2(\sqrt{2}-1), \cdots$

06-1

(2) $\sqrt{2}-1, \sqrt{2}(\sqrt{2}-1), 2(\sqrt{2}-1), \cdots$
     $\times\sqrt{2}$ $\times\sqrt{2}$

06-2 등비수열 $\log_3 9, \log_3 9^2, \log_3 9^4, \cdots, \log_3 9^{256}$의 합을 구하시오.

(상)(중)(하)

06-2

$\log_a M^k = k \log_a M$임을 이용한다.

첫째항이 a, 공비가 r인 등비수열 $\{a_n\}$의 첫째항부터 제n항까지의 합을 S_n이라 하면

❶ $r \neq 1$일 때, $S_n = \dfrac{a(1-r^n)}{1-r} = \dfrac{a(r^n-1)}{r-1}$

❷ $r = 1$일 때, $S_n = na$

01 다음 등비수열 $\{a_n\}$에 대하여 첫째항부터 제n항까지의 합 S_n을 구하시오.

(1) $1, 2, 2^2, 2^3, \cdots$

(2) $3, 6, 12, 24, \cdots$

(3) $64, 32, 16, 8, \cdots$

(4) $1, \sqrt{2}, 2, 2\sqrt{2}, \cdots$

(5) $2, 2, 2, 2, \cdots$

(6) $2, \dfrac{2}{3}, \dfrac{2}{9}, \dfrac{2}{27}, \cdots$

(7) $2, -4, 8, -16, \cdots$

(8) $-20, 5, -\dfrac{5}{4}, \dfrac{5}{16}, \cdots$

02 첫째항 a와 공비 r가 다음과 같은 등비수열 $\{a_n\}$에서 첫째항부터 제n항까지의 합 S_n을 구하시오.

(1) $a=1, r=2, n=7$

(2) $a=\dfrac{2}{3}, r=\dfrac{1}{3}, n=8$

(3) $a=-3, r=-2, n=10$

(4) $a=1, r=\sqrt{2}, n=10$

03 다음 등비수열의 합을 구하시오.

(1) $2, 4, 8, \cdots, 256$

(2) $3, 1, \dfrac{1}{3}, \cdots, \dfrac{1}{81}$

(3) $1, 0.1, 0.01, \cdots, 0.0000001$

(4) $1, \sqrt{3}, 3, \cdots, 27\sqrt{3}$

첫째항이 a, 공비가 r $(r \neq 1)$인 등비수열의 첫째항부터 제n항까지의 합을 S_n이라 하면

❶ $S_n = \dfrac{a(r^n-1)}{r-1}$

❷ $S_{2n} = \dfrac{a(r^{2n}-1)}{r-1} = \dfrac{a(r^n-1)(r^n+1)}{r-1}$

$S_{3n} = \dfrac{a(r^{3n}-1)}{r-1}$

$\quad = \dfrac{a(r^n-1)(r^{2n}+r^n+1)}{r-1}$

예제 첫째항부터 제3항까지의 합 1, 첫째항부터 제6항까지의 합이 9인 등비수열의 첫째항부터 제9항까지의 합을 구하시오.

해법 코드
$S_3=1$, $S_6=9$임을 이용한다.

셀파 첫째항이 a, 공비가 r인 등비수열의 합 S_n ⇨ $S_n = \dfrac{a(r^n-1)}{r-1}$

풀이 첫째항을 a, 공비를 r, 첫째항부터 제n항까지의 합을 S_n이라 하면 $r \neq 1$이므로

$S_3=1$에서 $\dfrac{a(r^3-1)}{r-1}=1$ 　　　　　……㉠

$S_6=9$에서 $\dfrac{a(r^6-1)}{r-1} = \dfrac{a(r^3-1)(r^3+1)}{r-1} = 9$ 　……㉡

㉠을 ㉡에 대입하면 $r^3+1=9$ ∴ $r^3=8$
따라서 첫째항부터 제9항까지의 합은

ⓐ $\dfrac{a(r^9-1)}{r-1} = \dfrac{a(r^3-1)(r^6+r^3+1)}{r-1} = \dfrac{a(r^3-1)}{r-1} \times (r^6+r^3+1)$

$\quad = 1 \times (r^6+r^3+1) = 64+8+1 = \mathbf{73}$

ⓐ $x^3-1=(x-1)(x^2+x+1)$
임을 이용하여 인수분해한 것이다.

ⓑ $r^6+r^3+1 = (r^3)^2+r^3+1$
$\quad = 8^2+8+1 = 73$

참고 첫째항이 a이고 공비가 r인 등비수열 $\{a_n\}$에서
$S_n = a_1+a_2+\cdots+a_n = a+ar+\cdots+ar^{n-1} = A$ 라 하면
$S_{2n}-S_n = a_{n+1}+a_{n+2}+\cdots+a_{2n} = ar^n+ar^{n+1}+\cdots+ar^{2n-1}$
$\qquad\qquad\qquad = (a+ar+\cdots+ar^{n-1})r^n = Ar^n$
$S_{3n}-S_{2n} = a_{2n+1}+a_{2n+2}+\cdots+a_{3n} = ar^{2n}+ar^{2n+1}+\cdots+ar^{3n-1}$
$\qquad\qquad\qquad = (a+ar+\cdots+ar^{n-1})r^{2n} = Ar^{2n}$
따라서 S_n, $S_{2n}-S_n$, $S_{3n}-S_{2n}$은 공비가 r^n인 등비수열을 이룬다.

다른 풀이
$S_3=1$, $S_6-S_3 = 9-1 = 8$이고,
S_3, S_6-S_3, S_9-S_6은 공비가 $r^3=8$
인 등비수열을 이루므로
$S_9-S_6 = 64$
∴ $S_9 = S_6+64 = 73$

확인 문제 　　　　　　　　　　　정답과 해설 | **91**쪽 　　　　MY 셀파

07-1 첫째항부터 제10항까지의 합이 10, 첫째항부터 제30항까지의 합이 310인 등비
(상)(중)(하) 수열의 공비가 양수일 때, 첫째항부터 제20항까지의 합을 구하시오.

07-1
$S_{30} = \dfrac{a(r^{30}-1)}{r-1}$

$\quad = \dfrac{a(r^{10}-1)(r^{20}+r^{10}+1)}{r-1}$

07-2 첫째항부터 제5항까지의 합이 4, 제6항부터 제10항까지의 합이 20인 등비수열
(상)(중)(하) 의 첫째항부터 제15항까지의 합을 구하시오.

07-2
$S_5=4$, $S_{10}-S_5=20$

9 | 등비수열

등비수열 $\{a_n\}$의 첫째항부터 제n항까지 합을 S_n이라 하면

$$a_1 = S_1, \quad a_n = S_n - S_{n-1} \ (n \geq 2)$$

등차수열과 마찬가지로 등비수열에서도 수열의 합 꼴을 보고 이 수열이 첫째항부터 등비수열을 이루는지, 제2항부터 등비수열을 이루는지 판단할 수 있다.

예제 등비수열 $\{a_n\}$의 첫째항부터 제n항까지 합 S_n이 다음과 같이 주어질 때, 일반항 a_n을 구하시오.

(1) $S_n = 2 \times 3^n - 2$ (2) $S_n = 2 \times 3^n - 1$

해법 코드
주어진 등비수열의 합 S_n에서 $a_n = S_n - S_{n-1}$을 이용하여 일반항 a_n을 구한다.

셀파 수열의 합 S_n과 일반항 a_n 사이에는 $a_n = S_n - S_{n-1} \ (n \geq 2)$이 성립한다.

풀이 (1)(i) $n \geq 2$일 때

$$a_n = S_n - S_{n-1} = (2 \times 3^n - 2) - (2 \times 3^{n-1} - 2)$$
$$= 2 \times (3-1) \times 3^{n-1} = 4 \times 3^{n-1} \qquad \cdots\cdots \ ㉠$$

(ii) $n = 1$일 때

$$a_1 = S_1 = 2 \times 3 - 2 = 4$$

이때 $a_1 = 4$는 ㉠에 $n=1$을 대입한 값과 같다.

(i), (ii)에서 $\boldsymbol{a_n = 4 \times 3^{n-1}}$

(2)(i) $n \geq 2$일 때

$$a_n = S_n - S_{n-1} = (2 \times 3^n - 1) - (2 \times 3^{n-1} - 1)$$
$$= 2 \times (3-1) \times 3^{n-1} = 4 \times 3^{n-1} \qquad \cdots\cdots \ ㉠$$

(ii) $n = 1$일 때

$$a_1 = S_1 = 2 \times 3 - 1 = 5$$

이때 $a_1 = 5$는 ㉠에 $n=1$을 대입한 값 4와 같지 않다.

(i), (ii)에서 $\boldsymbol{a_1 = 5, \ a_n = 4 \times 3^{n-1} \ (n \geq 2)}$

S_0은 존재하지 않으므로 관계식 $a_n = S_n - S_{n-1}$에서 n에는 2 이상의 자연수만 대입할 수 있어!

❶ $a_n = S_n - S_{n-1} \ (n \geq 2)$을 이용하여 구한 a_n에서 얻은 a_1의 값과 주어진 S_n에서 얻은 S_1의 값이 같지 않을 경우, 즉 $a_1 \neq S_1$이면 일반항 a_n은 다음과 같이 a_1을 따로 나타낸다.
$a_1 = S_1$,
$a_n = S_n - S_{n-1} \ (n \geq 2)$

확인 문제   정답과 해설 | **91**쪽   MY 셀파

08-1 등비수열 $\{a_n\}$의 첫째항부터 제n항까지 합 S_n이 $S_n = 2^n + 1$일 때, $a_1 + a_8$의 값을 구하시오.
(상)(중)(하)

08-1
$a_1 = S_1, \ a_n = S_n - S_{n-1} \ (n \geq 2)$

08-2 등비수열 $\{a_n\}$의 첫째항부터 제n항까지 합 S_n이 $S_n = a \times 5^{n-1} + 5$이고, 수열 $\{a_n\}$이 첫째항부터 등비수열을 이룰 때, 상수 a의 값을 구하시오.
(상)(중)(하)

08-2
$a_n = S_n - S_{n-1} \ (n \geq 2)$에서 구한 a_1의 값과 S_1의 값이 같아야 한다.

연이율이 r, 1년마다 복리로 a원씩 적립할 때, n년 말의 적립금의 원리합계 S_n은 a원을 적립하는 시기에 따라 다음과 같이 구한다.

❶ 매년 초에 적립하는 경우 ➡ $S_n = \dfrac{a(1+r)\{(1+r)^n-1\}}{r}$ (원)

❷ 매년 말에 적립하는 경우 ➡ $S_n = \dfrac{a\{(1+r)^n-1\}}{r}$ (원)

> 마지막 적립금을 적립함과 동시에 찾는 경우라면 굳이 마지막 적립금을 낼 필요가 없다.
> 따라서 실생활에서는 매년 초에 적립하는 경우가 대부분이다.

예제 월이율이 0.4 %, 1개월마다 복리로 매월 초에 20만 원씩 적립할 때, 3년 후의 적립금의 원리합계를 구하시오. (단, $1.004^{36}=1.15$로 계산한다.)

해법 코드
매월 적립하는 금액에 대한 적립 기간에 주의한다.

셀파 원금 A원을 월이율 r의 복리로 적립할 때, n개월 후의 원리합계
➡ $A(1+r)^n$

풀이 매월 초에 적립하는 금액 각각에 대한 원리합계는 다음과 같다.

이때 매월 적립금 20만 원 각각에 대한 원리합계의 합을 S라 하면
$$S = 20(1+0.004)^1 + 20(1+0.004)^2 + \cdots + 20(1+0.004)^{36}$$
$$= \frac{20(1+0.004)(1.004^{36}-1)}{(1+0.004)-1} = \frac{20.08(1.15-1)}{0.004}$$
$$= 753 \text{(만 원)}$$

따라서 구하는 적립금의 원리합계는 **753만 원**

> ❶ 처음 적립한 금액 20만 원에 대한 적립 기간은 36개월이므로 월이율 0.004로 36번 증가하면 20만 원의 36개월 후의 원리합계는 $20(1+0.004)^{36}$이다.
> 1개월 후에 적립한 20만 원에 대해서도 마찬가지로 구하면 원리합계는 $20(1+0.004)^{35}$이고, 35개월 후에 적립한 20만 원은 적립 기간이 1개월이므로 원리합계는 $20(1+0.004)^1$이 된다.

9 | 등비수열

확인 문제 　　　　　　　　　　　　　　　정답과 해설 | **92**쪽 　　　　　　　　　　MY 셀파

09-1 월이율이 0.5 %, 1개월마다 복리로 매월 초에 10만 원씩 적립할 때, 3년 후의 적립금의 원리합계를 천의 자리에서 반올림하여 구하시오.
(단, $1.005^{36}=1.19$로 계산한다.)

09-1
매월 초에 적립한 금액의 원리합계를 그림으로 나타내 본다.

09-2 연이율이 5 %, 1년마다 복리로 14년 동안 적립하여 14년 후의 적립금의 원리합계가 5000만 원이 되도록 할 때, 매년 적립해야 하는 금액을 천의 자리에서 반올림하여 구하시오. (단, $1.05^{14}=2$로 계산한다.)

09-2
매년 적립하는 금액을 a만 원이라 하고 14년 후의 적립금의 원리합계가 5000만 원이 되는 a의 값을 구한다.

등비수열의 일반항
01 등비수열 $\sqrt{2}+1$, 1, $\sqrt{2}-1$, $3-2\sqrt{2}$, $\cdots$의 일반항을 a_n이라 할 때, a_{100}의 값은?

① $(\sqrt{2}-1)^{98}$ ② $(\sqrt{2}-1)^{99}$ ③ $(\sqrt{2}-1)^{100}$

④ $\sqrt{2}(\sqrt{2}-1)^{90}$ ⑤ $2(\sqrt{2}-1)^{90}$

두 수 사이에 수를 넣어 만든 등비수열 융합형
02 두 수 1과 100 사이에 3개의 양수 l, m, n을 넣어 만든 수열 1, l, m, n, 100이 이 순서대로 등비수열을 이룰 때, $\log lmn$의 값을 구하시오.

등차중항과 등비중항 융합형
03 이차방정식 $x^2-12x+4=0$의 두 근의 등차중항과 등비중항을 각각 a, b $(b>0)$라 할 때, 다음 중 a, b를 두 근으로 하는 이차방정식은?

① $x^2+8x+12=0$ ② $x^2-8x+12=0$

③ $x^2-8x-12=0$ ④ $x^2+4x-12=0$

⑤ $x^2-4x+12=0$

등비수열을 이루는 세 수
04 곡선 $y=x^3-3x^2-6x+5$와 직선 $y=k$가 서로 다른 세 점에서 만나고 교점의 x좌표가 차례로 등비수열을 이룰 때, 상수 k의 값을 구하시오.

등비수열의 활용 창의력
05 민수가 농구공을 1.5 m 높이에서 떨어뜨렸더니 1 m 튀어 올랐다. 이 공의 떨어진 높이에 대한 튀어 오른 높이의 비율이 일정하다고 할 때, 튀어 오른 높이가 $\dfrac{16}{81}$ m가 되는 것은 제몇 회인지 구하시오.

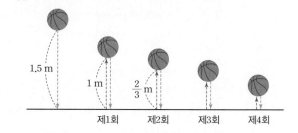

등비수열의 활용
06 2048만 원에 산 자동차의 가격이 1년이 지날 때마다 전 년도 가격의 반값이 된다고 할 때, 10년 후의 자동차의 가격을 구하시오.

등비수열과 도형 〔창의·융합〕

07 오른쪽 그림과 같이 한 변의 길이가 1인 정사각형을 A_1, 정사각형 A_1의 각 변의 중점을 이어서 만든 정사각형을 A_2, …라고 하자. 이와 같이 정사각형 A_n의 각 변의 중점을 이어서 만든 정사각형을 A_{n+1}이라 할 때, 정사각형 A_n의 넓이가 $\dfrac{1}{100}$보다 작아지는 n의 최솟값을 구하시오. (단, $n=1, 2, 3, \cdots$)

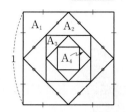

등비수열의 합

08 첫째항이 3, 공비가 2인 등비수열에서 첫째항부터 제 n항까지의 합이 처음으로 1000보다 커질 때, 자연수 n의 값을 구하시오.

등비수열의 합

09 수열 9, 99, 999, 9999, …의 첫째항부터 제 n항까지의 합은?

① $\dfrac{1}{9}(10^n-1)-n$ ② $\dfrac{1}{9}(10^n-1)$

③ $\dfrac{8}{9}(10^n-1)-n$ ④ $\dfrac{10}{9}(10^n-1)$

⑤ $\dfrac{10}{9}(10^n-1)-n$

등비수열의 합 〔융합형〕

10 다항식 $x^9+x^8+x^7+\cdots+x^2+x+1$을 $2x+1$로 나누었을 때의 나머지는?

① $\dfrac{3}{2}$ ② $\dfrac{341}{512}$ ③ $\dfrac{513}{2014}$

④ $\dfrac{27}{22}$ ⑤ $\dfrac{512}{1023}$

부분합이 주어진 등비수열의 합

11 모든 항이 양수인 등비수열 $\{a_n\}$의 첫째항부터 제4항까지의 합이 15, 첫째항부터 제8항까지의 합이 255일 때, a_{10}의 값을 구하시오.

등비수열의 합과 일반항 사이의 관계 〔융합형〕

12 수열 $\{a_n\}$의 첫째항부터 제 n항까지의 합을 S_n이라 할 때, $\log_2(S_n+k)=n+1$을 만족하는 수열 $\{a_n\}$이 첫째항부터 등비수열을 이루도록 하는 상수 k의 값은?

① 1 ② 2 ③ 3

④ 4 ⑤ 5

9 등비수열

10

수열의 합

저건 자연수의 합을 구하는 공식인데 거듭제곱의 합은 어떻게 구할까?

$$1^2 + 2^2 + 3^2 + \cdots\cdots$$

거듭제곱의 합? 이런거?

마침 차에 넣는 각설탕 통이 있습니다.

이러시면 곤란합니다.

아…죄송!

10. 수열의 합

개념 1 합의 기호 $\sum$의 뜻

수열 $\{a_n\}$의 첫째항부터 제 항까지의 합을 합의 기호 $\sum$

를 사용하여

$$a_1+a_2+a_3+ \cdots +a_n=\sum_{k=1}^{n} a_k$$

와 같이 나타낸다.

즉, $\sum\limits_{k=1}^{n} a_k$는 수열의 일반항 a_k의 k에 $1, 2, 3, \cdots, n$을 차례로 대입하여 얻은 항

$a_1, a_2, a_3, \cdots, a_n$의 ❷ 을 뜻한다.

[예] $1+2+3+ \cdots +99+100=\sum\limits_{k=1}^{100} k$

[참고] 수열 $\{a_n\}$의 제m항부터 제n항까지의 합을 합의 기호 $\sum$를 사용하여

$$a_m+a_{m+1}+a_{m+2}+ \cdots +a_n=\sum_{k=m}^{n} a_k \ (m\leq n)$$와 같이 나타낼 수 있다.

끝항 번호 → 일반항, 첫째항 번호

□ $\sum$는 합을 뜻하는 영어 sum의 첫 글자 S에 해당하는 그리스 문자의 대문자로 '시그마(sigma)'라고 읽는다.

$\sum$기호를 사용하면 긴 식을 간단히 나타낼 수 있어.

[답] ❶ n ❷ 합

□ $\sum\limits_{k=1}^{n} a_k$에서 k 대신에 i 또는 j 등의 다른 문자를 사용하여 $\sum\limits_{i=1}^{n} a_i, \sum\limits_{j=1}^{n} a_j$ 와 같이 표현해도 같은 수열의 합을 나타낸다.

즉, $\sum\limits_{k=1}^{n} a_k=\sum\limits_{i=1}^{n} a_i=\sum\limits_{j=1}^{n} a_j$ 이다.

개념 2 합의 기호 $\sum$의 성질

두 수열 $\{a_n\}$, $\{b_n\}$에 대하여

❶ $\sum\limits_{k=1}^{n}(a_k+b_k)=\sum\limits_{k=1}^{n}a_k+\sum\limits_{k=1}^{n}b_k$

❷ $\sum\limits_{k=1}^{n}(a_k-b_k)=\sum\limits_{k=1}^{n}a_k-\sum\limits_{k=1}^{n}$ ❶

❸ $\sum\limits_{k=1}^{n}ca_k=$ ❷ $\sum\limits_{k=1}^{n}a_k$ (단, c는 상수)

❹ $\sum\limits_{k=1}^{n}c=cn$ (단, c는 상수)

[예] ❶ $\sum\limits_{k=1}^{10}(k^2+k)=\sum\limits_{k=1}^{10}k^2+\sum\limits_{k=1}^{10}k$ ❷ $\sum\limits_{k=1}^{10}k(k-1)=\sum\limits_{k=1}^{10}(k^2-k)=\sum\limits_{k=1}^{10}k^2-\sum\limits_{k=1}^{10}k$

❸ $\sum\limits_{k=1}^{10}2k=2\sum\limits_{k=1}^{10}k$ ❹ $\sum\limits_{k=1}^{10}2=2\times$ ❸ $=20$

[주의] $\sum\limits_{k=1}^{n}a_kb_k\neq\left(\sum\limits_{k=1}^{n}a_k\right)\left(\sum\limits_{k=1}^{n}b_k\right)$, $\sum\limits_{k=1}^{n}\dfrac{a_k}{b_k}\neq\dfrac{\sum\limits_{k=1}^{n}a_k}{\sum\limits_{k=1}^{n}b_k}$, $\sum\limits_{k=1}^{n}a_k^2\neq\left(\sum\limits_{k=1}^{n}a_k\right)^2$

□ 보통 1부터 시작하지만 0 또는 1이 아닌 자연수부터 시작할 수도 있다.

[예] $\sum\limits_{k=0}^{3}a_k=a_0+a_1+a_2+a_3$

$\sum\limits_{k=3}^{10}a_k=a_3+a_4+a_5+ \cdots +a_{10}$

[답] ❶ b_k ❷ c ❸ 10

[해설] ❶ $\sum\limits_{k=1}^{n}(a_k+b_k)=(a_1+b_1)+(a_2+b_2)+ \cdots +(a_n+b_n)$

$=(a_1+a_2+ \cdots +a_n)+(b_1+b_2+ \cdots +b_n)=\sum\limits_{k=1}^{n}a_k+\sum\limits_{k=1}^{n}b_k$

❷ $\sum\limits_{k=1}^{n}(a_k-b_k)=(a_1-b_1)+(a_2-b_2)+ \cdots +(a_n-b_n)$

$=(a_1+a_2+ \cdots +a_n)-(b_1+b_2+ \cdots +b_n)=\sum\limits_{k=1}^{n}a_k-\sum\limits_{k=1}^{n}b_k$

❸ $\sum\limits_{k=1}^{n}ca_k=ca_1+ca_2+ \cdots +ca_n=c(a_1+a_2+ \cdots +a_n)=c\sum\limits_{k=1}^{n}a_k$

❹ $\sum\limits_{k=1}^{n}c=\underbrace{c+c+c+ \cdots +c}_{n개}=cn$

□ $\sum\limits_{k=1}^{10}k(k-1)=\sum\limits_{k=1}^{10}k\sum\limits_{k=1}^{10}(k-1)$ 로 계산하지 않도록 주의한다.

1-1 | ∑를 사용하여 나타내기 |

다음을 합의 기호 ∑를 사용하여 나타내시오.

(1) $2+5+8+11+ \cdots +29$

(2) $2+4+8+16+ \cdots +512$

연구

(1) 수열 2, 5, 8, 11, ⋯, 29는 첫째항이 ☐ , 공차가 3인 등차수

열이므로 일반항 a_n을 구하면

$a_n=2+(n-1)\times3=3n-1$

이때 $3n-1=29$에서 $3n=30$ ∴ $n=$ ☐

따라서 주어진 수열의 합은 첫째항부터 제10항까지의 합이므로

$2+5+8+11+ \cdots +29=\sum\limits_{k=1}^{10}(\boldsymbol{3k-1})$

(2) 수열 2, 4, 8, 16, ⋯, 512는 첫째항이 2, 공비가 ☐ 인 등비

수열이므로 일반항 a_n을 구하면

$a_n=2\times2^{n-1}=$ ☐

이때 $2^n=512$에서 $2^n=2^9$ ∴ $n=9$

따라서 주어진 수열의 합은 첫째항부터 제9항까지의 합이므로

$2+4+8+16+ \cdots +512=\sum\limits_{k=1}^{9}$ ☐

1-2 | 따라풀기 |

다음을 합의 기호 ∑를 사용하여 나타내시오.

(1) $3+7+11+15+ \cdots +35$

(2) $1+3+9+27+ \cdots +729$

풀이

2-1 | ∑의 뜻 |

다음을 합의 기호 ∑를 사용하지 않은 합의 꼴로 나타내시오.

(1) $\sum\limits_{k=1}^{5}(2k+1)$ (2) $\sum\limits_{k=2}^{6}k(k-1)$

연구

(1) 일반항 $2k+1$의 k에 1, 2, 3, 4, ☐ 를 차례로 대입하면

$\sum\limits_{k=1}^{5}(2k+1)=(2+1)+(4+1)+(6+1)$

$+($ ☐ $+1)+(10+1)$

$=3+5+7+9+11$

(2) 일반항 $k(k-1)$의 k에 ☐ , 3, 4, 5, 6을 차례로 대입하면

$\sum\limits_{k=2}^{6}k(k-1)=2\times1+$ ☐ $\times2+4\times3+5\times4+6\times5$

$=2+6+12+20+30$

2-2 | 따라풀기 |

다음을 합의 기호 ∑를 사용하지 않은 합의 꼴로 나타내시오.

(1) $\sum\limits_{k=1}^{7}(4k-1)$ (2) $\sum\limits_{k=2}^{5}3$

(3) $\sum\limits_{k=5}^{10}(k+2)$ (4) $\sum\limits_{k=2}^{5}\dfrac{1}{2k-3}$

풀이

개념 3   자연수의 거듭제곱의 합

❶ 1부터 n까지의 자연수의 합

$$\Rightarrow 1+2+3+\cdots+n=\sum_{k=1}^{n}k=\frac{n(n+1)}{\boxed{\textbf{❶}}}$$

❷ 1부터 n까지의 자연수의 제곱의 합

$$\Rightarrow 1^2+2^2+3^2+\cdots+n^2=\sum_{k=1}^{n}k^2=\frac{n(n+1)(\boxed{\textbf{❷}}+1)}{6}$$

❸ 1부터 n까지의 자연수의 세제곱의 합

$$\Rightarrow 1^3+2^3+3^3+\cdots+n^3=\sum_{k=1}^{n}k^3=\left\{\frac{n(n+1)}{2}\right\}^2$$

답 ❶ 2 ❷ 2n

해설

❶ $1+2+3+\cdots+n$은 첫째항이 1, 공차가 1인 등차수열의 첫째항부터 제n항까지의 합이므로

$$\sum_{k=1}^{n}k=\frac{n\{2\times1+(n-1)\times1\}}{2}=\frac{n(n+1)}{2}$$

❷ 항등식 $(k+1)^3-k^3=3k^2+3k+1$의 양변에 $k=1, 2, 3, \cdots, n$을 차례로 대입하여 변끼리 더하면

$$2^3-1^3=3\times1^2+3\times1+1 \qquad \Leftarrow k=1$$
$$3^3-2^3=3\times2^2+3\times2+1 \qquad \Leftarrow k=2$$
$$4^3-3^3=3\times3^2+3\times3+1 \qquad \Leftarrow k=3$$
$$\vdots$$
$$+)\quad (n+1)^3-n^3=3\times n^2+3\times n+1 \qquad \Leftarrow k=n$$
$$\overset{\textbf{ⓐ}}{(n+1)^3-1^3}=3\sum_{k=1}^{n}k^2+3\sum_{k=1}^{n}k+n$$

$$3\sum_{k=1}^{n}k^2\overset{\textbf{ⓑ}}{=}(n+1)^3-3\times\frac{n(n+1)}{2}-(n+1)=\frac{n(n+1)(2n+1)}{2}$$

$$\therefore \sum_{k=1}^{n}k^2=\frac{n(n+1)(2n+1)}{6}$$

❸ 항등식 $(k+1)^4-k^4=4k^3+6k^2+4k+1$의 양변에 $k=1, 2, 3, \cdots, n$을 차례로 대입하여 변끼리 더한 다음 ❷와 같은 방법으로 구한다.

개념 플러스

ⓐ $\displaystyle\sum_{k=1}^{n}k=\frac{n(n+1)}{2}$이므로

$$(n+1)^3-1$$
$$=3\sum_{k=1}^{n}k^2+3\times\frac{n(n+1)}{2}+n$$
$$\therefore 3\sum_{k=1}^{n}k^2=(n+1)^3-1$$
$$-3\times\frac{n(n+1)}{2}-n$$

ⓑ $(n+1)^3-\dfrac{3n(n+1)}{2}-(n+1)$
$$=\frac{1}{2}(n+1)\{2(n+1)^2-3n-2\}$$
$$=\frac{1}{2}(n+1)(2n^2+n)$$
$$=\frac{n(n+1)(2n+1)}{2}$$

ⓒ $(a+b)^4=a^4+4a^3b+6a^2b^2$
$$+4ab^3+b^4$$
이므로 $a=k, b=1$을 대입하면
$$(k+1)^4=k^4+4k^3+6k^2+4k+1$$

개념 4   분수 꼴인 수열의 합

(1) 분모가 곱으로 표현된 수열의 합

ⓓ $\dfrac{1}{AB}=\dfrac{1}{\boxed{\textbf{❶}}}\left(\dfrac{1}{A}-\dfrac{1}{B}\right)(A\ne B)$임을 이용하여 합을 구한다.

$$\Rightarrow \sum_{k=1}^{n}\frac{1}{(k+a)(k+b)}=\frac{1}{b-a}\sum_{k=1}^{n}\left(\frac{1}{k+a}-\frac{1}{k+b}\right)$$

(2) 분모가 무리식인 수열의 합

분모를 ❷ 하여 합을 구한다.

$$\Rightarrow \sum_{k=1}^{n}\frac{1}{\sqrt{k+1}+\sqrt{k}}=\sum_{k=1}^{n}\frac{\sqrt{k+1}-\sqrt{k}}{(\sqrt{k+1}+\sqrt{k})(\sqrt{k+1}-\sqrt{k})}=\sum_{k=1}^{n}(\sqrt{k+1}-\sqrt{k})$$

답 ❶ $B-A$ ❷ 유리화

ⓔ $\dfrac{1}{AB}=\dfrac{1}{B-A}\left(\dfrac{1}{A}-\dfrac{1}{B}\right)$

로 변형하는 것을 부분분수의 변형 또는 이항분리라 한다.

$$\frac{1}{AB}=\frac{1}{\underset{\text{두 수의}}{B-A}}\left(\frac{1}{\underset{\text{작은 수}}{A}}-\frac{1}{\underset{\text{큰 수}}{B}}\right)$$
두 수의   두 수의   작은 수   큰 수
곱   차

예 $\dfrac{1}{2\times3}=\dfrac{1}{3-2}\left(\dfrac{1}{2}-\dfrac{1}{3}\right)$
$$=\frac{1}{2}-\frac{1}{3}$$

3-1 | 자연수의 거듭제곱의 합 |

다음 식의 값을 구하시오.

(1) $\displaystyle\sum_{k=1}^{15} k$

(2) $\displaystyle\sum_{k=1}^{10} k^2$

(3) $\displaystyle\sum_{k=1}^{5} k^3$

(4) $\displaystyle\sum_{k=1}^{10} (2k+1)$

연구

(1) $\displaystyle\sum_{k=1}^{15} k = \frac{\boxed{} \times 16}{2} = \boxed{}$

(2) $\displaystyle\sum_{k=1}^{10} k^2 = \frac{10 \times 11 \times \boxed{}}{6} = \boxed{}$

(3) $\displaystyle\sum_{k=1}^{5} k^3 = \left(\frac{\boxed{} \times 6}{2}\right)^2 = \boxed{}$

(4) $\displaystyle\sum_{k=1}^{10} (2k+1) = 2\sum_{k=1}^{10} k + \sum_{k=1}^{10} \boxed{}$

$\qquad = 2 \times \dfrac{10 \times 11}{\boxed{}} + 1 \times 10 = \mathbf{120}$

3-2 | 따라풀기 |

다음 식의 값을 구하시오.

(1) $\displaystyle\sum_{k=1}^{10} k$

(2) $\displaystyle\sum_{k=1}^{8} k^2$

(3) $\displaystyle\sum_{k=1}^{15} k^3$

(4) $\displaystyle\sum_{k=1}^{15} (3k-2)$

풀이

4-1 | 분수 꼴인 수열의 합 |

다음 식의 값을 구하시오.

(1) $\displaystyle\sum_{k=1}^{5} \frac{1}{k(k+1)}$

(2) $\displaystyle\sum_{k=1}^{5} \frac{1}{\sqrt{k+1}+\sqrt{k}}$

연구

(1) $\displaystyle\sum_{k=1}^{5} \frac{1}{k(k+1)}$

$\quad = \displaystyle\sum_{k=1}^{5} \left(\frac{1}{k} - \frac{1}{\boxed{}}\right)$

$\quad = \left(1-\frac{1}{2}\right) + \left(\frac{1}{2}-\frac{1}{3}\right) + \left(\frac{1}{3}-\frac{1}{4}\right) + \left(\frac{1}{4}-\frac{1}{5}\right) + \left(\frac{1}{5}-\frac{1}{6}\right)$

$\quad = 1 - \frac{1}{6} = \dfrac{\boxed{}}{\mathbf{6}}$

(2) $\displaystyle\sum_{k=1}^{5} \frac{1}{\sqrt{k+1}+\sqrt{k}}$

$\quad = \displaystyle\sum_{k=1}^{5} \frac{\sqrt{k+1}-\sqrt{k}}{(\sqrt{k+1}+\sqrt{k})(\sqrt{k+1}-\sqrt{k})}$

$\quad = \displaystyle\sum_{k=1}^{5} (\boxed{} - \sqrt{k})$

$\quad = (\sqrt{2}-1) + (\sqrt{3}-\sqrt{2}) + (2-\sqrt{3}) + (\sqrt{5}-2) + (\sqrt{6}-\sqrt{5})$

$\quad = \boxed{} - 1$

4-2 | 따라풀기 |

다음 식의 값을 구하시오.

(1) $\displaystyle\sum_{k=1}^{10} \frac{1}{(k+1)(k+2)}$

(2) $\displaystyle\sum_{k=1}^{12} \frac{1}{\sqrt{k+4}+\sqrt{k+3}}$

풀이

10
수열의 합

① $\displaystyle\sum_{k=1}^{n}(a_k+b_k)=\sum_{k=1}^{n}a_k+\sum_{k=1}^{n}b_k$　　**②** $\displaystyle\sum_{k=1}^{n}(a_k-b_k)=\sum_{k=1}^{n}a_k-\sum_{k=1}^{n}b_k$

③ $\displaystyle\sum_{k=1}^{n}ca_k=c\sum_{k=1}^{n}a_k$ (단, c는 상수)　　**④** $\displaystyle\sum_{k=1}^{n}c=cn$ (단, c는 상수)

$\displaystyle\sum_{k=1}^{n}a_kb_k\neq\left(\sum_{k=1}^{n}a_k\right)\left(\sum_{k=1}^{n}b_k\right)$,

$\displaystyle\sum_{k=1}^{n}a_k{}^2\neq\left(\sum_{k=1}^{n}a_k\right)^2$

예제 **1.** $\displaystyle\sum_{k=1}^{10}a_k=7$, $\displaystyle\sum_{k=1}^{10}b_k=3$일 때, 다음 식의 값을 구하시오.

(1) $\displaystyle\sum_{k=1}^{10}(a_k-b_k)$　　　　　(2) $\displaystyle\sum_{k=1}^{10}(2a_k+b_k-3)$

2. $\displaystyle\sum_{k=1}^{10}a_k=5$, $\displaystyle\sum_{k=1}^{10}a_k{}^2=12$일 때, $\displaystyle\sum_{k=1}^{10}(a_k-2)^2$의 값을 구하시오.

해법 코드

1. $\displaystyle\sum_{k=1}^{n}(a_k+b_k+c)$
$=\displaystyle\sum_{k=1}^{n}a_k+\sum_{k=1}^{n}b_k+\sum_{k=1}^{n}c$

2. $\displaystyle\sum_{k=1}^{10}(a_k-2)^2$
$=\displaystyle\sum_{k=1}^{10}(a_k{}^2-4a_k+4)$

셀파 $\displaystyle\sum_{k=1}^{n}(pa_k+qb_k+r)=p\sum_{k=1}^{n}a_k+q\sum_{k=1}^{n}b_k+rn$ (단, p,q,r는 상수)

풀이 **1.** (1) $\displaystyle\sum_{k=1}^{10}(a_k-b_k)=\sum_{k=1}^{10}a_k-\sum_{k=1}^{10}b_k=7-3=\mathbf{4}$

(2) $\displaystyle\sum_{k=1}^{10}(2a_k+b_k-3)=\sum_{k=1}^{10}2a_k+\sum_{k=1}^{10}b_k-\sum_{k=1}^{10}3$

$=2\displaystyle\sum_{k=1}^{10}a_k+\sum_{k=1}^{10}b_k-\underline{\sum_{k=1}^{10}3}$

$=2\times7+3-3\times10=\mathbf{-13}$

ⓐ $\displaystyle\sum_{k=1}^{10}3=\underbrace{3+3+\cdots+3}_{10개}$

2. $\displaystyle\sum_{k=1}^{10}(a_k-2)^2=\sum_{k=1}^{10}(a_k{}^2-4a_k+4)=\sum_{k=1}^{10}a_k{}^2-\sum_{k=1}^{10}4a_k+\sum_{k=1}^{10}4$

$=\underline{\sum_{k=1}^{10}a_k{}^2}-4\displaystyle\sum_{k=1}^{10}a_k+\sum_{k=1}^{10}4$

$=12-4\times5+4\times10=\mathbf{32}$

ⓑ $\displaystyle\sum_{k=1}^{n}a_k{}^2\neq\left(\sum_{k=1}^{n}a_k\right)^2$임에 주의한다.

확인 문제　　　　　　　　　　　　　　　　정답과 해설 | **96**쪽　　　　　　　　MY 셀파

01-1 $\displaystyle\sum_{k=1}^{10}a_k=7$, $\displaystyle\sum_{k=1}^{10}a_k{}^2=15$, $\displaystyle\sum_{k=1}^{10}b_k=3$일 때, 다음 식의 값을 구하시오.
⟨상⟩⟨중⟩⟨하⟩

(1) $\displaystyle\sum_{k=1}^{10}(a_k{}^2+a_k)$　　　　　(2) $\displaystyle\sum_{k=1}^{10}(2a_k+b_k-1)$

01-1

(2) $\displaystyle\sum_{k=1}^{10}(2a_k+b_k-1)$

$=2\displaystyle\sum_{k=1}^{10}a_k+\sum_{k=1}^{10}b_k-\sum_{k=1}^{10}1$

01-2

$\displaystyle\sum_{k=1}^{10}(2a_k-3)^2$

$=\displaystyle\sum_{k=1}^{10}(4a_k{}^2-12a_k+9)$

01-2 $\displaystyle\sum_{k=1}^{10}a_k=5$, $\displaystyle\sum_{k=1}^{10}a_k{}^2=15$일 때, $\displaystyle\sum_{k=1}^{10}(2a_k-3)^2$의 값을 구하시오.
⟨상⟩⟨중⟩⟨하⟩

PLUS ⊕

❶ $\displaystyle\sum_{k=m}^{n} a_k = \sum_{k=1}^{n} a_k - \sum_{k=1}^{m-1} a_k$ (단, $n \geq m$)

❷ $\displaystyle\sum_{k=1}^{n} a_k = \sum_{k=1}^{m} a_k + \sum_{k=m+1}^{n} a_k$ (단, $n > m$)

$\displaystyle\sum_{k=1}^{n} r^k = r + r^2 + r^3 + \cdots + r^n$

⇨ 첫째항이 r, 공비가 r인 등비수열의 첫째항부터 제n항까지의 합

예제 **1.** $\displaystyle\sum_{k=1}^{10} a_k = 10$, $\displaystyle\sum_{k=1}^{30} a_k = 60$일 때, $\displaystyle\sum_{k=11}^{30} 3a_k$의 값을 구하시오.

2. 다음 식의 값을 구하시오.

(1) $\displaystyle\sum_{k=1}^{n} (k^2 + 5) - \sum_{k=3}^{n} (k^2 + 5)$　　　(2) $\displaystyle\sum_{k=4}^{7} 2^k$

해법 코드

1. 먼저 $\displaystyle\sum_{k=11}^{30} a_k$의 값을 구한다.

2. (2) $\displaystyle\sum_{k=4}^{7} 2^k = \sum_{k=1}^{7} 2^k - \sum_{k=1}^{3} 2^k$

셀파 $\displaystyle\sum_{k=1}^{n} (a_k + b_k) = \sum_{k=1}^{n} a_k + \sum_{k=1}^{n} b_k$, $\displaystyle\sum_{k=1}^{n} (a_k - b_k) = \sum_{k=1}^{n} a_k - \sum_{k=1}^{n} b_k$

풀이 **1.** ❶ $\displaystyle\sum_{k=11}^{30} a_k = \sum_{k=1}^{30} a_k - \sum_{k=1}^{10} a_k = 60 - 10 = 50$

∴ $\displaystyle\sum_{k=11}^{30} 3a_k = 3 \sum_{k=11}^{30} a_k = 3 \times 50 = \mathbf{150}$

2. (1) ❷ $\displaystyle\sum_{k=1}^{n} (k^2 + 5) - \sum_{k=3}^{n} (k^2 + 5) = \sum_{k=1}^{2} (k^2 + 5)$

$= (1^2 + 5) + (2^2 + 5) = \mathbf{15}$

(2) $\displaystyle\sum_{k=4}^{7} 2^k \overset{❸}{=} \sum_{k=1}^{7} 2^k - \sum_{k=1}^{3} 2^k$

$= \dfrac{2(2^7 - 1)}{2 - 1} - \dfrac{2(2^3 - 1)}{2 - 1}$

$= 254 - 14 = \mathbf{240}$

❶ $\displaystyle\sum_{k=11}^{30} a_k$

$= a_{11} + a_{12} + a_{13} + \cdots + a_{30}$

$= (a_1 + a_2 + a_3 + \cdots + a_{30})$

$\quad - (a_1 + a_2 + a_3 + \cdots + a_{10})$

$= \displaystyle\sum_{k=1}^{30} a_k - \sum_{k=1}^{10} a_k$

❷ $\displaystyle\sum_{k=1}^{n} (k^2 + 5)$

$= \displaystyle\sum_{k=1}^{2} (k^2 + 5) + \sum_{k=3}^{n} (k^2 + 5)$

❸ $\displaystyle\sum_{k=1}^{7} 2^k = 2 + 2^2 + 2^3 + \cdots + 2^7$

이므로 첫째항이 2, 공비가 2인 등비수열의 첫째항부터 제7항까지의 합이다.

확인 문제　　　　　　　　　　　　　　　　정답과 해설 | **96**쪽

02-1 $\displaystyle\sum_{k=1}^{30} a_k = 100$, $\displaystyle\sum_{k=1}^{50} a_k = 300$일 때, $\displaystyle\sum_{k=31}^{50} (2a_k + 3)$의 값을 구하시오.
(상)(중)(하)

02-2 다음 식의 값을 구하시오.
(상)(중)(하)

(1) $\displaystyle\sum_{k=1}^{8} (k^2 + 1) - \sum_{k=3}^{8} (k^2 - 1)$　　　(2) $\displaystyle\sum_{k=1}^{n} (2 \times 3^k) - \sum_{k=6}^{n} (2 \times 3^k)$

MY 셀파

02-1

$\displaystyle\sum_{k=31}^{50} (2a_k + 3) = 2 \sum_{k=31}^{50} a_k + \sum_{k=31}^{50} 3$

02-2

(1) $\displaystyle\sum_{k=1}^{8} (k^2 + 1) - \sum_{k=3}^{8} (k^2 - 1)$

$= \displaystyle\sum_{k=1}^{8} k^2 + \sum_{k=1}^{8} 1 - \sum_{k=3}^{8} k^2 + \sum_{k=3}^{8} 1$

10 수열의 합

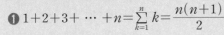

❶ $1+2+3+\cdots+n=\sum\limits_{k=1}^{n}k=\dfrac{n(n+1)}{2}$

❷ $1^2+2^2+3^2+\cdots+n^2=\sum\limits_{k=1}^{n}k^2=\dfrac{n(n+1)(2n+1)}{6}$

❸ $1^3+2^3+3^3+\cdots+n^3=\sum\limits_{k=1}^{n}k^3=\left\{\dfrac{n(n+1)}{2}\right\}^2$

k 대신에 i 또는 j 등의 다른 문자를 사용하여 표현해도 같은 수열의 합을 나타낸다.
$\sum\limits_{k=1}^{n}a_k=\sum\limits_{i=1}^{n}a_i=\sum\limits_{j=1}^{n}a_j$

예제 다음 식의 값을 구하시오.

(1) $\sum\limits_{k=1}^{n}k(k+1)$ (2) $\sum\limits_{k=1}^{n}k(k+1)(k+2)$

해법 코드
주어진 일반항을 전개하여 정리한 다음 ∑의 성질과 자연수의 거듭제곱의 합을 이용한다.

셀파 $\sum\limits_{k=1}^{n}(a_k+b_k)=\sum\limits_{k=1}^{n}a_k+\sum\limits_{k=1}^{n}b_k$

풀이 (1) $\sum\limits_{k=1}^{n}k(k+1)=\sum\limits_{k=1}^{n}(k^2+k)=\sum\limits_{k=1}^{n}k^2+\sum\limits_{k=1}^{n}k$

$\overset{\text{㉠}}{=}\dfrac{n(n+1)(2n+1)}{6}+\dfrac{n(n+1)}{2}$

$=\dfrac{n(n+1)(n+2)}{3}$

㉠ $\dfrac{n(n+1)(2n+1+3)}{6}$
$=\dfrac{2n(n+1)(n+2)}{6}$
$=\dfrac{n(n+1)(n+2)}{3}$

(2) $\sum\limits_{k=1}^{n}k(k+1)(k+2)=\sum\limits_{k=1}^{n}(k^3+3k^2+2k)=\sum\limits_{k=1}^{n}k^3+3\sum\limits_{k=1}^{n}k^2+2\sum\limits_{k=1}^{n}k$

$=\left\{\dfrac{n(n+1)}{2}\right\}^2+3\times\dfrac{n(n+1)(2n+1)}{6}+2\times\dfrac{n(n+1)}{2}$

$\overset{\text{㉡}}{=}\dfrac{n^2(n+1)^2}{4}+\dfrac{n(n+1)(2n+1)}{2}+n(n+1)$

$=\dfrac{n(n+1)(n+2)(n+3)}{4}$

㉡ $\dfrac{n(n+1)\{n(n+1)+2(2n+1)+4\}}{4}$
$=\dfrac{n(n+1)(n^2+5n+6)}{4}$
$=\dfrac{n(n+1)(n+2)(n+3)}{4}$

확인 문제 정답과 해설 | **97**쪽

MY 셀파

03-1 다음 식의 값을 구하시오.

(1) $\sum\limits_{k=1}^{10}(k^2-k)$ (2) $\sum\limits_{k=1}^{10}(k+3)(k-1)$

(3) $\sum\limits_{k=1}^{8}(k-1)^2$ (4) $\sum\limits_{k=1}^{6}k(k-1)(k+1)$

03-1
(2) $(k+3)(k-1)=k^2+2k-3$
(3) $(k-1)^2=k^2-2k+1$
(4) $k(k-1)(k+1)=k^3-k$

03-2 $\sum\limits_{k=1}^{10}(2k^2-2k+3)-\sum\limits_{i=1}^{10}(i^2-i+5)$의 값을 구하시오.

03-2
$\sum\limits_{i=1}^{10}(i^2-i+5)=\sum\limits_{k=1}^{10}(k^2-k+5)$

등차수열이나 등비수열이 아닌 수열의 합은 다음과 같이 구한다.

1 주어진 수열에서 일반항을 구하여 a_k를 k에 대한 식으로 나타낸다.

2 **1**에서 구한 a_k에 ∑를 붙여 주어진 수열의 합을 $\sum\limits_{k=1}^{n} a_k$ 꼴로 나타낸다.

3 ∑의 성질과 자연수의 거듭제곱의 합을 이용하여 식을 정리한다.

일반항이 삼차 이하의 다항식인 수열의 합은 자연수의 거듭제곱의 합을 이용한다.

예제 다음 수열의 첫째항부터 제n항까지의 합을 구하시오.

(1) $1 \times 3,\ 2 \times 4,\ 3 \times 5,\ 4 \times 6,\ \cdots$

(2) $1,\ 1+4,\ 1+4+7,\ 1+4+7+10,\ \cdots$

해법 코드

(1) 앞쪽에 있는 수 1, 2, 3, …과 뒤쪽에 있는 수 3, 4, 5, …의 각각의 규칙을 찾는다.

셀파 $\sum\limits_{k=1}^{n} k = \dfrac{n(n+1)}{2}$, $\sum\limits_{k=1}^{n} k^2 = \dfrac{n(n+1)(2n+1)}{6}$, $\sum\limits_{k=1}^{n} k^3 = \left\{ \dfrac{n(n+1)}{2} \right\}^2$

풀이 (1) 주어진 수열의 일반항을 a_n이라 하면 $a_n = n(n+2)$

따라서 수열 $\{a_n\}$의 첫째항부터 제n항까지의 합은

$$\sum_{k=1}^{n} a_k = \sum_{k=1}^{n} k(k+2) = \sum_{k=1}^{n} (k^2 + 2k) = \sum_{k=1}^{n} k^2 + 2\sum_{k=1}^{n} k$$

$$= \frac{n(n+1)(2n+1)}{6} + 2 \times \frac{n(n+1)}{2} = \boldsymbol{\frac{n(n+1)(2n+7)}{6}}$$

ⓐ 수열

$1 \times 3,\ 2 \times 4,\ 3 \times 5,\ 4 \times 6,\ \cdots$

은 두 등차수열 1, 2, 3, 4, …와 3, 4, 5, 6, …의 각 항의 곱으로 이루어진 수열이다.

(2) 주어진 수열의 일반항을 a_n이라 하면 $a_n = \dfrac{n(3n-1)}{2}$

따라서 수열 $\{a_n\}$의 첫째항부터 제n항까지의 합은

$$\sum_{k=1}^{n} a_k = \sum_{k=1}^{n} \frac{k(3k-1)}{2} = \frac{3}{2}\sum_{k=1}^{n} k^2 - \frac{1}{2}\sum_{k=1}^{n} k$$

$$= \frac{3}{2} \times \frac{n(n+1)(2n+1)}{6} - \frac{1}{2} \times \frac{n(n+1)}{2}$$

$$= \frac{n(n+1)(2n+1)}{4} - \frac{n(n+1)}{4} = \boldsymbol{\frac{n^2(n+1)}{2}}$$

ⓑ 1, 4, 7, 10, …은 첫째항이 1, 공차가 3인 등차수열이므로 일반항 a_n은 첫째항부터 제n항까지의 등차수열의 합으로 생각할 수 있다.

$$a_n = \frac{n\{2 \times 1 + (n-1) \times 3\}}{2}$$

$$= \frac{n(3n-1)}{2}$$

확인 문제   정답과 해설 | **98**쪽   MY 셀파

04-1 다음 수열의 합을 구하시오.

(상)(중)(하)

(1) $1 \times 3 + 2 \times 5 + 3 \times 7 + \cdots + 20 \times 41$

(2) $1 \times 10 + 2 \times 9 + 3 \times 8 + \cdots + 10 \times 1$

04-1

(1) 일반항은 $a_n = n(2n+1)$

(2) 일반항은 $a_n = n(11-n)$

04-2 수열 $1,\ 1+3,\ 1+3+9,\ 1+3+9+27,\ \cdots$의 첫째항부터 제10항까지의 합을 구하시오.

(상)(중)(하)

04-2

일반항은 첫째항이 1, 공비가 3인 등비수열의 첫째항부터 제n항까지의 합이다.

10 수열의 합

❶ $\displaystyle\sum_{k=1}^{n} k = \frac{n(n+1)}{2}$

❷ $\displaystyle\sum_{k=1}^{n} k^2 = \frac{n(n+1)(2n+1)}{6}$

❸ $\displaystyle\sum_{k=1}^{n} k^3 = \left\{\frac{n(n+1)}{2}\right\}^2$

❶ $\displaystyle\sum_{k=m}^{n} a_k = \sum_{k=1}^{n} a_k - \sum_{k=1}^{m-1} a_k$ (단, $n \geq m$)

❷ $\displaystyle\sum_{k=1}^{n} a_k = \sum_{k=1}^{m} a_k + \sum_{k=m+1}^{n} a_k$ (단, $n > m$)

01 다음 식의 값을 구하시오.

(1) $\displaystyle\sum_{k=1}^{10} (2k-3)$

(2) $\displaystyle\sum_{k=1}^{5} (6k^2-k+1)$

(3) $\displaystyle\sum_{k=1}^{10} k(k-2)$

(4) $\displaystyle\sum_{k=1}^{10} (k+3)(k-2)$

(5) $\displaystyle\sum_{k=1}^{15} (k^3-2)$

(6) $\displaystyle\sum_{k=1}^{6} k(k^2+1)$

(7) $\displaystyle\sum_{k=1}^{5} (k^3-k^2+1)$

(8) $\displaystyle\sum_{k=1}^{8} k(k-2)(k+5)$

02 다음 식의 값을 구하시오.

(1) $\displaystyle\sum_{k=5}^{10} (2k+1)$

(2) $\displaystyle\sum_{k=4}^{10} (k^2-k)$

(3) $\displaystyle\sum_{k=6}^{10} (k+1)^2$

(4) $\displaystyle\sum_{k=4}^{12} (2k-5)(k+1)$

03 다음 수열의 합을 구하시오.

(1) $2^2+3^2+4^2+\cdots+8^2$

(2) $1^2+3^2+5^2+\cdots+15^2$

(3) $1\times4+2\times5+3\times6+\cdots+10\times13$

(4) $2\times1^2+3\times2^2+4\times3^2+\cdots+11\times10^2$

$\sum\limits_{k=△}^{○}$ ☐ 꼴 ⇨ ☐ 안의 문자 중 k를 제외한 문자는 상수로 생각한다.

∑가 여러 개 있는 식은 괄호 안부터 차례로 계산한다. 이때 변수에 주의한다.
즉, 상수인 것과 상수가 아닌 것을 구분한다.

$$\sum_{j=1}^{m}\left(\sum_{k=1}^{n}jk\right) \xrightarrow[\;j가\;상수\;]{} \sum_{j=1}^{m}\left(j\sum_{k=1}^{n}k\right)=\sum_{j=1}^{m}\left\{j\times\frac{n(n+1)}{2}\right\}$$

$$\xrightarrow[\;n이\;상수\;]{} \frac{n(n+1)}{2}\sum_{j=1}^{m}j=\frac{n(n+1)}{2}\times\frac{m(m+1)}{2}$$

예제 다음 식의 값을 구하시오.

(1) $\sum\limits_{i=1}^{11}\left(\dfrac{1}{i+1}\sum\limits_{k=1}^{i}k\right)$

(2) $\sum\limits_{i=1}^{n}\left\{\sum\limits_{k=1}^{i}(i+k)\right\}$

해법 코드

(2) $\sum\limits_{k=1}^{i}(i+k)$에서 i가 상수이다.

셀파 $\sum(\sum a_k)$ ⇨ 괄호 안 $\sum a_k$부터 차례로 계산한다.

풀이 (1) $\displaystyle\sum_{i=1}^{11}\left(\frac{1}{i+1}\sum_{k=1}^{i}k\right)=\sum_{i=1}^{11}\left\{\frac{1}{i+1}\times\frac{i(i+1)}{2}\right\}$

$$=\sum_{i=1}^{11}\frac{i}{2}=\frac{1}{2}\sum_{i=1}^{11}i$$

$$=\frac{1}{2}\times\frac{11\times12}{2}=\mathbf{33}$$

➊ i가 상수이다.

$\displaystyle\sum_{k=1}^{n}c=cn$ (c는 상수)이므로

$\displaystyle\sum_{k=1}^{i}i=i\times i=i^2$

(2) $\displaystyle\sum_{k=1}^{i}(i+k)\overset{➊}{=}\sum_{k=1}^{i}i+\sum_{k=1}^{i}k=i^2+\frac{i(i+1)}{2}=\frac{3i^2+i}{2}$

$$\therefore \sum_{i=1}^{n}\left\{\sum_{k=1}^{i}(i+k)\right\}=\sum_{i=1}^{n}\frac{3i^2+i}{2}=\frac{3}{2}\sum_{i=1}^{n}i^2+\frac{1}{2}\sum_{i=1}^{n}i$$

$$=\frac{3}{2}\times\frac{n(n+1)(2n+1)}{6}+\frac{1}{2}\times\frac{n(n+1)}{2}$$

$$=\frac{n(n+1)(2n+1)}{4}+\frac{n(n+1)}{4}$$

$$=\frac{n(n+1)(2n+1+1)}{4}=\frac{2n(n+1)(n+1)}{4}$$

$$=\frac{\mathbf{n(n+1)^2}}{\mathbf{2}}$$

참고

$\displaystyle\sum_{k=1}^{n}i=in$

$\displaystyle\sum_{k=1}^{n}k=\frac{n(n+1)}{2}$

$\displaystyle\sum_{k=1}^{n}ik=i\sum_{k=1}^{n}k$

$\quad=i\times\dfrac{n(n+1)}{2}$

$\displaystyle\sum_{k=1}^{n}(i+k)=in+\frac{n(n+1)}{2}$

확인 문제

정답과 해설 | **100**쪽

MY 셀파

05-1 다음 식의 값을 구하시오.

(1) $\displaystyle\sum_{i=1}^{10}\left\{\sum_{k=1}^{6}(2i+3k)\right\}$

(2) $\displaystyle\sum_{i=1}^{8}\left(\sum_{k=1}^{i}ik\right)$

05-1

(1) $\sum\limits_{k=1}^{6}(2i+3k)$에서 i가 상수이다.

(2) $\sum\limits_{k=1}^{i}ik$에서 i가 상수이다.

$\sum\limits_{k=1}^{n} a_k = S_n$ 꼴로 주어진 수열에서 일반항을 구할 때는

$$a_n = S_n - S_{n-1} \ (n \geq 2), \ a_1 = S_1$$

을 이용한다.

$S_n = \sum\limits_{k=1}^{n} a_k, \ S_{n-1} = \sum\limits_{k=1}^{n-1} a_k$ 이므로

$a_n = \sum\limits_{k=1}^{n} a_k - \sum\limits_{k=1}^{n-1} a_k$ 이다.

예제 수열 $\{a_n\}$에 대하여 $\sum\limits_{k=1}^{n} a_k = n^2 - 3n$일 때, 다음 물음에 답하시오.

(1) 수열 $\{a_n\}$의 일반항을 구하시오.

(2) $\sum\limits_{k=1}^{2n} a_{2k-1}$을 n에 대한 식으로 나타내시오.

해법 코드

일반항을 $n \geq 2$일 때와 $n = 1$일 때의 두 가지 경우로 나누어 구한다.

셀파 $a_n = S_n - S_{n-1} = \sum\limits_{k=1}^{n} a_k - \sum\limits_{k=1}^{n-1} a_k \ (n \geq 2), \ a_1 = S_1$

풀이 (1) 수열 $\{a_n\}$의 첫째항부터 제n항까지의 합을 S_n이라 하면

$$S_n = \sum\limits_{k=1}^{n} a_k = n^2 - 3n$$

(i) $n \geq 2$일 때

$$a_n = S_n - S_{n-1} = (n^2 - 3n) - \{(n-1)^2 - 3(n-1)\}$$
$$= (n^2 - 3n) - (n^2 - 5n + 4) = 2n - 4 \qquad \cdots\cdots \text{㉠}$$

(ii) $n = 1$일 때

$$a_1 = S_1 = 1 - 3 = -2$$

이때 $a_1 = -2$는 ㉠에 $n = 1$을 대입한 값과 같으므로

$$\boldsymbol{a_n = 2n - 4}$$

(2) $a_n = 2n - 4$이므로 $a_{2k-1} = 2(2k-1) - 4 = 4k - 6$

$$\therefore \sum\limits_{k=1}^{2n} a_{2k-1} = \sum\limits_{k=1}^{2n} (4k - 6) = 4 \times \frac{2n(2n+1)}{2} - 6 \times 2n$$
$$= \boldsymbol{8n^2 - 8n}$$

❶ a_{2k-1}은 $a_n = 2n - 4$에서 n 대신 $2k-1$을 대입하여 구한다.

다른 풀이

(2) $a_{2k-1} = 4k - 6$이므로 $\sum\limits_{k=1}^{2n} a_{2k-1}$은 첫째항이 -2이고 끝항, 즉 제$2n$항이 $8n-6$인 등차수열의 합이다. 이때 항수가 $2n$이므로

$$\sum\limits_{k=1}^{2n} a_{2k-1} = \frac{2n(-2 + 8n - 6)}{2}$$
$$= 8n^2 - 8n$$

확인 문제   정답과 해설 | **100**쪽   **MY 셀파**

06-1 수열 $\{a_n\}$에 대하여 $\sum\limits_{k=1}^{n} a_k = 3^n - 1$일 때, $\sum\limits_{k=1}^{10} a_{2k+1}$의 값을 구하시오.
(상)(중)(하)

06-1
$S_n = 3^n - 1$에서 a_n을 구한다.

06-2 수열 $\{a_n\}$에 대하여 $\sum\limits_{k=1}^{n} a_k = n^2 - 2n$일 때, $\sum\limits_{k=1}^{n} a_{2k} = 190$을 만족시키는 자연수 n의 값을 구하시오.
(상)(중)(하)

06-2
$S_n = n^2 - 2n$에서 a_n을 구한다.

이항분리란 어떤 하나의 분수를 두 개의 분수(항)로 분리하는 것이다. 합으로 분리할 수도 있고, 차로 분리할 수도 있는데 고등학교 수학에서 이항분리를 할 경우 다음과 같이 차로 나타내는 것을 주로 사용한다.

$$\text{㉠}\ \frac{1}{a(a+1)}=\frac{1}{a}-\frac{1}{a+1},\quad \text{㉡}\ \frac{1}{a(a+b)}=\frac{1}{b}\left(\frac{1}{a}-\frac{1}{a+b}\right)$$

따라서 $\dfrac{1}{AB}$과 같이 분모가 두 개 이상의 인수의 곱으로 이루어진 분수는 이항분리를 이용하여 다음과 같이 나타낼 수 있다.

$$\text{㉢}\ \frac{1}{AB}=\frac{1}{B-A}\left(\frac{1}{A}-\frac{1}{B}\right)$$

다음 식을 간단히 하시오.

$$\frac{1}{x(x+1)}+\frac{2}{(x+1)(x+3)}+\frac{3}{(x+3)(x+6)}$$

(풀이) 주어진 식의 각 항을 부분분수로 변형하여 정리하면

$$(\text{주어진 식})=\frac{1}{1}\left(\frac{1}{x}-\frac{1}{x+1}\right)+\frac{2}{2}\left(\frac{1}{x+1}-\frac{1}{x+3}\right)+\frac{3}{3}\left(\frac{1}{x+3}-\frac{1}{x+6}\right)$$

$$=\left(\frac{1}{x}-\frac{1}{x+1}\right)+\left(\frac{1}{x+1}-\frac{1}{x+3}\right)+\left(\frac{1}{x+3}-\frac{1}{x+6}\right)$$

$$=\frac{1}{x}-\frac{1}{x+6}$$

$$=\frac{(x+6)-x}{x(x+6)}$$

$$=\frac{6}{x(x+6)}$$

> 분모가 일정한 차를 가지는 두 수 또는 두 식의 곱으로 된 분수가 연속하여 있을 때, 이항분리를 이용하면 없어지는 항이 생기므로 계산이 편해져!

확인 체크 01

정답과 해설 | 101쪽

다음 수 또는 식을 $\dfrac{1}{A}\left(\dfrac{1}{B}-\dfrac{1}{C}\right)$ 꼴로 변형하시오.

(1) $\dfrac{1}{10\times12}$

(2) ㉣ $\dfrac{3}{13\times16}$

(3) $\dfrac{1}{x(x+4)}$

(4) $\dfrac{2}{(x-1)(x+1)}$

㉠ 이항분리의 예

$$\frac{1}{1\times2}=\frac{1}{1}-\frac{1}{2},$$

$$\frac{1}{2\times3}=\frac{1}{2}-\frac{1}{3},$$

$$\frac{1}{3\times4}=\frac{1}{3}-\frac{1}{4},$$

$$\vdots$$

㉡
$$\frac{1}{a}-\frac{1}{a+b}$$
$$=\frac{a+b}{a(a+b)}-\frac{a}{a(a+b)}$$
$$=\frac{b}{a(a+b)}$$

이때 $\dfrac{1}{a}-\dfrac{1}{a+b}=\dfrac{b}{a(a+b)}$

의 양변에 $\dfrac{1}{b}$을 곱하면

$$\frac{1}{b}\left(\frac{1}{a}-\frac{1}{a+b}\right)=\frac{1}{a(a+b)}$$

㉢
$$\frac{1}{a(a+b)}=\frac{1}{b}\left(\frac{1}{a}-\frac{1}{a+b}\right)$$
에서 $a=A$, $a+b=B$라 하면
$B-A=b$이므로
$$\frac{1}{AB}=\frac{1}{B-A}\left(\frac{1}{A}-\frac{1}{B}\right)$$
을 얻을 수 있다.

㉣
$$\frac{a}{x(x+a)}=a\times\frac{1}{x(x+a)}$$
$$=a\times\frac{1}{a}\left(\frac{1}{x}-\frac{1}{x+a}\right)$$
$$=\frac{1}{x}-\frac{1}{x+a}$$

분모가 두 수의 곱으로 주어진 수열은 다음과 같이 부분분수로 변형한다.

❶ $\displaystyle\sum_{k=1}^{n}\frac{1}{k(k+a)}=\frac{1}{a}\sum_{k=1}^{n}\left(\frac{1}{k}-\frac{1}{k+a}\right)$

❷ $\displaystyle\sum_{k=1}^{n}\frac{1}{(k+a)(k+b)}=\frac{1}{b-a}\sum_{k=1}^{n}\left(\frac{1}{k+a}-\frac{1}{k+b}\right)$

$\dfrac{1}{AB}=\dfrac{1}{B-A}\left(\dfrac{1}{A}-\dfrac{1}{B}\right)$에서 AB는 두 수나 두 식의 곱, $B-A$는 두 수나 두 식의 차를 나타낸다.

예제 수열 $\dfrac{1}{1\times3}$, $\dfrac{1}{3\times5}$, $\dfrac{1}{5\times7}$, …의 첫째항부터 제n항까지의 합을 구하시오.

해법 코드
분모가 두 수의 곱으로 이루어져 있으면 일반항을 부분분수로 분해한다.

셀파 $\dfrac{1}{AB}=\dfrac{1}{B-A}\left(\dfrac{1}{A}-\dfrac{1}{B}\right)$ (단, $A\neq B$)

풀이 수열 1, 3, 5, …의 일반항은 $1+(n-1)\times2=2n-1$,
수열 3, 5, 7, …의 일반항은 $3+(n-1)\times2=2n+1$
이므로 주어진 수열의 일반항을 a_n이라 하면

$a_n=\overset{\text{❶}}{\dfrac{1}{(2n-1)(2n+1)}}=\dfrac{1}{2}\left(\dfrac{1}{2n-1}-\dfrac{1}{2n+1}\right)$

따라서 수열 $\{a_n\}$의 첫째항부터 제n항까지의 합은

$\displaystyle\sum_{k=1}^{n}a_k=\sum_{k=1}^{n}\frac{1}{2}\left(\frac{1}{2k-1}-\frac{1}{2k+1}\right)$

$\displaystyle=\frac{1}{2}\sum_{k=1}^{n}\left(\frac{1}{2k-1}-\frac{1}{2k+1}\right)$

$=\dfrac{1}{2}\left\{\left(1-\dfrac{1}{3}\right)+\left(\dfrac{1}{3}-\dfrac{1}{5}\right)+\left(\dfrac{1}{5}-\dfrac{1}{7}\right)+\cdots+\left(\dfrac{1}{2n-1}-\dfrac{1}{2n+1}\right)\right\}$

$=\dfrac{1}{2}\left(1-\dfrac{1}{2n+1}\right)$

$=\dfrac{n}{2n+1}$

앞에서 첫 번째가 남으면 뒤에서 첫 번째가 남는다.

❶ $2n+1-(2n-1)=2$이므로
$\dfrac{1}{(2n-1)(2n+1)}$
$=\dfrac{1}{2}\left(\dfrac{1}{2n-1}-\dfrac{1}{2n+1}\right)$

더해서 0이 되는 항끼리 없앨 때는 남는 항이 무엇인지 살펴봐!

확인 문제

정답과 해설 | **101**쪽

MY 셀파

07-1
(상)(중)(하) 수열 $\dfrac{1}{3^2-1}$, $\dfrac{1}{5^2-1}$, $\dfrac{1}{7^2-1}$, …의 첫째항부터 제n항까지의 합을 구하시오.

07-1
분모가 두 수 또는 두 식의 곱의 꼴이 아닌 경우 곱의 꼴로 고친다.

07-2
(상)(중)(하) $1+\dfrac{1}{1+2}+\dfrac{1}{1+2+3}+\cdots+\dfrac{1}{1+2+3+\cdots+n}=\dfrac{9}{5}$를 만족시키는 자연수 n의 값을 구하시오.

07-2
주어진 수열 $\{a_n\}$의 일반항은
$a_n=\dfrac{1}{1+2+3+\cdots+n}$

1 주어진 수열의 제k항 a_k의 분모를 유리화한다.

⇨ $\dfrac{1}{\sqrt{p}+\sqrt{q}} = \dfrac{\sqrt{p}-\sqrt{q}}{(\sqrt{p}+\sqrt{q})(\sqrt{p}-\sqrt{q})} = \dfrac{\sqrt{p}-\sqrt{q}}{p-q}$ (단, $p \neq q,\ p > 0,\ q > 0$)

2 a_k에 $k=1,\ 2,\ 3,\ \cdots,\ n$을 대입하여 항의 합으로 나타낸다.

3 항끼리 더해서 0이 되는 항을 없앤다.

$\dfrac{1}{\sqrt{p}+\sqrt{q}}$을 유리화한 식

$\dfrac{\sqrt{p}-\sqrt{q}}{p-q}$에서 p와 q의 차가 대부분

1 또는 2인 식으로 나타나므로 이웃
한 항끼리 없앨 수 있다.

예제 수열 $\dfrac{1}{\sqrt{3}+1},\ \dfrac{1}{\sqrt{5}+\sqrt{3}},\ \dfrac{1}{\sqrt{7}+\sqrt{5}},\ \cdots$의 첫째항부터 제$n$항까지의 합을 구하시오.

해법 코드
일반항을 구하여 분모를 유리화한다.

셀파 분모에 근호가 있는 수열의 합은 분모를 유리화한다.

풀이 주어진 수열의 일반항을 a_n이라 하면

$a_n =$ ⊙ $\dfrac{1}{\sqrt{2n+1}+\sqrt{2n-1}}$

$= \dfrac{\sqrt{2n+1}-\sqrt{2n-1}}{(\sqrt{2n+1}+\sqrt{2n-1})(\sqrt{2n+1}-\sqrt{2n-1})}$

$= \dfrac{\sqrt{2n+1}-\sqrt{2n-1}}{(2n+1)-(2n-1)}$

$= \dfrac{\sqrt{2n+1}-\sqrt{2n-1}}{2}$

따라서 수열 $\{a_n\}$의 첫째항부터 제n항까지의 합은

$\displaystyle\sum_{k=1}^{n} a_k = \dfrac{1}{2}\sum_{k=1}^{n}(\sqrt{2k+1}-\sqrt{2k-1})$

$= \dfrac{1}{2}$ ⊙ $\{(\sqrt{3}-1)+(\sqrt{5}-\sqrt{3})+(\sqrt{7}-\sqrt{5})+\cdots+(\sqrt{2n+1}-\sqrt{2n-1})\}$

$= \dfrac{1}{2}(\sqrt{2n+1}-1)$

앞에서 두 번째가 남으면
뒤에서 두 번째가 남는다.

⊙ 분모, 분자에 각각
$\sqrt{2n+1}-\sqrt{2n-1}$을 곱하여
분모를 유리화한다.

⊙ 앞에 있는 4개의 항 $\sqrt{3},\ -1,\ \sqrt{5},$
$-\sqrt{3}$ 중에서 -1만 소거되지 않
고 1개의 항만 남았으므로 뒤에서
도 1개의 항만 소거되지 않고 남는
다.

확인 문제

정답과 해설 | **102**쪽

MY 셀파

08-1 수열 $\dfrac{1}{1+\sqrt{2}},\ \dfrac{1}{\sqrt{2}+\sqrt{3}},\ \dfrac{1}{\sqrt{3}+2},\ \cdots$의 첫째항부터 제24항까지의 합을 구하시오.
상 중 하

08-1
일반항을 구하여 분모를 유리화한다.

08-2 수열 $\{a_n\}$에 대하여 $\displaystyle\sum_{k=1}^{n} a_k = n^2+2n$일 때, $\displaystyle\sum_{k=1}^{n}\dfrac{2}{a_k a_{k+1}}$를 n에 대한 식으로 나타내시오.
상 중 하

08-2
$a_1 = S_1,\ a_n = S_n - S_{n-1}\ (n \geq 2)$임을
이용하여 a_n을 구한다.

10
수열의 합

로그가 포함된 수열의 합을 구할 때는 다음과 같은 로그의 성질을 이용하여 이웃한 항끼리 없앤다.

$$\log \frac{a_{n+1}}{a_n} \Rightarrow \log a_{n+1} - \log a_n$$

$a>0, a\neq 1, x>0, y>0$일 때,
❶ $\log_a a=1,\ \log_a 1=0$
❷ $\log_a xy=\log_a x+\log_a y$
❸ $\log_a \frac{x}{y}=\log_a x-\log_a y$
❹ $\log_a x^n=n\log_a x$ (단, n은 실수)

예제 다음 식의 값을 구하시오.

(1) $\displaystyle\sum_{k=0}^{98} \log\left(1+\frac{1}{k+1}\right)$

(2) $\displaystyle\sum_{k=1}^{39} \log_3\left(1+\frac{2}{2k+1}\right)$

해법 코드

(1) $\log\left(1+\dfrac{1}{k+1}\right)=\log\dfrac{k+2}{k+1}$

(2) $\log_3\left(1+\dfrac{2}{2k+1}\right)=\log_3\dfrac{2k+3}{2k+1}$

셀파 $\log \dfrac{B}{A}=\log B-\log A$ (단, $A>0, B>0$)

풀이 (1) $\log\left(1+\dfrac{1}{k+1}\right)=\log\dfrac{k+2}{k+1}=\log(k+2)-\log(k+1)$이므로

$$\sum_{k=0}^{98} \log\left(1+\frac{1}{k+1}\right)=\sum_{k=0}^{98}\{\log(k+2)-\log(k+1)\}$$
$$=(\log 2-\log 1)+(\log 3-\log 2)+(\log 4-\log 3)$$
$$+\cdots+(\log 99-\log 98)+(\log 100-\log 99)$$
$$=-\log 1+\log 100=\mathbf{2}$$

(2) $\log_3\left(1+\dfrac{2}{2k+1}\right)=\log_3\dfrac{2k+3}{2k+1}=\log_3(2k+3)-\log_3(2k+1)$이므로

$$\sum_{k=1}^{39} \log_3\left(1+\frac{2}{2k+1}\right)=(\log_3 5-\log_3 3)+(\log_3 7-\log_3 5)+(\log_3 9-\log_3 7)$$
$$+\cdots+(\log_3 79-\log_3 77)+(\log_3 81-\log_3 79)$$
$$=-\log_3 3+\log_3 81=-1+4=\mathbf{3}$$

다른 풀이

(1) $\displaystyle\sum_{k=0}^{98}\log\dfrac{k+2}{k+1}$
$=\log\dfrac{2}{1}+\log\dfrac{3}{2}$
$\quad+\cdots+\log\dfrac{99}{98}+\log\dfrac{100}{99}$
$=\log\left(\dfrac{2}{1}\times\dfrac{3}{2}\times\cdots\times\dfrac{99}{98}\times\dfrac{100}{99}\right)$
$=\log 100=2$

(2) $\displaystyle\sum_{k=1}^{39}\log_3\dfrac{2k+3}{2k+1}$
$=\log_3\dfrac{5}{3}+\log_3\dfrac{7}{5}+\cdots+\log_3\dfrac{81}{79}$
$=\log_3\left(\dfrac{5}{3}\times\dfrac{7}{5}\times\cdots\times\dfrac{81}{79}\right)$
$=\log_3\dfrac{81}{3}=\log_3 27=3$

확인 문제 | 정답과 해설 | **102**쪽 | MY 셀파

09-1 다음 식의 값을 구하시오.
(상)(중)(하)

(1) $\displaystyle\sum_{k=1}^{13} \log_3\left(1-\frac{2}{2k+1}\right)$

(2) $\displaystyle\sum_{k=1}^{9} \log\left(1-\frac{2}{k+2}\right)$

09-1

(1) $\log_3\left(1-\dfrac{2}{2k+1}\right)=\log_3\dfrac{2k-1}{2k+1}$

(2) $\log\left(1-\dfrac{2}{k+2}\right)=\log\dfrac{k}{k+2}$

09-2 수열 $\{a_n\}$의 일반항이 $a_n=\log_{\frac{1}{2}}\dfrac{n}{n+1}$일 때, $\displaystyle\sum_{k=1}^{n}a_k=10$을 만족시키는 자연수
(상)(중)(하) n의 값을 구하시오.

09-2

$\log_{\frac{1}{2}}\dfrac{n}{n+1}=\log_2\dfrac{n+1}{n}$

등차수열과 등비수열의 각 항의 곱으로 이루어진 수열의 합은 다음과 같이 구한다.

1 주어진 수열의 합을 S로 놓는다.

2 양변에 등비수열의 공비 r $(r \neq 1)$를 곱하여 $S - rS$를 계산한다.

3 2의 식에서 S의 값을 구한다.

> (등차수열)×(등비수열) 꼴의 수열의 합을 멱급수라고 한다. 이때 급수 (級數)는 수열의 각 항의 합을 뜻하는 말이고 멱(冪)은 거듭제곱을 뜻하는 말이다.

예제 다음 수열의 합을 구하시오.
$$1 \times 2 + 2 \times 2^2 + 3 \times 2^3 + \cdots + n \times 2^n$$

> **해법 코드**
> 앞에 있는 수 1, 2, 3, …은 등차수열이고, 뒤에 있는 수 2, 2^2, 2^3, …은 등비수열이다.

셀파 등차수열과 공비가 r $(r \neq 1)$인 등비수열의 곱으로 이루어진 수열의 합 S
⇨ $S - rS$를 계산한다.

풀이 주어진 수열은 등차수열 1, 2, 3, …, n과 공비가 2인 등비수열 2, 2^2, 2^3, …, 2^n의 각 항의 곱으로 이루어진 수열이므로 주어진 수열의 합을 S라 하고 $S - 2S$를 계산하면

$$S = 1 \times 2 + 2 \times 2^2 + 3 \times 2^3 + 4 \times 2^4 + \cdots + \quad n \quad \times 2^n$$
$$-)\ 2S = \qquad\quad 1 \times 2^2 + 2 \times 2^3 + 3 \times 2^4 + \cdots + (n-1) \times 2^n + n \times 2^{n+1}$$
$$\overline{-S = 1 \times 2 + 1 \times 2^2 + 1 \times 2^3 + 1 \times 2^4 + \cdots + \quad 1 \quad \times 2^n - n \times 2^{n+1}}$$
$$= (2 + 2^2 + 2^3 + 2^4 + \cdots + 2^n) - n \times 2^{n+1}$$
$$= \frac{2(2^n - 1)}{2 - 1} - n \times 2^{n+1}$$
$$= 2^{n+1} - n \times 2^{n+1} - 2$$
$$\therefore S = (n-1) \times 2^{n+1} + 2$$

> ❶ 등비수열의 공비가 2이므로 $S - 2S$를 계산한다.

> ❷ $\sum\limits_{k=1}^{n} (k \times 2^k)$
> $= 1 \times 2 + 2 \times 2^2 + \cdots + n \times 2^n$
> $\sum\limits_{k=1}^{n} k \times \sum\limits_{k=1}^{n} 2^k$
> $= (1 + 2 + 3 + \cdots + n)$
> $\quad \times (2 + 2^2 + 2^3 + \cdots + 2^n)$

참고 $\sum$ 기호의 성질을 혼동하여 $\sum\limits_{k=1}^{n} (k \times 2^k) = \sum\limits_{k=1}^{n} k \times \sum\limits_{k=1}^{n} 2^k$으로 잘못 계산하는 경우가 있다.

$\sum$ 기호를 나누어 계산할 수 있는 경우는 $\sum\limits_{k=1}^{n} (a_k \pm b_k)$와 같이 두 수열의 합 또는 차로 이루어져 있는 수열일 때 뿐이다. 따라서 등차수열과 등비수열의 각 항의 곱으로 이루어진 수열의 합을 구할 때는 반드시 위에서 제시한 방법을 이용한다.

확인 문제   정답과 해설 | **103**쪽   MY 셀파

10-1
(상)(중)(하) 다음 수열의 합을 구하시오.

(1) $1 \times 3 + 2 \times 3^2 + 3 \times 3^3 + \cdots + 10 \times 3^{10}$

(2) $\dfrac{1}{1} + \dfrac{2}{2} + \dfrac{3}{2^2} + \cdots + \dfrac{11}{2^{10}}$

> **10-1**
> (등차수열)×(등비수열) 꼴에서
> (1) 등비수열의 공비가 3이므로 $S - 3S$를 계산한다.
> (2) 등비수열의 공비가 $\dfrac{1}{2}$이므로 $S - \dfrac{1}{2}S$를 계산한다.

1 수열의 각 항이 갖는 규칙을 파악하여 규칙성을 갖는 군으로 묶는다.

2 각 군에 대하여 다음을 파악한다.

    ❶ 각 군의 항의 개수

    ❷ 각 군의 첫째항이 갖는 규칙

    ❸ 각 군의 합의 배열에 대한 규칙성

3 구하는 항이 제몇 군의 몇 번째 항인지 구한다.

제n군의 합 구하기
(i) 제n군의 첫째항을 구한다.
(ii) 제n군의 항의 개수를 구한다.
(iii) 제n군의 규칙을 조사한다.

예제 군으로 나누어진 수열 (1), $(2, 2)$, $(3, 3, 3)$, $(4, 4, 4, 4)$, $\cdots$에 대하여 다음 물음에 답하시오.

(1) 제100항을 구하시오.

(2) 첫째항부터 제100항까지의 합을 구하시오.

해법 코드
제1군의 항의 개수 ⇨ 1
제2군의 항의 개수 ⇨ 2
제3군의 항의 개수 ⇨ 3
    ⋮
제n군의 항의 개수 ⇨ n

셀파 각 군의 첫째항의 규칙과 각 군의 항의 개수를 조사한다.

풀이 (1) $\underline{(1)}$, $\underline{(2, 2)}$, $\underline{(3, 3, 3)}$, $\underline{(4, 4, 4, 4)}$, $\cdots$
    제1군 제2군   제3군   제4군

제n군의 항의 개수는 n이므로 ^ㄱ제1군부터 제n군까지의 항의 개수는

$$\sum_{k=1}^{n} k = \frac{n(n+1)}{2}$$

이때 제1군부터 제13군까지의 항의 개수는 $\frac{13 \times 14}{2} = 91$,

제1군부터 제14군까지의 항의 개수는 $\frac{14 \times 15}{2} = 105$

이므로 ^ㄴ제100항은 ^ㄷ제14군의 9번째 항이다.

따라서 제100항은 **14**

(2) 첫째항부터 제100항까지의 합은

(제1군부터 제13군까지의 합) + (제14군의 첫째항부터 9번째 항까지의 합)

$$= \overset{ㄹ}{\sum_{k=1}^{13} k^2} + \sum_{k=1}^{9} 14 = \frac{13 \times 14 \times 27}{6} + 14 \times 9 = 819 + 126 = \mathbf{945}$$

ㄱ $1 + 2 + 3 + \cdots + n$
$= \sum_{k=1}^{n} k = \frac{n(n+1)}{2}$

ㄴ $100 = \underset{\uparrow}{91} + 9$
    제13군까지의 항의 개수

ㄷ 제n군은 n개의 n으로 이루어져 있는 수열이므로 제14군은 14개의 14로 이루어져 있다.

ㄹ 제n군은 n개의 n으로 이루어져 있으므로 제n군의 합은
$\underbrace{n + n + n + \cdots + n}_{n개} = n^2$

확인 문제

정답과 해설 | **103**쪽

MY 셀파

11-1 수열 $1, 2, 1, 3, 2, 1, 4, 3, 2, 1, \cdots$에 대하여 다음 물음에 답하시오.
(상)(중)(하)

(1) 제140항을 구하시오.

(2) 첫째항부터 제140항까지의 합을 구하시오.

11-1
(1), $(2, 1)$, $(3, 2, 1)$, $(4, 3, 2, 1)$, $\cdots$
과 같이 군으로 묶는다.

❶ 분모 또는 분자가 같은 항끼리 군으로 묶는다.

❷ (분모)+(분자)의 값이 같은 항끼리 군으로 묶는다.

예제 수열 $\dfrac{1}{1}, \dfrac{1}{2}, \dfrac{2}{2}, \dfrac{1}{3}, \dfrac{2}{3}, \dfrac{3}{3}, \dfrac{1}{4}, \dfrac{2}{4}, \dfrac{3}{4}, \dfrac{4}{4}, \cdots$에 대하여 다음 물음에 답하시오.

(1) $\dfrac{14}{27}$는 제몇 항인지 구하시오.　　　　(2) 제52항을 구하시오.

해법 코드
분모가 같은 항끼리 군으로 묶는다.

셀파 규칙을 파악하여 군으로 묶는다.

풀이 (1) 주어진 수열을 분모가 같은 항끼리 군으로 묶으면

$$\left(\dfrac{1}{1}\right), \left(\dfrac{1}{2}, \dfrac{2}{2}\right), \left(\dfrac{1}{3}, \dfrac{2}{3}, \dfrac{3}{3}\right), \left(\dfrac{1}{4}, \dfrac{2}{4}, \dfrac{3}{4}, \dfrac{4}{4}\right), \cdots$$

제1군　제2군　　　제3군　　　　　제4군

이므로 $\dfrac{14}{27}$는 제27군의 14번째 항이다.

제 n군의 항의 개수는 n이므로 제1군부터 제 n군까지의 항의 개수는

$$\sum_{k=1}^{n} k = \dfrac{n(n+1)}{2}$$

제1군부터 제26군까지의 항의 개수는 $\dfrac{26 \times 27}{2} = 351$

따라서 $351 + 14 = 365$이므로 $\dfrac{14}{27}$는 **제365항**

(2) 제1군부터 제9군까지의 항의 개수는 $\dfrac{9 \times 10}{2} = 45$,

제1군부터 제10군까지의 항의 개수는 $\dfrac{10 \times 11}{2} = 55$

이므로 제52항은 제10군의 7번째 항이다.

따라서 제 n군의 k번째 항은 $\dfrac{k}{n}$이므로 제52항은 $\dfrac{7}{10}$

❸ 제1군의 분모는 1
제2군의 분모는 2
제3군의 분모는 3
⋮
제27군의 분모는 27

❹ $1+2+3+\cdots+n$
$= \displaystyle\sum_{k=1}^{n} k = \dfrac{n(n+1)}{2}$

❺ 제 n군은
$$\left(\dfrac{1}{n}, \dfrac{2}{n}, \dfrac{3}{n}, \cdots, \dfrac{n}{n}\right)$$
이므로 k번째 항은 $\dfrac{k}{n}$이다.

확인 문제　　　　　　　　　정답과 해설 | **104**쪽　　　　　　　MY 셀파

12-1
(상 중 하)
수열 $\dfrac{1}{1}, \dfrac{1}{2}, \dfrac{2}{1}, \dfrac{1}{3}, \dfrac{2}{2}, \dfrac{3}{1}, \dfrac{1}{4}, \dfrac{2}{3}, \dfrac{3}{2}, \dfrac{4}{1}, \cdots$에 대하여 다음 물음에 답하시오.

(1) $\dfrac{5}{7}$는 제몇 항인지 구하시오.　　　(2) 제80항을 구하시오.

12-1
분모와 분자의 합이 같은 것끼리 군으로 묶는다.

① 각 줄을 하나의 군으로 생각한다.

② 첫 번째 줄에서 n번째 줄까지의 항의 개수를 파악한다.

③ 각 줄에서 k번째의 수를 구한다.

a	⇐ 제1군
$b\ c$	⇐ 제2군
$d\ e\ f$	⇐ 제3군
⋮	⋮

예제 자연수를 오른쪽과 같이 규칙적으로 나열할 때, 다음 물음에 답하시오.

(1) 제10행의 첫 번째 수를 구하시오.

(2) 제10행에 나열된 모든 수의 합을 구하시오.

제1행	1
제2행	2 3
제3행	4 5 6
제4행	7 8 9 10
⋮	

해법 코드

제1행 ⇨ 1개
제2행 ⇨ 2개
제3행 ⇨ 3개
⋮
제10행 ⇨ 10개

셀파 각 행을 군으로 하는 수열을 생각한다.

풀이 (1) 각 행을 군으로 하는 수열

$(1), (2, 3), (4, 5, 6), (7, 8, 9, 10), \cdots$에서

제n군의 항의 개수는 n이므로 제1군부터 제n군까지의 항의 개수는

$$\sum_{k=1}^{n} k = \frac{n(n+1)}{2}$$

제1군부터 제9군까지의 항의 개수는 $\dfrac{9 \times 10}{2} = 45$

따라서 제10행의 첫 번째 수는 $\underline{45+1} = \mathbf{46}$

(2) 제10행에 나열된 모든 수의 합은

첫째항이 46, 공차가 1인 등차수열의 첫째항부터 제10항까지의 합과 같으므로

$$\frac{10(2 \times 46 + 9 \times 1)}{2} = \mathbf{505}$$

⊙ 제n군의 첫째항은 제$(n-1)$군까지의 항의 개수에 1을 더한 값이다.

⊙ 제10행에 나열된 수를 구하면

$$\underset{10개}{\underline{46, 47, 48, \cdots}}$$

⇨ 첫째항 46, 공차 1, 항수 10

확인 문제

정답과 해설 | **104**쪽

MY 셀파

13-1 오른쪽과 같이 정삼각형을 아래쪽으로 계속 만들면서 자연수를 차례로 써넣을 때, 다음 물음에 답하시오.

(상 중 하)

(1) 제10단의 첫 번째 수를 구하시오.

(2) 제10단의 정삼각형 안에 있는 모든 수의 합을 구하시오.

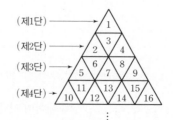

13-1

$(1), (2, 3, 4), (5, 6, 7, 8, 9),$
$(10, 11, 12, 13, 14, 15, 16), \cdots$
과 같이 군으로 묶는다.

Σ의 뜻

01 다음 중 옳은 것은?

(상)(중)(하)

① $2+4+6+\cdots+2n=\displaystyle\sum_{k=1}^{2n}k$

② $1+3+5+\cdots+29=\displaystyle\sum_{k=1}^{20}(2k-1)$

③ $1-2+4-8+\cdots+256=\displaystyle\sum_{i=1}^{8}(-2)^i$

④ $3+3^2+3^3+\cdots+3^n=\displaystyle\sum_{m=2}^{n+1}3^{m-1}$

⑤ $50+51+52+\cdots+100=\displaystyle\sum_{j=1}^{50}(j+50)$

Σ의 뜻

02 $\displaystyle\sum_{k=1}^{n}(a_{2k-1}+a_{2k})=3n^2$일 때, $\displaystyle\sum_{k=1}^{10}a_k$의 값을 구하시오.

(상)(중)(하)

Σ의 뜻

03 수열 $\{a_n\}$에 대하여 $\displaystyle\sum_{k=1}^{10}ka_k=20$, $\displaystyle\sum_{k=1}^{9}ka_{k+1}=10$이 성립할 때, $\displaystyle\sum_{k=1}^{10}a_k$의 값을 구하시오.

(상)(중)(하)

Σ의 기본 성질

04 $\displaystyle\sum_{k=1}^{15}a_k=28$, $\displaystyle\sum_{k=1}^{15}(2a_k-b_k)=40$일 때, $\displaystyle\sum_{k=1}^{15}3b_k$의 값을 구하시오.

(상)(중)(하)

Σ의 기본 성질

05 수열 $\{a_n\}$에 대하여 $\displaystyle\sum_{k=1}^{n}a_k=4n^2+n$일 때, $a_6+a_7+a_8+\cdots+a_{15}$의 값을 구하시오.

(상)(중)(하)

자연수의 거듭제곱의 합

06 수열 $\{a_n\}$의 일반항이 $a_n=3n-2$일 때, $\displaystyle\sum_{k=1}^{m}a_k=35$를 만족시키는 자연수 m의 값을 구하시오.

(상)(중)(하)

자연수의 거듭제곱의 합   창의력

07 어떤 편의점에서 정육면체 모양의 제품을 오른쪽 그림과 같이 진열하고 있다.

(상)(중)(하)

이와 같은 방법으로 7층까지 쌓았을 때, 쌓여진 정육면체 모양의 제품 전체의 개수를 구하시오.

10 — 수열의 합

자연수의 거듭제곱의 합   융합형

08 이차방정식 $x^2+kx-k=0$의 두 근을 α_k, β_k라 할 때, $\displaystyle\sum_{k=1}^{4}(\alpha_k{}^3+\beta_k{}^3)$의 값을 구하시오. (단, k는 상수)

Σ를 이용한 수열의 합   서술형

09 다음 수열의 합을 구하시오.

$$2\times1+3\times3+4\times5+\cdots+11\times19$$

Σ를 이용한 수열의 합

10 수열 $\{a_n\}$이 3, 33, 333, 3333, …일 때, $\displaystyle\sum_{k=1}^{n}a_k$의 값은?

① $\dfrac{10^{n+1}-10}{9}$ ② $\dfrac{10^n-9n-10}{3}$

③ $\dfrac{10^{n+1}-9n-10}{27}$ ④ $\dfrac{10^n-9n-10}{27}$

⑤ $\dfrac{10^{n+1}-9n-10}{9}$

Σ를 이용한 수열의 합   창의·융합

11 천재 고등학교에서는 각 컴퓨터가 서로 직접 연결되도록 네트워크를 설치하려고 한다. 다음 그림은 컴퓨터 수가 늘어남에 따라 연결된 네트워크 회선 수를 나타낸 것이다. 컴퓨터 수가 8대일 때, 필요한 네트워크 회선 수를 구하시오.

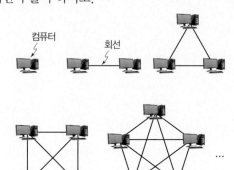

Σ를 여러 개 포함한 식의 계산

12 $\displaystyle\sum_{m=1}^{n}\left(\sum_{k=1}^{m}k\right)=56$일 때, 자연수 n의 값을 구하시오.

Σ로 표현된 수열의 합과 일반항 사이의 관계

13 수열 $\{a_n\}$에 대하여 $\displaystyle\sum_{k=1}^{n}a_k=n^2+n+1$일 때, $\displaystyle\sum_{k=1}^{10}a_{2k-1}$의 값을 구하시오.

분모가 곱으로 표현된 수열의 합

14 수열 $\{a_n\}$의 일반항이 $a_n = n^2 - 1$일 때, $\sum\limits_{n=2}^{8} \dfrac{1}{a_n}$의 값을 구하시오.

(상)(중)(하)

분모가 곱으로 표현된 수열의 합

15 수열 $\{a_n\}$에 대하여

(상)(중)(하)

$$a_1 + a_2 + a_3 + \cdots + a_n = \dfrac{1}{3}n(n+1)(n+2)$$

일 때, $\sum\limits_{k=1}^{n} \dfrac{1}{a_k} = \dfrac{10}{11}$을 만족시키는 n의 값을 구하시오.

분모가 곱으로 표현된 수열의 합

16 다음 수열의 합을 구하시오.

(상)(중)(하)

$$\dfrac{1}{3} + \dfrac{1}{3+5} + \dfrac{1}{3+5+7}$$
$$+ \cdots + \dfrac{1}{3+5+7+\cdots+19}$$

분모가 무리식인 수열의 합

17 수열 $\dfrac{2}{\sqrt{3}+1}$, $\dfrac{2}{2+\sqrt{2}}$, $\dfrac{2}{\sqrt{5}+\sqrt{3}}$, $\dfrac{2}{\sqrt{6}+2}$, $\cdots$의 첫째

(상)(중)(하)

항부터 제30항까지의 합은?

① $\sqrt{31}+3\sqrt{2}-1$ ② $\sqrt{31}+4\sqrt{2}-1$

③ $\sqrt{31}+3\sqrt{2}+1$ ④ $\sqrt{31}+4\sqrt{2}+1$

⑤ $\sqrt{31}+5\sqrt{2}-1$

분수로 이루어진 군수열

18 수열 $\dfrac{1}{2}$, $\dfrac{1}{4}$, $\dfrac{3}{4}$, $\dfrac{1}{8}$, $\dfrac{3}{8}$, $\dfrac{5}{8}$, $\dfrac{7}{8}$, $\dfrac{1}{16}$, $\cdots$에서 제60항

(상)(중)(하)

을 구하시오.

(코딩 유형) 정수로 이루어진 군수열

19 현재 000을 표시하고 있는 기계의

(상)(중)(하)

단추를 한 번씩 누를 때마다 백의 자리는 0부터 2까지의 숫자가 차례로 반복되어 나타나고 (즉, $0 \to 1 \to 2 \to 0 \to 1 \to 2 \to \cdots$), 십의 자리는

0부터 3까지의 숫자가 차례로 반복되어 나타나며, 일의 자리는 0부터 4까지의 숫자가 차례로 반복되어 나타난다고 한다. 이 기계의 단추를 n회 눌렀을 때, 나오는 수를 a_n이라 하면

$$a_0 = 000, \ a_1 = 111, \ a_2 = 222, \ a_3 = 033,$$
$$a_4 = 104, \ a_5 = 210, \ a_6 = 021, \ \cdots$$

이다. 이때 a_{126}의 값을 구하시오.

10 수열의 합

11. 수학적 귀납법

개념 플러스

개념 1 수열의 귀납적 정의

수열 $\{a_n\}$에서

❶ 처음 몇 개의 ❶ 　　　 의 값

❷ 이웃하는 여러 항 사이의 ❷ 　　　

으로 수열 $\{a_n\}$을 정의하는 것을 수열의 **귀납적 정의**라 한다.

[답] ❶ 항　❷ 관계식

㉠ $2a_{n+1}=a_n+a_{n+2}$와 같이 이웃하는 세 항 사이의 관계를 나타내어 수열을 귀납적으로 정의하는 경우에는 첫째항과 제2항의 값을 알아야 모든 항의 값을 구할 수 있다.

개념 2 등차수열과 등비수열의 귀납적 정의

(1) 등차수열의 귀납적 정의

첫째항이 a, ❶ 　　　 가 d인 등차수열 $\{a_n\}$에서 $n=1, 2, 3, \cdots$일 때

❶ $a_{n+1}=a_n+d \iff a_{n+1}-a_n=d$

❷ $2a_{n+1}=a_n+a_{n+2} \iff a_{n+2}-a_{n+1}=a_{n+1}-a_n$

(2) 등비수열의 귀납적 정의

첫째항이 a, ❷ 　　　 가 r인 등비수열 $\{a_n\}$에서 $n=1, 2, 3, \cdots$일 때

❶ $a_{n+1}=ra_n \iff \dfrac{a_{n+1}}{a_n}=r$

❷ ${a_{n+1}}^2=a_n a_{n+2} \iff \dfrac{a_{n+2}}{a_{n+1}}=\dfrac{a_{n+1}}{a_n}$

[답] ❶ 공차　❷ 공비

㉡ $a_1=a$, $a_{n+1}-a_n=d$로 정의된 수열 $\{a_n\}$은 $a_2-a_1=d$, $a_3-a_2=d, \cdots, a_n-a_{n-1}=d, \cdots$ 이므로 첫째항이 a, 공차가 d인 등차수열이다.

㉢ $a_1=a$, $\dfrac{a_{n+1}}{a_n}=r$로 정의된 수열 $\{a_n\}$은 $\dfrac{a_2}{a_1}=r$, $\dfrac{a_3}{a_2}=r, \cdots$, $\dfrac{a_n}{a_{n-1}}=r, \cdots$이므로 첫째항이 a, 공비가 r인 등비수열이다.

보기 귀납적으로 정의된 다음 수열이 어떤 수열인지 말하시오.

　　(1) $a_1=1$, $a_{n+1}=a_n+2$ 　　　　　　(2) $b_1=1$, $b_{n+1}=3b_n$

연구 (1) $a_1=1$, $a_{n+1}-a_n=2$이므로 수열 $\{a_n\}$은 **첫째항이 1, 공차가 2인 등차수열**이다.

　　(2) $b_1=1$, $\dfrac{b_{n+1}}{b_n}=3$이므로 수열 $\{b_n\}$은 **첫째항이 1, 공비가 3인 등비수열**이다.

개념 3 수학적 귀납법

자연수 n에 대한 명제 $p(n)$이 모든 자연수 n에 대하여 성립함을 증명하려면 다음 두 가지를 보이면 된다.

❶ $n=$ ❶ 　　　 일 때, 명제 $p(n)$이 성립한다.

❷ $n=k$일 때, 명제 $p(n)$이 성립한다고 가정하면 $n=k+1$일 때도 명제 ❷ 　　　 이 성립한다.

이와 같은 방법으로 어떤 명제가 참임을 증명하는 방법을 **수학적 귀납법**이라 한다.

[답] ❶ 1　❷ $p(n)$

㉣ ❶에서 $n=1$일 때 명제 $p(n)$이 성립하므로 ❷에서 k 대신 1을 대입한 $n=2$일 때도 명제 $p(n)$이 성립한다. 또 $n=2$일 때 명제 $p(n)$이 성립하므로 ❷에서 k 대신 2를 대입한 $n=3$일 때도 명제 $p(n)$이 성립한다.

⋮

이와 같은 과정을 계속하면 모든 자연수 n에 대하여 명제 $p(n)$이 성립한다.

개념 익히기

1-1 | 수열의 귀납적 정의 |

다음과 같이 귀납적으로 정의된 수열 $\{a_n\}$의 제5항을 구하시오. (단, $n=1, 2, 3, \cdots$)

(1) $a_1=2$, $a_{n+1}=a_n+3$

(2) $a_1=3$, $a_{n+1}=2a_n$

연구

(1) $a_1=2$이므로

$a_{n+1}=a_n+3$에 $n=1, 2, 3, 4$를 차례로 대입하면

$a_2=a_1+3=2+3=5$, $a_3=a_2+3=5+3=8$,

$a_4=a_3+3=8+3=11$, $a_5=a_4+3=\boxed{}+3=\boxed{}$

(2) $a_1=3$이므로

$a_{n+1}=2a_n$에 $n=1, 2, 3, 4$를 차례로 대입하면

$a_2=2a_1=2\times3=6$, $a_3=2a_2=2\times6=12$,

$a_4=2a_3=2\times12=24$, $a_5=2a_4=2\times\boxed{}=\boxed{}$

1-2 | 따라풀기 |

다음과 같이 귀납적으로 정의된 수열 $\{a_n\}$의 제5항을 구하시오. (단, $n=1, 2, 3, \cdots$)

(1) $a_1=7$, $a_{n+1}=a_n-2$

(2) $a_1=8$, $a_{n+1}=\dfrac{1}{2}a_n$

풀이

2-1 | 수학적 귀납법 |

자연수 n에 대한 명제 $p(n)$이 다음 두 조건을 만족시킨다.

> (개) $p(1)$이 성립한다.
> (내) $p(n)$이 성립하면 $p(2n)$이 성립한다.

이때 | 보기 | 중 반드시 성립하는 명제를 모두 고르시오.

> 보기
> ㄱ. $p(2)$　　ㄴ. $p(4)$　　ㄷ. $p(6)$　　ㄹ. $p(8)$

연구

조건 (개)에서 $p(1)$이 성립한다.

$p(1)$이 성립하므로 조건 (내)에 의하여 $p(2)$가 성립한다.

$p(2)$가 성립하므로 조건 (내)에 의하여 $p(4)$가 성립한다.

$p(4)$가 성립하므로 조건 (내)에 의하여 $p(\boxed{})$이(가) 성립한다.

따라서 보기 중 반드시 성립하는 명제는 ㄱ, ㄴ, $\boxed{}$이다.

> $p(6)$이 성립한다는 결론을 얻으려면 $p(3)$이 성립한다는 조건이 있어야 해.
> 그런데 $p(3)$은 성립하는지, 성립하지 않는지 알 수 없어.

2-2 | 따라풀기 |

자연수 n에 대한 명제 $p(n)$이 다음 두 조건을 만족시킨다.

> (개) $p(1)$이 성립한다.
> (내) $p(n)$이 성립하면 $p(3n)$이 성립한다.

이때 | 보기 | 중 반드시 성립하는 명제를 모두 고르시오.

> 보기
> ㄱ. $p(2)$　　ㄴ. $p(3)$　　ㄷ. $p(6)$　　ㄹ. $p(9)$

풀이

수열 $\{a_n\}$에서 이웃하는 항 사이의 관계식이 다음과 같을 때

❶ $a_{n+1}-a_n=d$ (일정) $\Longleftrightarrow a_{n+1}=a_n+d$ ⇨ 수열 $\{a_n\}$은 공차가 d인 등차수열

❷ $a_{n+1}-a_n=a_{n+2}-a_{n+1} \Longleftrightarrow 2a_{n+1}=a_n+a_{n+2} \Longleftrightarrow a_{n+1}=\dfrac{a_n+a_{n+2}}{2}$

⇨ 수열 $\{a_n\}$은 등차수열

이웃하는 세 항 a_n, a_{n+1}, a_{n+2}에서 $a_{n+1}=\dfrac{a_n+a_{n+2}}{2}$가 성립하면 a_{n+1}은 등차중항이다. 즉, $2a_{n+1}=a_n+a_{n+2}$ 또는 $a_{n+1}-a_n=a_{n+2}-a_{n+1}$은 수열 $\{a_n\}$이 등차수열임을 나타낸다.

예제 다음과 같이 정의된 수열 $\{a_n\}$의 제30항을 구하시오. (단, $n=1,2,3,\cdots$)

(1) $\begin{cases} a_1=3 \\ a_{n+1}=a_n+2 \end{cases}$

(2) $\begin{cases} a_1=2,\ a_2=5 \\ 2a_{n+1}=a_n+a_{n+2} \end{cases}$

해법 코드
(2) $2a_{n+1}=a_n+a_{n+2}$에서 a_{n+1}은 a_n과 a_{n+2}의 등차중항이다.

셀파 첫째항이 a, 공차가 d인 등차수열 $\{a_n\}$의 귀납적 정의
⇨ $a_1=a$, $a_{n+1}=a_n+d$ $(n=1,2,3,\cdots)$

풀이 (1) $a_1=3$, $a_{n+1}-a_n=2$이므로 수열 $\{a_n\}$은 첫째항이 3, 공차가 2인 등차수열이다.
따라서 등차수열의 일반항 공식을 이용하면 제30항은
$a_{30}=3+29\times2=\mathbf{61}$

(2) ⊙$\underline{2a_{n+1}=a_n+a_{n+2}}$이므로 수열 $\{a_n\}$은 등차수열이다.
$a_1=2$, $a_2-a_1=5-2=3$이므로 수열 $\{a_n\}$은 첫째항이 2, 공차가 3인 등차수열이다.
따라서 등차수열의 일반항 공식을 이용하면 제30항은
$a_{30}=2+29\times3=\mathbf{89}$

⊙ $2a_{n+1}=a_n+a_{n+2}$이면 a_{n+1}은 a_n과 a_{n+2}의 등차중항이므로 수열 $\{a_n\}$은 등차수열이다.

참고 수열 $\{a_n\}$이 $a_1=3$, $a_{n+1}=a_n+2$ $(n=1,2,3,\cdots)$로 정의될 때
$a_2=a_1+2=3+2=5$, $a_3=a_2+2=5+2=7$,
$a_4=a_3+2=7+2=9$, $a_5=a_4+2=9+2=11,\cdots$
과 같이 수열의 모든 항을 구할 수 있다.

등차수열 $\{a_n\}$의 일반항을 구한 다음 a_{30}의 값을 구해도 돼.

확인 문제　　　　　　　　　　　　　　　　　　　정답과 해설 | **109**쪽　　　　MY 셀파

01-1 다음과 같이 정의된 수열 $\{a_n\}$의 제20항을 구하시오. (단, $n=1,2,3,\cdots$)
(상)(중)(하)

(1) $\begin{cases} a_1=1 \\ a_{n+1}=a_n+3 \end{cases}$

(2) $\begin{cases} a_1=7 \\ a_{n+1}=a_n-4 \end{cases}$

01-1
(1) $a_{n+1}-a_n=3$이므로 수열 $\{a_n\}$은 공차가 3인 등차수열이다.

01-2 $a_1=-5$, $a_2=-3$, $a_{n+2}-a_{n+1}=a_{n+1}-a_n$ $(n=1,2,3,\cdots)$으로 정의된 수열
(상)(중)(하) $\{a_n\}$에 대하여 $\displaystyle\sum_{k=1}^{20}a_k$의 값을 구하시오.

01-2
$a_{n+2}-a_{n+1}=a_{n+1}-a_n$에서 이웃하는 두 항의 차가 같으므로 수열 $\{a_n\}$은 등차수열이다.

해법 02 등비수열의 귀납적 정의 〉PLUS ⊕

수열 $\{a_n\}$에서 이웃하는 항 사이의 관계식이 다음과 같을 때

❶ $\dfrac{a_{n+1}}{a_n}=r$ (일정) $\Longleftrightarrow a_{n+1}=ra_n$ ⇨ 수열 $\{a_n\}$은 공비가 r인 등비수열

❷ $\dfrac{a_{n+1}}{a_n}=\dfrac{a_{n+2}}{a_{n+1}} \Longleftrightarrow {a_{n+1}}^2=a_na_{n+2} \Longleftrightarrow a_{n+1}=\pm\sqrt{a_na_{n+2}}$ ⇨ 수열 $\{a_n\}$은 등비수열

이웃하는 세 항 $a_n,\ a_{n+1},\ a_{n+2}$에서 $a_{n+1}=\pm\sqrt{a_na_{n+2}}$가 성립하면 a_{n+1}은 등비중항이다. 즉,
$${a_{n+1}}^2=a_na_{n+2}$$
또는 $\dfrac{a_{n+1}}{a_n}=\dfrac{a_{n+2}}{a_{n+1}}$는 수열 $\{a_n\}$이 등비수열임을 나타낸다.

(예제) 다음과 같이 정의된 수열 $\{a_n\}$의 제10항을 구하시오. (단, $n=1,\ 2,\ 3,\ \cdots$)

(1) $\begin{cases} a_1=1 \\ a_{n+1}=3a_n \end{cases}$

(2) $\begin{cases} a_1=3,\ a_2=6 \\ {a_{n+1}}^2=a_na_{n+2} \end{cases}$

해법 코드

(2) ${a_{n+1}}^2=a_na_{n+2}$에서 a_{n+1}은 a_n과 a_{n+2}의 등비중항이다.

셀파 첫째항이 a, 공비가 r인 등비수열 $\{a_n\}$의 귀납적 정의
⇨ $a_1=a,\ a_{n+1}=ra_n\ (n=1,\ 2,\ 3,\ \cdots)$

풀이 (1) $a_1=1,\ a_{n+1}=3a_n$이므로 수열 $\{a_n\}$은 첫째항이 1, 공비가 3인 등비수열이다.
따라서 등비수열의 일반항 공식을 이용하면 제10항은
$$a_{10}=1\times3^9=\mathbf{3^9}$$

(2) $\underline{{a_{n+1}}^2=a_na_{n+2}}$❶이므로 수열 $\{a_n\}$은 등비수열이다.
$a_1=3,\ \dfrac{a_2}{a_1}=\dfrac{6}{3}=2$이므로 수열 $\{a_n\}$은 첫째항 3, 공비가 2인 등비수열이다.
따라서 등비수열의 일반항 공식을 이용하면 제10항은
$$a_{10}=\mathbf{3\times2^9}$$

❶ ${a_{n+1}}^2=a_na_{n+2}$이면 a_{n+1}은 a_n과 a_{n+2}의 등비중항이므로 수열 $\{a_n\}$은 등비수열이다.

등비수열 $\{a_n\}$의 일반항을 구한 다음 a_{10}의 값을 구해도 돼.

참고 수열 $\{a_n\}$이 $a_1=1,\ a_{n+1}=3a_n\ (n=1,\ 2,\ 3,\ \cdots)$으로 정의될 때
$a_2=3a_1=3\times1=3,\ a_3=3a_2=3\times3=3^2,$
$a_4=3a_3=3\times3^2=3^3,\ a_5=3a_4=3\times3^3=3^4,\ \cdots$
과 같이 수열의 모든 항을 구할 수 있다.

확인 문제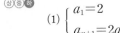

정답과 해설 | **110**쪽

MY 셀파

02-1 (상)(중)(하) 다음과 같이 정의된 수열 $\{a_n\}$의 제8항을 구하시오. (단, $n=1,\ 2,\ 3,\ \cdots$)

(1) $\begin{cases} a_1=2 \\ a_{n+1}=2a_n \end{cases}$

(2) $\begin{cases} a_1=81 \\ a_{n+1}=\dfrac{1}{3}a_n \end{cases}$

02-1
(1) $a_{n+1}=2a_n$이므로 수열 $\{a_n\}$은 공비가 2인 등비수열이다.

02-2 (상)(중)(하) $a_1=\dfrac{2}{3},\ a_2=2,\ \dfrac{a_{n+1}}{a_n}=\dfrac{a_{n+2}}{a_{n+1}}\ (n=1,\ 2,\ 3,\ \cdots)$로 정의된 수열 $\{a_n\}$에 대하여 $\displaystyle\sum_{k=1}^{10}a_k$의 값을 구하시오.

02-2
$\dfrac{a_{n+1}}{a_n}=\dfrac{a_{n+2}}{a_{n+1}}$에서 이웃하는 두 항의 비가 같으므로 수열 $\{a_n\}$은 등비수열이다.

해법 03 | $a_{n+1}=a_n+f(n)$ 꼴로 정의된 수열

$a_{n+1}=a_n+f(n)$ 또는 $a_{n+1}-a_n=f(n)$ 꼴에서 일반항 a_n을 구할 때, n 대신 $1, 2, 3, \cdots, n-1$을 차례로 대입한 후 변끼리 더한다.

$\Rightarrow a_n=a_1+f(1)+f(2)+f(3)+\cdots+f(n-1)$

$\qquad =a_1+\sum\limits_{k=1}^{n-1}f(k)$

$$a_2=a_1+f(1)$$
$$a_3=a_2+f(2)$$
$$a_4=a_3+f(3)$$
$$\vdots$$
$$+)\,a_n=a_{n-1}+f(n-1)$$
$$\overline{a_n=a_1+f(1)+f(2)+f(3)+\cdots+f(n-1)}$$

예제 다음과 같이 정의된 수열 $\{a_n\}$의 제10항을 구하시오. (단, $n=1, 2, 3, \cdots$)

(1) $\begin{cases} a_1=1 \\ a_{n+1}=a_n+2n \end{cases}$

(2) $\begin{cases} a_1=1 \\ a_{n+1}=a_n+2^n \end{cases}$

해법 코드
(1) $f(k)=2k$
(2) $f(k)=2^k$

셀파 $a_{n+1}=a_n+f(n) \Rightarrow a_n=a_1+\sum\limits_{k=1}^{n-1}f(k)$

풀이 (1) $a_{n+1}=a_n+2n$의 n 대신 $1, 2, 3, \cdots, 9$를 차례로 대입한 후 변끼리 더하면

$a_2=a_1+2\times1$
$a_3=a_2+2\times2$
$a_4=a_3+2\times3$
$\qquad \vdots$
$+)\,a_{10}=a_9+2\times9$
$\overline{a_{10}=a_1+2(1+2+3+\cdots+9)=1+2\sum\limits_{k=1}^{9}k=1+2\times\dfrac{9\times10}{2}=\mathbf{91}}$

● 첫째항이 1, 공차가 1인 등차수열의 첫째항부터 제9항까지의 합이다.

(2) $a_{n+1}=a_n+2^n$의 n 대신 $1, 2, 3, \cdots, 9$를 차례로 대입한 후 변끼리 더하면

$a_2=a_1+2$
$a_3=a_2+2^2$
$a_4=a_3+2^3$
$\qquad \vdots$
$+)\,a_{10}=a_9+2^9$
$\overline{a_{10}=a_1+(2+2^2+2^3+\cdots+2^9)=1+\sum\limits_{k=1}^{9}2^k=1+\dfrac{2(2^9-1)}{2-1}=\mathbf{1023}}$

● 첫째항이 2, 공비가 2인 등비수열의 첫째항부터 제9항까지의 합이다.

확인 문제 정답과 해설 | **110**쪽 MY 셀파

03-1 다음과 같이 정의된 수열 $\{a_n\}$의 제20항을 구하시오. (단, $n=1, 2, 3, \cdots$)
(상)(중)(하)

(1) $\begin{cases} a_1=1 \\ a_{n+1}=a_n+2n-1 \end{cases}$

(2) $\begin{cases} a_1=2 \\ a_{n+1}=a_n+3^{n-1} \end{cases}$

03-1
(1) $f(k)=2k-1$
(2) $f(k)=3^{k-1}$

해법 04 $a_{n+1}=a_n f(n)$ 꼴로 정의된 수열

$a_{n+1}=a_n f(n)$ 또는 $\dfrac{a_{n+1}}{a_n}=f(n)$ 꼴에서 일반항 a_n을 구할 때,

n 대신 $1, 2, 3, \cdots, n-1$을 차례로 대입한 후 변끼리 곱한다.

$\Rightarrow a_n=a_1\times f(1)f(2)f(3)\times \cdots \times f(n-1)$

$$
\begin{aligned}
a_2&=a_1 f(1)\\
a_3&=a_2 f(2)\\
a_4&=a_3 f(3)\\
&\ \ \vdots\\
\times\ )\ a_n&=a_{n-1}f(n-1)\\
\hline
a_n&=a_1\times f(1)f(2)f(3)\times \cdots \times f(n-1)
\end{aligned}
$$

예제 다음과 같이 정의된 수열 $\{a_n\}$의 제12항을 구하시오. (단, $n=1, 2, 3, \cdots$)

(1) $\begin{cases} a_1=1 \\ a_{n+1}=\dfrac{2n+1}{2n-1}a_n \end{cases}$

(2) $\begin{cases} a_1=1 \\ a_{n+1}=2^n a_n \end{cases}$

해법 코드

(1) $f(k)=\dfrac{2k+1}{2k-1}$

(2) $f(k)=2^k$

셀파 $a_{n+1}=a_n f(n) \Rightarrow n$ 대신 $1, 2, 3, \cdots, n-1$을 차례로 대입한 후 변끼리 곱한다.

풀이 (1) $a_{n+1}=\dfrac{2n+1}{2n-1}a_n$의 n 대신 $1, 2, 3, \cdots, 11$을 차례로 대입한 후 변끼리 곱하면

$$
\begin{aligned}
a_2&=\frac{3}{1}a_1\\
a_3&=\frac{5}{3}a_2\\
a_4&=\frac{7}{5}a_3\\
&\ \ \vdots\\
\times\ )\ a_{12}&=\frac{23}{21}a_{11}\\
\hline
a_{12}&=a_1\times\left(\frac{3}{1}\times\frac{5}{3}\times\frac{7}{5}\times\cdots\times\frac{23}{21}\right)=1\times 23=\mathbf{23}
\end{aligned}
$$

❶ $f(k)=\dfrac{2k+1}{2k-1}$이므로

$f(1)=\dfrac{3}{1}, f(2)=\dfrac{5}{3}, f(3)=\dfrac{7}{5},$

$\cdots, f(11)=\dfrac{23}{21}$이다.

$a_{12}=a_1\times f(1)f(2)\times\cdots\times f(11)$

$\quad=a_1\times\dfrac{3}{1}\times\dfrac{5}{3}\times\dfrac{7}{5}\times\cdots\times\dfrac{23}{21}$

(2) $a_{n+1}=2^n a_n$의 n 대신 $1, 2, 3, \cdots, 11$을 차례로 대입한 후 변끼리 곱하면

$$
\begin{aligned}
a_2&=2a_1\\
a_3&=2^2 a_2\\
a_4&=2^3 a_3\\
&\ \ \vdots\\
\times\ )\ a_{12}&=2^{11}a_{11}\\
\hline
a_{12}&=a_1\times(2\times 2^2\times 2^3\times\cdots\times 2^{11})=a_1\times 2^{1+2+3+\cdots+11}=1\times 2^{\frac{11\times 12}{2}}=\mathbf{2^{66}}
\end{aligned}
$$

❷ $\displaystyle\sum_{k=1}^{11}k=\dfrac{11\times 12}{2}=66$

확인 문제   정답과 해설 | **110**쪽   **MY 셀파**

04-1 다음과 같이 정의된 수열 $\{a_n\}$의 제20항을 구하시오. (단, $n=1, 2, 3, \cdots$)

(1) $\begin{cases} a_1=1 \\ a_{n+1}=\left(1+\dfrac{1}{n}\right)a_n \end{cases}$

(2) $\begin{cases} a_1=1 \\ (n+2)a_{n+1}=na_n \end{cases}$

04-1

(1) $a_{n+1}=\dfrac{n+1}{n}a_n$으로 바꾼다.

(2) $a_{n+1}=\dfrac{n}{n+2}a_n$으로 바꾼다.

> $a_1=2$, $a_{n+1}=2a_n-3$ ($n=1, 2, 3, \cdots$)으로 정의된 수열 $\{a_n\}$의 제8항을 구하시오.

Q 위와 같이 정의된 수열은 어떻게 풀어요? 등차수열도 아니고 등비수열도 아니에요.

A 이건 등차수열, 등비수열 다음으로 가장 자주 나오는 유형이야.
$a_{n+1}=pa_n+q$ ($p\neq1$, $pq\neq0$) 꼴로 식이 주어질 때, 주어진 식을
➊ $a_{n+1}-\alpha=p(a_n-\alpha)$ 꼴로 변형시켜 풀면 돼.

Q 이건 등비수열 꼴이네요. 그런데 p는 주어진 식에서 제시되어 있으니까 바로 알겠는데 여기서 α는 어떻게 구하죠?

A 주어진 식을 이용해서 구해야겠지. α를 구하는 것이 식을 변형시킬 때 가장 중요한 부분이야. $a_{n+1}=2a_n-3$에서 p가 2인 것은 알 수 있겠지?

Q 네. 그럼 $a_{n+1}-\alpha=2(a_n-\alpha)$ ……㉠이 돼요.

A 이제 ㉠을 전개한 후 원래의 식 $a_{n+1}=2a_n-3$과 비교해 봐.

Q ➋㉠을 전개하면 $a_{n+1}=2a_n-\alpha$가 되니까 $\alpha=3$이 되겠네요. 그렇다면 주어진 식은 $a_{n+1}-3=2(a_n-3)$으로 변형할 수 있어요. 이제 어떻게 하죠?

A 뭘 어떻게 해. ➌등비수열의 일반항을 구하듯 풀어야지. 아! 여기서 주의할 것이 있어. a_n-3을 b_n으로 치환해서 풀면 $b_1=a_1-3=-1$로 잘 구하는데, 치환하지 않고 그냥 풀 때는 첫째항을 a_1-3이 아닌 a_1으로 잘못 생각하는 경우가 종종 있거든. 이걸 주의해서 풀면 돼. 그럼 a_n을 구해 볼까?

Q 네. 수열 $\{a_n-3\}$은 첫째항이 $a_1-3=-1$, 공비가 2인 등비수열이므로
$a_8-3=-1\times2^7$이 돼요. 따라서 제8항, 즉 $a_8=3-2^7=\mathbf{-125}$

옆단 주석:

➊ $a_n-\alpha=b_n$으로 놓으면 $b_{n+1}=pb_n$이므로 수열 $\{b_n\}$은 등비수열이다.

➋ ㉠을 전개하면
$a_{n+1}-\alpha=2a_n-2\alpha$
$\therefore a_{n+1}=2a_n-\alpha$
이 식과 $a_{n+1}=2a_n-3$이 같으므로 $\alpha=3$

➌ 등비수열의 일반항을 구하려면 첫째항과 공비를 확인해야 한다.
$a_{n+1}-3=2(a_n-3)$에서
수열 $\{a_n-3\}$은 첫째항이 a_1-3, 공비가 2인 등비수열이다.

확인 체크 01   정답과 해설 | **111**쪽

다음 식을 $a_{n+1}-\alpha=p(a_n-\alpha)$ 꼴로 변형하시오. (단, $n=1, 2, 3, \cdots$)

(1) $a_{n+1}=3a_n-4$

(2) $a_{n+1}=-2a_n-1$

(3) $a_{n+1}=\dfrac{2}{5}a_n+3$

(4) $a_{n+1}=\dfrac{2}{3}a_n+\dfrac{1}{2}$

해법 05 $a_{n+1}=pa_n+q$ 꼴로 정의된 수열   PLUS ⊕

$a_{n+1}=pa_n+q$ $(p\neq1,\ pq\neq0)$ 꼴로 정의된 수열은

① $a_{n+1}-\alpha=p(a_n-\alpha)$ 꼴로 변형한다.

② 수열 $\{a_n-\alpha\}$는 첫째항이 $a_1-\alpha$, 공비가 p인 등비수열임을 이용하여 항의 값을 구한다.

$a_{n+1}-\alpha=p(a_n-\alpha)$에서
$a_{n+1}=pa_n-p\alpha+\alpha$
$q=-p\alpha+\alpha$이므로
$\alpha=\dfrac{q}{1-p}$

예제 다음과 같이 정의된 수열 $\{a_n\}$의 제10항을 구하시오. (단, $n=1,\ 2,\ 3,\ \cdots$)

(1) $\begin{cases} a_1=2 \\ a_{n+1}=3a_n+2 \end{cases}$

(2) $\begin{cases} a_1=1 \\ a_{n+1}=\dfrac{1}{2}a_n+1 \end{cases}$

해법 코드

(1) $a_{n+1}-\alpha=3(a_n-\alpha)$

(2) $a_{n+1}-\alpha=\dfrac{1}{2}(a_n-\alpha)$

셀파 $a_{n+1}=pa_n+q$ 꼴 ⇨ $a_{n+1}-\alpha=p(a_n-\alpha)$ 꼴로 변형한다.

풀이 (1) $a_{n+1}=3a_n+2$를 $a_{n+1}-\alpha=3(a_n-\alpha)$로 놓으면

ⓐ $a_{n+1}=3a_n-2\alpha$

이때 $\alpha=-1$이므로 $a_{n+1}+1=3(a_n+1)$

따라서 수열 $\{a_n+1\}$은 ⓑ첫째항이 3, 공비가 3인 등비수열이므로

$a_{10}+1=3\times3^9=3^{10}$ $\therefore a_{10}=\mathbf{3^{10}-1}$

ⓐ $a_{n+1}=3a_n+2=3a_n-2\alpha$에서
$-2\alpha=2$ $\therefore \alpha=-1$

ⓑ 수열 $\{a_n+1\}$의 첫째항은 a_1+1
이므로 $a_1+1=2+1=3$

(2) $a_{n+1}=\dfrac{1}{2}a_n+1$을 $a_{n+1}-\alpha=\dfrac{1}{2}(a_n-\alpha)$로 놓으면

ⓒ $a_{n+1}=\dfrac{1}{2}a_n+\dfrac{\alpha}{2}$

이때 $\alpha=2$이므로 $a_{n+1}-2=\dfrac{1}{2}(a_n-2)$

따라서 수열 $\{a_n-2\}$는 ⓓ첫째항이 -1, 공비가 $\dfrac{1}{2}$인 등비수열이므로

$a_{10}-2=-1\times\left(\dfrac{1}{2}\right)^9$ $\therefore a_{10}=\mathbf{2-\left(\dfrac{1}{2}\right)^9}$

ⓒ $a_{n+1}=\dfrac{1}{2}a_n+1=\dfrac{1}{2}a_n+\dfrac{\alpha}{2}$에서
$\dfrac{\alpha}{2}=1$ $\therefore \alpha=2$

ⓓ 수열 $\{a_n-2\}$의 첫째항은 a_1-2
이므로 $a_1-2=1-2=-1$

참고 (1) $a_n+1=b_n$으로 놓으면 $b_{n+1}=3b_n$이므로 수열 $\{b_n\}$은 등비수열이다.
따라서 수열 $\{a_n+1\}$은 첫째항이 a_1+1, 공비가 3인 등비수열이다.

확인 문제   정답과 해설 | **111**쪽   **MY 셀파**

 05-1 다음과 같이 정의된 수열 $\{a_n\}$의 제15항을 구하시오. (단, $n=1,\ 2,\ 3,\ \cdots$)

(상)(중)(하)   (1) $\begin{cases} a_1=3 \\ a_{n+1}=-2a_n+3 \end{cases}$

(2) $\begin{cases} a_1=15 \\ a_{n+1}=\dfrac{1}{3}a_n+4 \end{cases}$

05-1

(1) $a_{n+1}-\alpha=-2(a_n-\alpha)$

(2) $a_{n+1}-\alpha=\dfrac{1}{3}(a_n-\alpha)$

$pa_{n+2}+qa_{n+1}+ra_n=0$ $(p+q+r=0, pqr\neq0)$ 꼴로 정의된 수열은

1️⃣ $a_{n+2}-a_{n+1}=\dfrac{r}{p}(a_{n+1}-a_n)$ 꼴로 변형한다.

2️⃣ 수열 $\{a_{n+1}-a_n\}$은 첫째항이 a_2-a_1, 공비가 $\dfrac{r}{p}$인 등비수열임을 이용하고,

n 대신 $1, 2, 3, \cdots, n-1$을 차례로 대입한 후 변끼리 더한다.

$p+q+r=0$에서 $q=-(p+r)$이므로
$pa_{n+2}-(p+r)a_{n+1}+ra_n=0$
$p(a_{n+2}-a_{n+1})=r(a_{n+1}-a_n)$
$\therefore a_{n+2}-a_{n+1}=\dfrac{r}{p}(a_{n+1}-a_n)$

예제 수열 $\{a_n\}$이 $a_1=1$, $a_2=3$, $a_{n+2}-4a_{n+1}+3a_n=0$으로 정의될 때, 제30항을 구하시오. (단, $n=1, 2, 3, \cdots$)

해법 코드
$a_{n+2}-a_{n+1}=3(a_{n+1}-a_n)$

셀파 $pa_{n+2}+qa_{n+1}+ra_n=0$ 꼴 ⇨ $a_{n+2}-a_{n+1}=\dfrac{r}{p}(a_{n+1}-a_n)$ 꼴로 변형한다.

풀이 ㉠ $a_{n+2}-4a_{n+1}+3a_n=0$에서 $a_{n+2}-a_{n+1}=3(a_{n+1}-a_n)$

따라서 수열 $\{a_{n+1}-a_n\}$은 첫째항이 $a_2-a_1=3-1=2$, 공비가 3인 등비수열이므로

$a_{n+1}-a_n=2\times3^{n-1}$ ……㉠

㉠의 n 대신 $1, 2, 3, \cdots, 29$를 차례로 대입한 후 변끼리 더하면

$a_2-a_1=2$
$a_3-a_2=2\times3$
$a_4-a_3=2\times3^2$
$\qquad\vdots$
$\underline{+)\ a_{30}-a_{29}=2\times3^{28}}$
$\quad a_{30}-a_1=2(1+3+3^2+\cdots+3^{28})$
$\qquad\qquad\quad=2\sum_{k=1}^{29}3^{k-1}$
$\qquad\qquad\quad=2\times\dfrac{3^{29}-1}{3-1}=3^{29}-1$

$a_{30}-1=3^{29}-1$이므로 $a_{30}=\mathbf{3^{29}}$

㉠ $4a_{n+1}$을 a_{n+2}의 계수 1, $3a_n$의 계수 3을 이용하여 분리하면
$a_{n+2}-(a_{n+1}+3a_{n+1})+3a_n=0$
$-3a_{n+1}+3a_n$을 이항하면
$a_{n+2}-a_{n+1}=3a_{n+1}-3a_n$
$\therefore a_{n+2}-a_{n+1}=3(a_{n+1}-a_n)$

㉡ 첫째항이 1, 공비가 3인 등비수열의 첫째항부터 제29항까지의 합이다.

$pa_{n+2}+qa_{n+1}+ra_n=0$ 꼴에서는 $p+q+r=0$인 경우만 생각해.

확인 문제   정답과 해설 | **111**쪽   MY 셀파

06-1 다음과 같이 정의된 수열 $\{a_n\}$의 제15항을 구하시오. (단, $n=1, 2, 3, \cdots$)

(상)(중)(하)

(1) $\begin{cases} a_1=2, a_2=5 \\ a_{n+2}-5a_{n+1}+4a_n=0 \end{cases}$
(2) $\begin{cases} a_1=4, a_2=2 \\ 3a_{n+2}-4a_{n+1}+a_n=0 \end{cases}$

06-1
(1) $5a_{n+1}$을 a_{n+1}과 $4a_{n+1}$로 분리한다.
(2) $4a_{n+1}$을 $3a_{n+1}$과 a_{n+1}로 분리한다.

해법 07 $a_{n+1} = \dfrac{ra_n}{pa_n+q}$ 꼴로 정의된 수열

$a_{n+1} = \dfrac{ra_n}{pa_n+q}$ $(pqr \neq 0)$ 꼴로 정의된 수열은

1️⃣ 양변의 역수를 취한다.

2️⃣ $\dfrac{1}{a_n} = b_n$ 으로 놓고 수열 $\{b_n\}$ 을 이용하여 항의 값을 구한다.

3️⃣ 2️⃣에서 구한 항의 값의 역수를 취하여 구하는 항의 값을 구한다.

1️⃣ $\dfrac{1}{a_{n+1}} = \dfrac{pa_n+q}{ra_n} = \dfrac{p}{r} + \dfrac{q}{r} \times \dfrac{1}{a_n}$

2️⃣ $b_{n+1} = \dfrac{q}{r}b_n + \dfrac{p}{r}$ 에서 수열 $\{b_n\}$의 항의 값을 구한다.

예제 수열 $\{a_n\}$이 $a_1 = 2$, $a_{n+1} = \dfrac{a_n}{1+3a_n}$ 으로 정의될 때, 제10항을 구하시오.

(단, $n = 1, 2, 3, \cdots$)

해법 코드

$a_{n+1} = \dfrac{a_n}{1+3a_n}$ 에서 양변의 역수를 취한다.

셀파 $a_{n+1} = \dfrac{a_n}{pa_n+q}$ 꼴 ⇨ 양변의 역수를 취하여 $\dfrac{1}{a_n} = b_n$ 으로 놓는다.

풀이 $a_{n+1} = \dfrac{a_n}{1+3a_n}$ 에서 양변의 역수를 취하면

$\dfrac{1}{a_{n+1}} = \dfrac{1+3a_n}{a_n}$ ∴ ⓐ $\dfrac{1}{a_{n+1}} = \dfrac{1}{a_n} + 3$

$\dfrac{1}{a_n} = b_n$ 으로 놓으면 $b_{n+1} = b_n + 3$, $b_1 = \dfrac{1}{a_1} = \dfrac{1}{2}$

즉, 수열 $\{b_n\}$ 은 첫째항이 $\dfrac{1}{2}$, 공차가 3인 등차수열이므로

ⓑ $b_{10} = \dfrac{1}{2} + 9 \times 3 = \dfrac{55}{2}$

∴ $a_{10} = \dfrac{2}{55}$

ⓐ $\dfrac{1}{a_{n+1}} - \dfrac{1}{a_n} = 3$ 에서 이웃한 두 항의 차가 3이므로 수열 $\left\{\dfrac{1}{a_n}\right\}$ 은 공차가 3인 등차수열이다.

ⓑ a_{10}을 구하려면 b_{10}을 구한 다음 그 역수를 취해야 한다.

확인 문제   정답과 해설 | **112**쪽   **MY 셀파**

07-1 다음과 같이 정의된 수열 $\{a_n\}$의 제20항을 구하시오. (단, $n = 1, 2, 3, \cdots$)

(상) (중) (하)

(1) $\begin{cases} a_1 = 3 \\ a_{n+1} = \dfrac{2a_n}{2+a_n} \end{cases}$ (2) $\begin{cases} a_1 = 1 \\ a_{n+1} = \dfrac{a_n}{1-2a_n} \end{cases}$

07-1
양변의 역수를 취하여 등차수열 꼴로 만든다.

❶ $a_{n+1}=a_n+f(n)$ 꼴 ⇨ n 대신 $1, 2, 3, \cdots, n-1$을 차례로 대입한 후 변끼리 더한다.

❷ $a_{n+1}=a_n f(n)$ 꼴 ⇨ n 대신 $1, 2, 3, \cdots, n-1$을 차례로 대입한 후 변끼리 곱한다.

❸ $a_{n+1}=pa_n+q$ $(p\neq1, pq\neq0)$ 꼴 ⇨ $a_{n+1}-\alpha=p(a_n-\alpha)$ 꼴로 변형한다.

❹ $pa_{n+2}+qa_{n+1}+ra_n=0$ $(p+q+r=0, pqr\neq0)$ 꼴 ⇨ $a_{n+2}-a_{n+1}=\dfrac{r}{p}(a_{n+1}-a_n)$ 꼴로 변형한다.

❺ $a_{n+1}=\dfrac{ra_n}{pa_n+q}$ $(pqr\neq0)$ 꼴 ⇨ 양변의 역수를 취하여 $\dfrac{1}{a_n}=b_n$으로 놓고 b_n을 구한 다음 a_n을 구한다.

01 다음과 같이 귀납적으로 정의된 수열 $\{a_n\}$의 일반항을 구하시오. (단, $n=1, 2, 3, \cdots$)

(1) $a_1=2$, $a_{n+1}-a_n=3n$

(2) $a_1=1$, $a_{n+1}=a_n+2n+1$

(3) $a_1=\dfrac{1}{2}$, $a_{n+1}=a_n+3^n$

(4) $a_1=4$, $a_{n+1}=a_n+\dfrac{1}{n(n+1)}$

02 다음과 같이 귀납적으로 정의된 수열 $\{a_n\}$의 일반항을 구하시오. (단, $n=1, 2, 3, \cdots$)

(1) $a_1=3$, $a_{n+1}=\dfrac{n+1}{n}a_n$

(2) $a_1=6$, $a_{n+1}=\dfrac{n+3}{n+1}a_n$

(3) $a_1=1$, $a_{n+1}=3^n a_n$

(4) $a_1=2$, $\sqrt{n}\,a_{n+1}=\sqrt{n+1}\,a_n$

03 다음과 같이 귀납적으로 정의된 수열 $\{a_n\}$의 일반항을 구하시오. (단, $n=1, 2, 3, \cdots$)

(1) $a_1=-1$, $a_{n+1}=2a_n+3$

(2) $a_1=\dfrac{5}{2}$, $a_{n+1}=3a_n+1$

04 다음과 같이 귀납적으로 정의된 수열 $\{a_n\}$의 일반항을 구하시오. (단, $n=1, 2, 3, \cdots$)

(1) $a_1=1$, $a_2=2$, $a_{n+2}=-a_{n+1}+2a_n$

(2) $a_1=2$, $a_2=7$, $a_{n+2}-6a_{n+1}+5a_n=0$

05 다음과 같이 귀납적으로 정의된 수열 $\{a_n\}$의 일반항을 구하시오. (단, $n=1, 2, 3, \cdots$)

(1) $a_1=1$, $a_{n+1}=\dfrac{a_n}{8a_n+1}$

(2) $a_1=2$, $a_{n+1}=\dfrac{4a_n}{3a_n+4}$

해법 08 S_n이 포함된 귀납적 정의   PLUS ⊕

$a_1=S_1$, $a_n=S_n-S_{n-1}$ $(n\geq2)$임을 이용하여 주어진 등식을 a_n 또는 S_n에 대한 식으로 나타낸다.

$a_n=S_n-S_{n-1}$이므로
$a_{n+1}=S_{n+1}-S_n$

 예제 수열 $\{a_n\}$의 첫째항부터 제n항까지의 합을 S_n이라 할 때, 다음 물음에 답하시오.

(단, $n=1, 2, 3, \cdots$)

(1) $a_1=2$, $S_n=2a_n-2$가 성립하는 수열 $\{a_n\}$의 일반항을 구하시오.

(2) $a_1=3$, $S_{n+1}=3S_n$이 성립할 때, a_5의 값을 구하시오.

해법 코드
(1) $S_{n+1}=2a_{n+1}-2$
(2) 수열 $\{S_n\}$은 공비가 3인 등비수열이다.

셀파 $a_{n+1}=S_{n+1}-S_n$임을 이용한다.

 풀이 (1) $S_n=2a_n-2$에서 ➊$S_{n+1}=2a_{n+1}-2$

한편 $a_{n+1}=S_{n+1}-S_n$이므로

➋$S_{n+1}-S_n=(2a_{n+1}-2)-(2a_n-2)=2a_{n+1}-2a_n$

$a_{n+1}=2a_{n+1}-2a_n$ $\therefore a_{n+1}=2a_n$

따라서 수열 $\{a_n\}$은 첫째항이 2, 공비가 2인 등비수열이므로

$a_n=2\times2^{n-1}$ $\therefore \boldsymbol{a_n=2^n}$

(2) $S_{n+1}=3S_n$에서 수열 $\{S_n\}$은 첫째항이 $S_1=a_1=3$, 공비가 3인 등비수열이므로

$S_n=3\times3^{n-1}=3^n$

$\therefore a_5=S_5-S_4=3^5-3^4=3^4(3-1)=\boldsymbol{162}$

➊ $S_n=2a_n-2$에 n 대신 $n+1$을 대입한 것이다.

➋
$$\begin{array}{r} S_{n+1}=2a_{n+1}-2 \\ -)\ \underline{\ S_n\ \ =2a_n\ \ -2\ } \\ S_{n+1}-S_n=2a_{n+1}-2a_n \end{array}$$

확인 문제   정답과 해설 | **115**쪽   MY 셀파

 08-1 수열 $\{a_n\}$의 첫째항부터 제n항까지의 합을 S_n이라 할 때,
상⬤중⬤하 $a_1=1$, $S_n=3a_n-2$ $(n=1, 2, 3, \cdots)$

가 성립한다. 이때 수열 $\{a_n\}$의 일반항을 구하시오.

08-1
$S_{n+1}=3a_{n+1}-2$

08-2 수열 $\{a_n\}$의 첫째항부터 제n항까지의 합을 S_n이라 할 때,
상⬤중⬤하 $a_1=2$, $3S_n=a_{n+1}-2$ $(n=1, 2, 3, \cdots)$

가 성립한다. 이때 a_6의 값을 구하시오.

08-2
$3S_{n-1}=a_n-2$

수열의 활용 문제에서 등차수열, 등비수열이 아닌 경우에는 $a_1, a_2, a_3, \cdots$ 등을 직접 구해서 수열의 규칙을 찾아 다음과 같이 귀납적으로 정의한다.

수열을 나타내는 세 가지 방법
❶ 각 항을 나열하기
❷ 일반항을 식으로 나타내기
❸ 귀납적 정의로 나타내기

나타내야 하는 것	이웃하는 두 항 사이의 관계	이웃하는 세 항 사이의 관계
	❶ 첫째항 a_1의 값	❶ 첫째항 a_1과 제2항 a_2의 값
	❷ a_n, a_{n+1} 사이의 관계식	❷ a_n, a_{n+1}, a_{n+2} 사이의 관계식

(예제) 평면 위에 어떤 두 직선도 서로 겹치거나 평행하지 않고, 어떤 세 직선도 한 점에서 만나지 않도록 n개의 직선을 그었을 때, 교점의 수를 a_n이라 하면 오른쪽 그림에서 $a_1=0$, $a_2=1$이다. 이때 a_n과 a_{n+1} 사이의 관계식을 구하시오.

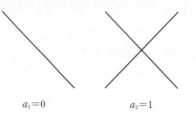

$a_1=0$ $a_2=1$

해법 코드
a_2를 이용하여 a_3을 구하고 또, a_3을 이용하여 a_4를 구한다. 이때 a_1, a_2, a_3, a_4에서 수열의 규칙을 찾아 a_n과 a_{n+1} 사이의 관계를 식으로 나타낸다.

(셀파) 그림을 그려 a_n과 a_{n+1} 사이의 관계를 파악하고 식으로 나타낸다.

(풀이) 주어진 조건에서 $a_1=0$, $a_2=1$이다.

다음 그림과 같이 조건에 맞게 ❶ 세 번째 직선과 ❷ 네 번째 직선을 그으면 $a_3=3$, $a_4=6$이다.

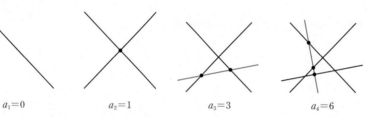

$a_1=0$ $a_2=1$ $a_3=3$ $a_4=6$

이때 $n+1$번째 직선을 조건에 맞게 그으면 이미 있는 n개의 직선과 각각 다른 n개의 점에서 만나므로 n개의 새로운 교점이 생긴다.

따라서 a_n과 a_{n+1} 사이의 관계식을 구하면

$$a_{n+1}=a_n+n$$

❶ 세 번째 직선을 조건에 맞게 그으면 2개의 교점이 더 생기므로 $a_3=a_2+2=3$이다.

❷ 네 번째 직선을 조건에 맞게 그으면 3개의 교점이 더 생기므로 $a_4=a_3+3=6$이다.

확인 문제   정답과 해설 | **115**쪽   MY 셀파

09-1 어떤 세포 조직은 1시간이 지날 때마다 2개의 세포가 죽고, 살아남은 나머지 세포는 각각 2개의 세포로 분열한다고 한다. 처음 이 세포 조직의 세포가 6개이고 n시간 후 이 세포 조직의 세포 수를 a_n이라 할 때, a_n과 a_{n+1} 사이의 관계식을 구하시오.
(상)(중)(하)

09-1
처음 이 세포 조직의 세포 수가 6이므로
1시간 후 세포 수는 $(6-2)\times2=8$
2시간 후 세포 수는 $(8-2)\times2=12$

셀파 특강 02 | 피보나치 수열

갓 태어난 토끼 한 쌍이 있다. 이 토끼는 두 달이 지나면 매달 한 쌍의 토끼를 낳는데, 새로 태어난 토끼도 두 달이 지나면 매달 한 쌍의 토끼를 낳는다고 한다. 1년 후에 토끼는 모두 몇 쌍인지 구하시오. (단, 토끼들은 죽지 않는다.)

A 문제의 조건에 맞게 토끼들을 수형도로 나타내면 다음 그림과 같아.

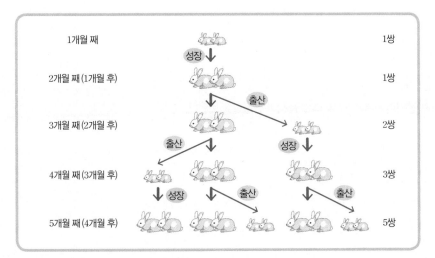

Q 여기에서 토끼의 쌍의 수를 수열로 나타내면 1, 1, 2, 3, 5, …

위 수열에서 $2=1+1$, $3=1+2$, $5=2+3$, …이므로 제3항 이상은 바로 앞 두 항의 합으로 표시할 수 있어요.

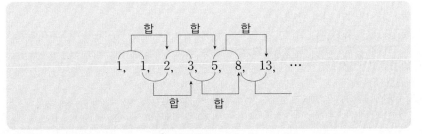

이와 같은 규칙으로 1년 후, 즉 <u>13개월째에 토끼의 쌍의 수를 구하면</u> 1, 1, 2, 3, 5, 8, 13, 21, 34, 55, 89, 144, 233에서 **233쌍**이 돼요.

A 맞아. 이와 같이 1, 1, 2, 3, 5, 8, …로 나열된 수열을 <u>피보나치</u> 수열이라 하는데, 이 탈리아 수학자 피보나치가 위 문제를 통해 발견했다고 해.
<u>피보나치 수열을 귀납적으로 정의하면</u>
$$a_1=1,\ a_2=1,\ a_{n+2}=a_n+a_{n+1}\ (n=1,\ 2,\ 3,\ \cdots)$$
로 나타낼 수 있어.

○ n개월째 토끼의 쌍의 수를 a_n이라 하면
$a_1=1,\ a_2=1$
$a_3=1+1=2=a_1+a_2$
$a_4=1+2=3=a_2+a_3$
$a_5=2+3=5=a_3+a_4$
$\vdots$
$a_{12}=55+89=144=a_{10}+a_{11}$
$a_{13}=89+144=233=a_{11}+a_{12}$

○ 피보나치는 자신이 집필한 '재창조수학'에서 1년 후 토끼의 쌍의 수를 구하는 문제를 소개하였다.

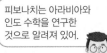
피보나치는 아라비아와 인도 수학을 연구한 것으로 알려져 있어.

○ 수열 $\{a_n\}$에서 이웃하는 세 항 사이의 관계가 $a_{n+2}=a_{n+1}+a_n$을 만족시키면 이 수열을 피보나치 수열이라 한다.

▶ 피보나치 수열은 실생활 소재의 문제로 매우 다양하게 활용되므로 이웃하는 항 사이의 관계를 파악하기 쉽지 않은 꼴이라면 피보나치 수열을 염두에 두고 접근하는 것도 좋은 방법이다.

자연수 n에 대한 명제 $p(n)$의 증명은 다음과 같은 순서로 증명한다.

> 1　$n=1$일 때, 주어진 명제 $p(n)$이 성립함을 보인다.
> 2　$n=k$일 때, 명제 $p(n)$이 성립한다고 가정하면
> 　　$n=k+1$일 때, 명제 $p(n)$이 성립함을 보인다.

명제 $p(n)$이 성립할 때 명제 $p(n+1)$이 성립함을 보이는 방법은 주로 $p(n)$의 양변에 어떤 값을 더하거나 곱하는 방법을 이용한다.

예제 모든 자연수 n에 대하여 등식

$$1+2+3+ \cdots +n=\frac{n(n+1)}{2}$$

이 성립함을 수학적 귀납법을 이용하여 증명하시오.

해법 코드
$n=k$일 때 성립하는 등식의 좌변에 $k+1$을 더한다.

셀파 $n=k$일 때, 등식이 성립한다고 가정하면 $n=k+1$일 때도 등식이 성립함을 보인다.

증명 (i) $n=1$일 때, (좌변)$=1$, (우변)$=\dfrac{1\times 2}{2}=1$

따라서 (좌변)$=$(우변)이므로 주어진 등식이 성립한다.

(ii) $n=k$일 때, 주어진 등식이 성립한다고 가정하면

$$1+2+3+ \cdots +k=\frac{k(k+1)}{2}$$

이 식의 좌변에 $k+1$을 더하면

$$\begin{aligned} 1+2+3+ \cdots +k+(k+1)&=\frac{k(k+1)}{2}+(k+1)\\ &=\frac{(k+1)(k+2)}{2} \end{aligned}$$

위 등식은 주어진 등식에 $n=k+1$을 대입한 것과 같다.

따라서❶ $n=k+1$일 때도 주어진 등식이 성립한다.

(i), (ii)에서 주어진 등식은 모든 자연수 n에 대하여 성립한다.

❶ $\dfrac{k(k+1)}{2}=p(k)$라 하면

$$1+2+ \cdots +(k+1)$$
$$=\frac{(k+1)(k+2)}{2}=p(k+1)$$

$p(k)$의 좌변에 어떤 값을 더하거나 곱하여 $p(k+1)$에 대한 식을 이끌어내~

확인 문제　　　　　　　　　정답과 해설 | **115**쪽　　　　　　**MY 셀파**

10-1
(상 중 하)
모든 자연수 n에 대하여 다음 등식이 성립함을 수학적 귀납법을 이용하여 증명하시오.

(1) $1^2+2^2+3^2+ \cdots +n^2=\dfrac{1}{6}n(n+1)(2n+1)$

(2) $\dfrac{1}{1\times 2}+\dfrac{1}{2\times 3}+ \cdots +\dfrac{1}{n(n+1)}=\dfrac{n}{n+1}$

10-1
(1) $n=k$일 때 성립하는 등식의 좌변에 $(k+1)^2$을 더한다.
(2) $n=k$일 때 성립하는 등식의 좌변에 $\dfrac{1}{(k+1)(k+2)}$을 더한다.

셀파 특강 03 ┃ 수학적 귀납법의 원리

A 도미노 게임이 어떤 건지 아니?

Q 물론이죠. 일정한 간격으로 도미노 블록을 세워 놓고 처음에 있는 블록을 쓰러뜨려서 나머지 블록을 차례로 전부 쓰러뜨리는 거잖아요. 가끔 해외 토픽에서 백만 개도 넘는 블록으로 만든 도미노 게임을 소개하던 걸요.

A 잘 알고 있구나. 도미노 게임을 생각해 보면 <u>수학적 귀납법</u>이 어떤 원리인지 알 수 있을거야.

Q 어떤 점에서요?

A 예를 들어 1부터 10까지의 수가 적힌 블록 10개를 순서대로 세워 보자. 도미노 게임 원리로 이 블록 10개를 모두 쓰러뜨리려면 어떻게 해야 할까?

Q 그야 1번 블록이 2번 블록을 쓰러뜨리고, 2번 블록이 3번 블록을 …, 이런 식으로 9번 블록이 10번 블록을 쓰러뜨리면 되잖아요.

A 맞아. 블록이 100개, 1000개, …, 백만 개일 때도 마찬가지 원리이지. 만약 블록이 무한히 많다면 어떨까? 다음 두 가지 규칙이 성립한다면 블록이 무한히 많을 때도 모든 블록이 쓰러진다고 할 수 있을 거야.

> (가) 첫 번째 블록이 쓰러진다.
> (나) 어떤 블록이 쓰러지면 그 다음 블록도 반드시 쓰러진다.

(나)는 결국 k번째 블록이 쓰러지면 $k+1$번째 블록도 반드시 쓰러진다는 뜻이잖아. 여기서 블록을 자연수로 바꿔 생각해 봐. 주어진 명제가 어떤 자연수 k에 대하여 성립한다고 가정할 때, <u>자연수 $k+1$에 대하여도 성립함을 보이는 것</u>과 같지. 이것이 수학적 귀납법의 핵심이야.

⊙ '수학적 귀납법'과 '귀납법'은 서로 다르다. 귀납법으로 결론을 얻을 경우에는 모든 사례를 완전히 조사하여 관찰하는 것이 어렵거나 불가능하기 때문에 추론의 결과는 오류를 포함할 수 있다.
하지만 수학적 귀납법은 무한한 모든 경우에 대하여 성립함을 보이는 것으로 오류가 없는 옳은 추론이다.

▶ 논리적인 추론에는 연역법과 귀납법이 있다. 참인 명제에서 특수한 명제로, 또는 추상적인 명제에서 구체적인 명제로 추론을 진행시키는 것을 연역법(deduction)이라 한다.
이에 반하여 특수한 것에서 일반적인 것으로 추론하는 것을 귀납법(induction)이라 한다.

⊙ k에 대하여 성립함을 나타내는 식의 좌변에 어떤 수 또는 식을 더하거나 곱하는 방법을 자주 이용한다.

확인 체크 02
정답과 해설 **116**쪽

자연수 n에 대한 명제 $p(n)$이 다음 두 조건을 만족시킨다.

> (가) $p(1)$이 참이다.
> (나) $p(n)$이 참이면 $p(3n)$과 $p(5n)$이 참이다.

이때 | 보기 | 중 항상 참인 명제를 고르시오.

| 보기 |
| ㄱ. $p(150)$ ㄴ. $p(175)$ ㄷ. $p(200)$ ㄹ. $p(225)$ ㅁ. $p(250)$ |

⊙ $p(1)$이 참
$\Rightarrow p(3)$, $p(5)$가 참
$\Rightarrow p(3^2)$, $p(5^2)$이 참
$\Rightarrow p(3 \times 5) = p(5 \times 3) = p(15)$ 가 참
$\vdots$
$\Rightarrow p(3^p \times 5^q)$
(p, q는 음이 아닌 정수)가 참

$n≥a$인 모든 자연수 n에 대한 부등식 $p(n)$의 증명은 다음과 같은 순서로 증명한다.

$\boxed{1}$ $n=a$일 때, 주어진 부등식 $p(n)$이 성립함을 보인다.

$\boxed{2}$ $n=k$ $(k≥a)$일 때, 부등식 $p(n)$이 성립한다고 가정하면 $n=k+1$일 때도 부등식 $p(n)$이 성립함을 보인다.

수학적 귀납법을 이용하여 부등식 $A>B$를 증명할 경우에는 $A>C$가 성립함을 알 때 $C>B$를 보여 $A>C>B$, 즉 $A>B$임을 이용한다.

예제 $h>0$일 때, $n≥2$인 모든 자연수 n에 대하여 부등식

$$(1+h)^n>1+nh$$

가 성립함을 수학적 귀납법을 이용하여 증명하시오.

해법 코드
$(1+h)^{k+1}>1+(k+1)h$
임을 보인다.

셀파 $n=k$일 때, 주어진 부등식이 성립한다고 가정하고 양변에 $1+h$를 곱한다.

증명 (i) $n=2$일 때, (좌변)$=(1+h)^2=1+2h+h^2$, (우변)$=1+2h$

따라서 (좌변)$>$(우변)이므로 주어진 부등식이 성립한다.

(ii) $n=k$일 때, 주어진 부등식이 성립한다고 가정하면

$$(1+h)^k>1+kh$$

이 부등식의 양변에 $1+h$를 곱하면 $1+h>0$이므로

➊$(1+h)^k(1+h)>(1+kh)(1+h)$

$(1+kh)(1+h)=1+(k+1)h+kh^2>1+(k+1)h$ $(∵ kh^2>0)$

$∴ (1+h)^{k+1}>1+(k+1)h$

위 부등식은 주어진 부등식에 $n=k+1$을 대입한 것과 같다.

따라서 $n=k+1$일 때도 주어진 부등식이 성립한다.

(i), (ii)에서 주어진 부등식은 $n≥2$인 모든 자연수 n에 대하여 성립한다.

➊ $(1+h)^{k+1}>(1+kh)(1+h)$
이고
$(1+kh)(1+h)>1+(k+1)h$
이므로
$(1+h)^{k+1}>1+(k+1)h$

참고 $\boxed{1}$ $n≥2$이므로 먼저 $n=2$일 때, 주어진 부등식이 성립함을 보인다.

$\boxed{2}$ $n=k$일 때, 주어진 부등식이 성립한다고 가정하면 $(1+h)^k>1+kh$가 되는데 이 부등식을 이용하여 $(1+h)^{k+1}>1+(k+1)h$를 이끌어낸다.

이때 $(1+kh)(1+h)-\{1+(k+1)h\}=kh^2>0$과 같이 차를 이용할 수도 있다.

선생님이 수하보다 크고, 수하가 도연이보다 크면 당연히 선생님이 도연이보다 크겠지? 이 원리로 생각하면 쉬워.

확인 문제 정답과 해설 | **116**쪽 MY 셀파

11-1 다음 부등식이 성립함을 수학적 귀납법을 이용하여 증명하시오.
(상)(중)(하)
(1) $n≥4$인 모든 자연수 n에 대하여 $1×2×3×\cdots×n>2^n$

(2) $n≥5$인 모든 자연수 n에 대하여 $2^n>n^2$

11-1
(1) $1×2×3×\cdots×k>2^k$의 양변에 $k+1$을 곱한다.
(2) $2^k>k^2$의 양변에 2를 곱한다.

등차수열의 귀납적 정의

01 다음과 같이 정의된 수열 $\{a_n\}$에서 a_{50}의 값을 구하시
오. (단, $n=1, 2, 3, \cdots$)

(1) $a_1=2$, $a_{n+1}-a_n=-3$

(2) $a_1=-3$, $a_2=2$, $2a_{n+1}=a_n+a_{n+2}$

등차수열의 귀납적 정의

02 $a_4=-4$, $a_9=6$, $a_{n+2}-a_{n+1}=a_{n+1}-a_n$으로 정의된
수열 $\{a_n\}$에 대하여 a_{30}의 값은? (단, $n=1, 2, 3, \cdots$)

① 44   ② 46   ③ 48

④ 50   ⑤ 52

등비수열의 귀납적 정의

03 $a_1=-4$, $\dfrac{a_{n+1}}{a_n}=-2$로 정의된 수열 $\{a_n\}$에 대하여
$a_{20}=2^k$일 때, 상수 k의 값을 구하시오.
(단, $n=1, 2, 3, \cdots$)

등비수열의 귀납적 정의   융합형

04 $a_1=1$, $a_2=3$이고 $\log_{a_{n+1}} a_n a_{n+2}=2$를 만족시키는 수
열 $\{a_n\}$에 대하여 $\log_3 a_{10}$의 값은?
$(a_n>0, a_{n+1}\neq 1, n=1, 2, 3, \cdots)$

① $9\log_3 2$ ② 9   ③ $10\log_3 2$

④ 10   ⑤ $11\log_3 2$

$a_{n+1}=a_n+f(n)$ 꼴로 정의된 수열

05 $a_1=2$, $a_{n+1}=a_n+n$으로 정의된 수열 $\{a_n\}$에 대하여
a_{20}의 값을 구하시오. (단, $n=1, 2, 3, \cdots$)

$a_{n+1}=a_n f(n)$ 꼴로 정의된 수열

06 $a_1=2$, $(n+1)a_{n+1}=na_n$으로 정의된 수열 $\{a_n\}$에
대하여 $\sum\limits_{n=1}^{20} \dfrac{1}{a_n}$의 값을 구하시오. (단, $n=1, 2, 3, \cdots$)

$a_{n+1}=pa_n+q$ 꼴로 정의된 수열　　　창의·융합

07 $a_1=-1$, $a_{n+1}=2a_n+3$으로 정의된 수열 $\{a_n\}$에 대하여 $a_{k+1}-a_k\geq100$을 만족시키는 자연수 k의 최솟값은? (단, $n=1, 2, 3, \cdots$)

① 5　　　② 6　　　③ 7

④ 8　　　⑤ 9

$pa_{n+2}+qa_{n+1}+ra_n=0$ 꼴로 정의된 수열

08 $a_1=1$, $a_2=2$, $a_{n+2}-3a_{n+1}+2a_n=0$으로 정의된 수열 $\{a_n\}$에 대하여 a_{50}의 값은? (단, $n=1, 2, 3, \cdots$)

① 2^{49}　　　② $2^{49}-1$　　　③ $2^{49}+1$

④ $2^{50}-1$　　　⑤ $2^{50}+1$

$a_{n+1}=\dfrac{ra_n}{pa_n+q}$ 꼴로 정의된 수열　　　서술형

09 $a_1=1$, $a_{n+1}=\dfrac{a_n}{2a_n+1}$으로 정의된 수열 $\{a_n\}$에 대하여 제15항을 구하시오.

코딩 유형　피보나치 수열

10 다음은 미국의 소설가 댄 브라운의 소설 '**다빈치 코드**'에 나오는 암호문이다.

> **13−3−2−21−1−1−8−5**
> 오, 드라코 같은 악마여!
> (O, Draconian devil!)
> 오, 불구의 성인이여!
> (Oh, lame saint!)

암호문의 숫자는 피보나치 수열을 재배열하여 만든 것이고, 피보나치 암호 아래에 나와 있는 암호는 문장의 철자를 재배열하면 다음과 같이 특정한 단어가 만들어진다.

> **레오나르도 다빈치!**
> (Leonardo Da Vinci!)
> **모나리자!**
> (The Mona Lisa!)

암호문의 숫자를 피보나치 수열로 재배열하시오.

코딩 유형　귀납적 정의의 활용

11 크기가 같은 구슬로 다음 규칙에 의하여 아래 그림과 같이 도형 $A_1, A_2, A_3, A_4, \cdots$를 차례로 만든다.

> ┌ 규칙 ┐
> ㈎ 첫 번째 구슬 하나를 놓아 도형 A_1을 만든다.
> ㈏ 도형 A_k의 위, 아래, 오른쪽에 구슬을 하나씩 놓아 도형 A_{k+1}을 만든다.

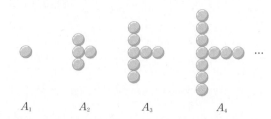

A_1　　　A_2　　　A_3　　　A_4

구슬 200개를 모두 사용하여 만들 수 있는 도형의 개수를 구하시오.
(단, 완성되지 않은 도형은 개수에 포함하지 않는다.)

수학적 귀납법을 이용한 등식의 증명

12 다음은 모든 자연수 n에 대하여 등식
(상)(중)(하)

$$1\times2+2\times3+3\times4+\cdots+n(n+1)$$
$$=\frac{n(n+1)(n+2)}{3}$$

가 성립함을 수학적 귀납법을 이용하여 증명한 것이다.

(i) $n=1$일 때

(좌변)$=$ [(가)], (우변)$=\dfrac{6}{3}=2$

따라서 (좌변)$=$(우변)이므로 주어진 등식이 성립한다.

(ii) $n=k$일 때

주어진 등식이 성립한다고 가정하면

$$1\times2+2\times3+3\times4+\cdots+k(k+1)$$
$$=\frac{k(k+1)(k+2)}{3}$$

위의 식의 좌변에 [(나)]를 더하면

$$1\times2+2\times3+3\times4+\cdots+k(k+1)+\boxed{(나)}$$
$$=\frac{k(k+1)(k+2)}{3}+\boxed{(나)}$$
$$=\boxed{(다)}$$

위 등식은 주어진 등식에 $n=k+1$을 대입한 것과 같다.

따라서 $n=k+1$일 때도 주어진 등식이 성립한다.

(i), (ii)에서 주어진 등식은 모든 자연수 n에 대하여 성립한다.

위의 과정에서 (가), (나), (다)에 알맞은 것은?

	(가)	(나)	(다)
①	1	$(k+1)^2$	$\dfrac{(k+1)(k+2)(k+3)}{6}$
②	1	$(k+1)(k+2)$	$\dfrac{(k+1)(k+2)(k+3)}{6}$
③	2	k^2+k+1	$\dfrac{(k+1)(k+2)(k+3)}{3}$
④	2	$(k+1)^2$	$\dfrac{(k+1)(k+2)(k+3)}{3}$
⑤	2	$(k+1)(k+2)$	$\dfrac{(k+1)(k+2)(k+3)}{3}$

수학적 귀납법을 이용한 부등식의 증명

13 다음은 $n\geq2$인 모든 자연수 n에 대하여 부등식
(상)(중)(하)

$$\frac{1}{1^2}+\frac{1}{2^2}+\frac{1}{3^2}+\cdots+\frac{1}{n^2}<2-\frac{1}{n}$$

이 성립함을 수학적 귀납법을 이용하여 증명한 것이다.

(i) $n=2$일 때

(좌변)$=1+\dfrac{1}{2^2}=\dfrac{5}{4}$, (우변)$=2-\dfrac{1}{2}=\dfrac{3}{2}$

따라서 (좌변)$<$(우변)이므로 주어진 부등식이 성립한다.

(ii) $n=k$일 때

주어진 부등식이 성립한다고 가정하면

$$\frac{1}{1^2}+\frac{1}{2^2}+\frac{1}{3^2}+\cdots+\frac{1}{k^2}<2-\frac{1}{k}$$

위의 식의 양변에 $\dfrac{1}{(k+1)^2}$을 더하면

$$\frac{1}{1^2}+\frac{1}{2^2}+\frac{1}{3^2}+\cdots+\frac{1}{k^2}+\frac{1}{(k+1)^2}$$
$$<2-\frac{1}{k}+\frac{1}{(k+1)^2}$$

그런데

$$2-\frac{1}{k}+\frac{1}{(k+1)^2}-\left(\boxed{(가)}\right)$$
$$=-\frac{1}{k}+\frac{1}{k+1}+\frac{1}{(k+1)^2}\ \boxed{(나)}\ 0$$

$$\therefore\ \frac{1}{1^2}+\frac{1}{2^2}+\frac{1}{3^2}$$
$$+\cdots+\frac{1}{k^2}+\frac{1}{(k+1)^2}<\boxed{(가)}$$

위 부등식은 주어진 부등식에 $n=k+1$을 대입한 것과 같다.

따라서 $n=k+1$일 때도 주어진 부등식이 성립한다.

(i), (ii)에서 $n\geq2$인 모든 자연수 n에 대하여 주어진 부등식은 성립한다.

위의 과정에서 (가), (나)에 알맞은 것은?

	(가)	(나)		(가)	(나)
①	$2+\dfrac{1}{k+1}$	$<$	②	$2-\dfrac{1}{k+1}$	$<$
③	$2-\dfrac{3}{k+1}$	$<$	④	$2-\dfrac{1}{k+1}$	$>$
⑤	$2+\dfrac{1}{k+1}$	$>$			

수	0	1	2	3	4	5	6	7	8	9
1.0	.0000	.0043	.0086	.0128	.0170	.0212	.0253	.0294	.0334	.0374
1.1	.0414	.0453	.0492	.0531	.0569	.0607	.0645	.0682	.0719	.0755
1.2	.0792	.0828	.0864	.0899	.0934	.0969	.1004	.1038	.1072	.1106
1.3	.1139	.1173	.1206	.1239	.1271	.1303	.1335	.1367	.1399	.1430
1.4	.1461	.1492	.1523	.1553	.1584	.1614	.1644	.1673	.1703	.1732
1.5	.1761	.1790	.1818	.1847	.1875	.1903	.1931	.1959	.1987	.2014
1.6	.2041	.2068	.2095	.2122	.2148	.2175	.2201	.2227	.2253	.2279
1.7	.2304	.2330	.2355	.2380	.2405	.2430	.2455	.2480	.2504	.2529
1.8	.2553	.2577	.2601	.2625	.2648	.2672	.2695	.2718	.2742	.2765
1.9	.2788	.2810	.2833	.2856	.2878	.2900	.2923	.2945	.2967	.2989
2.0	.3010	.3032	.3054	.3075	.3096	.3118	.3139	.3160	.3181	.3201
2.1	.3222	.3243	.3263	.3284	.3304	.3324	.3345	.3365	.3385	.3404
2.2	.3424	.3444	.3464	.3483	.3502	.3522	.3541	.3560	.3579	.3598
2.3	.3617	.3636	.3655	.3674	.3692	.3711	.3729	.3747	.3766	.3784
2.4	.3802	.3820	.3838	.3856	.3874	.3892	.3909	.3927	.3945	.3962
2.5	.3979	.3997	.4014	.4031	.4048	.4065	.4082	.4099	.4116	.4133
2.6	.4150	.4166	.4183	.4200	.4216	.4232	.4249	.4265	.4281	.4298
2.7	.4314	.4330	.4346	.4362	.4378	.4393	.4409	.4425	.4440	.4456
2.8	.4472	.4487	.4502	.4518	.4533	.4548	.4564	.4579	.4594	.4609
2.9	.4624	.4639	.4654	.4669	.4683	.4698	.4713	.4728	.4742	.4757
3.0	.4771	.4786	.4800	.4814	.4829	.4843	.4857	.4871	.4886	.4900
3.1	.4914	.4928	.4942	.4955	.4969	.4983	.4997	.5011	.5024	.5038
3.2	.5051	.5065	.5079	.5092	.5105	.5119	.5132	.5145	.5159	.5172
3.3	.5185	.5198	.5211	.5224	.5237	.5250	.5263	.5276	.5289	.5302
3.4	.5315	.5328	.5340	.5353	.5366	.5378	.5391	.5403	.5416	.5428
3.5	.5441	.5453	.5465	.5478	.5490	.5502	.5514	.5527	.5539	.5551
3.6	.5563	.5575	.5587	.5599	.5611	.5623	.5635	.5647	.5658	.5670
3.7	.5682	.5694	.5705	.5717	.5729	.5740	.5752	.5763	.5775	.5786
3.8	.5798	.5809	.5821	.5832	.5843	.5855	.5866	.5877	.5888	.5899
3.9	.5911	.5922	.5933	.5944	.5955	.5966	.5977	.5988	.5999	.6010
4.0	.6021	.6031	.6042	.6053	.6064	.6075	.6085	.6096	.6107	.6117
4.1	.6128	.6138	.6149	.6160	.6170	.6180	.6191	.6201	.6212	.6222
4.2	.6232	.6243	.6253	.6263	.6274	.6284	.6294	.6304	.6314	.6325
4.3	.6335	.6345	.6355	.6365	.6375	.6385	.6395	.6405	.6415	.6425
4.4	.6435	.6444	.6454	.6464	.6474	.6484	.6493	.6503	.6513	.6522
4.5	.6532	.6542	.6551	.6561	.6571	.6580	.6590	.6599	.6609	.6618
4.6	.6628	.6637	.6646	.6656	.6665	.6675	.6684	.6693	.6702	.6712
4.7	.6721	.6730	.6739	.6749	.6758	.6767	.6776	.6785	.6794	.6803
4.8	.6812	.6821	.6830	.6839	.6848	.6857	.6866	.6875	.6884	.6893
4.9	.6902	.6911	.6920	.6928	.6937	.6946	.6955	.6964	.6972	.6981
5.0	.6990	.6998	.7007	.7016	.7024	.7033	.7042	.7050	.7059	.7067
5.1	.7076	.7084	.7093	.7101	.7110	.7118	.7126	.7135	.7143	.7152
5.2	.7160	.7168	.7177	.7185	.7193	.7202	.7210	.7218	.7226	.7235
5.3	.7243	.7251	.7259	.7267	.7275	.7284	.7292	.7300	.7308	.7316
5.4	.7324	.7332	.7340	.7348	.7356	.7364	.7372	.7380	.7388	.7396

수	0	1	2	3	4	5	6	7	8	9
5.5	.7404	.7412	.7419	.7427	.7435	.7443	.7451	.7459	.7466	.7474
5.6	.7482	.7490	.7497	.7505	.7513	.7520	.7528	.7536	.7543	.7551
5.7	.7559	.7566	.7574	.7582	.7589	.7597	.7604	.7612	.7619	.7627
5.8	.7634	.7642	.7649	.7657	.7664	.7672	.7679	.7686	.7694	.7701
5.9	.7709	.7716	.7723	.7731	.7738	.7745	.7752	.7760	.7767	.7774
6.0	.7782	.7789	.7796	.7803	.7810	.7818	.7825	.7832	.7839	.7846
6.1	.7853	.7860	.7868	.7875	.7882	.7889	.7896	.7903	.7910	.7917
6.2	.7924	.7931	.7938	.7945	.7952	.7959	.7966	.7973	.7980	.7987
6.3	.7993	.8000	.8007	.8014	.8021	.8028	.8035	.8041	.8048	.8055
6.4	.8062	.8069	.8075	.8082	.8089	.8096	.8102	.8109	.8116	.8122
6.5	.8129	.8136	.8142	.8149	.8156	.8162	.8169	.8176	.8182	.8189
6.6	.8195	.8202	.8209	.8215	.8222	.8228	.8235	.8241	.8248	.8254
6.7	.8261	.8267	.8274	.8280	.8287	.8293	.8299	.8306	.8312	.8319
6.8	.8325	.8331	.8338	.8344	.8351	.8357	.8363	.8370	.8376	.8382
6.9	.8388	.8395	.8401	.8407	.8414	.8420	.8426	.8432	.8439	.8445
7.0	.8451	.8457	.8463	.8470	.8476	.8482	.8488	.8494	.8500	.8506
7.1	.8513	.8519	.8525	.8531	.8537	.8543	.8549	.8555	.8561	.8567
7.2	.8573	.8579	.8585	.8591	.8597	.8603	.8609	.8615	.8621	.8627
7.3	.8633	.8639	.8645	.8651	.8657	.8663	.8669	.8675	.8681	.8686
7.4	.8692	.8698	.8704	.8710	.8716	.8722	.8727	.8733	.8739	.8745
7.5	.8751	.8756	.8762	.8768	.8774	.8779	.8785	.8791	.8797	.8802
7.6	.8808	.8814	.8820	.8825	.8831	.8837	.8842	.8848	.8854	.8859
7.7	.8865	.8871	.8876	.8882	.8887	.8893	.8899	.8904	.8910	.8915
7.8	.8921	.8927	.8932	.8938	.8943	.8949	.8954	.8960	.8965	.8971
7.9	.8976	.8982	.8987	.8993	.8998	.9004	.9009	.9015	.9020	.9025
8.0	.9031	.9036	.9042	.9047	.9053	.9058	.9063	.9069	.9074	.9079
8.1	.9085	.9090	.9096	.9101	.9106	.9112	.9117	.9122	.9128	.9133
8.2	.9138	.9143	.9149	.9154	.9159	.9165	.9170	.9175	.9180	.9186
8.3	.9191	.9196	.9201	.9206	.9212	.9217	.9222	.9227	.9232	.9238
8.4	.9243	.9248	.9253	.9258	.9263	.9269	.9274	.9279	.9284	.9289
8.5	.9294	.9299	.9304	.9309	.9315	.9320	.9325	.9330	.9335	.9340
8.6	.9345	.9350	.9355	.9360	.9365	.9370	.9375	.9380	.9385	.9390
8.7	.9395	.9400	.9405	.9410	.9415	.9420	.9425	.9430	.9435	.9440
8.8	.9445	.9450	.9455	.9460	.9465	.9469	.9474	.9479	.9484	.9489
8.9	.9494	.9499	.9504	.9509	.9513	.9518	.9523	.9528	.9533	.9538
9.0	.9542	.9547	.9552	.9557	.9562	.9566	.9571	.9576	.9581	.9586
9.1	.9590	.9595	.9600	.9605	.9609	.9614	.9619	.9624	.9628	.9633
9.2	.9638	.9643	.9647	.9652	.9657	.9661	.9666	.9671	.9675	.9680
9.3	.9685	.9689	.9694	.9699	.9703	.9708	.9713	.9717	.9722	.9727
9.4	.9731	.9736	.9741	.9745	.9750	.9754	.9759	.9763	.9768	.9773
9.5	.9777	.9782	.9786	.9791	.9795	.9800	.9805	.9809	.9814	.9818
9.6	.9823	.9827	.9832	.9836	.9841	.9845	.9850	.9854	.9859	.9863
9.7	.9868	.9872	.9877	.9881	.9886	.9890	.9894	.9899	.9903	.9908
9.8	.9912	.9917	.9921	.9926	.9930	.9934	.9939	.9943	.9948	.9952
9.9	.9956	.9961	.9965	.9969	.9974	.9978	.9983	.9987	.9991	.9996

삼각함수표

θ	$\sin\theta$	$\cos\theta$	$\tan\theta$	θ	$\sin\theta$	$\cos\theta$	$\tan\theta$
0°	0.0000	1.0000	0.0000	45°	0.7071	0.7071	1.0000
1°	0.0175	0.9998	0.0175	46°	0.7193	0.6947	1.0355
2°	0.0349	0.9994	0.0349	47°	0.7314	0.6820	1.0724
3°	0.0523	0.9986	0.0524	48°	0.7431	0.6691	1.1106
4°	0.0698	0.9976	0.0699	49°	0.7547	0.6561	1.1504
5°	0.0872	0.9962	0.0875	50°	0.7660	0.6428	1.1918
6°	0.1045	0.9945	0.1051	51°	0.7771	0.6293	1.2349
7°	0.1219	0.9925	0.1228	52°	0.7880	0.6157	1.2799
8°	0.1392	0.9903	0.1405	53°	0.7986	0.6018	1.3270
9°	0.1564	0.9877	0.1584	54°	0.8090	0.5878	1.3764
10°	0.1736	0.9848	0.1763	55°	0.8192	0.5736	1.4281
11°	0.1908	0.9816	0.1944	56°	0.8290	0.5592	1.4826
12°	0.2079	0.9781	0.2126	57°	0.8387	0.5446	1.5399
13°	0.2250	0.9744	0.2309	58°	0.8480	0.5299	1.6003
14°	0.2419	0.9703	0.2493	59°	0.8572	0.5150	1.6643
15°	0.2588	0.9659	0.2679	60°	0.8660	0.5000	1.7321
16°	0.2756	0.9613	0.2867	61°	0.8746	0.4848	1.8040
17°	0.2924	0.9563	0.3057	62°	0.8829	0.4695	1.8807
18°	0.3090	0.9511	0.3249	63°	0.8910	0.4540	1.9626
19°	0.3256	0.9455	0.3443	64°	0.8988	0.4384	2.0503
20°	0.3420	0.9397	0.3640	65°	0.9063	0.4226	2.1445
21°	0.3584	0.9336	0.3839	66°	0.9135	0.4067	2.2460
22°	0.3746	0.9272	0.4040	67°	0.9205	0.3907	2.3559
23°	0.3907	0.9205	0.4245	68°	0.9272	0.3746	2.4751
24°	0.4067	0.9135	0.4452	69°	0.9336	0.3584	2.6051
25°	0.4226	0.9063	0.4663	70°	0.9397	0.3420	2.7475
26°	0.4384	0.8988	0.4877	71°	0.9455	0.3256	2.9042
27°	0.4540	0.8910	0.5095	72°	0.9511	0.3090	3.0777
28°	0.4695	0.8829	0.5317	73°	0.9563	0.2924	3.2709
29°	0.4848	0.8746	0.5543	74°	0.9613	0.2756	3.4874
30°	0.5000	0.8660	0.5774	75°	0.9659	0.2588	3.7321
31°	0.5150	0.8572	0.6009	76°	0.9703	0.2419	4.0108
32°	0.5299	0.8480	0.6249	77°	0.9744	0.2250	4.3315
33°	0.5446	0.8387	0.6494	78°	0.9781	0.2079	4.7046
34°	0.5592	0.8290	0.6745	79°	0.9816	0.1908	5.1446
35°	0.5736	0.8192	0.7002	80°	0.9848	0.1736	5.6713
36°	0.5878	0.8090	0.7265	81°	0.9877	0.1564	6.3138
37°	0.6018	0.7986	0.7536	82°	0.9903	0.1392	7.1154
38°	0.6157	0.7880	0.7813	83°	0.9925	0.1219	8.1443
39°	0.6293	0.7771	0.8098	84°	0.9945	0.1045	9.5144
40°	0.6428	0.7660	0.8391	85°	0.9962	0.0872	11.4301
41°	0.6561	0.7547	0.8693	86°	0.9976	0.0698	14.3007
42°	0.6691	0.7431	0.9004	87°	0.9986	0.0523	19.0811
43°	0.6820	0.7314	0.9325	88°	0.9994	0.0349	28.6363
44°	0.6947	0.7193	0.9657	89°	0.9998	0.0175	52.2900
45°	0.7071	0.7071	1.0000	90°	1.0000	0.0000	∞

memo

memo

고등 수학 개념 기본서 [개념]
내신 대비 문제 기본서 [유형]

고등 수학의 해법을 찾다!

해결의 법칙
시리즈

검증된 수학 교재

해법수학 천재교육 39년의 노하우와
200여명의 학부모 및 선생님의
검증을 받아 탄생한 완벽한 참고서!

빈틈없는 맞춤학습

수학의 개념을 잡아주는 [개념]편
모든 유형을 마스터하는 [유형]편
이 두 권으로 수학의 기본을 꽉악!

내신 성적 향상 보장

방학 중에는 [개념]편으로 빠르게 예습
학기 중에는 [유형]편으로 다시 한번 복습
체계적인 내신 준비로 성적이 쑥쑥!

수학은 역시 해결의 법칙! 고1~3(수학(상), 수학(하), 수학I, 수학II, 확률과 통계, 미적분, 기하)

셀파

해 법 수 학

고등 **수학 I**

정답과 해설

 천재교육

배움으로 행복한 내일을 꿈꾸는
천재교육 커뮤니티 안내 . . .

 교재 안내부터 구매까지 한 번에!
천재교육 홈페이지

천재교육 홈페이지에서는 자사가 발행하는 참고서,
교과서에 대한 소개는 물론 도서 구매도 할 수 있습니다.
회원에게 지급되는 별을 모아 다양한 상품 응모에도
도전해 보세요.

 구독, 좋아요는 필수! 핵유용 정보 가득한
천재교육 유튜브 <천재TV>

신간에 대한 자세한 정보가 궁금하세요?
참고서를 어떻게 활용해야 할지 고민인가요?
공부 외 다양한 고민을 해결해 줄 채널이 필요한가요?
학생들에게 꼭 필요한 콘텐츠로 가득한 천재TV로 놀러 오세요!

 다양한 교육 꿀팁에 깜짝 이벤트는 덤!
천재교육 인스타그램

천재교육의 새롭고 중요한 소식을 가장 먼저 접하고 싶다면?
천재교육 인스타그램 팔로우가 필수!
누구보다 빠르고 재미있게 천재교육의 소식을 전달합니다.
깜짝 이벤트도 수시로 진행되니 놓치지 마세요!

정답과 해설
빠른 정답

1. 지수

개념 익히기　본문 | 11, 13 쪽

1-1 (1) 3 　　　　　　(2) $\pm 2i$

1-2 (1) 0 　　(2) -1 　　(3) 5 　　(4) $-3, 3$

2-1 (2) 4 　　(3) 0.1 　　(4) -3

2-2 (1) 3 　　(2) -2 　　(3) $-\dfrac{1}{10}$ 　　(4) 0.3

3-1 (1) 5 　　　　　　(3) 3

3-2 (1) 3 　　(2) $\dfrac{1}{2}$ 　　(3) 25 　　(4) 2

4-1 (2) 4 　　　　　　(3) 10

4-2 (1) $2^{-\sqrt{2}}$ 　　(2) $\dfrac{1}{4}$ 　　(3) 7^{13} 　　(4) $5^{\frac{3}{4}}$

확인 문제　본문 | 14~21 쪽

01-1 ① 　　　　　　**01-2** 5

셀파 특강　확인 체크 01 　(1) $-2, 1\pm\sqrt{3}i$ 　　(2) $\pm 1, \pm i$

02-1 (1) $\sqrt[16]{2}$ 　　(2) $\sqrt[3]{3}$ 　　**02-2** 11

03-1 (1) $\sqrt[6]{16}>\sqrt[5]{8}>\sqrt[4]{4}$ 　　(2) $\sqrt[4]{5}>\sqrt[3]{3}>\sqrt{2}>\sqrt[6]{7}$

04-1 (1) $\dfrac{29}{4}$ 　　(2) $\dfrac{7}{10}$ 　　(3) 2^{12} 　　(4) 54

04-2 (1) $a^{\frac{1}{2}}$ 　　(2) b

05-1 (1) $\dfrac{9}{2}$ 　　(2) $\dfrac{5}{64}$

05-2 (1) $a^{\frac{5}{2}}$ 　　(2) $a^{\frac{11}{24}}$

06-1 (1) 23 　　(2) 110 　　(3) $\sqrt{7}$

06-2 2 　　　　**07-1** (1) $\dfrac{1}{8}$ 　　(2) $3-2\sqrt{2}$

07-2 2

집중 연습　본문 | 22 쪽

01 (1) 4 　　(2) $a-b$ 　　(3) $2a+\dfrac{6}{a}$

02 (1) 14 　　(2) 52 　　(3) 194

03 (1) 3 　　(2) $\dfrac{3}{2}$ 　　(3) 2

04 (1) $\dfrac{1}{2}$ 　　(2) $\dfrac{7}{3}$

셀파 특강　확인 체크 02 　(1) 2 　　(2) 2

연습 문제　본문 | 24~25 쪽

01 ㄱ, ㄷ, ㄹ 　　**02** 3 　　**03** 1

04 $\sqrt{7}$ 　　**05** ① 　　**06** ②

07 ② 　　**08** 60 　　**09** 125

10 $\dfrac{4}{3}$ 　　**11** $\dfrac{5}{2}$ 　　**12** ①

13 32 ℃

2. 로그

개념 익히기　본문 | 29, 31 쪽

1-1 (1) 3 　　　　　　(3) 81

1-2 (1) $2=\log_8 64$ 　　(2) $-2=\log_6 \dfrac{1}{36}$

　　(3) $8^{\frac{2}{3}}=4$ 　　(4) $\left(\dfrac{1}{2}\right)^{-1}=2$

2-1 (1) -1 　　　　　　(2) 2, 2

2-2 (1) 2 　　(2) -1 　　(3) $\dfrac{2}{3}$ 　　(4) 3

3-1 (1) -3 　　　　　　(4) $-1, -1$

3-2 (1) 2 　　(2) -2 　　(3) $\dfrac{1}{2}$ 　　(4) $-\dfrac{2}{3}$

4-1 (1) 3 　　　　　　(2) -2

4-2 (1) 정수 부분 : 2, 소수 부분 : 0.3345

　　(2) 정수 부분 : -3, 소수 부분 : 0.3345

　　(3) 정수 부분 : 1, 소수 부분 : 0.8142

　　(4) 정수 부분 : 4, 소수 부분 : 0.8142

확인 문제　본문 | 32~45 쪽

01-1 (1) $x<-2$ 또는 $x>5$ 　　(2) $3<x<4$ 또는 $4<x<6$

01-2 5 　　**02-1** (1) -1 　　(2) 3 　　**02-2** -2

집중 연습　본문 | 36 쪽

01 (1) 1 　　(2) -3 　　(3) $\dfrac{1}{2}$

　　(4) 2 　　(5) 3 　　(6) 2

02 (1) $\dfrac{2}{3}$ 　　(2) $-\dfrac{2}{3}$ 　　(3) 4

　　(4) $\dfrac{9}{2}$ 　　(5) 3 　　(6) $\dfrac{1}{9}$

03-1 (1) 6 　　(2) 3 　　**03-2** $\dfrac{10}{3}$

04-1 (1) 3 　　(2) $\dfrac{32}{5}$ 　　**04-2** $\dfrac{13}{4}$

05-1 (1) $\dfrac{2}{a}+b+1$ (2) $\dfrac{1+a+2ab}{3+a+ab}$ **05-2** $\dfrac{1+3a+b}{3+2b}$

06-1 (1) -1 (2) 1

07-1 -1 **07-2** 4

08-1 (1) 3.053 (2) -0.907

08-2 (1) 0.3801 (2) -0.2040

       (3) -0.3266 (4) 0.4184

09-1 (1) 정수 부분 : -8, 소수 부분 : 0.8

       (2) 정수 부분 : 2, 소수 부분 : 0.4

09-2 1

셀파 특강 **확인 체크 01**   (1) 7520 (2) 0.00752

10-1 11자리 정수   **10-2** 소수점 아래 셋째 자리

연습 문제   본문 | **46~47**쪽

01 $-1<a<2$ **02** 6 **03** -3

04 60 **05** ⑤   **06** $\dfrac{3}{2}$

07 $\dfrac{13}{6}$ **08** ①   **09** 6

10 92 **11** 20자리 정수   **12** 6

13 ②

3. 지수함수와 로그함수

개념 익히기   본문 | **51, 53**쪽

1-2 (1) 풀이 참조   (2) 풀이 참조

2-1 (1) 27 (2) 3

2-2 (1) 최댓값 16, 최솟값 $\dfrac{1}{4}$ (2) 최댓값 4, 최솟값 $\dfrac{1}{16}$

3-1 (1) x

3-2 (1) 풀이 참조   (2) 풀이 참조

4-1 (1) $8, 2$ (2) -1

4-2 (1) 최댓값 1, 최솟값 -3 (2) 최댓값 -1, 최솟값 $-\dfrac{5}{2}$

확인 문제   본문 | **54~73**쪽

01-1 ㄱ   **02-1** 8 **02-2** 4

셀파 특강 **확인 체크 01**   (1) 풀이 참조   (2) 풀이 참조

               (3) 풀이 참조   (4) 풀이 참조

집중 연습   본문 | **57**쪽

01 (1) 풀이 참조   (2) 풀이 참조

     (3) 풀이 참조   (4) 풀이 참조

02 (1) 풀이 참조   (2) 풀이 참조

     (3) 풀이 참조   (4) 풀이 참조

03-1 $p=2, q=-1$

04-1 (1) $\sqrt[5]{27}<\sqrt[8]{243}<\sqrt[3]{9}$ (2) $\sqrt[3]{0.25}<\sqrt[5]{0.125}<\sqrt{0.5}$

05-1 최댓값 $\dfrac{16}{3}$, 최솟값 $\dfrac{9}{4}$

05-2 최댓값 1, 최솟값 $\dfrac{1}{81}$

셀파 특강 **확인 체크 02**   (1) 3 (2) $\dfrac{1}{2}$

06-1 최댓값 8, 최솟값 -1

06-2 최댓값 2, 최솟값 $-\dfrac{62}{81}$ **07-1** ㄷ

셀파 특강 **확인 체크 03**   (1) 풀이 참조   (2) 풀이 참조

               (3) 풀이 참조   (4) 풀이 참조

집중 연습   본문 | **65**쪽

01 (1) 풀이 참조   (2) 풀이 참조

     (3) 풀이 참조   (4) 풀이 참조

02 (1) 풀이 참조   (2) 풀이 참조

     (3) 풀이 참조   (4) 풀이 참조

08-1 $a=\dfrac{1}{2}, b=-1$ **08-2** 8

09-1 (1) $\log_9 16<\log_3 8<3$

     (2) $2\log_{\frac{1}{2}} 3<\log_{\frac{1}{4}} \dfrac{1}{16}<\log_2 7$

10-1 (1) $y=\log_2 (x+3)+3$ (2) $y=2^{x-2}+3$

11-1 $(16, 4)$ **12-1** -1

12-2 최댓값 0, 최솟값 -1 **13-1** 최댓값 6, 최솟값 2

13-2 최댓값 $\dfrac{9}{4}$, 최솟값 0 **14-1** 18 **14-2** -4

연습 문제   본문 | **74~75**쪽

01 ㄱ   **02** ③   **03** $\sqrt{2}$

04 ②   **05** 32 **06** 4

07 ㄱ, ㄷ   **08** ㄱ, ㄴ, ㄷ   **09** ⑤

10 $\dfrac{1}{15}$ **11** 160 **12** 6

4. 지수함수와 로그함수의 활용

개념 익히기   본문 | 79, 81 쪽

1-1 (2) 1   (4) -8

1-2 (1) $x=-2$ (2) $x=-3$

(3) $x=-1$ (4) $x=1$ 또는 $x=2$

2-1 (1) $>$ (4) -4

2-2 (1) $x<1$ (2) $x\leq-1$

(3) $x<6$ (4) $x\geq-1$

3-1 (1) 8   (2) **5**

3-2 (1) $x=2$ (2) $x=-5$

4-1 (1) 4   (2) $\leq$ **4-2** (1) $x\leq-1$ (2) $x>3$

확인 문제   본문 | 82~97 쪽

01-1 (1) $x=\dfrac{3}{4}$ (2) $x=4$

(3) $x=-1$ 또는 $x=2$

01-2 $x=-1$ 또는 $x=1$

02-1 (1) $x=-1$ 또는 $x=1$ (2) $x=0$ 또는 $x=2$

02-2 1   **03-1** 3   **03-2** $-4<k<0$

04-1 (1) $-2<x<\dfrac{3}{2}$ (2) $x<-1$ 또는 $0<x<\dfrac{1}{4}$

04-2 $0<x\leq\dfrac{1}{2}$ 또는 $1\leq x\leq3$

05-1 (1) $x>0$ (2) $-1<x<2$ **05-2** 1

셀파 특강 확인 체크 01   2시간

06-1 (1) $x=5$ (2) $x=3$

06-2 (1) $x=5$ (2) $x=18$

07-1 (1) $x=\dfrac{1}{4}$ 또는 $x=4$ (2) $x=\dfrac{1}{3}$ 또는 $x=9$

08-1 $\sqrt{2}$ **08-2** 2

09-1 (1) $x=\dfrac{1}{100}$ 또는 $x=10$ (2) $x=\dfrac{1}{3}$ 또는 $x=9$

10-1 (1) $1<x<3$ (2) $1<x\leq3$

11-1 (1) $\dfrac{1}{9}<x<81$ (2) $0<x<\dfrac{1}{81}$ 또는 $x>27$

셀파 특강 확인 체크 02   (1) $1\leq a\leq16$ (2) $\dfrac{1}{2}<k<1$

12-1 $\dfrac{1}{3}<x<27$ **12-2** $1<k<9$

셀파 특강 확인 체크 03   3 m

연습 문제   본문 | 98~99 쪽

01 ④   **02** $x=3,\ y=2$ **03** 128

04 ④   **05** ①   **06** 4

07 $x=\dfrac{1}{3}$ **08** $\dfrac{1}{10}$ 또는 100

09 $\begin{cases} x=\dfrac{1}{2} \\ y=8 \end{cases}$ 또는 $\begin{cases} x=8 \\ y=\dfrac{1}{2} \end{cases}$ **10** 3^{12}

11 7   **12** 17   **13** 81   **14** 32년 후

5. 삼각함수

개념 익히기   본문 | 103, 105 쪽

1-1 (1) $60°$ (2) -2

1-2 (1)   (2)

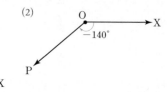

(3)   (4)

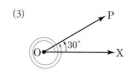 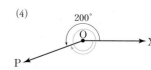

2-1 (1) π (3) $45°$

2-2 (1) $\dfrac{\pi}{3}$ (2) $\dfrac{5}{3}\pi$ (3) $144°$ (4) $-135°$

3-1 (1) $>$ (2) $<$

3-2 (1) $\sin\theta>0,\ \cos\theta<0,\ \tan\theta<0$

(2) $\sin\theta<0,\ \cos\theta>0,\ \tan\theta<0$

4-1 (1) $\cos\theta$ (2) $\sqrt{3}$

4-2 (1) $-\dfrac{\sqrt{5}}{2}$ (2) $-\dfrac{\sqrt{7}}{4}$

셀파 특강 확인 체크 01   (1) $\theta=360°\times n+70°$ (단, n은 정수)

(2) $\theta=360°\times2+240°$ (단, n은 정수)

확인 문제   본문 | 107~117 쪽

01-1 제2사분면, 제4사분면

01-2 제1사분면, 제3사분면, 제4사분면

02-1 (1) $135°$ (2) $216°$ 또는 $288°$

03-1 호의 길이 4, 넓이 16   **03-2** 6

셀파 특강 **확인 체크** 02 $\overline{AB}=4\sqrt{3}$, $\overline{BC}=4$

04-1 $\sin\theta=-\dfrac{12}{13}$, $\cos\theta=\dfrac{5}{13}$, $\tan\theta=-\dfrac{12}{5}$

04-2 $\sin\theta=\dfrac{3}{5}$, $\cos\theta=-\dfrac{4}{5}$

05-1 제2사분면의 각

05-2 $-\dfrac{4}{5}$ **06-1** $\dfrac{\sqrt{3}}{2}$ **06-2** $\dfrac{\sqrt{3}}{2}$

07-1 (1) $\sin^2\theta$ (2) 1

08-1 (1) $-\dfrac{1}{4}$ (2) $\dfrac{\sqrt{6}}{2}$

08-2 $-\dfrac{\sqrt{6}}{2}$ **09-1** $\dfrac{\sqrt{17}}{9}$ **09-2** $\dfrac{11}{16}$

연습 문제   본문 | 118~119 쪽

01 ①   **02** ③   **03** 450π cm^2

04 $\dfrac{\sqrt{3}}{6}$ **05** $\dfrac{\pi}{3}$ **06** $2-2\sin\theta$

07 $-\dfrac{4\sqrt{2}}{3}$ **08** $2\cos\theta$ **09** $-\dfrac{\sqrt{10}}{5}$

10 9   **11** ⑤   **12** ②

13 $\sin\theta=\dfrac{\sqrt{2}}{2}$, $\cos\theta=\dfrac{\sqrt{2}}{2}$

6. 삼각함수의 그래프

개념 익히기   본문 | 123, 125 쪽

1-2 (1)   (2)

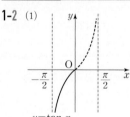
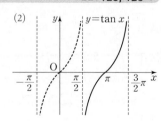

2-1 $-\dfrac{\pi}{2}$ **2-2** 풀이 참조

3-1 (2) $30°$

3-2 (1) $\dfrac{1}{2}$ (2) $-\dfrac{1}{2}$ (3) -1 (4) $\dfrac{\sqrt{3}}{2}$

4-1 (1) 3   (2) 7

4-2 (1) $x=\dfrac{\pi}{6}$ 또는 $x=\dfrac{5}{6}\pi$ (2) $x=\dfrac{2}{3}\pi$ 또는 $x=\dfrac{4}{3}\pi$

(3) $\dfrac{\pi}{3}\le x\le\dfrac{2}{3}\pi$ (4) $\dfrac{\pi}{6}\le x\le\dfrac{11}{6}\pi$

확인 문제   본문 | 128~144 쪽

01-1 (1) 풀이 참조   (2) 풀이 참조   (3) 풀이 참조

01-2 (1) 풀이 참조   (2) 풀이 참조   (3) 풀이 참조

02-1 (1) 풀이 참조   (2) 풀이 참조

03-1 (1)

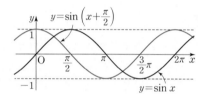

최댓값 : 1, 최솟값 : -1, 주기 : 2π

(2)

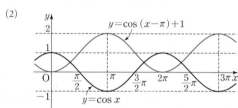

최댓값 : 2, 최솟값 : 0, 주기 : 2π

셀파 특강 **확인 체크** 01 (1) 최댓값 : 2, 최솟값 : -2, 주기 : $\dfrac{2}{3}\pi$

(2) 최댓값 : $\dfrac{3}{2}$, 최솟값 : $\dfrac{1}{2}$, 주기 : $\sqrt{2}\pi$

(3) 최댓값 : -1, 최솟값 : -5, 주기 : 4π

04-1 (1) $a=3$, $b=1$ (2) $a=3$, $b=2$, $c=-1$

05-1 (1) $a=\dfrac{3}{2}$, $b=4$, $c=\dfrac{3}{2}$

(2) $a=2$, $b=4$, $c=\dfrac{\pi}{2}$

06-1 (1) 최댓값 3, 최솟값 $-\dfrac{1}{8}$

(2) 최댓값 7, 최솟값 -2

셀파 특강 **확인 체크** 02 (1) $-\dfrac{\sqrt{3}}{2}$ (2) $-\dfrac{\sqrt{3}}{2}$ (3) $-\sqrt{3}$

01 (1) $\dfrac{1}{2}$ (2) $\dfrac{\sqrt{2}}{2}$ (3) $-\dfrac{1}{2}$ (4) $-\sqrt{3}$

02 (1) $-\dfrac{1}{2}$ (2) 1 (3) $-\dfrac{\sqrt{2}}{2}$ (4) $-\dfrac{\sqrt{3}}{3}$

03 (1) 52 (2) 18 (3) 25 또는 -25

04 (1) $\dfrac{\sqrt{6}}{4}$ (2) $-\dfrac{1}{2}$ (3) $-\dfrac{1}{2}$ (4) $-\dfrac{1}{2}$

07-1 (1) 0 (2) -1 (3) 0

08-1 (1) $\dfrac{17}{2}$ (2) 1

09-1 (1) $x=\dfrac{5}{4}\pi$ 또는 $x=\dfrac{7}{4}\pi$ (2) $x=0$ 또는 $x=\dfrac{4}{3}\pi$

09-2 $x=-\dfrac{5}{6}\pi$ 또는 $x=\dfrac{\pi}{6}$

10-1 $x=0$ 또는 $x=\dfrac{\pi}{4}$ 또는 $x=\pi$

10-2 $-4 \le k \le 5$

11-1 (1) $0 < x \le \dfrac{\pi}{4}$ 또는 $\dfrac{3}{4}\pi \le x < \pi$ (2) $\dfrac{5}{6}\pi \le x \le \dfrac{7}{6}\pi$

11-2 (1) $0 \le x \le \dfrac{2}{3}\pi$ (2) $0 \le x < \dfrac{\pi}{4}$ 또는 $\dfrac{3}{4}\pi < x < \pi$

12-1 (1) $\dfrac{\pi}{6} < x < \dfrac{5}{6}\pi$ (2) $0 \le x \le \dfrac{\pi}{2}$ 또는 $\dfrac{3}{2}\pi \le x < 2\pi$

12-2 $\dfrac{7}{6}\pi < \theta < \dfrac{11}{6}\pi$

01 (1) 풀이 참조   (2) 풀이 참조

02 풀이 참조

03 $a=\dfrac{\pi}{3}, b=6$ **04** ②   **05** ⑤

06 $a=4, b=\dfrac{1}{2}, c=2$ **07** 2π **08** ⑤

09 $-\dfrac{\sqrt{2}}{2}$ **10** ③   **11** 최댓값 : 5, 최솟값 : $-\dfrac{17}{3}$

12 (1) 2 (2) $\dfrac{1}{2}$ **13** $1-\sqrt{2}$ **14** 1

15 -1 **16** ②   **17** ①   **18** 7 **19** 1

20 1 **21** $\dfrac{2}{3}\pi < \theta < \dfrac{4}{3}\pi$

7. 사인법칙과 코사인법칙

1-1 (1) $\sin 60°$ (2) 5

1-2 (1) $4\sqrt{6}$ (2) 2

2-1 (1) $\cos 45°$ (2) $\cos 60°$

2-2 (1) $\cos 30°$ (2) 2

3-1 (1) 6 (2) $120°$

3-2 (1) $3\sqrt{3}$ (2) $21\sqrt{2}$

4-1 (1) 3 (2) 6

4-2 (1) $10\sqrt{3}$ (2) $\dfrac{35\sqrt{3}}{4}$

01-1 (1) 4 (2) $5\sqrt{6}$ **01-2** $\dfrac{5}{4}$

02-1 $\sqrt{3} : 1 : 1$ **02-2** $a=10, b=6, c=12$

03-1 (1) $A=90°$인 직각삼각형   (2) 정삼각형

03-2 $C=90°$인 직각삼각형

04-1 $6\sqrt{3}$ **04-2** $2\sqrt{7}$

05-1 (1) $\dfrac{\sqrt{7}}{4}$ (2) $120°$ **05-2** $\dfrac{3}{5}$

01 (1) $\sqrt{3}$ (2) $8\sqrt{3}$ (3) $30°$ (4) $60°$ 또는 $120°$

02 (1) 3 (2) 20

03 (1) $2\sqrt{7}$ (2) $3\sqrt{7}$ (3) $\sqrt{37}$

04 (1) $\dfrac{11}{16}$ (2) $60°$ (3) $120°$

06-1 (1) $a=b$인 이등변삼각형

     (2) $a=b$인 이등변삼각형 또는 $C=90°$인 직각삼각형

     (3) $b=c$인 이등변삼각형

07-1 $45°$ **07-2** $120°$

셀파 특강 확인 체크 01 (1) $7\sqrt{3}$ (2) $\dfrac{5}{2}$

08-1 (1) $2\sqrt{3}$ 또는 $\sqrt{3}$ (2) $60°$ **08-2** 8

09-1 $\dfrac{\sqrt{6}}{2}$ **09-2** 20

10-1 $150°$ **10-2** $9\sqrt{3}$

연습 문제   본문 | **170~171** 쪽

01 6   **02** $\dfrac{49}{15}$ **03** 7 km

04 $3\sqrt{7}$ **05** $2\sqrt{2}$ **06** 3

07 $C=90°$ 인 직각삼각형   **08** ⑤

09 99   **10** $12\sqrt{6}$ **11** $2\sqrt{6}$

12 $\dfrac{2\sqrt{7}}{7}$

8. 등차수열

개념 익히기   본문 | **175, 177** 쪽

1-1 (1) 9   (2) 8, 15

1-2 (1) 1, 2, 4, 8, 16   (2) 1, 4, 7, 10, 13

     (3) 4, 9, 16, 25, 36   (4) 2, $\dfrac{3}{2}$, $\dfrac{4}{3}$, $\dfrac{5}{4}$, $\dfrac{6}{5}$

2-1 (1) 6, 27, 33   (2) -4, -1, -5

2-2 (1) 17, 20   (2) 19, 7, 1

3-1 (1) 2, 8   (2) 4, -3 (3) -2

3-2 (1) 9   (2) 0   (3) -2 또는 3

4-1 (1) 17, 14   (2) -2, -70

4-2 (1) 350   (2) 110

확인 문제   본문 | **178~190** 쪽

01-1 (1) $a_n=(-2)^n$ (2) $a_n=\dfrac{1}{2n-1}$ (3) $a_n=10^n-1$

02-1 (1) 37   (2) $\dfrac{5}{3}$ **02-2** 68

집중 연습   본문 | **180** 쪽

01 (1) $a_n=3n-2$ (2) $a_n=-4n+14$

     (3) $a_n=2n-8$ (4) $a_n=5n-25$

     (5) $a_n=-3n+17$

02 (1) $a_n=3n-1$ (2) $a_n=4n+7$

     (3) $a_n=4n-11$ (4) $a_n=-2n+22$

     (5) $a_n=-5n+9$

03 (1) $a=9$, $d=-2$ (2) $a=-5$, $d=3$

     (3) $a=26$, $d=-2$ (4) $a=-26$, $d=4$

     (5) $a=1$, $d=2$

04 (1) $a_n=2n+6$ (2) $a_n=-3n+4$

     (3) $a_n=4n-2$ (4) $a_n=-3n+15$

     (5) $a_n=2n-16$

03-1 5   **03-2** 5

04-1 (1) 제35항   (2) 제32항

05-1 $x=-4$, $y=2$ **05-2** 9

06-1 3, 6, 9   **06-2** 10

07-1 -170 **07-2** 20

집중 연습   본문 | **186** 쪽

01 (1) 20   (2) 4   (3) 108   (4) 90

02 (1) 100   (2) 108   (3) 10   (4) 81

03 (1) 2   (2) 3   (3) 4   (4) -3

04 (1) 10   (2) 9   (3) -25 (4) -27

08-1 423   **08-2** 2124   **09-1** 735

09-2 1030   **10-1** 제6항   **10-2** 36

11-1 31

연습 문제   본문 | **192~193** 쪽

01 ③   **02** -16 **03** -2

04 제20항   **05** 33   **06** ③

07 24   **08** 4   **09** 102

10 200   **11** 1335   **12** ③

13 -78 **14** 8

9. 등비수열

개념 익히기   본문 | **197, 199** 쪽

1-1 (1) -2, 8, -16 (2) $\dfrac{1}{3}$, 1, $\dfrac{1}{3}$

1-2 (1) 64, 256   (2) -16, -1

2-1 (1) 36, 6   (2) $\dfrac{1}{4}$, 1

2-2 (1) -3 또는 3   (2) -32

3-1 (1) 3, 5, 242   (2) 32, 93

3-2 (1) -93 (2) $\dfrac{244}{81}$

4-1 (1) 1.16, 116   (2) 6, 1.27

4-2 (1) 226만 원   (2) 268만 원

확인 문제 본문 | 200~211 쪽

01-1 (1) $a_n=-(-2)^{n-1}$, $a_{10}=512$

(2) $a_n=2^{n-5}$, $a_{10}=32$

01-2 64 **02-1** 48 **02-2** 제10항

집중 연습 본문 | 202 쪽

01 (1) $a_n=2\times(-3)^{n-1}$ (2) $a_n=\left(\dfrac{1}{2}\right)^{n-3}$

(3) $a_n=4\times3^{n-1}$ (4) $a_n=36\times\left(-\dfrac{1}{3}\right)^{n-1}$

(5) $a_n=3^n$ (6) $a_n=4^{n+1}$

(7) $a_n=2^{n-3}$ (8) $a_n=(-3)^n$

02 (1) $a=\dfrac{1}{3}$, $r=4$ (2) $a=\dfrac{21}{16}$, $r=\pm2$

(3) $a=\dfrac{2}{3}$, $r=-3$ (4) $a=4$, $r=\pm\dfrac{\sqrt{2}}{2}$

03 (1) $a_n=3\times(-3)^{n-1}$ (2) $a_n=2^{n-2}$

(3) $a_n=5\times2^{n-1}$ (4) $a_n=\dfrac{1}{3}\times2^{n-1}$

03-1 180 **03-2** 6 **04-1** $a=9$, $b=3$

04-2 -1 **05-1** -9, 3, -1

05-2 14

셀파 특강 확인 체크 01 $100\times\left(\dfrac{9}{16}\right)^{10}$

06-1 (1) -341 (2) 31 **06-2** 1022

집중 연습 본문 | 208 쪽

01 (1) 2^n-1 (2) $3(2^n-1)$

(3) $128\left\{1-\left(\dfrac{1}{2}\right)^n\right\}$ (4) $(\sqrt{2}+1)\{(\sqrt{2})^n-1\}$

(5) $2n$ (6) $3\left\{1-\left(\dfrac{1}{3}\right)^n\right\}$

(7) $\dfrac{2}{3}\{1-(-2)^n\}$ (8) $-16\left\{1-\left(-\dfrac{1}{4}\right)^n\right\}$

02 (1) 127 (2) $1-\left(\dfrac{1}{3}\right)^8$

(3) 1023 (4) $31(\sqrt{2}+1)$

03 (1) 510 (2) $\dfrac{9}{2}\left\{1-\left(\dfrac{1}{3}\right)^6\right\}$

(3) $\dfrac{10}{9}\left\{1-\left(\dfrac{1}{10}\right)^8\right\}$ (4) $40(\sqrt{3}+1)$

07-1 60 **07-2** 124

08-1 131 **08-2** -25

09-1 382만 원 **09-2** 238만 원

연습 문제 본문 | 212~213 쪽

01 ① **02** 3 **03** ②

04 -3 **05** 제5회 **06** 2만 원

07 8 **08** 9 **09** ⑤

10 ② **11** 512 **12** ②

10. 수열의 합

개념 익히기 본문 | 217, 219 쪽

1-1 (1) 2, 10 (2) 2, 2^n, 2^k

1-2 (1) $\sum\limits_{k=1}^{9}(4k-1)$ (2) $\sum\limits_{k=1}^{7}3^{k-1}$

2-1 (1) 5, 8 (2) 2, 3

2-2 (1) $3+7+11+15+19+23+27$

(2) $3+3+3+3$

(3) $7+8+9+10+11+12$

(4) $1+\dfrac{1}{3}+\dfrac{1}{5}+\dfrac{1}{7}$

3-1 (1) 15, 120 (2) 21, 385

(3) 5, 225 (4) 1, 2

3-2 (1) 55 (2) 204

(3) 14400 (4) 330

4-1 (1) $k+1$, 5 (2) $\sqrt{k+1}$, $\sqrt{6}$

4-2 (1) $\dfrac{5}{12}$ (2) 2

확인 문제 본문 | 220~234 쪽

01-1 (1) 22 (2) 7 **01-2** 90

02-1 460 **02-2** (1) 19 (2) 726

03-1 (1) 330 (2) 465 (3) 140 (4) 420

03-2 310 **04-1** (1) 5950 (2) 220

04-2 $\dfrac{1}{4}(3^{11}-23)$

집중 연습 본문 | 224 쪽

01 (1) 80 (2) 320 (3) 275

(4) 380 (5) 14370 (6) 462

(7) 175 (8) 1548

02 (1) 96 (2) 322 (3) 415 (4) 1011

03 (1) 203 (2) 680 (3) 550 (4) 3410

05-1 (1) 1290 (2) 750

06-1 $\dfrac{9}{4}(9^{10}-1)$ **06-2** 10

(1) $\dfrac{1}{2}\left(\dfrac{1}{10}-\dfrac{1}{12}\right)$ (2) $\dfrac{1}{13}-\dfrac{1}{16}$

(3) $\dfrac{1}{4}\left(\dfrac{1}{x}-\dfrac{1}{x+4}\right)$ (4) $\dfrac{1}{x-1}-\dfrac{1}{x+1}$

07-1 $\dfrac{n}{4(n+1)}$ **07-2** 9

08-1 4 **08-2** $\dfrac{2n}{3(2n+3)}$

09-1 (1) -3 (2) $-\log 55$ **09-2** 1023

10-1 (1) $\dfrac{19}{4}\times 3^{11}+\dfrac{3}{4}$ (2) $4-\dfrac{13}{2^{10}}$

11-1 (1) 14 (2) 878

12-1 (1) 제60항 (2) $\dfrac{2}{12}$

13-1 (1) 82 (2) 1729

연습 문제 본문 | **235~237** 쪽

01 ④ **02** 75 **03** 10

04 48 **05** 810 **06** 5

07 455 **08** -190 **09** 815

10 ③ **11** 28 **12** 6

13 201 **14** $\dfrac{91}{144}$ **15** 10

16 $\dfrac{36}{55}$ **17** ① **18** $\dfrac{57}{64}$

19 021

11. 수학적 귀납법

개념 익히기 본문 | **241** 쪽

1-1 (1) $11,\ 14$ (2) $24,\ 48$

1-2 (1) -1 (2) $\dfrac{1}{2}$

2-1 8, ㄹ **2-2** ㄴ, ㄹ

확인 문제 본문 | **242~256** 쪽

01-1 (1) 58 (2) -69 **01-2** 280

02-1 (1) 256 (2) $\dfrac{1}{27}$ **02-2** $\dfrac{1}{3}(3^{10}-1)$

03-1 (1) 362 (2) $\dfrac{3^{19}+3}{2}$ **04-1** (1) 20 (2) $\dfrac{1}{210}$

(1) $a_{n+1}-2=3(a_n-2)$ (2) $a_{n+1}+\dfrac{1}{3}=-2\left(a_n+\dfrac{1}{3}\right)$

(3) $a_{n+1}-5=\dfrac{2}{5}(a_n-5)$ (4) $a_{n+1}-\dfrac{3}{2}=\dfrac{2}{3}\left(a_n-\dfrac{3}{2}\right)$

05-1 (1) $2^{15}+1$ (2) $\left(\dfrac{1}{3}\right)^{12}+6$

06-1 (1) $4^{14}+1$ (2) $\left(\dfrac{1}{3}\right)^{13}+1$

07-1 (1) $\dfrac{6}{59}$ (2) $-\dfrac{1}{37}$

집중 연습 본문 | **250** 쪽

01 (1) $a_n=\dfrac{3n^2-3n+4}{2}$ (2) $a_n=n^2$

(3) $a_n=\dfrac{1}{2}(3^n-2)$ (4) $a_n=\dfrac{5n-1}{n}$

02 (1) $a_n=3n$ (2) $a_n=n^2+3n+2$

(3) $a_n=3^{\frac{n(n-1)}{2}}$ (4) $a_n=2\sqrt{n}$

03 (1) $a_n=2^n-3$ (2) $a_n=3^n-\dfrac{1}{2}$

04 (1) $a_n=\dfrac{1}{3}\{4-(-2)^{n-1}\}$ (2) $a_n=\dfrac{1}{4}(5^n+3)$

05 (1) $a_n=\dfrac{1}{8n-7}$ (2) $a_n=\dfrac{4}{3n-1}$

08-1 $a_n=\left(\dfrac{3}{2}\right)^{n-1}$ **08-2** 2048

09-1 $a_{n+1}=2(a_n-2)$ **10-1** 풀이 참조

ㄹ

11-1 풀이 참조

연습 문제 본문 | **257~259** 쪽

01 (1) -145 (2) 242 **02** ③ **03** 21

04 ② **05** 192 **06** 105

07 ③ **08** ① **09** $\dfrac{1}{29}$

10 $1-1-2-3-5-8-13-21$ **11** 11

12 ⑤ **13** ②

1. 지수

본문 | 11, 13쪽

1-1 (1) 27의 세제곱근을 x라 하면

$x^3=27,\ x^3-27=0$

$(x-3)(x^2+3x+9)=0$

$\therefore x=3$ 또는 $x=\dfrac{-3\pm3\sqrt{3}i}{2}$

따라서 27의 세제곱근 중 실수인 것은 $\boxed{3}$

(2) 16의 네제곱근을 x라 하면

$x^4=16,\ x^4-16=0,\ (x^2-4)(x^2+4)=0$

$(x+2)(x-2)(x+2i)(x-2i)=0$

$\therefore x=\pm2$ 또는 $x=\boxed{\pm2i}$

따라서 16의 네제곱근 중 실수인 것은 $-2,\ 2$

1-2 (1) 0의 제곱근은 $\sqrt{0}=0$뿐이다.

따라서 0의 제곱근 중 실수인 것은 0

(2) -1의 세제곱근을 x라 하면

$x^3=-1,\ x^3+1=0$

$(x+1)(x^2-x+1)=0$

$\therefore x=-1$ 또는 $x=\dfrac{1\pm\sqrt{3}i}{2}$

따라서 -1의 세제곱근 중 실수인 것은 -1

(3) 125의 세제곱근을 x라 하면

$x^3=125,\ x^3-125=0$

$(x-5)(x^2+5x+25)=0$

$\therefore x=5$ 또는 $x=\dfrac{-5\pm5\sqrt{3}i}{2}$

따라서 125의 세제곱근 중 실수인 것은 5

(4) 81의 네제곱근을 x라 하면

$x^4=81,\ x^4-81=0,\ (x^2-9)(x^2+9)=0$

$(x+3)(x-3)(x+3i)(x-3i)=0$

$\therefore x=\pm3$ 또는 $x=\pm3i$

따라서 81의 네제곱근 중 실수인 것은 $-3,\ 3$

2-1 (1) $\sqrt[3]{-1}=\sqrt[3]{(-1)^3}=-1$

(2) $\sqrt[4]{256}=\sqrt[4]{4^4}=\boxed{4}$

(3) $\sqrt[3]{0.001}=\sqrt[3]{(\boxed{0.1})^3}=0.1$

(4) $\sqrt[5]{-243}=\sqrt[5]{(\boxed{-3})^5}=-3$

2-2 (1) $\sqrt[3]{27}=\sqrt[3]{3^3}=3$

(2) $\sqrt[5]{-32}=\sqrt[5]{(-2)^5}=-2$

(3) $\sqrt[3]{-\dfrac{1}{1000}}=\sqrt[3]{\left(-\dfrac{1}{10}\right)^3}=-\dfrac{1}{10}$

(4) $\sqrt[4]{0.0081}=\sqrt[4]{(0.3)^4}=0.3$

3-1 (1) $\sqrt[3]{25}\times\sqrt[3]{5}=\sqrt[3]{25\times5}=\sqrt[3]{\boxed{5}^3}=5$

(2) $\dfrac{\sqrt[4]{64}}{\sqrt[4]{4}}=\sqrt[4]{\dfrac{64}{4}}=\sqrt[4]{16}=\sqrt[4]{2^4}=2$

(3) $(\sqrt{3})^6=\sqrt[2]{3^6}=\sqrt[2]{3^{2\times3}}=\sqrt[2]{\boxed{3}^3}=27$

(4) $\sqrt{\sqrt{81}}=\sqrt[2]{\sqrt[2]{81}}=\sqrt[4]{81}=\sqrt[4]{3^4}=3$

3-2 (1) $\sqrt[4]{3}\times\sqrt[4]{27}=\sqrt[4]{3\times27}=\sqrt[4]{3^4}=3$

(2) $\dfrac{\sqrt[3]{3}}{\sqrt[3]{24}}=\sqrt[3]{\dfrac{3}{24}}=\sqrt[3]{\dfrac{1}{8}}=\sqrt[3]{\left(\dfrac{1}{2}\right)^3}=\dfrac{1}{2}$

(3) $(\sqrt[3]{5})^6=\sqrt[3]{5^6}=\sqrt[3]{5^{2\times3}}=5^2=25$

(4) $\sqrt{\sqrt[3]{8^2}}=\sqrt[2]{\sqrt[3]{(2^3)^2}}=\sqrt[6]{2^6}=2$

4-1 (1) $5^3\times5^2\div5^4=5^{3+2-4}=5$

(2) $\left(2^{\frac{4}{5}}\right)^{\frac{5}{2}}=2^{\frac{4}{5}\times\frac{5}{2}}=2^2=\boxed{4}$

(3) $(2^{\frac{1}{5}} \times 2^{\frac{3}{2}})^{10} = 2^{\frac{1}{5} \times 10} \times 2^{\frac{3}{2} \times \boxed{10}}$
$= 2^2 \times 2^{15} = 2^{2+15} = \mathbf{2^{17}}$

(4) $3^{3\sqrt{2}} \div 3^{-\sqrt{2}} \div 3^{2\sqrt{2}} = 3^{3\sqrt{2}-(-\sqrt{2})-2\sqrt{2}} = \mathbf{3^{2\sqrt{2}}}$

4-2 (1) $2^{\sqrt{2}} \times 2^{-2\sqrt{2}} = 2^{\sqrt{2}-2\sqrt{2}} = \mathbf{2^{-\sqrt{2}}}$

(2) $(4^{-2})^{\frac{1}{2}} = 4^{-2 \times \frac{1}{2}} = 4^{-1} = \mathbf{\dfrac{1}{4}}$

(3) $(7^{\frac{2}{3}} \times 7^{\frac{3}{2}})^6 = 7^{\frac{2}{3} \times 6} \times 7^{\frac{3}{2} \times 6} = 7^4 \times 7^9 = 7^{4+9} = \mathbf{7^{13}}$

(4) $5^{\frac{3}{2}} \div 5^{\frac{3}{4}} = 5^{\frac{3}{2}-\frac{3}{4}} = \mathbf{5^{\frac{3}{4}}}$

확인 문제
본문 | **14~21** 쪽

01-1 셀파 n제곱근 a는 $\sqrt[n]{a}$이고, $\sqrt[n]{a^n} = a$이다.

① $\sqrt{(-1)^2} = \sqrt{1} = 1$ (거짓)

② 세제곱근 8은 $\sqrt[3]{8} = \sqrt[3]{2^3} = 2$이다. (참)

③ $(-1)^3 = -1$이므로 -1은 -1의 세제곱근이다. (참)

④ $2^4 = 16$, $(-2)^4 = 16$이므로 2와 -2는 16의 네제곱근이다.
(참)

⑤ $\sqrt[3]{27} = \sqrt[3]{3^3} = 3$, $\sqrt[4]{81} = \sqrt[4]{3^4} = 3$ (참)

따라서 옳지 않은 것은 ①

01-2 셀파 a의 n제곱근은 $x^n = a$가 성립하는 x의 값이다.

9의 네제곱근 중 실수인 것은 $\pm\sqrt[4]{9} = \pm\sqrt[4]{3^2} = \pm\sqrt{3}$,

$\sqrt[3]{8} = \sqrt[3]{2^3} = 2$이므로 $\sqrt[3]{8}$의 세제곱근 중 실수인 것은 $\sqrt[3]{2}$이다.

$\therefore a = \pm\sqrt{3}$, $b = \sqrt[3]{2}$

$\therefore a^2 + b^3 = 3 + 2 = \mathbf{5}$

셀파 특강 **확인 체크 01**

(1) -8의 세제곱근을 x라 하면 $x^3 = -8$

$x^3 + 8 = 0$, $(x+2)(x^2-2x+4) = 0$

$\therefore x = -2$ 또는 $x = 1 \pm \sqrt{3}i$

따라서 -8의 세제곱근은 $\mathbf{-2, 1\pm\sqrt{3}i}$

(2) 1의 네제곱근을 x라 하면 $x^4 = 1$

$x^4 - 1 = 0$, $(x^2-1)(x^2+1) = 0$

$\therefore x = \pm 1$ 또는 $x = \pm i$

따라서 1의 네제곱근은 $\mathbf{\pm 1, \pm i}$

셀파 **세미나 거듭제곱근**

❶ **4의 제곱근과 $\sqrt{4}$는 어떻게 다른가?**

제곱해서 4가 되는 수를 x라 하면 $x^2 = 4$에서 $x = \pm 2$이므로 4의 제곱근은 2와 -2이다.

이 중에서 양수 2를 $\sqrt{4}$, 음수 -2를 $-\sqrt{4}$로 나타내고 $\sqrt{4}$를 제곱근 4로 읽는다.

따라서 4의 제곱근은 ± 2, 제곱근 4는 $\sqrt{4} = 2$임을 알 수 있다.

❷ **8의 세제곱근과 $\sqrt[3]{8}$은 어떻게 다른가?**

세제곱해서 8이 되는 수를 x라 하면 $x^3 = 8$

$x^3 - 8 = 0$, $(x-2)(x^2+2x+4) = 0$

즉, $x = 2$ 또는 $x = -1 \pm \sqrt{3}i$이므로 8의 세제곱근은 2, $-1 \pm \sqrt{3}i$이다.

이 중에서 실수 2를 $\sqrt[3]{8}$로 나타내고, $\sqrt[3]{8}$을 세제곱근 8로 읽는다.

따라서 8의 세제곱근은 2, $-1 \pm \sqrt{3}i$이고 세제곱근 8은 $\sqrt[3]{8} = 2$임을 알 수 있다.

02-1 셀파 $a > 0$, $b > 0$이고 m, n이 2 이상의 정수일 때
$$\dfrac{\sqrt[n]{a}}{\sqrt[n]{b}} = \sqrt[n]{\dfrac{a}{b}}, \quad \sqrt[np]{a^{mb}} = \sqrt[n]{a^m} \text{ (단, } p\text{는 양의 정수)}$$

(1) $\sqrt[4]{\dfrac{\sqrt{2}}{\sqrt[3]{2}}} \times \sqrt[6]{\dfrac{\sqrt{2}}{\sqrt[8]{2}}} = \dfrac{\sqrt[4]{\sqrt{2}}}{\sqrt[4]{\sqrt[3]{2}}} \times \dfrac{\sqrt[6]{\sqrt{2}}}{\sqrt[6]{\sqrt[8]{2}}} = \dfrac{\sqrt[8]{2}}{\sqrt[12]{2}} \times \dfrac{\sqrt[12]{2}}{\sqrt[16]{2}}$

$= \dfrac{\sqrt[16]{2^2}}{\sqrt[16]{2}} = \sqrt[16]{\dfrac{2^2}{2}} = \sqrt[16]{2}$

(2) $\sqrt[5]{27} \div \sqrt[3]{3} \times \sqrt[15]{3} = \sqrt[5 \times 3]{3^{3 \times 3}} \div \sqrt[3 \times 5]{3^5} \times \sqrt[15]{3}$

$= \dfrac{\sqrt[15]{3^9 \times 3}}{\sqrt[15]{3^5}} = \sqrt[15]{\dfrac{3^{10}}{3^5}} = \sqrt[15]{3^5}$

$= \sqrt[3 \times 5]{3^5} = \sqrt[3]{3}$

02-2 셀파 거듭제곱근의 성질을 이용하여 계산한다.

$\dfrac{\sqrt{\sqrt[4]{a^3} \times \sqrt{a}}}{\sqrt[4]{a}} = \dfrac{\sqrt{\sqrt[4]{a^3} \times \sqrt[4]{a^2}}}{\sqrt[4]{a}} = \dfrac{\sqrt{\sqrt[4]{a^5}}}{\sqrt[4]{a}} = \dfrac{\sqrt[8]{a^5}}{\sqrt[8]{a^2}}$

$= \sqrt[8]{\dfrac{a^5}{a^2}} = \sqrt[8]{a^3}$

$\sqrt[8]{a^3} = \sqrt[m]{a^n}$이므로 $m = 8$, $n = 3$

$\therefore m + n = 8 + 3 = \mathbf{11}$

03-1 〔셀파〕 거듭제곱근의 성질을 이용한다.

(1) $\sqrt[6]{16}$, $\sqrt[5]{8}$, $\sqrt[4]{4}$에서

$\sqrt[6]{16}=\sqrt[6]{2^4}=\sqrt[3\times2]{2^{2\times2}}=\sqrt[3]{2^2}$,

$\sqrt[5]{8}=\sqrt[5]{2^3}$, $\sqrt[4]{4}=\sqrt[2\times2]{2^2}=\sqrt{2}$

3, 5, 2의 최소공배수는 30이므로

$\sqrt[3]{2^2}=\sqrt[3\times10]{2^{2\times10}}=\sqrt[30]{2^{20}}$,

$\sqrt[5]{2^3}=\sqrt[5\times6]{2^{3\times6}}=\sqrt[30]{2^{18}}$,

$\sqrt{2}=\sqrt[2\times15]{2^{15}}=\sqrt[30]{2^{15}}$

이때 $2^{20}>2^{18}>2^{15}$이므로 $\sqrt[30]{2^{20}}>\sqrt[30]{2^{18}}>\sqrt[30]{2^{15}}$

$\therefore \boldsymbol{\sqrt[6]{16}>\sqrt[5]{8}>\sqrt[4]{4}}$

(2) $\sqrt{2}$, $\sqrt[3]{3}$, $\sqrt[4]{5}$, $\sqrt[6]{7}$에서 2, 3, 4, 6의 최소공배수는 12이므로

$\sqrt{2}=\sqrt[2\times6]{2^6}=\sqrt[12]{2^6}=\sqrt[12]{64}$,

$\sqrt[3]{3}=\sqrt[3\times4]{3^4}=\sqrt[12]{3^4}=\sqrt[12]{81}$,

$\sqrt[4]{5}=\sqrt[4\times3]{5^3}=\sqrt[12]{5^3}=\sqrt[12]{125}$,

$\sqrt[6]{7}=\sqrt[6\times2]{7^2}=\sqrt[12]{7^2}=\sqrt[12]{49}$

이때 $125>81>64>49$이므로 $\sqrt[12]{125}>\sqrt[12]{81}>\sqrt[12]{64}>\sqrt[12]{49}$

$\therefore \boldsymbol{\sqrt[4]{5}>\sqrt[3]{3}>\sqrt{2}>\sqrt[6]{7}}$

04-1 〔셀파〕 지수법칙을 이용하여 주어진 식을 간단히 한다.

(1) $\left(\dfrac{2}{5}\right)^0+\left\{\left(\dfrac{125}{8}\right)^{\frac{1}{2}}\right\}^{\frac{4}{3}}=1+\left\{\left(\dfrac{5}{2}\right)^{\frac{3}{2}}\right\}^{\frac{4}{3}}$

$\qquad=1+\left(\dfrac{5}{2}\right)^{\frac{3}{2}\times\frac{4}{3}}$

$\qquad=1+\left(\dfrac{5}{2}\right)^2=1+\dfrac{25}{4}$

$\qquad=\boldsymbol{\dfrac{29}{4}}$

(2) $32^{-\frac{1}{5}}+25^{-\frac{1}{2}}=(2^5)^{-\frac{1}{5}}+(5^2)^{-\frac{1}{2}}$

$\qquad=2^{-1}+5^{-1}$

$\qquad=\dfrac{1}{2}+\dfrac{1}{5}=\boldsymbol{\dfrac{7}{10}}$

(3) $(4^{\sqrt{3}})^{\sqrt{12}}=(2^{2\sqrt{3}})^{2\sqrt{3}}=2^{2\sqrt{3}\times2\sqrt{3}}=\boldsymbol{2^{12}}$

(4) $9^{-\frac{3}{2}}\times8^{\frac{1}{3}}\div81^{-\frac{3}{2}}=(3^2)^{-\frac{3}{2}}\times(2^3)^{\frac{1}{3}}\div(3^4)^{-\frac{3}{2}}$

$\qquad=3^{2\times\left(-\frac{3}{2}\right)}\times2^{3\times\frac{1}{3}}\div3^{4\times\left(-\frac{3}{2}\right)}$

$\qquad=3^{-3}\times2\div3^{-6}$

$\qquad=3^{-3-(-6)}\times2$

$\qquad=3^3\times2=\boldsymbol{54}$

04-2 〔셀파〕 지수법칙을 이용하여 주어진 식을 간단히 한다.

(1) $a^{\frac{2}{3}}\times a^{\frac{1}{6}}\div a^{\frac{1}{3}}=a^{\frac{2}{3}+\frac{1}{6}-\frac{1}{3}}=a^{\frac{3}{6}}=\boldsymbol{a^{\frac{1}{2}}}$

(2) $(ab^5)^{\frac{1}{6}}\div(ab)^{\frac{1}{2}}\times(ab^2)^{\frac{1}{3}}$

$\qquad=(a^{\frac{1}{6}}b^{\frac{5}{6}})\div(a^{\frac{1}{2}}b^{\frac{1}{2}})\times(a^{\frac{1}{3}}b^{\frac{2}{3}})$

$\qquad=a^{\frac{1}{6}-\frac{1}{2}+\frac{1}{3}}b^{\frac{5}{6}-\frac{1}{2}+\frac{2}{3}}$

$\qquad=a^0b^1=\boldsymbol{b}$

05-1 〔셀파〕 $a>0$이고 m, n이 2 이상의 정수일 때 $\sqrt[m]{\sqrt[n]{a}}=(a^{\frac{1}{n}})^{\frac{1}{m}}=a^{\frac{1}{mn}}$

(1) $\sqrt{\sqrt[4]{a^3}}=(a^{\frac{3}{4}})^{\frac{1}{2}}=a^{\frac{3}{8}}$, $\sqrt[3]{\sqrt[4]{a^k}}=(a^{\frac{k}{4}})^{\frac{1}{3}}=a^{\frac{k}{12}}$

$a^{\frac{3}{8}}=a^{\frac{k}{12}}$이므로 $\dfrac{3}{8}=\dfrac{k}{12}$ $\therefore \boldsymbol{k=\dfrac{9}{2}}$

(2) $\sqrt{\sqrt{\sqrt{\sqrt{a}}}}=[\{(a^{\frac{1}{2}})^{\frac{1}{2}}\}^{\frac{1}{2}}]^{\frac{1}{2}}=a^{\frac{1}{16}}$,

$\sqrt[4]{\sqrt[4]{\sqrt[4]{a}}}=\{(a^{\frac{1}{4}})^{\frac{1}{4}}\}^{\frac{1}{4}}=a^{\frac{1}{64}}$이므로

$a^{\frac{1}{16}}\times a^{\frac{1}{64}}=a^{\frac{1}{16}+\frac{1}{64}}=a^{\frac{5}{64}}=a^k$ $\therefore \boldsymbol{k=\dfrac{5}{64}}$

05-2 〔셀파〕 $a>0$이고 m, n이 2 이상의 정수일 때 $\sqrt[m]{\sqrt[n]{a}}=(a^{\frac{1}{n}})^{\frac{1}{m}}=a^{\frac{1}{mn}}$

(1) $\sqrt{a\sqrt{a^4\times\sqrt{a^8}}}=\{a\times(a^4\times a^{\frac{8}{2}})^{\frac{1}{2}}\}^{\frac{1}{2}}$

$\qquad=\{a\times(a^8)^{\frac{1}{2}}\}^{\frac{1}{2}}=(a\times a^4)^{\frac{1}{2}}$

$\qquad=(a^5)^{\frac{1}{2}}=\boldsymbol{a^{\frac{5}{2}}}$

(2) $\sqrt[4]{a\sqrt[3]{a^2\times\sqrt{a}}}=\{a\times(a^2\times a^{\frac{1}{2}})^{\frac{1}{3}}\}^{\frac{1}{4}}$

$\qquad=\{a\times(a^{\frac{5}{2}})^{\frac{1}{3}}\}^{\frac{1}{4}}=(a\times a^{\frac{5}{6}})^{\frac{1}{4}}$

$\qquad=(a^{\frac{11}{6}})^{\frac{1}{4}}=\boldsymbol{a^{\frac{11}{24}}}$

06-1 〔셀파〕 곱셈 공식을 이용하여 주어진 식을 간단히 한다.

(1) $a+a^{-1}=5$의 양변을 제곱하면

$a^2+2+a^{-2}=25$ $\therefore \boldsymbol{a^2+a^{-2}=23}$

(2) $a+a^{-1}=5$의 양변을 세제곱하면

$a^3+a^{-3}+3aa^{-1}(a+a^{-1})=125$

$\therefore a^3+a^{-3}=125-3\times1\times5=\boldsymbol{110}$

(3) $a^{\frac{1}{2}}+a^{-\frac{1}{2}}$을 제곱하면

$(a^{\frac{1}{2}}+a^{-\frac{1}{2}})^2=a+a^{-1}+2=5+2=7$

$a>0$이므로 $a^{\frac{1}{2}}+a^{-\frac{1}{2}}=\boldsymbol{\sqrt{7}}$

06-2 〔셀파〕 곱셈 공식의 변형을 이용하여 $a^{\frac{1}{3}}+a^{-\frac{1}{3}}$의 값을 구한다.

$a^{\frac{2}{3}}+a^{-\frac{2}{3}}=(a^{\frac{1}{3}}+a^{-\frac{1}{3}})^2-2a^{\frac{1}{3}}a^{-\frac{1}{3}}=2$에서

$(a^{\frac{1}{3}}+a^{-\frac{1}{3}})^2=2+2=4$

$a>0$이므로 $a^{\frac{1}{3}}+a^{-\frac{1}{3}}=2$

$a^{\frac{1}{3}}+a^{-\frac{1}{3}}=2$의 양변을 세제곱하면

$a+a^{-1}+3a^{\frac{1}{3}}a^{-\frac{1}{3}}(a^{\frac{1}{3}}+a^{-\frac{1}{3}})=8$

$\therefore a+a^{-1}=8-3\times1\times2=\boldsymbol{2}$

07-1 〔셀파〕 주어진 식을 a^{2x}이 포함된 식으로 변형한다.

(1) $\left(\dfrac{1}{a^3}\right)^{4x}=\dfrac{1}{a^{12x}}=\dfrac{1}{(a^{2x})^6}$

$=\dfrac{1}{(\sqrt{2})^6}=\dfrac{1}{2^3}=\boldsymbol{\dfrac{1}{8}}$

(2) 주어진 식의 분모, 분자에 각각 a^x을 곱하면

$\dfrac{a^x-a^{-x}}{a^x+a^{-x}}=\dfrac{a^x(a^x-a^{-x})}{a^x(a^x+a^{-x})}$

$=\dfrac{a^{2x}-1}{a^{2x}+1}=\dfrac{\sqrt{2}-1}{\sqrt{2}+1}$

$=(\sqrt{2}-1)^2$

$=\boldsymbol{3-2\sqrt{2}}$

07-2 〔셀파〕 주어진 식을 4^x이 포함된 식으로 변형한다.

주어진 식의 분모, 분자에 각각 2^x을 곱하면

$\dfrac{2^{3x}-2^{-x}}{2^x-2^{-3x}}=\dfrac{2^x(2^{3x}-2^{-x})}{2^x(2^x-2^{-3x})}=\dfrac{2^{4x}-1}{2^{2x}-2^{-2x}}$

$=\dfrac{(2^{2x})^2-1}{2^{2x}-\dfrac{1}{2^{2x}}}=\dfrac{(4^x)^2-1}{4^x-\dfrac{1}{4^x}}$

$=\dfrac{2^2-1}{2-\dfrac{1}{2}}=\dfrac{3}{\dfrac{3}{2}}=2$

---

01 (1) $(a^{\frac{1}{2}}+a^{-\frac{1}{2}})^2-(a^{\frac{1}{2}}-a^{-\frac{1}{2}})^2$

$=(a+2+a^{-1})-(a-2+a^{-1})$

$=2+2=\boldsymbol{4}$

(2) $(a^{\frac{1}{4}}-b^{\frac{1}{4}})(a^{\frac{1}{4}}+b^{\frac{1}{4}})(a^{\frac{1}{2}}+b^{\frac{1}{2}})$

$=(a^{\frac{1}{2}}-b^{\frac{1}{2}})(a^{\frac{1}{2}}+b^{\frac{1}{2}})$

$=\boldsymbol{a-b}$

(3) $(a^{\frac{1}{3}}+a^{-\frac{2}{3}})^3+(a^{\frac{1}{3}}-a^{-\frac{2}{3}})^3$

$=a+a^{-2}+3a^{\frac{1}{3}}a^{-\frac{2}{3}}(a^{\frac{1}{3}}+a^{-\frac{2}{3}})$

$\qquad\qquad +a-a^{-2}-3a^{\frac{1}{3}}a^{-\frac{2}{3}}(a^{\frac{1}{3}}-a^{-\frac{2}{3}})$

$=2a+3a^{-\frac{1}{3}}(a^{\frac{1}{3}}+a^{-\frac{2}{3}}-a^{\frac{1}{3}}+a^{-\frac{2}{3}})$

$=2a+3a^{-\frac{1}{3}}\times2a^{-\frac{2}{3}}$

$=2a+6a^{-1}=\boldsymbol{2a+\dfrac{6}{a}}$

02 (1) $x^{\frac{1}{2}}+x^{-\frac{1}{2}}=4$의 양변을 제곱하면

$x+2+x^{-1}=16$

$\therefore \boldsymbol{x+x^{-1}=14}$

(2) $x^{\frac{1}{2}}+x^{-\frac{1}{2}}=4$의 양변을 세제곱하면

$x^{\frac{3}{2}}+x^{-\frac{3}{2}}+3(x^{\frac{1}{2}}+x^{-\frac{1}{2}})=64$

$\therefore x^{\frac{3}{2}}+x^{-\frac{3}{2}}=64-3\times4=\boldsymbol{52}$

(3) (1)에서 구한 $x+x^{-1}=14$의 양변을 제곱하면

$x^2+2+x^{-2}=196$

$\therefore \boldsymbol{x^2+x^{-2}=194}$

03 주어진 식의 분모, 분자에 각각 a^x을 곱하면

(1) $\dfrac{a^x+a^{-x}}{a^x-a^{-x}}=\dfrac{a^x(a^x+a^{-x})}{a^x(a^x-a^{-x})}=\dfrac{a^{2x}+1}{a^{2x}-1}$

$=\dfrac{2+1}{2-1}=\boldsymbol{3}$

(2) $\dfrac{a^{3x}+a^{-3x}}{a^x+a^{-x}}=\dfrac{a^x(a^{3x}+a^{-3x})}{a^x(a^x+a^{-x})}$

$=\dfrac{a^{4x}+a^{-2x}}{a^{2x}+1}=\dfrac{(a^{2x})^2+\dfrac{1}{a^{2x}}}{a^{2x}+1}$

$=\dfrac{4+\dfrac{1}{2}}{2+1}=\dfrac{\dfrac{9}{2}}{3}=\boldsymbol{\dfrac{3}{2}}$

(3) $\dfrac{a^{3x}+a^{-x}}{a^x+a^{-3x}}=\dfrac{a^x(a^{3x}+a^{-x})}{a^x(a^x+a^{-3x})}$

$\qquad=\dfrac{a^{4x}+1}{a^{2x}+a^{-2x}}=\dfrac{(a^{2x})^2+1}{a^{2x}+\dfrac{1}{a^{2x}}}$

$\qquad=\dfrac{4+1}{2+\dfrac{1}{2}}=\dfrac{5}{\dfrac{5}{2}}=2$

---

04 주어진 식의 분모, 분자에 각각 2^x을 곱하면

(1) $\dfrac{2^x-2^{-x}}{2^x+2^{-x}}=\dfrac{2^x(2^x-2^{-x})}{2^x(2^x+2^{-x})}=\dfrac{2^{2x}-1}{2^{2x}+1}$

$\qquad=\dfrac{4^x-1}{4^x+1}=\dfrac{3-1}{3+1}=\dfrac{1}{2}$

(2) $\dfrac{8^x+8^{-x}}{2^x+2^{-x}}=\dfrac{2^x(2^{3x}+2^{-3x})}{2^x(2^x+2^{-x})}=\dfrac{2^{4x}+2^{-2x}}{2^{2x}+1}$

$\qquad=\dfrac{4^{2x}+4^{-x}}{4^x+1}=\dfrac{(4^x)^2+\dfrac{1}{4^x}}{4^x+1}$

$\qquad=\dfrac{9+\dfrac{1}{3}}{3+1}=\dfrac{\dfrac{28}{3}}{4}=\dfrac{7}{3}$

| 다른 풀이 |

$\dfrac{8^x+8^{-x}}{2^x+2^{-x}}=\dfrac{(2^x+2^{-x})(2^{2x}-1+2^{-2x})}{2^x+2^{-x}}$

$\qquad=4^x-1+\dfrac{1}{4^x}=3-1+\dfrac{1}{3}=\dfrac{7}{3}$

셀파 특강 **확인 체크 02**

(1) $100^x=25$의 양변을 $\dfrac{1}{x}$제곱하면

$(100^x)^{\frac{1}{x}}=25^{\frac{1}{x}}$, $100=(5^2)^{\frac{1}{x}}$

$\therefore 5^{\frac{2}{x}}=100$ $\qquad\qquad$ ……㉠

$4^y=5$의 양변을 $\dfrac{1}{y}$제곱하면

$(4^y)^{\frac{1}{y}}=5^{\frac{1}{y}}$ $\quad\therefore 5^{\frac{1}{y}}=4$ ……㉡

㉠÷㉡에서 $5^{\frac{2}{x}}\div 5^{\frac{1}{y}}=100\div 4$

$5^{\frac{2}{x}-\frac{1}{y}}=25=5^2$

$\therefore \dfrac{2}{x}-\dfrac{1}{y}=2$

---

(2) $4^x=k$에서 $4=k^{\frac{1}{x}}$ $\qquad$ ……㉠

$3^y=k$에서 $3=k^{\frac{1}{y}}$ $\qquad$ ……㉡

$6^z=k$에서 $6=k^{\frac{1}{z}}$ $\qquad$ ……㉢

㉠×㉡÷㉢에서 $\dfrac{4\times 3}{6}=k^{\frac{1}{x}}\times k^{\frac{1}{y}}\div k^{\frac{1}{z}}$

$k^{\frac{1}{x}+\frac{1}{y}-\frac{1}{z}}=2$ $\quad\therefore \boldsymbol{k=2}$

---

01 **셀파** n이 짝수일 때, $-a$의 n제곱근 중 실수인 것은 존재하지 않는다. (단, $a>0$)

n이 양의 정수이고 a가 양수일 때

ㄱ, ㄴ. n이 짝수이면

a의 n제곱근 중 실수인 것은 $\sqrt[n]{a}$와 $-\sqrt[n]{a}$이다.

그런데 $-a$의 n제곱근 중 실수인 것은 존재하지 않는다.

ㄷ, ㄹ. n이 홀수이면

a의 n제곱근 중 실수인 것은 $\sqrt[n]{a}$뿐이다.

또 $-a$의 n제곱근 중 실수인 것은 $\sqrt[n]{-a}$뿐이다.

이때 $\sqrt[n]{-a}=-\sqrt[n]{a}$이다.

따라서 보기 중 실수인 것은 ㄱ, ㄷ, ㄹ이다.

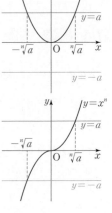

---

02 **셀파** $a>0$일 때, a의 세제곱근 중 실수인 것은 $\sqrt[3]{a}$이고 a의 네 제곱근 중 실수인 것은 $\pm\sqrt[4]{a}$이다.

$\sqrt{3^6}=\sqrt[2]{3^{2\times 3}}=3^3$이므로 $\sqrt{3^6}$의 세제곱근 중 실수인 것은

$\sqrt[3]{3^3}=3$ $\quad\therefore a=3$

$\sqrt[3]{256}=\sqrt[3]{2^8}$이므로 $\sqrt[3]{256}$의 네제곱근 중 실수인 것은

$\pm\sqrt[4]{\sqrt[3]{2^8}}=\pm\sqrt[12]{2^8}=\pm\sqrt[3\times 4]{2^{2\times 4}}=\pm\sqrt[3]{2^2}=\pm\sqrt[3]{4}$

$\therefore b=\sqrt[3]{4}$, $c=-\sqrt[3]{4}$ 또는 $b=-\sqrt[3]{4}$, $c=\sqrt[3]{4}$

$\therefore \boldsymbol{a+b+c=3}$

03 셀파 거듭제곱근의 성질 $\sqrt[m]{\sqrt[n]{a}}=\sqrt[mn]{a}$, $\sqrt[n]{\dfrac{a}{b}}=\dfrac{\sqrt[n]{a}}{\sqrt[n]{b}}$를 이용하여 계산한다. (단, $a>0$, $b>0$)

$$\sqrt{\dfrac{\sqrt[3]{a}}{\sqrt[5]{a}}}\times\sqrt[3]{\dfrac{\sqrt[5]{a}}{\sqrt{a}}}\times\sqrt[5]{\dfrac{\sqrt{a}}{\sqrt[3]{a}}}$$
$$=\dfrac{\sqrt{\sqrt[3]{a}}}{\sqrt{\sqrt[5]{a}}}\times\dfrac{\sqrt[3]{\sqrt[5]{a}}}{\sqrt[3]{\sqrt{a}}}\times\dfrac{\sqrt[5]{\sqrt{a}}}{\sqrt[5]{\sqrt[3]{a}}}$$
$$=\dfrac{\sqrt[6]{a}}{\sqrt[10]{a}}\times\dfrac{\sqrt[15]{a}}{\sqrt[6]{a}}\times\dfrac{\sqrt[10]{a}}{\sqrt[15]{a}}=\mathbf{1}$$

04 셀파 거듭제곱근의 성질 $(\sqrt[n]{a})^m=\sqrt[n]{a^m}$을 이용한다.
(단, $a>0$)

직사각형의 대각선의 길이를 l이라 하면 피타고라스 정리에서
$$l^2=(\sqrt[4]{9})^2+(\sqrt[3]{8})^2=\sqrt[4]{9^2}+\sqrt[3]{8^2}$$
$$=\sqrt[4]{(3^2)^2}+\sqrt[3]{(2^3)^2}=\sqrt[4]{3^4}+\sqrt[3]{(2^2)^3}=3+4=7$$
따라서 구하는 대각선의 길이는 $\sqrt{7}$

05 셀파 두 수씩 짝을 지어 대소를 비교한다.

(i) $3^a=5$에서 $(3^a)^2=5^2$ $\therefore 9^a=25$

$9^a=25$, $8^c=27$에서 $25<27$이므로
$9^a<8^c$

한편 $9^a<8^c$에서 $9^a<8^c<9^c$이므로
$9^a<9^c$ $\therefore a<c$

(ii) $7^b=29$, $8^c=27$에서 $27<29$이므로
$8^c<7^b$

한편 $8^c<7^b$에서 $8^c<7^b<8^b$이므로
$8^c<8^b$ $\therefore c<b$

(i), (ii)에서 $a<c<b$
따라서 대소 관계를 바르게 나타낸 것은 ①

| 참고 |
$25<290$이므로 $9^a<7^b$
한편 $9^a<7^b$에서 $9^a<7^b<9^b$이므로
$9^a<9^b$ $\therefore a<b$

LECTURE 세 수 비교하기

두 수를 비교할 때는 두 수의 지수를 통일시키기가 비교적 쉽지만 세 수 이상일 때는 지수를 통일시키기가 다소 어렵다.
예를 들어 **05**번 문제에서 세 수의 지수를 모두 통일시키면 밑이 너무 커져서 비교하기가 쉽지 않다.
이런 경우에는 풀이에서와 같이 두 수씩 짝을 지어 대소를 비교해야 하는데 $a>b$, $b>c$이면 $a>b>c$이지만 $a>b$, $c>b$이면 다시 a와 c를 비교하여 $a>c>b$인지 $c>a>b$인지 정해야 한다.

06 셀파 우변을 정리하여 좌변과 비교한다.

$$\sqrt{a\sqrt[3]{a^2\times\sqrt[4]{a^5}}}=\{a\times(a^2\times a^{\frac{5}{4}})^{\frac{1}{3}}\}^{\frac{1}{2}}$$
$$=\{a\times(a^{\frac{13}{4}})^{\frac{1}{3}}\}^{\frac{1}{2}}=(a\times a^{\frac{13}{12}})^{\frac{1}{2}}$$
$$=(a^{\frac{25}{12}})^{\frac{1}{2}}=a^{\frac{25}{24}}$$

이때 $\sqrt[12]{a^{5k}}=a^{\frac{5}{12}k}=a^{\frac{25}{24}}$이므로
$$\dfrac{5}{12}k=\dfrac{25}{24} \quad \therefore k=\dfrac{5}{2}$$
따라서 구하는 답은 ②

07 셀파 클릭 전의 지도의 크기를 A라 하면
$$a^3A=2A,\ b^3A=\dfrac{1}{2}A$$이다.

클릭 전 지도의 크기를 A라 하면
㈎에서 $a^3A=2A$이므로 $a^3=2$

양변을 $\dfrac{1}{3}$제곱하면 $a=2^{\frac{1}{3}}$

㈏에서 $b^3A=\dfrac{1}{2}A$이므로 $b^3=\dfrac{1}{2}=2^{-1}$

양변을 $\dfrac{1}{3}$제곱하면 $b=2^{-\frac{1}{3}}$

확대 버튼을 4번, 축소 버튼을 2번 클릭하면 지도의 크기는
$$a^4b^2A=(2^{\frac{1}{3}})^4(2^{-\frac{1}{3}})^2A=2^{\frac{4}{3}-\frac{2}{3}}A=2^{\frac{2}{3}}A$$
$$\therefore k=2^{\frac{2}{3}}$$
따라서 구하는 답은 ②

08 셀파 세 식 $a^4=5$, $b^5=6$, $c^6=7$을 변형하여 a, b, c의 값을 각각 구한다.

$a^4=5$에서 양변을 $\dfrac{1}{4}$제곱하면
$(a^4)^{\frac{1}{4}}=5^{\frac{1}{4}}$ $\therefore a=5^{\frac{1}{4}}$ ······㉠

$b^5=6$에서 양변을 $\dfrac{1}{5}$제곱하면
$(b^5)^{\frac{1}{5}}=6^{\frac{1}{5}}$ $\therefore b=6^{\frac{1}{5}}$ ······㉡

$c^6=7$에서 양변을 $\dfrac{1}{6}$제곱하면
$(c^6)^{\frac{1}{6}}=7^{\frac{1}{6}}$ $\therefore c=7^{\frac{1}{6}}$ ······㉢

㉠, ㉡, ㉢을 변끼리 곱하면 $abc=5^{\frac{1}{4}}\times6^{\frac{1}{5}}\times7^{\frac{1}{6}}$

이 식의 양변을 n제곱하면
$$(abc)^n=(5^{\frac{1}{4}}\times6^{\frac{1}{5}}\times7^{\frac{1}{6}})^n=5^{\frac{n}{4}}\times6^{\frac{n}{5}}\times7^{\frac{n}{6}}$$

이때 $5^{\frac{n}{4}}\times6^{\frac{n}{5}}\times7^{\frac{n}{6}}$이 자연수가 되도록 하는 자연수 n의 최솟값은 4, 5, 6의 최소공배수이므로 **60**

09 [셀파] 두 식 $a^b=b^a$, $b=25a$를 연립하여 지수법칙을 이용한다.

㉮ $a^b=b^a$에서 양변을 $\frac{1}{a}$제곱하면

$$(a^b)^{\frac{1}{a}}=(b^a)^{\frac{1}{a}} \quad \therefore a^{\frac{b}{a}}=b \qquad \cdots\cdots \bigcirc$$

이때 $b=25a$를 ㉠에 대입하면

$$a^{\frac{25a}{a}}=25a, \ a^{25}=25a \quad \therefore a^{24}=25 \ (\because a>0)$$

$a^{24}=5^2$의 양변을 $\frac{1}{24}$제곱하면

$$(a^{24})^{\frac{1}{24}}=(5^2)^{\frac{1}{24}} \quad \therefore a=5^{\frac{1}{12}}$$

㉯ $b=25a=25\times 5^{\frac{1}{12}}=5^2\times 5^{\frac{1}{12}}=5^{\frac{25}{12}}$

㉰ $\therefore \sqrt[3]{(a^2b)^4}=\sqrt[3]{a^8b^4}=\sqrt[3]{(5^{\frac{1}{12}})^8\times(5^{\frac{25}{12}})^4}$
$=\sqrt[3]{5^{\frac{2}{3}}\times 5^{\frac{25}{3}}}=\sqrt[3]{5^9}=\sqrt[3]{5^{3\times3}}=5^3=\mathbf{125}$

채점 기준	배점
㉮ a의 값을 구한다.	40%
㉯ b의 값을 구한다.	20%
㉰ $\sqrt[3]{(a^2b)^4}$의 값을 구한다.	40%

10 [셀파] $x=3^{\frac{1}{4}}-3^{-\frac{1}{4}}$의 양변을 제곱한다.

$x=3^{\frac{1}{4}}-3^{-\frac{1}{4}}$의 양변을 제곱하면

$$x^2=(3^{\frac{1}{4}}-3^{-\frac{1}{4}})^2=3^{\frac{1}{2}}+3^{-\frac{1}{2}}-2 \quad \therefore x^2+2=3^{\frac{1}{2}}+3^{-\frac{1}{2}}$$

다시 이 식의 양변을 제곱하면

$$(x^2+2)^2=(3^{\frac{1}{2}}+3^{-\frac{1}{2}})^2$$
$$x^4+4x^2+4=3+3^{-1}+2$$
$$\therefore x^4+4x^2=5+\frac{1}{3}-4=\frac{4}{3}$$

11 [셀파] 주어진 식에서 좌변의 분모, 분자에 각각 2^x을 곱한다.

$\dfrac{2^x+2^{-x}}{2^x-2^{-x}}=3$에서 좌변의 분모, 분자에 각각 2^x을 곱하면

$$\frac{2^x(2^x+2^{-x})}{2^x(2^x-2^{-x})}=3, \ \frac{(2^x)^2+1}{(2^x)^2-1}=3$$

$(2^x)^2=(2^2)^x=4^x$이므로

$$\frac{4^x+1}{4^x-1}=3, \ 4^x+1=3(4^x-1), \ 2\times 4^x=4 \quad \therefore 4^x=2$$

따라서 $4^{-x}=\dfrac{1}{4^x}=\dfrac{1}{2}$이므로

$$4^x+4^{-x}=2+\frac{1}{2}=\frac{5}{2}$$

12 [셀파] $a^xa^y=a^{x+y}$ (단, $a>0$, x, y는 실수)

$2^x=9$에서 $2^x=3^2 \quad \therefore 2=3^{\frac{2}{x}}$

$18^y=\dfrac{1}{3}$에서 $18=\left(\dfrac{1}{3}\right)^{\frac{1}{y}} \quad \therefore \dfrac{1}{18}=3^{\frac{1}{y}}$

$3^{\frac{2}{x}+\frac{1}{y}}=3^{\frac{2}{x}}\times 3^{\frac{1}{y}}=2\times\dfrac{1}{18}=\dfrac{1}{9}=3^{-2}$

$\therefore \dfrac{2}{x}+\dfrac{1}{y}=-2$

따라서 구하는 답은 ①

[셀파] 세미나 **유리수 지수의 정의**

❶ $a>0$, m이 정수이고 n이 2 이상의 정수일 때
$$a^{\frac{1}{n}}=\sqrt[n]{a}, \ a^{\frac{m}{n}}=\sqrt[n]{a^m}$$

❷ $a>0$, r가 유리수일 때 $a^{-r}=\dfrac{1}{a^r}$

유리수 지수에서 $(-2)^{\frac{3}{4}}$의 값은 없다.

또 $0^{\frac{3}{4}}$은 정의하지 않는다.

일반적으로 유리수 지수는 밑이 양수이어야 정의된다.

$$(a^m)^n=a^{mn} \qquad \cdots\cdots\bigcirc$$

에서 m, n이 정수이면 $a>0$, $a<0$에 관계없이 ㉠이 성립한다.
그러나 m 또는 n이 유리수이면 $a>0$일 때만 ㉠이 성립한다.

[예] $a=-3$, $m=2$, $n=\dfrac{1}{2}$일 때

$$\{(-3)^2\}^{\frac{1}{2}}=9^{\frac{1}{2}}=(3^2)^{\frac{1}{2}}=3 \ (\bigcirc)$$
$$\{(-3)^2\}^{\frac{1}{2}}=(-3)^{2\times\frac{1}{2}}=(-3)^1=-3 \ (\times)$$

13 [셀파] $y=a\times b^{-t}$에 주어진 y, t의 값을 넣어 식을 세운다.

찻잔에 뜨거운 물을 부었을 때, 3분 후의 물의 온도가 50 °C이므로
$y=a\times b^{-t}$에 $y=50$, $t=3$을 대입하면

$$a\times b^{-3}=50 \qquad \cdots\cdots\bigcirc$$

또 6분 후의 물의 온도가 40 °C이므로
$y=a\times b^{-t}$에 $y=40$, $t=6$을 대입하면

$$a\times b^{-6}=40 \qquad \cdots\cdots\bigcirc$$

㉡÷㉠에서 $b^{-3}=\dfrac{4}{5}$

이때 9분 후의 물의 온도는 $a\times b^{-9}$이므로

$$a\times b^{-9}=a\times b^{-6}\times b^{-3}=40\times\frac{4}{5}=\mathbf{32} \ (\text{°C})$$

2. 로그

본문 | 29, 31 쪽

개념 익히기

1-1 (1) $5^3=125$에서 $\boxed{3}=\log_5 125$

(2) $10^{-2}=0.01$에서 $-2=\log_{10} 0.01$

(3) $\log_3 81=4$에서 $3^4=\boxed{81}$

(4) $\log_7 \dfrac{1}{49}=-2$에서 $7^{-2}=\dfrac{1}{49}$

LEC TURE 지수와 로그의 밑

$$a^x=N \Longleftrightarrow x=\log_a N$$
$$\text{(지수의 밑)}=\text{(로그의 밑)}$$

1-2 (1) $8^2=64$에서 $2=\log_8 64$

(2) $6^{-2}=\dfrac{1}{36}$에서 $-2=\log_6 \dfrac{1}{36}$

(3) $\log_8 4=\dfrac{2}{3}$에서 $8^{\frac{2}{3}}=4$

(4) $\log_{\frac{1}{2}} 2=-1$에서 $\left(\dfrac{1}{2}\right)^{-1}=2$

2-1 (1) $\log_2 \dfrac{4}{3}+\log_2 \dfrac{3}{8}=\log_2 \left(\dfrac{4}{3}\times\dfrac{3}{8}\right)$

$$=\log_2 \dfrac{1}{2}=\log_2 2^{-1}$$
$$=-\log_2 2=\boxed{-1}$$

(2) $\log_3 36-\log_3 4=\log_3 \dfrac{36}{4}=\log_3 9$

$$=\log_3 3^2=\boxed{2}\log_3 3=\boxed{2}$$

(3) $\dfrac{\log_7 9}{\log_7 3}=\log_3 9=\log_3 3^2=2\log_3 3=\mathbf{2}$

(4) $\log_5 100\cdot\log_{10} 25=\dfrac{\log_{10} 100}{\log_{10} 5}\cdot\log_{10} 25$

$$=\dfrac{\log_{10} 10^2}{\log_{10} 5}\cdot\log_{10} 5^2$$
$$=\dfrac{2\log_{10} 10}{\log_{10} 5}\cdot 2\log_{10} 5=\mathbf{4}$$

2-2 (1) $\log_2 \dfrac{2}{3}+\log_2 6=\log_2 \left(\dfrac{2}{3}\times 6\right)=\log_2 4$

$$=\log_2 2^2=2\log_2 2=\mathbf{2}$$

(2) $\log_5 4-\log_5 20=\log_5 \dfrac{4}{20}=\log_5 \dfrac{1}{5}=\log_5 5^{-1}$

$$=-\log_5 5=\mathbf{-1}$$

(3) $\log_{27} 9=\log_{3^3} 3^2=\dfrac{2}{3}\log_3 3=\dfrac{\mathbf{2}}{\mathbf{3}}$

(4) $\log_2 3\cdot\log_3 8=\dfrac{\log_3 3}{\log_3 2}\cdot\log_3 2^3$

$$=\dfrac{\log_3 3}{\log_3 2}\cdot 3\log_3 2=\mathbf{3}$$

LEC TURE 로그의 여러 가지 성질

❶ $\log_a M\times N=\log_a M+\log_a N$ ◁ 진수의 곱셈 ⇨ 로그의 덧셈

❷ $\log_a \dfrac{M}{N}=\log_a M-\log_a N$ ◁ 진수의 나눗셈 ⇨ 로그의 뺄셈

❸ $\log_a b=\dfrac{\log_c b}{\log_c a}$ ◁ 로그의 진수 / 로그의 밑

3-1 (1) $\log 0.001=\log 10^{-3}=\boxed{-3}\log 10=-3$

(2) $\log \sqrt[5]{1000}=\log 1000^{\frac{1}{5}}=\log (10^3)^{\frac{1}{5}}$

$$=\log 10^{\frac{3}{5}}=\dfrac{3}{5}\log 10=\dfrac{\mathbf{3}}{\mathbf{5}}$$

(3) $\log 100\sqrt{10}=\log (10^2\times 10^{\frac{1}{2}})=\log 10^{\frac{5}{2}}$

$$=\dfrac{5}{2}\log 10=\dfrac{\mathbf{5}}{\mathbf{2}}$$

(4) $\log \sqrt{\dfrac{1}{100}}=\log \left(\dfrac{1}{100}\right)^{\frac{1}{2}}=\log (10^{-2})^{\frac{1}{2}}$

$$=\log 10^{\boxed{-1}}=-\log 10=\boxed{-1}$$

3-2 (1) $\log 100 = \log 10^2 = 2 \log 10 = \mathbf{2}$

(2) $\log 0.01 = \log 10^{-2} = -2 \log 10 = \mathbf{-2}$

(3) $\log \sqrt{10} = \log 10^{\frac{1}{2}} = \dfrac{1}{2} \log 10 = \mathbf{\dfrac{1}{2}}$

(4) $\log \sqrt[3]{\dfrac{1}{100}} = \log \left(\dfrac{1}{100}\right)^{\frac{1}{3}} = \log (10^{-2})^{\frac{1}{3}}$
$= \log 10^{-\frac{2}{3}} = -\dfrac{2}{3} \log 10$
$= \mathbf{-\dfrac{2}{3}}$

4-1 (1) $\log 3540 = \log (3.54 \times 10^3)$
$= \log 3.54 + \log 10^3$
$= \boxed{\ 3\ } + 0.5490$
따라서 **정수 부분은 3, 소수 부분은 0.5490**

(2) $\log 0.0354 = \log (3.54 \times 10^{-2})$
$= \log 3.54 + \log 10^{-2}$
$= -2 + 0.5490$
따라서 **정수 부분은** $\boxed{\ -2\ }$**, 소수 부분은 0.5490**

4-2 (1) $\log 216 = \log (2.16 \times 10^2)$
$= \log 2.16 + \log 10^2$
$= 2 + 0.3345$
따라서 **정수 부분은 2, 소수 부분은 0.3345**

(2) $\log 0.00216 = \log (2.16 \times 10^{-3})$
$= \log 2.16 + \log 10^{-3}$
$= -3 + 0.3345$
따라서 **정수 부분은 -3, 소수 부분은 0.3345**

(3) $\log 65.2 = \log (6.52 \times 10) = \log 6.52 + \log 10$
$= 1 + 0.8142$
따라서 **정수 부분은 1, 소수 부분은 0.8142**

(4) $\log 65200 = \log (6.52 \times 10^4)$
$= \log 6.52 + \log 10^4$
$= 4 + 0.8142$
따라서 **정수 부분은 4, 소수 부분은 0.8142**

01-1 셀파 $\log_a N$이 정의되기 위한 조건은 $a>0$, $a \ne 1$, $N>0$ 이다.

(1) $\log_3 (x^2 - 3x - 10)$이 정의되려면
(진수) >0에서
$x^2 - 3x - 10 > 0$, $(x+2)(x-5) > 0$
$\therefore$ $\boldsymbol{x < -2}$ **또는** $\boldsymbol{x > 5}$

(2) $\log_{x-3} (-x^2 + 9x - 18)$이 정의되려면
밑 조건에서 $x-3 > 0$, $x-3 \ne 1$, 즉 $x > 3$, $x \ne 4$이므로
$3 < x < 4$ 또는 $x > 4$ ⋯⋯㉠
(진수) >0에서 $-x^2 + 9x - 18 > 0$
$x^2 - 9x + 18 < 0$, $(x-3)(x-6) < 0$
$\therefore$ $3 < x < 6$ ⋯⋯㉡
㉠, ㉡의 공통 범위를 구하면
$\boldsymbol{3 < x < 4}$ **또는** $\boldsymbol{4 < x < 6}$

셀파 세미나 $\log_a N$이 정의되기 위한 조건

밑은 1이 아닌 양수이어야 한다. 즉, $a > 0$, $a \ne 1$
밑이 1이 아닌 양수인 이유는 무엇인가?
❶ $\log_1 3 = x$라 하면 $1^x = 3$이다.
이때 $1^x = 3$을 만족시키는 x는 없다.
따라서 밑이 1이어서는 안된다.
❷ $\log_0 8 = x$라 하면 $0^x = 8$이다.
이때 $0^x = 8$을 만족시키는 x는 없다.
따라서 밑이 0이어서는 안된다.
❸ $\log_{-2} \dfrac{1}{2} = x$라 하면 $(-2)^x = \dfrac{1}{2}$이다.
이때 $(-2)^x = \dfrac{1}{2}$을 만족시키는 x는 없다.
따라서 밑이 음수이어서는 안된다.

진수는 양수이어야 한다. 즉, $N > 0$
진수가 꼭 양수이어야 하는 이유는 무엇인가?
❶ $\log_{\frac{1}{10}} 0 = x$라 하면 $\left(\dfrac{1}{10}\right)^x = 0$이다.
이때 $\left(\dfrac{1}{10}\right)^x = 0$을 만족시키는 x는 없다.
따라서 진수가 0이어서는 안된다.
❷ $\log_{10} (-1) = x$라 하면 $10^x = -1$이다.
이때 $10^x = -1$을 만족시키는 x는 없다.
따라서 진수가 음수이어서는 안된다.

01-2 [셀파] 모든 실수 x에 대하여 $x^2+ax+b>0$이려면 방정식
$x^2+ax+b=0$의 판별식 $D<0$이어야 한다.

$\log_2(x^2-2kx+5)$가 정의되려면 (진수)>0에서 모든 실수 x에
대하여 $x^2-2kx+5>0$이어야 한다.

이때 이차방정식 $x^2-2kx+5=0$의 판별식을 D라 하면

$\dfrac{D}{4}=(-k)^2-5<0,\ k^2-5<0$

$\underset{\sqrt{5}=2.23\times\times\times}{(k+\sqrt{5})(k-\sqrt{5})<0} \quad \therefore -\sqrt{5}<k<\sqrt{5}$

따라서 구하는 정수 k의 개수는 $-2,-1,0,1,2$의 **5**

02-1 [셀파] $\log_a M-\log_a N=\log_a \dfrac{M}{N}$

$k\log_a M=\log_a M^k$ (단, k는 실수)

(1) $\log_2 \dfrac{\sqrt{3}}{2}-\dfrac{1}{2}\log_2 3 = \log_2 \dfrac{\sqrt{3}}{2}-\log_2 3^{\frac{1}{2}}$

$\qquad =\log_2 \left(\dfrac{\sqrt{3}}{2}\div\sqrt{3}\right)$

$\qquad =\log_2 \left(\dfrac{\sqrt{3}}{2}\times\dfrac{1}{\sqrt{3}}\right)$

$\qquad =\log_2 \dfrac{1}{2}=\log_2 2^{-1}$

$\qquad =-\log_2 2=\boldsymbol{-1}$

(2) $\log_3 \dfrac{9}{5}+2\log_3 \sqrt{5}-\dfrac{1}{2}\log_3 \dfrac{1}{9}$

$\qquad =\log_3 \dfrac{9}{5}+\log_3 (\sqrt{5})^2-\log_3 \left(\dfrac{1}{9}\right)^{\frac{1}{2}}$

$\qquad =\log_3 \left(\dfrac{9}{5}\times5\div\dfrac{1}{3}\right)$

$\qquad \underset{\log_3\left(\frac{1}{9}\right)^{\frac{1}{2}}=\log_3\left[\left(\frac{1}{3}\right)^2\right]^{\frac{1}{2}}=\log_3\frac{1}{3}}{}$

$\qquad =\log_3 \left(\dfrac{9}{5}\times5\times3\right)$

$\qquad =\log_3 3^3=3\log_3 3=\boldsymbol{3}$

02-2 [셀파] $\log_a M+\log_a N=\log_a MN$

(주어진 식)

$=\log_{10} \dfrac{1}{2}+\log_{10} \dfrac{2}{3}+\log_{10} \dfrac{3}{4}+\cdots+\log_{10} \dfrac{99}{100}$

$=\log_{10} \left(\dfrac{1}{2}\times\dfrac{\cancel{2}}{3}\times\dfrac{\cancel{3}}{\cancel{4}}\times\cdots\times\dfrac{\cancel{99}}{100}\right)$

$=\log_{10} \dfrac{1}{100}=\log_{10} 10^{-2}$

$=-2\log_{10} 10=\boldsymbol{-2}$

---

01 (1) $\log_5 5+\log_5 1=1+0=\boldsymbol{1}$

(2) $\log_2 \dfrac{2}{3}+\log_2 \dfrac{3}{16}=\log_2 \left(\dfrac{2}{3}\times\dfrac{3}{16}\right)=\log_2 \dfrac{1}{8}$

$\qquad =\log_2 2^{-3}=\boldsymbol{-3}$

(3) $\log_{10} \sqrt{5}+\dfrac{1}{2}\log_{10} 2=\log_{10} \sqrt{5}+\log_{10} \sqrt{2}$

$\qquad =\log_{10} (\sqrt{5}\times\sqrt{2})=\log_{10} \sqrt{10}$

$\qquad =\log_{10} 10^{\frac{1}{2}}=\boldsymbol{\dfrac{1}{2}}$

(4) $\log_2 6-\log_2 \dfrac{3}{2}=\log_2 \left(6\div\dfrac{3}{2}\right)=\log_2 \left(6\times\dfrac{2}{3}\right)$

$\qquad =\log_2 4=\log_2 2^2=\boldsymbol{2}$

(5) $\log_3 30+\log_3 9-\log_3 10$

$\qquad =\log_3 (30\times9\div10)$

$\qquad =\log_3 27=\log_3 3^3=\boldsymbol{3}$

(6) $\log_2 \sqrt{6}-\log_2 \sqrt{3}+\dfrac{1}{2}\log_2 8$

$\qquad =\log_2 \sqrt{6}-\log_2 \sqrt{3}+\log_2 \sqrt{8}$

$\qquad =\log_2 (\sqrt{6}\div\sqrt{3}\times\sqrt{8})=\log_2 4$

$\qquad =\log_2 2^2=\boldsymbol{2}$

[LECTURE] 주의해야 할 로그의 성질

❶ $\log_a M+\log_a N\neq\log_a (M+N)$

[예] $\log_2 3+\log_2 5\neq\log_2 8$

❷ $\log_a M-\log_a N\neq\log_a (M-N)$

[예] $\log_2 5-\log_2 3\neq\log_2 2$

❸ $\dfrac{\log_a M}{\log_a N}\neq\log_a M-\log_a N$

[예] $\dfrac{\log_2 5}{\log_2 3}\neq\log_2 5-\log_2 3$

❹ $(\log_a M)^k\neq k\log_a M$

[예] $(\log_2 3)^3\neq3\log_2 3$

02 (1) $\log_{125} 25=\dfrac{\log_{10} 25}{\log_{10} 125}=\dfrac{2\log_{10} 5}{3\log_{10} 5}=\boldsymbol{\dfrac{2}{3}}$

(2) $\log_8 \dfrac{1}{4}=\dfrac{\log_{10} \dfrac{1}{4}}{\log_{10} 8}=\dfrac{-2\log_{10} 2}{3\log_{10} 2}=\boldsymbol{-\dfrac{2}{3}}$

(3) $\log_2 3 \cdot \log_3 16$

$\quad = \dfrac{\log_{10} 3}{\log_{10} 2} \times \dfrac{\log_{10} 16}{\log_{10} 3}$

$\quad = \dfrac{\log_{10} 3}{\log_{10} 2} \times \dfrac{4 \log_{10} 2}{\log_{10} 3}$

$\quad = \mathbf{4}$

(4) $\log_4 27 \cdot \log_5 8 \cdot \log_9 25$

$\quad = \dfrac{\log_{10} 27}{\log_{10} 4} \times \dfrac{\log_{10} 8}{\log_{10} 5} \times \dfrac{\log_{10} 25}{\log_{10} 9}$

$\quad = \dfrac{3 \log_{10} 3}{2 \log_{10} 2} \times \dfrac{3 \log_{10} 2}{\log_{10} 5} \times \dfrac{2 \log_{10} 5}{2 \log_{10} 3}$

$\quad = \dfrac{\mathbf{9}}{\mathbf{2}}$

(5) $(\log_7 16 \cdot \log_3 7 - \log_3 2) \log_2 3$

$\quad = \left(\dfrac{4 \log_{10} 2}{\log_{10} 7} \times \dfrac{\log_{10} 7}{\log_{10} 3} - \dfrac{\log_{10} 2}{\log_{10} 3} \right) \dfrac{\log_{10} 3}{\log_{10} 2}$

$\quad = \left(\dfrac{4 \log_{10} 2}{\log_{10} 3} - \dfrac{\log_{10} 2}{\log_{10} 3} \right) \dfrac{\log_{10} 3}{\log_{10} 2}$

$\quad = \dfrac{3 \log_{10} 2}{\log_{10} 3} \cdot \dfrac{\log_{10} 3}{\log_{10} 2}$

$\quad = \mathbf{3}$

(6) $\log_2 9 \cdot \log_5 0.2 \cdot \log_9 4$

$\quad = \dfrac{\log_{10} 9}{\log_{10} 2} \times \dfrac{\log_{10} \frac{1}{5}}{\log_{10} 5} \times \dfrac{\log_{10} 4}{\log_{10} 9}$

$\quad = \dfrac{2 \log_{10} 3}{\log_{10} 2} \times \dfrac{-\log_{10} 5}{\log_{10} 5} \times \dfrac{2 \log_{10} 2}{2 \log_{10} 3}$

$\quad = -2$

$\quad \therefore 3^{\log_2 9 \cdot \log_5 0.2 \cdot \log_9 4} = 3^{-2} = \dfrac{\mathbf{1}}{\mathbf{9}}$

| 다른 풀이 |

(1) $\log_{125} 25 = \log_{5^3} 5^2 = \dfrac{2}{3}$

(2) $\log_8 \dfrac{1}{4} = \log_{2^3} 2^{-2} = -\dfrac{2}{3}$

(3) $\log_2 3 \cdot \log_3 16 = \dfrac{1}{\log_3 2} \times 4 \log_3 2 = 4$

03-1 〔셀파〕로그의 밑의 변환을 이용하여 밑을 10으로 바꾼다.

(1) $\log_{\sqrt{2}} 3 \cdot \log_9 5 \cdot \log_{\sqrt{5}} 8$

$\quad = \dfrac{\log_{10} 3}{\log_{10} \sqrt{2}} \times \dfrac{\log_{10} 5}{\log_{10} 9} \times \dfrac{\log_{10} 8}{\log_{10} \sqrt{5}}$

$\quad = \dfrac{\log_{10} 3}{\frac{1}{2} \log_{10} 2} \times \dfrac{\log_{10} 5}{2 \log_{10} 3} \times \dfrac{3 \log_{10} 2}{\frac{1}{2} \log_{10} 5}$

$\quad = 2 \times \dfrac{1}{2} \times 6 = \mathbf{6}$

(2) $(\log_7 16 \cdot \log_3 7 - \log_3 2) \log_2 3$

$\quad = \left(\dfrac{\log_{10} 16}{\log_{10} 7} \times \dfrac{\log_{10} 7}{\log_{10} 3} - \dfrac{\log_{10} 2}{\log_{10} 3} \right) \times \dfrac{\log_{10} 3}{\log_{10} 2}$

$\quad = \left(\dfrac{4 \log_{10} 2}{\log_{10} 3} - \dfrac{\log_{10} 2}{\log_{10} 3} \right) \dfrac{\log_{10} 3}{\log_{10} 2}$

$\quad = \dfrac{3 \log_{10} 2}{\log_{10} 3} \times \dfrac{\log_{10} 3}{\log_{10} 2} = \mathbf{3}$

03-2 〔셀파〕로그의 성질을 이용하여 주어진 비례식을 a, b에 대한 식으로 변형한다.

$\log_a c : \log_b c = 3 : 1$에서 $3 \log_b c = \log_a c$

즉, $\dfrac{3}{\log_c b} = \dfrac{1}{\log_c a}$이므로

$3 \log_c a = \log_c b$, $\log_c a^3 = \log_c b$ $\quad \therefore b = a^3$

$\therefore \log_a b + \log_b a = \log_a a^3 + \log_{a^3} a$

$\qquad\qquad\qquad = 3 + \dfrac{1}{3} = \dfrac{\mathbf{10}}{\mathbf{3}}$

| 다른 풀이 |

$3 \log_c a = \log_c b$에서 $\dfrac{\log_c b}{\log_c a} = 3$, 즉 $\log_a b = 3$이므로

$\log_a b + \log_b a = \log_a b + \dfrac{1}{\log_a b} = 3 + \dfrac{1}{3} = \dfrac{10}{3}$

04-1 〔셀파〕로그의 성질을 이용해 지수 부분을 먼저 정리한다.

(1) $\log_2 5 \cdot \log_5 3 = \dfrac{\log_{10} 5}{\log_{10} 2} \times \dfrac{\log_{10} 3}{\log_{10} 5} = \dfrac{\log_{10} 3}{\log_{10} 2} = \log_2 3$

$\quad \therefore 2^{\log_2 5 \cdot \log_5 3} = 2^{\log_2 3} = \mathbf{3}$

(2) $3 \log_5 2 - 2 \log_5 \sqrt{5} + \log_5 4 = \log_5 2^3 - \log_5 (\sqrt{5})^2 + \log_5 4$

$\qquad\qquad\qquad\qquad\qquad = \log_5 8 - \log_5 5 + \log_5 4$

$\qquad\qquad\qquad\qquad\qquad = \log_5 \left(8 \times \dfrac{1}{5} \times 4 \right) = \log_5 \dfrac{32}{5}$

$\quad \therefore 5^{3 \log_5 2 - 2 \log_5 \sqrt{5} + \log_5 4} = 5^{\log_5 \frac{32}{5}} = \dfrac{\mathbf{32}}{\mathbf{5}}$

04-2 [셀파] (소수 부분)$=\log_2 5-$(정수 부분)임을 이용한다.

$\log_2 4<\log_2 5<\log_2 8$에서 $2<\log_2 5<3$이므로

$\log_2 5=2.\times\times\times$ $\quad\therefore a=2$

이때 $b=\log_2 5-2=\log_2 5-\log_2 4=\log_2\dfrac{5}{4}$

$\therefore a+2^b=2+2^{\log_2\frac{5}{4}}=2+\dfrac{5}{4}=\boldsymbol{\dfrac{13}{4}}$

05-1 [셀파] 3을 밑으로 하는 로그로 바꾼 다음 진수를 소인수분해하여 주어진 진수를 인수로 갖도록 변형한다.

$\log_2 3=a$에서 $\log_3 2=\dfrac{1}{a}$이고, $\log_3 5=b$

(1) $\log_3 60=\log_3(2^2\times 3\times 5)$

$\qquad=\log_3 2^2+\log_3 3+\log_3 5$

$\qquad=2\log_3 2+1+\log_3 5$

$\qquad=\boldsymbol{\dfrac{2}{a}+b+1}$

(2) $\log_{120} 150=\dfrac{\log_3 150}{\log_3 120}=\dfrac{\log_3(2\times 3\times 5^2)}{\log_3(2^3\times 3\times 5)}$

$\qquad=\dfrac{\log_3 2+\log_3 3+\log_3 5^2}{\log_3 2^3+\log_3 3+\log_3 5}$

$\qquad=\dfrac{\log_3 2+1+2\log_3 5}{3\log_3 2+1+\log_3 5}$

$\qquad=\dfrac{\dfrac{1}{a}+1+2b}{\dfrac{3}{a}+1+b}$

$\qquad=\boldsymbol{\dfrac{1+a+2ab}{3+a+ab}}$

05-2 [셀파] $\log_{200} 270$을 2를 밑으로 하는 로그로 바꾼 다음 진수를 소인수분해한다.

$2^a=3$에서 $a=\log_2 3$, $2^b=5$에서 $b=\log_2 5$

$\therefore \log_{200} 270=\dfrac{\log_2 270}{\log_2 200}=\dfrac{\log_2(2\times 3^3\times 5)}{\log_2(2^3\times 5^2)}$

$\qquad=\dfrac{\log_2 2+\log_2 3^3+\log_2 5}{\log_2 2^3+\log_2 5^2}$

$\qquad=\dfrac{1+3\log_2 3+\log_2 5}{3+2\log_2 5}$

$\qquad=\boldsymbol{\dfrac{1+3a+b}{3+2b}}$

06-1 [셀파] 로그의 정의를 이용하여 x,y를 로그로 나타낸다.

(1) $7^x=9$에서 $x=\log_7 9=\log_7 3^2=2\log_7 3$

$\therefore \dfrac{2}{x}=\dfrac{1}{\log_7 3}=\log_3 7$

$21^y=27$에서 $y=\log_{21} 27=\log_{21} 3^3=3\log_{21} 3$

$\therefore \dfrac{3}{y}=\dfrac{1}{\log_{21} 3}=\log_3 21$

$\therefore \dfrac{2}{x}-\dfrac{3}{y}=\log_3 7-\log_3 21=\log_3\dfrac{7}{21}$

$\qquad\qquad=\log_3\dfrac{1}{3}=\log_3 3^{-1}=\boldsymbol{-1}$

| 다른 풀이 |

$7^x=9$에서 $7=9^{\frac{1}{x}}=3^{\frac{2}{x}}$ $\qquad$ ……㉠

$21^y=27$에서 $21=27^{\frac{1}{y}}=3^{\frac{3}{y}}$ $\qquad$ ……㉡

㉠$\div$㉡을 하면

$7\div 21=3^{\frac{2}{x}}\div 3^{\frac{3}{y}}$

$\dfrac{1}{3}=3^{\frac{2}{x}-\frac{3}{y}}$, $3^{-1}=3^{\frac{2}{x}-\frac{3}{y}}$

$\therefore \dfrac{2}{x}-\dfrac{3}{y}=-1$

(2) $3^x=15$에서 $x=\log_3 15$ $\quad\therefore \dfrac{1}{x}=\log_{15} 3$

$5^y=15$에서 $y=\log_5 15$ $\quad\therefore \dfrac{1}{y}=\log_{15} 5$

$\therefore \dfrac{1}{x}+\dfrac{1}{y}=\log_{15} 3+\log_{15} 5=\log_{15} 15=\boldsymbol{1}$

| 다른 풀이 |

$3^x=15$에서 $3=15^{\frac{1}{x}}$ $\qquad$ ……㉠

$5^y=15$에서 $5=15^{\frac{1}{y}}$ $\qquad$ ……㉡

㉠$\times$㉡을 하면

$3\times 5=15^{\frac{1}{x}}\times 15^{\frac{1}{y}}$, $15=15^{\frac{1}{x}+\frac{1}{y}}$

$\therefore \dfrac{1}{x}+\dfrac{1}{y}=1$

07-1 [셀파] 이차방정식의 근과 계수의 관계를 이용하여 $\alpha\beta$의 값을 구한다.

이차방정식 $x^2-5x+2=0$의 두 근이 α, β이므로 근과 계수의 관계에서 $\alpha\beta=2$

$\therefore \log_2\dfrac{1}{\alpha}+\log_2\dfrac{1}{\beta}=\log_2\dfrac{1}{\alpha\beta}=\log_2\dfrac{1}{2}$

$\qquad\qquad\qquad\qquad=\log_2 2^{-1}=\boldsymbol{-1}$

07-2 셀파 이차방정식의 근과 계수의 관계를 이용하여 $\alpha+\beta$, $\alpha\beta$의 값을 구한다.

이차방정식 $x^2-7x+2=0$의 두 근이 α, β이므로 근과 계수의 관계에서

$\alpha+\beta=7$, $\alpha\beta=2$

$\therefore \log_{\alpha\beta}\left(\alpha+\dfrac{1}{\beta}+1\right)+\log_{\alpha\beta}\left(\beta+\dfrac{1}{\alpha}+1\right)$

$=\log_{\alpha\beta}\left(\alpha+\dfrac{1}{\beta}+1\right)\left(\beta+\dfrac{1}{\alpha}+1\right)$

$=\log_{\alpha\beta}\left(\alpha\beta+1+\alpha+1+\dfrac{1}{\alpha\beta}+\dfrac{1}{\beta}+\beta+\dfrac{1}{\alpha}+1\right)$

$=\log_{\alpha\beta}\left(\alpha\beta+\dfrac{1}{\alpha\beta}+\alpha+\beta+\dfrac{\alpha+\beta}{\alpha\beta}+3\right)$ ⟵ $\alpha+\beta=7$, $\alpha\beta=2$를 대입

$=\log_2\left(2+\dfrac{1}{2}+7+\dfrac{7}{2}+3\right)$

$=\log_2 16=\log_2 2^4=\mathbf{4}$

08-1 셀파 (1) $\log 1130=\log(1.13\times 10^3)$
　　　　(2) $\log 0.124=\log(1.24\times 10^{-1})$

(1) $\log 1130=\log(1.13\times 10^3)$

$=3+\log 1.13$

$=3+0.053=\mathbf{3.053}$

(2) $\log 0.124=\log(1.24\times 10^{-1})$

$=-1+\log 1.24$

$=-1+0.093=\mathbf{-0.907}$

08-2 셀파 $\log(2^m\times 3^n)=m\log 2+n\log 3$

(1) $\log 2.4=\log\dfrac{24}{10}=\log 24-\log 10$

$=\log(2^3\times 3)-1=3\log 2+\log 3-1$

$=3\times 0.3010+0.4771-1=\mathbf{0.3801}$

(2) $\log\dfrac{5}{8}=\log 5-\log 8=\log\dfrac{10}{2}-\log 2^3$

$=\log 10-\log 2-3\log 2=1-4\log 2$

$=1-4\times 0.3010=\mathbf{-0.2040}$

(3) $\log\dfrac{\sqrt{2}}{3}=\log\sqrt{2}-\log 3=\dfrac{1}{2}\log 2-\log 3$

$=\dfrac{1}{2}\times 0.3010-0.4771=\mathbf{-0.3266}$

(4) $\log\sqrt[3]{18}=\log 18^{\frac{1}{3}}=\dfrac{1}{3}\log 18$

$=\dfrac{1}{3}\log(2\times 3^2)$

$=\dfrac{1}{3}(\log 2+2\log 3)$

$=\dfrac{1}{3}(0.3010+2\times 0.4771)$

$=\dfrac{1}{3}\times 1.2552=\mathbf{0.4184}$

09-1 셀파 $0\le($소수 부분$)<1$에 주의하여 주어진 상용로그의 정수 부분과 소수 부분을 구한다.

(1) $\log A^3=3\log A=3\times(-2.4)=-7.2$

$=-7-0.2$

$=(-7-1)+(1-0.2)=-8+0.8$

∴ 정수 부분 : -8, 소수 부분 : $\mathbf{0.8}$

(2) $\log\dfrac{1}{A}=\log A^{-1}=-\log A$

$=2.4$

∴ 정수 부분 : 2, 소수 부분 : $\mathbf{0.4}$

09-2 셀파 $\log N=n+\alpha$ (n은 정수, $0\le\alpha<1$)이면 정수 부분은 n, 소수 부분은 α이다.

$\log 0.004=\log(4\times 10^{-3})=-3+\log 4$

이때 $\log 1<\log 4<\log 10$, 즉 $0<\log 4<1$이므로

$n=-3$, $\alpha=\log 4$

$\therefore n+10^\alpha=-3+10^{\log 4}=-3+4=\mathbf{1}$

셀파 특강 확인 체크 01

(1) $\log x=3.8762$와 $\log 7.52=0.8762$에서 소수 부분이 0.8762로 같으므로 진수 x의 숫자 배열은 진수 7.52의 숫자 배열, 즉 7, 5, 2와 같다.

이때 $\log x$의 정수 부분이 3이므로 x는 정수 부분이 네 자리인 수이다.

$\therefore x=\mathbf{7520}$

(2) $-2.1238 = -2 - 0.1238$
$$= (-2-1) + (1-0.1238)$$
$$= -3 + 0.8762$$

$\log y = -3 + 0.8762$와 $\log 7.52 = 0.8762$에서 소수 부분이 0.8762로 같으므로 진수 y의 숫자 배열은 진수 7.52의 숫자 배열, 즉 $7, 5, 2$와 같다.

이때 $\log y$의 정수 부분이 -3이므로 y는 소수점 아래 셋째 자리에서 처음으로 0이 아닌 숫자가 나타난다.

$\therefore \boldsymbol{y = 0.00752}$

세미나 **상용로그의 정수 부분**

어떤 수 N을 $N = a \times 10^n$ $(1 \le a < 10,\ n$은 정수$)$으로 나타내는 것을 '과학적 표기법(Scientific Notation)'이라 한다. 상용로그에서 매우 중요하게 다루는 정수 부분과 소수 부분은 이 과학적 표기법과 관련이 있다.

이때 정수 부분은 10을 몇 제곱하였는지 나타내는 n과 같고, 소수 부분은 $\log a$의 값과 같다.

예를 통해 정수 부분과 소수 부분의 뜻을 알아보자.

N	$a \times 10^n$	정수 부분	소수 부분
7650	7.65×10^3	3	$\log 7.65$

상용로그표에서 $\log 7.65 = 0.8837$이므로 위 표의 내용을 $\log N = ($정수 부분$) + ($소수 부분$)$ 꼴로 나타내면
$\log 7650 = 3 + 0.8837$

또 76.5와 76500을 $\log N = ($정수 부분$) + ($소수 부분$)$ 꼴로 각각 나타내면
$76.5 = 7.65 \times 10^1 \Rightarrow \log 76.5 = 1 + 0.8837$
$76500 = 7.65 \times 10^4 \Rightarrow \log 76500 = 4 + 0.8837$

이때 상용로그의 정수 부분에 대하여 알아보자.
정수 부분 $3 \Rightarrow N = a \times 10^3 \Rightarrow$ 정수 부분이 4자리인 수
정수 부분 $1 \Rightarrow N = b \times 10^1 \Rightarrow$ 정수 부분이 2자리인 수
정수 부분 $4 \Rightarrow N = c \times 10^4 \Rightarrow$ 정수 부분이 5자리인 수
즉, $($상용로그의 정수 부분의 값$) + 1 = ($정수 부분의 자릿수$)$
이다.

10-1 셀파 $\log 3^{22}$의 정수 부분을 구한다.
$\log 3^{22} = 22 \log 3 = 22 \times 0.4771 = 10.4962$
따라서 $\log 3^{22}$의 정수 부분이 10이므로 3^{22}은 **11자리 정수**

10-2 셀파 a^{10}이 25자리 정수이므로 $\log a^{10} = 24. \times\times\times$ 이다.

a^{10}이 25자리 정수이므로 $\log a^{10}$의 정수 부분은 24이다.
즉, $\log a^{10} = 24. \times\times\times$ 이므로
$24 \le \log a^{10} < 25,\ 24 \le 10 \log a < 25$
$\therefore 2.4 \le \log a < 2.5$ $\quad$ ······㉠

한편 $\log \dfrac{1}{a} = -\log a$이므로 ㉠의 각 변에 -1을 곱하면
$-2.5 < -\log a \le -2.4$

따라서 $\log \dfrac{1}{a}$의 정수 부분이 -3이므로 $\dfrac{1}{a}$은 **소수점 아래 셋째 자리**에서 처음으로 0이 아닌 숫자가 나타난다.

연습 문제 본문 | **46~47**쪽

01 셀파 (밑)$=10$으로 밑 조건을 만족시키므로 진수 조건만 만족시키면 된다.

진수 조건에서 모든 실수 x에 대하여 $x^2 - 2ax + a + 2 > 0$이어야 한다.

이때 이차방정식 $x^2 - 2ax + a + 2 = 0$의 판별식을 D라 하면
$\dfrac{D}{4} = a^2 - (a+2) < 0$
$a^2 - a - 2 < 0,\ (a+1)(a-2) < 0$
$\therefore \boldsymbol{-1 < a < 2}$

02 셀파 주어진 정의에 맞게 차례대로 움직인다.

(i) $\boxed{\rightarrow} \Rightarrow \boxed{\rightarrow} \Rightarrow$ ☆에서
$\boxed{\rightarrow}$로 만든 수는 4이다.
$\boxed{\rightarrow} \Rightarrow \boxed{\rightarrow}$로 만든 수는 4에서 오른쪽으로 한 칸 움직인 곳에 있는 수 8이다.
$\boxed{\rightarrow} \Rightarrow \boxed{\rightarrow} \Rightarrow$ ☆로 만든 수는 8에서 오른쪽으로 한 칸 움직인 곳에 있는 수 16을 밑이 2인 로그로 변환한 수이므로
$\log_2 16 = 4$이다.
$\therefore A = 4$

(ii) $\boxed{\rightarrow} \Rightarrow \boxed{\downarrow} \Rightarrow \boxed{\downarrow} \Rightarrow$ ♧에서
$\boxed{\rightarrow} \Rightarrow \boxed{\downarrow}$로 만든 수는 4에서 아래쪽으로 한 칸 움직인 곳에 있는 수 $\dfrac{1}{4}$이다.
$\boxed{\rightarrow} \Rightarrow \boxed{\downarrow} \Rightarrow \boxed{\downarrow}$로 만든 수는 $\dfrac{1}{4}$에서 아래쪽으로 한 칸 움직인 곳에 있는 수 9이다.

$\boxed{\rightarrow} \Rightarrow \boxed{\downarrow} \Rightarrow \boxed{\downarrow} \Rightarrow \diamondsuit$로 만든 수는 9에서 아래쪽으로 한 칸 움직인 곳에 있는 수 $\dfrac{1}{9}$을 밑이 3인 로그로 변환한 수이므로 $\log_3 \dfrac{1}{9} = -2$이다.

$\therefore B = -2$

$\therefore A - B = 4 - (-2) = \mathbf{6}$

---

03 셀파 로그의 덧셈은 밑이 같은 것끼리 먼저 계산한다.

$abc = 1$이므로 $bc = \dfrac{1}{a}, ac = \dfrac{1}{b}, ab = \dfrac{1}{c}$

$\therefore$ (주어진 식)

$= (\log_a b + \log_a c) + (\log_b a + \log_b c) + (\log_c a + \log_c b)$

$= \log_a bc + \log_b ac + \log_c ab$

$= \log_a \dfrac{1}{a} + \log_b \dfrac{1}{b} + \log_c \dfrac{1}{c}$

$= \log_a a^{-1} + \log_b b^{-1} + \log_c c^{-1}$

$= (-1) + (-1) + (-1) = \mathbf{-3}$

| 다른 풀이 |

$abc = 1$에서 양변에 10을 밑으로 하는 로그를 취하면

$\log_{10} abc = \log_{10} 1$ $\therefore \log_{10} a + \log_{10} b + \log_{10} c = 0$

$\therefore$ (주어진 식)

$= \dfrac{\log_{10} b}{\log_{10} a} + \dfrac{\log_{10} a}{\log_{10} b} + \dfrac{\log_{10} c}{\log_{10} b} + \dfrac{\log_{10} b}{\log_{10} c} + \dfrac{\log_{10} a}{\log_{10} c} + \dfrac{\log_{10} c}{\log_{10} a}$

$= \dfrac{\log_{10} b + \log_{10} c}{\log_{10} a} + \dfrac{\log_{10} a + \log_{10} c}{\log_{10} b} + \dfrac{\log_{10} a + \log_{10} b}{\log_{10} c}$

$= \dfrac{-\log_{10} a}{\log_{10} a} + \dfrac{-\log_{10} b}{\log_{10} b} + \dfrac{-\log_{10} c}{\log_{10} c}$

$= -1 - 1 - 1 = -3$

---

04 셀파 $\log_a b = \dfrac{1}{\log_b a}$과 로그의 성질을 이용한다.

$\dfrac{1}{\log_3 x} = \log_x 3, \dfrac{1}{\log_4 x} = \log_x 4, \cdots$이므로

$\dfrac{1}{\log_3 x} + \dfrac{1}{\log_4 x} + \dfrac{1}{\log_{12} x} + \dfrac{1}{\log_{25} x}$

$= \log_x 3 + \log_x 4 + \log_x 12 + \log_x 25$

$= \log_x (3 \times 4 \times 12 \times 25) = \log_x (3^2 \times 4^2 \times 5^2)$

$= \log_x 60^2 = 2 \log_x 60$

한편 $\dfrac{2}{\log_k x} = 2 \log_x k$이므로

$2 \log_x 60 = 2 \log_x k$ $\therefore \boldsymbol{k = 60}$

---

05 셀파 $a^x = N$이면 $x = \log_a N$이고, $\log_a b = \dfrac{\log_c b}{\log_c a}$를 이용한다.

$3^{a+b} = 4$에서 $a + b = \log_3 4$

$2^{a-b} = 5$에서 $a - b = \log_2 5$

$a^2 - b^2 = (a+b)(a-b) = \log_3 4 \times \log_2 5$

$\qquad = 2 \log_3 2 \times \dfrac{\log_3 5}{\log_3 2}$

$\qquad = 2 \log_3 5$

$\qquad = \log_3 25$

$\therefore 3^{a^2 - b^2} = 3^{\log_3 25} = 25$

따라서 구하는 답은 ⑤

---

06 셀파 로그의 밑의 변환을 이용하여 2를 밑으로 하는 로그로 바꾼다.

㉮ $\log_{a^2} 16 = \log_b 64$에서 양변을 2를 밑으로 하는 로그로 바꾸면

$\log_{a^2} 16 = \dfrac{\log_2 16}{\log_2 a^2} = \dfrac{4}{2 \log_2 a} = \dfrac{2}{\log_2 a}$,

$\log_b 64 = \dfrac{\log_2 64}{\log_2 b} = \dfrac{6}{\log_2 b}$

㉯ $\dfrac{2}{\log_2 a} = \dfrac{6}{\log_2 b}$, $\log_2 b = 3 \log_2 a$

즉, $\log_2 b = \log_2 a^3$이므로 $b = a^3$

㉰ $\therefore \log_{ab} b^2 = \log_{a \times a^3} (a^3)^2 = \log_{a^4} a^6$

$\qquad = \dfrac{6}{4} \log_a a = \dfrac{3}{2}$

채점 기준	배점
㉮ $\log_{a^2} 16, \log_b 64$를 2를 밑으로 하는 로그로 바꾼다.	40%
㉯ a, b 사이의 관계식을 구한다.	30%
㉰ $\log_{ab} b^2$의 값을 구한다.	30%

---

07 셀파 양변에 a를 밑으로 하는 로그를 취하여 $\log_a b$의 값을 구한다.

$a^5 = b^3$의 양변에 a를 밑으로 하는 로그를 취하면

$\log_a a^5 = \log_a b^3$에서 $5 = 3 \log_a b$

따라서 $\log_a b = \dfrac{5}{3}$이므로

$\log_a \sqrt{ab^2} = \log_a (ab^2)^{\frac{1}{2}} = \dfrac{1}{2} (\log_a a + \log_a b^2)$

$\qquad = \dfrac{1}{2}(1 + 2 \log_a b) = \dfrac{1}{2}\left(1 + 2 \times \dfrac{5}{3}\right)$

$\qquad = \dfrac{1}{2} \times \dfrac{13}{3} = \dfrac{\mathbf{13}}{\mathbf{6}}$

08 셀파 $16^a = 27^b = x^c$에서 각 변에 상용로그를 취한다.

$16^a = 27^b = x^c$에서 각 변에 상용로그를 취하면

$\log 2^{4a} = \log 3^{3b} = \log x^c$

$4a \log 2 = 3b \log 3 = c \log x = k$로 놓으면

$4a \log 2 = k$에서 $\dfrac{1}{a} = \dfrac{4 \log 2}{k}$ ······㉠

$3b \log 3 = k$에서 $\dfrac{1}{b} = \dfrac{3 \log 3}{k}$ ······㉡

$c \log x = k$에서 $\dfrac{1}{c} = \dfrac{\log x}{k}$ ······㉢

㉠, ㉡, ㉢을 $\dfrac{3}{a} + \dfrac{4}{b} = \dfrac{12}{c}$에 대입하면

$\dfrac{12 \log 2}{k} + \dfrac{12 \log 3}{k} = \dfrac{12 \log x}{k}$

$12 \log 6 = 12 \log x$ ∴ $x = 6$

따라서 구하는 답은 ①

09 셀파 이차방정식 $x^2 - 4x + 1 = 0$의 다른 한 근을 β로 놓고 근과 계수의 관계를 이용한다.

$x^2 - 4x + 1 = 0$의 다른 한 근을 β라 하면 근과 계수의 관계에서

$\beta \times \log_a b = 1$ ∴ $\beta = \dfrac{1}{\log_a b} = \log_b a$

이때 두 근의 합은

$\log_a b + \log_b a = 4$

$\dfrac{\log b}{\log a} + \dfrac{\log a}{\log b} = 4$, $\dfrac{(\log b)^2 + (\log a)^2}{\log a \times \log b} = 4$

$(\log a)^2 + (\log b)^2 = 4 \log a \times \log b$

∴ $(\log ab)^2 = (\log a + \log b)^2$
$\qquad = (\log a)^2 + (\log b)^2 + 2 \log a \times \log b$
$\qquad = 4 \log a \times \log b + 2 \log a \times \log b$
$\qquad = 6 \log a \times \log b$

∴ $k = 6$

10 셀파 $1 \leq n \leq 9$, $10 \leq n \leq 99$, $n = 100$인 경우로 나눈다.

(i) $1 \leq n \leq 9$일 때, $f(n) = 0$

(ii) $10 \leq n \leq 99$일 때, $f(n) = 1$

(iii) $n = 100$일 때, $f(n) = 2$

∴ $f(1) + f(2) + f(3) + \cdots + f(100)$
$\quad = 0 \times 9 + 1 \times 90 + 2 \times 1 = \mathbf{92}$

11 셀파 N^{30}이 49자리 정수이면 $48 \leq \log N^{30} < 49$이다.

N^{30}이 49자리 정수이므로 $\log N^{30}$의 정수 부분은 48이다.

$48 \leq \log N^{30} < 49$, $48 \leq 30 \log N < 49$

∴ $\dfrac{48}{30} \leq \log N < \dfrac{49}{30}$ ······㉠

이때 $\log N^{12} = 12 \log N$이므로

㉠의 각 변에 12를 곱하면

$\dfrac{96}{5} \leq 12 \log N < \dfrac{98}{5}$, $19.2 \leq 12 \log N < 19.6$

따라서 $\log N^{12}$의 정수 부분이 19이므로 N^{12}은 **20자리 정수**

12 셀파 $\log N = a - 0.9M$에서 $M = 4$, $N = 64$를 대입한다.

규모 4 이상인 지진이 1년에 평균 64번 발생하므로

$M = 4$, $N = 64$를 대입하면

$\log 64 = a - 0.9 \times 4$, $6 \log 2 = a - 3.6$

$1.8 = a - 3.6$에서 $a = 5.4$

∴ $\log N = 5.4 - 0.9M$

이때 규모 x 이상인 지진은 1년에 평균 한 번 발생하므로

$M = x$, $N = 1$을 대입하면

$\log 1 = 5.4 - 0.9 \times x$, $0.9x = 5.4$

∴ $x = 6$

13 셀파 n번째 일요일 하루 동안 달리는 거리는 $5(1.1)^{n-1}$ km이다.

하루 동안 달리는 거리는

첫 번째 일요일 5 km

두 번째 일요일 $5(1 + 0.1) = 5(1.1)$ km

세 번째 일요일 $5(1.1)(1 + 0.1) = 5(1.1)^2$ km

$\qquad \vdots$

n번째 일요일 $5(1.1)^{n-1}$ km

n번째 일요일 하루 동안 달리는 거리가 20 km 이상이 된다고 하면

$5(1.1)^{n-1} \geq 20$, $(1.1)^{n-1} \geq 4$

양변에 상용로그를 취하면

$(n-1)\log 1.1 \geq 2 \log 2$

$n - 1 \geq \dfrac{2 \log 2}{\log 1.1} = \dfrac{2 \times 0.3010}{0.0414} = 14.\times\times\times$

∴ $n \geq 15.\times\times\times$

즉, 16번째 일요일 하루 동안 달리는 거리가 처음으로 20 km 이상이 된다.

따라서 구하는 답은 ②

3. 지수함수와 로그함수

1-1 (1) 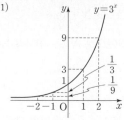 (2)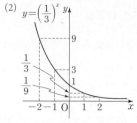

1-2 (1)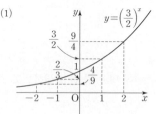

(2)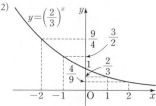

2-1 (1) (밑)$=3>1$이므로 그래프는 오른쪽 그림과 같다.

$x=3$일 때 **최댓값** $\boxed{27}$,

$x=-2$일 때 **최솟값** $\dfrac{1}{9}$

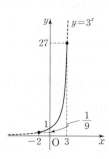

(2) $0<$(밑)$=\dfrac{1}{3}<1$이므로 그래프는 오른쪽 그림과 같다.

$x=-2$일 때 **최댓값 9**,

$x=\boxed{3}$일 때

최솟값 $\dfrac{1}{27}$

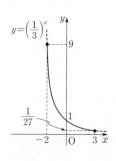

2-2 (1) (밑)$=4>1$이므로 그래프는 오른쪽 그림과 같다.

$x=2$일 때 **최댓값 16**,

$x=-1$일 때 **최솟값** $\dfrac{1}{4}$

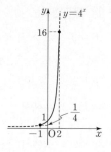

(2) $0<$(밑)$=\dfrac{1}{4}<1$이므로 그래프는 오른쪽 그림과 같다.

$x=-1$일 때 **최댓값 4**,

$x=2$일 때 **최솟값** $\dfrac{1}{16}$

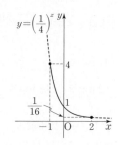

3-1 (1) 로그함수 $y=\log_2 x$는 지수함수 $y=2^x$의 역함수이다. 따라서 $y=\log_2 x$의 그래프는 오른쪽 그림과 같이 $y=2^x$의 그래프를 직선 $y=\boxed{x}$에 대하여 대칭이동한 것이다.

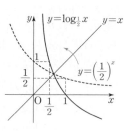

(2) 로그함수 $y=\log_{\frac{1}{2}} x$는 지수함수 $y=\left(\dfrac{1}{2}\right)^x$의 역함수이다. 따라서 $y=\log_{\frac{1}{2}} x$의 그래프는 오른쪽 그림과 같이 $y=\left(\dfrac{1}{2}\right)^x$의 그래프를 직선 $y=x$에 대하여 대칭이동한 것이다.

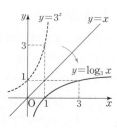

3-2 (1) 로그함수 $y=\log_3 x$는 지수함수 $y=3^x$의 역함수이다. 따라서 $y=\log_3 x$의 그래프는 오른쪽 그림과 같이 $y=3^x$의 그래프를 직선 $y=x$에 대하여 대칭이동한 것이다.

(2) 로그함수 $y=\log_{\frac{1}{3}} x$는 지수함수 $y=\left(\frac{1}{3}\right)^x$의 역함수이다.

따라서 $y=\log_{\frac{1}{3}} x$의 그래프는 오른쪽 그림과 같이 $y=\left(\frac{1}{3}\right)^x$의 그래프를 직선 $y=x$에 대하여 대칭이동한 것이다.

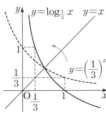

4-1 (1) (밑)$=2>1$이므로 그래프는 오른쪽 그림과 같다.
$x=\boxed{8}$일 때 **최댓값 3**,
$x=\boxed{2}$일 때 **최솟값 1**

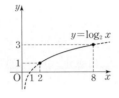

(2) $0<$(밑)$=\frac{1}{2}<1$이므로 그래프는 오른쪽 그림과 같다.
$x=2$일 때 **최댓값 $\boxed{-1}$**,
$x=8$일 때 **최솟값 -3**

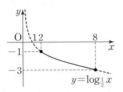

4-2 (1) (밑)$=3>1$이므로 그래프는 오른쪽 그림과 같다.
$x=3$일 때 **최댓값 1**,
$x=\frac{1}{27}$일 때 **최솟값 -3**

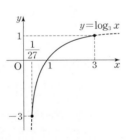

(2) $0<$(밑)$=\frac{1}{4}<1$이므로 그래프는 오른쪽 그림과 같다.
$x=2$일 때 **최댓값**
$\log_{\frac{1}{4}} 4=\log_{4^{-1}} 4=\mathbf{-1}$,
$x=16$일 때 **최솟값** $\log_{\frac{1}{4}} 32=\log_{2^{-2}} 2^5=\mathbf{-\dfrac{5}{2}}$

| 참고 |
$y=\log_{\frac{1}{4}} 2x$에서
$y=\log_{\frac{1}{4}} 2x=\log_{\frac{1}{4}} 2+\log_{\frac{1}{4}} x=\log_{\frac{1}{4}} x-\frac{1}{2}$
따라서 $y=\log_{\frac{1}{4}} 2x$의 그래프는 $y=\log_{\frac{1}{4}} x$의 그래프를 y축의 방향으로 $-\frac{1}{2}$만큼 평행이동시킨 것이다.

01-1 〔셀파〕 $0<a<1$일 때, 지수함수 $y=a^x$은 x의 값이 증가하면 y의 값은 감소한다.

ㄱ. 지수함수 $y=\left(\frac{1}{2}\right)^x$의 그래프는 오른쪽 그림과 같으므로 치역은 양의 실수 전체의 집합이다. (참)

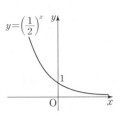

ㄴ. $\left(\frac{1}{2}\right)^1=\frac{1}{2}$이므로 그래프는 점 $\left(1, \frac{1}{2}\right)$을 지난다. (거짓)

ㄷ. $y=\left(\frac{1}{2}\right)^x$은 x의 값이 증가하면 y의 값은 감소한다. (거짓)

따라서 보기의 설명 중 옳은 것은 ㄱ이다.

02-1 〔셀파〕 $f(1)=2, f(2)=4$에서 $5^a, 5^b$의 값을 구한다.
$f(1)=2$에서 $5^{a+b}=2$ ∴ $5^a 5^b=2$ ……㉠
$f(2)=4$에서 $5^{2a+b}=4$ ∴ $5^{2a} 5^b=4$ ……㉡
㉡÷㉠에서 $5^a=2$이므로 $5^b=1$
∴ $f(3)=5^{3a+b}=5^{3a} 5^b=(5^a)^3 5^b=2^3 \times 1=8$

02-2 〔셀파〕 $f(x)=a^x$에서 $f(2)=9$이므로 $a^2=9$이다.
$f(2)=9$에서 $a^2=9$이므로 $a=3$ ($\because a>0$)
∴ $f(x)=3^x$
함수 $f(x)$의 역함수가 $g(x)$이므로
$g(3)=k$로 놓으면 역함수의 성질에서 $f(k)=3$
$f(k)=3$에서 $3^k=3=3^1$ ∴ $k=1$
또 $g(27)=l$로 놓으면 역함수의 성질에서 $f(l)=27$
$f(l)=27$에서 $3^l=27=3^3$ ∴ $l=3$
∴ $g(3)+g(27)=1+3=\mathbf{4}$

〔셀파 특강〕 **확인 체크 01**

(1) 함수 $y=\left(\frac{1}{2}\right)^{x+1}$의 그래프는 함수 $y=\left(\frac{1}{2}\right)^x$의 그래프를 x축의 방향으로 -1만큼 평행이동한 것이므로 오른쪽 그림과 같다.

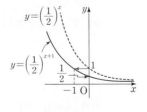

(2) 함수 $y=\left(\dfrac{1}{2}\right)^{x}+1$의 그래프는

함수 $y=\left(\dfrac{1}{2}\right)^{x}$의 그래프를

y축의 방향으로 1만큼

평행이동한 것이므로 오른쪽

그림과 같다.

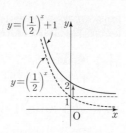

(3) 함수 $y=-\left(\dfrac{1}{2}\right)^{x}$의 그래프는

함수 $y=\left(\dfrac{1}{2}\right)^{x}$의 그래프를

x축에 대하여 대칭이동한

것이므로 오른쪽 그림과 같다.

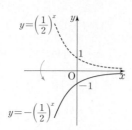

(4) 함수 $y=\left(\dfrac{1}{2}\right)^{-x}$의 그래프는

함수 $y=\left(\dfrac{1}{2}\right)^{x}$의 그래프를

y축에 대하여 대칭이동한

것이므로 오른쪽 그림과 같다.

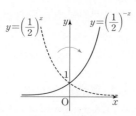

| 참고 |

$y=\left(\dfrac{1}{2}\right)^{-x}=\left\{\left(\dfrac{1}{2}\right)^{-1}\right\}^{x}=2^{x}$이므로 $y=\left(\dfrac{1}{2}\right)^{-x}$의 그래프는 $y=2^{x}$의

그래프와 같다.

집중 연습

본문 | **57** 쪽

01 (1) 함수 $y=2^{x+1}-3$의 그래프는 함수

$y=2^{x}$의 그래프를

x축의 방향으로 -1만큼,

y축의 방향으로 -3만큼

평행이동한 것이므로 오른쪽 그림

과 같다.

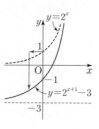

점근선의 방정식 : $y=-3$, 치역 : $\{y\,|\,y>-3\}$

(2) 함수 $y=3^{x-2}+2$의 그래프는

함수 $y=3^{x}$의 그래프를

x축의 방향으로 2만큼,

y축의 방향으로 2만큼

평행이동한 것이므로 오른쪽

그림과 같다.

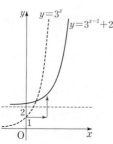

점근선의 방정식 : $y=2$,

치역 : $\{y\,|\,y>2\}$

---

(3) 함수 $y=\left(\dfrac{1}{2}\right)^{x+1}-1$의 그래프는

함수 $y=\left(\dfrac{1}{2}\right)^{x}$의 그래프를

x축의 방향으로 -1만큼,

y축의 방향으로 -1만큼

평행이동한 것이므로 오른쪽

그림과 같다.

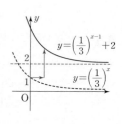

점근선의 방정식 : $y=-1$, 치역 : $\{y\,|\,y>-1\}$

(4) 함수 $y=\left(\dfrac{1}{3}\right)^{x-1}+2$의 그래프는

함수 $y=\left(\dfrac{1}{3}\right)^{x}$의 그래프를

x축의 방향으로 1만큼,

y축의 방향으로 2만큼

평행이동한 것이므로 오른쪽 그림과

같다.

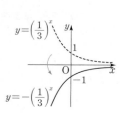

점근선의 방정식 : $y=2$, 치역 : $\{y\,|\,y>2\}$

02 (1) 함수 $y=-\left(\dfrac{1}{3}\right)^{x}$의 그래프는

함수 $y=\left(\dfrac{1}{3}\right)^{x}$의 그래프를

x축에 대하여 대칭이동한

것이므로 오른쪽 그림과 같다.

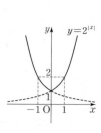

치역 : $\{y\,|\,y<0\}$

(2) $y=2^{|x|}=\begin{cases} 2^{x} & (x\geq 0) \\ 2^{-x} & (x<0) \end{cases}$

의 그래프는 함수 $y=2^{x}\,(x\geq 0)$

의 그래프와 이 그래프를 y축에

대하여 대칭이동한 것을 함께

나타낸 것이므로 오른쪽 그림과

같다.

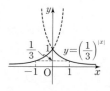

치역 : $\{y\,|\,y\geq 1\}$

(3) $y=\left(\dfrac{1}{3}\right)^{|x|}=\begin{cases} \left(\dfrac{1}{3}\right)^{x} & (x\geq 0) \\ \left(\dfrac{1}{3}\right)^{-x} & (x<0) \end{cases}$

의 그래프는 함수 $y=\left(\dfrac{1}{3}\right)^{x}\,(x\geq 0)$

의 그래프와 이 그래프를 y축에

대하여 대칭이동한 것을 함께 나타

낸 것이므로 오른쪽 그림과 같다.

치역 : $\{y\,|\,0<y\leq 1\}$

(4) $y=-3^{|x|}=\begin{cases} -3^x & (x\geq 0) \\ -3^{-x} & (x<0) \end{cases}$

의 그래프는 함수 $y=-3^x\,(x\geq 0)$

의 그래프를 x축에 대하여 대칭이동

한 그래프와 이 그래프를 y축에 대하

여 대칭이동한 것을 함께 나타낸 것

이므로 오른쪽 그림과 같다.

치역 : $\{y\,|\,y\leq -1\}$

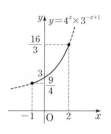

03-1 [셀파] $y=\dfrac{3^x}{9}-1$을 $y=3^{x-m}+n$ 꼴로 바꾼다.

함수 $y=\dfrac{3^x}{9}-1$, 즉 $y=3^{x-2}-1$의 그래프는 함수 $y=3^x$의 그래

프를 x축의 방향으로 2만큼, y축의 방향으로 -1만큼 평행이동

한 것이다.

$\therefore p=2,\ q=-1$

| 다른 풀이 |

함수 $y=3^x$에 x 대신 $x-p$, y 대신 $y-q$를 대입하면

$y-q=3^{x-p},\ y=3^{x-p}+q$

$y=3^x\times 3^{-p}+q$ $\quad\therefore y=\dfrac{3^x}{3^p}+q$ $\qquad\cdots\cdots\text{㉠}$

이때 ㉠과 $y=\dfrac{3^x}{9}-1$은 같으므로

$3^p=9,\ q=-1$ $\quad\therefore p=2,\ q=-1$

04-1 [셀파] 주어진 세 수의 밑을 같게 하고, 밑이 1보다 큰지 작은

지 판단한다.

(1) 세 수 $\sqrt[3]{9},\ \sqrt[5]{27},\ \sqrt[8]{243}$을 밑이 3인 거듭제곱 꼴로 나타내면

$\sqrt[3]{9}=(3^2)^{\frac{1}{3}}=3^{\frac{2}{3}},\ \sqrt[5]{27}=(3^3)^{\frac{1}{5}}=3^{\frac{3}{5}},\ \sqrt[8]{243}=(3^5)^{\frac{1}{8}}=3^{\frac{5}{8}}$

이때 함수 $y=3^x$에서 $(밑)=3>1$이고,

$\dfrac{3}{5}<\dfrac{5}{8}<\dfrac{2}{3}$이므로 $3^{\frac{3}{5}}<3^{\frac{5}{8}}<3^{\frac{2}{3}}$

$\therefore \sqrt[5]{27}<\sqrt[8]{243}<\sqrt[3]{9}$

(2) 세 수 $\sqrt{0.5},\ \sqrt[3]{0.25},\ \sqrt[5]{0.125}$를 밑이 0.5인 거듭제곱 꼴로 나타

내면

$\sqrt{0.5}=(0.5)^{\frac{1}{2}},\ \sqrt[3]{0.25}=(0.5^2)^{\frac{1}{3}}=(0.5)^{\frac{2}{3}},$

$\sqrt[5]{0.125}=(0.5^3)^{\frac{1}{5}}=(0.5)^{\frac{3}{5}}$

이때 함수 $y=0.5^x$에서 $0<(밑)=0.5<1$이고,

$\dfrac{1}{2}<\dfrac{3}{5}<\dfrac{2}{3}$이므로 $(0.5)^{\frac{2}{3}}<(0.5)^{\frac{3}{5}}<(0.5)^{\frac{1}{2}}$

$\therefore \sqrt[3]{0.25}<\sqrt[5]{0.125}<\sqrt{0.5}$

05-1 [셀파] $y=pa^x$ 꼴로 바꾼 다음 그래프를 그려 본다.

$y=4^x\times 3^{-x+1}=3\times 4^x\times\left(\dfrac{1}{3}\right)^x=3\times\left(\dfrac{4}{3}\right)^x$

이때 함수 $y=3\times\left(\dfrac{4}{3}\right)^x$은

$(밑)=\dfrac{4}{3}>1$이므로 그래프는 오른쪽

그림과 같다.

따라서 $-1\leq x\leq 2$에서

$x=2$일 때 **최댓값** $3\times\left(\dfrac{4}{3}\right)^2=\dfrac{16}{3}$,

$x=-1$일 때 **최솟값** $3\times\left(\dfrac{4}{3}\right)^{-1}=\dfrac{9}{4}$

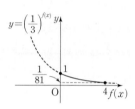

05-2 [셀파] $0<(밑)<1$이므로 y는 지수가 최대일 때 최솟값, 최

소일 때 최댓값을 갖는다.

$y=\left(\dfrac{1}{3}\right)^{-x^2-2x+3}$에서 $f(x)=-x^2-2x+3$이라 하면

$f(x)=-(x+1)^2+4$

$-1\leq x\leq 1$일 때, $0\leq f(x)\leq 4$이므로

함수 $y=\left(\dfrac{1}{3}\right)^{f(x)}$의 그래프는

오른쪽 그림과 같다.

$f(x)=0$일 때 **최댓값 1**,

$f(x)=4$일 때 **최솟값** $\dfrac{1}{81}$

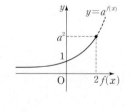

[셀파 특강] **확인 체크 02**

(1) $y=a^{-x^2+2x+1}$에서

$\quad f(x)=-x^2+2x+1$

$\qquad =-(x-1)^2+2$

라 하면 함수 $y=f(x)$의 최솟값

은 없고, 최댓값은 $x=1$일 때

2이다.

그런데 y는 최댓값을 가지므로 $a>1$이다.

따라서 $a^2=9$에서 $a=3\ (\because a>1)$

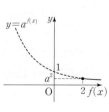

(2) $y=a^{x^2-2x+3}$에서

$\quad f(x)=x^2-2x+3$

$\qquad =(x-1)^2+2$

라 하면 함수 $y=f(x)$의 최댓값은

없고, 최솟값은 $x=1$일 때 2이다.

그런데 y는 최댓값을 가지므로 $0<a<1$이다.

따라서 $a^2=\dfrac{1}{4}$에서 $a=\dfrac{1}{2}\ \left(\because 0<a<1\right)$

06-1 셀파 $2^x=t\ (t>0)$로 치환하면 $1\le t\le 4$이다.

$y=2^{2x}-2^{x+1}=(2^x)^2-2\times 2^x$에서

$2^x=t\ (t>0)$로 치환하면

$y=t^2-2t=(t-1)^2-1$

이때 $0\le x\le 2$에서 $2^0\le 2^x\le 2^2$

$\therefore 1\le t\le 4$

따라서 함수 $y=(t-1)^2-1$은

$t=4$일 때 **최댓값 8**,

$t=1$일 때 **최솟값 -1**

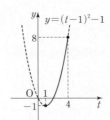

06-2 셀파 밑을 같게 한 다음 $3^x=t\ (t>0)$로 치환한다.

$y=9^x+2\times 3^x-1=(3^x)^2+2\times 3^x-1$에서

$3^x=t\ (t>0)$로 치환하면

$y=t^2+2t-1=(t+1)^2-2$

이때 $-2\le x\le 0$에서

$3^{-2}\le 3^x\le 3^0$ $\therefore \dfrac{1}{9}\le t\le 1$

따라서 함수 $y=(t+1)^2-2$는

$t=1$일 때 **최댓값 2**,

$t=\dfrac{1}{9}$일 때 **최솟값 $-\dfrac{62}{81}$**

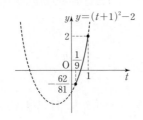

| 참고 |

$3^x=t\ (t>0)$로 치환해서 얻은 이차함수는 지수함수와 달리 항상 증가하거나 항상 감소하는 함수가 아니므로 무조건 구간의 양 끝에 있는 값을 대입하여 큰 값을 최댓값, 작은 값을 최솟값으로 하면 안 된다. 꼭짓점의 t의 좌표가 t의 값의 범위 안에 있으면 꼭짓점에서 최댓값 또는 최솟값을 가지므로 구간의 양 끝점뿐만 아니라 꼭짓점에서의 함숫값도 구해서 비교해야 한다.

07-1 셀파 로그함수는 (진수)>0인 범위에서 정의된다.

ㄱ. $y=\log_2(x^2+1)$에서 진수 x^2+1은 모든 실수 x에 대하여 $x^2+1>0$이 성립한다.

따라서 함수 $y=\log_2(x^2+1)$의 정의역은 실수 전체의 집합이다. (거짓)

ㄴ. $0<(\text{밑})=\dfrac{1}{2}<1$이므로 로그함수 $y=\log_{\frac{1}{2}}x$는 $x_1<x_2$이면 $\log_{\frac{1}{2}}x_1>\log_{\frac{1}{2}}x_2$이다. (거짓)

ㄷ. 로그함수 $y=\log_a x$는 일대일함수이므로 '$x_1\ne x_2$이면 $\log_a x_1\ne \log_a x_2$이다.'가 참이다.

따라서 그 대우인 '$\log_a x_1=\log_a x_2$이면 $x_1=x_2$이다.'도 참이다. (참)

따라서 보기의 설명 중 옳은 것은 ㄷ이다.

셀파 특강 **확인 체크 03**

(1) 함수 $y=\log_3(x+1)$의 그래프는 함수 $y=\log_3 x$의 그래프를 x축의 방향으로 -1만큼 평행이동한 것이므로 오른쪽 그림과 같다.

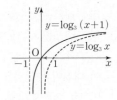

(2) $y=\log_3 9x=\log_3 9+\log_3 x=\log_3 x+2$

따라서 함수 $y=\log_3 9x$의 그래프는 함수 $y=\log_3 x$의 그래프를 y축의 방향으로 2만큼 평행이동한 것이므로 오른쪽 그림과 같다.

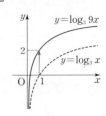

(3) $y=\log_3\dfrac{1}{x}=\log_3 x^{-1}=-\log_3 x$

따라서 함수 $y=\log_3\dfrac{1}{x}$의 그래프는 함수 $y=\log_3 x$의 그래프를 x축에 대하여 대칭이동한 것이므로 오른쪽 그림과 같다.

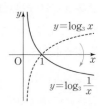

(4) 함수 $y=\log_3(-x)$의 그래프는 함수 $y=\log_3 x$의 그래프를 y축에 대하여 대칭이동한 것이므로 오른쪽 그림과 같다.

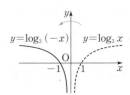

집중 연습 본문 | **65**쪽

01 (1) 함수 $y=\log_3(x-1)+2$의 그래프는 함수 $y=\log_3 x$의 그래프를 x축의 방향으로 1만큼, y축의 방향으로 2만큼 평행이동한 것이므로 오른쪽 그림과 같다.

이때 진수는 양수이어야 하므로

$x-1>0$ $\therefore x>1$

정의역 : $\{x\,|\,x>1\}$, 점근선의 방정식 : $x=1$

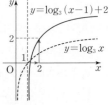

(2) $y=\log_{\frac{1}{2}} 8x=\log_{\frac{1}{2}} 8+\log_{\frac{1}{2}} x$

$\log_{\frac{1}{2}} 8=\log_{\frac{1}{2}} 2^3=-3\log_{\frac{1}{2}} 2=-3$

$\qquad =\log_{\frac{1}{2}} x-3$

함수 $y=\log_{\frac{1}{2}} 8x$의 그래프는

함수 $y=\log_{\frac{1}{2}} x$의 그래프를 y축

의 방향으로 -3만큼 평행이동한

것이므로 오른쪽 그림과 같다.

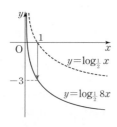

이때 진수는 양수이어야 하므로

$x>0$

정의역 : $\{x\,|\,x>0\}$, 점근선의 방정식 : $x=0$

(3) 함수 $y=\log_{\frac{1}{3}} (x+1)$의 그래

프는 함수 $y=\log_{\frac{1}{3}} x$의 그래

프를 x축의 방향으로 -1만

큼 평행이동한 것이므로 오른

쪽 그림과 같다.

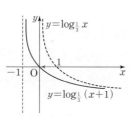

이때 진수는 양수이어야 하므로

$x+1>0$ $\quad\therefore x>-1$

정의역 : $\{x\,|\,x>-1\}$, 점근선의 방정식 : $x=-1$

(4) $y=\log_2 4(x-1)$

$\qquad =\log_2 4+\log_2 (x-1)$

$\qquad =\log_2 (x-1)+2$

함수 $y=\log_2 4(x-1)$의 그래프

는 함수 $y=\log_2 x$의 그래프를 x

축의 방향으로 1만큼, y축의 방

향으로 2만큼 평행이동한 것이

므로 오른쪽 그림과 같다.

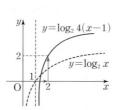

이때 진수는 양수이어야 하므로

$x-1>0$ $\quad\therefore x>1$

정의역 : $\{x\,|\,x>1\}$, 점근선의 방정식 : $x=1$

02 (1) $y=\log_4 \dfrac{1}{x}=\log_4 x^{-1}=-\log_4 x$

함수 $y=\log_4 \dfrac{1}{x}$의 그래프는

함수 $y=\log_4 x$의 그래프를 x축

에 대하여 대칭이동한 것이므로

오른쪽 그림과 같다.

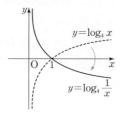

이때 진수는 양수이어야 하므로

$\dfrac{1}{x}>0$ $\quad\therefore x>0$

정의역 : $\{x\,|\,x>0\}$, 점근선의 방정식 : $x=0$

(2) $y=\log_4 (-x-2)=\log_4 \{-(x+2)\}$

함수 $y=\log_4 (-x-2)$의 그래프는 함수 $y=\log_4 x$의

그래프를 y축에 대하여 대칭이동한 다음 x축의 방향으로

-2만큼 평행이동한 것이므로 다음 그림과 같다.

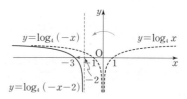

이때 진수는 양수이어야 하므로

$-x-2>0$ $\quad\therefore x<-2$

정의역 : $\{x\,|\,x<-2\}$, 점근선의 방정식 : $x=-2$

(3) $y=\log_{\frac{1}{2}} (-x+3)=\log_{\frac{1}{2}} \{-(x-3)\}$

함수 $y=\log_{\frac{1}{2}} (-x+3)$의 그래프는 함수 $y=\log_{\frac{1}{2}} x$의

그래프를 y축에 대하여 대칭이동한 다음 x축의 방향으로

3만큼 평행이동한 것이므로 다음 그림과 같다.

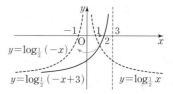

이때 진수는 양수이어야 하므로

$-x+3>0$ $\quad\therefore x<3$

정의역 : $\{x\,|\,x<3\}$, 점근선의 방정식 : $x=3$

(4) 함수 $y=\log_2 (-x)+1$의 그래프는 함수 $y=\log_2 x$의

그래프를 y축에 대하여 대칭이동한 다음 y축의 방향으로

1만큼 평행이동한 것이므로 다음 그림과 같다.

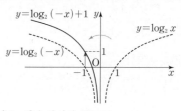

이때 진수는 양수이어야 하므로

$-x>0$ $\quad\therefore x<0$

정의역 : $\{x\,|\,x<0\}$, 점근선의 방정식 : $x=0$

08-1 셀파 $f : (x, y) \longrightarrow (x+a, y+b)$는 x축의 방향으로 a만큼, y축의 방향으로 b만큼 평행이동한 것이다.

$y=\log(10x-5)-2=\log 10\left(x-\dfrac{1}{2}\right)-2$

$\qquad =\log 10+\log\left(x-\dfrac{1}{2}\right)-2=\log\left(x-\dfrac{1}{2}\right)-1$

따라서 함수 $y=\log(10x-5)-2$의 그래프는 함수 $y=\log x$의 그래프를 x축의 방향으로 $\dfrac{1}{2}$만큼, y축의 방향으로 -1만큼 평행이동한 것이다.

$\therefore \boldsymbol{a=\dfrac{1}{2},\ b=-1}$

08-2 셀파 함수 $y=\log_a x$의 그래프를 x축에 대하여 대칭이동
$\Rightarrow y=-\log_a x=\log_{\frac{1}{a}} x$

함수 $y=\log_2 x$의 그래프를 y축의 방향으로 3만큼 평행이동한 그래프의 식은

$y=\log_2 x+3=\log_2 x+\log_2 8=\log_2 8x$

이것을 x축에 대하여 대칭이동한 그래프의 식은

$-y=\log_2 8x \qquad \therefore y=-\log_2 8x=\log_{\frac{1}{2}} 8x$

따라서 $\log_{\frac{1}{2}} ax=\log_{\frac{1}{2}} 8x$이므로 $\boldsymbol{a=8}$

09-1 셀파 밑을 같게 한 다음 진수끼리 비교한다.

(1) 주어진 세 수를 밑이 3인 로그로 같게 하면

$\quad 3=\log_3 3^3=\log_3 27,\ \log_9 16=\log_{3^2} 4^2=\log_3 4$

이때 $y=\log_3 x$에서

(밑)$=3>1$이고 $4<8<27$이므로

$\log_3 4<\log_3 8<\log_3 27$

$\therefore \boldsymbol{\log_9 16<\log_3 8<3}$

(2) 주어진 세 수를 밑이 $\dfrac{1}{2}$인 로그로 같게 하면

$\quad 2\log_{\frac{1}{2}} 3=\log_{\frac{1}{2}} 3^2=\log_{\frac{1}{2}} 9$,

$\quad \log_{\frac{1}{4}}\dfrac{1}{16}=\log_{\left(\frac{1}{2}\right)^2}\left(\dfrac{1}{4}\right)^2=\log_{\frac{1}{2}}\dfrac{1}{4}$,

$\quad \log_2 7=\log_{\left(\frac{1}{2}\right)^{-1}} 7=-\log_{\frac{1}{2}} 7=\log_{\frac{1}{2}}\dfrac{1}{7}$

이때 $y=\log_{\frac{1}{2}} x$에서

$0<($밑$)=\dfrac{1}{2}<1$이고 $\dfrac{1}{7}<\dfrac{1}{4}<9$이므로

$\log_{\frac{1}{2}} 9<\log_{\frac{1}{2}}\dfrac{1}{4}<\log_{\frac{1}{2}}\dfrac{1}{7}$

$\therefore \boldsymbol{2\log_{\frac{1}{2}} 3<\log_{\frac{1}{4}}\dfrac{1}{16}<\log_2 7}$

| 다른 풀이 |

밑이 2인 로그로 같게 하여 대소를 비교해도 된다.

$2\log_{\frac{1}{2}} 3=2\log_{2^{-1}} 3=-2\log_2 3=\log_2 3^{-2}=\log_2\dfrac{1}{9}$,

$\log_{\frac{1}{4}}\dfrac{1}{16}=\log_{2^{-2}} 4^{-2}=\log_2 4$

이때 $y=\log_2 x$에서 (밑)$=2>1$이고 $\dfrac{1}{9}<4<7$이므로

$\log_2\dfrac{1}{9}<\log_2 4<\log_2 7$

$\therefore 2\log_{\frac{1}{2}} 3<\log_{\frac{1}{4}}\dfrac{1}{16}<\log_2 7$

10-1 셀파 로그의 정의에서 $y=\log_a x \Longleftrightarrow a^y=x$

(1) 함수 $y=2^{x-3}-3$의 정의역은 실수 전체의 집합이고, 치역은 $\{y\,|\,y>-3\}$이다.

$\quad y=2^{x-3}-3$에서 $y+3=2^{x-3}$

로그의 정의에 의해 $x-3=\log_2(y+3)$

x와 y를 서로 바꾸면 $y-3=\log_2(x+3)$ (단, $x>-3$)

$\therefore \boldsymbol{y=\log_2(x+3)+3}$

(2) 함수 $y=2+\log_2(x-3)$의 정의역은 $\{x\,|\,x>3\}$이고, 치역은 실수 전체의 집합이다.

$\quad y=2+\log_2(x-3)$에서 $y-2=\log_2(x-3)$

로그의 정의에 의해 $x-3=2^{y-2}$

x와 y를 서로 바꾸면 $y-3=2^{x-2}$

$\therefore \boldsymbol{y=2^{x-2}+3}$

11-1 셀파 점 (a, b)가 함수 $y=2^x$의 그래프 위의 점이면 점 (b, a)는 함수 $y=\log_2 x$의 그래프 위의 점이다.

점 A는 $y=2^x$의 그래프와 y축과의 교점이므로 점 A의 좌표는 $(0, 1)$이다.

따라서 점 B의 y좌표가 1이므로

$1=\log_2 x$에서 $x=2$ $\therefore$ B$(2, 1)$

또 $y=\log_2 x$와 $y=2^x$은 서로 역함수이므로 두 함수의 그래프는 직선 $y=x$에 대하여 대칭이다.

이때 점 B와 점 C는 직선 $y=x$에 대하여 대칭이므로 점 C의 좌표는 $(1, 2)$이고, 점 D의 y좌표가 2이므로

$2=\log_2 x$에서 $x=4$ $\therefore$ D$(4, 2)$

또 점 D와 점 E도 직선 $y=x$에 대하여 대칭이므로 점 E의 좌표는 $(2, 4)$이고, 점 F의 y좌표가 4이므로

$4=\log_2 x$에서 $x=16$

따라서 구하는 점 F의 좌표는 $\boldsymbol{(16, 4)}$

12-1 셀파 $0<(밑)<1$이므로 주어진 함수는 진수가 최소일 때, 최댓값을 갖는다.

함수 $y=\log_{\frac{1}{2}}(x+3)+k$는 $0<(밑)=\frac{1}{2}<1$이므로 진수가 최소일 때, 최댓값을 갖는다.

즉, $-2\le x\le 1$에서 $x=-2$일 때, 함수 $y=\log_{\frac{1}{2}}(x+3)+k$는 최댓값 1을 가지므로

$1=\log_{\frac{1}{2}}(-2+3)+k$, $1=0+k$ $\therefore k=1$

따라서 $y=\log_{\frac{1}{2}}(x+3)+1$의 최솟값은 $x=1$일 때,

$\log_{\frac{1}{2}}4+1=-2+1=\boldsymbol{-1}$

| 다른 풀이 |
$-2\le x\le 1$에서 $1\le x+3\le 4$이므로

$\log_{\frac{1}{2}}4\le\log_{\frac{1}{2}}(x+3)\le\log_{\frac{1}{2}}1$, $-2\le\log_{\frac{1}{2}}(x+3)\le 0$

$\therefore k-2\le\log_{\frac{1}{2}}(x+3)+k\le k$

함수 $y=\log_{\frac{1}{2}}(x+3)+k$의 최댓값이 1이므로 $k=1$

따라서 구하는 최솟값은 $k-2=1-2=-1$

12-2 셀파 진수를 $f(x)$로 놓고 주어진 x의 값의 범위에서 $f(x)$의 값의 범위를 구한다.

$y=\log_{\frac{1}{10}}(-x^2+2x+9)$에서

$f(x)=-x^2+2x+9$라 하면

$f(x)=-(x-1)^2+10$

오른쪽 그림에서 $-2\le x\le 2$일 때, $1\le f(x)\le 10$

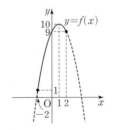

이때 $0<(밑)=\frac{1}{10}<1$이므로

$f(x)=1$일 때, **최댓값** $\log_{\frac{1}{10}}1=\boldsymbol{0}$,

$f(x)=10$일 때, **최솟값** $\log_{\frac{1}{10}}10=-\log_{10}10=\boldsymbol{-1}$

13-1 셀파 $\log_{\frac{1}{2}}x=t$로 치환한 다음 t의 값의 범위를 구한다.

$y=(\log_{\frac{1}{2}}x)^2+2\log_{\frac{1}{2}}x+3$에서 $\log_{\frac{1}{2}}x=t$로 치환하면

$y=t^2+2t+3=(t+1)^2+2$

이때 $1\le x\le 8$에서 $\log_{\frac{1}{2}}8\le\log_{\frac{1}{2}}x\le\log_{\frac{1}{2}}1$

$\therefore -3\le t\le 0$

함수 $y=t^2+2t+3$의 그래프는 오른쪽 그림과 같으므로

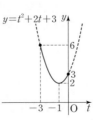

$t=-3$일 때 **최댓값 6**,

$t=-1$일 때 **최솟값 2**

13-2 셀파 $\log_5 x=t$로 치환한 다음 t의 값의 범위를 구한다.

$y=(\log_5 5x)\left(\log_5\dfrac{25}{x}\right)$

$=(\log_5 5+\log_5 x)(\log_5 25-\log_5 x)$

$=(1+\log_5 x)(2-\log_5 x)$

$=-(\log_5 x)^2+\log_5 x+2$

$\log_5 x=t$로 치환하면

$y=-t^2+t+2=-\left(t-\dfrac{1}{2}\right)^2+\dfrac{9}{4}$

이때 $1\le x\le 25$에서 $\log_5 1\le\log_5 x\le\log_5 25$

$\therefore 0\le t\le 2$

함수 $y=-t^2+t+2$의 그래프는 오른쪽 그림과 같으므로

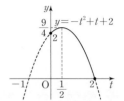

$t=\dfrac{1}{2}$일 때 **최댓값 $\dfrac{9}{4}$**,

$t=2$일 때 **최솟값 0**

14-1 셀파 $3^x>0$, $9^y>0$이므로 (산술평균)$\ge$(기하평균)을 이용한다.

$3^x+9^y=3^x+3^{2y}$에서 3^x, 3^{2y}은 모두 양수이므로

(산술평균)$\ge$(기하평균)에서

$3^x+3^{2y}\ge 2\sqrt{3^x\times 3^{2y}}=2\sqrt{3^{x+2y}}$

(단, 등호는 $x=2y$, 즉 $x=2$, $y=1$일 때 성립)

이때 $x+2y=4$이므로 $2\sqrt{3^{x+2y}}=2\sqrt{3^4}=18$

따라서 구하는 최솟값은 **18**

| 참고 |
$3^x=3^{2y}$이면 $x=2y$

$x=2y$를 $x+2y=4$에 대입하면

$4y=4$ $\therefore y=1$

따라서 $x=2$, $y=1$

14-2 셀파 $x>0$, $y>0$이므로 (산술평균)$\ge$(기하평균)을 이용한다.

두 수 x, y가 모두 양수이고, $x+y=18$이므로

(산술평균)$\ge$(기하평균)에서

$x+y\ge 2\sqrt{xy}$, $18\ge 2\sqrt{xy}$, $\sqrt{xy}\le 9$

$\therefore xy\le 81$ (단, 등호는 $x=y$일 때 성립)

이때 로그의 성질에서

$0<(밑)<1$이므로
$\log_{\frac{1}{3}}xy$의 값은 최소이다.

$\log_{\frac{1}{3}}x+\log_{\frac{1}{3}}y=\log_{\frac{1}{3}}xy\ge\log_{\frac{1}{3}}81=-4$

따라서 구하는 최솟값은 **-4**

| 참고 |
$x=y$를 $x+y=18$에 대입하면

$x=9$, $y=9$

01 <u>셀파</u> 지수함수의 그래프를 그려 본다.

지수함수 $y=3^x$의 그래프는 오른쪽 그림과
같다. 이때 $y=3^x$의 그래프는

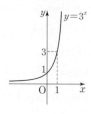

ㄱ. 점 $(0, 1)$을 지난다. (참)
ㄴ. 점근선은 x축이다. (거짓)
ㄷ. x의 값이 증가하면 y의 값도 증가한다.
(거짓)
ㄹ. 제1, 2사분면을 지난다. (거짓)
ㅁ. 치역은 양의 실수 전체의 집합이다. (거짓)
따라서 보기의 설명 중 옳은 것은 ㄱ이다.

02 <u>셀파</u> $f(x)=a^x$일 때, $f(b)=3$이면 $a^b=3$

$f(b)=a^b=3$, $f(c)=a^c=6$이므로
$a^b \times a^c = 18$, $a^{b+c}=18$
$\therefore f\left(\dfrac{b+c}{2}\right)=a^{\frac{b+c}{2}}=(a^{b+c})^{\frac{1}{2}}=18^{\frac{1}{2}}=\sqrt{18}=3\sqrt{2}$

따라서 구하는 답은 ③

03 <u>셀파</u> $y=a^x$의 그래프를 순서대로 이동한 그래프의 식을 구한다.

지수함수 $y=a^x$의 그래프를 y축에 대하여 대칭이동하면
$y=a^{-x}$ ……㉠
㉠을 x축의 방향으로 3만큼, y축의 방향으로 2만큼 평행이동한
그래프의 식은
$y=a^{-(x-3)}+2=a^{-x+3}+2$
이 그래프가 점 $(1, 4)$를 지나므로
$4=a^{-1+3}+2$, $a^2=2$ $\therefore \boldsymbol{a=\sqrt{2}}$ $(\because a>0)$

04 <u>셀파</u> 함수 $y=a^{x-m}+n$의 점근선의 방정식은 $y=n$이다.

지수함수 $y=2^{2x+a}+b$의 그래프에서
점근선의 방정식이 $y=2$이므로 $b=2$
지수함수 $y=2^{2x+a}+2$의 그래프를 y축에 대하여 대칭이동한 그래프의 식은
$y=2^{-2x+a}+2$ $\therefore f(x)=2^{-2x+a}+2$
함수 $y=f(x)$의 그래프가 점 $(-1, 10)$을 지나므로
$10=2^{2+a}+2$, $2^{2+a}=8=2^3$
$2+a=3$ $\therefore a=1$
$\therefore a+b=1+2=3$
따라서 구하는 답은 ②

05 <u>셀파</u> (밑)$>$1이면 지수가 최대일 때, 최댓값을 갖는다.

㉮ 함수 $f(x)=2^x$에서 (밑)$=2>1$이므로
최댓값은 $x=3$일 때, $a=2^3=8$

㉯ 함수 $g(x)=\left(\dfrac{1}{2}\right)^{2x}$에서 $0<$(밑)$=\dfrac{1}{2}<1$이므로
최댓값은 $x=-1$일 때, $b=\left(\dfrac{1}{2}\right)^{-2}=4$

㉰ $a=8$, $b=4$이므로 $\boldsymbol{ab=32}$

채점 기준	배점
㉮ 함수 $f(x)$의 최댓값 a를 구한다.	40%
㉯ 함수 $g(x)$의 최댓값 b를 구한다.	40%
㉰ ab의 값을 구한다.	20%

06 <u>셀파</u> $2^{-x}=t$로 치환한다.

$y=2^{-2x}-2^{-x+1}+k=(2^{-x})^2-2 \times 2^{-x}+k$에서
$2^{-x}=t$ $(t>0)$로 치환하면
$y=t^2-2t+k=(t-1)^2-1+k$
이때 $-1 \le x \le 2$에서
$\left(\dfrac{1}{2}\right)^2 \le \left(\dfrac{1}{2}\right)^x \le \left(\dfrac{1}{2}\right)^{-1}$ $\therefore \dfrac{1}{4} \le t \le 2$
함수 $y=t^2-2t+k$의 그래프는
오른쪽 그림과 같으므로
$t=2$일 때 최댓값 k,
$t=1$일 때 최솟값 $k-1$

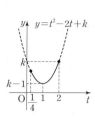

이때 최댓값과 최솟값의 합이 7이므로
$k+k-1=7$, $2k-1=7$ $\therefore \boldsymbol{k=4}$

07 <u>셀파</u> $y=\log_a \dfrac{1}{x}=\log_a x^{-1}=-\log_a x$

$y=\log_3 \dfrac{1}{x}=\log_3 x^{-1}=-\log_3 x$

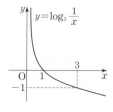

의 그래프는 $y=\log_3 x$의 그래프를
x축에 대하여 대칭이동한 것이므로
오른쪽 그림과 같다.

이때 $y=\log_3 \dfrac{1}{x}$의 그래프는

ㄱ. $y=-\log_3 x$의 그래프와 일치한다. (참)
ㄴ. 점 $(3, -1)$을 지난다. (거짓)
ㄷ. 점근선은 y축이다. (참)
ㄹ. 치역은 실수 전체의 집합이다. (거짓)
ㅁ. x의 값이 증가하면 y의 값은 감소한다. (거짓)
따라서 보기의 설명 중 옳은 것은 ㄱ, ㄷ이다.

08 〔셀파〕 $y=\log_a x$의 그래프를 x축의 방향으로 m만큼, y축의 방향으로 n만큼 평행이동하면 $\Rightarrow y=\log_a (x-m)+n$

ㄱ. $y=\log_5 (5x+15)=\log_5 5(x+3)=\log_5 (x+3)+1$

$y=\log_5 (5x+15)$의 그래프는 $y=\log_5 x$의 그래프를 x축의 방향으로 -3만큼, y축의 방향으로 1만큼 평행이동한 것이다.

ㄴ. $y=\log_5 (2x+1)=\log_5 2\left(x+\dfrac{1}{2}\right)$

$\qquad =\log_5 2+\log_5 \left(x+\dfrac{1}{2}\right)$

$y=\log_5 (2x+1)$의 그래프는 $y=\log_5 x$의 그래프를 x축의 방향으로 $-\dfrac{1}{2}$만큼, y축의 방향으로 $\log_5 2$만큼 평행이동한 것이다.

ㄷ. $y=\log_5 \left(\dfrac{1}{5}x-1\right)=\log_5 \dfrac{1}{5}(x-5)$

$\qquad =\log_5 \dfrac{1}{5}+\log_5 (x-5)=\log_5 (x-5)-1$

$y=\log_5 \left(\dfrac{1}{5}x-1\right)$의 그래프는 $y=\log_5 x$의 그래프를 x축의 방향으로 5만큼, y축의 방향으로 -1만큼 평행이동한 것이다.

ㄹ. $y=\log_{\frac{1}{5}} 5x=\log_{5^{-1}} 5x=-\log_5 5x$

$\qquad =-(\log_5 5+\log_5 x)=-\log_5 x-1$

$y=\log_{\frac{1}{5}} 5x$의 그래프는 $y=\log_5 x$의 그래프를 평행이동하여 겹쳐지지 않는다.

따라서 $y=\log_5 x$의 그래프를 평행이동하여 겹쳐질 수 있는 것은 ㄱ, ㄴ, ㄷ이다.

09 〔셀파〕 $a>1$일 때, $A<B$이면 $\log_a A<\log_a B$
$0<a<1$일 때, $A<B$이면 $\log_a A>\log_a B$

A, B, C를 밑이 $\dfrac{1}{2}$인 로그로 같게 하면

$A=\log_{\frac{1}{2}} 3$

$B=\log_{\frac{1}{4}} 5=\log_{\left(\frac{1}{2}\right)^2} (\sqrt{5})^2=\log_{\frac{1}{2}} \sqrt{5}$

$C=\log_2 \dfrac{1}{5}=\log_{2^{-1}} \left(\dfrac{1}{5}\right)^{-1}=\log_{\frac{1}{2}} 5$

이때 $y=\log_{\frac{1}{2}} x$에서

$0<(\text{밑})=\dfrac{1}{2}<1$이고 $\sqrt{5}<3<5$이므로

$\log_{\frac{1}{2}} 5<\log_{\frac{1}{2}} 3<\log_{\frac{1}{2}} \sqrt{5}$

$\therefore \log_2 \dfrac{1}{5}<\log_{\frac{1}{2}} 3<\log_{\frac{1}{4}} 5$

$\therefore C<A<B$

따라서 옳은 답은 ⑤

10 〔셀파〕 $(f \circ g)(x)=x$이므로 $g(x)$는 함수 $f(x)$의 역함수이다.

🙎 윤지

$(f \circ g)(x)=x$에서 $g(x)$는 함수 $f(x)=\log_3 x$의 역함수이므로 $g(x)=3^x$이다.

이때 $g(\alpha)=\dfrac{1}{3}, g(\beta)=\dfrac{1}{5}$에서 $3^\alpha=\dfrac{1}{3}, 3^\beta=\dfrac{1}{5}$

$\therefore g(\alpha+\beta)=3^{\alpha+\beta}=3^\alpha \times 3^\beta=\dfrac{1}{3} \times \dfrac{1}{5}=\dfrac{1}{15}$

🙎 기호

$g(x)$가 함수 $f(x)=\log_3 x$의 역함수이므로

$g(\alpha)=\dfrac{1}{3}, g(\beta)=\dfrac{1}{5}$에서 $f\left(\dfrac{1}{3}\right)=\alpha, f\left(\dfrac{1}{5}\right)=\beta$

$\therefore \alpha=\log_3 \dfrac{1}{3}, \beta=\log_3 \dfrac{1}{5}$

이때 $g(\alpha+\beta)=k$라 하면 $f(k)=\alpha+\beta$에서

$\log_3 k=\alpha+\beta=\log_3 \dfrac{1}{3}+\log_3 \dfrac{1}{5}$

$\qquad =\log_3 \left(\dfrac{1}{3} \times \dfrac{1}{5}\right)=\log_3 \dfrac{1}{15}$

따라서 $k=\dfrac{1}{15}$이므로 $g(\alpha+\beta)=\dfrac{1}{15}$

11 〔셀파〕 $y=\log_a f(x)$에서 $a>1$이면 진수 $f(x)$가 최대일 때, y는 최대가 된다.

(진수)>0에서 $x>0$, $64-x>0$이므로 $0<x<64$

$y=\log_4 x+\log_4 (64-x)=\log_4 x(64-x)$

$\qquad =\log_4 (-x^2+64x)$

(밑)$=4>1$이므로 y는 진수가 최대일 때, 최댓값을 갖는다.

이때 $f(x)=-x^2+64x$라 하면

$f(x)=-(x-32)^2+1024$

이므로 $f(x)$는 $x=32$일 때, 최댓값 1024를 갖는다.

함수 $y=\log_4 x+\log_4 (64-x)$, 즉 $y=\log_4 f(x)$의 최댓값은 $x=32$일 때, $\log_4 1024=\log_{2^2} 2^{10}=5$이므로

$t=32, M=5$ $\qquad \therefore tM=32 \times 5=160$

12 〔셀파〕 $a>0, b>0$일 때 $a+b \geq 2\sqrt{ab}$이다.

$x>1, y>1$일 때, $\log_x y>0$이고 $\log_y x>0$이므로

(산술평균)$\geq$(기하평균)에서

$\log_{x^2} y+\log_y x^{18}=\dfrac{1}{2} \log_x y+18 \log_y x$

$\qquad \geq 2\sqrt{\left(\dfrac{1}{2} \log_x y\right)(18 \log_y x)}$

$\qquad =2\sqrt{9 \log_x y \times \dfrac{1}{\log_x y}}=6$

(단, 등호는 $\log_x y=36 \log_y x$일 때 성립)

따라서 구하는 최솟값은 6

4. 지수함수와 로그함수의 활용

1-1 (1) $5-x=x-1$, $2x=6$ $\therefore x=3$

(2) $x^2=4x-3$, $x^2-4x+3=0$

$(x-1)(x-3)=0$

$\therefore x=\boxed{1}$ 또는 $x=3$

(3) $2^x=\dfrac{1}{8}$에서 $2^x=\left(\dfrac{1}{2}\right)^3=2^{-3}$ $\therefore x=-3$

(4) $\left(\dfrac{1}{2}\right)^{x+1}=128$에서 $2^{-x-1}=2^7$

$-x-1=7$ $\therefore x=\boxed{-8}$

1-2 (1) $3^{2x}=\dfrac{1}{81}$에서 $3^{2x}=\left(\dfrac{1}{3}\right)^4=3^{-4}$

이때 밑이 같으므로 $2x=-4$ $\therefore x=-2$

(2) $\left(\dfrac{1}{4}\right)^{-x}=\dfrac{1}{64}$에서 $\left(\dfrac{1}{4}\right)^{-x}=\left(\dfrac{1}{4}\right)^3$

이때 밑이 같으므로 $-x=3$ $\therefore x=-3$

(3) $3^{x-1}=9^{4x+3}$에서 $3^{x-1}=(3^2)^{4x+3}=3^{8x+6}$

이때 밑이 같으므로 $x-1=8x+6$

$7x=-7$ $\therefore x=-1$

(4) $\left(\dfrac{1}{2}\right)^{x^2}=2^{-3x+2}$에서 $2^{-x^2}=2^{-3x+2}$

이때 밑이 같으므로 $-x^2=-3x+2$

$x^2-3x+2=0$, $(x-1)(x-2)=0$

$\therefore x=1$ 또는 $x=2$

2-1 (1) $2^{3-x}<4$에서 $2^{3-x}<2^2$

이때 (밑)>1이므로 $3-x<2$ $\therefore x \boxed{>} 1$

(2) (밑)>1이므로 $x-1\le5$ $\therefore x\le6$

(3) $\left(\dfrac{1}{3}\right)^{x+1}<\dfrac{1}{81}$에서 $\left(\dfrac{1}{3}\right)^{x+1}<\left(\dfrac{1}{3}\right)^4$

이때 $0<$(밑)<1이므로 ⇨ 부등호 방향이 바뀐다.

$x+1>4$ $\therefore x>3$

(4) $\left(\dfrac{3}{2}\right)^{2x}\ge\dfrac{16}{81}$에서 $\left(\dfrac{3}{2}\right)^{2x}\ge\left(\dfrac{3}{2}\right)^{-4}$

이때 (밑)>1이므로 ⇨ 부등호 방향이 그대로이다.

$2x\ge\boxed{-4}$ $\therefore x\ge-2$

2-2 (1) $\left(\dfrac{1}{3}\right)^{x+2}>\dfrac{1}{27}$에서 $\left(\dfrac{1}{3}\right)^{x+2}>\left(\dfrac{1}{3}\right)^3$

이때 $0<$(밑)<1이므로 $x+2<3$ $\therefore x<1$

(2) $\left(\dfrac{8}{9}\right)^{x}\ge\dfrac{9}{8}$에서 $\left(\dfrac{8}{9}\right)^{x}\ge\left(\dfrac{8}{9}\right)^{-1}$

이때 $0<$(밑)<1이므로 $x\le-1$

(3) $2^{-x}>\dfrac{1}{64}$에서

$\dfrac{1}{64}=\left(\dfrac{1}{2}\right)^6=2^{-6}$이므로 $2^{-x}>2^{-6}$

이때 (밑)>1이므로 $-x>-6$ $\therefore x<6$

(4) $\left(\dfrac{1}{4}\right)^{x+2}\le2^{3x+1}$에서

$\left(\dfrac{1}{4}\right)^{x+2}=\left(\dfrac{1}{2}\right)^{2(x+2)}=2^{-2(x+2)}$이므로 $2^{-2(x+2)}\le2^{3x+1}$

이때 (밑)>1이므로

$-2(x+2)\le3x+1$, $-2x-4\le3x+1$

$5x\ge-5$ $\therefore x\ge-1$

3-1 (1) (진수)>0에서 $x-1>0$이므로 $x>1$

로그의 정의에 따라

$x-1=\boxed{8}$이므로 $x=9$

이때 $x=9$는 진수 조건 $x>1$을 만족시키므로 주어진

방정식의 해이다.

$\therefore x=9$

(2) (진수)>0에서 $x>0$, $3x-5>0$이므로 $x>\dfrac{5}{3}$

$1+\log_2 x=\log_2 2+\log_2 x=\log_2 2x$에서

로그함수의 성질에 따라

$2x=3x-5$이므로 $x=\boxed{5}$

이때 $x=5$는 진수 조건 $x>\dfrac{5}{3}$를 만족시키므로 주어진 방정식의 해이다.

$\therefore x=5$

3-2 (1) (진수)>0에서 $x+1>0$이므로 $x>-1$

로그의 정의에 따라

$x+1=\left(\dfrac{1}{3}\right)^{-1}$이므로 $x+1=3$, $x=2$

이때 $x=2$는 진수 조건 $x>-1$을 만족시키므로 주어진 방정식의 해이다.

$\therefore x=2$

(2) (진수)>0에서 $x^2-4>0$, $-4x+1>0$

(i) $x^2-4>0$일 때, $(x+2)(x-2)>0$

$\qquad \therefore x<-2$ 또는 $x>2$

(ii) $-4x+1>0$일 때, $x<\dfrac{1}{4}$

(i), (ii)에서 $x<-2$ ⋯⋯㉠

로그함수의 성질에 따라

$x^2-4=-4x+1$

$x^2+4x-5=0$, $(x+5)(x-1)=0$

$\therefore x=-5$ 또는 $x=1$ ⋯⋯㉡

㉠, ㉡에서 $x=-5$

4-1 (1) (진수)>0에서 $x-1>0$ $\quad\therefore x>1$ ⋯⋯㉠

(밑)>1이므로 부등호 방향이 그대로이다.

즉, $\log_2(x-1)<\log_2 3$

$\Longleftrightarrow x-1<3$, $x<\boxed{4}$ ⋯⋯㉡

㉠, ㉡의 공통 범위를 구하면 $1<x<4$

(2) (진수)>0에서 $x>0$ ⋯⋯㉠

$0<$(밑)<1이므로 부등호 방향이 바뀐다.

즉, $\log_{\frac{1}{3}} x\geq\log_{\frac{1}{3}} 2\Longleftrightarrow x\boxed{\leq} 2$ ⋯⋯㉡

㉠, ㉡의 공통 범위를 구하면 $0<x\leq 2$

4-2 (1) (진수)>0에서 $1-x>0$ $\quad\therefore x<1$ ⋯⋯㉠

(밑)>1이므로 부등호 방향이 그대로이다.

즉, $\log_3(1-x)\geq\log_3 2$

$\Longleftrightarrow 1-x\geq 2$, $x\leq-1$ ⋯⋯㉡

㉠, ㉡의 공통 범위를 구하면 $x\leq-1$

(2) (진수)>0에서 $x>0$ ⋯⋯㉠

$0<$(밑)<1이므로 부등호 방향이 바뀐다.

즉, $\log_{\frac{1}{2}} x<\log_{\frac{1}{2}} 3\Longleftrightarrow x>3$ ⋯⋯㉡

㉠, ㉡의 공통 범위를 구하면 $x>3$

확인 문제 본문 | **82~97** 쪽

01-1 셀파 양변의 밑을 같게 하여 $a^{f(x)}=a^{g(x)}$ $(a>0, a\neq 1)$꼴로 바꾼다.

(1) $4^x-2\sqrt{2}=0$에서

$4^x=(2^2)^x=2^{2x}$, $2\sqrt{2}=2\times 2^{\frac{1}{2}}=2^{\frac{3}{2}}$이므로 $2^{2x}=2^{\frac{3}{2}}$

이때 양변의 밑이 같으므로

$2x=\dfrac{3}{2}$ $\quad\therefore x=\dfrac{3}{4}$

(2) $\left(\dfrac{2}{3}\right)^{-3x+4}=\left(\dfrac{9}{4}\right)^x$에서

$\left(\dfrac{9}{4}\right)^x=\left(\dfrac{3}{2}\right)^{2x}=\left(\dfrac{2}{3}\right)^{-2x}$이므로

$\left(\dfrac{2}{3}\right)^{-3x+4}=\left(\dfrac{2}{3}\right)^{-2x}$

이때 양변의 밑이 같으므로

$-3x+4=-2x$ $\quad\therefore x=4$

(3) $\dfrac{3^{x^2+1}}{3^{x-1}}=81$에서

$\dfrac{3^{x^2+1}}{3^{x-1}}=3^{x^2+1-(x-1)}=3^{x^2-x+2}$, $81=3^4$

이므로 $3^{x^2-x+2}=3^4$

이때 양변의 밑이 같으므로

$x^2-x+2=4$, $x^2-x-2=0$

$(x+1)(x-2)=0$ $\quad\therefore x=-1$ 또는 $x=2$

01-2 셀파 지수가 같은 경우에는 밑이 같을 때와 지수가 0일 때로 나누고, 밑이 같은 경우에는 지수가 같을 때와 밑이 1일 때로 나눈다.

(i) 밑이 1인 경우

$x+2=1$, 즉 $x=-1$일 때

$1^5=1^1=1$로 성립한다.

(ii) 지수가 같은 경우

$3-2x=x^2$에서

$x^2+2x-3=0$, $(x+3)(x-1)=0$

$\therefore x=-3$ 또는 $x=1$

그런데 $x>-2$이므로 $x=1$

(i), (ii)에서 $x=-1$ 또는 $x=1$

02-1 〔셀파〕 a^x 꼴이 반복될 때는 $a^x=t$ $(t>0)$로 치환한다.

(1) $4^x-5\times 2^{x-1}+1=0$에서 $(2^x)^2-\dfrac{5}{2}\times 2^x+1=0$

$2^x=t$ $(t>0)$로 치환하면

$t^2-\dfrac{5}{2}t+1=0$, $2t^2-5t+2=0$, $(2t-1)(t-2)=0$

$\therefore t=\dfrac{1}{2}$ 또는 $t=2$

$t=\dfrac{1}{2}$일 때 $2^x=\dfrac{1}{2}$에서 $x=-1$,

$t=2$일 때 $2^x=2$에서 $x=1$

$\therefore \boldsymbol{x=-1}$ 또는 $\boldsymbol{x=1}$

(2) $2^x+2^{2-x}-5=0$에서 $2^x+\dfrac{4}{2^x}-5=0$

$2^x=t$ $(t>0)$로 치환하면

$t+\dfrac{4}{t}-5=0$, $t^2-5t+4=0$

$(t-1)(t-4)=0$ $\therefore t=1$ 또는 $t=4$

$t=1$일 때 $2^x=1$에서 $x=0$,

$t=4$일 때 $2^x=4$에서 $x=2$

$\therefore \boldsymbol{x=0}$ 또는 $\boldsymbol{x=2}$

02-2 〔셀파〕 a^x 꼴이 반복될 때는 $a^x=t$ $(t>0)$로 치환한다.

$27^x-3\times 9^x-3^x+3=0$에서

$(3^x)^3-3\times(3^x)^2-3^x+3=0$

$3^x=t$ $(t>0)$로 치환하면 $t^3-3t^2-t+3=0$

$$\begin{array}{r|rrrr} 1 & 1 & -3 & -1 & 3 \\ & & 1 & -2 & -3 \\ \hline & 1 & -2 & -3 & 0 \end{array}$$

$(t-1)(t^2-2t-3)=0$, $(t-1)(t-3)(t+1)=0$

$\therefore t=1$ 또는 $t=3$ $(\because t>0)$

$t=1$일 때 $3^x=1$에서 $x=0$,

$t=3$일 때 $3^x=3$에서 $x=1$

따라서 구하는 모든 실근의 합은 **1**

03-1 〔셀파〕 $f(a^x)=0$의 근이 α, β일 때, $a^x=t$로 치환한 $f(t)=0$의 근은 a^α, a^β이다.

$4^x-3\times 2^{x+2}+8=0$에서 $(2^x)^2-12\times 2^x+8=0$

$2^x=t$ $(t>0)$로 치환하면 $t^2-12t+8=0$ $\cdots\cdots\,\bigcirc$

주어진 방정식의 두 근이 α, β이므로 방정식 $\bigcirc$의 두 근은 2^α, 2^β이다.

따라서 이차방정식의 근과 계수의 관계에서

$2^\alpha\times 2^\beta=8$이므로 $2^{\alpha+\beta}=2^3$

$\therefore \boldsymbol{\alpha+\beta=3}$

03-2 〔셀파〕 $3^x=t$ $(t>0)$로 치환하여 얻은 t에 대한 이차방정식은 서로 다른 두 양의 실근을 갖는다.

$9^x=4\times 3^x+k$에서 $(3^x)^2=4\times 3^x+k$

$3^x=t$ $(t>0)$로 치환하면 $t^2=4t+k$

$\therefore t^2-4t-k=0$ $\cdots\cdots\,\bigcirc$

주어진 방정식이 서로 다른 두 실근을 가지려면 방정식 $\bigcirc$이 서로 다른 두 양의 실근을 가져야 한다.

방정식 $\bigcirc$의 두 실근을 α, β, 판별식을 D라 하면

(ⅰ) $\dfrac{D}{4}=4+k>0$ $\therefore k>-4$

(ⅱ) $\alpha+\beta=4>0$

(ⅲ) $\alpha\beta=-k>0$ $\therefore k<0$

(ⅰ), (ⅱ), (ⅲ)에서 $\boldsymbol{-4<k<0}$

| 다른 풀이 |

$9^x=4\times 3^x+k$에서 $3^x=t$ $(t>0)$로 치환하면

$t^2=4t+k$ $\therefore t^2-4t=k$ $\cdots\cdots\,\bigcirc$

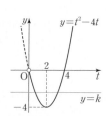

방정식 $\bigcirc$이 서로 다른 두 양의 실근을 가지려면 함수 $y=t^2-4t$ $(t>0)$의 그래프와 직선 $y=k$의 교점이 2개이어야 한다.

따라서 오른쪽 그림에서

$-4<k<0$

LECTURE 이차방정식의 두 근

계수가 실수인 이차방정식의 서로 다른 두 양의 실근을 α, β, 판별식을 D라 할 때

❶ 서로 다른 두 양의 실근을 가질 경우
$D>0$, $\alpha+\beta>0$, $\alpha\beta>0$

❷ 서로 다른 두 음의 실근을 가질 경우
$D>0$, $\alpha+\beta<0$, $\alpha\beta>0$

❸ 양의 실근 한 개, 음의 실근 한 개를 가질 경우
$\alpha\beta<0$

04-1 〔셀파〕 양변의 밑을 같게 한 다음 지수를 비교한다.

(1) $\left(\dfrac{1}{4}\right)^{x(x-1)}=\left(\dfrac{1}{2}\right)^{2x^2-2x}$, $\left(\dfrac{1}{8}\right)^{2-x}=\left(\dfrac{1}{2}\right)^{6-3x}$이므로

$\left(\dfrac{1}{2}\right)^{2x^2-2x}>\left(\dfrac{1}{2}\right)^{6-3x}$

이때 $0<$ (밑) <1이므로

$2x^2-2x<6-3x$, $2x^2+x-6<0$

$(x+2)(2x-3)<0$

$\therefore -2<x<\dfrac{3}{2}$

(2) $\left(\dfrac{1}{9}\right)^{x^2}=3^{-2x^2}$, $\sqrt{3}=3^{\frac{1}{2}}$이므로 $3^{-2x^2}<3^{2x}<3^{\frac{1}{2}}$

이때 (밑)>1이므로 $-2x^2<2x<\dfrac{1}{2}$

(i) $-2x^2<2x$일 때

$x^2+x>0$, $x(x+1)>0$

$\therefore x<-1$ 또는 $x>0$ $\qquad$ ······㉠

(ii) $2x<\dfrac{1}{2}$일 때

$x<\dfrac{1}{4}$ $\qquad$ ······㉡

㉠, ㉡의 공통 범위를 구하면

$\boldsymbol{x<-1}$ 또는 $\boldsymbol{0<x<\dfrac{1}{4}}$

04-2 〔셀파〕 밑에 미지수가 포함될 때는 $0<x<1$, $x=1$, $x>1$로 나누어 푼다.

(i) $0<x<1$일 때

$0<$(밑)<1이므로

$2x^2\ge 7x-3$에서 $2x^2-7x+3\ge 0$

$(2x-1)(x-3)\ge 0$ $\qquad \therefore x\le \dfrac{1}{2}$ 또는 $x\ge 3$

그런데 $0<x<1$이므로 $0<x\le \dfrac{1}{2}$

(ii) $x=1$일 때

$1^2\le 1^4=1$이므로 부등식이 성립한다.

(iii) $x>1$일 때

(밑)>1이므로

$2x^2\le 7x-3$, $2x^2-7x+3\le 0$

$(2x-1)(x-3)\le 0$ $\qquad \therefore \dfrac{1}{2}\le x\le 3$

그런데 $x>1$이므로 $1<x\le 3$

(i), (ii), (iii)에서 $\boldsymbol{0<x\le \dfrac{1}{2}}$ 또는 $\boldsymbol{1\le x\le 3}$

05-1 〔셀파〕 a^x 꼴이 반복되면 $a^x=t\ (t>0)$로 치환한다.

(1) $\left(\dfrac{1}{4}\right)^x+\left(\dfrac{1}{2}\right)^{x-1}-3<0$에서 $\left\{\left(\dfrac{1}{2}\right)^x\right\}^2+2\times \left(\dfrac{1}{2}\right)^x-3<0$

$\left(\dfrac{1}{2}\right)^x=t\ (t>0)$로 치환하면 $t^2+2t-3<0$

$(t+3)(t-1)<0$ $\qquad \therefore -3<t<1$

그런데 $t>0$이므로 $0<t<1$

즉, $0<\left(\dfrac{1}{2}\right)^x<1$에서 $\left(\dfrac{1}{2}\right)^x<\left(\dfrac{1}{2}\right)^0$

이때 $0<$(밑)<1이므로 $\boldsymbol{x>0}$

(2) $2^{x+2}+2^{3-x}<18$에서 $4\times 2^x+8\times \dfrac{1}{2^x}-18<0$

$2^x=t\ (t>0)$로 치환하면 $4t+\dfrac{8}{t}-18<0$

$4t^2-18t+8<0$, $2t^2-9t+4<0$

$(2t-1)(t-4)<0$ $\qquad \therefore \dfrac{1}{2}<t<4$

즉, $\dfrac{1}{2}<t<4$에서 $2^{-1}<2^x<2^2$

이때 (밑)>1이므로

$\boldsymbol{-1<x<2}$

05-2 〔셀파〕 $3^x=t\ (t>0)$로 치환한다.

$9^x-30\times 3^x+81<0$에서 $(3^x)^2-30\times 3^x+81<0$

$3^x=t\ (t>0)$로 치환하면 $t^2-30t+81<0$

$(t-3)(t-27)<0$ $\qquad \therefore 3<t<27$

즉, $3<3^x<27$에서 $3^1<3^x<3^3$

이때 (밑)>1이므로 $1<x<3$

따라서 주어진 부등식을 만족시키는 정수 x는 2뿐이므로

구하는 x의 개수는 $\boldsymbol{1}$

〔셀파 특강〕 **확인 체크 01**

x시간이 경과한 후 세균 A의 수는 2^x마리, 세균 B의 수는 2×4^x 마리이다.

두 상자의 세균 수의 합이 36마리 이상이므로

$2^x+2\times 4^x\ge 36$, $2^x+2\times (2^x)^2\ge 36$

이때 $2^x=t\ (t>0)$로 놓으면

$t+2t^2\ge 36$, $2t^2+t-36\ge 0$, $(t-4)(2t+9)\ge 0$

$\therefore t\ge 4\ (\because t>0)$

즉, $2^x\ge 2^2$이므로 $x\ge 2$

따라서 경과한 시간은 최소 **2시간**

06-1 〔셀파〕 $\log_a b=m\ (a>0, a\ne 1, b>0) \Longleftrightarrow a^m=b$

(1) (진수)>0에서 $x+4>0$, $x-4>0$이므로

$x>4$ $\qquad$ ······㉠

$\log_3(x+4)+\log_3(x-4)=2$에서

$\log_3(x+4)(x-4)=2$

로그의 정의에 따라 $(x+4)(x-4)=9$

$x^2-16=9$, $x^2=25$

$\therefore x=-5$ 또는 $x=5$

㉠에서 $x>4$이므로 구하는 해는 $\boldsymbol{x=5}$

(2) (진수)>0에서 $x+12>0$, $x>0$, $x+2>0$이므로

$x>0$ ⋯⋯㉠

$\log(x+12)-\log x=\log(x+2)$에서

$\log(x+12)=\log x+\log(x+2)$

$\log(x+12)=\log x(x+2)$

로그의 밑이 같으므로

$x+12=x(x+2)$, $x+12=x^2+2x$

$x^2+x-12=0$, $(x+4)(x-3)=0$

$\therefore x=-4$ 또는 $x=3$

㉠에서 $x>0$이므로 구하는 해는 $\boldsymbol{x=3}$

06-2 <u>셀파</u> 밑이 다를 때는 먼저 밑을 같게 한다.

(1) (진수)>0에서 $x-2>0$, $2x-1>0$이므로

$x>2$ ⋯⋯㉠

$\log_{\frac{1}{4}}(2x-1)=\log_{\left(\frac{1}{2}\right)^2}(2x-1)=\frac{1}{2}\log_{\frac{1}{2}}(2x-1)$이므로

$\log_{\frac{1}{2}}(x-2)=\log_{\frac{1}{4}}(2x-1)$에서

$\log_{\frac{1}{2}}(x-2)=\frac{1}{2}\log_{\frac{1}{2}}(2x-1)$

$2\log_{\frac{1}{2}}(x-2)=\log_{\frac{1}{2}}(2x-1)$

$\log_{\frac{1}{2}}(x-2)^2=\log_{\frac{1}{2}}(2x-1)$

로그의 밑이 같으므로

$(x-2)^2=2x-1$, $x^2-4x+4=2x-1$

$x^2-6x+5=0$, $(x-1)(x-5)=0$

$\therefore x=1$ 또는 $x=5$

㉠에서 $x>2$이므로 구하는 해는 $\boldsymbol{x=5}$

(2) (진수)>0에서 $x-3>0$, $x+7>0$이므로

$x>3$ ⋯⋯㉠

$\log_9(x+7)=\log_{3^2}(x+7)=\frac{1}{2}\log_3(x+7)$이므로

$\log_3(x-3)=\log_9(x+7)+1$에서

$\log_3(x-3)=\frac{1}{2}\log_3(x+7)+1$

$2\log_3(x-3)=\log_3(x+7)+2$

$2\log_3(x-3)=\log_3(x+7)+\log_3 9$

$\log_3(x-3)^2=\log_3 9(x+7)$

로그의 밑이 같으므로

$(x-3)^2=9(x+7)$, $x^2-6x+9=9x+63$

$x^2-15x-54=0$, $(x+3)(x-18)=0$

$\therefore x=-3$ 또는 $x=18$

㉠에서 $x>3$이므로 구하는 해는 $\boldsymbol{x=18}$

07-1 <u>셀파</u> $\log_a x=t$로 치환하여 t에 대한 방정식으로 바꾼다.

(1) (진수)>0에서 $2x>0$, $\frac{x}{2}>0$이므로 $x>0$ ⋯⋯㉠

$\log_2 2x=\log_2 2+\log_2 x=1+\log_2 x$

$\log_2 \frac{x}{2}=\log_2 x-\log_2 2=\log_2 x-1$

이므로 $(\log_2 2x)\left(\log_2 \frac{x}{2}\right)=3$에서

$(\log_2 x+1)(\log_2 x-1)=3$

$\log_2 x=t$로 치환하면

$(t+1)(t-1)=3$, $t^2-1=3$, $t^2=4$

$\therefore t=-2$ 또는 $t=2$

$t=-2$일 때, $\log_2 x=-2$에서 $x=2^{-2}=\frac{1}{4}$

$t=2$일 때, $\log_2 x=2$에서 $x=2^2=4$

㉠에서 $x>0$이므로 구하는 해는

$\boldsymbol{x=\dfrac{1}{4}}$ **또는** $\boldsymbol{x=4}$

(2) 진수와 밑 조건에서 $x>0$, $x\neq1$이므로

$0<x<1$ 또는 $x>1$ ⋯⋯㉠

$\log_3 x=2\log_x 3+1$에서

$\log_3 x=\dfrac{2}{\log_3 x}+1$

$\log_3 x=t$로 치환하면 $t=\dfrac{2}{t}+1$

$t^2-t-2=0$, $(t+1)(t-2)=0$

$\therefore t=-1$ 또는 $t=2$

$t=-1$일 때, $\log_3 x=-1$에서 $x=3^{-1}=\frac{1}{3}$

$t=2$일 때, $\log_3 x=2$에서 $x=3^2=9$

㉠에서 $0<x<1$ 또는 $x>1$이므로 구하는 해는

$\boldsymbol{x=\dfrac{1}{3}}$ **또는** $\boldsymbol{x=9}$

LECTURE 치환한 변수 t의 값의 범위

지수함수 $y=a^x$ $(a>0, a\neq1)$의 치역은 $\{y|y>0$인 실수$\}$이므로 지수방정식에서 $a^x=t$로 치환하면 $t>0$이다.

그러나 로그함수 $y=\log_a x$ $(a>0, a\neq1)$의 치역은 실수 전체의 집합이므로 로그방정식에서 $\log_a x=t$로 치환할 때는 t의 값의 범위를 생각하지 않아도 된다.

예

❶ 방정식 $4^x+2^x-2=0$에서 $2^x=t$ $(t>0)$로 치환하면

$t^2+t-2=0$, $(t+2)(t-1)=0$

$t>0$이므로 $t=1$

❷ 방정식 $(\log_2 x)^2+\log_2 x-2=0$에서

$\log_2 x=t$로 치환하면 $t^2+t-2=0$

$(t+2)(t-1)=0$ $\therefore t=-2$ 또는 $t=1$

08-1 셀파 $\log_4 x$를 밑이 2인 로그로 바꾼다.

$\log_4 x = \log_{2^2} x = \dfrac{1}{2}\log_2 x$이므로 주어진 방정식은

$\log_2 x - \dfrac{1}{2}\log_2 x = 2\log_2 x \left(\dfrac{1}{2}\log_2 x\right)$

$\dfrac{1}{2}\log_2 x = (\log_2 x)^2$

$\log_2 x = t$로 치환하면 $\dfrac{1}{2}t = t^2$

$\therefore 2t^2 - t = 0$ ······㉠

주어진 방정식의 두 근이 α, β이므로 방정식 ㉠의 두 근은
$\log_2 \alpha$, $\log_2 \beta$이다.
따라서 이차방정식의 근과 계수의 관계에서

$\log_2 \alpha + \log_2 \beta = \dfrac{1}{2}$이므로 $\log_2 \alpha\beta = \dfrac{1}{2}$

$\therefore \alpha\beta = 2^{\frac{1}{2}} = \sqrt{2}$

08-2 셀파 $\log_{\frac{1}{2}} x = t$로 치환한다.

$\left(\log_{\frac{1}{2}} x\right)^2 + k\log_{\frac{1}{2}} x - 1 = 0$에서 $\log_{\frac{1}{2}} x = t$로 치환하면
$t^2 + kt - 1 = 0$ ······㉠

주어진 방정식의 두 근을 α, β라 하면 방정식 ㉠의 두 근은
$\log_{\frac{1}{2}} \alpha$, $\log_{\frac{1}{2}} \beta$이므로 이차방정식의 근과 계수의 관계에서

$\log_{\frac{1}{2}} \alpha + \log_{\frac{1}{2}} \beta = -k$ $\therefore \log_{\frac{1}{2}} \alpha\beta = -k$

로그의 정의에 따라 $\alpha\beta = \left(\dfrac{1}{2}\right)^{-k} = 2^k$

이때 $\alpha\beta = 4$이므로 $2^k = 4 = 2^2$ $\therefore k = 2$

09-1 셀파 지수에 로그가 있으면 양변에 로그를 취한다.

(1) $x^{1-\log x} = \dfrac{x^2}{100}$의 양변에 상용로그를 취하면

$\log x^{1-\log x} = \log \dfrac{x^2}{100}$

$(1-\log x)\log x = \log x^2 - \log 100$

$(1-\log x)\log x = 2\log x - 2$

$\therefore (\log x)^2 + \log x - 2 = 0$

$\log x = t$로 치환하면

$t^2 + t - 2 = 0$, $(t+2)(t-1) = 0$

$\therefore t = -2$ 또는 $t = 1$

$t = -2$일 때, $\log x = -2$에서 $x = 10^{-2} = \dfrac{1}{100}$

$t = 1$일 때, $\log x = 1$에서 $x = 10^1 = 10$

이때 진수 조건 $x > 0$에서 구하는 해는

$x = \dfrac{1}{100}$ 또는 $x = 10$

(2) $x^{\log_3 x} = 9x$의 양변에 밑이 3인 로그를 취하면

$\log_3 x^{\log_3 x} = \log_3 9x$

$\log_3 x \log_3 x = \log_3 9 + \log_3 x$

$(\log_3 x)^2 - \log_3 x - 2 = 0$

$\log_3 x = t$로 치환하면

$t^2 - t - 2 = 0$, $(t+1)(t-2) = 0$

$\therefore t = -1$ 또는 $t = 2$

$t = -1$일 때, $\log_3 x = -1$에서 $x = 3^{-1} = \dfrac{1}{3}$

$t = 2$일 때, $\log_3 x = 2$에서 $x = 3^2 = 9$

이때 진수 조건 $x > 0$에서 구하는 해는

$x = \dfrac{1}{3}$ 또는 $x = 9$

| 참고 |
지수에 로그가 있는 방정식은 양변에 로그를 취하여 푼다. 이때 지수에 있
는 로그와 밑이 같은 로그를 취하면 계산이 편리하다.

10-1 셀파 (밑)>1이면 진수에 대한 부등호 방향은 그대로이고,
       $0<$(밑)<1이면 진수에 대한 부등호 방향은 바뀐다.

(1) (진수)>0에서 $3-x>0$, $x>0$이므로

$0 < x < 3$ ······㉠

부등식 $\log_2 (3-x) < \log_2 x + 1$에서

$\log_2 (3-x) < \log_2 2x$

(밑)>1이므로 $3-x < 2x$, $3 < 3x$

$\therefore x > 1$ ······㉡

㉠, ㉡의 공통 범위를 구하면 $1 < x < 3$

(2) (진수)>0에서 $x-1>0$, $4x-2>0$, $x+2>0$이므로

$x > 1$ ······㉠

부등식 $\log_{\frac{1}{4}} (x-1) \geq \log_{\frac{1}{4}} (4x-2) - \log_{\frac{1}{4}} (x+2)$에서

$\log_{\frac{1}{4}} (x-1) + \log_{\frac{1}{4}} (x+2) \geq \log_{\frac{1}{4}} (4x-2)$

$\log_{\frac{1}{4}} (x-1)(x+2) \geq \log_{\frac{1}{4}} (4x-2)$

$0 <$(밑)< 1이므로

$(x-1)(x+2) \leq 4x-2$, $x^2+x-2 \leq 4x-2$

$x^2-3x \leq 0$, $x(x-3) \leq 0$

$\therefore 0 \leq x \leq 3$ ······㉡

㉠, ㉡의 공통 범위를 구하면 $1 < x \leq 3$

11-1 셀파 $\log_a x$가 반복되면 $\log_a x = t$로 치환한다.

(1) (진수) >0에서 $x>0$, $x^2>0$이므로 $x>0$ $\quad\cdots\cdots\text{㉠}$

$(\log_3 x)^2 - 8 < \log_3 x^2$에서

$(\log_3 x)^2 - 2\log_3 x - 8 < 0$

$\log_3 x = t$로 치환하면

$t^2 - 2t - 8 < 0$, $(t+2)(t-4) < 0$

$\therefore -2 < t < 4$

즉, $-2 < \log_3 x < 4$에서 $\log_3 3^{-2} < \log_3 x < \log_3 3^4$

$\therefore \log_3 \dfrac{1}{9} < \log_3 x < \log_3 81$

이때 (밑) >1이므로 $\dfrac{1}{9} < x < 81$ $\quad\cdots\cdots\text{㉡}$

㉠, ㉡의 공통 범위를 구하면

$\dfrac{1}{9} < x < 81$

(2) (진수) >0에서 $x>0$ $\quad\cdots\cdots\text{㉠}$

$\left(\log_{\frac{1}{3}} x\right)^2 - \log_{\frac{1}{3}} x - 12 > 0$에서

$\log_{\frac{1}{3}} x = t$로 치환하면

$t^2 - t - 12 > 0$, $(t+3)(t-4) > 0$

$\therefore t < -3$ 또는 $t > 4$

즉, $\log_{\frac{1}{3}} x < -3$ 또는 $\log_{\frac{1}{3}} x > 4$에서

$\log_{\frac{1}{3}} x < \log_{\frac{1}{3}} \left(\dfrac{1}{3}\right)^{-3}$ 또는 $\log_{\frac{1}{3}} x > \log_{\frac{1}{3}} \left(\dfrac{1}{3}\right)^4$

$\therefore \log_{\frac{1}{3}} x < \log_{\frac{1}{3}} 27$ 또는 $\log_{\frac{1}{3}} x > \log_{\frac{1}{3}} \dfrac{1}{81}$

이때 $0 < ($밑$) < 1$이므로

$x > 27$ 또는 $x < \dfrac{1}{81}$ $\quad\cdots\cdots\text{㉡}$

㉠, ㉡의 공통 범위를 구하면

$0 < x < \dfrac{1}{81}$ 또는 $x > 27$

셀파 특강 **확인 체크 02**

(1) (진수) >0에서 $a>0$ $\quad\cdots\cdots\text{㉠}$

이차방정식 $x^2 - (\log_2 a)x + \log_2 a = 0$의 판별식을 D라 하면

$D = (\log_2 a)^2 - 4\log_2 a \leq 0$

$\log_2 a = t$로 치환하면

$t^2 - 4t \leq 0$, $t(t-4) \leq 0$ $\therefore 0 \leq t \leq 4$

즉, $0 \leq \log_2 a \leq 4$에서 $\log_2 1 \leq \log_2 a \leq \log_2 2^4$

이때 (밑) >1이므로 $1 \leq a \leq 16$ $\quad\cdots\cdots\text{㉡}$

㉠, ㉡의 공통 범위를 구하면 $1 \leq a \leq 16$

(2) (진수) >0에서 $k>0$ $\quad\cdots\cdots\text{㉠}$

이차방정식 $x^2 - 2(1+\log_2 k)x + 1 - (\log_2 k)^2 = 0$의 판별식을 D라 하면

$\dfrac{D}{4} = (1+\log_2 k)^2 - \{1 - (\log_2 k)^2\} < 0$

$1 + 2\log_2 k + (\log_2 k)^2 - 1 + (\log_2 k)^2 < 0$

$2(\log_2 k)^2 + 2\log_2 k < 0$

$\log_2 k = t$로 치환하면 $2t^2 + 2t < 0$

$t(t+1) < 0$ $\therefore -1 < t < 0$

즉, $-1 < \log_2 k < 0$에서

$\log_2 2^{-1} < \log_2 k < \log_2 1$

이때 (밑) >1이므로 $\dfrac{1}{2} < k < 1$ $\quad\cdots\cdots\text{㉡}$

㉠, ㉡의 공통 범위를 구하면

$\dfrac{1}{2} < k < 1$

LECTURE 이차부등식이 항상 성립할 조건

이차부등식 $ax^2 + bx + c > 0$이 모든 실수 x에 대하여 항상 성립하려면 이차함수 $y = ax^2 + bx + c$의 그래프가 오른쪽 그림과 같이 x축보다 위쪽에 있어야 한다.

즉, 이차부등식 $ax^2 + bx + c > 0$이 모든 실수 x에 대하여 항상 성립하려면

(i) 아래로 볼록한 포물선($\smile$) 꼴이 되어야 하므로 $a > 0$

(ii) $y = ax^2 + bx + c$의 그래프가 x축과 만나지 않아야 하므로 이차방정식 $ax^2 + bx + c = 0$의 판별식을 D라 할 때 $D < 0$

$a \neq 0$일 때, 모든 실수 x에 대하여 이차부등식이 성립할 조건은 다음과 같이 정리할 수 있다.

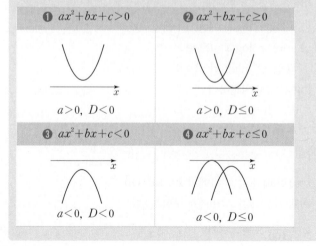

❶ $ax^2 + bx + c > 0$	❷ $ax^2 + bx + c \geq 0$
$a>0,\ D<0$	$a>0,\ D\leq0$
❸ $ax^2 + bx + c < 0$	❹ $ax^2 + bx + c \leq 0$
$a<0,\ D<0$	$a<0,\ D\leq0$

12-1 [셀파] 양변에 밑이 3인 로그를 취한다.

(진수)>0에서 $x>0$ $\cdots\cdots$ ㉠

$x^{\log_3 x}<27x^2$의 양변에 밑이 3인 로그를 취하면

$\log_3 x^{\log_3 x}<\log_3 27x^2$

$(\log_3 x)^2<\log_3 27+\log_3 x^2$, $(\log_3 x)^2<3+2\log_3 x$

$\log_3 x=t$로 치환하면

$t^2<2t+3$, $t^2-2t-3<0$, $(t+1)(t-3)<0$

$\therefore -1<t<3$

즉, $-1<\log_3 x<3$에서

(밑)>1이므로 $\dfrac{1}{3}<x<27$ $\cdots\cdots$ ㉡

㉠, ㉡의 공통 범위를 구하면 $\dfrac{1}{3}<x<27$

12-2 [셀파] 양변에 밑이 2인 로그를 취한다.

$x^{3-\log_2 x}<(2x)^k$의 양변에 밑이 2인 로그를 취하면

$\log_2 x^{3-\log_2 x}<\log_2 (2x)^k$

$(3-\log_2 x)\log_2 x<k(\log_2 2+\log_2 x)$

$3\log_2 x-(\log_2 x)^2<k+k\log_2 x$

$\therefore (\log_2 x)^2+(k-3)\log_2 x+k>0$ $\cdots\cdots$ ㉠

$\log_2 x=t$로 치환하면

$t^2+(k-3)t+k>0$ $\cdots\cdots$ ㉡

모든 양수 x에 대하여 부등식 ㉠이 항상 성립하려면 모든 실수 t에 대하여 부등식 ㉡이 항상 성립해야 한다.

방정식 $t^2+(k-3)t+k=0$의 판별식을 D라 하면

$D=(k-3)^2-4k<0$

$k^2-10k+9<0$, $(k-1)(k-9)<0$

$\therefore 1<k<9$

[셀파 특강] **확인 체크 03**

수면 위의 빛의 밝기를 a라 하면 물이 n m 깊어짐에 따라 빛의 밝기는 $a(0.8)^n$

이때 수면 위의 빛의 밝기의 $\dfrac{1}{2}$이면

$a(0.8)^n=\dfrac{1}{2}a$, $\left(\dfrac{8}{10}\right)^n=\dfrac{1}{2}$

이 식의 양변에 상용로그를 취하면

$n\log\dfrac{8}{10}=\log\dfrac{1}{2}$, $n(\log 8-\log 10)=-\log 2$

$n(3\log 2-1)=-\log 2$

$\therefore n=\dfrac{-\log 2}{3\log 2-1}=\dfrac{-0.3}{-0.1}=3$

따라서 구하는 물의 깊이는 **3 m**

01 [셀파] $a^{f(x)}=a^{g(x)}(a>0, a\neq1)\Longleftrightarrow f(x)=g(x)$

$\dfrac{16^x}{2}=2^{4x-1}$이므로 $2^{4x-1}=2^{x+3}$

이때 양변의 밑이 같으므로

$4x-1=x+3$ $\therefore x=\dfrac{4}{3}$

따라서 구하는 답은 ④

02 [셀파] $2^x=X, 2^y=Y(X>0, Y>0)$로 치환한다.

$\begin{cases}2^x-2^y=4\\2^{x+y}=32\end{cases}$ 에서 $2^{x+y}=2^x\times2^y$이므로

$2^x=X, 2^y=Y(X>0, Y>0)$로 치환하면

$X-Y=4$ $\cdots\cdots$ ㉠, $XY=32$ $\cdots\cdots$ ㉡

㉠에서 $Y=X-4$를 ㉡에 대입하면

$X(X-4)=32$, $X^2-4X-32=0$

$(X+4)(X-8)=0$ $\therefore X=8$ $(\because X>0)$

$X=8$을 ㉠에 대입하면 $Y=4$

따라서 $2^x=8, 2^y=4$이므로 $x=3, y=2$

| 다른 풀이 |

$2^{x+y}=32=2^5$에서 $x+y=5$ $\cdots\cdots$ ㉠

$y=5-x$를 $2^x-2^y=4$에 대입하면

$2^x-2^{5-x}=4$, $2^x-\dfrac{32}{2^x}=4$

$2^x=t$ $(t>0)$로 치환하면 $t-\dfrac{32}{t}=4$

$t^2-4t-32=0$, $(t+4)(t-8)=0$ $\therefore t=8$ $(\because t>0)$

따라서 $2^x=8=2^3$에서 $x=3$

$x=3$을 ㉠에 대입하면 $y=2$

03 [셀파] $a^x=t$ $(t>0)$로 치환한다.

$a^{2x}-a^x=2$에서 $(a^x)^2-a^x=2$

$a^x=t$ $(t>0)$로 치환하면

$t^2-t-2=0$, $(t+1)(t-2)=0$ $\therefore t=2$ $(\because t>0)$

$a^x=2$에서 $x=\dfrac{1}{7}$이므로

$a^{\frac{1}{7}}=2$, $(a^{\frac{1}{7}})^7=2^7$

$\therefore a=2^7=128$

04 셀파 $3^x=t\ (t>0)$로 치환한다.

$9^x-11\times3^x+28=0$에서 $(3^x)^2-11\times3^x+28=0$

$3^x=t\ (t>0)$로 치환하면 $t^2-11t+28=0$

주어진 방정식의 두 근이 $\alpha,\ \beta$이므로

방정식 $t^2-11t+28=0$의 두 근은 $3^\alpha,\ 3^\beta$이다.

이차방정식의 근과 계수의 관계에서

$3^\alpha+3^\beta=11,\ 3^\alpha\times3^\beta=28$

$\therefore\ 9^\alpha+9^\beta=(3^\alpha)^2+(3^\beta)^2=(3^\alpha+3^\beta)^2-2\times3^\alpha\times3^\beta$

$\qquad\qquad\quad=11^2-2\times28=65$

따라서 구하는 답은 ④

05 셀파 $A\leq B\leq C\iff A\leq B$이고 $B\leq C$

주어진 부등식은

$\left(\dfrac{1}{2}\right)^{x+1}\leq\left(\dfrac{1}{2}\right)^{2x}\leq\left(\dfrac{1}{2}\right)^{x}$

$0<($밑$)<1$이므로 $x+1\geq2x\geq x^2$

(i) $x+1\geq2x$에서 $x\leq1$ $\qquad\cdots\cdots$ ㉠

(ii) $2x\geq x^2$에서 $x^2-2x\leq0$

$\quad x(x-2)\leq0$ $\quad\therefore\ 0\leq x\leq2$ $\quad\cdots\cdots$ ㉡

㉠, ㉡의 공통 범위를 구하면 $0\leq x\leq1$이므로 실수 x의 최댓값은 1이다.

따라서 구하는 답은 ①

06 셀파 $2^{f(x)}=t\ (t>0)$로 치환한다.

㉮ $4^{f(x)}-2^{1+f(x)}<8$에서 $2^{2f(x)}-2\times2^{f(x)}-8<0$

$2^{f(x)}=t\ (t>0)$로 치환하면 주어진 부등식은

$t^2-2t-8<0,\ (t+2)(t-4)<0$

$\quad\therefore\ -2<t<4$

그런데 $t>0$이므로 $0<t<4$

㉯ 즉, $0<2^{f(x)}<4$에서 $0<2^{f(x)}<2^2$

$2^{f(x)}>0$이므로 $2^{f(x)}<2^2$

이때 (밑)>1이므로 $f(x)<2$

$x^2-x-4<2,\ x^2-x-6<0$

$(x+2)(x-3)<0$ $\quad\therefore\ -2<x<3$

㉰ 따라서 부등식을 만족시키는 정수 x의 개수는 $-1,\ 0,\ 1,\ 2$의 4

채점 기준	배점
㉮ $2^{f(x)}=t$로 놓고 t에 대한 부등식을 푼다.	40%
㉯ x의 값의 범위를 구한다.	40%
㉰ 정수 x의 개수를 구한다.	20%

07 셀파 진수 조건을 확인한다.

(진수)>0에서 $3x^2+7x>0,\ x+1>0$이므로

$x>0$ $\qquad\qquad\cdots\cdots$ ㉠

$\log_2(3x^2+7x)=1+\log_2(x+1)$에서

$\log_2(3x^2+7x)=\log_2 2(x+1)$

로그의 밑이 같으므로 $3x^2+7x=2(x+1)$

$3x^2+5x-2=0,\ (x+2)(3x-1)=0$

$\therefore\ x=-2$ 또는 $x=\dfrac{1}{3}$

㉠에서 $x>0$이므로 구하는 해는 $\boldsymbol{x=\dfrac{1}{3}}$

08 셀파 이차방정식 $ax^2+bx+c=0$이 중근을 가질 조건은 판별식 $D=b^2-4ac=0$

(진수)>0에서 $k^5>0,\ k>0$이므로

$k>0$ $\qquad\qquad\cdots\cdots$ ㉠

주어진 이차방정식의 판별식을 D라 하면

$\dfrac{D}{4}=(\log k+2)^2-(\log k^5+6)=0$

$(\log k)^2+4\log k+4-5\log k-6=0$

$\therefore\ (\log k)^2-\log k-2=0$

$\log k=t$로 치환하면 $t^2-t-2=0$

$(t+1)(t-2)=0$ $\quad\therefore\ t=-1$ 또는 $t=2$

$t=-1$일 때, $\log k=-1$에서 $k=10^{-1}=\dfrac{1}{10}$

$t=2$일 때, $\log k=2$에서 $k=10^2=100$

㉠에서 $k>0$이므로 $\boldsymbol{k=\dfrac{1}{10}}$ 또는 $\boldsymbol{k=100}$

09 셀파 $\log_2 x=X,\ \log_2 y=Y$로 치환한다.

$\log_2 x=X,\ \log_2 y=Y$로 치환하면 주어진 연립방정식은

$X+Y=2$ $\quad\cdots\cdots$ ㉠, $\quad XY=-3$ $\quad\cdots\cdots$ ㉡

㉠에서 $Y=-X+2$를 ㉡에 대입하면

$X(-X+2)=-3,\ X^2-2X-3=0$

$(X+1)(X-3)=0$ $\quad\therefore\ X=-1$ 또는 $X=3$

이 값을 ㉡에 대입하면

$\begin{cases}X=-1\\Y=3\end{cases}$ 또는 $\begin{cases}X=3\\Y=-1\end{cases}$

즉, $\begin{cases}\log_2 x=-1\\\log_2 y=3\end{cases}$ 또는 $\begin{cases}\log_2 x=3\\\log_2 y=-1\end{cases}$

$\therefore\ \begin{cases}x=\dfrac{1}{2}\\y=8\end{cases}$ 또는 $\begin{cases}x=8\\y=\dfrac{1}{2}\end{cases}$

10 〔셀파〕 $\log_3 x = t$로 치환하여 로그방정식을 푼다.

$\left(\log_3 \dfrac{x}{3}\right)^2 - 20\log_9 x + 26 = 0$에서

$(\log_3 x - \log_3 3)^2 - 20\log_{3^2} x + 26 = 0$

$(\log_3 x - 1)^2 - 10\log_3 x + 26 = 0 \quad\to\quad 20 \times \dfrac{1}{2}\log_3 x = 10\log_3 x$

이때 $\log_3 x = t$로 치환하면

$(t-1)^2 - 10t + 26 = 0 \quad \therefore t^2 - 12t + 27 = 0 \quad\cdots\cdots\text{㉠}$

주어진 방정식의 두 근이 α, β이므로 방정식 ㉠의 두 근은 $\log_3 \alpha$, $\log_3 \beta$이다.

따라서 이차방정식의 근과 계수의 관계에서

$\log_3 \alpha + \log_3 \beta = 12$이므로

$\log_3 \alpha\beta = 12 \quad \therefore \alpha\beta = 3^{12}$

| 다른 풀이 |

$(\log_3 x - 1)^2 - 10\log_3 x + 26 = 0$에서

$\log_3 x = t$로 치환하면

$(t-1)^2 - 10t + 26 = 0, \ t^2 - 12t + 27 = 0$

$(t-3)(t-9) = 0 \quad \therefore t = 3 \ 또는 \ t = 9$

$t = 3$일 때, $\log_3 x = 3$에서 $x = 3^3$

$t = 9$일 때, $\log_3 x = 9$에서 $x = 3^9$

$\alpha = 3^3, \ \beta = 3^9 \ 또는 \ \alpha = 3^9, \ \beta = 3^3$이므로

$\alpha\beta = 3^3 \times 3^9 = 3^{3+9} = 3^{12}$

11 〔셀파〕 $0 \le \log_2 x \le 1 \Rightarrow \log_2 1 \le \log_2 x \le \log_2 2$

(진수) > 0에서 $x > 0$, $\underline{\log_3 x > 0}$이므로 $x > 1 \ \cdots\cdots\text{㉠}$

$0 \le \log_2 (\log_3 x) \le 1$에서 $\quad \to \log_3 x > \log_3 1$에서 $x > 1$

$\log_2 1 \le \log_2 (\log_3 x) \le \log_2 2$

(밑) > 1이므로 $1 \le \log_3 x \le 2$

또 $\log_3 3 \le \log_3 x \le \log_3 3^2$에서

(밑) > 1이므로 $3 \le x \le 9$

㉠에서 $x > 1$이므로 부등식을 만족시키는 정수 x는

$x = 3, 4, 5, 6, 7, 8, 9$

따라서 구하는 정수 x의 개수는 **7**

12 〔셀파〕 주어진 로그의 밑을 같게 정리한다.

(진수) > 0에서 $x - 1 > 0$, $7 - x > 0$이므로

$1 < x < 7 \qquad\qquad \cdots\cdots\text{㉠}$

$\log_4 (7-x) = \log_{2^2} (7-x) = \dfrac{1}{2}\log_2 (7-x)$

이므로 주어진 부등식은

$\log_2 (x-1) < \log_2 (7-x)$

(밑) > 1이므로 $x - 1 < 7 - x$

$2x < 8 \quad \therefore x < 4 \qquad\qquad \cdots\cdots\text{㉡}$

㉠, ㉡의 공통 범위를 구하면 $1 < x < 4$

따라서 $\alpha = 1$, $\beta = 4$이므로

$\alpha^2 + \beta^2 = 1^2 + 4^2 = $ **17**

13 〔셀파〕 $\log_3 x = t$로 치환한다.

(진수) > 0에서 $x > 0 \qquad\qquad \cdots\cdots\text{㉠}$

$(\log_3 x)(\log_3 3x) \le 20$에서

$\log_3 x(1 + \log_3 x) \le 20, \ (\log_3 x)^2 + \log_3 x - 20 \le 0$

$\log_3 x = t$로 치환하면 $t^2 + t - 20 \le 0$

$(t+5)(t-4) \le 0 \quad \therefore -5 \le t \le 4$

즉, $-5 \le \log_3 x \le 4$에서

$\log_3 3^{-5} \le \log_3 x \le \log_3 3^4$

$\therefore \log_3 \dfrac{1}{243} \le \log_3 x \le \log_3 81$

이때 (밑) > 1이므로

$\dfrac{1}{243} \le x \le 81 \qquad\qquad \cdots\cdots\text{㉡}$

㉠, ㉡의 공통 범위를 구하면 $\dfrac{1}{243} \le x \le 81$

따라서 구하는 자연수 x의 최댓값은 **81**

14 〔셀파〕 1998년의 인구 수를 a, 인구 증가율을 r라 하면 $a(1+r)^{20} = 2a$이다.

A도시의 1998년 인구 수를 a, 인구 증가율을 r라 하면 매년 일정한 비율로 증가하여 20년 후에 두 배가 되었으므로

$a(1+r)^{20} = 2a$에서 $(1+r)^{20} = 2$

양변에 상용로그를 취하면

$\log (1+r)^{20} = \log 2, \ 20\log (1+r) = \log 2$

$\therefore \log (1+r) = \dfrac{\log 2}{20} = \dfrac{0.3}{20} = 0.015$

A도시의 현재 인구 수를 A, n년 후에 현재 인구의 3배가 된다고 하면

$A(1+r)^n = 3A$에서 $(1+r)^n = 3$

양변에 상용로그를 취하면

$\log (1+r)^n = \log 3, \ n\log (1+r) = \log 3$

$\therefore n = \dfrac{\log 3}{\log (1+r)} = \dfrac{0.48}{0.015} = 32$

따라서 현재 인구의 3배가 되는 것은 **32년 후**

5. 삼각함수

개념 익히기   본문 | **103, 105** 쪽

1-1 (1) $420° = 360° + \boxed{60°}$

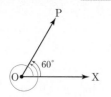

(2) $-660° = 360° \times (\boxed{-2}) + 60°$

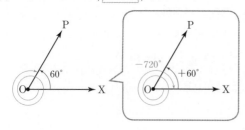

1-2 (1)

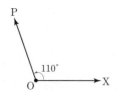

(2)

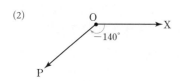

(3) $750° = 360° \times 2 + 30°$

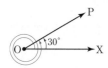

(4) $-520° = 360° \times (-2) + 200°$

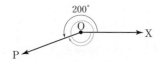

LEC TURE 일반각

평면 위의 한 점 O로부터 시작되는 두 개의 반직선 OX, OP로 만들어지는 도형을 각이라 하고, 기호 ∠XOP로 나타낸다.
시초선 OX는 고정되어 있으므로 ∠XOP의 크기가 주어지면 동경 OP의 위치는 하나로 정해진다.
그러나 동경 OP의 위치가 정해지더라도 동경 OP가 나타내는 각의 크기는 하나로 정해지지 않는다.
예를 들어 다음 그림은 같은 위치의 동경 OP에 대한 여러 각의 크기를 나타낸 것이다.

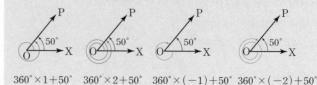

$360° \times 1 + 50°$ $360° \times 2 + 50°$ $360° \times (-1) + 50°$ $360° \times (-2) + 50°$

2-1 (1) $30° = 30 \times \dfrac{\boxed{\pi}}{180} = \dfrac{\pi}{6}$

(2) $330° = 330 \times \dfrac{\pi}{180} = \dfrac{11}{6}\pi$

(3) $\dfrac{\pi}{4} = \dfrac{\pi}{4} \times \dfrac{180°}{\pi} = \boxed{45°}$

(4) $\dfrac{2}{3}\pi = \dfrac{2}{3}\pi \times \dfrac{180°}{\pi} = \mathbf{120°}$

2-2 (1) $60° = 60 \times \dfrac{\pi}{180} = \dfrac{\pi}{3}$

(2) $300° = 300 \times \dfrac{\pi}{180} = \dfrac{5}{3}\pi$

(3) $\dfrac{4}{5}\pi = \dfrac{4}{5}\pi \times \dfrac{180°}{\pi} = \mathbf{144°}$

(4) $-\dfrac{3}{4}\pi = -\dfrac{3}{4}\pi \times \dfrac{180°}{\pi} = \mathbf{-135°}$

3-1 (1) $\dfrac{\pi}{3}$ 는 제1사분면의 각이므로

$$\sin\dfrac{\pi}{3} > 0, \ \cos\dfrac{\pi}{3} > 0, \ \tan\dfrac{\pi}{3} \ \boxed{>} \ 0$$

(2) $\dfrac{7}{6}\pi$는 제3사분면의 각이므로

$\sin\theta<0$, $\cos\theta$ $\boxed{<}$ 0, $\tan\theta>0$

3-2 (1) $\dfrac{4}{5}\pi$는 제2사분면의 각이므로

$\sin\theta>0$, $\cos\theta<0$, $\tan\theta<0$

(2) $\dfrac{5}{3}\pi$는 제4사분면의 각이므로

$\sin\theta<0$, $\cos\theta>0$, $\tan\theta<0$

4-1 (1) $\tan\theta=\dfrac{\sin\theta}{\boxed{\cos\theta}}=\dfrac{-\dfrac{4}{5}}{-\dfrac{3}{5}}=\dfrac{4}{3}$

(2) $\tan\theta=\dfrac{\sin\theta}{\cos\theta}$에서

$\cos\theta=\dfrac{\sin\theta}{\tan\theta}=\dfrac{\dfrac{\sqrt{3}}{2}}{\boxed{\sqrt{3}}}=\dfrac{1}{2}$

4-2 (1) $\tan\theta=\dfrac{\sin\theta}{\cos\theta}=\dfrac{-\dfrac{\sqrt{5}}{3}}{\dfrac{2}{3}}=-\dfrac{\sqrt{5}}{2}$

(2) $\tan\theta=\dfrac{\sin\theta}{\cos\theta}$에서

$\sin\theta=\tan\theta\times\cos\theta$

$=\dfrac{\sqrt{7}}{3}\times\left(-\dfrac{3}{4}\right)=-\dfrac{\sqrt{7}}{4}$

셀파 특강 **확인 체크 01**

(1) $70°=360°\times0+70°$이므로

$\theta=360°\times n+70°$ (단, n은 정수)

(2) $-480°=360°\times(-2)+240°$이므로

$\theta=360°\times n+240°$ (단, n은 정수)

01-1 셀파 2θ의 값의 범위를 일반각으로 나타낸다.

각 2θ가 제4사분면의 각이므로

$360°\times n+270°<2\theta<360°\times n+360°$ (단, n은 정수)

$\therefore 180°\times n+135°<\theta<180°\times n+180°$

(ⅰ) $n=2k$ (k는 정수)일 때

$180°\times2k+135°<\theta<180°\times2k+180°$

즉, $360°\times k+135°<\theta<360°\times k+180°$

따라서 각 θ는 제2사분면의 각이다.

(ⅱ) $n=2k+1$ (k는 정수)일 때

$180°\times(2k+1)+135°<\theta<180°\times(2k+1)+180°$

즉, $360°\times k+315°<\theta<360°\times k+360°$

따라서 각 θ는 제4사분면의 각이다.

(ⅰ), (ⅱ)에서 각 θ를 나타내는 동경이 존재하는 사분면은

제2사분면, 제4사분면

| 참고 |

n에 $2k$, $2k+1$ 대신 0, 1을 대입해서 구해도 같은 결과가 나온다.

01-2 셀파 θ의 값의 범위를 일반각으로 나타낸다.

각 θ가 제3사분면의 각이므로

$360°\times n+180°<\theta<360°\times n+270°$ (단, n은 정수)

$\therefore 120°\times n+60°<\dfrac{\theta}{3}<120°\times n+90°$

(ⅰ) $n=3k$ (k는 정수)일 때

$120°\times3k+60°<\dfrac{\theta}{3}<120°\times3k+90°$

$\therefore 360°\times k+60°<\dfrac{\theta}{3}<360°\times k+90°$

따라서 각 $\dfrac{\theta}{3}$는 제1사분면의 각이다.

(ⅱ) $n=3k+1$ (k는 정수)일 때

$120°\times(3k+1)+60°<\dfrac{\theta}{3}<120°\times(3k+1)+90°$

즉, $360°\times k+180°<\dfrac{\theta}{3}<360°\times k+210°$

따라서 각 $\dfrac{\theta}{3}$는 제3사분면의 각이다.

(ⅲ) $n=3k+2$ (k는 정수)일 때

$120°\times(3k+2)+60°<\dfrac{\theta}{3}<120°\times(3k+2)+90°$

즉, $360°\times k+300°<\dfrac{\theta}{3}<360°\times k+330°$

따라서 각 $\dfrac{\theta}{3}$는 제4사분면의 각이다.

(ⅰ), (ⅱ), (ⅲ)에서 각 $\dfrac{\theta}{3}$를 나타내는 동경이 존재하는 사분면은

제1사분면, 제3사분면, 제4사분면

02-1 [셀파] 주어진 두 각의 합 또는 차의 꼴을 구한다.

(1) 두 각 θ와 5θ를 나타내는 두 동경이 일직선 위에 있고 방향이 반대이므로

$5\theta - \theta = 360° \times n + 180°$ (단, n은 정수)

$4\theta = 360° \times n + 180°$

$\therefore \theta = 90° \times n + 45°$ ......㉠

$90° < \theta < 180°$이므로 $90° < 90° \times n + 45° < 180°$

$45° < 90° \times n < 135°$ $\therefore \dfrac{1}{2} < n < \dfrac{3}{2}$

이때 n은 정수이므로 $n = 1$ ......㉡

㉡을 ㉠에 대입하면 $\theta = \mathbf{135°}$

(2) 두 각 θ와 4θ를 나타내는 두 동경이 x축에 대하여 대칭이므로

$4\theta + \theta = 360° \times n$ (단, n은 정수)

$5\theta = 360° \times n$ $\therefore \theta = 72° \times n$ ......㉠

$180° < \theta < 360°$이므로

$180° < 72° \times n < 360°$ $\therefore \dfrac{5}{2} < n < 5$

이때 n은 정수이므로 $n = 3$ 또는 $n = 4$ ......㉡

㉡을 ㉠에 대입하면

$\theta = \mathbf{216°}$ 또는 $\theta = \mathbf{288°}$

03-1 [셀파] 반지름의 길이가 r, 중심각의 크기가 θ인 부채꼴의 호의 길이 l과 넓이 S는 $l = r\theta$, $S = \dfrac{1}{2}rl$이다.

부채꼴의 반지름의 길이를 r, 중심각의 크기를 θ, 호의 길이를 l, 넓이를 S라 하면

$r = 8$, $\theta = \dfrac{1}{2}$이므로

$l = r\theta$에서 $l = 8 \times \dfrac{1}{2} = 4$

$S = \dfrac{1}{2}rl$에서 $S = \dfrac{1}{2} \times 8 \times 4 = 16$

따라서 **호의 길이는 4, 넓이는 16**

03-2 [셀파] 원의 넓이와 부채꼴의 넓이가 서로 같음을 이용한다.

반지름의 길이가 r인 원의 넓이와 반지름의 길이가 $3r$이고 호의 길이가 4π인 부채꼴의 넓이가 서로 같으므로

$\pi r^2 = \dfrac{1}{2} \times 3r \times 4\pi$, $r^2 = 6r$, $r^2 - 6r = 0$

$r(r-6) = 0$ $\therefore r = \mathbf{6}$ ($\because r > 0$)

| 참고 |

반지름의 길이가 $3r$인 부채꼴의 중심각의 크기를 θ라 하면

$\pi r^2 = \dfrac{1}{2} \times (3r)^2 \times \theta = \dfrac{9}{2}r^2\theta$ $\therefore \theta = \dfrac{2}{9}\pi$

[셀파 특강] 확인 체크 02

(i) $\cos 30° = \dfrac{\overline{AB}}{8}$에서

$\overline{AB} = 8 \times \cos 30° = 8 \times \dfrac{\sqrt{3}}{2} = \mathbf{4\sqrt{3}}$

(ii) $\sin 30° = \dfrac{\overline{BC}}{8}$에서

$\overline{BC} = 8 \times \sin 30° = 8 \times \dfrac{1}{2} = \mathbf{4}$

04-1 [셀파] $\overline{OP} = r$일 때, $\sin \theta = \dfrac{y}{r}$, $\cos \theta = \dfrac{x}{r}$, $\tan \theta = \dfrac{y}{x}$이다.

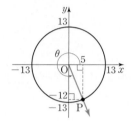

$\overline{OP} = \sqrt{5^2 + (-12)^2}$

$= \sqrt{169} = 13$

$x = 5$, $y = -12$, $r = 13$이므로

삼각함수의 정의에 의해

$\sin \theta = \dfrac{y}{r} = -\dfrac{12}{13}$

$\cos \theta = \dfrac{x}{r} = \dfrac{5}{13}$

$\tan \theta = \dfrac{y}{x} = -\dfrac{12}{5}$

04-2 [셀파] $\overline{OP} = r$일 때, $\sin \theta = \dfrac{y}{r}$, $\cos \theta = \dfrac{x}{r}$이다.

각 θ가 제2사분면의 각이므로

$P(-4, 3)$

$\overline{OP} = \sqrt{(-4)^2 + 3^2}$

$= \sqrt{25} = 5$

$x = -4$, $y = 3$, $r = 5$이므로

삼각함수의 정의에 의해

$\sin \theta = \dfrac{y}{r} = \dfrac{3}{5}$

$\cos \theta = \dfrac{x}{r} = -\dfrac{4}{5}$

05-1 [셀파] 삼각함수의 곱의 부호를 통해 동경의 위치를 구한다.

(i) $\sin \theta \cos \theta < 0$에서

$\sin \theta > 0$, $\cos \theta < 0$ 또는 $\sin \theta < 0$, $\cos \theta > 0$

$\sin \theta > 0$, $\cos \theta < 0$일 때, 각 θ는 제2사분면의 각

$\sin \theta < 0$, $\cos \theta > 0$일 때 각 θ는 제4사분면의 각

(ii) $\cos \theta \tan \theta > 0$에서

$\cos \theta > 0$, $\tan \theta > 0$ 또는 $\cos \theta < 0$, $\tan \theta < 0$

$\cos \theta > 0$, $\tan \theta > 0$일 때, 각 θ는 제1사분면의 각

$\cos \theta < 0$, $\tan \theta < 0$일 때, 각 θ는 제2사분면의 각

(i), (ii)를 모두 만족시키는 각 θ는 **제2사분면의 각**

05-2 셀파 삼각함수의 곱의 부호를 통해 동경의 위치를 구한다.

$\sin\theta\cos\theta>0$에서

$\sin\theta>0$, $\cos\theta>0$ 또는 $\sin\theta<0$, $\cos\theta<0$

그런데 $\sin\theta=-\dfrac{3}{5}<0$이므로

$\sin\theta<0$, $\cos\theta<0$

따라서 각 θ는 제3사분면의 각이므로

$\cos\theta=-\dfrac{4}{5}$

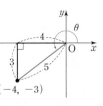

(2) $\left(\dfrac{1}{\cos\theta}+1\right)\left(\dfrac{1}{\sin\theta}+1\right)\left(\dfrac{1}{\cos\theta}-1\right)\left(\dfrac{1}{\sin\theta}-1\right)$

$=\left(\dfrac{1}{\cos\theta}+1\right)\left(\dfrac{1}{\cos\theta}-1\right)\left(\dfrac{1}{\sin\theta}+1\right)\left(\dfrac{1}{\sin\theta}-1\right)$

$=\left(\dfrac{1}{\cos^2\theta}-1\right)\left(\dfrac{1}{\sin^2\theta}-1\right)$

$=\dfrac{1-\cos^2\theta}{\cos^2\theta}\times\dfrac{1-\sin^2\theta}{\sin^2\theta}$

$=\dfrac{\sin^2\theta}{\cos^2\theta}\times\dfrac{\cos^2\theta}{\sin^2\theta}=\mathbf{1}$

06-1 셀파 $\sin^2\theta+\cos^2\theta=1$을 이용한다.

$\dfrac{1-\sin\theta}{1+\sin\theta}=3$에서 $1-\sin\theta=3+3\sin\theta$

$4\sin\theta=-2$ $\quad\therefore\ \sin\theta=-\dfrac{1}{2}$

$\sin^2\theta+\cos^2\theta=1$에서

$\cos^2\theta=1-\sin^2\theta=1-\left(-\dfrac{1}{2}\right)^2=\dfrac{3}{4}$

각 θ가 제4사분면의 각이므로

$\cos\theta=\dfrac{\sqrt{3}}{2}$

06-2 셀파 분모를 통분하여 식을 간단히 한다.

$\dfrac{\cos\theta}{1+\sin\theta}+\dfrac{1+\sin\theta}{\cos\theta}=\dfrac{\cos^2\theta+(1+\sin\theta)^2}{(1+\sin\theta)\cos\theta}$

$=\dfrac{\cos^2\theta+\sin^2\theta+2\sin\theta+1}{(1+\sin\theta)\cos\theta}$

$=\dfrac{2(1+\sin\theta)}{(1+\sin\theta)\cos\theta}$

$=\dfrac{2}{\cos\theta}$

$\dfrac{2}{\cos\theta}=4$에서 $4\cos\theta=2$ $\quad\therefore\ \cos\theta=\dfrac{1}{2}$

$\sin^2\theta+\cos^2\theta=1$에서

$\sin^2\theta=1-\cos^2\theta=1-\left(\dfrac{1}{2}\right)^2=\dfrac{3}{4}$

$0<\theta<\dfrac{\pi}{2}$에서 $\sin\theta>0$이므로 $\sin\theta=\dfrac{\sqrt{3}}{2}$

07-1 셀파 $\sin^2\theta+\cos^2\theta=1$, $\tan\theta=\dfrac{\sin\theta}{\cos\theta}$를 이용한다.

(1) $\tan^2\theta(1-\sin^2\theta)=\dfrac{\sin^2\theta}{\cos^2\theta}\times\cos^2\theta$

$=\mathbf{\sin^2\theta}$

08-1 셀파 주어진 식의 양변을 제곱한다.

(1) $\sin\theta+\cos\theta=\dfrac{\sqrt{2}}{2}$의 양변을 제곱하면

$\sin^2\theta+\cos^2\theta+2\sin\theta\cos\theta=\dfrac{1}{2}$

$1+2\sin\theta\cos\theta=\dfrac{1}{2}$, $2\sin\theta\cos\theta=-\dfrac{1}{2}$

$\therefore\ \mathbf{\sin\theta\cos\theta=-\dfrac{1}{4}}$

(2) $(\sin\theta-\cos\theta)^2=\sin^2\theta+\cos^2\theta-2\sin\theta\cos\theta$

$=1-2\times\left(-\dfrac{1}{4}\right)=\dfrac{3}{2}$

$\therefore\ |\sin\theta-\cos\theta|=\sqrt{\dfrac{3}{2}}=\dfrac{\sqrt{6}}{2}$

08-2 셀파 $\tan\theta+\dfrac{1}{\tan\theta}=4$를 $\sin\theta$, $\cos\theta$에 대한 식으로 바꾼다.

$\tan\theta+\dfrac{1}{\tan\theta}=4$에서 $\dfrac{\sin\theta}{\cos\theta}+\dfrac{\cos\theta}{\sin\theta}=4$

$\dfrac{\sin^2\theta+\cos^2\theta}{\sin\theta\cos\theta}=4$, $\dfrac{1}{\sin\theta\cos\theta}=4$

따라서 $\sin\theta\cos\theta=\dfrac{1}{4}$이므로

$(\sin\theta+\cos\theta)^2=\sin^2\theta+\cos^2\theta+2\sin\theta\cos\theta$

$=1+2\times\dfrac{1}{4}=\dfrac{3}{2}$

이때 각 θ가 제3사분면의 각이므로 $\sin\theta<0$, $\cos\theta<0$에서

$\sin\theta+\cos\theta<0$

$\therefore\ \sin\theta+\cos\theta=-\sqrt{\dfrac{3}{2}}=-\dfrac{\sqrt{6}}{2}$

| 참고 |

$\sin\theta\pm\cos\theta$의 값을 구할 때는 먼저 $(\sin\theta\pm\cos\theta)^2$의 값을 구한 다음 각 θ의 위치에 따른 삼각함수의 부호를 이용하여 $\sin\theta\pm\cos\theta$의 값을 구한다.

09-1 셀파 이차방정식의 근과 계수의 관계를 이용한다.

이차방정식 $3x^2-x+k=0$의 두 근이 $\sin\theta$, $\cos\theta$이므로
이차방정식의 근과 계수의 관계에서

$\sin\theta+\cos\theta=\dfrac{1}{3}$ ······㉠, $\sin\theta\cos\theta=\dfrac{k}{3}$ ······㉡

㉠의 양변을 제곱하면

$\sin^2\theta+\cos^2\theta+2\sin\theta\cos\theta=\dfrac{1}{9}$, $1+2\sin\theta\cos\theta=\dfrac{1}{9}$

이 식에 ㉡을 대입하면

$1+2\times\dfrac{k}{3}=\dfrac{1}{9}$, $\dfrac{2}{3}k=-\dfrac{8}{9}$ $\therefore k=-\dfrac{4}{3}$

$\sin\theta\cos\theta=-\dfrac{4}{9}$이므로

$(\sin\theta-\cos\theta)^2=\sin^2\theta+\cos^2\theta-2\sin\theta\cos\theta$

$=1-2\times\left(-\dfrac{4}{9}\right)=\dfrac{17}{9}$

이때 $\sin\theta>\cos\theta$에서 $\sin\theta-\cos\theta>0$이므로

$\sin\theta-\cos\theta=\dfrac{\sqrt{17}}{3}$

$\therefore \sin^2\theta-\cos^2\theta=(\sin\theta+\cos\theta)(\sin\theta-\cos\theta)$

$=\dfrac{1}{3}\times\dfrac{\sqrt{17}}{3}=\dfrac{\sqrt{17}}{9}$

09-2 셀파 조립제법을 이용하여 인수분해한다.

삼차방정식 $2x^3-3x^2+(k+1)x-k=0$의 한 근이 $x=1$이므로
조립제법을 이용하여 인수분해하면 다음과 같다.

1	2	-3	$k+1$	$-k$
		2	-1	k
	2	-1	k	0

$\therefore 2x^3-3x^2+(k+1)x-k=(x-1)(2x^2-x+k)=0$

따라서 이차방정식 $2x^2-x+k=0$의 두 근이 $\sin\theta$, $\cos\theta$이므로 근과 계수의 관계에서

$\sin\theta+\cos\theta=\dfrac{1}{2}$ ······㉠

㉠의 양변을 제곱하면

$\sin^2\theta+\cos^2\theta+2\sin\theta\cos\theta=\dfrac{1}{4}$

$1+2\sin\theta\cos\theta=\dfrac{1}{4}$, $2\sin\theta\cos\theta=-\dfrac{3}{4}$

$\therefore \sin\theta\cos\theta=-\dfrac{3}{8}$

$\therefore \sin^3\theta+\cos^3\theta$

$=(\sin\theta+\cos\theta)^3-3\sin\theta\cos\theta(\sin\theta+\cos\theta)$

$=\left(\dfrac{1}{2}\right)^3-3\times\left(-\dfrac{3}{8}\right)\times\dfrac{1}{2}=\dfrac{1}{8}+\dfrac{9}{16}=\dfrac{11}{16}$

01 셀파 각 θ가 제2사분면의 각
$\Rightarrow 2n\pi+\dfrac{\pi}{2}<\theta<2n\pi+\pi$ (단, n은 정수)

① $\dfrac{19}{6}\pi=2\pi+\dfrac{7}{6}\pi \Rightarrow$ 제3사분면

② $\dfrac{14}{3}\pi=4\pi+\dfrac{2}{3}\pi \Rightarrow$ 제2사분면

③ $-\dfrac{5}{4}\pi=-2\pi+\dfrac{3}{4}\pi \Rightarrow$ 제2사분면

④ $1230°=360°\times3+150° \Rightarrow$ 제2사분면

⑤ $-585°=360°\times(-2)+135° \Rightarrow$ 제2사분면

따라서 구하는 답은 ①

02 셀파 $\theta+3\theta=2n\pi+\pi=(2n+1)\pi$ (단, n은 정수)

오른쪽 그림과 같이 두 각 θ와 3θ를
나타내는 두 동경이 y축에 대하여
대칭이므로

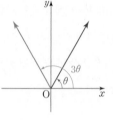

$\theta+3\theta=(2n+1)\pi$ (단, n은 정수)

$\therefore \theta=\dfrac{2n+1}{4}\pi$ ······㉠

$0\le\theta<2\pi$이므로

$0\le\dfrac{2n+1}{4}\pi<2\pi$, $0\le2n+1<8$

$-1\le2n<7$ $\therefore -\dfrac{1}{2}\le n<\dfrac{7}{2}$

이때 n은 정수이므로

$n=0, 1, 2, 3$ ······㉡

㉡을 ㉠에 대입하면

$\theta=\dfrac{\pi}{4}, \dfrac{3}{4}\pi, \dfrac{5}{4}\pi, \dfrac{7}{4}\pi$

이므로 모든 각 θ의 값의 합은

$\dfrac{\pi}{4}+\dfrac{3}{4}\pi+\dfrac{5}{4}\pi+\dfrac{7}{4}\pi=4\pi$

따라서 구하는 답은 ③

03 셀파 큰 부채꼴의 넓이에서 작은 부채꼴의 넓이를 뺀다.

와이퍼의 고무판이 $\dfrac{3}{5}\pi$만큼 회전하면서
닦는 부분은 오른쪽 그림과 같다.
큰 부채꼴의 호의 길이를 l_1,
넓이를 S_1이라 하면

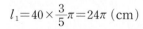

$l_1=40\times\dfrac{3}{5}\pi=24\pi$ (cm)

$S_1=\dfrac{1}{2}\times40\times24\pi=480\pi$ (cm^2)

또 작은 부채꼴의 호의 길이를 l_2, 넓이를 S_2라 하면

$l_2 = 10 \times \dfrac{3}{5}\pi = 6\pi \text{ (cm)}$

$S_2 = \dfrac{1}{2} \times 10 \times 6\pi = 30\pi \text{ (cm}^2)$

따라서 구하는 넓이는

$480\pi - 30\pi = \mathbf{450\pi \text{ (cm}^2)}$

---

04 셀파 중심이 원점이고 점 $(\sqrt{3}, -1)$을 지나는 원을 그린다.

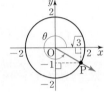

$\overline{\text{OP}} = \sqrt{(\sqrt{3})^2 + (-1)^2} = \sqrt{4} = 2$

$x = \sqrt{3}, \ y = -1, \ r = 2$이므로

삼각함수의 정의에 의해

$\sin\theta = \dfrac{y}{r} = \dfrac{-1}{2} = -\dfrac{1}{2}$,

$\tan\theta = \dfrac{y}{x} = \dfrac{-1}{\sqrt{3}} = -\dfrac{\sqrt{3}}{3}$

$\therefore \sin\theta \tan\theta = -\dfrac{1}{2} \times \left(-\dfrac{\sqrt{3}}{3}\right) = \dfrac{\sqrt{3}}{6}$

---

05 셀파 $\sin\theta = \dfrac{y}{r}$를 이용한다.

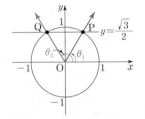

두 점 P와 Q의 y좌표가 $\dfrac{\sqrt{3}}{2}$이고

원의 반지름의 길이가 1이므로

$\sin\theta_1 = \dfrac{\frac{\sqrt{3}}{2}}{1} = \dfrac{\sqrt{3}}{2} \quad \therefore \theta_1 = \dfrac{\pi}{3}$

$\sin\theta_2 = \dfrac{\frac{\sqrt{3}}{2}}{1} = \dfrac{\sqrt{3}}{2} \quad \therefore \theta_2 = \dfrac{2}{3}\pi$

$\therefore \theta_2 - \theta_1 = \dfrac{2}{3}\pi - \dfrac{\pi}{3} = \dfrac{\pi}{3}$

---

06 셀파 각 θ가 제4사분면의 각 $\Rightarrow \sin\theta < 0, \cos\theta > 0$

각 θ가 제4사분면의 각이므로 $\sin\theta < 0, \cos\theta > 0$이다.

$\therefore \sqrt{\sin^2\theta} = |\sin\theta| = -\sin\theta$

$\sin\theta - \cos\theta < 0$이므로

$\sqrt{(\sin\theta - \cos\theta)^2} = |\sin\theta - \cos\theta| = -(\sin\theta - \cos\theta)$

또 $0 < \cos\theta < 1$이므로 $2 - \cos\theta > 0$에서

$|2 - \cos\theta| = 2 - \cos\theta$

$\therefore$ (주어진 식) $= -\sin\theta - (\sin\theta - \cos\theta) + 2 - \cos\theta$

$\qquad\qquad = \mathbf{2 - 2\sin\theta}$

---

07 셀파 $0 < \theta < \pi$이므로 $\sin\theta > 0$이다.

$\cos\theta = -\dfrac{1}{3}$이므로 $\sin^2\theta + \cos^2\theta = 1$에서

$\sin^2\theta = 1 - \cos^2\theta = 1 - \left(-\dfrac{1}{3}\right)^2 = \dfrac{8}{9}$

$\sin\theta = \dfrac{2\sqrt{2}}{3} \ (\because \sin\theta > 0)$

$\tan\theta = \dfrac{\sin\theta}{\cos\theta} = \dfrac{\frac{2\sqrt{2}}{3}}{-\frac{1}{3}} = -2\sqrt{2}$

$\therefore \sin\theta + \tan\theta = \dfrac{2\sqrt{2}}{3} - 2\sqrt{2} = -\dfrac{4\sqrt{2}}{3}$

| 다른 풀이 |

$0 < \theta < \pi, \ \cos\theta = -\dfrac{1}{3}$이므로

오른쪽 그림에서

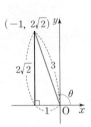

$\sin\theta = \dfrac{2\sqrt{2}}{3}, \ \tan\theta = \dfrac{2\sqrt{2}}{-1} = -2\sqrt{2}$

$\therefore \sin\theta + \tan\theta = \dfrac{2\sqrt{2}}{3} - 2\sqrt{2} = -\dfrac{4\sqrt{2}}{3}$

---

08 셀파 $\sin^2\theta + \cos^2\theta = 1$을 이용한다.

$\sin^2\theta + \cos^2\theta = 1$이므로

$1 + 2\sin\theta\cos\theta = \sin^2\theta + \cos^2\theta + 2\sin\theta\cos\theta$

$\qquad\qquad\qquad\qquad = (\sin\theta + \cos\theta)^2$

$1 - 2\sin\theta\cos\theta = \sin^2\theta + \cos^2\theta - 2\sin\theta\cos\theta$

$\qquad\qquad\qquad\qquad = (\sin\theta - \cos\theta)^2$

$\therefore$ (주어진 식) $= \sqrt{(\sin\theta + \cos\theta)^2} + \sqrt{(\sin\theta - \cos\theta)^2}$

$\qquad\qquad = \sin\theta + \cos\theta - (\sin\theta - \cos\theta)$

$\qquad\qquad\qquad\qquad (\because \sin\theta - \cos\theta < 0)$

$\qquad\qquad = \mathbf{2\cos\theta}$

---

09 셀파 $a < 0, b < 0$이면 $\sqrt{a}\sqrt{b} = -\sqrt{ab}$이다.

$\sqrt{\sin x} \times \sqrt{\cos x} = -\sqrt{\sin x \cos x}$에서

$\sin x < 0, \cos x < 0$이므로 각 x는 제3사분면의 각이다.

$\sin x = -\dfrac{\sqrt{15}}{5}$에서

$\cos^2 x = 1 - \sin^2 x = 1 - \left(-\dfrac{\sqrt{15}}{5}\right)^2 = 1 - \dfrac{3}{5} = \dfrac{2}{5}$

$\therefore \cos x = -\sqrt{\dfrac{2}{5}} = -\dfrac{\sqrt{10}}{5}$

10 셀파 $\tan\theta=\dfrac{\sin\theta}{\cos\theta}$, $\sin^2\theta+\cos^2\theta=1$을 이용한다.

$\left(\sin\theta+\dfrac{1}{\sin\theta}\right)^2=\sin^2\theta+2+\dfrac{1}{\sin^2\theta}$

$\left(\cos\theta+\dfrac{1}{\cos\theta}\right)^2=\cos^2\theta+2+\dfrac{1}{\cos^2\theta}$

$\left(\tan\theta-\dfrac{1}{\tan\theta}\right)^2=\tan^2\theta-2+\dfrac{1}{\tan^2\theta}$

$\qquad\qquad\qquad=\dfrac{\sin^2\theta}{\cos^2\theta}-2+\dfrac{\cos^2\theta}{\sin^2\theta}$

$\therefore$ (주어진 식)

$=\sin^2\theta+\cos^2\theta+\dfrac{1}{\sin^2\theta}+\dfrac{1}{\cos^2\theta}-\dfrac{\sin^2\theta}{\cos^2\theta}-\dfrac{\cos^2\theta}{\sin^2\theta}+6$

$=1+\dfrac{1}{\sin^2\theta}-\dfrac{\cos^2\theta}{\sin^2\theta}+\dfrac{1}{\cos^2\theta}-\dfrac{\sin^2\theta}{\cos^2\theta}+6$

$=\dfrac{1-\cos^2\theta}{\sin^2\theta}+\dfrac{1-\sin^2\theta}{\cos^2\theta}+7$

$=\dfrac{\sin^2\theta}{\sin^2\theta}+\dfrac{\cos^2\theta}{\cos^2\theta}+7$

$=1+1+7=\mathbf{9}$

11 셀파 $\sin\theta+\cos\theta=\dfrac{\sqrt{5}}{3}$의 양변을 제곱한다.

$\sin\theta+\cos\theta=\dfrac{\sqrt{5}}{3}$의 양변을 제곱하면

$\sin^2\theta+\cos^2\theta+2\sin\theta\cos\theta=\dfrac{5}{9}$

$1+2\sin\theta\cos\theta=\dfrac{5}{9}$

$2\sin\theta\cos\theta=-\dfrac{4}{9}$

$\therefore \sin\theta\cos\theta=-\dfrac{2}{9}$

$(\sin\theta-\cos\theta)^2=\sin^2\theta+\cos^2\theta-2\sin\theta\cos\theta$

$\qquad\qquad\qquad=1-2\times\left(-\dfrac{2}{9}\right)$

$\qquad\qquad\qquad=\dfrac{13}{9}$

이때 $0<\theta<\pi$에서 $\sin\theta>0$

$\sin\theta\cos\theta=-\dfrac{2}{9}<0$에서 $\cos\theta<0$이므로

$\sin\theta-\cos\theta>0$

$\therefore \sin\theta-\cos\theta=\dfrac{\sqrt{13}}{3}$

따라서 구하는 답은 ⑤

12 셀파 $\tan\theta=\dfrac{\sin\theta}{\cos\theta}$, $\sin^2\theta+\cos^2\theta=1$을 이용한다.

$\sin\theta+\cos\theta=\dfrac{1}{3}$의 양변을 제곱하면

$\sin^2\theta+\cos^2\theta+2\sin\theta\cos\theta=\dfrac{1}{9}$

$1+2\sin\theta\cos\theta=\dfrac{1}{9}$, $2\sin\theta\cos\theta=-\dfrac{8}{9}$

$\therefore \sin\theta\cos\theta=-\dfrac{4}{9}$

$\therefore$ (주어진 식)$=\dfrac{16}{\cos\theta}\left(\dfrac{\sin\theta}{\cos\theta}+\dfrac{\cos^2\theta}{\sin^2\theta}\right)$

$\qquad\qquad=\dfrac{16}{\cos\theta}\times\dfrac{\sin^3\theta+\cos^3\theta}{\sin^2\theta\cos\theta}$

$\qquad\qquad=\dfrac{16(\sin\theta+\cos\theta)(\sin^2\theta-\sin\theta\cos\theta+\cos^2\theta)}{\sin^2\theta\cos^2\theta}$

$\qquad\qquad=\dfrac{16(\sin\theta+\cos\theta)(1-\sin\theta\cos\theta)}{(\sin\theta\cos\theta)^2}$

$\qquad\qquad=\dfrac{16\times\dfrac{1}{3}\times\left(1+\dfrac{4}{9}\right)}{\left(-\dfrac{4}{9}\right)^2}=39$

따라서 구하는 답은 ②

13 셀파 α, β를 두 근으로 가지고 이차항의 계수가 1인 이차방정식은 $x^2-(\alpha+\beta)x+\alpha\beta=0$이다.

㉮ $\sin\theta+\cos\theta=\sqrt{2}$ $\qquad\qquad\cdots\cdots$ ㉠

의 양변을 제곱하면

$\sin^2\theta+\cos^2\theta+2\sin\theta\cos\theta=2$

$1+2\sin\theta\cos\theta=2$, $2\sin\theta\cos\theta=1$

$\therefore \sin\theta\cos\theta=\dfrac{1}{2}$ $\qquad\qquad\cdots\cdots$ ㉡

㉯ ㉠, ㉡에서 $\sin\theta$, $\cos\theta$를 두 근으로 하고 이차항의 계수가 1인 이차방정식은

$x^2-\sqrt{2}x+\dfrac{1}{2}=0$, $2x^2-2\sqrt{2}x+1=0$

$(\sqrt{2}x-1)^2=0$ $\quad\therefore x=\dfrac{1}{\sqrt{2}}=\dfrac{\sqrt{2}}{2}$ (중근)

㉰ $\therefore \sin\theta=\dfrac{\sqrt{2}}{2}$, $\cos\theta=\dfrac{\sqrt{2}}{2}$

채점 기준	배점
㉮ $\sin\theta\cos\theta$의 값을 구한다.	40%
㉯ $\sin\theta$, $\cos\theta$를 두 근으로 하는 이차방정식을 만들어 그 근을 구한다.	50%
㉰ $\sin\theta$, $\cos\theta$의 값을 구한다.	10%

6. 삼각함수의 그래프

개념 익히기   본문 | **123, 125** 쪽

1-1 (1)

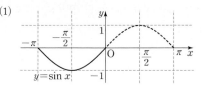

(2)

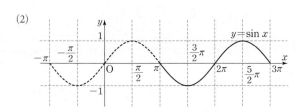

1-2 (1)

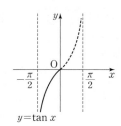

(2)

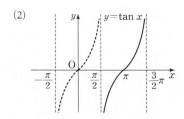

2-1 $y=\sin\left(x+\dfrac{\pi}{2}\right)$의 그래프는 $y=\sin x$의 그래프를 x축의

방향으로 $\boxed{-\dfrac{\pi}{2}}$ 만큼 평행이동시킨 그래프이므로 다음

그림과 같다.

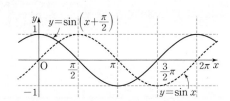

2-2 $y=2\cos\left(x-\dfrac{\pi}{2}\right)$의 그래프는 $y=\cos x$의 그래프를 x축

의 방향으로 $\dfrac{\pi}{2}$만큼 평행이동시킨 다음 y축의 방향으로 2배

한 것이므로 다음 그림과 같다.

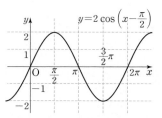

LECTURE $y=2\cos\left(x-\dfrac{\pi}{2}\right)$의 그래프를 그리는 순서

①　$y=\cos x$의 그래프를 x축의 방향으로 $\dfrac{\pi}{2}$만큼 평행이동시

키면 $y=\cos\left(x-\dfrac{\pi}{2}\right)$의 그래프가 된다.

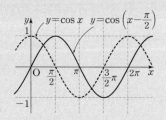

②　$y=\cos\left(x-\dfrac{\pi}{2}\right)$의 그래프를 y축의 방향으로만 2배하면

$y=2\cos\left(x-\dfrac{\pi}{2}\right)$의 그래프가 된다.

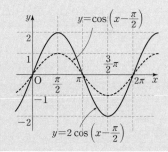

3-1 (1) $\sin\dfrac{4}{3}\pi=\sin\left(\pi+\dfrac{\pi}{3}\right)=-\sin\dfrac{\pi}{3}=-\dfrac{\sqrt{3}}{2}$

(2) $\cos 120^\circ=\cos(90^\circ+30^\circ)=-\sin\boxed{30^\circ}=-\dfrac{1}{2}$

3-2 (1) $\cos 420^\circ=\cos(360^\circ\times1+60^\circ)=\cos 60^\circ=\dfrac{1}{2}$

(2) $\sin\left(-\dfrac{\pi}{6}\right)=-\sin\dfrac{\pi}{6}=-\dfrac{1}{2}$

(3) $\tan \dfrac{3}{4}\pi = \tan\left(\pi - \dfrac{\pi}{4}\right) = -\tan\dfrac{\pi}{4} = \boldsymbol{-1}$

(4) $\sin 120° = \sin(180° - 60°) = \sin 60° = \dfrac{\sqrt{3}}{2}$

| 다른 풀이 |

$\sin 120° = \sin(90° + 30°) = \cos 30° = \dfrac{\sqrt{3}}{2}$

4-1 (1)

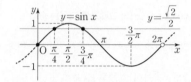

구하는 해는 두 그래프의 교점의 x좌표이므로

$x = \dfrac{\pi}{4}$ 또는 $x = \boxed{\dfrac{3}{4}}\pi$

(2)

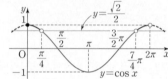

구하는 해는 $y = \cos x$의 그래프가 직선 $y = \dfrac{\sqrt{2}}{2}$보다

아래쪽에 있는 부분의 x의 값의 범위이므로

$\dfrac{\pi}{4} < x < \boxed{\dfrac{7}{4}}\pi$

4-2 (1)

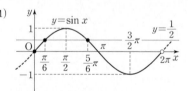

구하는 해는 두 그래프의 교점의 x좌표이므로

$x = \dfrac{\pi}{6}$ 또는 $x = \dfrac{5}{6}\pi$

(2)

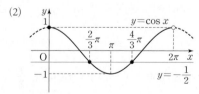

구하는 해는 두 그래프의 교점의 x좌표이므로

$x = \dfrac{2}{3}\pi$ 또는 $x = \dfrac{4}{3}\pi$

(3)

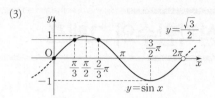

구하는 해는 $y = \sin x$의 그래프가 직선 $y = \dfrac{\sqrt{3}}{2}$과 만나

거나 위쪽에 있는 부분의 x의 값의 범위이므로

$\dfrac{\pi}{3} \le x \le \dfrac{2}{3}\pi$

(4)

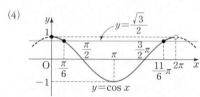

구하는 해는 $y = \cos x$의 그래프가 직선 $y = \dfrac{\sqrt{3}}{2}$과 만나

거나 아래쪽에 있는 부분의 x의 값의 범위이므로

$\dfrac{\pi}{6} \le x \le \dfrac{11}{6}\pi$

세미나 단위원을 이용한 삼각함수가 포함된 방정식의 풀이

단위원을 이용하여 θ에 대한 삼각함수가 포함된 방정식을 푸는 방법은 다음과 같다.

❶ $\sin\theta = k\ (0 \le \theta < 2\pi)$의 풀이
직선 $y = k$와 단위원의 교점을 P, Q라 하면 두 동경 OP, OQ가 나타내는 각이 구하는 해이다.

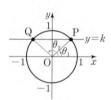

❷ $\cos\theta = k\ (0 \le \theta < 2\pi)$의 풀이
직선 $x = k$와 단위원의 교점을 R, S라 하면 두 동경 OR, OS가 나타내는 각이 구하는 해이다.

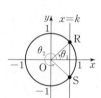

❸ $\tan\theta = k\ (0 \le \theta < 2\pi)$의 풀이
원점과 점 $(1, k)$를 지나는 직선과 단위원의 교점을 T, U라 하면 두 동경 OT, OU가 나타내는 각이 구하는 해이다.

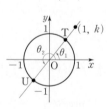

[예] 방정식 $\sin x = \dfrac{\sqrt{3}}{2}\ (0 \le x < 2\pi)$

의 해는 오른쪽 그림에서 두 동경 OP, OQ가 나타내는 각이므로

$x = \dfrac{\pi}{3}$ 또는 $x = \dfrac{2}{3}\pi$

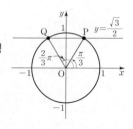

01-1 셀파 $y=\sin x$의 그래프에서 생각한다.

(1) $-\dfrac{1}{2} \le \dfrac{1}{2}\sin x \le \dfrac{1}{2}$ 이므로 **치역은** $\left\{y \middle| -\dfrac{1}{2} \le y \le \dfrac{1}{2}\right\}$

$\dfrac{1}{2}\sin x = \dfrac{1}{2}\sin(x+2\pi)$ 이므로 **주기는** 2π

$y=\dfrac{1}{2}\sin x$의 그래프는 $y=\sin x$의 그래프를 y축의 방향으로

$\dfrac{1}{2}$배한 것이므로 다음 그림과 같다.

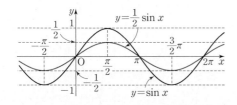

(2) $-1 \le \sin 3x \le 1$ 이므로 **치역은** $\{y|-1 \le y \le 1\}$

$\sin 3x = \sin(3x+2\pi) = \sin 3\left(x+\dfrac{2}{3}\pi\right)$ 이므로 **주기는** $\dfrac{2}{3}\pi$

$y=\sin 3x$의 그래프는 $y=\sin x$의 그래프를 x축의 방향으로

$\dfrac{1}{3}$배한 것이므로 다음 그림과 같다.

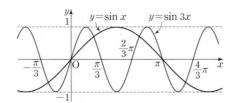

(3) $-\dfrac{1}{2} \le \dfrac{1}{2}\sin 3x \le \dfrac{1}{2}$ 이므로 **치역은** $\left\{y \middle| -\dfrac{1}{2} \le y \le \dfrac{1}{2}\right\}$

$\dfrac{1}{2}\sin 3x = \dfrac{1}{2}\sin(3x+2\pi) = \sin 3\left(x+\dfrac{2}{3}\pi\right)$ 이므로

주기는 $\dfrac{2}{3}\pi$

$y=\dfrac{1}{2}\sin 3x$의 그래프는 $y=\sin x$의 그래프를 y축의 방향으

로 $\dfrac{1}{2}$배, x축의 방향으로 $\dfrac{1}{3}$배한 것이므로 다음 그림과 같다.

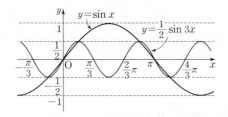

01-2 셀파 $y=\cos x$의 그래프에서 생각한다.

(1) $-3 \le 3\cos x \le 3$ 이므로

치역은 $\{y|-3 \le y \le 3\}$

$3\cos x = 3\cos(x+2\pi)$ 이므로

주기는 2π

$y=3\cos x$의 그래프는 $y=\cos x$의 그래프를 y축의 방향으

로 3배한 것이므로 다음 그림과 같다.

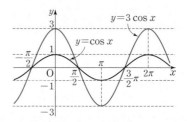

(2) $-1 \le \cos 2x \le 1$ 이므로

치역은 $\{y|-1 \le y \le 1\}$

$\cos 2x = \cos(2x+2\pi) = \cos 2(x+\pi)$ 이므로

주기는 π

$y=\cos 2x$의 그래프는 $y=\cos x$의 그래프를 x축의 방향으로

$\dfrac{1}{2}$배한 것이므로 다음 그림과 같다.

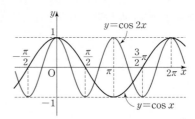

(3) $-3 \le 3\cos 2x \le 3$ 이므로

치역은 $\{y|-3 \le y \le 3\}$

$3\cos 2x = 3\cos(2x+2\pi) = 3\cos 2(x+\pi)$ 이므로

주기는 π

$y=3\cos 2x$의 그래프는 $y=\cos x$의 그래프를 y축의 방향으

로 3배, x축의 방향으로 $\dfrac{1}{2}$배한 것이므로 다음 그림과 같다.

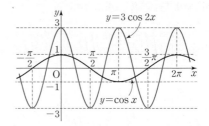

a는 최댓값과 최솟값을, b는 주기를 결정한다는 사실을 이용하여 최댓값, 최솟값, 주기를 먼저 구한다.

⇨ 최댓값 : $|a|$, 최솟값 : $-|a|$, 주기 : $\dfrac{2\pi}{|b|}$

예를 들어 (3)의 $y=3\cos 2x$의 그래프는 다음과 같은 순서로 그린다.

1 $a=3$이므로 최댓값은 3, 최솟값은 -3이다.

이를 좌표평면 위에 나타내면 오른쪽 그림과 같다.

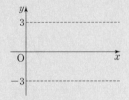

2 $b=2$이므로 주기는 $\dfrac{2\pi}{|b|}$에서

$\dfrac{2\pi}{|2|}=\pi$이다.

즉, $0\le x<\pi$에서의 그래프가 반복된다. 이때 x의 값의 범위는 주기 π의 배수로 잡는 것이 좋다.

3 그려 놓은 좌표평면 위에 함수의 그래프를 그린다.

정의역이 제한되어 있지 않으므로 좌우로 이어지도록 한다.

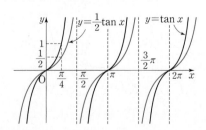

02-1 셀파 (2) $y=\tan x$의 그래프를 x축의 방향으로 $\dfrac{1}{2}$배한 다음 x축에 대하여 대칭이동한다.

(1) $\dfrac{1}{2}\tan x=\dfrac{1}{2}\tan(x+\pi)$이므로 **주기는 π**

점근선의 방정식은 $x=n\pi+\dfrac{\pi}{2}$ (n은 정수)

$y=\dfrac{1}{2}\tan x$의 그래프는 $y=\tan x$의 그래프를 y축의 방향으로 $\dfrac{1}{2}$배한 것이므로 다음 그림과 같다.

---

(2) $-\tan 2x=-\tan(2x+\pi)=-\tan 2\left(x+\dfrac{\pi}{2}\right)$이므로

주기는 $\dfrac{\pi}{2}$

점근선의 방정식은 $x=\dfrac{1}{2}\left(n\pi+\dfrac{\pi}{2}\right)=\dfrac{n}{2}\pi+\dfrac{\pi}{4}$ (n은 정수)

$y=-\tan 2x$의 그래프는 $y=\tan x$의 그래프를 x축의 방향으로 $\dfrac{1}{2}$배한 다음 x축에 대하여 대칭이동한 것이므로 다음 그림과 같다.

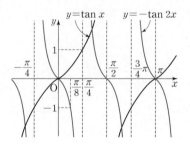

03-1 셀파 $y=\cos(x-a)+b$의 그래프는 $y=\cos x$의 그래프를 x축의 방향으로 a만큼, y축의 방향으로 b만큼 평행이동한 것이다.

(1) $y=\sin\left(x+\dfrac{\pi}{2}\right)$의 그래프는 $y=\sin x$의 그래프를 x축의 방향으로 $-\dfrac{\pi}{2}$만큼 평행이동한 것이므로 다음 그림과 같다.

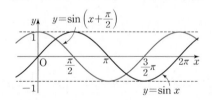

최댓값 : 1, 최솟값 : -1, 주기 : 2π

(2) $y=\cos(x-\pi)+1$의 그래프는 $y=\cos x$의 그래프를 x축의 방향으로 π만큼, y축의 방향으로 1만큼 평행이동한 것이므로 다음 그림과 같다.

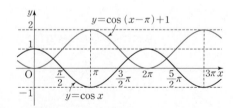

최댓값 : 2, 최솟값 : 0, 주기 : 2π

(1) **최댓값 : 2**, **최솟값 : -2**, 주기 : $\dfrac{2\pi}{|3|}=\dfrac{2}{3}\pi$

(2) **최댓값** : $\left|-\dfrac{1}{2}\right|+1=\dfrac{3}{2}$,

　최솟값 : $-\left|-\dfrac{1}{2}\right|+1=\dfrac{1}{2}$,

　주기 : $\dfrac{2\pi}{|\sqrt{2}|}=\sqrt{2}\pi$

(3) **최댓값** : $|2|-3=-1$,

　최솟값 : $-|2|-3=-5$,

　주기 : $\dfrac{2\pi}{\left|\dfrac{1}{2}\right|}=4\pi$

04-1 셀파 (1) $\sin\dfrac{x}{2}=1$일 때, 최댓값을 갖는다.

(1) 함수 $f(x)=a\sin\dfrac{x}{2}+b$의 최댓값이 4이므로

　$a+b=4\ (\because a>0)$　　……㉠

　함수 $f(x)=a\sin\dfrac{x}{2}+b$의 최솟값이 -2이므로

　$-a+b=-2\ (\because a>0)$　　……㉡

　㉠, ㉡을 연립하여 풀면 $a=3,\ b=1$

(2) 함수 $f(x)=a\sin bx+c$의 주기가 π이므로

　$\dfrac{2\pi}{b}=\pi\ (\because b>0)$　　$\therefore b=2$

　함수 $f(x)=a\sin bx+c$의 최솟값이 -4이므로

　$-a+c=-4\ (\because a>0)$　　……㉠

　$f(x)=a\sin 2x+c$에서

　$f\left(\dfrac{\pi}{4}\right)=2$이므로 $a\sin\dfrac{\pi}{2}+c=2$

　$\therefore a+c=2$　　……㉡

　㉠, ㉡을 연립하여 풀면 $a=3,\ c=-1$

　$\therefore a=3,\ b=2,\ c=-1$

05-1 셀파 (2) c의 값은 평행이동을 이용하거나 그래프가 지나는 한 점을 대입하여 구한다.

(1) 함수 $y=a\sin bx+c$의 그래프에서 최댓값은 3, 최솟값은 0 이다.

　이때 $a>0$이므로

　$a+c=3,\ -a+c=0$　　$\therefore a=\dfrac{3}{2},\ c=\dfrac{3}{2}$

주기는 $\dfrac{3}{8}\pi-\left(-\dfrac{\pi}{8}\right)=\dfrac{\pi}{2}$이므로

$\dfrac{2\pi}{b}=\dfrac{\pi}{2}\ (\because b>0)$　　$\therefore b=4$

$\therefore a=\dfrac{3}{2},\ b=4,\ c=\dfrac{3}{2}$

(2) $y=a\cos(bx+c)$의 그래프에서 최댓값은 2, 최솟값은 -2 이다.

이때 $a>0$이므로 $a=2$

주기는 $\dfrac{\pi}{4}-\left(-\dfrac{\pi}{4}\right)=\dfrac{\pi}{2}$이므로

$\dfrac{2\pi}{b}=\dfrac{\pi}{2}\ (\because b>0)$　　$\therefore b=4$

$\therefore y=2\cos(4x+c)$　　……㉠

㉠의 그래프가 점 $(0,\ 0)$을 지나므로

$0=2\cos c$　　$\therefore \cos c=0$

$0<c<\pi$이므로 $c=\dfrac{\pi}{2}$

$\therefore a=2,\ b=4,\ c=\dfrac{\pi}{2}$

06-1 셀파 (2) $\sin^2 x=1-\cos^2 x$를 이용한다.

(1) $y=2\sin^2 x-\sin x$에서

　$\sin x=t$로 치환하면 $-1\le t\le 1$이고,

　$y=2t^2-t=2\left(t-\dfrac{1}{4}\right)^2-\dfrac{1}{8}$

　이 함수의 그래프는 오른쪽 그림과 같으므로

　$t=-1$일 때 **최댓값은 3**,

　$t=\dfrac{1}{4}$일 때 **최솟값은 $-\dfrac{1}{8}$**

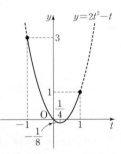

(2) $y=3\cos^2 x-\sin^2 x-4\cos x$

　$\quad=3\cos^2 x-(1-\cos^2 x)-4\cos x$

　$\quad=4\cos^2 x-4\cos x-1$

　이때 $\cos x=t$로 치환하면 $-1\le t\le 1$이고,

　$y=4t^2-4t-1=4\left(t-\dfrac{1}{2}\right)^2-2$

　이 함수의 그래프는 오른쪽 그림과 같으므로

　$t=-1$일 때 **최댓값은 7**,

　$t=\dfrac{1}{2}$일 때 **최솟값은 -2**

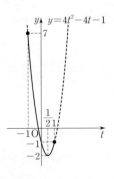

(1) $\sin 240° = \sin(90° \times 2 + 60°) = -\sin 60° = -\dfrac{\sqrt{3}}{2}$

(2) $\cos \dfrac{5}{6}\pi = \cos\left(\dfrac{\pi}{2} + \dfrac{\pi}{3}\right) = -\sin \dfrac{\pi}{3} = -\dfrac{\sqrt{3}}{2}$

(3) $\tan 120° = \tan(90° + 30°) = -\dfrac{1}{\tan 30°} = -\sqrt{3}$

집중 연습

본문 | 138 쪽

01 (1) $\sin 750° = \sin(360° \times 2 + 30°) = \sin 30° = \dfrac{1}{2}$

(2) $\cos \dfrac{25}{4}\pi = \cos\left(6\pi + \dfrac{\pi}{4}\right) = \cos \dfrac{\pi}{4} = \dfrac{\sqrt{2}}{2}$

(3) $\sin\left(-\dfrac{\pi}{6}\right) = -\sin \dfrac{\pi}{6} = -\dfrac{1}{2}$

(4) $\tan\left(-\dfrac{7}{3}\pi\right) = -\tan \dfrac{7}{3}\pi = -\tan\left(2\pi + \dfrac{\pi}{3}\right)$
$= -\tan \dfrac{\pi}{3} = -\sqrt{3}$

02 (1) $\sin \dfrac{7}{6}\pi = \sin\left(\pi + \dfrac{\pi}{6}\right) = -\sin \dfrac{\pi}{6} = -\dfrac{1}{2}$

(2) $\tan 225° = \tan(180° + 45°) = \tan 45° = 1$

(3) $\cos \dfrac{3}{4}\pi = \cos\left(\pi - \dfrac{\pi}{4}\right) = -\cos \dfrac{\pi}{4} = -\dfrac{\sqrt{2}}{2}$

(4) $\tan 510° = \tan(360° + 150°) = \tan 150°$
$= \tan(180° - 30°) = -\tan 30° = -\dfrac{\sqrt{3}}{3}$

03 (1) $\cos 38° = \cos(90° - 52°) = \sin 52°$이므로 $x = 52$

(2) $\tan 72° = \tan(90° - 18°) = \dfrac{1}{\tan 18°}$이므로 $x = 18$

(3) $\sin 115° = \sin(90° + 25°) = \cos 25°$
이때 $\cos 25° = \cos(-25°)$이므로
$x = 25$ 또는 $x = -25$

04 (1) $\sin(-60°) = -\sin 60° = -\dfrac{\sqrt{3}}{2}$

$\cos 135° = \cos(180° - 45°) = -\cos 45° = -\dfrac{\sqrt{2}}{2}$

$\therefore \sin(-60°)\cos 135° = -\dfrac{\sqrt{3}}{2} \times \left(-\dfrac{\sqrt{2}}{2}\right) = \dfrac{\sqrt{6}}{4}$

(2) $\cos 150° = \cos(180° - 30°) = -\cos 30° = -\dfrac{\sqrt{3}}{2}$

$\tan 210° = \tan(180° + 30°) = \tan 30° = \dfrac{1}{\sqrt{3}}$

$\therefore \cos 150° \tan 210° = -\dfrac{\sqrt{3}}{2} \times \dfrac{1}{\sqrt{3}} = -\dfrac{1}{2}$

(3) $\sin 1380° = \sin(360° \times 3 + 300°) = \sin 300°$
$= \sin(360° - 60°) = -\sin 60° = -\dfrac{\sqrt{3}}{2}$

$\tan(-510°) = \tan\{360° \times (-2) + 210°\}$
$= \tan 210° = \tan(180° + 30°)$
$= \tan 30° = \dfrac{1}{\sqrt{3}}$

$\therefore \sin 1380° \tan(-510°) = -\dfrac{\sqrt{3}}{2} \times \dfrac{1}{\sqrt{3}} = -\dfrac{1}{2}$

(4) $\cos 480° = \cos(360° + 120°) = \cos 120°$
$= \cos(180° - 60°) = -\cos 60° = -\dfrac{1}{2}$

$\tan 945° = \tan(360° \times 2 + 225°) = \tan 225°$
$= \tan(180° + 45°) = \tan 45° = 1$

$\therefore \cos 480° \tan 945° = -\dfrac{1}{2} \times 1 = -\dfrac{1}{2}$

07-1 셀파 예각이 아닌 삼각함수의 값은 각의 변환을 이용한다.

(1) $\tan\left(-\dfrac{\pi}{3}\right) + \cos \dfrac{11}{6}\pi + \sin \dfrac{7}{3}\pi$

$= -\tan \dfrac{\pi}{3} + \cos\left(2\pi - \dfrac{\pi}{6}\right) + \sin\left(2\pi + \dfrac{\pi}{3}\right)$

$= -\tan \dfrac{\pi}{3} + \cos \dfrac{\pi}{6} + \sin \dfrac{\pi}{3}$

$= -\sqrt{3} + \dfrac{\sqrt{3}}{2} + \dfrac{\sqrt{3}}{2}$

$= -\sqrt{3} + \sqrt{3} = 0$

(2) $\tan(\pi - \theta) = -\tan \theta$, $\tan\left(\dfrac{\pi}{2} - \theta\right) = \dfrac{1}{\tan \theta}$

$\therefore \tan(\pi - \theta)\tan\left(\dfrac{\pi}{2} - \theta\right) = -\tan \theta \times \dfrac{1}{\tan \theta} = -1$

(3) $\sin\left(\dfrac{\pi}{2}+\theta\right)=\cos\theta$, $\sin(\pi+\theta)=-\sin\theta$,

$\sin\left(\dfrac{3}{2}\pi+\theta\right)=-\cos\theta$, $\sin(2\pi+\theta)=\sin\theta$

$\therefore \sin\left(\dfrac{\pi}{2}+\theta\right)+\sin(\pi+\theta)+\sin\left(\dfrac{3}{2}\pi+\theta\right)+\sin(2\pi+\theta)$

$=\cos\theta-\sin\theta-\cos\theta+\sin\theta=\mathbf{0}$

LECTURE 각의 변환

(1)에서 $\cos\dfrac{11}{6}\pi=\cos\left(2\pi-\dfrac{\pi}{6}\right)$로 변형하는 것이 cos이 sin 으로 바뀌지 않으므로 더 쉽게 계산할 수 있다.

이와 같은 변환, 즉 $2n\pi-\theta$ (n은 정수) 꼴의 변환에 대하여 알아보자.

각 $\dfrac{\pi}{2}\times n\pm\theta$의 삼각함수를 변형하는 요령을 이용하면 $2\pi-\theta$ 에서 n이 짝수이므로 sin → sin, cos → cos, tan → tan로 그대로이고, $2\pi-\theta$의 동경은 제4사분면에 있으므로 cos 값만 양수이다.

따라서 다음과 같이 정리할 수 있다.

$\sin(2\pi-\theta)=-\sin\theta$
$\cos(2\pi-\theta)=\cos\theta$
$\tan(2\pi-\theta)=-\tan\theta$

또 이것은 $4\pi-\theta$, $6\pi-\theta$, $8\pi-\theta$, …에서도 같은 값을 가지므 로 정수 n에 대하여 다음과 같이 정리할 수 있다.

$\sin(2n\pi-\theta)=-\sin\theta$
$\cos(2n\pi-\theta)=\cos\theta$
$\tan(2n\pi-\theta)=-\tan\theta$

08-1 **셀파** 각의 크기의 합이 $\dfrac{\pi}{2}(=90°)$인 것끼리 짝을 짓는다.

(1) $\cos^2 85°=\cos^2(90°-5°)=\sin^2 5°$,
$\cos^2 80°=\cos^2(90°-10°)=\sin^2 10°$, …,
$\cos^2 50°=\cos^2(90°-40°)=\sin^2 40°$이므로
(주어진 식)
$=(\cos^2 5°+\cos^2 85°)+(\cos^2 10°+\cos^2 80°)$
$\qquad +\cdots+(\cos^2 40°+\cos^2 50°)+\cos^2 45°$
$=(\cos^2 5°+\sin^2 5°)+(\cos^2 10°+\sin^2 10°)$
$\qquad +\cdots+(\cos^2 40°+\sin^2 40°)+\cos^2 45°$
$=1+1+\cdots+1+\left(\dfrac{\sqrt{2}}{2}\right)^2$
$=1\times 8+\dfrac{1}{2}=\dfrac{\mathbf{17}}{\mathbf{2}}$

| 참고 |
$\cos^2 5°$, $\cos^2 10°$, …, $\cos^2 40°$의 개수는 8이다.

---

(2) $\tan 89°=\tan(90°-1°)=\dfrac{1}{\tan 1°}$,

$\tan 88°=\tan(90°-2°)=\dfrac{1}{\tan 2°}$, …,

$\tan 46°=\tan(90°-44°)=\dfrac{1}{\tan 44°}$이므로

(주어진 식)
$=(\tan 1°\times\tan 89°)\times(\tan 2°\times\tan 88°)$
$\qquad\qquad\times\cdots\times(\tan 44°\times\tan 46°)\times\tan 45°$

$=\left(\tan 1°\times\dfrac{1}{\tan 1°}\right)\times\left(\tan 2°\times\dfrac{1}{\tan 2°}\right)$
$\qquad\qquad\times\cdots\times\left(\tan 44°\times\dfrac{1}{\tan 44°}\right)\times\tan 45°$

$=1\times 1\times\cdots\times 1\times 1=\mathbf{1}$

09-1 **셀파** (2) $\dfrac{x}{2}-\dfrac{\pi}{3}=t$로 치환한다.

(1) $2\sin x+\sqrt{2}=0$에서 $\sin x=-\dfrac{\sqrt{2}}{2}$

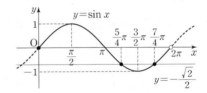

$0\leq x<2\pi$에서 $y=\sin x$의 그래프와 직선 $y=-\dfrac{\sqrt{2}}{2}$의 교점 의 x좌표를 구하면

$x=\dfrac{5}{4}\pi$ 또는 $x=\dfrac{7}{4}\pi$

(2) $2\cos\left(\dfrac{x}{2}-\dfrac{\pi}{3}\right)=1$에서 $\dfrac{x}{2}-\dfrac{\pi}{3}=t$로 치환하면

$0\leq x<2\pi$에서 $-\dfrac{\pi}{3}\leq\dfrac{x}{2}-\dfrac{\pi}{3}<\dfrac{2}{3}\pi$

$\therefore -\dfrac{\pi}{3}\leq t<\dfrac{2}{3}\pi$

$2\cos t=1$에서 $\cos t=\dfrac{1}{2}$

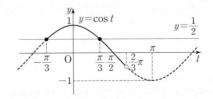

$-\dfrac{\pi}{3} \leq t < \dfrac{2}{3}\pi$에서 $y=\cos t$의 그래프와 직선 $y=\dfrac{1}{2}$의 교점

의 t좌표를 구하면

$t=-\dfrac{\pi}{3}$ 또는 $t=\dfrac{\pi}{3}$

(ⅰ) $t=-\dfrac{\pi}{3}$일 때, $\dfrac{x}{2}-\dfrac{\pi}{3}=-\dfrac{\pi}{3}$ $\therefore x=0$

(ⅱ) $t=\dfrac{\pi}{3}$일 때, $\dfrac{x}{2}-\dfrac{\pi}{3}=\dfrac{\pi}{3}$ $\therefore x=\dfrac{4}{3}\pi$

(ⅰ), (ⅱ)에서 구하는 해는

$x=0$ 또는 $x=\dfrac{4}{3}\pi$

09-2 〔셀파〕 양변을 $\cos x$로 나누어 $\tan x$가 포함된 방정식으로
변형한다.

$-\pi \leq x < \pi$에서 $\cos x=0$이면 $x=-\dfrac{\pi}{2}$ 또는 $x=\dfrac{\pi}{2}$

이때 (우변)$=\sqrt{3}\sin x \neq 0$이 되어 방정식이 성립하지 않는다.

$\therefore \cos x \neq 0$

$\cos x=\sqrt{3}\sin x$에서

양변을 $\cos x$로 나누면 $1=\sqrt{3}\tan x$

$\therefore \tan x=\dfrac{\sqrt{3}}{3}$

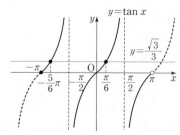

$-\pi \leq x < \pi$에서 $y=\tan x$의 그래프와 직선 $y=\dfrac{\sqrt{3}}{3}$의 교점의

x좌표를 구하면

$x=-\dfrac{5}{6}\pi$ 또는 $x=\dfrac{\pi}{6}$

| 참고 |

a, b가 0이 아닌 상수일 때, $a\sin x=b\cos x$ 꼴의 방정식에서 $\cos x=0$
이면 $a=0$이 되어 주어진 조건에 모순이다.

따라서 항상 $\cos x \neq 0$이므로 양변을 $\cos x$로 나누어 방정식을 푼다.

10-1 〔셀파〕 $\cos^2 x=1-\sin^2 x$를 이용한다.

$\cos^2 x+\sin x \cos x-1=0$에서 $\cos^2 x=1-\sin^2 x$이므로

$(1-\sin^2 x)+\sin x \cos x-1=0$

$-\sin^2 x+\sin x \cos x=0$

$\sin x(\cos x-\sin x)=0$

$\therefore \sin x=0$ 또는 $\cos x=\sin x$

(ⅰ) $\sin x=0$일 때

   $0 \leq x \leq \pi$에서 $x=0$ 또는 $x=\pi$

(ⅱ) $\cos x=\sin x$일 때

   양변을 $\cos x$로 나누면 $\tan x=1$

   $0 \leq x \leq \pi$에서 $x=\dfrac{\pi}{4}$

(ⅰ), (ⅱ)에서 구하는 해는

$x=0$ 또는 $x=\dfrac{\pi}{4}$ 또는 $x=\pi$

| 참고 |

$\cos^2 x$ 대신 $1-\sin^2 x$를 대입하지 않으면 주어진 식은

$\cos x(\cos x+\sin x)-1=0$이 되어 방정식을 풀기가 어렵다.

따라서 $\sin x \cos x$를 포함한 방정식에서도 $\sin^2 x$ 또는 $\cos^2 x$가 있을 때
는 $\sin^2 x+\cos^2 x=1$을 이용하면 방정식을 좀 더 쉽게 풀 수 있다.

10-2 〔셀파〕 $\cos^2 x=1-\sin^2 x$를 이용한다.

$4\cos^2 x-4\sin x=k$에서 $\cos^2 x=1-\sin^2 x$이므로

$4(1-\sin^2 x)-4\sin x=k$

$-4\sin^2 x-4\sin x+4=k$

이때 $\sin x=t$로 치환하면

$-1 \leq t \leq 1$이고 $-4t^2-4t+4=k$

즉, $y=-4t^2-4t+4$의 그래프와 직선 $y=k$의 교점이 존재
하는 실수 k의 값의 범위를 구한다.

$y=-4t^2-4t+4$

$\quad =-4\left(t+\dfrac{1}{2}\right)^2+5$

에서 $t=-\dfrac{1}{2}$일 때 최댓값은 5,

$t=1$일 때 최솟값은 -4이다.

따라서 구하는 k의 값의 범위는

$-4 \leq k \leq 5$

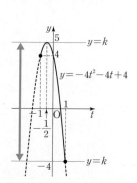

11-1 셀파 (1) $y=\sin x$의 그래프와 직선 $y=\dfrac{\sqrt{2}}{2}$를 한 좌표평면 위에 나타낸다.

(1) $0\le x<2\pi$에서 함수 $y=\sin x$의 그래프와 직선 $y=\dfrac{\sqrt{2}}{2}$를 나타내면 다음 그림과 같다.

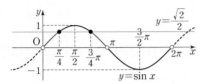

$y=\sin x$의 그래프가 0보다 크고 직선 $y=\dfrac{\sqrt{2}}{2}$와 만나거나 아래쪽에 있는 x의 값의 범위는

$$0<x\le\dfrac{\pi}{4}\ \text{또는}\ \dfrac{3}{4}\pi\le x<\pi$$

(2) $2\cos x+\sqrt{3}\le0$에서 $\cos x\le-\dfrac{\sqrt{3}}{2}$

$0\le x<2\pi$에서 함수 $y=\cos x$의 그래프와 직선 $y=-\dfrac{\sqrt{3}}{2}$을 나타내면 다음 그림과 같다.

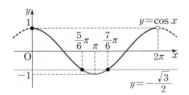

$y=\cos x$의 그래프가 직선 $y=-\dfrac{\sqrt{3}}{2}$과 만나거나 아래쪽에 있는 x의 값의 범위는

$$\dfrac{5}{6}\pi\le x\le\dfrac{7}{6}\pi$$

11-2 셀파 (2) $|A|<k\ (k>0)\ \Rightarrow\ -k<A<k$를 이용한다.

(1) $x-\dfrac{\pi}{3}=t$로 치환하면 $0\le x<\pi$에서

$-\dfrac{\pi}{3}\le x-\dfrac{\pi}{3}<\dfrac{2}{3}\pi$ $\therefore -\dfrac{\pi}{3}\le t<\dfrac{2}{3}\pi$

$-\dfrac{\pi}{3}\le t<\dfrac{2}{3}\pi$에서 $\cos t\ge\dfrac{1}{2}$이므로 함수 $y=\cos t$의 그래프와 직선 $y=\dfrac{1}{2}$을 나타내면 다음 그림과 같다.

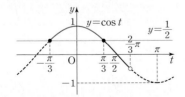

$y=\cos t$의 그래프가 $y=\dfrac{1}{2}$과 만나거나 위쪽에 있는 t의 값의 범위는

$$-\dfrac{\pi}{3}\le t\le\dfrac{\pi}{3}$$

$t=x-\dfrac{\pi}{3}$이므로 $-\dfrac{\pi}{3}\le x-\dfrac{\pi}{3}\le\dfrac{\pi}{3}$

$$\therefore\ 0\le x\le\dfrac{2}{3}\pi$$

(2) $|\tan x|<1$에서 $-1<\tan x<1$

$0\le x<\pi$에서 함수 $y=\tan x$의 그래프와 직선 $y=-1$, $y=1$을 나타내면 오른쪽 그림과 같다.
$y=\tan x$의 그래프가 직선 $y=-1$보다 위쪽, 직선 $y=1$보다 아래쪽에 있는 x의 값의 범위는

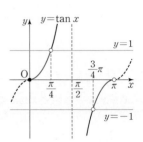

$$0\le x<\dfrac{\pi}{4}\ \text{또는}\ \dfrac{3}{4}\pi<x<\pi$$

12-1 셀파 $\cos^2 x=1-\sin^2 x,\ \sin^2 x=1-\cos^2 x$를 대입하여 주어진 삼각함수를 정리한다.

(1) $2\cos^2 x-3\sin x<0$에서 $\cos^2 x=1-\sin^2 x$이므로

$2(1-\sin^2 x)-3\sin x<0$

$2\sin^2 x+3\sin x-2>0$

$(2\sin x-1)(\sin x+2)>0$

$\sin x+2>0$이므로

$2\sin x-1>0$ $\therefore\ \sin x>\dfrac{1}{2}$

$0\le x<2\pi$에서 함수 $y=\sin x$의 그래프와 직선 $y=\dfrac{1}{2}$을 나타내면 다음 그림과 같다.

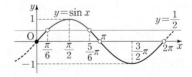

따라서 $\sin x>\dfrac{1}{2}$이 성립하는 x의 값의 범위는

$$\dfrac{\pi}{6}<x<\dfrac{5}{6}\pi$$

(2) $\sin^2 x \geq 1 - \cos x$에서 $\sin^2 x = 1 - \cos^2 x$이므로

$1 - \cos^2 x \geq 1 - \cos x$

$\cos^2 x - \cos x \leq 0$

$\cos x(\cos x - 1) \leq 0$

$\therefore 0 \leq \cos x \leq 1$

$0 \leq x < 2\pi$에서 함수 $y = \cos x$의 그래프와 직선 $y = 1$을 나타내면 다음 그림과 같다.

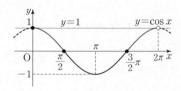

따라서 $0 \leq \cos x \leq 1$이 성립하는 x의 값의 범위는

$$0 \leq x \leq \frac{\pi}{2} \text{ 또는 } \frac{3}{2}\pi \leq x < 2\pi$$

12-2 【셀파】 이차부등식 $ax^2 + bx + c > 0$이 항상 성립하려면 이차방정식 $ax^2 + bx + c = 0$의 판별식을 D라 할 때, $a > 0$, $D < 0$

x에 대한 이차방정식 $x^2 - 2x\cos\theta - \dfrac{3}{2}\sin\theta = 0$의 판별식을 D라 하면

$\dfrac{D}{4} = \cos^2\theta + \dfrac{3}{2}\sin\theta < 0$에서

$\cos^2\theta = 1 - \sin^2\theta$이므로

$1 - \sin^2\theta + \dfrac{3}{2}\sin\theta < 0$

$2\sin^2\theta - 3\sin\theta - 2 > 0$

$(2\sin\theta + 1)(\sin\theta - 2) > 0$

$\sin\theta - 2 < 0$이므로 $2\sin\theta + 1 < 0$

$\therefore \sin\theta < -\dfrac{1}{2}$

$0 \leq \theta < 2\pi$에서 함수 $y = \sin\theta$의 그래프와 직선 $y = -\dfrac{1}{2}$을 나타내면 다음 그림과 같다.

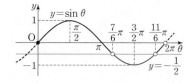

따라서 $\sin\theta < -\dfrac{1}{2}$이 성립하는 θ의 값의 범위는

$$\frac{7}{6}\pi < \theta < \frac{11}{6}\pi$$

---

01 【셀파】 $y = a\sin x$의 그래프는 $y = \sin x$의 그래프를 y축의 방향으로 a배한 것이다.

(1) $-\dfrac{1}{3} \leq \dfrac{1}{3}\sin x \leq \dfrac{1}{3}$이므로 **치역**은 $\left\{ y \mid -\dfrac{1}{3} \leq y \leq \dfrac{1}{3} \right\}$

$\dfrac{1}{3}\sin x = \dfrac{1}{3}\sin(x + 2\pi)$이므로 **주기**는 2π

$y = \dfrac{1}{3}\sin x$의 그래프는 $y = \sin x$의 그래프를 y축의 방향으로 $\dfrac{1}{3}$배한 것이므로 다음 그림과 같다.

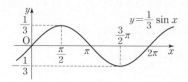

(2) $-2 \leq 2\cos x \leq 2$이므로 **치역**은 $\{ y \mid -2 \leq y \leq 2 \}$

$2\cos x = 2\cos(x + 2\pi)$이므로 **주기**는 2π

$y = 2\cos x$의 그래프는 $y = \cos x$의 그래프를 y축의 방향으로 2배한 것이므로 다음 그림과 같다.

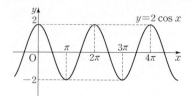

02 【셀파】 $y = \tan ax$의 그래프는 $y = \tan x$의 그래프를 x축의 방향으로 $\dfrac{1}{a}$배한 것이다.

$\tan\dfrac{x}{3} = \tan\left(\dfrac{x}{3} + \pi\right) = \tan\dfrac{1}{3}(x + 3\pi)$이므로 **주기**는 3π

점근선의 방정식은 $x = 3\left(n\pi + \dfrac{\pi}{2}\right) = 3n\pi + \dfrac{3}{2}\pi$ (n은 정수)

$y = \tan\dfrac{x}{3}$의 그래프는 $y = \tan x$의 그래프를 x축의 방향으로 3배한 것이므로 다음 그림과 같다.

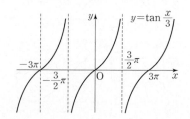

03 셀파 $y=\sin kx$의 그래프를 x축의 방향으로 m만큼, y축의 방향으로 n만큼 평행이동한 그래프의 식은 $y=\sin k(x-m)+n$이다.

$y=\sin\left(\dfrac{x}{2}-\dfrac{\pi}{6}\right)+6=\sin\dfrac{1}{2}\left(x-\dfrac{\pi}{3}\right)+6$이므로

함수 $y=\sin\left(\dfrac{x}{2}-\dfrac{\pi}{6}\right)+6$의 그래프는 함수 $y=\sin\dfrac{x}{2}$의 그래프를 x축의 방향으로 $\dfrac{\pi}{3}$만큼, y축의 방향으로 6만큼 평행이동한 것이다.

$\therefore a=\dfrac{\pi}{3},\ b=6$

04 셀파 $y=\sin ax$의 주기는 $\dfrac{2\pi}{|a|}$, $y=\tan ax$의 주기는 $\dfrac{\pi}{|a|}$이다.

$y=\sin ax+2$의 주기는 $\dfrac{2\pi}{a}\ (\because a>0)$이고,

$y=\tan\dfrac{x}{4a}$의 주기는 $\dfrac{\pi}{\frac{1}{4a}}=4a\pi\ (\because a>0)$이다.

두 함수의 주기가 같으므로

$\dfrac{2\pi}{a}=4a\pi,\ 2a^2=1,\ a^2=\dfrac{1}{2}$

$\therefore a=\dfrac{\sqrt{2}}{2}\ (\because a>0)$

따라서 구하는 답은 ②

05 셀파 $y=a\sin(bx+c)$에서 최댓값은 $|a|$, 주기는 $\dfrac{2\pi}{|b|}$이다.

$y=a\sin\dfrac{\pi}{2b}x$에서

최댓값은 $|a|=2$이므로 $a=2\ (\because a>0)$

주기는 $\dfrac{2\pi}{\left|\frac{\pi}{2b}\right|}=2$이므로 $b=\dfrac{1}{2}\ (\because b>0)$

$\therefore a+b=\dfrac{5}{2}$

따라서 구하는 답은 ⑤

06 셀파 $f(x)=a\cos bx+c$에서 최댓값은 $|a|+c$, 주기는 $\dfrac{2\pi}{|b|}$이다.

함수 $f(x)=a\cos bx+c$의 주기가 4π이므로

$\dfrac{2\pi}{|b|}=4\pi$ $\therefore b=\dfrac{1}{2}\ (\because b>0)$

함수 $f(x)=a\cos\dfrac{x}{2}+c$의 최댓값이 6이므로

$a+c=6\ (\because a>0)$ ……㉠

$f\left(\dfrac{2}{3}\pi\right)=4$이므로 $a\cos\dfrac{\pi}{3}+c=4$

$\therefore \dfrac{a}{2}+c=4$ ……㉡

㉠, ㉡을 연립하여 풀면 $a=4,\ c=2$

$\therefore a=4,\ b=\dfrac{1}{2},\ c=2$

07 셀파 $y=a\sin(bx+c)+1$의 그래프는 $y=a\sin bx$의 그래프를 x축의 방향으로 $-\dfrac{c}{b}$만큼, y축의 방향으로 1만큼 평행이동한 것이다.

㉮ 함수 $y=a\sin(bx+c)+1$의 최댓값은 $|a|+1$, 최솟값은 $-|a|+1$이다.

최댓값 3, 최솟값이 -1이고 $a>0$이므로

$a+1=3,\ -a+1=-1$ $\therefore a=2$

㉯ 함수 $y=2\sin(bx+c)+1$의 주기는 $\dfrac{2\pi}{|b|}$이다.

그래프에서 주기는 $\dfrac{\pi}{2}-\left(-\dfrac{\pi}{2}\right)=\pi$이고 $b>0$이므로

$\dfrac{2\pi}{b}=\pi$ $\therefore b=2$

㉰ $a=2,\ b=2$이므로 주어진 그래프의 식은

$y=2\sin(2x+c)+1$ ……㉠

점 $(0,3)$이 그래프 위의 점이므로

㉠에 $x=0,\ y=3$을 대입하면

$3=2\sin c+1,\ \sin c=1$

$\therefore c=\dfrac{\pi}{2}\ (\because 0<c<\pi)$

㉱ $\therefore abc=2\times2\times\dfrac{\pi}{2}=2\pi$

채점 기준	배점
㉮ 최댓값 또는 최솟값을 이용하여 a의 값을 구한다.	30%
㉯ 주기를 이용하여 b의 값을 구한다.	30%
㉰ 그래프 위의 점을 이용하여 c의 값을 구한다.	30%
㉱ abc의 값을 구한다.	10%

08 셀파 $\sin^2 x = 1 - \cos^2 x$로 바꾼 다음 $\cos x = t$로 치환한다.

$y = \sin^2 x - 2\cos x + 1$
$\quad = (1 - \cos^2 x) - 2\cos x + 1$
$\quad = -\cos^2 x - 2\cos x + 2$

이때 $\cos x = t$로 치환하면 $0 \le x \le \pi$에서 $-1 \le t \le 1$이고,

$y = -t^2 - 2t + 2 = -(t+1)^2 + 3$

이 함수의 그래프는 오른쪽 그림과
같으므로 $t = -1$일 때 최댓값 3을
갖는다.

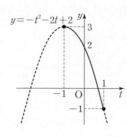

$t = \cos x = -1$에서
$x = \pi \ (\because 0 \le x \le \pi)$
$\alpha = \pi$, $\beta = 3$이므로 $\alpha\beta = 3\pi$
따라서 구하는 답은 ⑤

09 셀파 $\sin\alpha = \sin\beta \, (0 \le \alpha < \beta \le \pi)$일 때, $\alpha + \beta = \pi$

$\dfrac{\pi}{2} < a < \pi < c < \dfrac{3}{2}\pi$이고 $\cos a = \cos c = k$이므로

$\dfrac{a+c}{2} = \pi \quad \therefore a + c = 2\pi$

또 $\pi < b < \dfrac{3}{2}\pi < d < 2\pi$이고 $\sin b = \sin d = k$이므로

$\dfrac{b+d}{2} = \dfrac{3}{2}\pi \quad \therefore b + d = 3\pi$

$\therefore \sin\dfrac{a+b+c+d}{4} = \sin\dfrac{2\pi+3\pi}{4} = \sin\dfrac{5}{4}\pi$

$\qquad\qquad\qquad = \sin\left(\pi + \dfrac{\pi}{4}\right) = -\sin\dfrac{\pi}{4}$

$\qquad\qquad\qquad = -\dfrac{\sqrt{2}}{2}$

LEC TURE 사인함수, 코사인함수의 대칭성

$\sin x = \dfrac{1}{3}$, $\cos x = \dfrac{2}{5}$, $\cdots$와 같이 특수각을 알 수 없는 경우

에는 사인함수의 그래프와 코사인함수의 그래프가 직선 $x = k$
에 대하여 좌우 대칭임을 이용하여 x의 값을 구해야 한다. 즉,

❶ 함수 $y = \sin x$의 그래프는

$\quad \cdots, x = -\dfrac{\pi}{2}, x = \dfrac{\pi}{2}, x = \dfrac{3}{2}\pi, \cdots$

에 대하여 좌우 대칭이다.

❷ 함수 $y = \cos x$의 그래프는

$\quad \cdots, x = -\pi, x = 0, x = \pi, \cdots$

에 대하여 좌우 대칭이다.

| 주의 |

함수 $y = \tan x$의 그래프는 직선 $x = k$에 대하여 좌우 대칭이 아니므로
$\tan x$는 위와 같은 방법으로 풀 수 없다.

10 셀파 $y = \sin\dfrac{x}{2}$의 그래프를 x축의 방향으로 π만큼 평행이동

한 그래프의 식은 $y = \sin\dfrac{x-\pi}{2}$이다.

$y = \sin\dfrac{x}{2}$의 그래프를 x축의 방향으로 π만큼 평행이동한 그래프

의 식은 $y = \sin\dfrac{x}{2}$에 x 대신 $x - \pi$를 대입하면

$y = \sin\dfrac{x-\pi}{2} = \sin\left(\dfrac{x}{2} - \dfrac{\pi}{2}\right)$

$\quad = \sin\left\{-\left(\dfrac{\pi}{2} - \dfrac{x}{2}\right)\right\} = -\sin\left(\dfrac{\pi}{2} - \dfrac{x}{2}\right)$

$\quad = -\cos\dfrac{x}{2}$

또 $y = -\cos\dfrac{x}{2}$의 그래프를 원점에 대하여 대칭이동한 그래프의

식은 $y = -\cos\dfrac{x}{2}$에 x 대신 $-x$, y 대신 $-y$를 대입하면

$-y = -\cos\left(-\dfrac{x}{2}\right)$, $y = \cos\left(-\dfrac{x}{2}\right)$

$\therefore y = \cos\dfrac{x}{2}$

따라서 구하는 답은 ③

LEC TURE 평행이동과 대칭이동

❶ $y = \sin\dfrac{x}{2}$의 그래프를 x축의 방향으로 π만큼 평행이동할

때는 x 대신 $x - \pi$를 대입한다. 즉,

$\qquad y = \sin\dfrac{x}{2} \Rightarrow y = \sin\dfrac{x-\pi}{2}$

로 식을 바꾸어야 한다.

| 주의 |

$y = \sin\dfrac{x}{2} \Rightarrow y = \sin\left(\dfrac{x}{2} - \pi\right)$ (×)

❷ $y = \sin\dfrac{x-\pi}{2}$의 그래프를 원점에 대하여 대칭이동할 때는

x 대신 $-x$, y 대신 $-y$를 대입한다. 즉,

$\qquad y = \sin\dfrac{x-\pi}{2} \Rightarrow -y = \sin\dfrac{-x-\pi}{2}$

$\qquad\qquad\qquad\qquad \Rightarrow -y = \sin\left(-\dfrac{x}{2} - \dfrac{\pi}{2}\right)$

$\therefore y = -\sin\left(-\dfrac{x}{2} - \dfrac{\pi}{2}\right)$

$\quad = -\sin\left\{-\left(\dfrac{x}{2} + \dfrac{\pi}{2}\right)\right\}$

$\quad = \sin\left(\dfrac{\pi}{2} + \dfrac{x}{2}\right)$

$\quad = \cos\dfrac{x}{2}$

| 주의 |

$y = \sin\dfrac{x-\pi}{2} \Rightarrow -y = \sin\left(-\dfrac{x-\pi}{2}\right)$ (×)

11 셀파 $\cos\left(\theta+\dfrac{\pi}{2}\right)=-\sin\theta,\ \sin(\pi-\theta)=\sin\theta$

$\cos\left(\theta+\dfrac{\pi}{2}\right)=-\sin\theta,\ \sin(\pi-\theta)=\sin\theta,$

$\cos^2\theta=1-\sin^2\theta$이므로

$y=\cos^2\left(\theta+\dfrac{\pi}{2}\right)-5\cos^2\theta+4\sin(\pi-\theta)$

$\quad=\sin^2\theta-5(1-\sin^2\theta)+4\sin\theta$

$\quad=6\sin^2\theta+4\sin\theta-5$

이때 $\sin\theta=t$로 치환하면

$-1\leq t\leq1$이고

$y=6t^2+4t-5$

$\quad=6\left(t+\dfrac{1}{3}\right)^2-\dfrac{17}{3}$

이 함수의 그래프는 오른쪽 그림
과 같으므로

최댓값 : 5, 최솟값 : $-\dfrac{17}{3}$

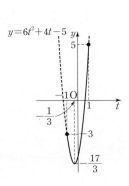

12 셀파 $\sin(180°-\theta)=\sin\theta,\ \sin(180°+\theta)=-\sin\theta$

(1) $\sin110°=\sin(180°-70°)=\sin70°$

$\quad\sin160°=\sin(90°+70°)=\cos70°$

$\quad\therefore$ (주어진 식)

$\qquad=(\sin70°-\cos70°)^2+(\cos70°+\sin70°)^2$

$\qquad=\sin^270°+\cos^270°-2\sin70°\cos70°$

$\qquad\quad+\cos^270°+\sin^270°+2\sin70°\cos70°=\mathbf{2}$

(2) $\sin150°=\sin(180°-30°)=\sin30°$

$\quad\sin211°=\sin(180°+31°)=-\sin31°$

$\quad\sin251°=\sin(180°+71°)=-\sin71°$

$\quad\therefore$ (주어진 식)

$\qquad=\sin31°+\sin71°+\sin30°-\sin31°-\sin71°$

$\qquad=\sin30°=\dfrac{1}{2}$

13 셀파 $\tan\theta=\dfrac{\sin\theta}{\cos\theta}$를 이용하여 주어진 식을 $\sin\theta$로 나타
낸다.

$2\tan\theta=\cos\theta$에서 $\tan\theta=\dfrac{\sin\theta}{\cos\theta}$이므로

$2\times\dfrac{\sin\theta}{\cos\theta}=\cos\theta,\ 2\sin\theta=\cos^2\theta,\ 2\sin\theta=1-\sin^2\theta$

$\sin^2\theta+2\sin\theta-1=0\quad\therefore\ \sin\theta=-1\pm\sqrt{2}$

이때 $-1\leq\sin\theta\leq1$이므로 $\sin\theta=-1+\sqrt{2}$

$\therefore\cos\left(\dfrac{3}{2}\pi-\theta\right)=-\sin\theta=\mathbf{1-\sqrt{2}}$

14 셀파 $\sin^2\left(\theta-\dfrac{\pi}{3}\right)=\sin^2\left\{-\dfrac{\pi}{2}+\left(\theta+\dfrac{\pi}{6}\right)\right\}$

$A=-\cos\theta+\cos\theta=0$

$B=-\sin\left(\dfrac{\pi}{2}-\theta\right)-(-\cos\theta)$

$\quad=-\cos\theta+\cos\theta=0$

$\theta+\dfrac{\pi}{6}=A$로 놓으면 $\theta-\dfrac{\pi}{3}=A-\dfrac{\pi}{2}$

$\therefore C=\sin^2A+\sin^2\left(A-\dfrac{\pi}{2}\right)$

$\quad=\sin^2A+\cos^2A=1$

$\therefore A+B+C=0+0+1=\mathbf{1}$

15 셀파 $\cos^2\theta=1-\sin^2\theta$를 이용한다.

각 θ가 제1사분면의 각이고 $\sin\theta=\dfrac{4}{5}$이므로

$\cos^2\theta=1-\sin^2\theta=1-\left(\dfrac{4}{5}\right)^2=\dfrac{9}{25}$

$\therefore\cos\theta=\dfrac{3}{5}\ (\because\cos\theta>0)$

$\sin\left(\dfrac{\pi}{2}+\theta\right)=\cos\theta,\ \cos\left(\dfrac{3}{2}\pi+\theta\right)=\sin\theta$이므로

$5\left\{\sin\left(\dfrac{\pi}{2}+\theta\right)-\cos\left(\dfrac{3}{2}\pi+\theta\right)\right\}$

$=5(\cos\theta-\sin\theta)=5\left(\dfrac{3}{5}-\dfrac{4}{5}\right)=\mathbf{-1}$

16 셀파 $\cos(\pi-\theta)=-\cos\theta$를 이용한다.

(i) 난방기를 가동한 지 20분 후의 실내 온도가 18℃이므로

$\quad T=B-\dfrac{k}{6}\cos\dfrac{\pi}{60}t$에 $t=20,\ T=18$을 대입하면

$\quad 18=B-\dfrac{k}{6}\cos\left(\dfrac{\pi}{60}\times20\right),\ B-\dfrac{k}{6}\cos\dfrac{\pi}{3}=18$

$\quad B-\dfrac{k}{6}\times\dfrac{1}{2}=18\quad\therefore B-\dfrac{k}{12}=18\qquad\cdots\cdots\text{㉠}$

(ii) 난방기를 가동한 지 40분 후의 실내 온도가 20℃이므로

$\quad T=B-\dfrac{k}{6}\cos\dfrac{\pi}{60}t$에 $t=40,\ T=20$을 대입하면

$\quad 20=B-\dfrac{k}{6}\cos\left(\dfrac{\pi}{60}\times40\right),\ B-\dfrac{k}{6}\cos\dfrac{2}{3}\pi=20$

$\quad B-\dfrac{k}{6}\cos\left(\pi-\dfrac{\pi}{3}\right)=20,\ B+\dfrac{k}{6}\cos\dfrac{\pi}{3}=20$

$\quad B+\dfrac{k}{6}\times\dfrac{1}{2}=20\quad\therefore B+\dfrac{k}{12}=20\qquad\cdots\cdots\text{㉡}$

㉡$-$㉠을 하면 $\dfrac{k}{6}=2\quad\therefore k=12$

따라서 구하는 답은 ②

17 셀파 $\cos(\pi+x)=-\cos x$를 이용한다.

$\cos(\pi+x)=-\cos x$이므로 두 함수 $y=\cos x$,
$y=-\cos x+k$의 그래프가 한 점에서 만나려면 방정식
$\cos x=-\cos x+k$, 즉 $2\cos x=k$가 한 개의 실근을 가져야
한다.

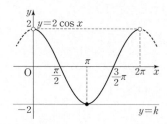

함수 $y=2\cos x$의 그래프와 직선 $y=k$가 한 점에서 만나야 하
므로
$k=-2$
따라서 구하는 답은 ①

18 셀파 $\cos^2 x=1-\sin^2 x$를 이용한다.

$\cos^2 x-\sin x=1$에서 $\cos^2 x=1-\sin^2 x$이므로
$1-\sin^2 x-\sin x=1$, $\sin^2 x+\sin x=0$
$\sin x(\sin x+1)=0$
$\therefore \sin x=0$ 또는 $\sin x=-1$
$0<x<2\pi$이므로 $x=\pi$ 또는 $x=\dfrac{3}{2}\pi$

따라서 모든 실근의 합은 $\pi+\dfrac{3}{2}\pi=\dfrac{5}{2}\pi$이므로

$p=2, q=5$ $\quad \therefore \boldsymbol{p+q=7}$

19 셀파 x에 대한 이차함수이므로 $\sin\theta$, $\cos\theta$를 계수로 생각하
고 판별식을 이용한다.

주어진 이차함수의 그래프가 x축에 접하려면 이차방정식
$\dfrac{1}{2}x^2+2x\cos\theta+1-\sin\theta=0$이 중근을 가져야 한다.

따라서 이 식의 판별식을 D라 하면
$\dfrac{D}{4}=\cos^2\theta-\dfrac{1}{2}(1-\sin\theta)=0$에서
$2\cos^2\theta+\sin\theta-1=0$
이때 $\cos^2\theta=1-\sin^2\theta$이므로
$2(1-\sin^2\theta)+\sin\theta-1=0$, $2\sin^2\theta-\sin\theta-1=0$
$\sin\theta=t$로 치환하면 $0\le\theta<\pi$에서 $0\le t\le1$이고
$2t^2-t-1=0$, $(2t+1)(t-1)=0$ $\quad \therefore t=1\ (\because 0\le t\le1)$
$\therefore \boldsymbol{\sin\theta=1}$

20 셀파 $0\le x<2\pi$일 때, $\cos x=-\dfrac{\sqrt{2}}{2}$의 해를 구한다.

$0\le x<2\pi$에서 함수 $y=\cos x$의 그래프와 직선 $y=-\dfrac{\sqrt{2}}{2}$를 나
타내면 다음 그림과 같다.

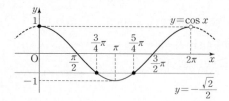

$y=\cos x$의 그래프가 직선 $y=-\dfrac{\sqrt{2}}{2}$와 만나거나 아래쪽에 있는
부분의 x의 값의 범위는
$\dfrac{3}{4}\pi\le x\le\dfrac{5}{4}\pi$
따라서 $\theta_1=\dfrac{3}{4}\pi$, $\theta_2=\dfrac{5}{4}\pi$이므로

$\sin(\theta_2-\theta_1)=\sin\left(\dfrac{5}{4}\pi-\dfrac{3}{4}\pi\right)$
$\qquad\qquad\quad =\sin\dfrac{\pi}{2}=1$

21 셀파 이차부등식 $ax^2+bx+c>0$이 항상 성립하려면 $a>0$이
고, 방정식 $ax^2+bx+c=0$의 판별식 D가 $D<0$이어야 한다.

이차방정식 $x^2+2x(\cos\theta+1)+\cos^2\theta=0$의 판별식을 D라 하
면
$\dfrac{D}{4}=(\cos\theta+1)^2-\cos^2\theta<0$, $2\cos\theta+1<0$

$\therefore \cos\theta<-\dfrac{1}{2}$

$0\le\theta<2\pi$에서 함수 $y=\cos\theta$의 그래프와 직선 $y=-\dfrac{1}{2}$을 나
타내면 다음 그림과 같다.

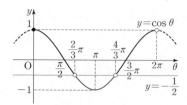

$y=\cos\theta$의 그래프가 직선 $y=-\dfrac{1}{2}$보다 아래쪽에 있는 부분의
θ의 값의 범위는
$\dfrac{2}{3}\pi<\theta<\dfrac{4}{3}\pi$

7. 사인법칙과 코사인법칙

1-1 (1) $\dfrac{\overline{BC}}{\sin A}=\dfrac{\overline{AB}}{\sin C}$ 에서

$$\dfrac{\sqrt{3}}{\boxed{\sin 60^\circ}}=\dfrac{\sqrt{2}}{\sin 45^\circ}$$

(2) $\dfrac{\overline{BC}}{\sin A}=\dfrac{\overline{AC}}{\sin B}$ 에서

$$\dfrac{5\sqrt{2}}{\sin 45^\circ}=\dfrac{\boxed{5}}{\sin 30^\circ}$$

1-2 (1) $\dfrac{12}{\sin 60^\circ}=\dfrac{x}{\sin 45^\circ}$ 이므로 $\dfrac{12}{\frac{\sqrt{3}}{2}}=\dfrac{x}{\frac{\sqrt{2}}{2}}$

$$6\sqrt{2}=\dfrac{\sqrt{3}}{2}x \quad \therefore x=\dfrac{12\sqrt{2}}{\sqrt{3}}=\boxed{4\sqrt{6}}$$

(2) $\dfrac{2\sqrt{2}}{\sin 45^\circ}=2R$ 이므로 $\dfrac{2\sqrt{2}}{\frac{\sqrt{2}}{2}}=2R$

$$4=2R \quad \therefore R=\boxed{2}$$

2-1 (1) $b^2=c^2+a^2-2ca\cos B$ 에서
$$b^2=3^2+6^2-2\times3\times6\times\boxed{\cos 45^\circ}$$

(2) $a^2=b^2+c^2-2bc\cos A$ 에서
$$a^2=5^2+3^2-2\times5\times3\times\boxed{\cos 60^\circ}$$

2-2 (1) $c^2=a^2+b^2-2ab\cos C$ 에서
$$c^2=(\sqrt{3})^2+1^2-2\times\sqrt{3}\times1\times\boxed{\cos 30^\circ}$$

(2) $\cos B=\dfrac{c^2+a^2-b^2}{2ca}$ 에서
$$\cos B=\dfrac{3^2+4^2-\boxed{2}^2}{2\times3\times4}$$

3-1 삼각형 ABC의 넓이를 S라 하면

(1) $S=\dfrac{1}{2}\times\overline{AB}\times\overline{BC}\times\sin 45^\circ$
$$=\dfrac{1}{2}\times2\sqrt{2}\times6\times\dfrac{\sqrt{2}}{2}=\boxed{6}$$

(2) $S=\dfrac{1}{2}\times\overline{BC}\times\overline{CA}\times\sin\boxed{120^\circ}$
$$=\dfrac{1}{2}\times8\times6\times\dfrac{\sqrt{3}}{2}=\mathbf{12\sqrt{3}}$$

3-2 삼각형 ABC의 넓이를 S라 하면

(1) $S=\dfrac{1}{2}\times\overline{AB}\times\overline{CA}\times\sin 60^\circ$
$$=\dfrac{1}{2}\times4\times3\times\dfrac{\sqrt{3}}{2}=\mathbf{3\sqrt{3}}$$

(2) $S=\dfrac{1}{2}\times\overline{AB}\times\overline{BC}\times\sin 135^\circ$
$$=\dfrac{1}{2}\times12\times7\times\dfrac{\sqrt{2}}{2}=\mathbf{21\sqrt{2}}$$

4-1 사각형 ABCD의 넓이를 S라 하면

(1) $S=\overline{AB}\times\overline{BC}\times\sin 45^\circ$
$$=4\times\boxed{3}\times\dfrac{\sqrt{2}}{2}=\mathbf{6\sqrt{2}}$$

(2) 삼각형 ABD의 넓이를 S_1이라 하면
$$S_1=\dfrac{1}{2}\times2\times4\times\sin 30^\circ=\dfrac{1}{2}\times2\times4\times\dfrac{1}{2}=2$$
삼각형 BCD의 넓이를 S_2라 하면
$$s=\dfrac{3+4+5}{2}=\boxed{6}\text{ 이므로}$$
$$S_2=\sqrt{6(6-3)(6-4)(6-5)}=6$$
$$\therefore S=S_1+S_2=2+6=\mathbf{8}$$

4-2 사각형 ABCD의 넓이를 S라 하면

(1) 직각삼각형 ABH에서 $\cos 60^\circ=\dfrac{2}{\overline{AB}}$ 이므로
$$\overline{AB}=\dfrac{2}{\cos 60^\circ}=\dfrac{2}{\frac{1}{2}}=4$$
$$\therefore S=\overline{AB}\times\overline{BC}\times\sin 60^\circ$$
$$=4\times5\times\dfrac{\sqrt{3}}{2}=\mathbf{10\sqrt{3}}$$

(2) $S = \dfrac{1}{2} \times \overline{\text{AC}} \times \overline{\text{BD}} \times \sin 60°$

$ = \dfrac{1}{2} \times 5 \times 7 \times \dfrac{\sqrt{3}}{2} = \dfrac{35\sqrt{3}}{4}$

확인 문제
본문 | **155~169** 쪽

01-1 셀파 사인법칙 $\dfrac{a}{\sin A} = \dfrac{b}{\sin B} = \dfrac{c}{\sin C} = 2R$를 이용한다.

(1) 삼각형 ABC의 외접원의 반지름의 길이를 R라 하면

$2R = \dfrac{a}{\sin A} = \dfrac{4\sqrt{2}}{\sin 45°} = \dfrac{4\sqrt{2}}{\dfrac{\sqrt{2}}{2}} = 8$ $\quad \therefore R = 4$

따라서 외접원의 반지름의 길이는 **4**

(2) $A = 60°$, $C = 75°$에서

$B = 180° - (A + C) = 180° - (60° + 75°) = 45°$

따라서 삼각형 ABC에서

$\dfrac{a}{\sin 60°} = \dfrac{10}{\sin 45°}$

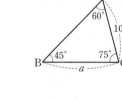

$\therefore a = \dfrac{10 \sin 60°}{\sin 45°} = \dfrac{10 \times \dfrac{\sqrt{3}}{2}}{\dfrac{\sqrt{2}}{2}}$

$ = 5\sqrt{6}$

01-2 셀파 둘레의 길이가 15이므로 $a + b + c = 15$

삼각형 ABC의 외접원의 반지름의 길이를 R라 하면 $R = 6$

또 삼각형 ABC의 둘레의 길이가 15이므로 $a + b + c = 15$

$\therefore \sin A + \sin B + \sin C = \dfrac{a}{2R} + \dfrac{b}{2R} + \dfrac{c}{2R}$

$ = \dfrac{a + b + c}{2R} = \dfrac{15}{2 \times 6} = \dfrac{5}{4}$

02-1 셀파 $a : b : c = \sin A : \sin B : \sin C$를 이용한다.

삼각형 ABC에서 $A + B + C = 180°$이므로

$A = 180° \times \dfrac{4}{6} = 120°$, $B = C = 180° \times \dfrac{1}{6} = 30°$

$\therefore a : b : c = \sin A : \sin B : \sin C$

$ = \sin 120° : \sin 30° : \sin 30°$

$ = \dfrac{\sqrt{3}}{2} : \dfrac{1}{2} : \dfrac{1}{2} = \sqrt{3} : 1 : 1$

02-2 셀파 $a : b : c = \sin A : \sin B : \sin C$를 이용한다.

삼각형 ABC에서 $\sin A : \sin B : \sin C = 5 : 3 : 6$이므로

$a : b : c = \sin A : \sin B : \sin C = 5 : 3 : 6$

따라서 $a = 5k$, $b = 3k$, $c = 6k$ $(k > 0)$로 놓으면

삼각형 ABC의 둘레의 길이가 28이므로

$a + b + c = 5k + 3k + 6k = 14k = 28$

$\therefore k = 2$

$\therefore a = 10, b = 6, c = 12$

03-1 셀파 $\sin A$, $\sin B$, $\sin C$를 a, b, c에 대하여 나타낸다.

삼각형 ABC의 외접원의 반지름의 길이를 R라 하면

$\sin A = \dfrac{a}{2R}$, $\sin B = \dfrac{b}{2R}$, $\sin C = \dfrac{c}{2R}$ $\quad \cdots\cdots \bigcirc$

(1) $\bigcirc$을 $\sin^2 A = \sin^2 B + \sin^2 C$에 대입하면

$\dfrac{a^2}{(2R)^2} = \dfrac{b^2}{(2R)^2} + \dfrac{c^2}{(2R)^2}$

이 등식의 양변에 $4R^2$을 곱하면 $a^2 = b^2 + c^2$

따라서 삼각형 ABC는 $A = 90°$인 **직각삼각형**

(2) $\bigcirc$을 $a \sin A = b \sin B = c \sin C$에 대입하면

$\dfrac{a^2}{2R} = \dfrac{b^2}{2R} = \dfrac{c^2}{2R}$

이 등식의 양변에 $2R$를 곱하면 $a^2 = b^2 = c^2$

그런데 $a > 0$, $b > 0$, $c > 0$이므로 $a = b = c$

따라서 삼각형 ABC는 **정삼각형**

03-2 셀파 주어진 이차방정식의 판별식을 조사한다.

이차방정식 $x^2 - 2x \sin C + \sin^2 A + \sin^2 B = 0$의 판별식을 D라 하면

$\dfrac{D}{4} = \sin^2 C - (\sin^2 A + \sin^2 B) = 0$에서

$\sin^2 C = \sin^2 A + \sin^2 B$ $\quad \cdots\cdots \bigcirc$

삼각형 ABC의 외접원의 반지름의 길이를 R라 하면

$\sin A = \dfrac{a}{2R}$, $\sin B = \dfrac{b}{2R}$, $\sin C = \dfrac{c}{2R}$ $\quad \cdots\cdots \bigcirc\!\!\bigcirc$

$\bigcirc\!\!\bigcirc$을 $\bigcirc$에 대입하면

$\left(\dfrac{c}{2R}\right)^2 = \left(\dfrac{a}{2R}\right)^2 + \left(\dfrac{b}{2R}\right)^2$

이 등식의 양변에 $4R^2$을 곱하면 $c^2 = a^2 + b^2$

따라서 삼각형 ABC는 $C = 90°$인 **직각삼각형**

04-1 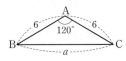 코사인법칙 $a^2=b^2+c^2-2bc\cos A$를 이용한다.

$a^2=b^2+c^2-2bc\cos A$이고

$b=6,\ c=6,\ A=120°$이므로

$a^2=6^2+6^2-2\times6\times6\times\cos120°$

$=36+36-72\times\left(-\dfrac{1}{2}\right)=108$

$\therefore a=\sqrt{108}=\mathbf{6\sqrt{3}}\ (\because a>0)$

04-2 셀파 부채꼴의 호의 길이를 이용하여 선분 OA의 길이를 구한다.

부채꼴의 중심각의 크기를 θ, 호의 길이를 l, 반지름의 길이를 r라 하면

$\theta=\dfrac{\pi}{3},\ l=2\pi$

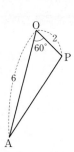

$l=r\theta$에서 $2\pi=r\times\dfrac{\pi}{3}$ $\therefore r=6$

따라서 $\overline{OA}=6,\ \overline{OP}=2$이므로

삼각형 OAP에서

$\overline{AP}^2=6^2+2^2-2\times6\times2\times\cos60°$

$=36+4-24\times\dfrac{1}{2}=28$

$\therefore \overline{AP}=\sqrt{28}=\mathbf{2\sqrt{7}}\ (\because \overline{AP}>0)$

05-1 셀파 코사인법칙의 변형 공식을 이용한다.

(1) 삼각형 ABC에서 $a=4,\ b=5,\ c=6$이므로

$\cos A=\dfrac{b^2+c^2-a^2}{2bc}$

$=\dfrac{5^2+6^2-4^2}{2\times5\times6}=\dfrac{3}{4}$

이때 $\sin^2 A+\cos^2 A=1$이므로

$\sin^2 A=1-\cos^2 A=1-\dfrac{9}{16}=\dfrac{7}{16}$

$0<A<\pi$에서 $\sin A>0$이므로

$\sin A=\mathbf{\dfrac{\sqrt{7}}{4}}$

(2) $(a+b+c)(a+b-c)=ab$에서

$\{(a+b)+c\}\{(a+b)-c\}=ab$

$(a+b)^2-c^2=ab$ $\therefore a^2+2ab+b^2-c^2=ab$

즉, $a^2+b^2-c^2=-ab$이므로

$\cos C=\dfrac{a^2+b^2-c^2}{2ab}=\dfrac{-ab}{2ab}=-\dfrac{1}{2}$

이때 $0<C<\pi$이므로 $C=\mathbf{120°}$

05-2 셀파 정사각형의 한 변의 길이를 $2a$로 놓는다.

정사각형 ABCD의 한 변의 길이를 $2a$라 하면 삼각형 ABE, BCF, DEF는 직각삼각형이므로 피타고라스 정리에서

$\overline{BE}=\sqrt{5}a,\ \overline{BF}=\sqrt{5}a,\ \overline{EF}=\sqrt{2}a$

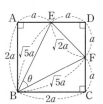

이때 삼각형 BFE에서

$\cos\theta=\dfrac{\overline{BE}^2+\overline{BF}^2-\overline{EF}^2}{2\times\overline{BE}\times\overline{BF}}$

$=\dfrac{(\sqrt{5}a)^2+(\sqrt{5}a)^2-(\sqrt{2}a)^2}{2\times\sqrt{5}a\times\sqrt{5}a}=\dfrac{8a^2}{10a^2}=\dfrac{4}{5}$

이때 $\sin^2\theta+\cos^2\theta=1$이므로

$\sin^2\theta=1-\cos^2\theta=1-\left(\dfrac{4}{5}\right)^2=\dfrac{9}{25}$

$0<\theta<\dfrac{\pi}{2}$에서 $\sin\theta>0$이므로 $\sin\theta=\mathbf{\dfrac{3}{5}}$

집중 연습 본문 **161**쪽

01 (1) $\dfrac{3}{\sin120°}=\dfrac{b}{\sin30°}$이므로

$b\sin120°=3\sin30°,\ \dfrac{\sqrt{3}}{2}b=3\times\dfrac{1}{2}$

$\therefore b=\dfrac{3}{2}\times\dfrac{2}{\sqrt{3}}=\sqrt{3}$

(2) $A+B+C=180°$이므로

$C=180°-(A+B)=180°-(60°+75°)=45°$

이때 $\dfrac{a}{\sin60°}=\dfrac{8\sqrt{2}}{\sin45°}$이므로

$a\sin45°=8\sqrt{2}\sin60°,\ \dfrac{\sqrt{2}}{2}a=8\sqrt{2}\times\dfrac{\sqrt{3}}{2}$

$\therefore a=4\sqrt{6}\times\dfrac{2}{\sqrt{2}}=8\sqrt{3}$

(3) $\dfrac{2}{\sin A}=\dfrac{2\sqrt{2}}{\sin135°}$이므로

$2\sin135°=2\sqrt{2}\sin A,\ 2\times\dfrac{\sqrt{2}}{2}=2\sqrt{2}\sin A$

$\therefore \sin A=\sqrt{2}\times\dfrac{1}{2\sqrt{2}}=\dfrac{1}{2}$

이때 $0°<A<180°$이므로 $A=30°$ 또는 $A=150°$

그런데 $A+C<180°$이므로 $\mathbf{A=30°}$

(4) $\dfrac{\sqrt{3}}{\sin 30^\circ}=\dfrac{3}{\sin B}$이므로

$\sqrt{3}\sin B=3\sin 30^\circ$, $\sqrt{3}\sin B=3\times\dfrac{1}{2}$

$\therefore \sin B=\dfrac{3}{2}\times\dfrac{1}{\sqrt{3}}=\dfrac{\sqrt{3}}{2}$

이때 $0^\circ<B<180^\circ$이므로 $B=60^\circ$ 또는 $B=120^\circ$

02 (1) $\dfrac{3}{\sin 30^\circ}=2R$이므로 $2R\sin 30^\circ=3$

$2R\times\dfrac{1}{2}=3$ $\therefore R=3$

(2) $A+B+C=180^\circ$에서

$C=180^\circ-(45^\circ+105^\circ)=30^\circ$

$\dfrac{20}{\sin 30^\circ}=2R$이므로 $2R\sin 30^\circ=20$

$2R\times\dfrac{1}{2}=20$ $\therefore R=20$

03 (1) $a^2=2^2+4^2-2\times2\times4\times\underleftrightarrow{\cos 120^\circ}$

$\qquad =4+16+16\cos 60^\circ$ $\quad\leftarrow \cos(180^\circ-60^\circ)=-\cos 60^\circ$

$\qquad =20+16\times\dfrac{1}{2}=28$

$\therefore a=2\sqrt{7}\ (\because a>0)$

(2) $b^2=(4\sqrt{3})^2+(5\sqrt{3})^2-2\times4\sqrt{3}\times5\sqrt{3}\times\cos 60^\circ$

$\qquad =48+75-120\times\dfrac{1}{2}=63$

$\therefore b=3\sqrt{7}\ (\because b>0)$

(3) $c^2=7^2+3^2-2\times7\times3\times\cos 60^\circ$

$\qquad =49+9-42\times\dfrac{1}{2}=37$

$\therefore c=\sqrt{37}\ (\because c>0)$

04 (1) $\cos A=\dfrac{b^2+c^2-a^2}{2bc}=\dfrac{7^2+8^2-6^2}{2\times7\times8}=\dfrac{11}{16}$

(2) $\cos B=\dfrac{c^2+a^2-b^2}{2ca}=\dfrac{3^2+1^2-(\sqrt{7})^2}{2\times3\times1}=\dfrac{1}{2}$

이때 $0^\circ<B<180^\circ$이므로 $B=60^\circ$

(3) $\cos C=\dfrac{a^2+b^2-c^2}{2ab}=\dfrac{5^2+3^2-7^2}{2\times5\times3}=-\dfrac{1}{2}$

이때 $0^\circ<C<180^\circ$이므로 $C=120^\circ$

06-1 **셀파** 사인법칙과 코사인법칙을 이용하여 주어진 식을 a, b, c에 대한 식으로 나타낸다.

(1) $\cos B=\dfrac{c^2+a^2-b^2}{2ca}$을 $c=2a\cos B$에 대입하면

$c=2a\times\dfrac{c^2+a^2-b^2}{2ca}$, $c^2=c^2+a^2-b^2$

$a^2-b^2=0$, $(a+b)(a-b)=0$

$\therefore a=b\ (\because a>0,\ b>0)$

따라서 삼각형 ABC는 $a=b$인 이등변삼각형

(2) $\tan A\sin^2 B=\tan B\sin^2 A$에서

$\dfrac{\sin A}{\cos A}\times\sin^2 B=\dfrac{\sin B}{\cos B}\times\sin^2 A$

$\sin A\cos A=\sin B\cos B$ $\qquad\cdots\cdots\ \bigcirc$

삼각형 ABC의 외접원의 반지름의 길이를 R라 하면

$\sin A=\dfrac{a}{2R}$, $\sin B=\dfrac{b}{2R}$

$\cos A=\dfrac{b^2+c^2-a^2}{2bc}$, $\cos B=\dfrac{c^2+a^2-b^2}{2ca}$

이것을 $\bigcirc$에 대입하면

$\dfrac{a}{2R}\times\dfrac{b^2+c^2-a^2}{2bc}=\dfrac{b}{2R}\times\dfrac{c^2+a^2-b^2}{2ca}$

이 식의 양변에 $2R\times2abc$를 곱하면

$a^2(b^2+c^2-a^2)=b^2(c^2+a^2-b^2)$

$a^2b^2+a^2c^2-a^4=b^2c^2+a^2b^2-b^4$

$a^2c^2-a^4-b^2c^2+b^4=0$

$c^2(a^2-b^2)-(a^4-b^4)=0$

$c^2(a^2-b^2)-(a^2+b^2)(a^2-b^2)=0$

$(a^2-b^2)\{c^2-(a^2+b^2)\}=0$

$a^2-b^2=0$ 또는 $c^2-(a^2+b^2)=0$

$\therefore a=b\ (\because a>0,\ b>0)$ 또는 $c^2=a^2+b^2$

따라서 삼각형 ABC는 $a=b$인 이등변삼각형 또는 $C=90^\circ$인 직각삼각형

(3) $\sin(90^\circ-C)=\cos C$, $\sin(90^\circ-B)=\cos B$이므로

$b\sin(90^\circ-C)=c\sin(90^\circ-B)$에서

$b\cos C=c\cos B$ $\qquad\cdots\cdots\ \bigcirc$

$\cos B=\dfrac{c^2+a^2-b^2}{2ca}$, $\cos C=\dfrac{a^2+b^2-c^2}{2ab}$을 $\bigcirc$에 대입하면

$b\times\dfrac{a^2+b^2-c^2}{2ab}=c\times\dfrac{c^2+a^2-b^2}{2ca}$

$a^2+b^2-c^2=c^2+a^2-b^2$

$2b^2=2c^2$, $b^2=c^2$

$\therefore b=c\ (\because b>0,\ c>0)$

따라서 삼각형 ABC는 $b=c$인 이등변삼각형

07-1 `셀파` 최소변의 길이를 찾는다.

b가 최소변의 길이이므로 B의 크기가 최소각의 크기이다.

코사인법칙에서

$$\cos B=\frac{c^2+a^2-b^2}{2ca}=\frac{(\sqrt{6}+\sqrt{2})^2+(2\sqrt{3})^2-(2\sqrt{2})^2}{2\times(\sqrt{6}+\sqrt{2})\times2\sqrt{3}}$$

$$=\frac{\sqrt{3}(\sqrt{3}+1)}{\sqrt{6}(\sqrt{3}+1)}=\frac{1}{\sqrt{2}}$$

이때 $0°<B<180°$이므로 $B=45°$

따라서 최소각의 크기는 **45°**

| 참고 |

$a=2\sqrt{3}$, $b=2\sqrt{2}$, $c=\sqrt{6}+\sqrt{2}=\sqrt{2}(\sqrt{3}+1)$에서
$\sqrt{3}>\sqrt{2}$이므로 $2\sqrt{3}>2\sqrt{2}$, 즉 $a>b$
또 $\sqrt{3}+1>2$이므로 $\sqrt{2}(\sqrt{3}+1)>2\sqrt{2}$, 즉 $c>b$
따라서 a, b, c 중 b의 값이 가장 작다.

07-2 `셀파` $a:b:c=\sin A:\sin B:\sin C=7:8:13$

$\dfrac{\sin A}{7}=\dfrac{\sin B}{8}=\dfrac{\sin C}{13}$에서

$\sin A:\sin B:\sin C=7:8:13$

사인법칙에서 $a:b:c=\sin A:\sin B:\sin C$이므로

$a=7k$, $b=8k$, $c=13k\,(k>0)$로 놓으면

c가 최대변의 길이이므로 C의 크기가 최대각의 크기이다.

코사인법칙에서

$$\cos C=\frac{a^2+b^2-c^2}{2ab}=\frac{(7k)^2+(8k)^2-(13k)^2}{2\times7k\times8k}$$

$$=\frac{-56k^2}{112k^2}=-\frac{1}{2}$$

이때 $0°<C<180°$이므로 $C=120°$

따라서 최대각의 크기는 **120°**

`셀파 특강` **확인 체크 01**

(1) $S=\dfrac{1}{2}ab\sin C$이므로

$$S=\frac{1}{2}\times4\times7\times\sin60°$$

$$=14\times\frac{\sqrt{3}}{2}=\boldsymbol{7\sqrt{3}}$$

(2) $S=\dfrac{1}{2}bc\sin A$이므로

$$S=\frac{1}{2}\times2\times5\times\sin150°$$

$$=5\times\frac{1}{2}=\boldsymbol{\frac{5}{2}}$$

08-1 `셀파` $S=\dfrac{1}{2}ab\sin C$를 이용한다.

(1) $\dfrac{b}{\sin B}=\dfrac{c}{\sin C}$에서 $b=2$, $c=2\sqrt{3}$, $B=30°$이므로

$$\frac{2}{\sin30°}=\frac{2\sqrt{3}}{\sin C},\ 2\sin C=2\sqrt{3}\times\frac{1}{2}$$

$$\therefore \sin C=\frac{\sqrt{3}}{2}$$

따라서 $C=60°$ 또는 $C=120°$이다.

(i) $C=60°$이면 $A+B+C=180°$에서

$A=180°-(B+C)=180°-(30°+60°)=90°$

$$\therefore S=\frac{1}{2}\times2\times2\sqrt{3}\times\sin90°=2\sqrt{3}$$

(ii) $C=120°$이면 $A+B+C=180°$에서

$A=180°-(B+C)=180°-(30°+120°)=30°$

$$\therefore S=\frac{1}{2}\times2\times2\sqrt{3}\times\sin30°=\sqrt{3}$$

(i), (ii)에서 $\boldsymbol{S=2\sqrt{3}}$ 또는 $\boldsymbol{S=\sqrt{3}}$

(2) $S=\dfrac{1}{2}ab\sin C$에서 $S=6\sqrt{3}$, $a=4$, $b=6$이므로

$$6\sqrt{3}=\frac{1}{2}\times4\times6\times\sin C\quad\therefore \sin C=\frac{\sqrt{3}}{2}$$

이때 $0°<C<90°$이므로 $\boldsymbol{C=60°}$

08-2 `셀파` $\sin(90°+\theta)=\cos\theta$를 이용한다.

$\angle ABC=\theta$라 하면 $\cos\theta=\dfrac{\overline{AB}}{\overline{BC}}=\dfrac{4}{5}$

이때 사각형 BDEC는 정사각형이므로 $\overline{BD}=\overline{BC}=5$이고

$\sin(\angle ABD)=\sin(90°+\theta)=\cos\theta=\dfrac{4}{5}$

따라서 삼각형 BDA의 넓이 S는

$$S=\frac{1}{2}\times\overline{AB}\times\overline{BD}\times\sin(\angle ABD)$$

$$=\frac{1}{2}\times4\times5\times\frac{4}{5}=\boldsymbol{8}$$

09-1 `셀파` 헤론의 공식을 이용하여 삼각형의 넓이를 구한다.

삼각형의 세 변의 길이가 4, 5, 7이므로 $s=\dfrac{4+5+7}{2}=8$

삼각형의 넓이를 S라 하면

$$S=\sqrt{8(8-4)(8-5)(8-7)}=\sqrt{8\times4\times3\times1}=4\sqrt{6}$$

삼각형의 내접원의 반지름의 길이를 r라 하면

$$S=\frac{r}{2}(4+5+7)에서 \frac{r}{2}\times16=4\sqrt{6}\quad\therefore r=\frac{\sqrt{6}}{2}$$

따라서 내접원의 반지름의 길이는 $\dfrac{\sqrt{6}}{2}$

09-2 셀파 $S=\dfrac{r}{2}(a+b+c)$를 이용한다.

삼각형 ABC의 외접원의 반지름의 길이를 R라 하면

$\dfrac{a}{\sin A}=\dfrac{b}{\sin B}=\dfrac{c}{\sin C}=2R$이므로

$\sin A+\sin B+\sin C=\dfrac{a}{2R}+\dfrac{b}{2R}+\dfrac{c}{2R}$

$\qquad\qquad\qquad\qquad\quad=\dfrac{1}{2R}(a+b+c)$

이때 $R=8$, $\sin A+\sin B+\sin C=\dfrac{5}{4}$이므로

$\dfrac{1}{16}(a+b+c)=\dfrac{5}{4}$

$\therefore a+b+c=20$

삼각형 ABC의 넓이를 S라 하면 내접원의 반지름의 길이가

$r=2$이므로

$S=\dfrac{r}{2}(a+b+c)=\dfrac{2}{2}\times20=\mathbf{20}$

10-1 셀파 평행사변형 ABCD의 넓이를 S라 하면
$S=\overline{\text{AB}}\times\overline{\text{BC}}\times\sin B$

평행사변형 ABCD의 넓이를 S라 하면
$S=\overline{\text{AB}}\times\overline{\text{BC}}\times\sin B$에서

$20=5\times8\times\sin B$이므로 $\sin B=\dfrac{1}{2}$

$\therefore B=30°$ 또는 $B=150°$

이때 $A+B=180°$이므로 $A=150°$ 또는 $A=30°$

그런데 $A>B$이므로 $\mathbf{A=150°}$

10-2 셀파 사각형의 두 대각선의 길이를 구한다.

$\overline{\text{AB}}=\overline{\text{CD}}$이므로 사다리꼴 ABCD는 등변사다리꼴이다.

따라서 두 대각선의 길이는 같으므로

$\overline{\text{AC}}=\overline{\text{BD}}=6$

이때 사다리꼴 ABCD의 넓이를 S라 하면

$S=\dfrac{1}{2}\times6\times6\times\sin60°=18\times\dfrac{\sqrt{3}}{2}=\mathbf{9\sqrt{3}}$

01 셀파 $B+C=180°-A$이므로 $\sin(B+C)=\sin A$

삼각형 ABC에서 $A+B+C=180°$이므로

$\sin(B+C)=\sin(180°-A)=\sin A$ $\qquad$ ……㉠

㉠을 $9\sin(B+C)\sin A=4$에 대입하면

$9\sin^2 A=4$, $\sin^2 A=\dfrac{4}{9}$

$\therefore \sin A=\dfrac{2}{3}$ $(\because 0°<A<180°)$

이때 삼각형 ABC의 외접원의 반지름의 길이를 R라 하면

사인법칙에서 $\dfrac{\overline{\text{BC}}}{\sin A}=2R$이므로 $2R\sin A=\overline{\text{BC}}$

$2R\times\dfrac{2}{3}=8$ $\qquad\therefore R=8\times\dfrac{3}{4}=\mathbf{6}$

02 셀파 주어진 비례식으로부터 $a:b:c$를 구한다.

$(b+c):(c+a):(a+b)=4:5:6$에서

$\dfrac{b+c}{4}=\dfrac{c+a}{5}=\dfrac{a+b}{6}=k$ $(k>0)$로 놓으면

$b+c=4k$ ……㉠, $c+a=5k$ ……㉡, $a+b=6k$ ……㉢

㉠+㉡+㉢에서 $2(a+b+c)=15k$

$\therefore a+b+c=\dfrac{15}{2}k$ $\qquad$ ……㉣

㉣에 각각 ㉠, ㉡, ㉢을 대입하면

$a=\dfrac{7}{2}k$, $b=\dfrac{5}{2}k$, $c=\dfrac{3}{2}k$

즉, $a:b:c=\dfrac{7}{2}k:\dfrac{5}{2}k:\dfrac{3}{2}k=7:5:3$

이때 $\sin A:\sin B:\sin C=a:b:c$이므로

$\sin A=7k'$, $\sin B=5k'$, $\sin C=3k'$ $(k'>0)$으로 놓으면

$\dfrac{\sin^2 A}{\sin B\sin C}=\dfrac{(7k')^2}{5k'\times3k'}=\dfrac{\mathbf{49}}{\mathbf{15}}$

03 셀파 삼각형 POQ에서 코사인법칙을 이용한다.

10분 후 승희와 지영이의 위치를 각각 P, Q라 하면

$\overline{\text{OP}}=5\,\text{km}$, $\overline{\text{OQ}}=8\,\text{km}$

이때 삼각형 POQ에서 $\angle\text{POQ}=60°$

이므로 코사인법칙에서

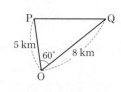

$\overline{\text{PQ}}^2=5^2+8^2-2\times5\times8\times\cos60°$

$\qquad=25+64-40=49$

$\therefore \overline{\text{PQ}}=\sqrt{49}=7$ $(\because \overline{\text{PQ}}>0)$

따라서 10분 후 두 사람 사이의 거리는 **7 km**

04 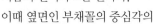 원뿔의 전개도를 그린다.

주어진 원뿔의 전개도는 오른쪽
그림과 같이 옆면은 반지름의 길
이가 9인 부채꼴이고, 밑면은 반
지름의 길이가 3인 원이다.
이때 옆면인 부채꼴의 중심각의
크기를 θ라 하면 옆면인 부채꼴의
호의 길이와 밑면인 원의 둘레의 길이가 같으므로

$9\theta=6\pi$에서 $\theta=\dfrac{2}{3}\pi$

$\therefore \angle AOP=\dfrac{\theta}{2}=\dfrac{\pi}{3}$

이때 삼각형 OAP에서 코사인법칙에 의해

$\overline{AP}^2=9^2+6^2-2\times9\times6\times\cos\dfrac{\pi}{3}=63$

$\therefore \overline{AP}=\sqrt{63}=3\sqrt{7}\ (\because \overline{AP}>0)$

따라서 두 점 A, P 사이의 최단 거리는 $\mathbf{3\sqrt{7}}$

05  삼각형 ACD에서 $\angle CAD=180°-(75°+60°)=45°$

삼각형 ACD에서

$\angle CAD=180°-(75°+60°)=45°$

$\dfrac{\overline{CD}}{\sin A}=\dfrac{\overline{AC}}{\sin D}$이므로

$\dfrac{4}{\sin 45°}=\dfrac{\overline{AC}}{\sin 60°}$

$\therefore \overline{AC}=4\times\dfrac{\sin 60°}{\sin 45°}$

$=4\times\dfrac{\sqrt{3}}{2}\times\dfrac{2}{\sqrt{2}}$

$=2\sqrt{6}$

이때 삼각형 ABC에서
$\overline{AB}^2=(2\sqrt{2})^2+(2\sqrt{6})^2-2\times2\sqrt{2}\times2\sqrt{6}\times\cos 30°$

$=8+24-16\sqrt{3}\times\dfrac{\sqrt{3}}{2}=8$

$\therefore \overline{AB}=\sqrt{8}=\mathbf{2\sqrt{2}}\ (\because \overline{AB}>0)$

06 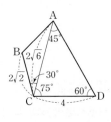 삼각형 ABD에서 $\cos B$를 구한다.

$\angle ADC=60°$이므로 $\angle ADB=120°$이다.

삼각형 ABD는 이등변삼각형이므로
$\overline{AD}=\overline{BD}=2$
삼각형 ACD에서
$(\sqrt{7})^2=2^2+\overline{CD}^2-2\times2\times\overline{CD}\times\cos 60°$

$7=4+\overline{CD}^2-4\times\dfrac{1}{2}\times\overline{CD}$

$\overline{CD}^2-2\overline{CD}-3=0$

$(\overline{CD}-3)(\overline{CD}+1)=0$

$\therefore \overline{CD}=3\ (\because \overline{CD}>0)$

07 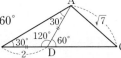 사인법칙과 코사인법칙을 이용하여 주어진 식을 a, b, c에 대한 식으로 나타낸다.

삼각형 ABC의 외접원의 반지름의 길이를 R라 하면

$\sin A=\dfrac{a}{2R}$, $\sin B=\dfrac{b}{2R}$

$\cos A=\dfrac{b^2+c^2-a^2}{2bc}$, $\cos B=\dfrac{c^2+a^2-b^2}{2ca}$

이것을 $a^2\cos A\sin B=b^2\sin A\cos B$에 대입하면

$a^2\times\dfrac{b^2+c^2-a^2}{2bc}\times\dfrac{b}{2R}=b^2\times\dfrac{a}{2R}\times\dfrac{c^2+a^2-b^2}{2ca}$

이 식의 양변에 $4cR$를 곱하면

$a^2(b^2+c^2-a^2)=b^2(c^2+a^2-b^2)$

$a^2b^2+a^2c^2-a^4=b^2c^2+a^2b^2-b^4$

$a^2c^2-b^2c^2-a^4+b^4=0$

$c^2(a^2-b^2)-(a^4-b^4)=0$

$(a^2-b^2)\{c^2-(a^2+b^2)\}=0$

$\therefore c^2=a^2+b^2\ (\because a\neq b)$

따라서 삼각형 ABC는 $\boldsymbol{C=90°}$인 **직각삼각형**이다.

08 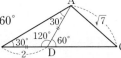 코사인법칙에서 $\overline{BC}$의 길이를 구한 다음 사인법칙에서 호수의 반지름의 길이를 구한다.

삼각형 ABC에서 코사인법칙에 의해
$\overline{BC}^2=\overline{AB}^2+\overline{AC}^2-2\times\overline{AB}\times\overline{AC}\times\cos 60°$

$=80^2+100^2-2\times80\times100\times\dfrac{1}{2}=8400$

$\therefore \overline{BC}=\sqrt{8400}$

호수의 반지름의 길이를 R m라 하면 사인법칙에서

$\dfrac{\overline{BC}}{\sin 60°}=2R$, $2R\times\dfrac{\sqrt{3}}{2}=\sqrt{8400}$

$\therefore R=\sqrt{\dfrac{8400}{3}}=\sqrt{2800}$

반지름의 길이가 $\sqrt{2800}$ m이므로 호수의 넓이는
$\pi R^2=2800\pi\ (\text{m}^2)$

따라서 구하는 답은 ⑤

09 셀파 각 삼각형의 넓이를 구한다.

오른쪽 그림과 같이
$\overline{AB}=x$, $\overline{BC}=y$라 하면

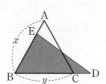

$\overline{EB}=\dfrac{9}{10}x$, $\overline{BD}=\dfrac{11}{10}y$이므로

$$\triangle ABC=\frac{1}{2}\times\overline{AB}\times\overline{BC}\times\sin B$$

$$=\frac{1}{2}xy\sin B$$

$$\triangle EBD=\frac{1}{2}\times\overline{EB}\times\overline{BD}\times\sin B$$

$$=\frac{1}{2}\times\frac{9}{10}x\times\frac{11}{10}y\times\sin B$$

$$=\frac{99}{100}\times\frac{1}{2}xy\sin B$$

$$=\frac{99}{100}\triangle ABC$$

$$=\frac{99}{100}\times100=99$$

따라서 새로운 삼각형의 넓이는 **99**

10 셀파 코사인법칙을 이용하여 선분 AC의 길이를 구한다.

삼각형 ACD에서
$$\overline{AC}^2=5^2+8^2-2\times5\times8\times\cos60°=25+64-40=49$$
$$\therefore \overline{AC}=7\ (\because \overline{AC}>0)$$

삼각형 ABC에서 $\overline{AB}=10$, $\overline{BC}=15$, $\overline{AC}=7$이므로

$$s=\frac{10+15+7}{2}=16$$

따라서 ABC의 넓이 S는
$$S=\sqrt{16(16-10)(16-15)(16-7)}$$
$$=\sqrt{16\times6\times1\times9}=\mathbf{12\sqrt{6}}$$

11 셀파 $\angle DAB=\theta$로 놓는다.

㉮ □ABCD가 원에 내접하므로
 $\angle DAB=\theta$로 놓으면
 $\angle BCD=\pi-\theta$

이때 삼각형 ABD에서
$$\overline{BD}^2=1^2+4^2-2\times1\times4\times\cos\theta$$
$$=17-8\cos\theta \quad\cdots\cdots ㉠$$

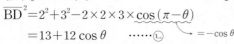

삼각형 BCD에서
$$\overline{BD}^2=2^2+3^2-2\times2\times3\times\underbrace{\cos(\pi-\theta)}_{=-\cos\theta}$$
$$=13+12\cos\theta \quad\cdots\cdots ㉡$$

㉠, ㉡에서 $17-8\cos\theta=13+12\cos\theta$

$20\cos\theta=4$ $\therefore \cos\theta=\dfrac{1}{5}$

㉯ $0<\theta<\pi$에서 $\sin\theta>0$이므로

$$\sin\theta=\sqrt{1-\cos^2\theta}=\sqrt{1-\left(\frac{1}{5}\right)^2}=\frac{2\sqrt{6}}{5}$$

$$\triangle ABD=\frac{1}{2}\times1\times4\times\sin\theta$$

$$=\frac{1}{2}\times4\times\frac{2\sqrt{6}}{5}=\frac{4\sqrt{6}}{5}$$

$$\triangle BCD=\frac{1}{2}\times2\times3\times\underbrace{\sin(\pi-\theta)}_{=\sin\theta}$$

$$=\frac{1}{2}\times2\times3\times\frac{2\sqrt{6}}{5}=\frac{6\sqrt{6}}{5}$$

㉰ $\therefore$ □ABCD$=\triangle ABD+\triangle BCD$

$$=\frac{4\sqrt{6}}{5}+\frac{6\sqrt{6}}{5}=\mathbf{2\sqrt{6}}$$

채점 기준	배점
㉮ $\angle DAB=\theta$로 놓고 $\cos\theta$의 값을 구한다.	50%
㉯ 삼각형 ABD와 삼각형 BCD의 넓이를 구한다.	40%
㉰ 사각형 ABCD의 넓이를 구한다.	10%

12 셀파 평행사변형 ABCD의 넓이를 구한다.

평행사변형 ABCD의 넓이 S는

$$S=4\times8\times\sin60°=32\times\frac{\sqrt{3}}{2}=16\sqrt{3}$$

삼각형 ABC에서
$$\overline{AC}^2=4^2+8^2-2\times4\times8\times\cos60°$$
$$=16+64-64\times\frac{1}{2}=48$$
$$\therefore \overline{AC}=\sqrt{48}=4\sqrt{3}\ (\because \overline{AC}>0)$$

또 삼각형 ABD에서 $A=180°-60°=120°$이므로
$$\overline{BD}^2=4^2+8^2-2\times4\times8\times\cos120°$$
$$=16+64-64\times\left(-\frac{1}{2}\right)=112$$
$$\therefore \overline{BD}=\sqrt{112}=4\sqrt{7}\ (\because \overline{BD}>0)$$

이때 $S=\dfrac{1}{2}\times\overline{AC}\times\overline{BD}\times\sin\theta$이므로

$$16\sqrt{3}=\frac{1}{2}\times4\sqrt{3}\times4\sqrt{7}\times\sin\theta,\ \sqrt{7}\sin\theta=2$$

$$\therefore \sin\theta=\frac{2}{\sqrt{7}}=\frac{2\sqrt{7}}{7}$$

8. 등차수열

개념 익히기　　　　　본문 | **175, 177** 쪽

1-1 (1) $a_n=3^{n-1}$에 $n=1, 2, 3, 4$를 대입하면

$a_1=3^{1-1}=3^0=1$, $a_2=3^{2-1}=3^1=3$

$a_3=3^{3-1}=3^2=\boxed{9}$, $a_4=3^{4-1}=3^3=27$

따라서 첫째항부터 제4항까지 차례로 나열하면

1, 3, 9, 27

(2) $a_n=\dfrac{1}{n(n+2)}$에 $n=1, 2, 3, 4$를 대입하면

$a_1=\dfrac{1}{1(1+2)}=\dfrac{1}{3}$, $a_2=\dfrac{1}{2(2+2)}=\dfrac{1}{\boxed{8}}$

$a_3=\dfrac{1}{3(3+2)}=\dfrac{1}{\boxed{15}}$, $a_4=\dfrac{1}{4(4+2)}=\dfrac{1}{24}$

따라서 첫째항부터 제4항까지 차례로 나열하면

$\dfrac{1}{3}, \dfrac{1}{8}, \dfrac{1}{15}, \dfrac{1}{24}$

1-2 (1) $a_n=2^{n-1}$에 $n=1, 2, 3, 4, 5$를 대입하면

$a_1=2^{1-1}=2^0=1$

$a_2=2^{2-1}=2^1=2$

$a_3=2^{3-1}=2^2=4$

$a_4=2^{4-1}=2^3=8$

$a_5=2^{5-1}=2^4=16$

따라서 첫째항부터 제5항까지 차례로 나열하면

1, 2, 4, 8, 16

(2) $a_n=3n-2$에 $n=1, 2, 3, 4, 5$를 대입하면

$a_1=3\times1-2=1$

$a_2=3\times2-2=4$

$a_3=3\times3-2=7$

$a_4=3\times4-2=10$

$a_5=3\times5-2=13$

따라서 첫째항부터 제5항까지 차례로 나열하면

1, 4, 7, 10, 13

(3) $a_n=(n+1)^2$에 $n=1, 2, 3, 4, 5$를 대입하면

$a_1=2^2=4$, $a_2=3^2=9$, $a_3=4^2=16$

$a_4=5^2=25$, $a_5=6^2=36$

따라서 첫째항부터 제5항까지 차례로 나열하면

4, 9, 16, 25, 36

(4) $a_n=\dfrac{n+1}{n}$에 $n=1, 2, 3, 4, 5$를 대입하면

$a_1=\dfrac{2}{1}=2$, $a_2=\dfrac{3}{2}$, $a_3=\dfrac{4}{3}$, $a_4=\dfrac{5}{4}$, $a_5=\dfrac{6}{5}$

따라서 첫째항부터 제5항까지 차례로 나열하면

$2, \dfrac{3}{2}, \dfrac{4}{3}, \dfrac{5}{4}, \dfrac{6}{5}$

2-1 (1) $9-3=6$, $15-9=6$, $21-15=6$이므로

주어진 수열은 공차가 $\boxed{6}$ 인 등차수열이다.

$\therefore$ 3, 9, 15, 21, $\boxed{27}$, $\boxed{33}$

$+6$ $+6$ $+6$ $+6$ $+6$

(2) $7-11=-4$, $3-7=-4$이므로

주어진 수열은 공차가 $\boxed{-4}$ 인 등차수열이다.

$\therefore$ 11, 7, 3, $\boxed{-1}$, $\boxed{-5}$, -9

$+(-4)$ $+(-4)$ $+(-4)$ $+(-4)$ $+(-4)$

2-2 (1) $8-5=3$, $11-8=3$, $14-11=3$이므로

주어진 수열은 공차가 3인 등차수열이다.

$\therefore$ 5, 8, 11, 14, $\boxed{17}$, $\boxed{20}$

$+3$ $+3$ $+3$ $+3$ $+3$

(2) $13-25=-12=2\times(-6)$,

$-5-13=-18=3\times(-6)$

이므로 주어진 수열은 공차가 -6인 등차수열이다.

$\therefore$ 25, $\boxed{19}$, 13, $\boxed{7}$, $\boxed{1}$, -5

$+(-6)$ $+(-6)$ $+(-6)$ $+(-6)$ $+(-6)$

| **다른 풀이** |

주어진 수열의 공차를 d라 하면 다음과 같이 나타낼 수 있다.

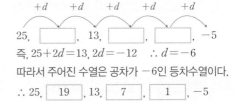

$+d$ $+d$ $+d$ $+d$ $+d$

25, ☐, 13, ☐, ☐, -5

즉, $25+2d=13$, $2d=-12$ $\therefore d=-6$

따라서 주어진 수열은 공차가 -6인 등차수열이다.

$\therefore$ 25, $\boxed{19}$, 13, $\boxed{7}$, $\boxed{1}$, -5

3-1 (1) x는 2와 14의 등차중항이므로

$$x = \frac{2+14}{2} = \boxed{8}$$

(2) 4는 x와 11의 등차중항이므로

$$2 \times \boxed{4} = x + 11 \quad \therefore x = \boxed{-3}$$

(3) x는 $x-1$과 $2x+3$의 등차중항이므로

$$2x = (x-1) + (2x+3), \ 2x = 3x+2$$
$$\therefore x = \boxed{-2}$$

3-2 (1) x는 2와 16의 등차중항이므로

$$x = \frac{2+16}{2} = \frac{18}{2} = 9$$

(2) $\frac{1}{4}$은 $\frac{1}{2}$과 x의 등차중항이므로

$$\frac{2}{4} = \frac{1}{2} + x \quad \therefore \boldsymbol{x=0}$$

(3) x^2+x-2는 x^2과 $3x+2$의 등차중항이므로

$$2(x^2+x-2) = x^2 + 3x + 2$$
$$x^2 - x - 6 = 0, \ (x+2)(x-3) = 0$$
$$\therefore \boldsymbol{x=-2} \text{ 또는 } \boldsymbol{x=3}$$

4-1 (1) 첫째항 $a=-3$, 끝항 $l=17$, 항수 $n=10$인 등차수열의 합은

$$\frac{10(-3+\boxed{17})}{2} = \frac{10 \times \boxed{14}}{2} = 70$$

(2) 첫째항 $a=2$, 공차 $d=-2$, 항수 $n=10$인 등차수열의 합은

$$\frac{10\{2 \times 2 + (10-1) \times (\boxed{-2})\}}{2}$$
$$= \frac{10 \times (-14)}{2} = \boxed{-70}$$

4-2 (1) 첫째항 $a=-5$, 끝항 $l=40$, 항수 $n=20$인 등차수열의 합은

$$\frac{20(-5+40)}{2} = 350$$

(2) 첫째항 $a=15$, 공차 $d=-1$, 항수 $n=20$인 등차수열의 합은

$$\frac{20\{2 \times 15 + (20-1) \times (-1)\}}{2} = 110$$

01-1 셀파 차례로 $a_1, a_2, a_3, a_4, a_5, \cdots$로 놓고 규칙을 찾는다.

(1) $a_1 = -2 = (-2)^1$, $a_2 = 4 = (-2)^2$, $a_3 = -8 = (-2)^3$,
$a_4 = 16 = (-2)^4$, $a_5 = -32 = (-2)^5$, $\cdots$
따라서 주어진 수열 $\{a_n\}$의 일반항은 $\boldsymbol{a_n = (-2)^n}$

(2) $a_1 = 1 = \dfrac{1}{2 \times 1 - 1}$, $a_2 = \dfrac{1}{3} = \dfrac{1}{2 \times 2 - 1}$,

$a_3 = \dfrac{1}{5} = \dfrac{1}{2 \times 3 - 1}$, $a_4 = \dfrac{1}{7} = \dfrac{1}{2 \times 4 - 1}$,

$a_5 = \dfrac{1}{9} = \dfrac{1}{2 \times 5 - 1}$, $\cdots$

따라서 주어진 수열 $\{a_n\}$의 일반항은 $\boldsymbol{a_n = \dfrac{1}{2n-1}}$

(3) $a_1 = 9 = 10^1 - 1$, $a_2 = 99 = 100 - 1 = 10^2 - 1$,
$a_3 = 999 = 1000 - 1 = 10^3 - 1$,
$a_4 = 9999 = 10000 - 1 = 10^4 - 1$,
$a_5 = 99999 = 100000 - 1 = 10^5 - 1$, $\cdots$
따라서 주어진 수열 $\{a_n\}$의 일반항은 $\boldsymbol{a_n = 10^n - 1}$

02-1 셀파 첫째항 a와 공차 d를 구한 다음 일반항 a_n을 구한다.

(1) 첫째항 $a=1$, 공차 $d = 5-1 = 9-5 = \cdots = 4$이므로
$a_n = 1 + (n-1) \times 4 = 4n-3$
$\therefore a_{10} = 4 \times 10 - 3 = \boldsymbol{37}$

(2) 첫째항 $a = \dfrac{1}{6}$, 공차 $d = \dfrac{1}{3} - \dfrac{1}{6} = \dfrac{1}{2} - \dfrac{1}{3} = \cdots = \dfrac{1}{6}$이므로
$a_n = \dfrac{1}{6} + (n-1) \times \dfrac{1}{6} = \dfrac{n}{6}$
$\therefore a_{10} = \dfrac{10}{6} = \boldsymbol{\dfrac{5}{3}}$

02-2 셀파 첫째항 a와 공차 d에 대한 연립방정식을 세워 a와 d를 구한다.

첫째항을 a, 공차를 d라 하면
$a_2 = 8$에서 $a + d = 8$ ……㉠
$a_4 : a_{10} = 3 : 8$에서 $8a_4 = 3a_{10}$이므로
$8(a+3d) = 3(a+9d)$ $\therefore 5a - 3d = 0$ ……㉡
㉠, ㉡을 연립하여 풀면
$a = 3, d = 5$
따라서 $a_n = 3 + (n-1) \times 5 = 5n - 2$이므로
$a_{14} = 5 \times 14 - 2 = \boldsymbol{68}$

01 (1) $a=1$, $d=3$이므로

$a_n=1+(n-1)\times 3$

$\therefore \boldsymbol{a_n=3n-2}$

(2) $a=10$, $d=-4$이므로

$a_n=10+(n-1)\times(-4)$

$\therefore \boldsymbol{a_n=-4n+14}$

(3) $a=-6$, $d=2$이므로

$a_n=-6+(n-1)\times 2$

$\therefore \boldsymbol{a_n=2n-8}$

(4) $a=-20$, $d=5$이므로

$a_n=-20+(n-1)\times 5$

$\therefore \boldsymbol{a_n=5n-25}$

(5) $a=14$, $d=-3$이므로

$a_n=14+(n-1)\times(-3)$

$\therefore \boldsymbol{a_n=-3n+17}$

02 (1) 첫째항 $a=2$, 공차 $d=5-2=3$이므로

$a_n=2+(n-1)\times 3$

$\therefore \boldsymbol{a_n=3n-1}$

(2) 첫째항 $a=11$, 공차 $d=15-11=4$이므로

$a_n=11+(n-1)\times 4$

$\therefore \boldsymbol{a_n=4n+7}$

(3) 첫째항 $a=-7$, 공차 $d=-3-(-7)=4$이므로

$a_n=-7+(n-1)\times 4$

$\therefore \boldsymbol{a_n=4n-11}$

(4) 첫째항 $a=20$, 공차 $d=18-20=-2$이므로

$a_n=20+(n-1)\times(-2)$

$\therefore \boldsymbol{a_n=-2n+22}$

(5) 첫째항 $a=4$, 공차 $d=-1-4=-5$이므로

$a_n=4+(n-1)\times(-5)$

$\therefore \boldsymbol{a_n=-5n+9}$

03 (1) $a_3=a+2d=5$ ……㉠

$a_4=a+3d=3$ ……㉡

㉠, ㉡을 연립하여 풀면 $\boldsymbol{a=9}$, $\boldsymbol{d=-2}$

(2) $a_2=a+d=-2$ ……㉠

$a_4=a+3d=4$ ……㉡

㉠, ㉡을 연립하여 풀면 $\boldsymbol{a=-5}$, $\boldsymbol{d=3}$

(3) $a_4=a+3d=20$ ……㉠

$a_{10}=a+9d=8$ ……㉡

㉠, ㉡을 연립하여 풀면 $\boldsymbol{a=26}$, $\boldsymbol{d=-2}$

(4) $a_5=a+4d=-10$ ……㉠

$a_8=a+7d=2$ ……㉡

㉠, ㉡을 연립하여 풀면 $\boldsymbol{a=-26}$, $\boldsymbol{d=4}$

(5) $a_5=a+4d=9$ ……㉠

$a_{12}=a+11d=23$ ……㉡

㉠, ㉡을 연립하여 풀면 $\boldsymbol{a=1}$, $\boldsymbol{d=2}$

04 첫째항을 a, 공차를 d라 하면

(1) $a_1=a=8$ ……㉠

$a_5=a+4d=16$ ……㉡

㉠, ㉡을 연립하여 풀면 $a=8$, $d=2$

$a_n=8+(n-1)\times 2$

$\therefore \boldsymbol{a_n=2n+6}$

(2) $a_2=a+d=-2$ ……㉠

$a_5=a+4d=-11$ ……㉡

㉠, ㉡을 연립하여 풀면 $a=1$, $d=-3$

$a_n=1+(n-1)\times(-3)$

$\therefore \boldsymbol{a_n=-3n+4}$

(3) $a_3=a+2d=10$ ……㉠

$a_8=a+7d=30$ ……㉡

㉠, ㉡을 연립하여 풀면 $a=2$, $d=4$

$a_n=2+(n-1)\times 4$

$\therefore \boldsymbol{a_n=4n-2}$

(4) $a_4=a+3d=3$ ……㉠

$a_{10}=a+9d=-15$ ……㉡

㉠, ㉡을 연립하여 풀면 $a=12$, $d=-3$

$a_n=12+(n-1)\times(-3)$

$\therefore \boldsymbol{a_n=-3n+15}$

(5) $a_5=a+4d=-6$ ······㉠

$a_{12}=a+11d=8$ ······㉡

㉠, ㉡을 연립하여 풀면 $a=-14$, $d=2$

$a_n=-14+(n-1)\times2$

∴ $\boldsymbol{a_n=2n-16}$

03-1 셀파 $4, x_1, x_2, x_3, x_4, x_5, 34$에서 34는 이 수열의 제7항이다.

두 수 4와 34 사이에 5개의 수를 넣어 만든 등차수열 $\{a_n\}$에서 첫째항은 4, 제7항은 34이다.

공차를 d라 하면 $a_7=34$이므로

$4+6d=34$, $6d=30$ ∴ $d=5$

따라서 이 수열의 공차는 **5**

03-2 셀파 두 수 a, b 사이에 n개의 수를 넣어 등차수열을 만들면 b는 제$(n+2)$항이 된다.

두 수 -5와 13 사이에 n개의 수를 넣어 등차수열 $\{b_n\}$을 만들면 첫째항이 -5이고 제$(n+2)$항이 13인 등차수열이 된다.

수열 $\{b_n\}$의 공차가 3이므로 일반항은

$b_n=-5+(n-1)\times3=3n-8$

이때 제$(n+2)$항이 13이므로

$3(n+2)-8=13$, $3n=15$

∴ $\boldsymbol{n=5}$

04-1 셀파 (1) $a_n<0$인 자연수 n의 최솟값을 구한다.
(2) $a_n>100$인 자연수 n의 최솟값을 구한다.

등차수열 $\{a_n\}$의 첫째항을 a, 공차를 d라 하면

(1) $a_{11}=70$에서 $a+10d=70$ ······㉠

$a_{26}=25$에서 $a+25d=25$ ······㉡

㉠, ㉡을 연립하여 풀면 $a=100$, $d=-3$

∴ $a_n=100+(n-1)\times(-3)=-3n+103$

처음으로 음수가 되려면 $a_n<0$에서

$-3n+103<0$, $3n>103$

∴ $n>\dfrac{103}{3}=34.\times\times\times$

따라서 처음으로 음수가 되는 항은 **제35항**

(2) $a_{10}=35$에서 $a+9d=35$ ······㉠

$a_5:a_{15}=2:5$에서 $5a_5=2a_{15}$

$5(a+4d)=2(a+14d)$, $5a+20d=2a+28d$

∴ $3a-8d=0$ ······㉡

㉠, ㉡을 연립하여 풀면 $a=8$, $d=3$

∴ $a_n=8+(n-1)\times3=3n+5$

처음으로 100보다 커지려면 $a_n>100$에서

$3n+5>100$, $3n>95$ ∴ $n>\dfrac{95}{3}=31.\times\times\times$

따라서 처음으로 100보다 커지는 항은 **제32항**

셀파 세미나 처음으로 양수 또는 음수가 되는 항

첫째항이 a, 공차가 d인 등차수열 $\{a_n\}$의 일반항

$a_n=a+(n-1)d$에서

❶ $a<0$, $d>0$인 경우

⇨ 수열 $\{a_n\}$은 음수에서부터 시작하여 점점 증가하는 수열이 된다. 즉, 처음으로 양수가 되는 항은 $a_n>0$을 만족시키는 자연수 n의 최솟값이다.

❷ $a>0$, $d<0$인 경우

⇨ 수열 $\{a_n\}$은 양수에서부터 시작하여 점점 감소하는 수열이 된다. 즉, 처음으로 음수가 되는 항은 $a_n<0$을 만족시키는 자연수 n의 최솟값이다.

05-1 셀파 세 수 a, b, c가 이 순서대로 등차수열을 이루면 b는 a와 c의 등차중항이다.

$-1, y, 5$가 이 순서대로 등차수열을 이루므로

$2y=-1+5$ ∴ $y=2$

$x, -1, y$가 이 순서대로 등차수열을 이루므로

$2\times(-1)=x+y$, $-2=x+2$ ∴ $x=-4$

∴ $\boldsymbol{x=-4}$, $\boldsymbol{y=2}$

05-2 셀파 $f(x)$를 $x+1$, $x+2$, $x+5$로 나누었을 때의 나머지를 각각 k에 대한 식으로 나타낸다.

다항식 $f(x)=x^2+kx-1$을 일차식 $x+1$, $x+2$, $x+5$로 나누었을 때의 나머지는 각각 $f(-1)$, $f(-2)$, $f(-5)$이다.

$f(-1)=(-1)^2+k\times(-1)-1=-k$

$f(-2)=(-2)^2+k\times(-2)-1=-2k+3$

$f(-5)=(-5)^2+k\times(-5)-1=-5k+24$

$f(-1)$, $f(-2)$, $f(-5)$가 이 순서대로 등차수열을 이루므로

$2(-2k+3)=-k+(-5k+24)$

$-4k+6=-6k+24$, $2k=18$

∴ $\boldsymbol{k=9}$

06-1 〔셀파〕 세 수가 등차수열을 이루면 세 수를 $a-d, a, a+d$로 놓는다.

등차수열을 이루는 세 수를 $a-d, a, a+d$로 놓으면
세 수의 합이 18이므로
$(a-d)+a+(a+d)=18$
$3a=18$ $\quad \therefore a=6$ $\quad\quad\quad\quad\quad$ ······㉠
세 수의 곱이 162이므로
$(a-d)a(a+d)=162$ $\quad \therefore a(a^2-d^2)=162$ $\quad$ ······㉡
㉠을 ㉡에 대입하면
$6(36-d^2)=162,\ 36-d^2=27,\ d^2=9$
$d^2-9=0,\ (d+3)(d-3)=0$
$\therefore d=-3$ 또는 $d=3$
(i) $a=6, d=-3$일 때, 세 수는 $9, 6, 3$
(ii) $a=6, d=3$일 때, 세 수는 $3, 6, 9$
(i), (ii)에서 구하는 세 수는 **3, 6, 9**

〔셀파세미나〕 **등차수열을 이루는 세 수를 대칭형으로 놓는 이유**

06-1에서 구하려는 세 수를 $a, a+d, a+2d$로 놓고 풀어 보자.

| 풀이 |

등차수열을 이루는 세 수를 $a, a+d, a+2d$로 놓으면
세 수의 합이 18이므로
$a+(a+d)+(a+2d)=18$ $\quad\quad\quad\quad$ ······㉠
세 수의 곱이 162이므로
$a(a+d)(a+2d)=162$ $\quad\quad\quad\quad$ ······㉡
㉠에서 $3a+3d=18,\ a+d=6$ $\quad \therefore a=6-d$
$a=6-d$를 ㉡에 대입하면
$(6-d)\times6\times(6+d)=162$
$6(36-d^2)=162,\ 36-d^2=27,\ d^2=9$
$\therefore d=-3$ 또는 $d=3$
이때 $d=-3$이면 $a=9, d=3$이면 $a=3$
따라서 구하는 세 수는 $3, 6, 9$이다.

이와 같이 세 수를 $a-d, a, a+d$ 대신 $a, a+d, a+2d$로 놓고 풀어도 같은 결과를 얻을 수는 있지만 **06-1**의 풀이보다 계산 과정이 좀 더 복잡하다.
따라서 등차수열을 이루는 세 수를 구할 때는 $a-d, a, a+d$와 같이 대칭형으로 놓는 것이 계산하기 편하다.

| 참고 |
❶ 네 수가 등차수열을 이룰 때
 ⇨ 네 수를 $a-3d, a-d, a+d, a+3d$로 놓는다.
❷ 다섯 수가 등차수열을 이룰 때 ←─ 공차는 d가 아니라 $2d$이다.
 ⇨ 다섯 수를 $a-2d, a-d, a, a+d, a+2d$로 놓는다.

06-2 〔셀파〕 등차수열을 이루는 세 근을 각각 $a-d, a, a+d$로 놓는다.

삼차방정식 $x^3-6x^2+3x+k=0$의 세 실근이 등차수열을 이루므로 세 실근을 각각 $a-d, a, a+d$로 놓으면 근과 계수의 관계에서
$(a-d)+a+(a+d)=6$ $\quad\quad\quad\quad$ ······㉠
$(a-d)a+a(a+d)+(a-d)(a+d)=3$ $\quad$ ······㉡
$(a-d)a(a+d)=-k$ $\quad\quad\quad\quad$ ······㉢
㉠에서 $3a=6$ $\quad \therefore a=2$
㉡에서 $3a^2-d^2=3$에 $a=2$를 대입하면
$12-d^2=3,\ d^2=9$ $\quad \therefore d=-3$ 또는 $d=3$
(i) $a=2, d=-3$일 때, 세 수는 $5, 2, -1$
(ii) $a=2, d=3$일 때, 세 수는 $-1, 2, 5$
(i), (ii)에서 세 근의 곱은 -10이므로
㉢에 대입하면 $-10=-k$ $\quad \therefore \pmb{k=10}$

| 다른 풀이 |
삼차방정식 $x^3-6x^2+3x+k=0$의 세 근을 $a-d, a, a+d$라 하면
$(a-d)+a+(a+d)=6,\ 3a=6$ $\quad \therefore a=2$
$x^3-6x^2+3x+k=0$의 한 근이 2이므로
$f(x)=x^3-6x^2+3x+k$라 하면
$f(2)=2^3-6\times2^2+3\times2+k=0$ $\quad \therefore k=10$

〔LECTURE〕 **삼차방정식의 근과 계수의 관계**

x에 대한 삼차방정식 $ax^3+bx^2+cx+d=0$의 세 근을 α, β, γ라 할 때, 다음 관계가 성립한다.
❶ $\alpha+\beta+\gamma=-\dfrac{b}{a}$
❷ $\alpha\beta+\beta\gamma+\gamma\alpha=\dfrac{c}{a}$
❸ $\alpha\beta\gamma=-\dfrac{d}{a}$

07-1 〔셀파〕 첫째항과 공차를 구한 다음 등차수열의 일반항을 구한다.

주어진 수열의 일반항을 a_n, 첫째항부터 제n항까지의 합을 S_n이라 하면
수열 $\{a_n\}$은 첫째항이 30, 공차가 -5인 등차수열이므로
$a_n=30+(n-1)\times(-5)=-5n+35$
제n항을 -50이라 하면
$-5n+35=-50$에서 $5n=85$ $\quad \therefore n=17$
따라서 주어진 수열의 합은
$S_{17}=\dfrac{17\{30+(-50)\}}{2}=\dfrac{17\times(-20)}{2}=\pmb{-170}$

07-2 셀파 첫째항부터 제9항까지의 합에서 공차를 구한다.

수열 $\{a_n\}$의 첫째항은 $a=2$이므로 공차를 d라 하면

$a_1+a_2+a_3+\cdots+a_9=90$에서

$$\frac{9\{2\times2+(9-1)d\}}{2}=90$$

$4+8d=20,\ 8d=16$ ∴ $d=2$

∴ $a_{10}=a+9d=2+9\times2=\mathbf{20}$

집중 연습

본문 | **186** 쪽

01 $S_n=\dfrac{n(a+l)}{2}$에서

(1) $a=-1,\ l=9,\ n=5$이므로

$$S_5=\frac{5(-1+9)}{2}=\frac{5\times8}{2}=\mathbf{20}$$

(2) $a=8,\ l=-7,\ n=8$이므로

$$S_8=\frac{8(8-7)}{2}=\frac{8\times1}{2}=\mathbf{4}$$

(3) $a=4,\ l=20,\ n=9$이므로

$$S_9=\frac{9(4+20)}{2}=\frac{9\times24}{2}=\mathbf{108}$$

(4) $a=3,\ l=15,\ n=10$이므로

$$S_{10}=\frac{10(3+15)}{2}=\frac{10\times18}{2}=\mathbf{90}$$

02 $S_n=\dfrac{n\{2a+(n-1)d\}}{2}$에서

(1) $a=1,\ d=2,\ n=10$이므로

$$S_{10}=\frac{10\{2\times1+(10-1)\times2\}}{2}=\frac{10\times20}{2}=\mathbf{100}$$

(2) $a=3,\ d=3,\ n=8$이므로

$$S_8=\frac{8\{2\times3+(8-1)\times3\}}{2}=\frac{8\times27}{2}=\mathbf{108}$$

(3) $a=10,\ d=-2,\ n=10$이므로

$$S_{10}=\frac{10\{2\times10+(10-1)\times(-2)\}}{2}=\frac{10\times2}{2}=\mathbf{10}$$

(4) $a=-7,\ d=4,\ n=9$이므로

$$S_9=\frac{9\{2\times(-7)+(9-1)\times4\}}{2}=\frac{9\times18}{2}=\mathbf{81}$$

03 (1) $a=3,\ S_5=35$이므로

$$S_5=\frac{5\{2\times3+(5-1)d\}}{2}=\frac{5(6+4d)}{2}$$

$$=15+10d$$

$15+10d=35,\ 10d=20$

∴ $d=\mathbf{2}$

(2) $a=1,\ S_{10}=145$이므로

$$S_{10}=\frac{10\{2\times1+(10-1)d\}}{2}=\frac{10(2+9d)}{2}$$

$$=10+45d$$

$10+45d=145,\ 45d=135$

∴ $d=\mathbf{3}$

(3) $a=-10,\ S_8=32$이므로

$$S_8=\frac{8\{2\times(-10)+(8-1)d\}}{2}=\frac{8(-20+7d)}{2}$$

$$=-80+28d$$

$-80+28d=32,\ 28d=112$

∴ $d=\mathbf{4}$

(4) $a=22,\ S_{20}=-130$이므로

$$S_{20}=\frac{20\{2\times22+(20-1)d\}}{2}=\frac{20(44+19d)}{2}$$

$$=440+190d$$

$440+190d=-130,\ 190d=-570$

∴ $d=\mathbf{-3}$

04 (1) $a=16,\ S_{13}=52$이므로

$$S_{13}=\frac{13\{2\times16+(13-1)d\}}{2}=\frac{13(32+12d)}{2}$$

$$=208+78d$$

$208+78d=52,\ 78d=-156$ ∴ $d=-2$

∴ $a_4=16+3\times(-2)=\mathbf{10}$

(2) $a=3,\ S_9=135$이므로

$$S_9=\frac{9\{2\times3+(9-1)d\}}{2}=\frac{9(6+8d)}{2}$$

$$=27+36d$$

$27+36d=135,\ 36d=108$ ∴ $d=3$

∴ $a_3=3+2\times3=\mathbf{9}$

080 | 정답과 해설

(3) $a=7$, $S_5=-5$이므로

$$S_5=\frac{5\{2\times7+(5-1)d\}}{2}=\frac{5(14+4d)}{2}$$
$$=35+10d$$
$$35+10d=-5,\ 10d=-40\quad\therefore d=-4$$
$$\therefore a_9=7+8\times(-4)=\mathbf{-25}$$

(4) $a=-5$, $S_8=-96$이므로

$$S_8=\frac{8\{2\times(-5)+(8-1)d\}}{2}=\frac{8(-10+7d)}{2}$$
$$=-40+28d$$
$$-40+28d=-96,\ 28d=-56\quad\therefore d=-2$$
$$\therefore a_{12}=-5+11\times(-2)=\mathbf{-27}$$

이때 $a_{15}+a_{16}+a_{17}+\cdots+a_{50}=S_{50}-S_{14}$에서

$$S_{50}=\frac{50\{2\times(-4)+49\times2\}}{2}=2250,$$
$$S_{14}=\frac{14\{2\times(-4)+13\times2\}}{2}=126$$
$$\therefore a_{15}+a_{16}+a_{17}+\cdots+a_{50}=S_{50}-S_{14}$$
$$=2250-126$$
$$=\mathbf{2124}$$

| 다른 풀이 |

$a=-4$, $d=2$에서

$$a_{15}=a+14d=-4+14\times2=24$$
$$a_{50}=a+49d=-4+49\times2=94$$

이때 a_{15}부터 a_{50}까지의 항수는 36이므로

$$a_{15}+a_{16}+a_{17}+\cdots+a_{50}=\frac{36(24+94)}{2}=2124$$

08-1 셀파 첫째항이 a, 공차가 d인 등차수열의 첫째항부터 제n항

까지의 합은 $S_n=\dfrac{n\{2a+(n-1)d\}}{2}$

첫째항을 a, 공차를 d, 첫째항부터 제n항까지의 합을 S_n이라 하면

$S_6=33$에서 $S_6=\dfrac{6\{2a+(6-1)d\}}{2}=33$

$$\therefore 2a+5d=11 \qquad \cdots\cdots\ ㉠$$

$S_{12}=174$에서 $S_{12}=\dfrac{12\{2a+(12-1)d\}}{2}=174$

$$\therefore 2a+11d=29 \qquad \cdots\cdots\ ㉡$$

㉠, ㉡을 연립하여 풀면 $a=-2$, $d=3$

따라서 첫째항부터 제18항까지의 합은

$$S_{18}=\frac{18\{2\times(-2)+(18-1)\times3\}}{2}=\mathbf{423}$$

09-1 셀파 7의 배수는 첫째항이 7, 공차가 7인 등차수열이다.

100 이하의 자연수 중에서 7의 배수는

$7,\ 14,\ 21,\ \cdots,\ 98$

이 수열은 첫째항이 7, 공차가 7인 등차수열이므로

98을 제n항이라 하면

$$98=7+(n-1)\times7,\ 7n=98\quad\therefore n=14$$

따라서 구하는 합은 첫째항이 7, 끝항이 98, 항수가 14인 등차수열의 합이므로

$$\frac{14(7+98)}{2}=\mathbf{735}$$

08-2 셀파 $a_{15}+a_{16}+\cdots+a_{50}=S_{50}-S_{14}$를 이용한다.

등차수열 $\{a_n\}$의 첫째항을 a, 공차를 d, 첫째항부터 제n항까지의 합을 S_n이라 하면

$S_{10}=50$에서 $S_{10}=\dfrac{10(2a+9d)}{2}=50$

$$\therefore 2a+9d=10 \qquad \cdots\cdots\ ㉠$$

$S_{20}=300$에서 $S_{20}=\dfrac{20(2a+19d)}{2}=300$

$$\therefore 2a+19d=30 \qquad \cdots\cdots\ ㉡$$

㉠, ㉡을 연립하여 풀면 $a=-4$, $d=2$

09-2 셀파 5로 나눈 나머지가 4인 자연수는 첫째항이 4, 공차가 5인 등차수열이다.

100보다 작은 자연수 중에서 5로 나눈 나머지가 4인 자연수는

$4,\ 9,\ 14,\ \cdots,\ 99$

이 수열은 첫째항이 4, 공차가 5인 등차수열이므로

99를 제n항이라 하면

$$99=4+(n-1)\times5,\ 5n-1=99\quad\therefore n=20$$

따라서 구하는 합은 첫째항이 4, 끝항이 99, 항수가 20인 등차수열의 합이므로

$$\frac{20(4+99)}{2}=\mathbf{1030}$$

10-1 셀파 등차수열의 일반항 a_n을 구한다.

첫째항이 -21, 공차가 4인 등차수열의 일반항을 a_n이라 하면

$a_n=-21+(n-1)\times4=4n-25$

이때 공차가 양수이므로 제n항에서 처음으로 양수가 된다고 하면

$a_n>0$에서 $4n-25>0$ $\therefore n>\dfrac{25}{4}=6.25$

따라서 제7항부터 양수이다.

즉, 제6항까지는 음수이므로 첫째항부터 **제6항**까지의 합이 최소가 된다.

10-2 셀파 S_4와 S_{10}의 값에서 첫째항과 공차를 구한다.

등차수열 $\{a_n\}$의 첫째항을 a, 공차를 d라 하면

$S_4=32$에서 $\dfrac{4(2a+3d)}{2}=32$

$\therefore 2a+3d=16$ ······㉠

$S_{10}=20$에서 $\dfrac{10(2a+9d)}{2}=20$

$\therefore 2a+9d=4$ ······㉡

㉠, ㉡을 연립하여 풀면 $a=11$, $d=-2$

$\therefore a_n=11+(n-1)\times(-2)=-2n+13$

이때 공차가 음수이므로 제n항에서 처음으로 음수가 나온다고 하면

$a_n<0$에서 $-2n+13<0$ $\therefore n>\dfrac{13}{2}=6.5$

따라서 제7항부터 음수이다.

즉, 제6항까지는 양수이므로 첫째항부터 제6항까지의 합이 최대가 된다.

따라서 S_n의 최댓값은

$S_6=\dfrac{6\{2\times11+5\times(-2)\}}{2}=\mathbf{36}$

| 다른 풀이 |

$S_n=\dfrac{n\{2\times11+(n-1)\times(-2)\}}{2}=-n^2+12n=-(n-6)^2+36$

따라서 S_n은 $n=6$일 때, 최댓값 36을 갖는다.

11-1 셀파 $a_1=S_1$, $a_n=S_n-S_{n-1}$ $(n\geq2)$을 이용하여 일반항 a_n을 구한다.

$S_n=2n^2-5n+1$에서

(ⅰ) $n\geq2$일 때

$a_n=S_n-S_{n-1}$

$=(2n^2-5n+1)-\{2(n-1)^2-5(n-1)+1\}$

$=(2n^2-5n+1)-(2n^2-9n+8)$

$=4n-7$ ······㉠

(ⅱ) $n=1$일 때

$a_1=S_1=2\times1^2-5\times1+1=-2$

그런데 $a_1=-2$는 ㉠에 $n=1$을 대입한 값 -3과 같지 않다.

(ⅰ), (ⅱ)에서 $a_1=-2$, $a_n=4n-7(n\geq2)$이므로

$a_{10}=4\times10-7=33$

$\therefore a_1+a_{10}=-2+33=\mathbf{31}$

| 다른 풀이 |

$S_n=2n^2-5n+1$에서

$a_1=S_1=2\times1^2-5\times1+1=-2$

$a_{10}=S_{10}-S_9$

$=(2\times10^2-5\times10+1)-(2\times9^2-5\times9+1)$

$=(200-50+1)-(162-45+1)=33$

$\therefore a_1+a_{10}=-2+33=31$

■ 연습 문제

본문 | 192~193쪽

01 셀파 L자 모양으로 선택되는 세 수의 규칙을 찾아 세 수의 합의 일반항을 구한다.

L자의 중앙에 있는 수를 n이라 하면 나머지 두 수는 $n-7$, $n+1$이므로 세 수의 합은

$n+(n-7)+(n+1)=3n-6=3(n-2)$

즉, 세 수의 합은 3의 배수이다.

따라서 구하는 답은 ③

02 셀파 첫째항이 a, 공차가 d인 등차수열의 일반항 a_n은 $a_n=a+(n-1)d$이므로 n의 계수가 공차이다.

일반항이 $a_n=kn+4$인 등차수열 $\{a_n\}$의 공차가 -2이므로

$k=-2$

따라서 $a_n=-2n+4$이므로

$a_{10}=-2\times10+4=\mathbf{-16}$

03 셀파 등차수열 $\{a_n\}$에서 $a_2=-a_7$을 이용한다.

제2항과 제7항은 절댓값이 같고 부호가 서로 다르므로

$a_2=-a_7$에서 $a_2+a_7=0$

등차수열 $\{a_n\}$의 공차를 d라 하면 첫째항이 7이므로

$(7+d)+(7+6d)=0$, $14+7d=0$ $\therefore d=-2$

따라서 구하는 공차는 $\mathbf{-2}$

04 셀파 첫째항 a와 공차 d에 대한 식으로 나타낸다.

수열 $\{a_n\}$은 제2항이 5, 제10항이 -11인 등차수열이므로

첫째항을 a, 공차를 d라 하면

$a_2=5$에서 $a+d=5$ ······㉠

$a_{10}=-11$에서 $a+9d=-11$ ······㉡

㉠, ㉡을 연립하여 풀면 $a=7$, $d=-2$

$\therefore a_n=7+(n-1)\times(-2)=-2n+9$

$a_n=-31$에서

$-2n+9=-31$, $2n=40$ $\therefore n=20$

따라서 -31은 **제20항**

05 셀파 항수가 5이므로 제5항이 5이다.

수열 17, a, b, c, 5는 첫째항 17, 제5항이 5인 등차수열이다.

공차를 d라 하면 제5항이 5이므로

$17+4d=5$, $4d=-12$ $\therefore d=-3$

따라서 $a=14$, $b=11$, $c=8$이므로

$a+b+c=14+11+8=$**33**

| 다른 풀이 |

a, b, c는 이 순서대로 등차수열을 이루므로 $2b=a+c$

17, b, 5는 이 순서대로 등차수열을 이루므로 $2b=17+5=22$

$\therefore b=11$

$\therefore a+b+c=(a+c)+b=2b+b=3b=3\times11=33$

06 셀파 일반항 $a_n<0$인 n의 최솟값을 구한다.

첫째항이 100, 공차가 -3인 등차수열 $\{a_n\}$의 일반항은

$a_n=100+(n-1)\times(-3)=-3n+103$

처음으로 음수가 되려면 $a_n<0$에서

$-3n+103<0$, $3n>103$

$\therefore n>\dfrac{103}{3}=34.\times\times\times$

따라서 처음으로 음수가 되는 항은 제35항이므로 구하는 답은 ③

07 셀파 a, b, c가 이 순서대로 등차수열을 이루면 $2b=a+c$

x, 5, y에서 5는 x와 y의 등차중항이므로

$2\times5=x+y$ $\therefore x+y=10$ ······㉠

5, y, 11에서 y는 5와 11의 등차중항이므로

$2y=5+11$ $\therefore y=8$ ······㉡

y, 11, z에서 11은 y와 z의 등차중항이므로

$2\times11=y+z$ $\therefore y+z=22$ ······㉢

㉠, ㉡, ㉢을 연립하여 풀면 $x=2$, $y=8$, $z=14$

$\therefore x+y+z=2+8+14=$**24**

| 다른 풀이 |

x, 5, y, 11, z가 이 순서대로 등차수열을 이루므로 첫째항을 a, 공차를 d라 하면 제2항이 5, 제4항이 11이므로

$a+d=5$, $a+3d=11$

두 식을 연립하여 풀면 $a=2$, $d=3$

$\therefore x=2$, $y=8$, $z=14$ $\therefore x+y+z=24$

08 셀파 네 수가 등차수열을 이루면 네 수를 $a-3d$, $a-d$, $a+d$, $a+3d$로 놓는다.

등차수열을 이루는 학생들이 받은 사탕 수를

$a-3d$, $a-d$, $a+d$, $a+3d$ $(d>0)$로 놓으면

$(a-3d)+(a-d)+(a+d)+(a+3d)=40$

$4a=40$ $\therefore a=10$

가장 많이 받은 학생의 사탕 수는 $a+3d$이고

나머지 세 명이 받은 사탕을 합한 개수는

$(a-3d)+(a-d)+(a+d)=3a-3d$이므로

$a+3d=\dfrac{2}{3}(3a-3d)$, $a+3d=2a-2d$

즉, $a=5d$에서 $a=10$을 대입하면

$10=5d$ $\therefore d=2$

따라서 가장 적게 받은 학생의 사탕 수는

$a-3d=10-3\times2=$**4**

09 셀파 첫째항을 a라 하고 등차수열의 합을 이용하여 a의 값을 구한다.

첫째항부터 제n항까지의 합을 S_n이라 하고,

등차수열 $\{a_n\}$의 첫째항을 a라 하면 공차가 $\dfrac{1}{2}$이므로

$S_{21}=147$에서

$\dfrac{21\left\{2a+(21-1)\times\dfrac{1}{2}\right\}}{2}=147$, $\dfrac{21(2a+10)}{2}=147$

$21a+105=147$, $21a=42$ $\therefore a=2$

따라서 첫째항부터 제17항까지의 합은

$S_{17}=\dfrac{17\left\{2\times2+(17-1)\times\dfrac{1}{2}\right\}}{2}=\dfrac{17(4+8)}{2}=$**102**

10 셀파 첫째항은 10이고 30은 제12항이다.

10과 30 사이에 10개의 자연수를 넣어 만든 수열

$10, a_1, a_2, \cdots, a_{10}, 30$

은 12개의 항으로 이루어진 등차수열이다.

이때 $10+a_1+a_2+\cdots+a_{10}+30=\dfrac{12(10+30)}{2}=240$

$\therefore a_1+a_2+\cdots+a_{10}=240-40=\mathbf{200}$

11 셀파 $a_{n+1}+a_{n+2}+\cdots+a_{2n}=S_{2n}-S_n$임을 이용한다.

㉮ 첫째항부터 제n항까지의 합을 S_n이라 하고,
등차수열 $\{a_n\}$의 첫째항을 a, 공차를 d라 하면

$a_1+a_2+\cdots+a_{10}=145$에서 $S_{10}=145$이므로

$\dfrac{10(2a+9d)}{2}=145$ $\therefore 2a+9d=29$ ……㉠

㉯ $a_{11}+a_{12}+\cdots+a_{20}=445$에서 $S_{20}-S_{10}=445$이므로

$S_{20}-145=445$ $\therefore S_{20}=590$

$\dfrac{20(2a+19d)}{2}=590, \ 2a+19d=59$ ……㉡

㉰ ㉠, ㉡을 연립하여 풀면 $a=1, d=3$

㉱ 따라서 첫째항부터 제30항까지의 합은

$S_{30}=\dfrac{30(2\times1+29\times3)}{2}=\mathbf{1335}$

채점 기준	배점
㉮ $a_1+a_2+\cdots+a_{10}=145$에서 a와 d에 대한 식을 구한다.	30%
㉯ $a_{11}+a_{12}+\cdots+a_{20}=445$에서 a와 d에 대한 식을 구한다.	30%
㉰ a, d의 값을 구한다.	10%
㉱ 첫째항부터 제30항까지의 합을 구한다.	30%

12 셀파 공차를 구하여 $a_n<0$인 n의 최솟값을 구한다.

등차수열 $\{a_n\}$의 공차를 d라 하면

$a_1=15, S_4=48$이므로

$S_4=\dfrac{4(2\times15+3d)}{2}=48, \ 30+3d=24$ $\therefore d=-2$

$\therefore a_n=15+(n-1)\times(-2)=-2n+17$

이때 공차가 음수이므로 제n항에서 처음으로 음수가 된다고 하면

$a_n<0$에서 $-2n+17<0, \ 2n>17$ $\therefore n>8.5$

따라서 제9항부터 음수이다.

즉, 제8항까지는 양수이므로 첫째항부터 제8항까지의 합이 최대가 된다.

따라서 구하는 답은 ③

13 셀파 $a_n>0$이 되는 자연수 n의 최솟값을 구한다.

$S_n=2n^2-25n$에서

(i) $n\geq2$일 때

$a_n=S_n-S_{n-1}$

$\quad=2n^2-25n-\{2(n-1)^2-25(n-1)\}$

$\quad=2n^2-25n-(2n^2-29n+27)$

$\quad=4n-27$ ……㉠

(ii) $n=1$일 때

$a_1=S_1=2-25=-23$

이때 $a_1=-23$은 ㉠에 $n=1$을 대입한 값과 같다.

(i), (ii)에서 $a_n=4n-27$

$a_n>0$에서 $4n-27>0$ $\therefore n>\dfrac{27}{4}=6.75$

즉, 제7항부터 양수가 되므로 음수항은 첫째항부터 제6항까지이다.

따라서 모든 음수항의 합은

첫째항 $a_1=4-27=-23$, 끝항 $a_6=24-27=-3$, 항수가 6인 등차수열의 합이므로

$\dfrac{6(-23-3)}{2}=\mathbf{-78}$

14 셀파 수열의 합과 일반항 사이의 관계를 이용한다.

수열 $\{a_n\}, \{b_n\}$의 첫째항부터 제n항까지의 합을 각각 S_n, S_n'이라 하면 $S_n=n^2+kn, \ S_n'=2n^2-n$이므로

(i) $S_n=n^2+kn$에서

$a_n=S_n-S_{n-1}$

$\quad=n^2+kn-\{(n-1)^2+k(n-1)\}$

$\quad=n^2+kn-(n^2-2n+kn+1-k)$

$\quad=2n+k-1$

(ii) $S_n'=2n^2-n$에서

$b_n=S_n'-S_{n-1}'$

$\quad=2n^2-n-\{2(n-1)^2-(n-1)\}$

$\quad=2n^2-n-(2n^2-5n+3)$

$\quad=4n-3$

이때 $a_5=b_5$이므로 $2\times5+k-1=4\times5-3$

$9+k=17$ $\therefore \mathbf{k=8}$

| 다른 풀이 |

$a_5=S_5-S_4=(5^2+5k)-(4^2+4k)=9+k$

$b_5=S_5'-S_4'=(2\times5^2-5)-(2\times4^2-4)=17$

이때 $a_5=b_5$이므로 $9+k=17$ $\therefore k=8$

9. 등비수열

1-1 (1) $\dfrac{2}{-1}=-2$, $\dfrac{-4}{2}=-2$이므로

주어진 수열은 공비가 $\boxed{-2}$ 인 등비수열이다.

$$\therefore -1, \quad 2, \quad -4, \quad \boxed{8}, \quad \boxed{-16}, \quad 32$$
$$\times(-2) \quad \times(-2) \quad \times(-2) \quad \times(-2) \quad \times(-2)$$

(2) $\dfrac{27}{81}=\dfrac{1}{3}$, $\dfrac{9}{27}=\dfrac{1}{3}$, $\dfrac{3}{9}=\dfrac{1}{3}$이므로

주어진 수열은 공비가 $\boxed{\dfrac{1}{3}}$ 인 등비수열이다.

$$\therefore 81, \quad 27, \quad 9, \quad 3, \quad \boxed{1}, \quad \boxed{\dfrac{1}{3}}$$
$$\times\dfrac{1}{3} \quad \times\dfrac{1}{3} \quad \times\dfrac{1}{3} \quad \times\dfrac{1}{3} \quad \times\dfrac{1}{3}$$

1-2 (1) $\dfrac{4}{1}=4$, $\dfrac{16}{4}=4$이므로

주어진 수열은 공비가 4인 등비수열이다.

$$\therefore 1, \quad 4, \quad 16, \quad \boxed{64}, \quad \boxed{256}, \quad 1024$$
$$\times 4 \quad \times 4 \quad \times 4 \quad \times 4 \quad \times 4$$

(2) $\dfrac{-4}{8}=-\dfrac{1}{2}$, $\dfrac{2}{-4}=-\dfrac{1}{2}$이므로

주어진 수열은 공비가 $-\dfrac{1}{2}$인 등비수열이다.

$$\therefore 32, \quad \boxed{-16}, \quad 8, \quad -4, \quad 2, \quad \boxed{-1}$$
$$\times\left(-\dfrac{1}{2}\right) \times\left(-\dfrac{1}{2}\right) \times\left(-\dfrac{1}{2}\right) \times\left(-\dfrac{1}{2}\right) \times\left(-\dfrac{1}{2}\right)$$

2-1 (1) x는 2와 18의 등비중항이므로

$$x^2=2\times18=\boxed{36}$$
$$\therefore x=-6 \text{ 또는 } x=\boxed{6}$$

(2) $\dfrac{1}{2}$은 x와 $\dfrac{1}{4}$의 등비중항이므로

$$\left(\dfrac{1}{2}\right)^2=x\times\dfrac{1}{4}, \quad \boxed{\dfrac{1}{4}}=\dfrac{1}{4}x$$
$$\therefore x=\boxed{1}$$

2-2 (1) x는 -1과 -9의 등비중항이므로

$$x^2=(-1)\times(-9)=9$$
$$\therefore x=-3 \text{ 또는 } x=3$$

(2) 8은 -2와 x의 등비중항이므로

$$8^2=-2\times x, \quad -2x=64$$
$$\therefore x=-32$$

3-1 (1) 첫째항 $a=2$, 공비 $r=3$, 항수 $n=5$인 등비수열의 합은

$$\dfrac{2(3^5-1)}{\boxed{3}-1}=3^{\boxed{5}}-1=243-1=\boxed{242}$$

(2) 첫째항 $a=3$, 공비 $r=\dfrac{1}{2}$, 항수 $n=5$인 등비수열의 합은

$$\dfrac{3\left\{1-\left(\dfrac{1}{2}\right)^5\right\}}{1-\dfrac{1}{2}}=6\left(1-\dfrac{1}{\boxed{32}}\right)=\boxed{\dfrac{93}{16}}$$

3-2 (1) 첫째항 $a=-3$, 공비 $r=2$, 항수 $n=5$인 등비수열의 합은

$$\dfrac{-3(2^5-1)}{2-1}=-3\times31=\boldsymbol{-93}$$

(2) 첫째항 $a=4$, 공비 $r=-\dfrac{1}{3}$, 항수 $n=5$인 등비수열의 합은

$$\dfrac{4\left\{1-\left(-\dfrac{1}{3}\right)^5\right\}}{1-\left(-\dfrac{1}{3}\right)}=3\left(1+\dfrac{1}{243}\right)=\boldsymbol{\dfrac{244}{81}}$$

4-1 (1) 원금 $a=100$만 원, 연이율 $r=0.03$, 예금 기간 $n=5$이므로 원리합계 S는

$$S=100(1+0.03)^5=100\times1.03^5$$
$$=100\times\boxed{1.16}=\boxed{116}\text{(만 원)}$$

(2) 원금 $a=100$만 원, 연이율 $r=0.04$, 예금 기간 $n=6$이므로 원리합계 S는

$$S=100(1+0.04)^6=100\times1.04^{\boxed{6}}$$
$$=100\times\boxed{1.27}=\boldsymbol{127}\text{(만 원)}$$

4-2 (1) 원금 $a=200$만 원, 연이율 $r=0.03$, 예금 기간 $n=4$이므로 원리합계 S는

$$S=200(1+0.03)^4=200\times1.03^4$$
$$=200\times1.13=\textbf{226(만 원)}$$

(2) 원금 $a=200$만 원, 연이율 $r=0.05$, 예금 기간 $n=6$이므로 원리합계 S는

$$S=200(1+0.05)^6=200\times1.05^6$$
$$=200\times1.34=\textbf{268(만 원)}$$

$a_3+a_4=12$에서 $ar^2+ar^3=12$

$$\therefore ar^2(1+r)=12 \qquad \cdots\cdots \text{ⓛ}$$

ⓛ을 ⓐ으로 나누면 $r^2=4$ $\quad \therefore r=\pm2$

(i) $r=2$일 때, ⓐ에서 $a=1$

$$\therefore a_5+a_6=ar^4+ar^5=ar^4(1+r)=16\times3=48$$

(ii) $r=-2$일 때, ⓐ에서 $a=-3$

$$\therefore a_5+a_6=ar^4+ar^5=ar^4(1+r)=-48\times(-1)=48$$

(i), (ii)에서 $\boldsymbol{a_5+a_6=48}$

확인 문제 본문 | **200~211** 쪽

01-1 셀파 주어진 등비수열의 첫째항과 공비를 구한다.

(1) 첫째항 $a=-1$, 공비 $r=-2$인 등비수열이므로

$$a_n=-1\times(-2)^{n-1}=\boldsymbol{-(-2)^{n-1}}$$

따라서 제10항은 $\boldsymbol{a_{10}}=-(-2)^9=2^9=\textbf{512}$

(2) 첫째항 $a=\dfrac{1}{16}$, 공비 $r=2$인 등비수열이므로

$$a_n=\dfrac{1}{16}\times2^{n-1}=2^{-4}\times2^{n-1}=\boldsymbol{2^{n-5}}$$

따라서 제10항은 $\boldsymbol{a_{10}}=2^{10-5}=2^5=\textbf{32}$

01-2 셀파 $a_3=ar^2=-2$, $a_6=ar^5=16$임을 이용하여 식을 세운다.

등비수열 $\{a_n\}$의 첫째항을 a, 공비를 r라 하면

$a_3=-2$에서 $ar^2=-2$ $\quad \cdots\cdots \text{ⓐ}$

$a_6=16$에서 $ar^5=16$ $\quad \cdots\cdots \text{ⓛ}$

ⓛ을 ⓐ으로 나누면 $r^3=-8$ $\quad \therefore r=-2$ ($\because r$는 실수)

$r=-2$를 ⓐ에 대입하면 $4a=-2$ $\quad \therefore a=-\dfrac{1}{2}$

따라서 $a_n=-\dfrac{1}{2}\times(-2)^{n-1}$이므로 제8항은

$$a_8=-\dfrac{1}{2}\times(-2)^7=2^6=\textbf{64}$$

02-1 셀파 주어진 식을 첫째항 a와 공비 r를 이용하여 나타낸다.

등비수열 $\{a_n\}$의 첫째항을 a, 공비를 r라 하면

$a_1+a_2=3$에서 $a+ar=3$

$$\therefore a(1+r)=3 \qquad \cdots\cdots \text{ⓐ}$$

02-2 셀파 $a_n<\dfrac{1}{100}$을 만족시키는 자연수 n의 최솟값을 구한다.

첫째항 $a=3$, 공비 $r=\dfrac{1}{2}$이므로

$$a_n=3\times\left(\dfrac{1}{2}\right)^{n-1}$$

처음으로 $\dfrac{1}{100}$보다 작아지려면 $a_n<\dfrac{1}{100}$에서

$$3\times\left(\dfrac{1}{2}\right)^{n-1}<\dfrac{1}{100}, \left(\dfrac{1}{2}\right)^{n-1}<\dfrac{1}{300} \quad \therefore 2^{n-1}>300$$

이때 $2^8=256$, $2^9=512$이므로

$n-1\geq9$ $\quad \therefore n\geq10$

따라서 처음으로 $\dfrac{1}{100}$보다 작아지는 항은 **제10항**

집중 연습 본문 | **202** 쪽

01 (1) 첫째항 $a=2$, 공비 $r=\dfrac{-6}{2}=-3$이므로

$$\boldsymbol{a_n=2\times(-3)^{n-1}}$$

(2) 첫째항 $a=4$, 공비 $r=\dfrac{2}{4}=\dfrac{1}{2}$이므로

$$a_n=4\times\left(\dfrac{1}{2}\right)^{n-1} \qquad \therefore \boldsymbol{a_n=\left(\dfrac{1}{2}\right)^{n-3}}$$

(3) 첫째항 $a=4$, 공비 $r=\dfrac{12}{4}=3$이므로

$$\boldsymbol{a_n=4\times3^{n-1}}$$

(4) 첫째항 $a=36$, 공비 $r=\dfrac{-12}{36}=-\dfrac{1}{3}$이므로

$$\boldsymbol{a_n=36\times\left(-\dfrac{1}{3}\right)^{n-1}}$$

(5) 첫째항 $a=3$, 공비 $r=\dfrac{3^2}{3}=3$이므로

$a_n=3\times 3^{n-1}$ $\therefore \boldsymbol{a_n=3^n}$

(6) 첫째항 $a=4^2$, 공비 $r=\dfrac{4^3}{4^2}=4$이므로

$a_n=4^2\times 4^{n-1}$ $\therefore \boldsymbol{a_n=4^{n+1}}$

(7) 첫째항 $a=\dfrac{1}{4}$, 공비 $r=\dfrac{1}{2}\div\dfrac{1}{4}=2$이므로

$a_n=\dfrac{1}{4}\times 2^{n-1}$ $\therefore \boldsymbol{a_n=2^{n-3}}$

(8) 첫째항 $a=-3$, 공비 $r=\dfrac{9}{-3}=-3$이므로

$a_n=(-3)\times(-3)^{n-1}$ $\therefore \boldsymbol{a_n=(-3)^n}$

02 등비수열 $\{a_n\}$의 첫째항이 a, 공비가 r이므로

(1) $a_1=\dfrac{1}{3}$에서 $a=\dfrac{1}{3}$ ······㉠

$a_4=\dfrac{64}{3}$에서 $ar^3=\dfrac{64}{3}$ ······㉡

㉠을 ㉡에 대입하면 $\dfrac{1}{3}r^3=\dfrac{64}{3}$

$r^3=64$ $\therefore r=4\ (\because r$는 실수$)$

$\therefore \boldsymbol{a=\dfrac{1}{3},\ r=4}$

(2) $a_5=21$에서 $ar^4=21$ ······㉠

$a_7=84$에서 $ar^6=84$ ······㉡

㉡을 ㉠으로 나누면 $r^2=4$ $\therefore r=\pm 2$

(ⅰ) $r=-2$일 때, ㉠에서 $a=\dfrac{21}{16}$

(ⅱ) $r=2$일 때, ㉠에서 $a=\dfrac{21}{16}$

(ⅰ), (ⅱ)에서 $\boldsymbol{a=\dfrac{21}{16},\ r=\pm 2}$

(3) $a_3=6$에서 $ar^2=6$ ······㉠

$a_6=-162$에서 $ar^5=-162$ ······㉡

㉡을 ㉠으로 나누면 $r^3=-27$ $\therefore r=-3\ (\because r$는 실수$)$

$r=-3$을 ㉠에 대입하면 $9a=6$ $\therefore a=\dfrac{2}{3}$

$\therefore \boldsymbol{a=\dfrac{2}{3},\ r=-3}$

(4) $a_5=1$에서 $ar^4=1$ ······㉠

$a_9=\dfrac{1}{4}$에서 $ar^8=\dfrac{1}{4}$ ······㉡

㉡을 ㉠으로 나누면 $r^4=\dfrac{1}{4}$, $r^2=\dfrac{1}{2}$

$\therefore r=\pm\dfrac{\sqrt{2}}{2}$

(ⅰ) $r=-\dfrac{\sqrt{2}}{2}$일 때, ㉠에서 $a=4$

(ⅱ) $r=\dfrac{\sqrt{2}}{2}$일 때, ㉠에서 $a=4$

(ⅰ), (ⅱ)에서 $\boldsymbol{a=4,\ r=\pm\dfrac{\sqrt{2}}{2}}$

03 등비수열 $\{a_n\}$의 첫째항을 a, 공비를 r라 하면

(1) $a_1=3$에서 $a=3$ ······㉠

$a_4=-81$에서 $ar^3=-81$ ······㉡

㉠을 ㉡에 대입하면

$3r^3=-81$, $r^3=-27$

$\therefore r=-3\ (\because r$는 실수$)$

$\therefore \boldsymbol{a_n=3\times(-3)^{n-1}}$

(2) $a_3=2$에서 $ar^2=2$ ······㉠

$a_6=16$에서 $ar^5=16$ ······㉡

㉡을 ㉠으로 나누면 $r^3=8$ $\therefore r=2\ (\because r$는 실수$)$

$r=2$를 ㉠에 대입하면 $4a=2$ $\therefore a=\dfrac{1}{2}$

$\therefore a_n=\dfrac{1}{2}\times 2^{n-1}$ $\therefore \boldsymbol{a_n=2^{n-2}}$

(3) $a_4=40$에서 $ar^3=40$ ······㉠

$a_7=320$에서 $ar^6=320$ ······㉡

㉡을 ㉠으로 나누면 $r^3=8$ $\therefore r=2\ (\because r$는 실수$)$

$r=2$를 ㉠에 대입하면 $8a=40$ $\therefore a=5$

$\therefore \boldsymbol{a_n=5\times 2^{n-1}}$

(4) $a_2=\dfrac{2}{3}$에서 $ar=\dfrac{2}{3}$ ······㉠

$a_5=\dfrac{16}{3}$에서 $ar^4=\dfrac{16}{3}$ ······㉡

㉡을 ㉠으로 나누면 $r^3=8$ $\therefore r=2\ (\because r$는 실수$)$

$r=2$를 ㉠에 대입하면 $2a=\dfrac{2}{3}$ $\therefore a=\dfrac{1}{3}$

$\therefore \boldsymbol{a_n=\dfrac{1}{3}\times 2^{n-1}}$

03-1 [셀파] 첫째항 2와 끝항 486을 이용하여 공비를 구한다.

두 수 2와 486 사이에 4개의 수를 넣어 만든 등비수열 $\{a_n\}$에서 첫째항은 2, 제6항은 486이다.

공비를 r라 하면 $a_6=486$이므로

$2 \times r^5=486$, $r^5=243$ $\therefore r=3$ ($\because r$는 실수)

$\therefore a_n=2 \times 3^{n-1}$

x_2, x_4는 각각 등비수열 $\{a_n\}$의 제3항, 제5항이므로

$x_2=a_3=2 \times 3^2=18$, $x_4=a_5=2 \times 3^4=162$

$\therefore x_2+x_4=18+162=\boldsymbol{180}$

03-2 [셀파] 첫째항이 54, 공비가 $\dfrac{1}{3}$인 등비수열의 제$(n+2)$항이 $\dfrac{2}{81}$이다.

등비수열 $54, x_1, x_2, x_3, \cdots, x_n, \dfrac{2}{81}$의 공비가 $\dfrac{1}{3}$이므로 일반항을 a_n이라 하면

$a_n=54 \times \left(\dfrac{1}{3}\right)^{n-1}$

이때 등비수열 $\{a_n\}$의 제$(n+2)$항이 $\dfrac{2}{81}$이므로

$54 \times \left(\dfrac{1}{3}\right)^{n+1}=\dfrac{2}{81}$, $\left(\dfrac{1}{3}\right)^{n+1}=\dfrac{1}{27 \times 81}=\left(\dfrac{1}{3}\right)^7$

$n+1=7$ $\therefore \boldsymbol{n=6}$

04-1 [셀파] 등차수열 $a, b, -3$에서 등차중항을, 등비수열 $1, b, a$에서 등비중항을 이용한다.

세 수 $a, b, -3$이 이 순서대로 등차수열을 이루므로

$2b=a-3$ ······㉠

세 수 $1, b, a$가 이 순서대로 등비수열을 이루므로

$b^2=a$ ······㉡

㉡을 ㉠에 대입하면 $2b=b^2-3$, $b^2-2b-3=0$

$(b+1)(b-3)=0$ $\therefore b=3$ ($\because b>0$)

$b=3$을 ㉡에 대입하면 $a=9$

$\therefore \boldsymbol{a=9, b=3}$

04-2 [셀파] $f(x)$를 $x+1, x, x-2$로 나누었을 때의 나머지를 각각 k에 대한 식으로 나타낸다.

다항식 $f(x)=x^3-3x+k$를 일차식 $x+1, x, x-2$로 나누었을 때의 나머지는 차례로 $f(-1), f(0), f(2)$이다.

$f(-1)=-1+3+k=k+2$

$f(0)=k$

$f(2)=8-6+k=k+2$

$f(-1), f(0), f(2)$가 이 순서대로 등비수열을 이루므로

$\{f(0)\}^2=f(-1) \times f(2)$에서

$k^2=(k+2)(k+2)$, $k^2=k^2+4k+4$

$\therefore \boldsymbol{k=-1}$

LEC TURE 나머지정리

❶ 다항식 $f(x)$를 일차식 $x-a$로 나누었을 때의 나머지를 R라 하면 $\Rightarrow R=f(a)$

❷ 다항식 $f(x)$를 일차식 $ax+b$로 나누었을 때의 나머지를 R라 하면 $\Rightarrow R=f\left(-\dfrac{b}{a}\right)$

05-1 [셀파] 등비수열을 이루는 세 수를 a, ar, ar^2으로 놓은 다음 합과 곱을 이용하여 식을 세운다.

등비수열을 이루는 세 수를 a, ar, ar^2으로 놓으면

세 수의 합이 -7이므로

$a+ar+ar^2=-7$

$\therefore a(1+r+r^2)=-7$ ······㉠

세 수의 곱이 27이므로

$a \times ar \times ar^2=27$, $(ar)^3=27$

$\therefore ar=3$ ($\because ar$는 실수) ······㉡

㉠을 ㉡으로 나누면 $\dfrac{a(1+r+r^2)}{ar}=\dfrac{-7}{3}$

$\dfrac{1+r+r^2}{r}=-\dfrac{7}{3}$, $3(1+r+r^2)=-7r$

$3r^2+10r+3=0$, $(r+3)(3r+1)=0$

$\therefore r=-3$ 또는 $r=-\dfrac{1}{3}$

(i) $r=-3$일 때, ㉡에서 $a=-1$이므로

세 수는 $-1, (-1) \times (-3)=3, (-1) \times (-3)^2=-9$

(ii) $r=-\dfrac{1}{3}$일 때, ㉡에서 $a=-9$이므로

세 수는 $-9, (-9) \times \left(-\dfrac{1}{3}\right)=3, (-9) \times \left(-\dfrac{1}{3}\right)^2=-1$

(i), (ii)에서 구하는 세 수는 $\boldsymbol{-9, 3, -1}$

05-2 셀파 삼차방정식 $ax^3+bx^2+cx+d=0$의 세 근을 α, β, γ
라 하면 $\alpha+\beta+\gamma=-\dfrac{b}{a}$, $\alpha\beta+\beta\gamma+\gamma\alpha=\dfrac{c}{a}$, $\alpha\beta\gamma=-\dfrac{d}{a}$

삼차방정식 $x^3-kx^2+56x-64=0$의 세 실근이 등비수열을 이
루므로 세 실근을 a, ar, ar^2으로 놓으면 근과 계수의 관계에서
$a+ar+ar^2=k$ $\quad\therefore a(1+r+r^2)=k$ $\quad\cdots\cdots\text{㉠}$
$a\times ar+ar\times ar^2+ar^2\times a=56$
$a^2r+a^2r^3+a^2r^2=56$
$\therefore a^2r(1+r+r^2)=56$ $\quad\cdots\cdots\text{㉡}$
$a\times ar\times ar^2=64$, $(ar)^3=64$
$\therefore ar=4$ ($\because ar$는 실수) $\quad\cdots\cdots\text{㉢}$
㉡을 ㉠으로 나누면 $\dfrac{a^2r(1+r+r^2)}{a(1+r+r^2)}=\dfrac{56}{k}$
$\therefore ar=\dfrac{56}{k}$

$ar=\dfrac{56}{k}$을 ㉢에 대입하면 $\dfrac{56}{k}=4$
$\therefore \boldsymbol{k=14}$

06-1 셀파 등비수열의 합의 공식을 이용한다.

(1) 첫째항이 1, 공비가 $\dfrac{-2}{1}=-2$인 등비수열의 첫째항부터
제10항까지의 합은
$$\dfrac{1\times\{1-(-2)^{10}\}}{1-(-2)}=\dfrac{-1023}{3}=\boldsymbol{-341}$$

(2) 첫째항이 $\sqrt{2}-1$, 공비가 $\dfrac{\sqrt{2}(\sqrt{2}-1)}{\sqrt{2}-1}=\sqrt{2}$인 등비수열의
첫째항부터 제10항까지의 합은
$$\dfrac{(\sqrt{2}-1)\{(\sqrt{2})^{10}-1\}}{\sqrt{2}-1}=2^5-1=\boldsymbol{31}$$

06-2 셀파 $\log_a a=1$, $\log_a M^k=k\log_a M$임을 이용한다.
$\log_3 9+\log_3 9^2+\log_3 9^4+\cdots+\log_3 9^{256}$
$=\log_3 9+2\log_3 9+4\log_3 9+\cdots+256\log_3 9$
$=(1+2+4+\cdots+256)\log_3 9$
$=(1+2+2^2+\cdots+2^8)\times 2$ $\quad \big) \log_3 9=\log_3 3^2=2$
$=\dfrac{1\times(2^9-1)}{2-1}\times 2=511\times 2=\boldsymbol{1022}$

셀파 특강 **확인 체크 01**

안쪽 원의 반지름의 길이는 바깥쪽 원의 반지름의 길이의 $\dfrac{3}{4}$이므
로 그 넓이는 바로 바깥쪽 원의 넓이의 $\left(\dfrac{3}{4}\right)^2=\dfrac{9}{16}$(배)이다.
새로 그려지는 원의 넓이를 바깥쪽 원부터 차례로 $a_1, a_2, a_3, \cdots$,
a_n이라 할 때, 수열 $\{a_n\}$은 첫째항이 $a_1=100\times\dfrac{9}{16}$, 공비가 $\dfrac{9}{16}$
인 등비수열을 이룬다.
$\therefore a_n=\left(100\times\dfrac{9}{16}\right)\times\left(\dfrac{9}{16}\right)^{n-1}=100\times\left(\dfrac{9}{16}\right)^n$
따라서 구하는 원의 넓이는
$a_{10}=\boldsymbol{100\times\left(\dfrac{9}{16}\right)^{10}}$

| 주의 |
처음 원 안에 10개의 원을 새로 그렸으므로 모두 11개의 원이 있다.
이때 처음 원의 넓이를 첫째항으로 하면 맨 안쪽 원의 넓이는 11번째 항이
된다.
따라서 처음에 그려져 있는 원의 넓이를 첫째항으로 놓고, 맨 안쪽에 그려
지는 원의 넓이를 10번째 항으로 생각해서 $100\times\left(\dfrac{9}{16}\right)^9$으로 답하지 않도
록 주의한다.

집중 연습 본문 | **208**쪽

01 (1) 첫째항이 1, 공비가 $\dfrac{2}{1}=2$인 등비수열이므로
$$S_n=\dfrac{1\times(2^n-1)}{2-1}=\boldsymbol{2^n-1}$$

(2) 첫째항 3, 공비가 $\dfrac{6}{3}=2$인 등비수열이므로
$$S_n=\dfrac{3(2^n-1)}{2-1}=\boldsymbol{3(2^n-1)}$$

(3) 첫째항이 64, 공비가 $\dfrac{32}{64}=\dfrac{1}{2}$인 등비수열이므로
$$S_n=\dfrac{64\left\{1-\left(\dfrac{1}{2}\right)^n\right\}}{1-\dfrac{1}{2}}=\boldsymbol{128\left\{1-\left(\dfrac{1}{2}\right)^n\right\}}$$

(4) 첫째항이 1, 공비가 $\dfrac{\sqrt{2}}{1}=\sqrt{2}$인 등비수열이므로
$$S_n=\dfrac{1\times\{(\sqrt{2})^n-1\}}{\sqrt{2}-1}=\boldsymbol{(\sqrt{2}+1)\{(\sqrt{2})^n-1\}}$$

(5) 첫째항이 2, 공비가 $\dfrac{2}{2}=1$인 등비수열이므로

$$S_n=\underbrace{2+2+2+\cdots+2}_{n개}=2n$$

(6) 첫째항이 2, 공비가 $\dfrac{\frac{2}{3}}{2}=\dfrac{1}{3}$인 등비수열이므로

$$S_n=\dfrac{2\left\{1-\left(\frac{1}{3}\right)^n\right\}}{1-\frac{1}{3}}=3\left\{1-\left(\frac{1}{3}\right)^n\right\}$$

(7) 첫째항이 2, 공비가 $\dfrac{-4}{2}=-2$인 등비수열이므로

$$S_n=\dfrac{2\{1-(-2)^n\}}{1-(-2)}=\dfrac{2}{3}\{1-(-2)^n\}$$

(8) 첫째항이 -20, 공비가 $\dfrac{5}{-20}=-\dfrac{1}{4}$인 등비수열이므로

$$S_n=\dfrac{-20\left\{1-\left(-\frac{1}{4}\right)^n\right\}}{1-\left(-\frac{1}{4}\right)}=-16\left\{1-\left(-\frac{1}{4}\right)^n\right\}$$

02 $S_n=\dfrac{a(1-r^n)}{1-r}=\dfrac{a(r^n-1)}{r-1}$에서

(1) $a=1$, $r=2$, $n=7$이므로

$$S_7=\dfrac{1\times(2^7-1)}{2-1}=128-1=127$$

(2) $a=\dfrac{2}{3}$, $r=\dfrac{1}{3}$, $n=8$이므로

$$S_8=\dfrac{\frac{2}{3}\left\{1-\left(\frac{1}{3}\right)^8\right\}}{1-\frac{1}{3}}=1-\left(\dfrac{1}{3}\right)^8$$

(3) $a=-3$, $r=-2$, $n=10$이므로

$$S_{10}=\dfrac{-3\{1-(-2)^{10}\}}{1-(-2)}=1023$$

(4) $a=1$, $r=\sqrt{2}$, $n=10$이므로

$$S_{10}=\dfrac{1\times\{(\sqrt{2})^{10}-1\}}{\sqrt{2}-1}=\dfrac{2^5-1}{\sqrt{2}-1}$$
$$=\dfrac{31(\sqrt{2}+1)}{(\sqrt{2}-1)(\sqrt{2}+1)}$$
$$=31(\sqrt{2}+1)$$

03 (1) 주어진 수열의 일반항을 a_n이라 하면 수열 $\{a_n\}$은 첫째항이 2, 공비가 2인 등비수열이므로

$$a_n=2\times2^{n-1}=2^n$$

제n항을 256이라 하면 $2^n=256$에서

$$2^n=2^8 \quad \therefore n=8$$

따라서 주어진 수열의 합은

$$\dfrac{2(2^8-1)}{2-1}=510$$

(2) 주어진 수열의 일반항을 a_n이라 하면 수열 $\{a_n\}$은 첫째항이 3, 공비가 $\dfrac{1}{3}$인 등비수열이므로

$$a_n=3\times\left(\dfrac{1}{3}\right)^{n-1}$$

제n항을 $\dfrac{1}{81}$이라 하면 $3\times\left(\dfrac{1}{3}\right)^{n-1}=\dfrac{1}{81}$에서

$$\left(\dfrac{1}{3}\right)^{n-1}=\dfrac{1}{243}=\left(\dfrac{1}{3}\right)^5 \quad \therefore n=6$$

따라서 주어진 수열의 합은

$$\dfrac{3\left\{1-\left(\frac{1}{3}\right)^6\right\}}{1-\frac{1}{3}}=\dfrac{9}{2}\left\{1-\left(\dfrac{1}{3}\right)^6\right\}$$

(3) 주어진 수열의 일반항을 a_n이라 하면 수열 $\{a_n\}$은 첫째항이 1, 공비가 $\dfrac{1}{10}$인 등비수열이므로

$$a_n=1\times\left(\dfrac{1}{10}\right)^{n-1}=\left(\dfrac{1}{10}\right)^{n-1}$$

제n항을 0.0000001이라 하면 $\left(\dfrac{1}{10}\right)^{n-1}=0.0000001$에서

$$\left(\dfrac{1}{10}\right)^{n-1}=\left(\dfrac{1}{10}\right)^7 \quad \therefore n=8$$

따라서 주어진 수열의 합은

$$\dfrac{1\times\left\{1-\left(\frac{1}{10}\right)^8\right\}}{1-\frac{1}{10}}=\dfrac{10}{9}\left\{1-\left(\dfrac{1}{10}\right)^8\right\}$$

(4) 주어진 수열의 일반항을 a_n이라 하면 수열 $\{a_n\}$은 첫째항이 1, 공비가 $\sqrt{3}$인 등비수열이므로

$$a_n=1\times(\sqrt{3})^{n-1}=(\sqrt{3})^{n-1}$$

제n항을 $27\sqrt{3}$이라 하면 $(\sqrt{3})^{n-1}=27\sqrt{3}$에서

$$(\sqrt{3})^{n-1}=(\sqrt{3})^7 \quad \therefore n=8$$

따라서 주어진 수열의 합은

$$\dfrac{1\times\{(\sqrt{3})^8-1\}}{\sqrt{3}-1}=\dfrac{80}{\sqrt{3}-1}=40(\sqrt{3}+1)$$

07-1 셀파 등비수열의 합의 공식을 이용하여 첫째항과 공비에 대한 식을 세운다.

첫째항을 a, 공비를 r, 첫째항부터 제n항까지의 합을 S_n이라 하면 $r \neq 1$이므로

$S_{10}=10$에서 $\dfrac{a(r^{10}-1)}{r-1}=10$ ......㉠

$S_{30}=310$에서

$\dfrac{a(r^{30}-1)}{r-1}=\dfrac{a(r^{10}-1)(r^{20}+r^{10}+1)}{r-1}=310$ ......㉡

㉠을 ㉡에 대입하면 $10(r^{20}+r^{10}+1)=310$

$r^{20}+r^{10}-30=0$, $(r^{10}+6)(r^{10}-5)=0$

이때 $r>0$에서 $r^{10}>0$이므로 $r^{10}=5$

따라서 첫째항부터 제20항까지의 합은

$\dfrac{a(r^{20}-1)}{r-1}=\dfrac{a(r^{10}-1)(r^{10}+1)}{r-1}$

$=\dfrac{a(r^{10}-1)}{r-1}\times(r^{10}+1)$

$=10(r^{10}+1)\ (\because ㉠)$

$=10(5+1)=\mathbf{60}$

07-2 셀파 $x^3-1=(x-1)(x^2+x+1)$임을 이용하여 식을 인수분해한다.

첫째항을 a, 공비를 r, 첫째항부터 제n항까지의 합을 S_n이라 하면 $r \neq 1$이므로

$S_5=4$에서 $\dfrac{a(r^5-1)}{r-1}=4$ ......㉠

제6항부터 제10항까지의 합은 $S_{10}-S_5$

이때 $S_{10}-S_5=20$이므로 $S_{10}=S_5+20=4+20=24$

$S_{10}=24$에서

$\dfrac{a(r^{10}-1)}{r-1}=\dfrac{a(r^5-1)(r^5+1)}{r-1}=24$ ......㉡

㉠을 ㉡에 대입하면 $4(r^5+1)=24$

$r^5+1=6$ $\therefore r^5=5$

따라서 첫째항부터 제15항까지의 합은

$\dfrac{a(r^{15}-1)}{r-1}=\dfrac{a(r^5-1)(r^{10}+r^5+1)}{r-1}$

$=\dfrac{a(r^5-1)}{r-1}\times(r^{10}+r^5+1)$

$=4(r^{10}+r^5+1)\ (\because ㉠)$

$=4(25+5+1)=\mathbf{124}$

08-1 셀파 $a_1=S_1$, $a_n=S_n-S_{n-1}\ (n \geq 2)$임을 이용한다.

(ⅰ) $n \geq 2$일 때

$a_n=S_n-S_{n-1}=(2^n+1)-(2^{n-1}+1)$

$=(2-1)\times 2^{n-1}=2^{n-1}$ ......㉠

(ⅱ) $n=1$일 때

$a_1=S_1=2+1=3$

이때 $a_1=3$은 ㉠에 $n=1$을 대입한 값 1과 같지 않다.

(ⅰ), (ⅱ)에서 $a_1=3$, $a_n=2^{n-1}\ (n \geq 2)$

$\therefore a_1+a_8=3+2^7=3+128=\mathbf{131}$

08-2 셀파 $a_1=S_1$, $a_n=S_n-S_{n-1}\ (n \geq 2)$임을 이용한다.

(ⅰ) $n \geq 2$일 때

$a_n=S_n-S_{n-1}=(a \times 5^{n-1}+5)-(a \times 5^{n-2}+5)$

$=a \times (5-1) \times 5^{n-2}=4a \times 5^{n-2}$ ......㉠

(ⅱ) $n=1$일 때

$a_1=S_1=a+5$ ......㉡

(ⅰ), (ⅱ)에서 수열 $\{a_n\}$이 첫째항부터 등비수열을 이루려면 ㉠에 $n=1$을 대입한 값이 ㉡과 같아야 하므로

$\dfrac{4a}{5}=a+5$, $4a=5a+25$ $\therefore a=\mathbf{-25}$

| 다른 풀이 |

$S_n=a \times 5^{n-1}+5=\dfrac{a}{5}\times 5^n+5$에서 수열 $\{a_n\}$이 첫째항부터 등비수열을 이루므로

$\dfrac{a}{5}+5=0$ $\therefore a=-25$

셀파 **세미나** **등비수열의 합 S_n의 특징**

$r \neq 1$일 때, 등비수열의 첫째항부터 제n항까지 합 S_n의 공식을 변형하면

$S_n=\dfrac{a(r^n-1)}{r-1}=\dfrac{a}{r-1}\times r^n-\dfrac{a}{r-1}$

$\dfrac{a}{r-1}=p$로 놓으면 $S_n=pr^n-p$이다.

수열 $\{a_n\}$의 첫째항부터 제n항까지의 합 S_n이 $S_n=pr^n+q\ (p, q$는 상수$)$ 꼴일 때

❶ $p+q=0$이면 수열 $\{a_n\}$은 첫째항부터 등비수열을 이룬다.

❷ $p+q \neq 0$이면 수열 $\{a_n\}$은 제2항부터 등비수열을 이룬다.

즉, $S_n=pr^n+q$에서 $p+q=0$의 값을 확인하면 첫째항부터 등비수열을 이루는지 제2항부터 등비수열을 이루는지 좀 더 쉽게 알 수 있다.

09-1 〔셀파〕 $a=10$만 원, $r=0.005$, $n=36$을 공식에 대입한다.

매월 초에 적립하는 금액 각각에 대한 원리합계는 다음과 같다.

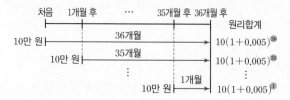

이때 매월 적립금 10만 원 각각에 대한 원리합계의 합을 S라 하면

$S = 10 \times 1.005 + 10 \times 1.005^2 + \cdots + 10 \times 1.005^{36}$

$\quad = \dfrac{10 \times 1.005 \times (1.005^{36}-1)}{1.005-1}$

$\quad = \dfrac{10.05(1.19-1)}{0.005}$

$\quad = 10.05 \times 0.19 \times 200$

$\quad = 381.9$(만 원)

따라서 구하는 적립금의 원리합계는 **382만 원**

09-2 〔셀파〕 매년 적립하는 금액을 a만 원이라 하고 14년 후의 적립금의 원리합계를 생각한다.

매년 적립하는 금액을 a만 원이라 하면 14년 동안 연이율 5 %의 복리로 a만 원씩 적립한 적립금의 원리합계가 5000만 원이므로

$a \times 1.05 + a \times 1.05^2 + \cdots + a \times 1.05^{13} + a \times 1.05^{14} = 5000$

$\dfrac{a \times 1.05 \times (1.05^{14}-1)}{1.05-1} = 5000$

$\dfrac{a \times 1.05 \times (2-1)}{0.05} = 5000, \ 21a = 5000$

$\therefore a = \dfrac{5000}{21} = 238.0 \times \times \times$(만 원)

따라서 매년 적립해야 하는 금액은 **238만 원**

01 〔셀파〕 첫째항과 공비를 구하여 일반항을 구한다.

$\dfrac{1}{\sqrt{2}+1} = \sqrt{2}-1$, $\dfrac{\sqrt{2}-1}{1} = \sqrt{2}-1$이므로 등비수열 $\{a_n\}$의 첫째항 $a = \sqrt{2}+1$, 공비 $r = \sqrt{2}-1$이다.

$a_n = (\sqrt{2}+1)(\sqrt{2}-1)^{n-1}$이므로

$a_{100} = (\sqrt{2}+1)(\sqrt{2}-1)^{99} = (\sqrt{2}+1)(\sqrt{2}-1)(\sqrt{2}-1)^{98}$

$\qquad = (\sqrt{2}-1)^{98}$

따라서 구하는 답은 ①

02 〔셀파〕 공비 r를 구하면 l, m, n의 값을 알 수 있다.

등비수열 $1, l, m, n, 100$의 공비를 r, 일반항을 a_n이라 하면

$a_n = 1 \times r^{n-1} = r^{n-1}$

이때 등비수열 $\{a_n\}$의 제5항이 100이므로

$r^4 = 100, \ r^2 = 10 \quad \therefore r = \sqrt{10} \ (\because r>0)$

$\therefore a_n = (\sqrt{10})^{n-1} = 10^{\frac{n-1}{2}}$

l, m, n은 각각 제2항, 제3항, 제4항이므로

$l = a_2 = 10^{\frac{1}{2}}, \ m = a_3 = 10, \ n = a_4 = 10^{\frac{3}{2}}$

$\therefore \log lmn = \log 10^{\frac{1}{2}+1+\frac{3}{2}} = \log 10^3 = \mathbf{3}$

| 다른 풀이 |

$1, l, m, n, 100$이 이 순서대로 등비수열을 이루므로 $1, m, 100$도 이 순서대로 등비수열을 이룬다. 즉, m은 1과 100의 등비중항이므로

$m^2 = 100 \quad \therefore m = 10 \ (\because m>0)$

$1, l, m(=10)$에서 l은 1과 10의 등비중항이므로

$l^2 = 10 \quad \therefore l = \sqrt{10} \ (\because l>0)$

$m(=10), n, 100$에서 n은 10과 100의 등비중항이므로

$n^2 = 1000 \quad \therefore n = 10\sqrt{10} \ (\because n>0)$

$\therefore \log lmn = \log(\sqrt{10} \times 10 \times 10\sqrt{10})$

$\qquad\qquad = \log 1000 = \log 10^3 = 3$

03 〔셀파〕 이차방정식의 근과 계수의 관계에서 두 근의 합과 곱을 구한다.

이차방정식 $x^2-12x+4=0$의 두 근을 α, β라 하면

근과 계수의 관계에서 $\alpha+\beta=12, \ \alpha\beta=4$

α, β의 등차중항은 $a = \dfrac{\alpha+\beta}{2} = \dfrac{12}{2} = 6$

α, β의 등비중항은 $b = \sqrt{\alpha\beta} = \sqrt{4} = 2 \ (\because b>0)$

이때 6과 2를 두 근으로 하는 이차항의 계수가 1인 이차방정식은

$x^2-(6+2)x+6 \times 2=0 \quad \therefore x^2-8x+12=0$

따라서 구하는 답은 ②

04 방정식 $x^3-3x^2-6x+5=k$의 세 근이 차례로 등비수열을 이루므로 세 근을 a, ar, ar^2 $(a\neq 0)$으로 놓고 삼차방정식의 근과 계수의 관계를 이용한다.

곡선 $y=x^3-3x^2-6x+5$와 직선 $y=k$의 교점의 x좌표는 삼차방정식 $x^3-3x^2-6x+5=k$의 세 근이다.

즉, $x^3-3x^2-6x+5-k=0$의 세 근이 차례로 등비수열을 이루므로 세 근을 a, ar, ar^2 $(a\neq 0)$으로 놓으면 삼차방정식의 근과 계수의 관계에서

$a+ar+ar^2=3$

$\therefore a(1+r+r^2)=3$ ⋯⋯㉠

$a\times ar+ar\times ar^2+ar^2\times a=-6$

$\therefore a^2r(1+r+r^2)=-6$ ⋯⋯㉡

$a\times ar\times ar^2=-5+k$

$\therefore (ar)^3=-5+k$ ⋯⋯㉢

㉡을 ㉠으로 나누면

$\dfrac{a^2r(1+r+r^2)}{a(1+r+r^2)}=\dfrac{-6}{3}$, $ar=-2$

$ar=-2$를 ㉢에 대입하면

$(-2)^3=-5+k$, $-8=-5+k$ $\therefore k=-3$

05 농구공이 매회 튀어 오른 높이는 첫째항이 1, 공비가 $\dfrac{2}{3}$인 등비수열을 이룬다.

농구공의 떨어진 높이에 대한 튀어 오른 높이의 비율이 일정하므로 그 비율을 r라 하면 민수가 공을 1.5 m 높이에서 떨어뜨렸을 때, 1 m 튀어 올랐으므로

$1.5r=1$ $\therefore r=\dfrac{2}{3}$

매회 농구공이 튀어 오른 높이(m)를 구하면

제1회 ⇨ 1

제2회 ⇨ $1\times\dfrac{2}{3}=\left(\dfrac{2}{3}\right)^1$

제3회 ⇨ $1\times\dfrac{2}{3}\times\dfrac{2}{3}=\left(\dfrac{2}{3}\right)^2$

제4회 ⇨ $1\times\dfrac{2}{3}\times\dfrac{2}{3}\times\dfrac{2}{3}=\left(\dfrac{2}{3}\right)^3$

⋮

제n회에 농구공이 튀어 오른 높이는 $\left(\dfrac{2}{3}\right)^{n-1}$이므로 튀어 오른 공의 높이가 $\dfrac{16}{81}$ m가 되는 것은

$\left(\dfrac{2}{3}\right)^{n-1}=\dfrac{16}{81}=\left(\dfrac{2}{3}\right)^4$, $n-1=4$ $\therefore n=5$

따라서 구하는 것은 **제5회**

06 n년 후의 자동차의 가격을 구한다.

1년이 지날 때마다 전 년도 가격의 반값이 되므로

1년 후의 자동차의 가격 ⇨ $2048\times\dfrac{1}{2}$

2년 후의 자동차의 가격 ⇨ $2048\times\dfrac{1}{2}\times\dfrac{1}{2}=2048\times\left(\dfrac{1}{2}\right)^2$

3년 후의 자동차의 가격 ⇨ $2048\times\left(\dfrac{1}{2}\right)^2\times\dfrac{1}{2}=2048\times\left(\dfrac{1}{2}\right)^3$

⋮

n년 후의 자동차의 가격 ⇨ $2048\times\left(\dfrac{1}{2}\right)^n$

10년 후의 자동차의 가격은

$2048\times\left(\dfrac{1}{2}\right)^{10}=2048\times\dfrac{1}{1024}=2(만 원)$

따라서 구하는 가격은 **2만 원**

07 정사각형 A_1, A_2, A_3, $\cdots$의 넓이는 첫째항이 1, 공비가 $\dfrac{1}{2}$인 등비수열을 이룬다.

오른쪽 그림에서 $\triangle AEH$, $\triangle BFE$, $\triangle CGF$, $\triangle DHG$, $\triangle OEF$, $\triangle OFG$, $\triangle OGH$, $\triangle OHE$는 합동인 직각이등변삼각형이므로

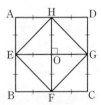

$(\square EFGH의 넓이)=\dfrac{1}{2}(\square ABCD의 넓이)$

이와 같이 생각하면

$(정사각형\ A_{n+1}의 넓이)=\dfrac{1}{2}(정사각형\ A_n의 넓이)$

이때 정사각형 A_1의 넓이가 1이므로 정사각형 A_n의 넓이는 첫째항 1, 공비가 $\dfrac{1}{2}$인 등비수열을 이룬다.

즉, 정사각형 A_n의 넓이는 $\left(\dfrac{1}{2}\right)^{n-1}$이므로 넓이가 $\dfrac{1}{100}$보다 작아지는 것은

$\left(\dfrac{1}{2}\right)^{n-1}<\dfrac{1}{100}$, $2^{n-1}>100$

이때 $2^6=64$, $2^7=128$이므로

$n-1\geq 7$ $\therefore n\geq 8$

따라서 구하는 n의 최솟값은 8

08 셀파 등비수열의 합의 공식을 이용하여 n에 대한 식을 세운 다음 주어진 조건이 성립하는 n의 값의 범위를 구한다.

첫째항이 3, 공비가 2인 등비수열의 첫째항부터 제n항까지의 합을 S_n이라 하면

$S_n = \dfrac{3(2^n - 1)}{2 - 1} = 3 \times 2^n - 3$이므로

$3 \times 2^n - 3 > 1000$에서 $2^n > \dfrac{1003}{3} = 334.\times\times\times$

이때 $2^8 = 256,\ 2^9 = 512$이므로 $n \geq 9$

따라서 구하는 자연수 n의 값은 **9**

09 셀파 $9 = 10 - 1,\ 99 = 100 - 1,\ 999 = 1000 - 1,\ \cdots$

주어진 수열의 일반항을 a_n, 첫째항부터 제n항까지의 합을 S_n이라 하면

$9 = 10 - 1,\ 99 = 10^2 - 1,\ 999 = 10^3 - 1,\ \cdots$이므로

$a_n = 10^n - 1$

이때 첫째항부터 제n항까지의 합은

$S_n = (10 - 1) + (10^2 - 1) + (10^3 - 1) + \cdots + (10^n - 1)$

$= (10 + 10^2 + \cdots + 10^n) - n$

$= \dfrac{10(10^n - 1)}{10 - 1} - n = \dfrac{10}{9}(10^n - 1) - n$

따라서 구하는 답은 ⑤

10 셀파 $f(x) = x^9 + x^8 + x^7 + \cdots + x^2 + x + 1$로 놓고 $f\left(-\dfrac{1}{2}\right)$을 구한다.

$f(x) = x^9 + x^8 + x^7 + \cdots + x^2 + x + 1$

$= 1 + x + x^2 + \cdots + x^7 + x^8 + x^9$

으로 놓으면 $f(x)$를 $2x + 1$로 나눈 나머지는

$f\left(-\dfrac{1}{2}\right) = 1 + \left(-\dfrac{1}{2}\right) + \left(-\dfrac{1}{2}\right)^2 + \cdots + \left(-\dfrac{1}{2}\right)^9$

첫째항이 1, 공비가 $-\dfrac{1}{2}$, 항수가 10인 등비수열의 합이므로

$f\left(-\dfrac{1}{2}\right) = \dfrac{1 \times \left\{1 - \left(-\dfrac{1}{2}\right)^{10}\right\}}{1 - \left(-\dfrac{1}{2}\right)} = \dfrac{2}{3}\left\{1 - \left(-\dfrac{1}{2}\right)^{10}\right\}$

$= \dfrac{2}{3} \times \dfrac{1023}{1024} = \dfrac{341}{512}$

따라서 구하는 답은 ②

11 셀파 $\dfrac{a(r^{2n} - 1)}{r - 1} = \dfrac{a(r^n - 1)(r^n + 1)}{r - 1}$을 이용한다.

첫째항을 a, 공비를 r, 첫째항부터 제n항까지의 합을 S_n이라 하면 $r \neq 1$이므로

$S_4 = 15$에서 $\dfrac{a(r^4 - 1)}{r - 1} = 15$ ······㉠

$S_8 = 255$에서

$\dfrac{a(r^8 - 1)}{r - 1} = \dfrac{a(r^4 - 1)(r^4 + 1)}{r - 1} = 255$ ······㉡

㉠을 ㉡에 대입하면

$15(r^4 + 1) = 255,\ r^4 + 1 = 17$

$r^4 = 16,\ r^2 = 4$ ∴ $r = 2\ (\because r > 0)$

$r = 2$를 ㉠에 대입하면

$15a = 15$ ∴ $a = 1$

따라서 $a_n = 2^{n-1}$이므로

$a_{10} = 2^9 = \mathbf{512}$

12 셀파 $\log_a N = x$이면 $N = a^x$임을 이용한다.

$\log_2 (S_n + k) = n + 1$에서 $S_n + k = 2^{n+1}$

∴ $S_n = 2^{n+1} - k$

(ⅰ) $n \geq 2$일 때

$a_n = S_n - S_{n-1}$

$= (2^{n+1} - k) - (2^n - k) = 2^{n+1} - 2^n$

$= (2 - 1) \times 2^n = 2^n$ ······㉠

(ⅱ) $n = 1$일 때

$a_1 = S_1 = 4 - k$ ······㉡

이때 수열 $\{a_n\}$이 첫째항부터 등비수열을 이루려면 ㉠에 $n = 1$을 대입하여 얻은 값이 ㉡과 같아야 하므로

$2 = 4 - k$ ∴ $k = 2$

따라서 구하는 답은 ②

| 다른 풀이 |

$S_n = 2^{n+1} - k = 2 \times 2^n - k$에서

수열 $\{a_n\}$이 첫째항부터 등비수열을 이루므로

$2 + (-k) = 0$ ∴ $k = 2$

LECTURE 로그의 정의

$a > 0,\ a \neq 1,\ N > 0$일 때

$\log_a N = x \Longleftrightarrow a^x = N$

10. 수열의 합

본문 | **217, 219** 쪽

개념 익히기

1-1 (1) 수열 $2, 5, 8, 11, \cdots, 29$는 첫째항이 $\boxed{2}$, 공차가 3 인 등차수열이므로 일반항 a_n을 구하면

$a_n = 2 + (n-1) \times 3 = 3n-1$

이때 $3n-1=29$에서 $3n=30$ $\therefore n = \boxed{10}$

따라서 주어진 수열의 합은 첫째항부터 제10항까지의 합이므로

$2 + 5 + 8 + 11 + \cdots + 29 = \displaystyle\sum_{k=1}^{10} \boldsymbol{(3k-1)}$

(2) 수열 $2, 4, 8, 16, \cdots, 512$는 첫째항이 2, 공비가 $\boxed{2}$ 인 등비수열이므로 일반항 a_n을 구하면

$a_n = 2 \times 2^{n-1} = \boxed{2^n}$

이때 $2^n = 512$에서 $2^n = 2^9$ $\therefore n = 9$

따라서 주어진 수열의 합은 첫째항부터 제9항까지의 합이므로

$2 + 4 + 8 + 16 + \cdots + 512 = \displaystyle\sum_{k=1}^{9} \boxed{\boldsymbol{2^k}}$

1-2 (1) 수열 $3, 7, 11, 15, \cdots, 35$는 첫째항이 3, 공차가 4인 등차수열이므로 일반항 a_n을 구하면

$a_n = 3 + (n-1) \times 4 = 4n-1$

이때 $4n-1=35$에서 $4n=36$ $\therefore n = 9$

따라서 주어진 수열의 합은 첫째항부터 제9항까지의 합이므로

$3 + 7 + 11 + 15 + \cdots + 35 = \displaystyle\sum_{k=1}^{9} \boldsymbol{(4k-1)}$

(2) 수열 $1, 3, 9, 27, \cdots, 729$는 첫째항이 1, 공비가 3인 등비수열이므로 일반항 a_n을 구하면

$a_n = 1 \times 3^{n-1} = 3^{n-1}$

이때 $3^{n-1} = 729$에서 $3^{n-1} = 3^6$ $\therefore n = 7$

따라서 주어진 수열의 합은 첫째항부터 제7항까지의 합이므로

$1 + 3 + 9 + 27 + \cdots + 729 = \displaystyle\sum_{k=1}^{7} \boldsymbol{3^{k-1}}$

2-1 (1) 일반항 $2k+1$의 k에 $1, 2, 3, 4, \boxed{5}$를 차례로 대입하면

$\displaystyle\sum_{k=1}^{5}(2k+1) = (2+1) + (4+1) + (6+1)$
$+ (\boxed{8}+1) + (10+1)$
$= 3+5+7+9+11$

(2) 일반항 $k(k-1)$의 k에 $\boxed{2}, 3, 4, 5, 6$을 차례로 대입하면

$\displaystyle\sum_{k=2}^{6} k(k-1) = 2 \times 1 + \boxed{3} \times 2 + 4 \times 3 + 5 \times 4$
$+ 6 \times 5$
$= 2+6+12+20+30$

2-2 (1) 일반항 $4k-1$의 k에 $1, 2, 3, 4, 5, 6, 7$을 차례로 대입하면

$\displaystyle\sum_{k=1}^{7}(4k-1) = \boldsymbol{3+7+11+15+19+23+27}$

(2) $k=2, 3, 4, 5$일 때, 일반항 3은 항상 3이다.

$\therefore \displaystyle\sum_{k=2}^{5} 3 = \boldsymbol{3+3+3+3}$

(3) 일반항 $k+2$의 k에 $5, 6, 7, 8, 9, 10$을 차례로 대입하면

$\displaystyle\sum_{k=5}^{10}(k+2) = \boldsymbol{7+8+9+10+11+12}$

(4) 일반항 $\dfrac{1}{2k-3}$의 k에 $2, 3, 4, 5$를 차례로 대입하면

$\displaystyle\sum_{k=2}^{5} \dfrac{1}{2k-3} = \boldsymbol{1 + \dfrac{1}{3} + \dfrac{1}{5} + \dfrac{1}{7}}$

3-1 (1) $\displaystyle\sum_{k=1}^{15} k = \dfrac{\boxed{15} \times 16}{2} = \boxed{\boldsymbol{120}}$

(2) $\displaystyle\sum_{k=1}^{10} k^2 = \dfrac{10 \times 11 \times \boxed{21}}{6} = \boxed{\boldsymbol{385}}$

(3) $\displaystyle\sum_{k=1}^{5} k^3 = \left(\dfrac{\boxed{5} \times 6}{2} \right)^2 = \boxed{\boldsymbol{225}}$

(4) $\displaystyle\sum_{k=1}^{10}(2k+1) = 2\displaystyle\sum_{k=1}^{10} k + \displaystyle\sum_{k=1}^{10} \boxed{1}$
$= 2 \times \dfrac{10 \times 11}{\boxed{2}} + 1 \times 10$
$= \boldsymbol{120}$

3-2 (1) $\displaystyle\sum_{k=1}^{10} k = \dfrac{10\times11}{2} = \mathbf{55}$

(2) $\displaystyle\sum_{k=1}^{8} k^2 = \dfrac{8\times9\times17}{6} = \mathbf{204}$

(3) $\displaystyle\sum_{k=1}^{15} k^3 = \left(\dfrac{15\times16}{2}\right)^2 = 120^2 = \mathbf{14400}$

(4) $\displaystyle\sum_{k=1}^{15}(3k-2) = 3\sum_{k=1}^{15}k - \sum_{k=1}^{15}2$

$\qquad\qquad\qquad = 3\times\dfrac{15\times16}{2} - 2\times15$

$\qquad\qquad\qquad = 360 - 30 = \mathbf{330}$

4-1 (1) $\displaystyle\sum_{k=1}^{5}\dfrac{1}{k(k+1)}$

$\quad = \displaystyle\sum_{k=1}^{5}\left(\dfrac{1}{k} - \dfrac{1}{\boxed{k+1}}\right)$

$\quad = \left(1-\dfrac{1}{2}\right)+\left(\dfrac{1}{2}-\dfrac{1}{3}\right)+\left(\dfrac{1}{3}-\dfrac{1}{4}\right)+\left(\dfrac{1}{4}-\dfrac{1}{5}\right)$

$\qquad\qquad\qquad\qquad\qquad\qquad +\left(\dfrac{1}{5}-\dfrac{1}{6}\right)$

$\quad = 1-\dfrac{1}{6} = \boxed{\dfrac{5}{6}}$

(2) $\displaystyle\sum_{k=1}^{5}\dfrac{1}{\sqrt{k+1}+\sqrt{k}}$

$\quad = \displaystyle\sum_{k=1}^{5}\dfrac{\sqrt{k+1}-\sqrt{k}}{(\sqrt{k+1}+\sqrt{k})(\sqrt{k+1}-\sqrt{k})}$

$\quad = \displaystyle\sum_{k=1}^{5}(\boxed{\sqrt{k+1}}-\sqrt{k})$

$\quad = (\sqrt{2}-1)+(\sqrt{3}-\sqrt{2})+(2-\sqrt{3})+(\sqrt{5}-2)$

$\qquad\qquad\qquad\qquad\qquad\qquad +(\sqrt{6}-\sqrt{5})$

$\quad = \boxed{\sqrt{6}} - \mathbf{1}$

4-2 (1) $\displaystyle\sum_{k=1}^{10}\dfrac{1}{(k+1)(k+2)}$

$\quad = \displaystyle\sum_{k=1}^{10}\left(\dfrac{1}{k+1}-\dfrac{1}{k+2}\right)$

$\quad = \left(\dfrac{1}{2}-\dfrac{1}{3}\right)+\left(\dfrac{1}{3}-\dfrac{1}{4}\right)+\left(\dfrac{1}{4}-\dfrac{1}{5}\right)+\cdots+\left(\dfrac{1}{11}-\dfrac{1}{12}\right)$

$\quad = \dfrac{1}{2}-\dfrac{1}{12} = \mathbf{\dfrac{5}{12}}$

(2) $\displaystyle\sum_{k=1}^{12}\dfrac{1}{\sqrt{k+4}+\sqrt{k+3}}$

$\quad = \displaystyle\sum_{k=1}^{12}\dfrac{\sqrt{k+4}-\sqrt{k+3}}{(\sqrt{k+4}+\sqrt{k+3})(\sqrt{k+4}-\sqrt{k+3})}$

$\quad = \displaystyle\sum_{k=1}^{12}(\sqrt{k+4}-\sqrt{k+3})$

$\quad = (\sqrt{5}-2)+(\sqrt{6}-\sqrt{5})+(\sqrt{7}-\sqrt{6})+(\sqrt{8}-\sqrt{7})$

$\qquad\qquad\qquad\qquad\qquad\qquad +\cdots+(4-\sqrt{15})$

$\quad = 4-2 = \mathbf{2}$

확인 문제 본문 | **220~234** 쪽

01-1 셀파 $\sum$의 기본 성질을 이용한다.

(1) $\displaystyle\sum_{k=1}^{10}(a_k^2+a_k) = \sum_{k=1}^{10}a_k^2 + \sum_{k=1}^{10}a_k = 15+7 = \mathbf{22}$

(2) $\displaystyle\sum_{k=1}^{10}(2a_k+b_k-1) = 2\sum_{k=1}^{10}a_k + \sum_{k=1}^{10}b_k - \sum_{k=1}^{10}1$

$\qquad\qquad\qquad\qquad = 2\times7+3-1\times10 = \mathbf{7}$

01-2 셀파 $\sum$ 안을 전개한 다음 주어진 조건을 이용한다.

$\displaystyle\sum_{k=1}^{10}(2a_k-3)^2 = \sum_{k=1}^{10}(4a_k^2-12a_k+9)$

$\qquad\qquad\qquad = 4\sum_{k=1}^{10}a_k^2 - 12\sum_{k=1}^{10}a_k + \sum_{k=1}^{10}9$

$\qquad\qquad\qquad = 4\times15 - 12\times5 + 9\times10 = \mathbf{90}$

02-1 셀파 먼저 $\displaystyle\sum_{k=31}^{50}a_k$의 값을 구한다.

$\displaystyle\sum_{k=31}^{50}a_k = \sum_{k=1}^{50}a_k - \sum_{k=1}^{30}a_k = 300-100 = 200$

$\therefore \displaystyle\sum_{k=31}^{50}(2a_k+3) = 2\sum_{k=31}^{50}a_k + \sum_{k=31}^{50}3$

$\qquad\qquad\qquad\quad = 2\times200 + 3(50-30)$

$\qquad\qquad\qquad\quad = 400+60 = \mathbf{460}$

| 참고 |

$\displaystyle\sum_{k=31}^{50}3 \Rightarrow 3$을 31항부터 50항까지 $50-30=20$(번) 더한 것이다.

02-2 셀파 $\sum\limits_{k=1}^{n} a_k = \sum\limits_{k=1}^{m} a_k + \sum\limits_{k=m+1}^{n} a_k$임을 이용한다.

(1) $\sum\limits_{k=1}^{8}(k^2+1) - \sum\limits_{k=3}^{8}(k^2-1)$

$= \sum\limits_{k=1}^{8} k^2 - \sum\limits_{k=3}^{8} k^2 + \sum\limits_{k=1}^{8} 1 + \sum\limits_{k=3}^{8} 1$

$= \sum\limits_{k=1}^{2} k^2 + 1 \times 8 + 1 \times (8-2)$

$= 1^2 + 2^2 + 8 + 6$

$= \mathbf{19}$

(2) $\sum\limits_{k=1}^{n}(2 \times 3^k) - \sum\limits_{k=6}^{n}(2 \times 3^k)$

$= \sum\limits_{k=1}^{5}(2 \times 3^k) = 2 \sum\limits_{k=1}^{5} 3^k$

$= 2 \times \dfrac{3(3^5-1)}{3-1} = 3 \times 242$

$= \mathbf{726}$

03-1 셀파 곱셈 공식을 이용하여 식을 전개한 다음 $\sum$의 성질과 자연수의 거듭제곱의 합을 이용한다.

(1) $\sum\limits_{k=1}^{10}(k^2-k) = \sum\limits_{k=1}^{10} k^2 - \sum\limits_{k=1}^{10} k$

$\qquad = \dfrac{10 \times 11 \times 21}{6} - \dfrac{10 \times 11}{2}$

$\qquad = 385 - 55 = \mathbf{330}$

(2) $\sum\limits_{k=1}^{10}(k+3)(k-1) = \sum\limits_{k=1}^{10}(k^2+2k-3)$

$\qquad\qquad = \sum\limits_{k=1}^{10} k^2 + 2\sum\limits_{k=1}^{10} k - \sum\limits_{k=1}^{10} 3$

$\qquad\qquad = \dfrac{10 \times 11 \times 21}{6} + 2 \times \dfrac{10 \times 11}{2} - 3 \times 10$

$\qquad\qquad = 385 + 110 - 30 = \mathbf{465}$

(3) $\sum\limits_{k=1}^{8}(k-1)^2 = \sum\limits_{k=1}^{8}(k^2-2k+1)$

$\qquad = \sum\limits_{k=1}^{8} k^2 - 2\sum\limits_{k=1}^{8} k + \sum\limits_{k=1}^{8} 1$

$\qquad = \dfrac{8 \times 9 \times 17}{6} - 2 \times \dfrac{8 \times 9}{2} + 1 \times 8$

$\qquad = 204 - 72 + 8 = \mathbf{140}$

(4) $\sum\limits_{k=1}^{6} k(k-1)(k+1) = \sum\limits_{k=1}^{6}(k^3-k) = \sum\limits_{k=1}^{6} k^3 - \sum\limits_{k=1}^{6} k$

$\qquad\qquad = \left(\dfrac{6 \times 7}{2}\right)^2 - \dfrac{6 \times 7}{2}$

$\qquad\qquad = 21^2 - 21 = \mathbf{420}$

셀파 **세미나** $1^3 + 2^3 + 3^3 + \cdots + n^3 = \sum\limits_{k=1}^{n} k^3$을 구하는 공식

$(k+1)^4 = k^4 + 4k^3 + 6k^2 + 4k + 1$에서

$(k+1)^4 - k^4 = 4k^3 + 6k^2 + 4k + 1$ ······㉠

㉠의 양변에 $k=1, 2, 3, \cdots, n$을 차례로 대입하여 변끼리 더하면

$2^4 - 1^4 = 4 \times 1^3 + 6 \times 1^2 + 4 \times 1 + 1$

$3^4 - 2^4 = 4 \times 2^3 + 6 \times 2^2 + 4 \times 2 + 1$

$4^4 - 3^4 = 4 \times 3^3 + 6 \times 3^2 + 4 \times 3 + 1$

$\vdots$

$+\underline{)(n+1)^4 - n^4 = 4 \times n^3 + 6 \times n^2 + 4 \times n + 1}$

$(n+1)^4 - 1^4 = 4\sum\limits_{k=1}^{n} k^3 + 6\sum\limits_{k=1}^{n} k^2 + 4\sum\limits_{k=1}^{n} k + n$

이때 $\sum\limits_{k=1}^{n} k^2 = \dfrac{n(n+1)(2n+1)}{6}$, $\sum\limits_{k=1}^{n} k = \dfrac{n(n+1)}{2}$이므로

$(n+1)^4 - 1 = 4\sum\limits_{k=1}^{n} k^3 + 6 \times \dfrac{n(n+1)(2n+1)}{6}$

$\qquad\qquad\qquad\qquad + 4 \times \dfrac{n(n+1)}{2} + n$

$\qquad\qquad = 4\sum\limits_{k=1}^{n} k^3 + n(n+1)(2n+1) + 2n(n+1) + n$

$4\sum\limits_{k=1}^{n} k^3 = (n+1)^4 - n(n+1)(2n+1) - 2n(n+1) - (n+1)$

$\qquad\quad = (n+1)\{(n+1)^3 - n(2n+1) - 2n - 1\}$

$\qquad\quad = (n+1)(n^3+n^2)$

$\qquad\quad = n^2(n+1)^2$

$\therefore \sum\limits_{k=1}^{n} k^3 = \dfrac{n^2(n+1)^2}{4} = \left\{\dfrac{n(n+1)}{2}\right\}^2$

03-2 셀파 $\sum\limits_{k=1}^{n} a_k = \sum\limits_{i=1}^{n} a_i = \sum\limits_{j=1}^{n} a_j$임을 이용한다.

$\sum\limits_{k=1}^{10}(2k^2-2k+3) - \sum\limits_{i=1}^{10}(i^2-i+5)$

$= \sum\limits_{k=1}^{10}(2k^2-2k+3) - \sum\limits_{k=1}^{10}(k^2-k+5)$

$= \sum\limits_{k=1}^{10}(2k^2-2k+3-k^2+k-5)$

$= \sum\limits_{k=1}^{10}(k^2-k-2)$

$= \sum\limits_{k=1}^{10} k^2 - \sum\limits_{k=1}^{10} k - \sum\limits_{k=1}^{10} 2$

$= \dfrac{10 \times 11 \times 21}{6} - \dfrac{10 \times 11}{2} - 2 \times 10$

$= 385 - 55 - 20 = \mathbf{310}$

04-1 셀파 일반항을 구한 다음 $\sum$ 를 이용하여 나타낸다.

(1) $1, 2, 3, \cdots$ 은 첫째항이 1, 공차가 1인 등차수열이고 $3, 5, 7, \cdots$ 은 첫째항이 3, 공차가 2인 등차수열이다.

수열 $1 \times 3, 2 \times 5, 3 \times 7, \cdots, 20 \times 41$ 의 일반항을 a_n 이라 하면

$a_n = n(2n+1) = 2n^2 + n$

따라서 주어진 수열의 합은

$$\sum_{k=1}^{20} a_k = \sum_{k=1}^{20} (2k^2 + k)$$

$$= 2\sum_{k=1}^{20} k^2 + \sum_{k=1}^{20} k$$

$$= 2 \times \frac{20 \times 21 \times 41}{6} + \frac{20 \times 21}{2}$$

$$= 5740 + 210 = \mathbf{5950}$$

(2) $1, 2, 3, \cdots$ 은 첫째항이 1, 공차가 1인 등차수열이고 $10, 9, 8, \cdots$ 은 첫째항이 10, 공차가 -1인 등차수열이다.

수열 $1 \times 10, 2 \times 9, 3 \times 8, \cdots, 10 \times 1$ 의 일반항을 a_n 이라 하면

$a_n = n(11-n) = -n^2 + 11n$

따라서 주어진 수열의 합은

$$\sum_{k=1}^{10} a_k = \sum_{k=1}^{10} (-k^2 + 11k)$$

$$= -\sum_{k=1}^{10} k^2 + 11\sum_{k=1}^{10} k$$

$$= -\frac{10 \times 11 \times 21}{6} + 11 \times \frac{10 \times 11}{2}$$

$$= -385 + 605 = \mathbf{220}$$

04-2 셀파 첫째항이 1, 공비가 3인 등비수열의 첫째항부터 제n항까지의 합을 구한다.

주어진 수열의 일반항을 a_n 이라 하면

$1 + 3 + 9 + 27 + \cdots$ 에서 첫째항이 1, 공비가 3인 등비수열의 첫째항부터 제n항까지의 합이므로

$a_n = \dfrac{3^n - 1}{3 - 1} = \dfrac{1}{2}(3^n - 1)$

따라서 수열 $\{a_n\}$ 의 첫째항부터 제10항까지의 합은

$$\sum_{k=1}^{10} \frac{1}{2}(3^k - 1) = \frac{1}{2}\left(\sum_{k=1}^{10} 3^k - \sum_{k=1}^{10} 1 \right)$$

$$= \frac{1}{2}\left\{ \frac{3(3^{10}-1)}{3-1} - 1 \times 10 \right\}$$

$$= \frac{3}{4}(3^{10} - 1) - 5$$

$$= \mathbf{\frac{1}{4}(3^{11} - 23)}$$

01 (1) $\displaystyle\sum_{k=1}^{10} (2k-3)$

$$= 2\sum_{k=1}^{10} k - \sum_{k=1}^{10} 3$$

$$= 2 \times \frac{10 \times 11}{2} - 3 \times 10$$

$$= 110 - 30 = \mathbf{80}$$

(2) $\displaystyle\sum_{k=1}^{5} (6k^2 - k + 1)$

$$= 6\sum_{k=1}^{5} k^2 - \sum_{k=1}^{5} k + \sum_{k=1}^{5} 1$$

$$= 6 \times \frac{5 \times 6 \times 11}{6} - \frac{5 \times 6}{2} + 1 \times 5$$

$$= 330 - 15 + 5 = \mathbf{320}$$

(3) $\displaystyle\sum_{k=1}^{10} k(k-2)$

$$= \sum_{k=1}^{10} (k^2 - 2k)$$

$$= \sum_{k=1}^{10} k^2 - 2\sum_{k=1}^{10} k$$

$$= \frac{10 \times 11 \times 21}{6} - 2 \times \frac{10 \times 11}{2}$$

$$= 385 - 110 = \mathbf{275}$$

(4) $\displaystyle\sum_{k=1}^{10} (k+3)(k-2)$

$$= \sum_{k=1}^{10} (k^2 + k - 6)$$

$$= \sum_{k=1}^{10} k^2 + \sum_{k=1}^{10} k - \sum_{k=1}^{10} 6$$

$$= \frac{10 \times 11 \times 21}{6} + \frac{10 \times 11}{2} - 6 \times 10$$

$$= 385 + 55 - 60 = \mathbf{380}$$

(5) $\displaystyle\sum_{k=1}^{15} (k^3 - 2)$

$$= \sum_{k=1}^{15} k^3 - \sum_{k=1}^{15} 2$$

$$= \left(\frac{15 \times 16}{2} \right)^2 - 2 \times 15$$

$$= 14400 - 30 = \mathbf{14370}$$

(6) $\displaystyle\sum_{k=1}^{6} k(k^2+1)$

$\displaystyle=\sum_{k=1}^{6}(k^3+k)$

$\displaystyle=\sum_{k=1}^{6}k^3+\sum_{k=1}^{6}k$

$\displaystyle=\left(\frac{6\times7}{2}\right)^2+\frac{6\times7}{2}$

$=441+21=\mathbf{462}$

(7) $\displaystyle\sum_{k=1}^{5}(k^3-k^2+1)$

$\displaystyle=\sum_{k=1}^{5}k^3-\sum_{k=1}^{5}k^2+\sum_{k=1}^{5}1$

$\displaystyle=\left(\frac{5\times6}{2}\right)^2-\frac{5\times6\times11}{6}+1\times5$

$=225-55+5=\mathbf{175}$

(8) $\displaystyle\sum_{k=1}^{8}k(k-2)(k+5)$

$\displaystyle=\sum_{k=1}^{8}(k^3+3k^2-10k)$

$\displaystyle=\sum_{k=1}^{8}k^3+3\sum_{k=1}^{8}k^2-10\sum_{k=1}^{8}k$

$\displaystyle=\left(\frac{8\times9}{2}\right)^2+3\times\frac{8\times9\times17}{6}-10\times\frac{8\times9}{2}$

$=1296+612-360=\mathbf{1548}$

02 (1) $\displaystyle\sum_{k=5}^{10}(2k+1)$

$\displaystyle=\sum_{k=1}^{10}(2k+1)-\sum_{k=1}^{4}(2k+1)$

$\displaystyle=\left(2\times\frac{10\times11}{2}+1\times10\right)-\left(2\times\frac{4\times5}{2}+1\times4\right)$

$=120-24=\mathbf{96}$

(2) $\displaystyle\sum_{k=4}^{10}(k^2-k)$

$\displaystyle=\sum_{k=1}^{10}(k^2-k)-\sum_{k=1}^{3}(k^2-k)$

$\displaystyle=\left(\frac{10\times11\times21}{6}-\frac{10\times11}{2}\right)-\left(\frac{3\times4\times7}{6}-\frac{3\times4}{2}\right)$

$=330-8=\mathbf{322}$

(3) $\displaystyle\sum_{k=6}^{10}(k+1)^2$

$\displaystyle=\sum_{k=1}^{10}(k+1)^2-\sum_{k=1}^{5}(k+1)^2$

$\displaystyle=\sum_{k=1}^{10}(k^2+2k+1)-\sum_{k=1}^{5}(k^2+2k+1)$

$\displaystyle=\left(\frac{10\times11\times21}{6}+2\times\frac{10\times11}{2}+1\times10\right)$

$\displaystyle\qquad-\left(\frac{5\times6\times11}{6}+2\times\frac{5\times6}{2}+1\times5\right)$

$=505-90=\mathbf{415}$

(4) $\displaystyle\sum_{k=4}^{12}(2k-5)(k+1)$

$\displaystyle=\sum_{k=4}^{12}(2k^2-3k-5)$

$\displaystyle=\sum_{k=1}^{12}(2k^2-3k-5)-\sum_{k=1}^{3}(2k^2-3k-5)$

$\displaystyle=\left(2\times\frac{12\times13\times25}{6}-3\times\frac{12\times13}{2}-5\times12\right)$

$\displaystyle\qquad-\left(2\times\frac{3\times4\times7}{6}-3\times\frac{3\times4}{2}-5\times3\right)$

$=1006-(-5)=\mathbf{1011}$

03 (1) 주어진 수열의 일반항을 a_n이라 하면

$a_n=(n+1)^2$

$(n+1)^2=8^2$에서 $n+1=8$　　∴ $n=7$

즉, 8^2은 수열 $\{a_n\}$의 제7항이다.

따라서 주어진 수열의 합은

$\displaystyle\sum_{k=1}^{7}a_k=\sum_{k=1}^{7}(k+1)^2=\sum_{k=1}^{7}(k^2+2k+1)$

$\displaystyle\qquad=\frac{7\times8\times15}{6}+2\times\frac{7\times8}{2}+1\times7$

$=140+56+7=\mathbf{203}$

(2) 주어진 수열의 일반항을 a_n이라 하면

$a_n=(2n-1)^2$

$(2n-1)^2=15^2$에서 $2n-1=15$　　∴ $n=8$

즉, 15^2은 수열 $\{a_n\}$의 제8항이다.

따라서 주어진 수열의 합은

$\displaystyle\sum_{k=1}^{8}a_k=\sum_{k=1}^{8}(2k-1)^2=\sum_{k=1}^{8}(4k^2-4k+1)$

$\displaystyle\qquad=4\times\frac{8\times9\times17}{6}-4\times\frac{8\times9}{2}+1\times8$

$=816-144+8=\mathbf{680}$

(3) 주어진 수열의 일반항을 a_n이라 하면

$a_n = n(n+3)$

$n(n+3) = 10 \times 13$에서 $n = 10$

즉, 10×13은 수열 $\{a_n\}$의 제10항이다.

따라서 주어진 수열의 합은

$$\sum_{k=1}^{10} a_k = \sum_{k=1}^{10} k(k+3) = \sum_{k=1}^{10} (k^2 + 3k)$$

$$= \frac{10 \times 11 \times 21}{6} + 3 \times \frac{10 \times 11}{2}$$

$$= 385 + 165 = \mathbf{550}$$

(4) 주어진 수열의 일반항을 a_n이라 하면

$a_n = (n+1)n^2$

$(n+1)n^2 = 11 \times 10^2$에서 $n = 10$

즉, 11×10^2은 수열 $\{a_n\}$의 제10항이다.

따라서 주어진 수열의 합은

$$\sum_{k=1}^{10} a_k = \sum_{k=1}^{10} (k+1)k^2 = \sum_{k=1}^{10} (k^3 + k^2)$$

$$= \left(\frac{10 \times 11}{2} \right)^2 + \frac{10 \times 11 \times 21}{6}$$

$$= 3025 + 385 = \mathbf{3410}$$

05-1 셀파 상수인 것과 상수가 아닌 것을 구분한다.

(1) $\displaystyle \sum_{i=1}^{10} \left\{ \sum_{k=1}^{6} (2i + 3k) \right\}$

$$= \sum_{i=1}^{10} \left(\sum_{k=1}^{6} 2i + 3 \sum_{k=1}^{6} k \right)$$

$$= \sum_{i=1}^{10} \left(2i \times 6 + 3 \times \frac{6 \times 7}{2} \right)$$

$$= \sum_{i=1}^{10} (12i + 63) = 12 \times \frac{10 \times 11}{2} + 63 \times 10$$

$$= 660 + 630 = \mathbf{1290}$$

(2) $\displaystyle \sum_{i=1}^{8} \left(\sum_{k=1}^{i} ik \right)$

$$= \sum_{i=1}^{8} \left(i \sum_{k=1}^{i} k \right) = \sum_{i=1}^{8} \left\{ i \times \frac{i(i+1)}{2} \right\}$$

$$= \frac{1}{2} \sum_{i=1}^{8} (i^3 + i^2)$$

$$= \frac{1}{2} \left\{ \left(\frac{8 \times 9}{2} \right)^2 + \frac{8 \times 9 \times 17}{6} \right\}$$

$$= \frac{1}{2} (1296 + 204) = \mathbf{750}$$

06-1 셀파 $\displaystyle \sum_{k=1}^{n} a_k = S_n$이므로 S_n과 a_n 사이의 관계를 이용하여 a_n을 구한다.

수열 $\{a_n\}$의 첫째항부터 제n항까지의 합을 S_n이라 하면

$$S_n = \sum_{k=1}^{n} a_k = 3^n - 1$$

(i) $n \geq 2$일 때

$a_n = S_n - S_{n-1} = (3^n - 1) - (3^{n-1} - 1)$

$\quad = 3^n - 3^{n-1} = 2 \times 3^{n-1}$ ······㉠

(ii) $n = 1$일 때

$a_1 = S_1 = 3 - 1 = 2$

이때 $a_1 = 2$는 ㉠에 $n = 1$을 대입한 값과 같으므로

$a_n = 2 \times 3^{n-1}$

따라서 $a_{2k+1} = 2 \times 3^{2k+1-1} = 2 \times 3^{2k}$이므로

$$\sum_{k=1}^{10} a_{2k+1} = \sum_{k=1}^{10} 2 \times 3^{2k} = 2 \sum_{k=1}^{10} 9^k$$

$$= 2 \times \frac{9 \times (9^{10} - 1)}{9 - 1}$$

$$= \frac{9}{4} (9^{10} - 1)$$

06-2 셀파 $\displaystyle S_n = \sum_{k=1}^{n} a_k$로 놓고 a_n을 구한다.

수열 $\{a_n\}$의 첫째항부터 제n항까지의 합을 S_n이라 하면

$$S_n = \sum_{k=1}^{n} a_k = n^2 - 2n$$

(i) $n \geq 2$일 때

$a_n = S_n - S_{n-1}$

$\quad = (n^2 - 2n) - \{(n-1)^2 - 2(n-1)\}$

$\quad = (n^2 - 2n) - (n^2 - 4n + 3)$

$\quad = 2n - 3$ ······㉠

(ii) $n = 1$일 때

$a_1 = S_1 = 1 - 2 = -1$

이때 $a_1 = -1$은 ㉠에 $n = 1$을 대입한 값과 같으므로

$a_n = 2n - 3$

따라서 $a_{2k} = 2 \times 2k - 3 = 4k - 3$이므로

$$\sum_{k=1}^{n} a_{2k} = \sum_{k=1}^{n} (4k - 3)$$

$$= 4 \times \frac{n(n+1)}{2} - 3n$$

$$= 2n(n+1) - 3n = 2n^2 - n$$

$\displaystyle \sum_{k=1}^{n} a_{2k} = 190$이므로 $2n^2 - n = 190$

$2n^2 - n - 190 = 0$, $(2n + 19)(n - 10) = 0$

$\therefore \mathbf{n = 10}$ ($\because n$은 자연수)

일반적으로 $\sum\limits_{k=1}^{n} a_k$, 즉 S_n이 주어지면

(i) $n \geq 2$일 때, $a_n = S_n - S_{n-1}$

(ii) $n = 1$일 때, $a_1 = S_1$

과 같은 경우로 나누어 구한 다음
(ii)에서 구한 a_1과 (i)에서 구한 a_n에 $n=1$을 대입한 값
이 같은 지를 비교하여 일반항을 구한다.

한편
S_n이 상수항이 없는 n에 대한 이차식
⇨ a_n은 첫째항부터 등차수열을 이루고
S_n이 $Ar^n - A$와 같은 지수꼴
⇨ a_n은 첫째항부터 등비수열을 이룬다.

따라서 위의 두 가지 경우에는 $n \geq 2$일 때와 $n=1$일 때로 경우를 나누어 a_n을 구할 필요가 없다.

셀파 특강 | 확인 체크 01

(1) $\dfrac{1}{10 \times 12} = \dfrac{1}{12-10}\left(\dfrac{1}{10} - \dfrac{1}{12}\right)$

$\qquad\qquad = \dfrac{1}{2}\left(\dfrac{1}{10} - \dfrac{1}{12}\right)$

(2) $\dfrac{3}{13 \times 16} = 3 \times \dfrac{1}{13 \times 16}$

$\qquad\qquad = \dfrac{3}{16-13}\left(\dfrac{1}{13} - \dfrac{1}{16}\right)$

$\qquad\qquad = \dfrac{1}{13} - \dfrac{1}{16}$

(3) $\dfrac{1}{x(x+4)} = \dfrac{1}{(x+4)-x}\left(\dfrac{1}{x} - \dfrac{1}{x+4}\right)$

$\qquad\qquad = \dfrac{1}{4}\left(\dfrac{1}{x} - \dfrac{1}{x+4}\right)$

(4) $\dfrac{2}{(x-1)(x+1)} = 2 \times \dfrac{1}{(x-1)(x+1)}$

$\qquad\qquad = \dfrac{2}{(x+1)-(x-1)}\left(\dfrac{1}{x-1} - \dfrac{1}{x+1}\right)$

$\qquad\qquad = \dfrac{1}{x-1} - \dfrac{1}{x+1}$

07-1 셀파 부분분수로의 변형을 이용하여 일반항의 각 항을 분리한다.

수열 $3, 5, 7, \cdots$의 일반항은
$3 + (n-1) \times 2 = 2n+1$
이므로 주어진 수열의 일반항을 a_n이라 하면

$a_n = \dfrac{1}{(2n+1)^2 - 1}$

$\quad = \dfrac{1}{4n^2 + 4n} = \dfrac{1}{4n(n+1)}$

$\quad = \dfrac{1}{4}\left(\dfrac{1}{n} - \dfrac{1}{n+1}\right)$

따라서 수열 $\{a_n\}$의 첫째항부터 제n항까지의 합은

$\sum\limits_{k=1}^{n} a_k = \sum\limits_{k=1}^{n} \dfrac{1}{4}\left(\dfrac{1}{k} - \dfrac{1}{k+1}\right)$

$\quad = \dfrac{1}{4}\left\{\left(1 - \dfrac{1}{2}\right) + \left(\dfrac{1}{2} - \dfrac{1}{3}\right) + \cdots + \left(\dfrac{1}{n} - \dfrac{1}{n+1}\right)\right\}$

$\quad = \dfrac{1}{4}\left(1 - \dfrac{1}{n+1}\right)$

$\quad = \dfrac{n}{4(n+1)}$

07-2 셀파 제n항을 간단히 정리하고 부분분수로 변형한다.

주어진 수열의 일반항을 a_n이라 하면

$a_n = \dfrac{1}{1+2+3+\cdots+n}$

$\quad = \dfrac{1}{\dfrac{n(n+1)}{2}} = \dfrac{2}{n(n+1)}$

$\quad = 2\left(\dfrac{1}{n} - \dfrac{1}{n+1}\right)$

주어진 식은 수열 $\{a_n\}$의 첫째항부터 제n항까지의 합이므로

$\sum\limits_{k=1}^{n} a_k = \sum\limits_{k=1}^{n} 2\left(\dfrac{1}{k} - \dfrac{1}{k+1}\right)$

$\quad = 2\left\{\left(1 - \dfrac{1}{2}\right) + \left(\dfrac{1}{2} - \dfrac{1}{3}\right) + \cdots + \left(\dfrac{1}{n} - \dfrac{1}{n+1}\right)\right\}$

$\quad = 2\left(1 - \dfrac{1}{n+1}\right) = \dfrac{2n}{n+1}$

따라서 $\dfrac{2n}{n+1} = \dfrac{9}{5}$에서 $10n = 9n+9$

$\therefore n = 9$

| 참고 |

$a_1 = 1, \ a_2 = \dfrac{1}{1+2}, \ a_3 = \dfrac{1}{1+2+3}, \cdots$이므로

$a_n = \dfrac{1}{1+2+3+\cdots+n}$

08-1 셀파 일반항의 분모를 유리화하여 이웃한 항끼리 소거되는 꼴로 변형한다.

수열 $\dfrac{1}{1+\sqrt{2}}$, $\dfrac{1}{\sqrt{2}+\sqrt{3}}$, $\dfrac{1}{\sqrt{3}+2}$, $\cdots$의 일반항을 a_n이라 하면

$$a_n=\frac{1}{\sqrt{n}+\sqrt{n+1}}$$

$$=\frac{\sqrt{n}-\sqrt{n+1}}{(\sqrt{n}+\sqrt{n+1})(\sqrt{n}-\sqrt{n+1})}$$

$$=\frac{\sqrt{n}-\sqrt{n+1}}{n-(n+1)}=-(\sqrt{n}-\sqrt{n+1}\,)$$

$$=\sqrt{n+1}-\sqrt{n}$$

따라서 수열 $\{a_n\}$의 첫째항부터 제24항까지의 합은

$$\sum_{k=1}^{24} a_k=\sum_{k=1}^{24}(\sqrt{k+1}-\sqrt{k})$$

$$=(\sqrt{2}-1)+(\sqrt{3}-\sqrt{2})+(\sqrt{4}-\sqrt{3})+\cdots+(\sqrt{25}-\sqrt{24})$$

$$=-1+\sqrt{25}=\mathbf{4}$$

08-2 셀파 $S_n=\sum\limits_{k=1}^{n} a_k=n^2+2n$에서 a_n을 구한다.

수열 $\{a_n\}$의 첫째항부터 제n항까지의 합을 S_n이라 하면

$$S_n=\sum_{k=1}^{n} a_k=n^2+2n$$

(ⅰ) $n\geq 2$일 때

$$a_n=S_n-S_{n-1}$$

$$=(n^2+2n)-\{(n-1)^2+2(n-1)\}$$

$$=(n^2+2n)-(n^2-1)$$

$$=2n+1 \qquad \cdots\cdots \text{㉠}$$

(ⅱ) $n=1$일 때

$$a_1=S_1=1^2+2\times 1=3$$

이때 $a_1=3$은 ㉠에 $n=1$을 대입한 값과 같으므로

$$a_n=2n+1$$

$$\therefore \sum_{k=1}^{n}\frac{2}{a_k a_{k+1}}=\sum_{k=1}^{n}\frac{2}{(2k+1)(2k+3)}$$

$$=\sum_{k=1}^{n}\left(\frac{1}{2k+1}-\frac{1}{2k+3}\right)$$

$$=\left(\frac{1}{3}-\frac{1}{5}\right)+\left(\frac{1}{5}-\frac{1}{7}\right)+\left(\frac{1}{7}-\frac{1}{9}\right)$$

$$\qquad +\cdots+\left(\frac{1}{2n+1}-\frac{1}{2n+3}\right)$$

$$=\frac{1}{3}-\frac{1}{2n+3}$$

$$=\frac{2n}{3(2n+3)}$$

09-1 셀파 로그의 성질을 이용하여 각 항을 분리한다.

(1) $\log_3\left(1-\dfrac{2}{2k+1}\right)$

$$=\log_3\frac{2k-1}{2k+1}$$

$$=\log_3(2k-1)-\log_3(2k+1)$$

$$\therefore \sum_{k=1}^{13}\log_3\left(1-\frac{2}{2k+1}\right)$$

$$=\sum_{k=1}^{13}\{\log_3(2k-1)-\log_3(2k+1)\}$$

$$=(\log_3 1-\log_3 3)+(\log_3 3-\log_3 5)$$

$$\qquad +\cdots+(\log_3 25-\log_3 27)$$

$$=\log_3 1-\log_3 27=\mathbf{-3}$$

(2) $\log\left(1-\dfrac{2}{k+2}\right)$

$$=\log\frac{k}{k+2}$$

$$=\log k-\log(k+2)$$

$$\therefore \sum_{k=1}^{9}\log\left(1-\frac{2}{k+2}\right)$$

$$=\sum_{k=1}^{9}\{\log k-\log(k+2)\}$$

$$=(\log 1-\log 3)+(\log 2-\log 4)+(\log 3-\log 5)$$

$$\qquad +\cdots+(\log 8-\log 10)+(\log 9-\log 11)$$

$$=\log 1+\log 2-\log 10-\log 11$$

$$=\log\frac{2}{10\times 11}=\log\frac{1}{55}$$

$$=\mathbf{-\log 55}$$

| 다른 풀이 |

(1) $\sum\limits_{k=1}^{13}\log_3\dfrac{2k-1}{2k+1}$

$$=\log_3\frac{1}{3}+\log_3\frac{3}{5}+\log_3\frac{5}{7}+\cdots+\log_3\frac{25}{27}$$

$$=\log_3\left(\frac{1}{3}\times\frac{3}{5}\times\frac{5}{7}\times\cdots\times\frac{25}{27}\right)$$

$$=\log_3\frac{1}{27}=-3$$

(2) $\sum\limits_{k=1}^{9}\log\dfrac{k}{k+2}$

$$=\log\frac{1}{3}+\log\frac{2}{4}+\log\frac{3}{5}+\cdots+\log\frac{8}{10}+\log\frac{9}{11}$$

$$=\log\left(\frac{1}{3}\times\frac{2}{4}\times\frac{3}{5}\times\cdots\times\frac{8}{10}\times\frac{9}{11}\right)$$

$$=\log\frac{2}{10\times 11}=\log\frac{1}{55}$$

$$=-\log 55$$

09-2 셀파 $\log_{a^m} b^n = \dfrac{n}{m}\log_a b$를 이용하여 식을 변형한다.

$a_n = \log_{\frac{1}{2}} \dfrac{n}{n+1} = \log_2 \dfrac{n+1}{n} = \log_2 (n+1) - \log_2 n$이므로

$\displaystyle\sum_{k=1}^{n} a_k = \sum_{k=1}^{n} \{\log_2 (k+1) - \log_2 k)\}$

$\qquad = (\log_2 2 - \log_2 1) + (\log_2 3 - \log_2 2)$

$\qquad\qquad\qquad + \cdots + \{\log_2 (n+1) - \log_2 n\}$

$\qquad = \log_2 (n+1)$

$\log_2 (n+1) = 10$에서 $n+1 = 2^{10}$

$\therefore n = 2^{10} - 1 = \mathbf{1023}$

| 참고 |

$\log_{\frac{1}{a}} b = \dfrac{\log b}{\log \frac{1}{a}} = \dfrac{\log b}{-\log a} = -\log_a b$이고,

$\log_a \dfrac{1}{b} = \log_a b^{-1} = -\log_a b$이므로

$\log_{\frac{1}{a}} \dfrac{1}{b} = -\log_a \dfrac{1}{b} = -(-\log_a b) = \log_a b$

LECTURE 로그의 성질

$a > 0,\ a \neq 1,\ b > 0$일 때

❶ $\log_a b = \dfrac{\log_c b}{\log_c a}$ (단, $c > 0,\ c \neq 1$)

❷ $\log_a b = \dfrac{1}{\log_b a}$ (단, $b \neq 1$)

❸ $\log_{a^m} b^n = \dfrac{n}{m}\log_a b$ (단, $m \neq 0$)

10-1 셀파 주어진 수열의 합을 S로 놓고 $S - rS$를 계산한다.

(1) 주어진 수열의 합을 S라 하면

$\qquad S = 1 \times 3 + 2 \times 3^2 + 3 \times 3^3 + \cdots + 10 \times 3^{10}$

$-)\quad 3S = \qquad\quad 1 \times 3^2 + 2 \times 3^3 + \cdots + 9 \times 3^{10} + 10 \times 3^{11}$

$\overline{-2S = 1 \times 3 + 1 \times 3^2 + 1 \times 3^3 + \cdots + 1 \times 3^{10} - 10 \times 3^{11}}$

$\qquad = (3 + 3^2 + 3^3 + \cdots + 3^{10}) - 10 \times 3^{11}$

$\qquad = \dfrac{3(3^{10} - 1)}{3 - 1} - 10 \times 3^{11}$

$\qquad = \dfrac{1}{2} \times 3^{11} - \dfrac{3}{2} - 10 \times 3^{11}$

$\qquad = -\dfrac{19}{2} \times 3^{11} - \dfrac{3}{2}$

$\therefore S = \dfrac{\mathbf{19}}{\mathbf{4}} \times 3^{11} + \dfrac{\mathbf{3}}{\mathbf{4}}$

| 주의 |

$\displaystyle\sum_{k=1}^{10} (k \times 3^k)$

$= \displaystyle\sum_{k=1}^{10} k \times \sum_{k=1}^{10} 3^k$

$= \dfrac{10 \times 11}{2} \times \dfrac{3(3^{10} - 1)}{3 - 1}$

$= 55 \times \dfrac{3^{11} - 3}{2} = \dfrac{55}{2} \times 3^{11} - \dfrac{165}{2}$

와 같이 계산하지 않도록 주의한다.

(2) 주어진 수열의 합을 S라 하면

$\qquad S = \dfrac{1}{1} + \dfrac{2}{2} + \dfrac{3}{2^2} + \cdots + \dfrac{11}{2^{10}}$

$-)\quad \dfrac{1}{2}S = \qquad \dfrac{1}{2} + \dfrac{2}{2^2} + \cdots + \dfrac{10}{2^{10}} + \dfrac{11}{2^{11}}$

$\overline{\quad \dfrac{1}{2}S = 1 + \dfrac{1}{2} + \dfrac{1}{2^2} + \cdots + \dfrac{1}{2^{10}} - \dfrac{11}{2^{11}}}$

$\qquad = \dfrac{1 \times \left\{1 - \left(\dfrac{1}{2}\right)^{11}\right\}}{1 - \dfrac{1}{2}} - \dfrac{11}{2^{11}}$

$\qquad = 2\left\{1 - \left(\dfrac{1}{2}\right)^{11}\right\} - \dfrac{11}{2^{11}}$

$\qquad = 2 - \dfrac{13}{2^{11}}$

$\therefore S = 4 - \dfrac{\mathbf{13}}{\mathbf{2^{10}}}$

11-1 셀파 수열의 각 항이 갖는 규칙을 파악하여 규칙성을 갖는 군으로 묶는다.

(1) $\underset{\text{제1군}}{(1)},\ \underset{\text{제2군}}{(2, 1)},\ \underset{\text{제3군}}{(3, 2, 1)},\ \underset{\text{제4군}}{(4, 3, 2, 1)},\ \cdots$

제n군의 항의 개수는 n이므로 제1군부터 제n군까지의 항의 개수는

$\displaystyle\sum_{k=1}^{n} k = \dfrac{n(n+1)}{2}$

이때 제1군부터 제16군까지의 항의 개수는 $\dfrac{16 \times 17}{2} = 136$,

제1군부터 제17군까지의 항의 개수는 $\dfrac{17 \times 18}{2} = 153$

이므로 제140항은 제17군의 4번째 항이다. $\rightarrow 140 = 136 + 4$

따라서 제17군은 $(17, 16, 15, 14, \cdots, 1)$이므로

4번째 항은 **14**

(2) 첫째항부터 제140항까지의 합은

　(제1군부터 제16군까지의 항의 합)

　　　　　　　　 ＋(제17군의 첫째항부터 4번째 항까지의 합)

이때 제n군의 합은

$n+(n-1)+(n-2)+\cdots+1$

$=1+2+3+\cdots+n$

$=\displaystyle\sum_{k=1}^{n}k$

$=\dfrac{n(n+1)}{2}$

따라서 구하는 합은

$\displaystyle\sum_{k=1}^{16}\dfrac{k(k+1)}{2}+(17+16+15+14)$

$=\dfrac{1}{2}\left(\displaystyle\sum_{k=1}^{16}k^2+\displaystyle\sum_{k=1}^{16}k\right)+62$

$=\dfrac{1}{2}\left(\dfrac{16\times17\times33}{6}+\dfrac{16\times17}{2}\right)+62$

$=816+62$

$=\mathbf{878}$

셀파 세미나 군수열

각 항이 분수 꼴인 군수열

(1) 분모 또는 분자가 같은 것끼리 묶는다.

(2) 분모와 분자의 합이 같은 것끼리 묶는다.

여러 가지 군수열

(1) 정수로 이루어진 군수열

　$1, 1, 2, 1, 2, 3, 1, 2, 3, 4, 1, \cdots$

(2) 분수로 이루어진 군수열

　$1, \dfrac{1}{2}, \dfrac{2}{2}, \dfrac{1}{3}, \dfrac{2}{3}, \dfrac{3}{3}, \dfrac{1}{4}, \cdots$

(3) 순서쌍으로 이루어진 군수열

　$(1, 1), (2, 1), (1, 2), (3, 1), (2, 2), (1, 3), \cdots$

예 수열

　$1, 1, 2, 1, 2, 3, 1, 2, 3, 4, 1, 2, 3, 4, 5, \cdots$

에서 각 군의 첫째항이 1이 되도록 군으로 묶으면

$\underset{\text{제1군}}{(1)}, \underset{\text{제2군}}{(1, 2)}, \underset{\text{제3군}}{(1, 2, 3)}, \underset{\text{제4군}}{(1, 2, 3, 4)}, \underset{\text{제5군}}{(1, 2, 3, 4, 5)}, \cdots$

이므로 다음을 파악할 수 있다.

❶ 제n군의 항의 개수 ➡ n개

❷ 제n군의 첫째항 ➡ 1

❸ 각 군의 항은 공차가 1인 등차수열을 이룬다.

12-1 셀파 분모와 분자의 합이 같은 것끼리 군으로 묶는다.

(1) 주어진 수열을 분모와 분자의 합이 같은 것끼리 군으로 묶으면

$\underset{\text{제1군}}{\left(\dfrac{1}{1}\right)}, \underset{\text{제2군}}{\left(\dfrac{1}{2}, \dfrac{2}{1}\right)}, \underset{\text{제3군}}{\left(\dfrac{1}{3}, \dfrac{2}{2}, \dfrac{3}{1}\right)}, \underset{\text{제4군}}{\left(\dfrac{1}{4}, \dfrac{2}{3}, \dfrac{3}{2}, \dfrac{4}{1}\right)}, \cdots$

제n군의 각 항의 분모와 분자의 합은 $n+1$이므로 $\dfrac{5}{7}$는 ┈ _{분모와 분자의
합이 12이므로}

제11군의 5번째 항이다. ┈ 제11군

제n군의 항의 개수는 n이므로 제1군부터 제n군까지의 항의 개수는

$\displaystyle\sum_{k=1}^{n}k=\dfrac{n(n+1)}{2}$

제1군부터 제10군까지의 항의 개수는 $\dfrac{10\times11}{2}=55$

따라서 $55+5=60$이므로 $\dfrac{5}{7}$는 **제60항**

(2) 제1군부터 제12군까지의 항의 개수는 $\dfrac{12\times13}{2}=78$,

제1군부터 제13군까지의 항의 개수는 $\dfrac{13\times14}{2}=91$

이므로 제80항은 제13군의 2번째 항이다.

제13군 ➡ $\left(\dfrac{1}{13}, \dfrac{2}{12}, \dfrac{3}{11}, \dfrac{4}{10}, \cdots, \dfrac{13}{1}\right)$

따라서 제80항은 제13군의 2번째 항인 $\dfrac{\mathbf{2}}{\mathbf{12}}$

13-1 셀파 각 단을 군으로 하는 수열을 생각한다.

(1) 각 단을 군으로 하는 수열

　$(1), (2, 3, 4), (5, 6, 7, 8, 9), (10, 11, 12, 13, 14, 15, 16),$

　$\cdots$

에서 제n군의 항의 개수는 $2n-1$이므로

제1군부터 제n군까지의 항의 개수는

$\displaystyle\sum_{k=1}^{n}(2k-1)=2\times\dfrac{n(n+1)}{2}-n=n^2$

제1군부터 제9군까지의 항의 개수는 $9^2=81$

따라서 제10단의 첫 번째 수는 $81+1=\mathbf{82}$

(2) 제n단의 항의 개수는 $2n-1$이므로

제10단의 항의 개수는 $2\times10-1=19$

따라서 구하는 합은 첫째항이 82, 공차가 1인 등차수열의 첫째항부터 제19항까지의 합과 같으므로

$\dfrac{19(2\times82+18\times1)}{2}=\mathbf{1729}$

01 셀파 $\sum\limits_{k=m}^{n} a_k$ 꼴에서 a_k에 $k=m, m+1, m+2, \cdots, n$을 차례로 대입한다.

① $\sum\limits_{k=1}^{2n} k = 1+2+3+\cdots+2n$

   $\therefore 2+4+6+\cdots+2n \neq \sum\limits_{k=1}^{2n} k$

② $\sum\limits_{k=1}^{20} (2k-1) = 1+3+5+\cdots+39$

   $\therefore 1+3+5+\cdots+29 \neq \sum\limits_{k=1}^{20} (2k-1)$

③ $\sum\limits_{i=1}^{8} (-2)^i = (-2)+(-2)^2+(-2)^3+\cdots+(-2)^8$

           $= -2+4-8+\cdots+256$

   $\therefore 1-2+4-8+\cdots+256 \neq \sum\limits_{i=1}^{8} (-2)^i$

④ $\sum\limits_{m=2}^{n+1} 3^{m-1} = 3+3^2+3^3+\cdots+3^n$

⑤ $\sum\limits_{j=1}^{50} (j+50) = 51+52+53+\cdots+100$

   $\therefore 50+51+52+\cdots+100 \neq \sum\limits_{j=1}^{50} (j+50)$

따라서 옳은 것은 ④

| 참고 |

① $2+4+6+\cdots+2n = \sum\limits_{k=1}^{n} 2k$

② $1+3+5+\cdots+29 = \sum\limits_{k=1}^{15} (2k-1)$

③ $1-2+4-8+\cdots+256 = \sum\limits_{i=1}^{9} (-2)^{i-1}$

⑤ $50+51+52+\cdots+100 = \sum\limits_{j=1}^{51} (j+49)$

02 셀파 $\sum\limits_{k=1}^{n} (a_{2k-1}+a_{2k}) = \sum\limits_{k=1}^{2n} a_k$를 이용한다.

$a_{2k-1}+a_{2k}$에 $k=1, 2, 3, \cdots, n$을 차례로 대입하면

$\sum\limits_{k=1}^{n} (a_{2k-1}+a_{2k}) = (a_1+a_2)+(a_3+a_4)+\cdots+(a_{2n-1}+a_{2n})$

               $= \sum\limits_{k=1}^{2n} a_k$

따라서 $\sum\limits_{k=1}^{2n} a_k = 3n^2$이므로

$n=5$를 대입하면 $\sum\limits_{k=1}^{10} a_k = 3 \times 5^2 = \textbf{75}$

| 다른 풀이 |

$\sum\limits_{k=1}^{2n} a_k = 3n^2$에서 $\sum\limits_{k=1}^{n} a_k = 3 \times \left(\dfrac{n}{2}\right)^2 = \dfrac{3}{4}n^2$

$\therefore \sum\limits_{k=1}^{10} a_k = \dfrac{3}{4} \times 10^2 = 75$

03 셀파 $\sum$를 각 항의 합의 꼴로 나타낸다.

$\sum\limits_{k=1}^{10} ka_k = 20$에서

$a_1+2a_2+3a_3+\cdots+10a_{10} = 20$ $\cdots\cdots$ ㉠

$\sum\limits_{k=1}^{9} ka_{k+1} = 10$에서

$a_2+2a_3+3a_4+\cdots+9a_{10} = 10$ $\cdots\cdots$ ㉡

㉠$-$㉡을 하면 $a_1+a_2+a_3+\cdots+a_{10} = 10$

$\therefore \sum\limits_{k=1}^{10} a_k = a_1+a_2+a_3+\cdots+a_{10} = \textbf{10}$

04 셀파 $\sum\limits_{k=1}^{n} (pa_k+qb_k) = p\sum\limits_{k=1}^{n} a_k + q\sum\limits_{k=1}^{n} b_k$ (p, q는 상수)를 이용한다.

$\sum\limits_{k=1}^{15} (2a_k-b_k) = 2\sum\limits_{k=1}^{15} a_k - \sum\limits_{k=1}^{15} b_k = 40$

이때 $\sum\limits_{k=1}^{15} a_k = 28$이므로 $2 \times 28 - \sum\limits_{k=1}^{15} b_k = 40$에서

$\sum\limits_{k=1}^{15} b_k = 56-40 = 16$

$\therefore \sum\limits_{k=1}^{15} 3b_k = 3\sum\limits_{k=1}^{15} b_k = 3 \times 16 = \textbf{48}$

05 셀파 $\sum\limits_{k=m}^{n} a_k = \sum\limits_{k=1}^{n} a_k - \sum\limits_{k=1}^{m-1} a_k$를 이용한다.

$a_6+a_7+a_8+\cdots+a_{15} = \sum\limits_{k=6}^{15} a_k$

                    $= \sum\limits_{k=1}^{15} a_k - \sum\limits_{k=1}^{5} a_k$

                    $= (4 \times 15^2+15) - (4 \times 5^2+5)$

                    $= 915-105 = \textbf{810}$

| 다른 풀이 |

$S_n = \sum\limits_{k=1}^{n} a_k = 4n^2+n$이라 하면 $n \geq 2$일 때

$a_n = S_n - S_{n-1}$

    $= 4n^2+n - \{4(n-1)^2+(n-1)\}$

    $= 4n^2+n - (4n^2-7n+3)$

    $= 8n-3$

구하는 합은 첫째항이 $a_6=45$, 공차가 8, 항수가 10인 등차수열의 합이므로

$\dfrac{10(2 \times 45+9 \times 8)}{2} = 810$

06 셀파 $\sum_{k=1}^{n} k=\dfrac{n(n+1)}{2}$, $\sum_{k=1}^{n} c=cn$ (c는 상수)을 이용한다.

$$\sum_{k=1}^{m} a_k=\sum_{k=1}^{m}(3k-2)=3\sum_{k=1}^{m}k-\sum_{k=1}^{m}2$$

$$=3\times\frac{m(m+1)}{2}-2m$$

$$=\frac{3m^2-m}{2}$$

$\sum_{k=1}^{m} a_k=35$이므로 $\dfrac{3m^2-m}{2}=35$

$3m^2-m=70$, $3m^2-m-70=0$

$(3m+14)(m-5)=0$ $\therefore m=-\dfrac{14}{3}$ 또는 $m=5$

따라서 자연수 m의 값은 **5**

07 셀파 위에서부터 1층, 2층, 3층, ⋯ 이라 하고 각 층에 진열된 제품의 개수를 구한다.

위에서부터 1층, 2층, 3층, ⋯, n층이라 하면 각 층에 진열된 제품의 개수는 1^2, 3^2, 5^2, ⋯, $(2n-1)^2$이다.

따라서 구하는 제품의 개수는

$$\sum_{k=1}^{7}(2k-1)^2=\sum_{k=1}^{7}(4k^2-4k+1)$$

$$=4\sum_{k=1}^{7}k^2-4\sum_{k=1}^{7}k+\sum_{k=1}^{7}1$$

$$=4\times\frac{7\times8\times15}{6}-4\times\frac{7\times8}{2}+1\times7$$

$$=560-112+7=\textbf{455}$$

08 셀파 이차방정식의 근과 계수의 관계를 이용한다.

이차방정식 $x^2+kx-k=0$의 두 근이 α_k, β_k이므로

$\alpha_k+\beta_k=-k$, $\alpha_k\beta_k=-k$

$\alpha_k^3+\beta_k^3=(\alpha_k+\beta_k)^3-3\alpha_k\beta_k(\alpha_k+\beta_k)$

$\quad\quad\quad=(-k)^3-3\times(-k)\times(-k)$

$\quad\quad\quad=-k^3-3k^2$

$\therefore \sum_{k=1}^{4}(\alpha_k^3+\beta_k^3)=\sum_{k=1}^{4}(-k^3-3k^2)=-\sum_{k=1}^{4}k^3-3\sum_{k=1}^{4}k^2$

$\quad\quad\quad\quad\quad=-\left(\frac{4\times5}{2}\right)^2-3\times\frac{4\times5\times9}{6}$

$\quad\quad\quad\quad\quad=-100-90=\textbf{-190}$

LEC TURE 곱셈 공식의 변형

❶ $a^3+b^3=(a+b)^3-3ab(a+b)$

❷ $a^3-b^3=(a-b)^3+3ab(a-b)$

09 셀파 수열 2×1, 3×3, 4×5, ⋯의 일반항 a_n을 구한다.

㉮ 2, 3, 4, ⋯는 첫째항이 2, 공차가 1인 등차수열이고 1, 3, 5, ⋯는 첫째항이 1, 공차가 2인 등차수열이다.

수열 2×1, 3×3, 4×5, ⋯, 11×19의 일반항을 a_n이라 하면
$a_n=(n+1)(2n-1)$

㉯ $a_n=11\times19$에서
$(n+1)(2n-1)=11\times19$ $\therefore n=10$
즉, 11×19는 수열 $\{a_n\}$의 제10항이다.

㉰ 따라서 주어진 수열의 합은

$$\sum_{k=1}^{10} a_k=\sum_{k=1}^{10}(k+1)(2k-1)$$

$$=\sum_{k=1}^{10}(2k^2+k-1)$$

$$=2\sum_{k=1}^{10}k^2+\sum_{k=1}^{10}k-\sum_{k=1}^{10}1$$

$$=2\times\frac{10\times11\times21}{6}+\frac{10\times11}{2}-1\times10$$

$$=770+55-10=\textbf{815}$$

채점 기준	배점
㉮ 주어진 수열의 일반항 a_n을 구한다.	30%
㉯ 끝항이 제몇 항인지 구한다.	30%
㉰ 주어진 수열의 합을 구한다.	40%

10 셀파 $33=3+30$, $333=3+30+300$, ⋯임을 이용한다.

주어진 수열 $\{a_n\}$의 제n항은
$$\underbrace{3333\cdots3}_{n개}=3+30+300+3000+\cdots+\underbrace{3000\cdots0}_{0이\ n-1개}$$

이므로 첫째항이 3, 공비가 10인 등비수열의 첫째항부터 제n항까지의 합과 같다.

$\therefore a_n=\dfrac{3(10^n-1)}{10-1}=\dfrac{10^n-1}{3}$

$\therefore \sum_{k=1}^{n} a_k=\sum_{k=1}^{n}\dfrac{10^k-1}{3}=\dfrac{1}{3}\left(\sum_{k=1}^{n}10^k-\sum_{k=1}^{n}1\right)$

$\quad\quad\quad=\dfrac{1}{3}\left\{\dfrac{10(10^n-1)}{10-1}-n\right\}$

$\quad\quad\quad=\dfrac{1}{3}\times\dfrac{10^{n+1}-10-9n}{9}$

$\quad\quad\quad=\dfrac{10^{n+1}-9n-10}{27}$

따라서 구하는 답은 ③

11 셀파 컴퓨터 수가 n일 때의 네트워크 회선 수 a_n을 구한다.

컴퓨터 수가 n일 때의 네트워크 회선 수를 a_n이라 하면

$a_1=0,\ a_2=1,\ a_3=3=1+2,$

$a_4=6=1+2+3,\ a_5=10=1+2+3+4,\ \cdots$

이므로 $a_n=1+2+3+\cdots+(n-1)$

$\therefore a_n=\sum\limits_{k=1}^{n-1}k=\dfrac{n(n-1)}{2}$

따라서 컴퓨터 수가 8대일 때, 필요한 네트워크 회선 수는

$a_8=\dfrac{8\times7}{2}=28$

12 셀파 $\sum$가 중복되어 있는 경우에는 괄호 안부터 차례로 $\sum$의 기본 성질을 이용하여 계산한다.

$\sum\limits_{m=1}^{n}\left(\sum\limits_{k=1}^{m}k\right)=\sum\limits_{m=1}^{n}\dfrac{m(m+1)}{2}$

$\qquad=\dfrac{1}{2}\sum\limits_{m=1}^{n}(m^2+m)=\dfrac{1}{2}\left(\sum\limits_{m=1}^{n}m^2+\sum\limits_{m=1}^{n}m\right)$

$\qquad=\dfrac{1}{2}\left\{\dfrac{n(n+1)(2n+1)}{6}+\dfrac{n(n+1)}{2}\right\}$

$\qquad=\dfrac{n(n+1)(n+2)}{6}$

즉, $\dfrac{n(n+1)(n+2)}{6}=56=7\times8$에서

$n(n+1)(n+2)=6\times7\times8$ $\quad\therefore \boldsymbol{n=6}$

13 셀파 $\sum\limits_{k=2}^{10}a_k=\sum\limits_{k=1}^{10}a_k-a_1$임을 이용한다.

수열 $\{a_n\}$의 첫째항부터 제n항까지의 합을 S_n이라 하면

$S_n=\sum\limits_{k=1}^{n}a_k=n^2+n+1$

(i) $n\ge2$일 때

$\quad a_n=S_n-S_{n-1}$

$\qquad=n^2+n+1-\{(n-1)^2+(n-1)+1\}$

$\qquad=n^2+n+1-(n^2-n+1)$

$\qquad=2n$ $\qquad\qquad\cdots\cdots\ ㉠$

(ii) $n=1$일 때 $a_1=S_1=3$

이때 $a_1=3$은 ㉠에 $n=1$을 대입한 값과 같지 않으므로

$a_1=3,\ a_n=2n\ (n\ge2)$

따라서 $a_1=3,\ a_{2k-1}=2(2k-1)=4k-2\ (k\ge2)$이므로

$\sum\limits_{k=1}^{10}a_{2k-1}=a_1+\sum\limits_{k=2}^{10}(4k-2)$

$\qquad=3+\sum\limits_{k=1}^{10}(4k-2)-(4-2)$

$\qquad=3+4\times\dfrac{10\times11}{2}-20-2$

$\qquad=\boldsymbol{201}$

14 셀파 $\dfrac{1}{n^2-1}=\dfrac{1}{(n-1)(n+1)}=\dfrac{1}{2}\left(\dfrac{1}{n-1}-\dfrac{1}{n+1}\right)$

과 같이 부분분수로 변형한다.

$\sum\limits_{n=2}^{8}\dfrac{1}{a_n}=\sum\limits_{n=2}^{8}\dfrac{1}{n^2-1}$

$\qquad=\sum\limits_{n=2}^{8}\dfrac{1}{(n-1)(n+1)}$

$\qquad=\dfrac{1}{2}\sum\limits_{n=2}^{8}\left(\dfrac{1}{n-1}-\dfrac{1}{n+1}\right)$

$\qquad=\dfrac{1}{2}\left\{\left(1-\dfrac{1}{3}\right)+\left(\dfrac{1}{2}-\dfrac{1}{4}\right)+\left(\dfrac{1}{3}-\dfrac{1}{5}\right)+\left(\dfrac{1}{4}-\dfrac{1}{6}\right)\right.$

$\qquad\qquad\left.+\left(\dfrac{1}{5}-\dfrac{1}{7}\right)+\left(\dfrac{1}{6}-\dfrac{1}{8}\right)+\left(\dfrac{1}{7}-\dfrac{1}{9}\right)\right\}$

$\qquad=\dfrac{1}{2}\left(1+\dfrac{1}{2}-\dfrac{1}{8}-\dfrac{1}{9}\right)$

$\qquad=\dfrac{1}{2}\times\dfrac{91}{72}=\dfrac{\boldsymbol{91}}{\boldsymbol{144}}$

> 앞에서 첫 번째, 세 번째가 남으면 뒤에서 첫 번째, 세 번째가 남는다.

15 셀파 $a_1=S_1,\ a_n=S_n-S_{n-1}\ (n\ge2)$에서 일반항 a_n을 구한다.

$a_1+a_2+a_3+\cdots+a_n=S_n$이라 하면

$S_n=\dfrac{1}{3}n(n+1)(n+2)$에서

(i) $n\ge2$일 때

$\quad a_n=S_n-S_{n-1}$

$\qquad=\dfrac{1}{3}n(n+1)(n+2)-\dfrac{1}{3}(n-1)n(n+1)$

$\qquad=\dfrac{1}{3}n(n+1)\{(n+2)-(n-1)\}$

$\qquad=n(n+1)$ $\qquad\cdots\cdots\ ㉠$

(ii) $n=1$일 때

$\quad a_1=S_1=\dfrac{1}{3}\times1\times2\times3=2$

이때 $a_1=2$는 ㉠에 $n=1$을 대입한 값과 같으므로

$a_n=n(n+1)$

$\therefore \sum\limits_{k=1}^{n}\dfrac{1}{a_k}=\sum\limits_{k=1}^{n}\dfrac{1}{k(k+1)}$

$\qquad=\sum\limits_{k=1}^{n}\left(\dfrac{1}{k}-\dfrac{1}{k+1}\right)$

$\qquad=\left(1-\dfrac{1}{2}\right)+\left(\dfrac{1}{2}-\dfrac{1}{3}\right)+\cdots+\left(\dfrac{1}{n}-\dfrac{1}{n+1}\right)$

$\qquad=1-\dfrac{1}{n+1}=\dfrac{n}{n+1}$

> 앞에서 첫 번째가 남으면 뒤에서 첫 번째가 남는다.

따라서 $\dfrac{n}{n+1}=\dfrac{10}{11}$에서

$11n=10n+10$ $\quad\therefore \boldsymbol{n=10}$

16 셀파 수열의 일반항을 구한다.

수열 $\dfrac{1}{3},\ \dfrac{1}{3+5},\ \dfrac{1}{3+5+7},\ \cdots$의 일반항을 a_n이라 하면

$$a_n=\frac{1}{3+5+7+\cdots+(2n+1)}$$

이때 $2n+1=19$에서 $n=9$

즉, 주어진 수열의 합은 수열 $\{a_n\}$의 첫째항부터 제9항까지의 합이다.

$$3+5+7+\cdots+(2n+1)=\sum_{k=1}^{n}(2k+1)$$
$$=2\times\frac{n(n+1)}{2}+n=n^2+2n$$

$$\therefore\ a_n=\frac{1}{3+5+7+\cdots+(2n+1)}=\frac{1}{n^2+2n}$$
$$=\frac{1}{n(n+2)}$$
$$=\frac{1}{2}\left(\frac{1}{n}-\frac{1}{n+2}\right)$$

따라서 구하는 수열의 합은

$$\sum_{k=1}^{9}a_k=\sum_{k=1}^{9}\frac{1}{2}\left(\frac{1}{k}-\frac{1}{k+2}\right)$$
$$=\frac{1}{2}\left\{\left(1-\frac{1}{3}\right)+\left(\frac{1}{2}-\frac{1}{4}\right)+\left(\frac{1}{3}-\frac{1}{5}\right)\right.$$
$$\left.+\cdots+\left(\frac{1}{8}-\frac{1}{10}\right)+\left(\frac{1}{9}-\frac{1}{11}\right)\right\}$$
$$=\frac{1}{2}\left(1+\frac{1}{2}-\frac{1}{10}-\frac{1}{11}\right)$$

↳ 앞에서 첫 번째, 세 번째가 남으면 뒤에서 첫 번째, 세 번째가 남는다.

$$=\frac{1}{2}\times\frac{144}{110}=\frac{36}{55}$$

17 셀파 일반항 a_n을 구한 다음 분모를 유리화한다.

주어진 수열의 일반항을 a_n이라 하면

$$a_n=\frac{2}{\sqrt{n+2}+\sqrt{n}}=\frac{2(\sqrt{n+2}-\sqrt{n})}{n+2-n}$$
$$=\sqrt{n+2}-\sqrt{n}$$

따라서 수열 $\{a_n\}$의 첫째항부터 제30항까지의 합은

$$\sum_{k=1}^{30}a_k=\sum_{k=1}^{30}(\sqrt{k+2}-\sqrt{k})$$
$$=(\sqrt{3}-1)+(2-\sqrt{2})+(\sqrt{5}-\sqrt{3})+(\sqrt{6}-2)$$
$$+\cdots+(\sqrt{31}-\sqrt{29})+(\sqrt{32}-\sqrt{30})$$

↳ 앞에서 두 번째, 네 번째가 남으면 뒤에서 두 번째, 네 번째가 남는다.

$$=-1-\sqrt{2}+\sqrt{31}+\sqrt{32}=-1-\sqrt{2}+\sqrt{31}+4\sqrt{2}$$
$$=\sqrt{31}+3\sqrt{2}-1$$

따라서 구하는 합은 ①

18 셀파 분모가 2인 항이 1개, 분모가 4인 항이 2개, 분모가 8인 항이 4개, 분모가 16인 항이 8개, $\cdots$

주어진 수열을 분모가 같은 항끼리 군으로 묶으면

$$\left(\frac{1}{2}\right),\ \left(\frac{1}{4},\ \frac{3}{4}\right),\ \left(\frac{1}{8},\ \frac{3}{8},\ \frac{5}{8},\ \frac{7}{8}\right),\ \cdots$$

각 군의 항의 개수는 1, 2, 4, 8, $\cdots$이므로 첫째항이 1, 공비가 2인 등비수열을 이룬다.

제1군부터 제n군까지의 항의 개수는

$$\frac{1\times(2^n-1)}{2-1}=2^n-1$$

이때 제1군부터 제5군까지의 항의 개수는 $2^5-1=31$,

제1군부터 제6군까지의 항의 개수는 $2^6-1=63$

이므로 제60항은 제6군의 29번째 항이다.

제6군의 분모는 $2^6=64$, 29번째 항의 분자는 $2\times29-1=57$

따라서 제60항은 $\dfrac{57}{64}$

19 셀파 $a_n=abc$로 놓고 $a,\ b,\ c$의 규칙을 구한다.

$a_n=abc$라 하면 a는 누르는 횟수에 따라 다음과 같이 변한다.

$$0\xrightarrow{1회}1\xrightarrow{2회}2\xrightarrow{3회}0\xrightarrow{4회}1\xrightarrow{5회}2\xrightarrow{6회}\cdots$$

즉, a는 n을 3으로 나누었을 때의 나머지와 같다.

같은 방법으로

$$0\xrightarrow{1회}1\xrightarrow{2회}2\xrightarrow{3회}3\xrightarrow{4회}0\xrightarrow{5회}1\xrightarrow{6회}\cdots$$

$$0\xrightarrow{1회}1\xrightarrow{2회}2\xrightarrow{3회}3\xrightarrow{4회}4\xrightarrow{5회}0\xrightarrow{6회}\cdots$$

이므로 b는 n을 4로 나누었을 때의 나머지, c는 n을 5로 나누었을 때의 나머지와 같다.

$$126=3\times42=4\times31+2=5\times25+1$$

이므로 $a=0,\ b=2,\ c=1$

$$\therefore\ a_{126}=021$$

11. 수학적 귀납법

개념 익히기   본문 | **241** 쪽

1-1

(1) $a_1 = 2$이므로

$a_{n+1} = a_n + 3$에 $n = 1, 2, 3, 4$를 차례로 대입하면

$a_2 = a_1 + 3 = 2 + 3 = 5$, $a_3 = a_2 + 3 = 5 + 3 = 8$,

$a_4 = a_3 + 3 = 8 + 3 = 11$,

$a_5 = a_4 + 3 = \boxed{11} + 3 = \boxed{14}$

(2) $a_1 = 3$이므로

$a_{n+1} = 2a_n$에 $n = 1, 2, 3, 4$를 차례로 대입하면

$a_2 = 2a_1 = 2 \times 3 = 6$, $a_3 = 2a_2 = 2 \times 6 = 12$,

$a_4 = 2a_3 = 2 \times 12 = 24$,

$a_5 = 2a_4 = 2 \times \boxed{24} = \boxed{48}$

1-2

(1) $a_1 = 7$이므로

$a_{n+1} = a_n - 2$에 $n = 1, 2, 3, 4$를 차례로 대입하면

$a_2 = a_1 - 2 = 7 - 2 = 5$, $a_3 = a_2 - 2 = 5 - 2 = 3$,

$a_4 = a_3 - 2 = 3 - 2 = 1$, $a_5 = a_4 - 2 = 1 - 2 = \mathbf{-1}$

(2) $a_1 = 8$이므로

$a_{n+1} = \dfrac{1}{2}a_n$에 $n = 1, 2, 3, 4$를 차례로 대입하면

$a_2 = \dfrac{1}{2}a_1 = \dfrac{1}{2} \times 8 = 4$, $a_3 = \dfrac{1}{2}a_2 = \dfrac{1}{2} \times 4 = 2$,

$a_4 = \dfrac{1}{2}a_3 = \dfrac{1}{2} \times 2 = 1$, $a_5 = \dfrac{1}{2}a_4 = \dfrac{1}{2} \times 1 = \dfrac{\mathbf{1}}{\mathbf{2}}$

2-1 조건 ㈎에서 $p(1)$이 성립한다.

$p(1)$이 성립하므로 조건 ㈏에 의하여 $p(2)$가 성립한다.

$p(2)$가 성립하므로 조건 ㈏에 의하여 $p(4)$가 성립한다.

$p(4)$가 성립하므로 조건 ㈏에 의하여 $p(\boxed{8})$이(가) 성립한다.

따라서 보기 중 반드시 성립하는 명제는 ㄱ, ㄴ, $\boxed{ㄹ}$이다.

2-2 조건 ㈎에서 $p(1)$이 성립한다.

$p(1)$이 성립하므로 조건 ㈏에 의하여 $p(3)$이 성립한다.

$p(3)$이 성립하므로 조건 ㈏에 의하여 $p(9)$가 성립한다.

따라서 보기 중 반드시 성립하는 명제는 ㄴ, ㄹ이다.

| 주의 |

$p(6)$이 성립한다는 결론을 얻으려면 $p(2)$가 성립한다는 조건이 있어야 한다.

이때 주어진 조건에서 $p(2)$가 성립한다는 결론은 얻을 수 없다.

따라서 $p(2)$와 $p(6)$은 성립하는지 성립하지 않는지 알 수 없다.

확인 문제   본문 | **242~256** 쪽

01-1 셀파 $a_{n+1} - a_n = d$ (일정)이면 수열 $\{a_n\}$은 공차가 d인 등차수열이다.

(1) $a_1 = 1$, $a_{n+1} - a_n = 3$이므로 수열 $\{a_n\}$은 첫째항이 1, 공차가 3인 등차수열이다.

따라서 등차수열의 일반항 공식을 이용하면 제20항은

$a_{20} = 1 + 19 \times 3 = \mathbf{58}$

(2) $a_1 = 7$, $a_{n+1} - a_n = -4$이므로 수열 $\{a_n\}$은 첫째항이 7, 공차가 -4인 등차수열이다.

따라서 등차수열의 일반항 공식을 이용하면 제20항은

$a_{20} = 7 + 19 \times (-4) = \mathbf{-69}$

01-2 셀파 $a_{n+2} - a_{n+1} = a_{n+1} - a_n$은 수열 $\{a_n\}$이 등차수열임을 나타낸다.

$a_{n+2} - a_{n+1} = a_{n+1} - a_n$이므로 수열 $\{a_n\}$은 등차수열이다.

$a_1 = -5$, $a_2 - a_1 = -3 - (-5) = 2$이므로 수열 $\{a_n\}$은 첫째항이 -5, 공차가 2인 등차수열이다.

$\therefore \displaystyle\sum_{k=1}^{20} a_k = a_1 + a_2 + a_3 + \cdots + a_{20}$

$= \dfrac{20\{2 \times (-5) + 19 \times 2\}}{2} = \mathbf{280}$

02-1 [셀파] $\dfrac{a_{n+1}}{a_n}=r$(일정)이면 수열 $\{a_n\}$은 공비가 r인 등비수열이다.

(1) $a_1=2$, $a_{n+1}=2a_n$이므로 수열 $\{a_n\}$은 첫째항이 2, 공비가 2인 등비수열이다.

따라서 등비수열의 일반항 공식을 이용하면 제8항은
$$a_8=2\times 2^7=2^8=\boldsymbol{256}$$

(2) $a_1=81$, $a_{n+1}=\dfrac{1}{3}a_n$이므로 수열 $\{a_n\}$은 첫째항이 81, 공비가 $\dfrac{1}{3}$인 등비수열이다.

따라서 등비수열의 일반항 공식을 이용하면 제8항은
$$a_8=81\times\left(\dfrac{1}{3}\right)^7=3^4\times\dfrac{1}{3^7}=\boldsymbol{\dfrac{1}{27}}$$

02-2 [셀파] $\dfrac{a_{n+1}}{a_n}=\dfrac{a_{n+2}}{a_{n+1}}$는 수열 $\{a_n\}$이 등비수열임을 나타낸다.

$\dfrac{a_{n+1}}{a_n}=\dfrac{a_{n+2}}{a_{n+1}}$이므로 수열 $\{a_n\}$은 등비수열이다.

$a_1=\dfrac{2}{3}$, $\dfrac{a_2}{a_1}=\dfrac{2}{\frac{2}{3}}=3$이므로 수열 $\{a_n\}$은 첫째항이 $\dfrac{2}{3}$, 공비가 3인 등비수열이다.

$$\therefore\ \sum_{k=1}^{10}a_k=a_1+a_2+a_3+\cdots+a_{10}$$
$$=\dfrac{\frac{2}{3}(3^{10}-1)}{3-1}=\boldsymbol{\dfrac{1}{3}(3^{10}-1)}$$

03-1 [셀파] n 대신 1, 2, 3, $\cdots$, 19를 차례로 대입한 후 변끼리 더한다.

(1) $a_{n+1}=a_n+2n-1$의 n 대신 1, 2, 3, $\cdots$, 19를 차례로 대입한 후 변끼리 더하면

$$\begin{aligned}
a_2&=a_1+2\times1-1\\
a_3&=a_2+2\times2-1\\
a_4&=a_3+2\times3-1\\
&\ \ \vdots\\
+\ )\ a_{20}&=a_{19}+2\times19-1\\
\hline
a_{20}&=a_1+2(1+2+3+\cdots+19)-1\times19
\end{aligned}$$
$$=1+2\sum_{k=1}^{19}k-19$$
$$=1+2\times\dfrac{19\times20}{2}-19$$
$$=\boldsymbol{362}$$

(2) $a_{n+1}=a_n+3^{n-1}$의 n 대신 1, 2, 3, $\cdots$, 19를 차례로 대입한 후 변끼리 더하면

$$\begin{aligned}
a_2&=a_1+1\\
a_3&=a_2+3\\
a_4&=a_3+3^2\\
&\ \ \vdots\\
+\ )\ a_{20}&=a_{19}+3^{18}\\
\hline
a_{20}&=a_1+(1+3+3^2+\cdots+3^{18})
\end{aligned}$$
$$=2+\sum_{k=1}^{19}3^{k-1}$$
$$=2+\dfrac{3^{19}-1}{3-1}$$
$$=\boldsymbol{\dfrac{3^{19}+3}{2}}$$

LEC TURE 기본적인 수열의 귀납적 정의

수열 a_1, a_2, a_3, $\cdots$, a_n, $\cdots$, 즉 수열 $\{a_n\}$에서
❶ $a_{n+1}-a_n=d$ (일정)이면 $\{a_n\}$은 공차가 d인 등차수열
❷ $a_{n+1}\div a_n=r$ (일정)이면 $\{a_n\}$은 공비가 r인 등비수열
❸ $2a_{n+1}=a_n+a_{n+2}$이면 $\{a_n\}$은 등차수열
❹ $(a_{n+1})^2=a_na_{n+2}$이면 $\{a_n\}$은 등비수열

04-1 [셀파] n 대신 1, 2, 3, $\cdots$, $n-1$을 차례로 대입한 후 변끼리 곱한다.

(1) $a_{n+1}=\left(1+\dfrac{1}{n}\right)a_n=\dfrac{n+1}{n}a_n$의 n 대신 1, 2, 3, $\cdots$, 19를 차례로 대입한 후 변끼리 곱하면

$$\begin{aligned}
a_2&=\dfrac{2}{1}a_1\\
a_3&=\dfrac{3}{2}a_2\\
a_4&=\dfrac{4}{3}a_3\\
&\ \ \vdots\\
\times\ )\ a_{20}&=\dfrac{20}{19}a_{19}\\
\hline
a_{20}&=a_1\times\left(\dfrac{2}{1}\times\dfrac{3}{2}\times\dfrac{4}{3}\times\cdots\times\dfrac{20}{19}\right)
\end{aligned}$$
$$=1\times20=\boldsymbol{20}$$

(2) $(n+2)a_{n+1}=na_n$에서

$a_{n+1}=\dfrac{n}{n+2}a_n$의 n 대신 $1, 2, 3, \cdots, 18, 19$를 차례로 대입한

후 변끼리 곱하면

$$\cancel{a_2} = \dfrac{1}{3}a_1$$

$$\cancel{a_3} = \dfrac{2}{4}\cancel{a_2}$$

$$\cancel{a_4} = \dfrac{3}{5}\cancel{a_3}$$

$$\vdots$$

$$\cancel{a_{19}} = \dfrac{18}{20}\cancel{a_{18}}$$

$$\times\Bigr) \ a_{20} = \dfrac{19}{21}\cancel{a_{19}}$$

$$\overline{\qquad\qquad\qquad\qquad\qquad\qquad}$$

$$a_{20}=a_1\times\left(\dfrac{1}{3}\times\dfrac{2}{4}\times\dfrac{3}{5}\times\cdots\times\dfrac{18}{20}\times\dfrac{19}{21}\right)$$

$$=1\times\dfrac{2}{20\times21}=\boldsymbol{\dfrac{1}{210}}$$

셀파 특강 **확인 체크 01**

(1) $a_{n+1}-\alpha=3(a_n-\alpha)$로 놓으면 $a_{n+1}=3a_n-2\alpha$

$-2\alpha=-4$이므로 $\alpha=2$

$$\therefore \boldsymbol{a_{n+1}-2=3(a_n-2)}$$

(2) $a_{n+1}-\alpha=-2(a_n-\alpha)$로 놓으면 $a_{n+1}=-2a_n+3\alpha$

$3\alpha=-1$이므로 $\alpha=-\dfrac{1}{3}$

$$\therefore \boldsymbol{a_{n+1}+\dfrac{1}{3}=-2\left(a_n+\dfrac{1}{3}\right)}$$

(3) $a_{n+1}-\alpha=\dfrac{2}{5}(a_n-\alpha)$로 놓으면 $a_{n+1}=\dfrac{2}{5}a_n+\dfrac{3}{5}\alpha$

$\dfrac{3}{5}\alpha=3$이므로 $\alpha=5$

$$\therefore \boldsymbol{a_{n+1}-5=\dfrac{2}{5}(a_n-5)}$$

(4) $a_{n+1}-\alpha=\dfrac{2}{3}(a_n-\alpha)$로 놓으면 $a_{n+1}=\dfrac{2}{3}a_n+\dfrac{\alpha}{3}$

$\dfrac{\alpha}{3}=\dfrac{1}{2}$이므로 $\alpha=\dfrac{3}{2}$

$$\therefore \boldsymbol{a_{n+1}-\dfrac{3}{2}=\dfrac{2}{3}\left(a_n-\dfrac{3}{2}\right)}$$

05-1 **셀파** $a_{n+1}-\alpha=p(a_n-\alpha)$ 꼴로 변형한다.

(1) $a_{n+1}-\alpha=-2(a_n-\alpha)$로 놓으면 $a_{n+1}=-2a_n+3\alpha$

이때 $3\alpha=3$이므로 $\alpha=1$

$$\therefore a_{n+1}-1=-2(a_n-1)$$

따라서 수열 $\{a_n-1\}$은 첫째항이 $a_1-1=3-1=2$, 공비가

-2인 등비수열이므로

$$a_{15}-1=2\times(-2)^{14}=2^{15}$$

$$\therefore \boldsymbol{a_{15}=2^{15}+1}$$

(2) $a_{n+1}-\alpha=\dfrac{1}{3}(a_n-\alpha)$로 놓으면 $a_{n+1}=\dfrac{1}{3}a_n+\dfrac{2}{3}\alpha$

이때 $\dfrac{2}{3}\alpha=4$이므로 $\alpha=6$

$$\therefore a_{n+1}-6=\dfrac{1}{3}(a_n-6)$$

따라서 수열 $\{a_n-6\}$은 첫째항이 $a_1-6=15-6=9$, 공비가

$\dfrac{1}{3}$인 등비수열이므로

$$a_{15}-6=9\times\left(\dfrac{1}{3}\right)^{14}=\left(\dfrac{1}{3}\right)^{12}$$

$$\therefore \boldsymbol{a_{15}=\left(\dfrac{1}{3}\right)^{12}+6}$$

06-1 **셀파** $a_{n+2}-a_{n+1}=k(a_{n+1}-a_n)$ 꼴로 변형한다.

(1) $a_{n+2}-5a_{n+1}+4a_n=0$에서

$a_{n+2}-(a_{n+1}+4a_{n+1})+4a_n=0$

$$\therefore a_{n+2}-a_{n+1}=4(a_{n+1}-a_n)$$

따라서 수열 $\{a_{n+1}-a_n\}$은 첫째항이 $a_2-a_1=5-2=3$,

공비가 4인 등비수열이므로

$$a_{n+1}-a_n=3\times4^{n-1} \qquad\qquad \cdots\cdots\text{㉠}$$

㉠의 n 대신 $1, 2, 3, \cdots, 14$를 차례로 대입한 후 변끼리 더하면

$$\cancel{a_2}-a_1 = 3$$

$$\cancel{a_3}-\cancel{a_2} = 3\times4$$

$$\cancel{a_4}-\cancel{a_3} = 3\times4^2$$

$$\vdots$$

$$+\Bigr) \ a_{15}-\cancel{a_{14}}=3\times4^{13}$$

$$\overline{\qquad\qquad\qquad\qquad\qquad\qquad}$$

$$a_{15}-a_1 = 3(1+4+4^2+\cdots+4^{13})$$

$$=3\sum_{k=1}^{14}4^{k-1}$$

$$=3\times\dfrac{4^{14}-1}{4-1}=4^{14}-1$$

$a_{15}-2=4^{14}-1$이므로 $\boldsymbol{a_{15}=4^{14}+1}$

(2) $3a_{n+2}-4a_{n+1}+a_n=0$에서

$3a_{n+2}-(3a_{n+1}+a_{n+1})+a_n=0$이므로

$3(a_{n+2}-a_{n+1})=a_{n+1}-a_n$

$\therefore a_{n+2}-a_{n+1}=\dfrac{1}{3}(a_{n+1}-a_n)$

따라서 수열 $\{a_{n+1}-a_n\}$은 첫째항이 $a_2-a_1=2-4=-2$,

공비가 $\dfrac{1}{3}$인 등비수열이므로

$a_{n+1}-a_n=-2\times\left(\dfrac{1}{3}\right)^{n-1}$ $\qquad\cdots\cdots\ominus$

$\ominus$에 n 대신 $1, 2, 3, \cdots, 14$를 차례로 대입한 후 변끼리 더하면

$a_2-a_1 = -2$

$a_3-a_2 = -2\times\dfrac{1}{3}$

$a_4-a_3 = -2\times\left(\dfrac{1}{3}\right)^2$

$\qquad\qquad\vdots$

$+\ )\ a_{15}-a_{14}=-2\times\left(\dfrac{1}{3}\right)^{13}$

$\overline{\qquad\qquad\qquad\qquad\qquad\qquad\qquad}$

$a_{15}-a_1 = -2\left\{1+\dfrac{1}{3}+\left(\dfrac{1}{3}\right)^2+\cdots+\left(\dfrac{1}{3}\right)^{13}\right\}$

$\qquad\qquad = -2\sum\limits_{k=1}^{14}\left(\dfrac{1}{3}\right)^{k-1}=-2\times\dfrac{1-\left(\dfrac{1}{3}\right)^{14}}{1-\dfrac{1}{3}}$

$\qquad\qquad = -3\left\{1-\left(\dfrac{1}{3}\right)^{14}\right\}=-3+\left(\dfrac{1}{3}\right)^{13}$

$a_{15}-4=-3+\left(\dfrac{1}{3}\right)^{13}$이므로 $a_{15}=\left(\dfrac{1}{3}\right)^{13}+1$

07-1 셀파 $\dfrac{1}{a_{n+1}}=\dfrac{1}{a_n}+d$ ⇨ 수열 $\left\{\dfrac{1}{a_n}\right\}$은 공차가 d인 등차수열이다.

(1) $a_{n+1}=\dfrac{2a_n}{2+a_n}$에서 양변의 역수를 취하면

$\dfrac{1}{a_{n+1}}=\dfrac{2+a_n}{2a_n}$ $\qquad\therefore \dfrac{1}{a_{n+1}}=\dfrac{1}{a_n}+\dfrac{1}{2}$

$\dfrac{1}{a_n}=b_n$으로 놓으면 $b_{n+1}=b_n+\dfrac{1}{2}$, $b_1=\dfrac{1}{a_1}=\dfrac{1}{3}$

즉, 수열 $\{b_n\}$은 첫째항이 $\dfrac{1}{3}$, 공차가 $\dfrac{1}{2}$인 등차수열이므로

$b_{20}=\dfrac{1}{3}+19\times\dfrac{1}{2}=\dfrac{59}{6}$

$\therefore a_{20}=\dfrac{6}{59}$

(2) $a_{n+1}=\dfrac{a_n}{1-2a_n}$에서 양변의 역수를 취하면

$\dfrac{1}{a_{n+1}}=\dfrac{1-2a_n}{a_n}$ $\qquad\therefore \dfrac{1}{a_{n+1}}=\dfrac{1}{a_n}-2$

$\dfrac{1}{a_n}=b_n$으로 놓으면 $b_{n+1}=b_n-2$, $b_1=\dfrac{1}{a_1}=1$

즉, 수열 $\{b_n\}$은 첫째항이 1, 공차가 -2인 등차수열이므로

$b_{20}=1+19\times(-2)=-37$

$\therefore a_{20}=-\dfrac{1}{37}$

집중 연습 본문 | **250** 쪽

01 (1) $a_{n+1}=a_n+3n$의 n 대신 $1, 2, 3, \cdots, n-1$을 차례로 대입한 후 변끼리 더하면

$a_2=a_1+3\times1$

$a_3=a_2+3\times2$

$a_4=a_3+3\times3$

$\qquad\qquad\vdots$

$+\ )\ a_n=a_{n-1}+3(n-1)$

$\overline{\qquad\qquad\qquad\qquad\qquad\qquad}$

$a_n=a_1+3\{1+2+3+\cdots+(n-1)\}$

$\qquad = 2+3\sum\limits_{k=1}^{n-1}k=2+3\times\dfrac{n(n-1)}{2}$

$\therefore a_n=\dfrac{3n^2-3n+4}{2}$

(2) $a_{n+1}=a_n+2n+1$의 n 대신 $1, 2, 3, \cdots, n-1$을 차례로 대입한 후 변끼리 더하면

$a_2=a_1+2\times1+1$

$a_3=a_2+2\times2+1$

$a_4=a_3+2\times3+1$

$\qquad\qquad\vdots$

$+\ )\ a_n=a_{n-1}+2(n-1)+1$

$\overline{\qquad\qquad\qquad\qquad\qquad\qquad}$

$a_n=a_1+\sum\limits_{k=1}^{n-1}(2k+1)$

$\qquad = 1+2\times\dfrac{n(n-1)}{2}+(n-1)$

$\therefore a_n=n^2$

(3) $a_{n+1}=a_n+3^n$의 n 대신 $1, 2, 3, \cdots, n-1$을 차례로 대입한 후 변끼리 더하면

$$\begin{aligned}
\cancel{a_2}&=a_1+3\\
\cancel{a_3}&=\cancel{a_2}+3^2\\
\cancel{a_4}&=\cancel{a_3}+3^3\\
&\vdots\\
+)\quad a_n&=\cancel{a_{n-1}}+3^{n-1}\\
\hline
a_n&=a_1+(3+3^2+3^3+\cdots+3^{n-1})\\
&=a_1+\sum_{k=1}^{n-1}3^k\\
&=\frac{1}{2}+\frac{3(3^{n-1}-1)}{3-1}\\
&=\frac{1}{2}+\frac{3^n-3}{2}
\end{aligned}$$

$$\therefore a_n=\frac{1}{2}(3^n-2)$$

(4) $a_{n+1}=a_n+\dfrac{1}{n(n+1)}$의 n 대신 $1, 2, 3, \cdots, n-1$을 차례로 대입한 후 변끼리 더하면

$$\begin{aligned}
\cancel{a_2}&=a_1+\frac{1}{1\times2}\\
\cancel{a_3}&=\cancel{a_2}+\frac{1}{2\times3}\\
\cancel{a_4}&=\cancel{a_3}+\frac{1}{3\times4}\\
&\vdots\\
+)\quad a_n&=\cancel{a_{n-1}}+\frac{1}{(n-1)n}\\
\hline
a_n&=a_1+\left\{\frac{1}{1\times2}+\frac{1}{2\times3}+\frac{1}{3\times4}\right.\\
&\qquad\qquad\left.+\cdots+\frac{1}{(n-1)n}\right\}\\
&=a_1+\sum_{k=1}^{n-1}\frac{1}{k(k+1)}\\
&=4+\sum_{k=1}^{n-1}\left(\frac{1}{k}-\frac{1}{k+1}\right)\\
&=4+\left\{\left(\frac{1}{1}-\cancel{\frac{1}{2}}\right)+\left(\cancel{\frac{1}{2}}-\cancel{\frac{1}{3}}\right)+\left(\cancel{\frac{1}{3}}-\cancel{\frac{1}{4}}\right)\right.\\
&\qquad\qquad\left.+\cdots+\left(\cancel{\frac{1}{n-1}}-\frac{1}{n}\right)\right\}\\
&=4+\left(1-\frac{1}{n}\right)
\end{aligned}$$

$$\therefore a_n=\frac{5n-1}{n}$$

02 (1) $a_{n+1}=\dfrac{n+1}{n}a_n$의 n 대신 $1, 2, 3, \cdots, n-1$을 차례로 대입한 후 변끼리 곱하면

$$\begin{aligned}
\cancel{a_2}&=\frac{2}{1}a_1\\
\cancel{a_3}&=\frac{3}{2}\cancel{a_2}\\
\cancel{a_4}&=\frac{4}{3}\cancel{a_3}\\
&\vdots\\
\times)\quad a_n&=\frac{n}{n-1}\cancel{a_{n-1}}\\
\hline
a_n&=a_1\times\left(\frac{2}{1}\times\frac{3}{2}\times\frac{4}{3}\times\cdots\times\frac{n}{n-1}\right)
\end{aligned}$$

$$\therefore a_n=3n$$

(2) $a_{n+1}=\dfrac{n+3}{n+1}a_n$의 n 대신 $1, 2, 3, \cdots, n-1$을 차례로 대입한 후 변끼리 곱하면

$$\begin{aligned}
\cancel{a_2}&=\frac{4}{2}a_1\\
\cancel{a_3}&=\frac{5}{3}\cancel{a_2}\\
\cancel{a_4}&=\frac{6}{4}\cancel{a_3}\\
\cancel{a_5}&=\frac{7}{5}\cancel{a_4}\\
&\vdots\\
\cancel{a_{n-1}}&=\frac{n+1}{n-1}\cancel{a_{n-2}}\\
\times)\quad a_n&=\frac{n+2}{n}\cancel{a_{n-1}}\\
\hline
a_n&=a_1\times\left(\frac{4}{2}\times\frac{5}{3}\times\frac{6}{4}\times\frac{7}{5}\times\cdots\times\frac{n+1}{n-1}\times\frac{n+2}{n}\right)\\
&=6\times\frac{(n+1)(n+2)}{2\times3}
\end{aligned}$$

$$\therefore a_n=n^2+3n+2$$

(3) $a_{n+1}=3^na_n$의 n 대신 $1, 2, 3, \cdots, n-1$을 차례로 대입한 후 변끼리 곱하면

$$\begin{aligned}
\cancel{a_2}&=3a_1\\
\cancel{a_3}&=3^2\cancel{a_2}\\
\cancel{a_4}&=3^3\cancel{a_3}\\
&\vdots\\
\times)\quad a_n&=3^{n-1}\cancel{a_{n-1}}\\
\hline
a_n&=a_1\times(3\times3^2\times3^3\times\cdots\times3^{n-1})\\
&=1\times3^{1+2+3+\cdots+(n-1)}
\end{aligned}$$

$$\therefore a_n=3^{\frac{n(n-1)}{2}}$$

(4) $a_{n+1}=\dfrac{\sqrt{n+1}}{\sqrt{n}}a_n$의 n 대신 $1, 2, 3, \cdots, n-1$을 차례로 대입한 후 변끼리 곱하면

$$a_2=\dfrac{\sqrt{2}}{\sqrt{1}}a_1$$

$$a_3=\dfrac{\sqrt{3}}{\sqrt{2}}a_2$$

$$a_4=\dfrac{\sqrt{4}}{\sqrt{3}}a_3$$

$$\vdots$$

$$\times\ )\ a_n=\dfrac{\sqrt{n}}{\sqrt{n-1}}a_{n-1}$$

$$a_n=a_1\times\left(\dfrac{\sqrt{2}}{\sqrt{1}}\times\dfrac{\sqrt{3}}{\sqrt{2}}\times\dfrac{\sqrt{4}}{\sqrt{3}}\times\cdots\times\dfrac{\sqrt{n}}{\sqrt{n-1}}\right)$$

$$=2\times\dfrac{\sqrt{n}}{\sqrt{1}}$$

$$\therefore\ \boldsymbol{a_n=2\sqrt{n}}$$

03 (1) $a_{n+1}-\alpha=2(a_n-\alpha)$로 놓으면 $a_{n+1}=2a_n-\alpha$

이때 $-\alpha=3$이므로 $\alpha=-3$

$\therefore\ a_{n+1}+3=2(a_n+3)$

따라서 수열 $\{a_n+3\}$은 첫째항이 $a_1+3=-1+3=2$, 공비가 2인 등비수열이므로

$a_n+3=2\times2^{n-1}=2^n$

$$\therefore\ \boldsymbol{a_n=2^n-3}$$

| 참고 |

$a_n+3=b_n$으로 놓으면 $b_{n+1}=2b_n$

따라서 수열 $\{b_n\}$은 첫째항이 b_1, 공비가 2인 등비수열이다.

이때 $b_1=a_1+3=2$이므로

$b_n=2\times2^{n-1}=2^n$ $\therefore\ a_n+3=2^n$

(2) $a_{n+1}-\alpha=3(a_n-\alpha)$로 놓으면 $a_{n+1}=3a_n-2\alpha$

이때 $-2\alpha=1$이므로 $\alpha=-\dfrac{1}{2}$

$\therefore\ a_{n+1}+\dfrac{1}{2}=3\left(a_n+\dfrac{1}{2}\right)$

따라서 수열 $\left\{a_n+\dfrac{1}{2}\right\}$은 첫째항이 $a_1+\dfrac{1}{2}=\dfrac{5}{2}+\dfrac{1}{2}=3$, 공비가 3인 등비수열이므로

$a_n+\dfrac{1}{2}=3\times3^{n-1}=3^n$

$$\therefore\ \boldsymbol{a_n=3^n-\dfrac{1}{2}}$$

04 (1) $a_{n+2}=a_{n+1}-2a_{n+1}+2a_n$에서

$a_{n+2}-a_{n+1}=-2(a_{n+1}-a_n)$

따라서 수열 $\{a_{n+1}-a_n\}$은 첫째항이 $a_2-a_1=2-1=1$, 공비가 -2인 등비수열이므로

$a_{n+1}-a_n=1\times(-2)^{n-1}$

$\therefore\ a_{n+1}-a_n=(-2)^{n-1}$ $\cdots\cdots\ \text{㉠}$

㉠의 n 대신 $1, 2, 3, \cdots, n-1$을 차례로 대입한 후 변끼리 더하면

$$a_2-a_1\ =1$$

$$a_3-a_2\ =-2$$

$$a_4-a_3\ =(-2)^2$$

$$\vdots$$

$$+\ )\ a_n-a_{n-1}=(-2)^{n-2}$$

$$a_n-a_1\ =1+(-2)+(-2)^2+\cdots+(-2)^{n-2}$$

$$=\sum_{k=1}^{n-1}(-2)^{k-1}$$

$$=\dfrac{1-(-2)^{n-1}}{1-(-2)}$$

$$=\dfrac{1}{3}-\dfrac{1}{3}\times(-2)^{n-1}$$

$a_n-1=\dfrac{1}{3}-\dfrac{1}{3}\times(-2)^{n-1}$

$$\therefore\ \boldsymbol{a_n=\dfrac{1}{3}\{4-(-2)^{n-1}\}}$$

(2) $a_{n+2}-(a_{n+1}+5a_{n+1})+5a_n=0$에서

$a_{n+2}-a_{n+1}=5(a_{n+1}-a_n)$

따라서 수열 $\{a_{n+1}-a_n\}$은 첫째항이 $a_2-a_1=7-2=5$, 공비가 5인 등비수열이므로

$a_{n+1}-a_n=5\times5^{n-1}$

$\therefore\ a_{n+1}-a_n=5^n$ $\cdots\cdots\ \text{㉠}$

㉠의 n 대신 $1, 2, 3, \cdots, n-1$을 차례로 대입한 후 변끼리 더하면

$$a_2-a_1\ =5$$

$$a_3-a_2\ =5^2$$

$$a_4-a_3\ =5^3$$

$$\vdots$$

$$+\ )\ a_n-a_{n-1}=5^{n-1}$$

$$a_n-a_1\ =5+5^2+5^3+\cdots+5^{n-1}$$

$$=\sum_{k=1}^{n-1}5^k$$

$$=\dfrac{5(5^{n-1}-1)}{5-1}=\dfrac{5^n}{4}-\dfrac{5}{4}$$

$a_n-2=\dfrac{5^n}{4}-\dfrac{5}{4}$

$$\therefore\ \boldsymbol{a_n=\dfrac{1}{4}(5^n+3)}$$

05 (1) $a_{n+1}=\dfrac{a_n}{8a_n+1}$에서 양변의 역수를 취하면

$$\dfrac{1}{a_{n+1}}=\dfrac{8a_n+1}{a_n}$$

$$\therefore \dfrac{1}{a_{n+1}}=\dfrac{1}{a_n}+8$$

$\dfrac{1}{a_n}=b_n$으로 놓으면 $b_{n+1}=b_n+8$, $b_1=\dfrac{1}{a_1}=1$

즉, 수열 $\{b_n\}$은 첫째항이 1, 공차가 8인 등차수열이므로

$$b_n=1+(n-1)\times 8=8n-7$$

$$\therefore \boldsymbol{a_n=\dfrac{1}{8n-7}}$$

(2) $a_{n+1}=\dfrac{4a_n}{3a_n+4}$에서 양변의 역수를 취하면

$$\dfrac{1}{a_{n+1}}=\dfrac{3a_n+4}{4a_n}$$

$$\therefore \dfrac{1}{a_{n+1}}=\dfrac{1}{a_n}+\dfrac{3}{4}$$

$\dfrac{1}{a_n}=b_n$으로 놓으면 $b_{n+1}=b_n+\dfrac{3}{4}$, $b_1=\dfrac{1}{a_1}=\dfrac{1}{2}$

즉, 수열 $\{b_n\}$은 첫째항이 $\dfrac{1}{2}$, 공차가 $\dfrac{3}{4}$인 등차수열이므로

$$b_n=\dfrac{1}{2}+(n-1)\times\dfrac{3}{4}=\dfrac{3n-1}{4}$$

$$\therefore \boldsymbol{a_n=\dfrac{4}{3n-1}}$$

08-1 셀파 $a_{n+1}=S_{n+1}-S_n$임을 이용한다.

$$S_n=3a_n-2 \qquad \cdots\cdots\ \text{㉠}$$

에서 n 대신 $n+1$을 대입하면

$$S_{n+1}=3a_{n+1}-2 \qquad \cdots\cdots\ \text{㉡}$$

한편 $a_{n+1}=S_{n+1}-S_n$이므로 ㉡에서 ㉠을 변끼리 빼면

$$S_{n+1}-S_n=(3a_{n+1}-2)-(3a_n-2)$$
$$=3a_{n+1}-3a_n$$

$a_{n+1}=3a_{n+1}-3a_n$, $2a_{n+1}=3a_n$

$$\therefore a_{n+1}=\dfrac{3}{2}a_n$$

따라서 수열 $\{a_n\}$은 첫째항이 1, 공비가 $\dfrac{3}{2}$인 등비수열이므로

$$a_n=1\times\left(\dfrac{3}{2}\right)^{n-1}$$

$$\therefore \boldsymbol{a_n=\left(\dfrac{3}{2}\right)^{n-1}}$$

08-2 셀파 $a_n=S_n-S_{n-1}\ (n\geq 2)$임을 이용한다.

$3S_n=a_{n+1}-2$에서 $3S_{n-1}=a_n-2$

한편 $a_n=S_n-S_{n-1}\ (n\geq 2)$이므로

$$3S_n-3S_{n-1}=(a_{n+1}-2)-(a_n-2)$$
$$3(S_n-S_{n-1})=a_{n+1}-a_n$$

$3a_n=a_{n+1}-a_n \qquad \therefore a_{n+1}=4a_n\ (n\geq 2)$

따라서 수열 $\{a_n\}$은 첫째항이 2, 공비가 4인 등비수열이므로

$$a_n=2\times 4^{n-1}$$

$$\therefore a_6=2\times 4^5=2^{11}=\boldsymbol{2048}$$

09-1 셀파 $n=1, 2, 3, \cdots$일 때, 세포 수가 어떻게 변하는지 알아본다.

n시간 후의 세포 수가 a_n이므로

1시간 후 ⇨ $a_1=(6-2)\times 2=8$

2시간 후 ⇨ $a_2=(8-2)\times 2=12$

$\qquad \vdots$

n시간 후 ⇨ $a_n=(a_{n-1}-2)\times 2$

$(n+1)$시간 후 ⇨ $a_{n+1}=(a_n-2)\times 2$

$$\therefore \boldsymbol{a_{n+1}=2(a_n-2)}$$

10-1 셀파 $p(k)$의 좌변에 어떤 값을 더하거나 곱하여 $p(k+1)$에 대한 식을 이끌어낸다.

(1) (ⅰ) $n=1$일 때, (좌변)$=1^2=1$, (우변)$=\dfrac{1}{6}\times 1\times 2\times 3=1$

따라서 (좌변)$=$(우변)이므로 주어진 등식이 성립한다.

(ⅱ) $n=k$일 때, 주어진 등식이 성립한다고 가정하면

$$1^2+2^2+3^2+\cdots+k^2=\dfrac{1}{6}k(k+1)(2k+1)$$

이 식의 좌변에 $(k+1)^2$을 더하면

$$1^2+2^2+3^2+\cdots+k^2+(k+1)^2$$
$$=\dfrac{1}{6}k(k+1)(2k+1)+(k+1)^2$$
$$=\dfrac{1}{6}(k+1)(2k^2+k+6k+6)$$
$$=\dfrac{1}{6}(k+1)(2k^2+7k+6)$$
$$=\dfrac{1}{6}(k+1)(k+2)(2k+3)$$
$$=\dfrac{1}{6}(k+1)\{(k+1)+1\}\{2(k+1)+1\}$$

위 등식은 주어진 등식에 $n=k+1$을 대입한 것과 같다.

따라서 $n=k+1$일 때도 주어진 등식이 성립한다.

(ⅰ), (ⅱ)에서 주어진 등식은 모든 자연수 n에 대하여 성립한다.

(2) (i) $n=1$일 때, (좌변)$=\dfrac{1}{2}$, (우변)$=\dfrac{1}{2}$

따라서 (좌변)$=$(우변)이므로 주어진 등식이 성립한다.

(ii) $n=k$일 때, 주어진 등식이 성립한다고 가정하면

$$\dfrac{1}{1\times2}+\dfrac{1}{2\times3}+\cdots+\dfrac{1}{k(k+1)}=\dfrac{k}{k+1}$$

이 식의 좌변에 $\dfrac{1}{(k+1)(k+2)}$을 더하면

$$\dfrac{1}{1\times2}+\dfrac{1}{2\times3}+\cdots+\dfrac{1}{k(k+1)}+\dfrac{1}{(k+1)(k+2)}$$
$$=\dfrac{k}{k+1}+\dfrac{1}{(k+1)(k+2)}$$
$$=\dfrac{k^2+2k+1}{(k+1)(k+2)}$$
$$=\dfrac{(k+1)^2}{(k+1)(k+2)}$$
$$=\dfrac{k+1}{k+2}$$

위 등식은 주어진 등식에 $n=k+1$을 대입한 것과 같다.

따라서 $n=k+1$일 때도 주어진 등식이 성립한다.

(i), (ii)에서 주어진 등식은 모든 자연수 n에 대하여 성립한다.

셀파 특강 확인 체크 02

$p(1)$이 참이고 $p(n)$이 참이면 $p(3n)$과 $p(5n)$이 참이므로 음이 아닌 정수 p, q에 대하여 $p(3^p\times5^q)$ 꼴이 참이다.

ㄱ. $p(150)=p(2\times3\times5^2)$에서 인수 2가 포함되어 있으므로 항상 참이라고 할 수 없다.

ㄴ. $p(175)=p(5^2\times7)$에서 인수 7이 포함되어 있으므로 항상 참이라고 할 수 없다.

ㄷ. $p(200)=p(2^3\times5^2)$에서 인수 2가 포함되어 있으므로 항상 참이라고 할 수 없다.

ㄹ. $p(225)=p(3^2\times5^2)$이므로 항상 참이다.

ㅁ. $p(250)=p(2\times5^3)$에서 인수 2가 포함되어 있으므로 항상 참이라고 할 수 없다.

따라서 항상 참인 명제는 ㄹ이다.

| 참고 |

$p(1)$이 참이고 $p(n)$이 참이면 $p(3n)$과 $p(5n)$이 참이므로

$p(1)$이 참

$\Rightarrow p(3)$, $p(5)$가 참

$\Rightarrow p(3^2)$, $p(5^2)$이 참

$\Rightarrow p(3\times5)=p(5\times3)=p(15)$가 참

$\vdots$

$\Rightarrow p(3^p\times5^q)$ (p, q는 음이 아닌 정수)가 참

11-1 **셀파** $A>C$일 때, $C>B$인 것을 보여 $A>B$를 증명한다.

(1) (i) $n=4$일 때

(좌변)$=1\times2\times3\times4=24$, (우변)$=2^4=16$

따라서 (좌변)$>$(우변)이므로 주어진 부등식이 성립한다.

(ii) $n=k$일 때

주어진 부등식이 성립한다고 가정하면

$$1\times2\times3\times\cdots\times k>2^k$$

이 부등식의 양변에 $k+1$을 곱하면 $k+1>0$이므로

$$1\times2\times3\times\cdots\times k\times(k+1)>2^k\times(k+1)$$

그런데 $k\geq4$일 때, $k+1>2$이므로

$$2^k\times(k+1)>2^k\times2=2^{k+1}$$

$\therefore 1\times2\times3\times\cdots\times(k+1)>2^{k+1}$

위 부등식은 주어진 부등식에 $n=k+1$을 대입한 것과 같다.

따라서 $n=k+1$일 때도 주어진 부등식이 성립한다.

(i), (ii)에서 주어진 부등식은 $n\geq4$인 모든 자연수 n에 대하여 성립한다.

(2) (i) $n=5$일 때

(좌변)$=2^5=32$, (우변)$=5^2=25$

따라서 (좌변)$>$(우변)이므로 주어진 부등식이 성립한다.

(ii) $n=k$일 때

주어진 부등식이 성립한다고 가정하면

$$2^k>k^2$$

이 부등식의 양변에 2를 곱하면

$$2^{k+1}>2k^2$$

그런데 $k\geq5$일 때

$$2k^2-(k+1)^2=2k^2-(k^2+2k+1)$$
$$=k^2-2k-1$$
$$=(k^2-2k+1)-2$$
$$=(k-1)^2-2>0$$

이므로 $2k^2>(k+1)^2$이 성립한다.

$\therefore 2^{k+1}>(k+1)^2$

위 부등식은 주어진 부등식에 $n=k+1$을 대입한 것과 같다.

따라서 $n=k+1$일 때도 주어진 부등식이 성립한다.

(i), (ii)에서 주어진 부등식은 $n\geq5$인 모든 자연수 n에 대하여 성립한다.

01　셀파　$a_{n+1}-a_n=d$ (d는 상수), $2a_{n+1}=a_n+a_{n+2}$를 만족시키면 수열 $\{a_n\}$은 등차수열이다.

(1) $a_1=2$, $a_{n+1}-a_n=-3$이므로 수열 $\{a_n\}$은 첫째항이 2, 공차가 -3인 등차수열이다.

$a_n=2+(n-1)\times(-3)$이므로 $a_n=-3n+5$

∴ $a_{50}=-3\times50+5=\mathbf{-145}$

(2) $2a_{n+1}=a_n+a_{n+2}$이므로 수열 $\{a_n\}$은 등차수열이다.

$a_1=-3$, $a_2-a_1=2-(-3)=5$이므로

수열 $\{a_n\}$은 첫째항이 -3, 공차가 5인 등차수열이다.

$a_n=-3+(n-1)\times5$이므로 $a_n=5n-8$

∴ $a_{50}=5\times50-8=\mathbf{242}$

02　셀파　$a_{n+2}-a_{n+1}=a_{n+1}-a_n$에서 $2a_{n+1}=a_n+a_{n+2}$이므로 수열 $\{a_n\}$은 등차수열이다.

$2a_{n+1}=a_n+a_{n+2}$이므로 수열 $\{a_n\}$은 등차수열이다.

등차수열 $\{a_n\}$의 첫째항을 a, 공차를 d라 하면

$a_4=-4$에서 $a+3d=-4$　　　　……㉠

$a_9=6$에서 $a+8d=6$　　　　……㉡

㉠, ㉡을 연립하여 풀면 $a=-10$, $d=2$

$a_n=-10+(n-1)\times2$이므로 $a_n=2n-12$

∴ $a_{30}=2\times30-12=48$

따라서 구하는 답은 ③

03　셀파　$\dfrac{a_{n+1}}{a_n}=-2$에서 $a_{n+1}=-2a_n$이므로 수열 $\{a_n\}$은 공비가 -2인 등비수열이다.

$a_1=-4$, $a_{n+1}=-2a_n$이므로 수열 $\{a_n\}$은 첫째항이 -4, 공비가 -2인 등비수열이다.

$a_n=-4\times(-2)^{n-1}$이므로

$a_{20}=-4\times(-2)^{19}=-2^2\times(-2^{19})=2^{21}$

$a_{20}=2^k$에서 $2^k=2^{21}$　　　∴ $\mathbf{k=21}$

04　셀파　$\log_a N=x \Longleftrightarrow N=a^x$

로그의 정의에 의하여

$\log_{a_{n+1}} a_n a_{n+2}=2$에서 $a_n a_{n+2}=a_{n+1}^2$

이므로 수열 $\{a_n\}$은 등비수열이다.

$a=1$, $\dfrac{a_2}{a_1}=\dfrac{3}{1}=3$이므로 수열 $\{a_n\}$은 첫째항이 1, 공비가 3인 등비수열이다.

$a_n=1\times3^{n-1}=3^{n-1}$이므로 $a_{10}=3^9$

∴ $\log_3 a_{10}=\log_3 3^9=9$

따라서 구하는 답은 ②

05　셀파　$a_{n+1}=a_n+f(n) \Longleftrightarrow a_n=a_1+\displaystyle\sum_{k=1}^{n-1}f(k)$

$a_{n+1}=a_n+n$의 n 대신 1, 2, 3, $\cdots$, $n-1$을 차례로 대입한 후 변끼리 더하면

$\require{cancel}\cancel{a_2}=a_1+1$

$\cancel{a_3}=\cancel{a_2}+2$

$\cancel{a_4}=\cancel{a_3}+3$

　　　$\vdots$

$+)\ a_n=\cancel{a_{n-1}}+n-1$

$\overline{\qquad a_n=a_1+\{1+2+3+\cdots+(n-1)\}\qquad}$

$\qquad=2+\displaystyle\sum_{k=1}^{n-1}k=2+\dfrac{n(n-1)}{2}$

∴ $a_{20}=2+\dfrac{20\times19}{2}=\mathbf{192}$

06　셀파　$a_{n+1}=a_n f(n) \Longleftrightarrow a_n=a_1 f(1)f(2)\times\cdots\times f(n-1)$

$a_{n+1}=\dfrac{n}{n+1}a_n$의 n 대신 1, 2, 3, $\cdots$, $n-1$을 차례로 대입한 후 변끼리 곱하면

$\require{cancel}\cancel{a_2}=\dfrac{1}{2}a_1$

$\cancel{a_3}=\dfrac{2}{3}\cancel{a_2}$

$\cancel{a_4}=\dfrac{3}{4}\cancel{a_3}$

　　　$\vdots$

$\times)\ a_n=\dfrac{n-1}{n}\cancel{a_{n-1}}$

$\overline{\qquad a_n=a_1\times\left(\dfrac{1}{\cancel{2}}\times\dfrac{\cancel{2}}{\cancel{3}}\times\dfrac{\cancel{3}}{\cancel{4}}\times\cdots\times\dfrac{\cancel{n-1}}{n}\right)\qquad}$

$\qquad=\dfrac{2}{n}$

∴ $\displaystyle\sum_{n=1}^{20}\dfrac{1}{a_n}=\sum_{n=1}^{20}\dfrac{n}{2}=\dfrac{1}{2}\sum_{n=1}^{20}n$

$\qquad=\dfrac{1}{2}\times\dfrac{20\times21}{2}=\mathbf{105}$

07 셀파 $a_{n+1}-\alpha=p(a_n-\alpha)$ 꼴로 변형한다.

$a_{n+1}=2a_n+3$을 $a_{n+1}-\alpha=2(a_n-\alpha)$로 놓으면

$a_{n+1}=2a_n-\alpha$

이때 $-\alpha=3$이므로 $\alpha=-3$

$\therefore a_{n+1}+3=2(a_n+3)$

따라서 수열 $\{a_n+3\}$은 첫째항이 $a_1+3=-1+3=2$,

공비가 2인 등비수열이므로

$a_n+3=2\times2^{n-1}=2^n$

$\therefore a_n=2^n-3$

이때 $a_{k+1}-a_k\geq100$에서

$(2^{k+1}-3)-(2^k-3)\geq100,\ 2^{k+1}-2^k\geq100$

$2^k\times(2-1)\geq100$　　$\therefore 2^k\geq100$

$2^6=64,\ 2^7=128$이므로 자연수 k의 최솟값은 7이다.

따라서 구하는 답은 ③

| 다른 풀이 |

$a_{n+1}=2a_n+3$　　　　　……㉠

㉠에 n 대신 $n+1$을 대입하면

$a_{n+2}=2a_{n+1}+3$　　　　……㉡

㉡－㉠에서

$a_{n+2}-a_{n+1}=2(a_{n+1}-a_n)$

이때 $a_{n+1}-a_n=b_n$으로 놓으면 $b_{n+1}=2b_n$

$a_1=-1$이고 ㉠에 $n=1$을 대입하면

$a_2=2a_1+3=1$이므로

$b_1=a_2-a_1=1-(-1)=2$

따라서 수열 $\{b_n\}$은 첫째항이 2, 공비가 2인 등비수열이므로

$b_n=2\times2^{n-1}=2^n$

$\therefore a_{n+1}-a_n=2^n$

이때 $a_{k+1}-a_k\geq100$에서 $2^k\geq100$

$2^6=64,\ a^7=1280$이므로 자연수 k의 최솟값은 7이다.

08 셀파 $a_{n+2}-a_{n+1}=k(a_{n+1}-a_n)$ 꼴로 변형한다.

$a_{n+2}-3a_{n+1}+2a_n=0$에서

$a_{n+2}-(a_{n+1}+2a_n)+2a_n=0$

$\therefore a_{n+2}-a_{n+1}=2(a_{n+1}-a_n)$

따라서 수열 $\{a_{n+1}-a_n\}$은 첫째항이 $a_2-a_1=2-1=1$,

공비가 2인 등비수열이므로

$a_{n+1}-a_n=1\times2^{n-1}=2^{n-1}$　　　……㉠

㉠의 n 대신 $1,2,3,\cdots,n-1$을 차례로 대입한 후 변끼리 더하면

$\begin{aligned}a_2-a_1\ &=1\\ a_3-a_2\ &=2\\ a_4-a_3\ &=2^2\\ &\vdots\\ +)\ \underline{a_n-a_{n-1}=2^{n-2}}\\ a_n-a_1\ &=1+2+2^2+\cdots+2^{n-2}\\ &=\dfrac{2^{n-1}-1}{2-1}=2^{n-1}-1\end{aligned}$

$a_n-1=2^{n-1}-1$이므로 $a_n=2^{n-1}$

$\therefore a_{50}=2^{49}$

따라서 구하는 답은 ①

09 셀파 양변의 역수를 취하여 $\dfrac{1}{a_{n+1}}=\dfrac{1}{a_n}+d$ 꼴로 변형한다.

㉮ $a_{n+1}=\dfrac{a_n}{2a_n+1}$에서 양변의 역수를 취하면

$\dfrac{1}{a_{n+1}}=\dfrac{2a_n+1}{a_n}$　　$\therefore \dfrac{1}{a_{n+1}}=\dfrac{1}{a_n}+2$

㉯ $\dfrac{1}{a_n}=b_n$으로 놓으면 $b_{n+1}=b_n+2,\ b_1=\dfrac{1}{a_1}=1$

즉, 수열 $\{b_n\}$은 첫째항이 1, 공차가 2인 등차수열이므로

$b_n=1+(n-1)\times2=2n-1$

㉰ 따라서 $a_n=\dfrac{1}{2n-1}$이므로 제15항은

$a_{15}=\dfrac{1}{2\times15-1}=\dfrac{1}{29}$

채점 기준	배점
㉮ 역수를 취하여 $\dfrac{1}{a_{n+1}}=\dfrac{1}{a_n}+d$ 꼴로 나타내기	30%
㉯ $\dfrac{1}{a_n}=b_n$으로 놓고 일반항 b_n 구하기	40%
㉰ 일반항 a_n을 구하여 a_{15}의 값 구하기	30%

10 셀파 $a_{n+2}=a_n+a_{n+1}\ (n=1,2,3,\cdots)$을 만족시키도록 배열한다.

주어진 암호문의 숫자를 피보나치 수열의 규칙 $a_{n+2}=a_n+a_{n+1}$을 만족시키도록 재배열하면

$\begin{matrix}1,&1,&2,&3,&5,&8,&13,&21\\ &\|&\|&\|&\|&\|&\|&\|\\ &1+1&1+2&2+3&3+5&5+8&8+13\end{matrix}$

따라서 주어진 암호문의 숫자를 피보나치 수열로 재배열하면

$\mathbf{1-1-2-3-5-8-13-21}$

11 [셀파] 도형 A_n을 만들 때, 필요한 구슬의 개수를 a_n으로 놓는다.

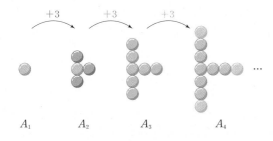

A_1 　　　A_2 　　　A_3 　　　A_4

도형 A_n을 만들 때, 필요한 구슬의 개수를 a_n이라 하면 위의 그림에서

$\{a_n\}$: $1, 4, 7, 10, \cdots$

즉, 수열 $\{a_n\}$은 첫째항이 1, 공차가 3인 등차수열이므로

$a_n = 1 + (n-1) \times 3 = 3n - 2$

도형을 A_n까지 만들 때, 필요한 구슬의 개수는

$a_1 + a_2 + a_3 + \cdots + a_n$이므로

$a_1 + a_2 + a_3 + \cdots + a_n \leq 200$에서

$1 + 4 + 7 + \cdots + (3n-2) \leq 200$

$\dfrac{n(1+3n-2)}{2} \leq 200$, $n(3n-1) \leq 400$

$n=11$일 때 $11 \times 32 = 352$,

$n=12$일 때 $12 \times 35 = 420$이므로

구슬 200개를 모두 사용하여 만들 수 있는 도형은 A_{11}까지이다.

따라서 구하는 도형의 개수는 **11**

LECTURE 등차수열의 합

등차수열의 첫째항부터 제n항까지의 합 S_n은

❶ 첫째항이 a, 제n항이 l일 때, $S_n = \dfrac{n(a+l)}{2}$

❷ 첫째항이 a, 공차가 d일 때, $S_n = \dfrac{n\{2a+(n-1)d\}}{2}$

12 [셀파] $n=k$일 때, 등식이 성립한다고 가정하면 $n=k+1$일 때도 등식이 성립함을 보인다.

(i) $n=1$일 때

(좌변) $= 1 \times 2 = \boxed{2}$, (우변) $= \dfrac{6}{3} = 2$

따라서 (좌변)=(우변)이므로 주어진 등식이 성립한다.

(ii) $n=k$일 때

주어진 등식이 성립한다고 가정하면

$1 \times 2 + 2 \times 3 + 3 \times 4 + \cdots + k(k+1)$

$= \dfrac{k(k+1)(k+2)}{3}$

위의 식의 좌변에 $\boxed{(k+1)(k+2)}$를 더하면

$1 \times 2 + 2 \times 3 + 3 \times 4 + \cdots + k(k+1) + \boxed{(k+1)(k+2)}$

$= \dfrac{k(k+1)(k+2)}{3} + \boxed{(k+1)(k+2)}$

$= \dfrac{(k+1)(k+2)}{3}(k+3)$

$= \boxed{\dfrac{(k+1)(k+2)(k+3)}{3}}$

위 등식은 주어진 등식에 $n=k+1$을 대입한 것과 같다.

따라서 $n=k+1$일 때도 주어진 등식이 성립한다.

(i), (ii)에서 주어진 등식은 모든 자연수 n에 대하여 성립한다.

따라서 ㈎, ㈏, ㈐에 알맞은 것은 ⑤

13 [셀파] $A-B<0$이면 $A<B$임을 이용한다.

(i) $n=2$일 때

(좌변) $= 1 + \dfrac{1}{2^2} = \dfrac{5}{4}$, (우변) $= 2 - \dfrac{1}{2} = \dfrac{3}{2}$

따라서 (좌변)<(우변)이므로 주어진 부등식이 성립한다.

(ii) $n=k$일 때

주어진 부등식이 성립한다고 가정하면

$\dfrac{1}{1^2} + \dfrac{1}{2^2} + \dfrac{1}{3^2} + \cdots + \dfrac{1}{k^2} < 2 - \dfrac{1}{k}$

위의 식의 양변에 $\dfrac{1}{(k+1)^2}$을 더하면

$\dfrac{1}{1^2} + \dfrac{1}{2^2} + \dfrac{1}{3^2} + \cdots + \dfrac{1}{k^2} + \dfrac{1}{(k+1)^2} < 2 - \dfrac{1}{k} + \dfrac{1}{(k+1)^2}$

그런데

$2 - \dfrac{1}{k} + \dfrac{1}{(k+1)^2} - \left(\boxed{2 - \dfrac{1}{k+1}} \right)$

$= -\dfrac{1}{k} + \dfrac{1}{k+1} + \dfrac{1}{(k+1)^2}$

$= \dfrac{-(k+1)^2 + k(k+1) + k}{k(k+1)^2}$

$= -\dfrac{1}{k(k+1)^2} \boxed{<} 0$

$\therefore \dfrac{1}{1^2} + \dfrac{1}{2^2} + \dfrac{1}{3^2} + \cdots + \dfrac{1}{k^2} + \dfrac{1}{(k+1)^2} < \boxed{2 - \dfrac{1}{k+1}}$

위 부등식은 주어진 부등식에 $n=k+1$을 대입한 것과 같다.

따라서 $n=k+1$일 때도 주어진 부등식이 성립한다.

(i), (ii)에서 $n \geq 2$인 모든 자연수 n에 대하여 주어진 부등식은 성립한다.

따라서 ㈎, ㈏에 알맞은 것은 ②